SOCIÉTÉ DE LINGUISTIQUE DE PARIS

LES
LANGUES DU MONDE

PAR UN GROUPE DE LINGUISTES

SOUS LA DIRECTION DE

A. MEILLET ET MARCEL COHEN

NOUVELLE ÉDITION

CNRS
CENTRE NATIONAL DE LA RECHERCHE SCIENTIFIQUE
13, Quai Anatole-France, PARIS (7ᵉ)

H. CHAMPION, Dépositaire, 7, Quai Malaquais, PARIS (6ᵉ)

1952

31741

ADDITIONS ET CORRECTIONS COMPLÉMENTAIRES

(Arrêtées au 17 Février 1953)

1202, BASQUE : ajouter R. Lafon, *Les écritures anciennes en usage dans la péninsule ibérique d'après des travaux récents*, dans *Bulletin hispanique*, LIV, 2 (1952). — Voir aussi ci-dessus additions à la p. 258.

1204, CORÉEN : *ajouter* Hag-Wŏn (Harold) Sunoo, *A Korean grammar*, Prague, 1952.

1207, LANGUES DE L'AFRIQUE NOIRE :

Additions à la bibliographie générale :

L'ouvrage de D. Westermann et M. A. Bryan annoncé p. 752 a paru : *Languages of West Africa*, Londres, 1952.

G. Van Bulck, *La linguistique africaine en 1952*, dans *Zaïre*, mars 1953, 20 pp. (sous presse).

G. Van Bulck and P. Hackett, *The bantu-sudanese team* (1949-1951), Londres (sous presse).

G. Van Bulck, *Les deux cartes linguistiques du Congo belge*, Bruxelles, 1952.

Addition pour le ber (Soudan-Guinée, groupe voltaïque) :

William E. Welmers, *Notes on the structure of Bariba*, dans *Language*, XXVIII, 1 (1952), pp. 82-103.

1207, LANGUES DE L'AMÉRIQUE :

Additions à la *Note liminaire :*

Robert Shafer, *Athapaskan and Sino-Tibetan*, dans *IJAL*, XVIII, 1 (1952) et compte rendu par M. Swadesh, dans *IJAL*, XVIII, 3.

Tor Ulving, *Consonant gradation in Eskimo*, dans *IJAL*, XIX, 1 (1953). — Important pour les affinités de l'eskimo avec l'ouralien.

Additions pour la famille ALGONQUIN-WAKASH :

Morris Swadesh, *Salish internal relationships*, dans *IJAL*, XVI, 4 (1950). — *Salish phonologic geography*, dans *Language*, XXVIII, 2 (1952). — *Mosan*, suite d'articles dans *IJAL*, XIX, 1 (1953) et suiv.

Additions pour la famille ESKIMO-ALEUT :

Articles dans *IJAL*, XVII (1951) et XVIII (1952), notamment : Morris Swadesh, *Unaaliq und Proto-Eskimo* (5 articles).
Ajouter l'article de T. Ulving signalé ci-dessus.

INDEX DES LANGUES : ajouter (à leur place alphabétique) :

crétois (préhellénique) : *voir* créto-mycénien *et* étéo-crétois ;
cri = Cree ;
dari, däri, deri : nom de cour donné au moyen âge au persan littéraire ;
ibérique : *voir* ibère et p. 1202 (avec add. ci-dessus) ;
minoen = crétois (préhellénique) ;
mosan : désigne l'ensemble Chimakum-Wakash-Salish ;
rhadé = radeh ;
tagalog : voir *tagal* et ci-dessus corr. à p. 650.

INDEX DES ÉCRITURES : *ajouter* minoen = crétois.

1284, l. 10, Garaní : lire Guaraní.

On remercie à l'avance les lecteurs qui, remarquant des omissions ou erreurs importantes, en feraient part à :

Marcel Cohen, 20, rue Joseph-Bertrand, Viroflay (Seine-et-Oise)

AVERTISSEMENT

L'ouvrage présenté ici est une mise à jour du volume de la Collection de la Société de Linguistique paru en 1924, avec le titre : *Les langues du Monde, par un groupe de linguistes, sous la direction de A. Meillet et Marcel Cohen.* Bien que, A. Meillet étant mort en 1936, le second signataire de cette première édition ait dû assumer seul la responsabilité de la réalisation nouvelle, la double signature est maintenue au titre d'un livre qui veut rester conforme à la méthode et aux enseignements du maître disparu.

Les langues sont groupées par familles, autant qu'il est possible dans l'état actuel des recherches linguistiques. Au reste, cet état résulte pour une part de l'effort que se sont imposé les différents auteurs en vue de l'une, puis de l'autre édition. La recommandation faite par A. Meillet de ne pas juxtaposer des descriptions de langues particulières, mais de donner autant que possible les caractéristiques communes des groupes reconnus, a obligé les auteurs au maximum de réflexions pour définir les groupements sûrs ou probables.

Tout ordre des chapitres qui n'est pas annoncé comme tenant compte des parentés n'a qu'une valeur géographique. La répartition d'ensemble a été faite en tenant compte surtout des contiguïtés, et aussi de certaines ressemblances de civilisations.

Combien il est ardu et délicat de classer les langues en familles, A. Meillet l'a montré dans l'*Introduction* à la première édition. On doit maintenant relire ce texte dans le second volume de *Linguistique historique et linguistique générale*, où on trouvera aussi d'autres études sur les difficultés que présentent la reconnaissance des groupements généalogiques et la définition exacte des parentés.

Pour détacher nettement ce qui paraît bien établi de
ce qui est plus ou moins vraisemblable, les auteurs ont
accepté de n'inclure dans leurs chapitres respectifs que ce
qui leur a semblé sûr. Les opinions que certains d'entre
eux ont souhaité émettre sur les groupements seulement
probables, ou sur des absences de groupements, ont été
insérées dans les *Notes liminaires*. Toutefois, c'est le
directeur de la publication qui assume la responsabilité
de l'ensemble de ces *Notes*. On y trouvera l'énumération
de nombreux rapprochements, anciennement ou récemment
proposés, qui n'ont pas paru pouvoir figurer parmi les
notions vérifiées à ce jour.

Les difficultés inhérentes à la matière sont augmentées
du fait que les études sont inégalement poussées sur les
différents domaines. De plus, les savants qui s'occupent
de ces domaines variés n'ont pas toujours les mêmes
préoccupations ni la même formation. Cette situation
a été en particulier celle des collaborateurs réunis pour
le présent travail. Si d'une manière générale ils ont accepté
et les directives initiales et des suggestions de détail au
cours de la rédaction, il n'a pas été possible qu'ils se
concertent de manière à pousser l'uniformisation aussi
loin qu'aurait pu le faire un auteur unique.

L'ouvrage vise à être complet en ce qui concerne :
l'énumération des langues connues (vivantes et mortes),
à l'exclusion des variétés que sont les parlers locaux ;
la date du début et, s'il y a lieu, de la fin de leur histoire ;
leur extension, avec, autant que possible, des données
statistiques. De plus, des indications brèves situent les
hommes qui les parlent dans un ensemble ethnique et
une civilisation.

Dans les descriptions des traits linguistiques, la mise
en lumière des faits caractéristiques et distinctifs a été
seule recherchée. Cependant un correctif à cette sobriété
a été introduit par l'insertion de petits textes en plus
grand nombre que dans la première édition, avec une
table spéciale à la suite de la table des matières.

Les bibliographies permettront de se reporter aux descriptions de langues, chaque année plus nombreuses et qui doivent le devenir beaucoup plus encore. Dès maintenant il serait très utile d'extraire de ces descriptions des répertoires des procédés linguistiques observables, tant pour la phonologie que pour la grammaire et la formation des mots. La variété des faits cités, la complexité du tableau des caractères de notation phonétique, la liste des termes techniques, donnent une idée du matériel qu'on doit considérer dans les études de linguistique générale. Celles-ci ne sont pas abordées ici ; mais il a paru nécessaire de donner une bibliographie à leur sujet.

C'est en 1938 que cette nouvelle édition des *Langues du Monde* a été entreprise, avec une liste de collaborateurs renouvelée pour plus de la moitié. Saluons ici la mémoire des bons travailleurs disparus. Parmi les nouveaux rédacteurs, Henri Maspero est mort déporté dans un camp hitlérien. Le travail interrompu en 1940 a été repris en 1945 et de nouveaux collaborateurs encore sont venus y prendre part. Les auteurs se sont efforcés de se tenir au courant, en dépit des difficultés ; il est cependant à craindre que l'ouvrage, malgré les *Additions* et certaines *Corrections*, ne soit en retard sur sa date pour certains détails.

De 1938 à 1940, G. Dumézil s'est imposé la lourde tâche du secrétariat, en marge de ses autres travaux. Depuis 1945, le Centre national de la Recherche scientifique a adjoint un aide technique au directeur de la publication. Les secrétaires zélés et compétents ont été successivement quatre jeunes agrégés : Georges Belbenoît, Gilbert Lazard, André Caquot, Jean Perrot. Leurs tâches ont été variées : contact constant avec les auteurs et le directeur, au sujet de la rédaction (les signatures disent quelle part dans cette rédaction même revient à certains) ; contribution active à la correction des épreuves ; mêmes besognes pour les cartes (les planisphères étant dus à eux seuls, principalement à A. Caquot) ; confection des index, auxquels les auteurs ont été dispensés de contribuer ; enfin, rédaction des bibliographies et constitution des tables.

Nous devons en outre des remerciements à plusieurs personnes, spécialistes de diverses langues, qui ont fourni de très utiles renseignements, des documents, des indications bibliographiques et même des textes (voir la table).

La décision prise dès le début par le Centre national de la Recherche scientifique de prendre l'ouvrage dans ses éditions a heureusement dégagé les mandataires de la Société de Linguistique de toute préoccupation concernant le financement d'un si gros ouvrage et de son atlas ; ils en expriment ici leur vive reconnaissance,

L'imprimerie Bontemps s'est bien acquittée d'une tâche difficile.

La compétence de A. Libault a permis de réaliser les cartes dans de bonnes conditions.

Marcel COHEN.

Juillet 1952.

LISTE DES COLLABORATEURS

(E. H. E. : École Pratique des Hautes Études ; E. L. O. V. :
École Nationale des Langues Orientales Vivantes ; C. N. R. S. : Centre
National de la Recherche Scientifique ; O. R. S. O. M. : Office de la Recherche
Scientifique Outre-Mer).

Émile BENVENISTE, professeur au Collège de France, directeur d'études à
  l'E. H. E.
Jules BLOCH, professeur honoraire au Collège de France, directeur d'études
  à l'E. H. E.
André CAQUOT, pensionnaire de l'Institut Français d'Archéologie de
  Beyrouth.
Marcel COHEN, directeur d'études à l'E. H. E.
† Maurice DELAFOSSE, gouverneur honoraire des colonies, professeur à
  l'E. L. O. V.
Pierre DEMIÉVILLE, professeur au Collège de France, directeur d'études à
  l'E. H. E.
Jean DENY, administrateur honoraire de l'E. L. O. V.
Georges DUMÉZIL, professeur au Collège de France, directeur d'études à
  l'E. H. E.
Jacques FAUBLÉE, chargé de cours à l'E. L. O. V.
Jean GUIART, chargé de recherches à l'O. R. S. O. M., en service à l'Institut
  Français d'Océanie (Nouméa).
Charles HAGUENAUER, professeur à l'E. L. O. V., directeur d'études à
  l'E. H. E.
André HAUDRICOURT, chargé de recherches au C. N. R. S.
Roman JAKOBSON, professeur à l'Université Harvard, Cambridge (Mass.,
  U. S. A.).
† Georges LACOMBE, président de la Société d'Études Basques.
Maurice LEENHARDT, directeur d'études à l'E. H. E., chargé d'enseignement
  à l'E. L. O. V.
Čestmír LOUKOTKA, employé scientifique au Musée National de Prague.
† Henri MASPERO, professeur au Collège de France.
Jean PERROT, assistant à la Faculté des Lettres de Paris, secrétaire de
  l'Institut de Linguistique.
Paul RIVET, professeur honoraire au Muséum, ancien directeur du Musée
  de l'Homme, secrétaire général de l'Institut d'Ethnologie.
Aurélien SAUVAGEOT, professeur à l'E. L. O. V.
Wilhelm SCHMIDT, ancien professeur aux Universités de Fribourg (Suisse)
  et de Vienne, ancien directeur de l'Institut Anthropos.
Denis SINOR, professeur à l'Université de Cambridge (Grande-Bretagne).
Guy STRESSER-PÉAN, chargé de recherches au C. N. R. S.
Gaston VAN BULCK, professeur à la Pontificia Università Gregoriana de Rome,
  président de l'Institut Africaniste de l'Université de Louvain (Belgique).
Joseph VENDRYES, doyen honoraire de la Faculté des Lettres de Paris,
  directeur d'études à l'E. H. E.

ABRÉVIATIONS

Dans le corps des chapitres, on ne trouvera que les abréviations usuelles de certains termes grammaticaux : sg. ou sing. = singulier, gén. = génitif, etc., — de certains noms de langues : skr. = sanskrit, v. a. = vieil anglais, etc., — ou de mots divers : h. ou hab. = habitants, etc. Certaines abréviations utilisées pour le turc sont expliquées p. 335.

Dans les bibliographies, on trouvera des abréviations telles que mém. = mémoire(s), rapp. = rapport, rev. = revue, bull. = bulletin, ser. = série, n. s. = nouvelle série, Inst. = Institut, conf. = conférences, etc.

Certaines publications sont désignées par des initiales :

B. E. Fr. E.-Or. : Bulletin de l'École Française d'Extrême-Orient.

B. S. L. : Bulletin de la Société de Linguistique de Paris.

B. S. O. S. : Bulletin of the School of Oriental Studies (Londres).

G. S. A. I. : Giornale della Societa Asiatica Italiana (Florence).

I. F. : Indogermanische Forschungen (Berlin).

J. A. O. S. : Journal of the American Oriental Society (New-Haven, Conn.).

J. A. : Journal Asiatique (Paris).

J. R. A. I. : Journal of the Royal Anthropological Institute (Londres).

J. R. A. S. : Journal of the Royal Asiatic Society of Great-Britain and Ireland (Londres).

K. Z. : Zeitschrift für vergleichende Sprachforschung auf dem Gebiete der indogermanischen Sprachen, begründet von A. Kuhn (Göttingen).

L. S. O. S. : Lehrbücher des Seminars für orientalische Sprachen zu Berlin.

M. S. L. : Mémoires de la Société de Linguistique de Paris.

M. S. O. S. : Mitteilungen des Seminars für orientalische Sprachen zu Berlin.

T. M. I. E. : Travaux et Mémoires de l'Institut d'Ethnologie (Paris).

T. M. I. V. : Trudy moskovskogo Instituta vostokovedenija (Moscou).

W. Z. K. M. : Wiener Zeitschrift für die Kunde des Morgenlandes (Vienne).

Z. D. M. G. : Zeitschrift der deutschen morgenländischen Gesellschaft (anciennement Leipzig, aujourd'hui Wiesbaden).

Z. f. E. S. : Zeitschrift für Eingeborenen-Sprachen (Hambourg).

Z. f. K. S. : Zeitschrift für Kolonialsprachen (Hambourg).

Les abréviations E. K. et S. M. K., employées dans la bibliographie des langues caucasiennes sont expliquées p. 252 ; les abréviations utilisées dans les bibliographies des langues de l'Amérique du Nord sont expliquées pp. 967-968.

TRANSCRIPTION ET NOTATION PHONÉTIQUE

En principe, les mots imprimés en italiques sont en écriture phonétique suivant le système adopté pour tout l'ouvrage et présenté ci-dessous ; les mots en caractères non italiques sont à lire comme des mots français. Des notes guident la lecture dans les cas particuliers.

Les mots et éléments de mots de toutes les langues considérées sont écrits en italiques selon le système indiqué ci-dessous pour la transcription (langues écrites) et la notation (langues parlées). Seuls peuvent faire exception les mots des textes qui accompagnent les descriptions et où, dans certains cas, on a jugé préférable de suivre une orthographe traditionnelle, ce qui est indiqué en note (voir par exemple p. 55 le texte de vieil-irlandais et la note 1). En outre, dans le chapitre consacré aux langues indo-européennes, les mots latins et français cités sont présentés avec leur orthographe traditionnelle.

Pour la notation des noms des langues et dialectes, trois sortes de caractères ont été utilisées :

a) Les noms en romaines (parfois en caractères gras, pour la clarté de la présentation) sont écrits autant que possible de telle manière qu'en les lisant comme des mots français on reproduise approximativement la prononciation indigène (les précisions sont données par des notes s'il y a lieu : voir par exemple les notes des pages 847 et 855) ; cependant, dans certains chapitres, on a maintenu les orthographes traditionnelles de ces noms dans des langues autres que le français ; c'est le cas notamment du chapitre consacré aux langues indigènes de l'Amérique, où les noms de langues en romaines suivent le plus souvent les orthographes usuelles en anglais, espagnol ou portugais ;

1

b) On a cherché à présenter en italiques, à côté des orthographes traditionnelles ou francisées, les notations phonétiques des noms indigènes, selon le système adopté pour l'ouvrage ; la juxtaposition des deux types de notation a été réalisée de manières diverses selon les auteurs et parfois à l'intérieur d'un même chapitre (voir en particulier pour l'Amérique les notes des pages 967, 1069 et 1100) ;

c) Enfin, dans tous les cas où il a paru utile de le faire, on a distingué graphiquement, par l'utilisation de capitales, les langues dont on possède des textes ; les noms de ces langues sont écrits comme ils le seraient en romaines[1].

L'index contient les noms des langues sous toutes les formes qui figurent dans l'ouvrage.

TABLEAU DES NOTATIONS PHONÉTIQUES

CONSONNES

Occlusives

labiales :	sourde : *p*	sonore : *b*
dentales :	*t*	*d*
palatales :	*k*	*g*
vélaires :	*q*	*ġ*
laryngales :	*ɔ*	

Affriquées :

dentales+sifflantes :	sourde : *ţ*	sonore : *ḍ*
sifflantes mi-chuintées :	*ć*	*j́*
chuintantes :	*č*	*ǰ*

Les autres affriquées sont notées par la mise en exposant

---

1. Dans certains chapitres, on a fait usage de caractères italiques soit pour détacher des appellations conventionnelles, bien que ces mots suivent des orthographes usuelles (française, ex. : *étéo-cypriote* p. 212, ou autres, ex. : *gypsy* p. 24, *afrikaans* p. 60), soit pour mentionner, à côté du nom français d'une langue, son nom indigène non noté phonétiquement (ex. : *prouvenço*, p. 49).

de l'élément spirant : p^f, etc. On note de même les consonnes
à double occlusion : k^p.

Spirantes

Bilabiales :	sourde : p	sonore : b
Labio-dentales :	f	v
Interdentales :	t	$d̶$
Sifflantes :	s	$z̸$
Sifflantes mi-chuintées :	$ś$	$ź$
Chuintantes :	$š$	$ž$
Palatales :	e (ich-Laut)	
	x (ach-Laut)	
Vélaires :	$k̵$ ou $ḫ$	g^1
Laryngales ou faucales :	$ḥ$	$ɛ$
Souffle :	h	

Nasales

Dentale : n. Cacuminale : $ṇ$. Prépalatale : $ñ$. Vélaire : $ṅ$.
Labiale : m. Labiale gutturalisée : $ṁ$.

Liquides

Latérales : sourde : L ; sonores : alvéolaire   : l
prépalatale : $ḷ$
vélaire   : $ł$
Vibrantes : r ; r uvulaire : R.

Semi-voyelles

Prépalatale : y. Labio-palatale : $ü̈$. Labio-vélaire : w.

Signes complémentaires :

Aspiration : esprit rude : $t^ʿ$.
Glottalisation : esprit doux :

   a) glottalisation postérieure (type dit éjectif) : esprit
après le signe : t'.

   b) glottalisation antérieure (type dit claquant) : esprit
avant le signe : $'t$.

---

1. On distingue, quand il y a lieu, g médio-palatal et $g̣$ vélaire.

Mouillure : apex : *ł'*.

Emphase : point souscrit : *ḷ*.

Prononciation cacuminale (dite aussi cérébrale ou rétro-flexe) : deux points souscrits : *ṭ*.

Sourdes douces : signe de la sonore correspondante en petite capitale : D.

Sonantes vocalisées ou « à valeur syllabique » : petit cercle souscrit : *n̥, m̥, l̥, r̥*.

Pour les *clics*, voir pp. 906-907.

VOYELLES

Timbres : *a, e, i, o* représentent les valeurs moyennes de ces voyelles ;

   u : ou du français ;

   ü : u du français ;

   i̥ : i profond du slave ;

   å : son intermédiaire entre *a* et *o* ;

   ä : son intermédiaire entre *a* et *e* ;

   ö : eu du français ;

   ə : voyelle de timbre indéterminé ;

   ɒ : son de l'anglais but.

Indication de l'ouverture : crochet souscrit : *ǫ* ;

   de la fermeture : point souscrit : *ọ* ;

   de la nasalité : tilde : *ã* ;

   de la quantité : longue : *ā*, brève : *ă* ;

   de l'accent : principal : *á* ; secondaire : *à* ;

      modulé : ascendant-descendant : *â* ;

      descendant-ascendant : *ǎ*.

Les *articulations faibles*, consonantiques ou vocaliques, sont marquées par des caractères plus petits, placés au-dessus de la ligne : $^n du^m bea$, $ṙam^u$.

Usages particuliers

Certains des signes figurant dans ce tableau ont été, dans certains cas, utilisés avec des valeurs particulières ; d'autre part, il a fallu parfois faire usage de signes complémentaires ; enfin, on s'est borné, dans certains cas, à une translitération d'une écriture non latine. Ces valeurs particulières ou signes particuliers sont indiqués et définis par des notes au lieu même de leur emploi ; il a toutefois paru utile d'en donner ici une récapitulation.

Langues indo-européennes

L'aspiration a été notée par *h*, l'élision par '.
Le signe ə représente un phonème particulier défini p. 8.
On a utilisé pour l'indo-iranien la transcription traditionnelle ; voir les notes des pp. 24 et 33.
Dans les mots grecs, *kh, th, ph* sont des translitérations ; voir la note p. 43.

Langues chamito-sémitiques

ḍ arabe est expliqué p. 134.

Langues asianiques et méditerranéennes

Il est fait usage de petites capitales pour reproduire les idéogrammes (voir p. 204, note 1).
Pour les langues écrites avec des alphabets de type grec, certains caractères grecs ont été maintenus ; voir en particulier pour le lycien p. 206 (en outre, signes ñ et m̄ pour les nasales-sonantes dans cette langue ; voir également p. 206), pour le lydien p. 209. Pour l'étrusque, ont été maintenus *c* à côté de *k* et les lettres grecques φ, θ, χ notant des spirantes : voir p. 216.

Langues caucasiennes

On a employé, selon l'usage des caucasologues, certaines lettres grecques (λ, η) et certains signes particuliers (ʕ₁, ḥ, oe) dont la présence s'explique par des caractéristiques mentionnées dans la description (voir en particulier p. 235) et dont les valeurs sont indiquées dans les commentaires du texte avar p. 238 et du texte tcherkesse p. 245.

Langue basque

ś : voir pp. 264 et 268.

Langues de l'Eurasie et de l'Asie septentrionale

Ouralien :
ẹ : correspondant à timbre *e* de *i̯*.

Turc :

Ä, I, Ö, Ü : voir p. 347.

Tchouvache ă, ĕ : voir pp. 363-364.

ƙ est non la notation phonétique d'une emphatique turque, mais une translitération de l'arabe.

Mongol :

γ (translitération) : voir p. 376.

û = u ouvert : voir p. 392.

Paléosibérien :

R note r dental sourd et non r uvulaire ;

ḵ, x̱ uvulaires : voir p. 413 ; la constrictive uvulaire sonorisée est notée g̱ pp. 423 et suiv. (texte et commentaires).

Coréen, japonais, aïnou :

. sépare deux éléments sémantiques ou isole l'élément vocalique d'un suffixe.

ₒ isole un élément invariable par rapport à un élément variable.

- sert, en principe, à isoler un suffixe ou l'élément consonantique d'un suffixe.

' marque la place d'un son disparu ;

ṙ dento-alvéolaire : voir pp. 436, 452, 477.

Coréen ə̈ : voir p. 435.

Japonais ḏ : voir pp. 452-453.

Dravidien

T, R, N : voir p. 492.

L de valeur spéciale : voir p. 493.

Langues de l'Asie du Sud-Est

Thai et mon-khmer : D, B mi-sourds : voir pp. 573 et 610.

Langues de l'Océanie

Indonésien H (sourd), h (sonore) : voir p. 655.

Mélanésien : sourdes w, l, m, n, ñ, ṅ : voir p. 680 ;

ṙ, r̃ dans le texte : voir p. 687.

Tasmanien i̦ : voir p. 717, note 1 ;

ô̦ : voir p. 720, note 1.

Langues de l'Afrique noire

Soudan-Guinée : e̦, i̦, u̦ nasalisés : voir p. 737, note 1.

Bantou : i̦, û tendus : voir p. 853.

denti-labiale v̦ : voir p. 856.

Khoin k", k"ˣ : voir p. 930.

Langues de l'Amérique

Appendice : otomi : ɛ note un son défini par J. Soustelle comme le produit d'un violent râclement sonore de la gorge.

BIBLIOGRAPHIE

La bibliographie présentée ci-dessous comporte deux sections :

I. Classification des langues

II. Linguistique générale

La première section, qui est directement en rapport avec l'objet du présent ouvrage, est seule développée, mais non exhaustive ; quelques références permettent de la compléter. La seconde n'a pour but que de fournir des moyens d'initiation aux problèmes et aux méthodes de la linguistique, avec des renseignements sur les périodiques et sur les instruments de bibliographie linguistique.

Pour la terminologie linguistique, voir p. 1276 ; ajouter *Projet de terminologie phonologique standardisée*, dans *Travaux du cercle linguistique de Prague*, vol. IV, 1929 ; A. SCHMITT, *Probe eines Wörterbuchs der Sprachwissenschaftlichen Terminologie* (Suppl. à *I. F.*, t. LI), Berlin-Leipzig, 1933 (avec introduction de L. WEISBERGER), et J.-B. HOFMANN et H. RUBENBAUER, *Wörterbuch der grammatischen und metrischen Terminologie*, Heidelberg, 1950.

I. — CLASSIFICATION DES LANGUES

1. — Ouvrages présentant des tableaux, groupements, spécimens variés de langues et vocabulaires polyglottes avant le développement de la grammaire comparée (Liste chronologique).

L'unité des langues sémitiques a été reconnue et affirmée sous diverses formes dès le xe siècle par des grammairiens et exégètes juifs et musulmans qui s'attachèrent surtout aux correspondances de vocabulaire ; les principaux ont été :

SAADIA ben JOSEF (auteur de la plus ancienne grammaire de l'hébreu ?) qui écrivit un dictionnaire étymologique de l'hébreu et sentit l'affinité de l'hébreu et de l'arabe, qu'il utilisa pour l'explication du vocabulaire hébreu ;

DUNACH ben LABRAT, qui se proposa de montrer que l'hébreu était la langue originelle et de prouver par l'étude des correspondances de vocabulaire que l'hébreu était de l'arabe à l'état pur ;

JEHUDA ibn KOREICH, qui reconnut que les langues sémitiques étaient dérivées d'une souche unique et étudia les correspondances de vocabulaire entre l'hébreu biblique, l'hébreu de la Michna, l'araméen et l'arabe.

A leur suite, il faut citer notamment, au xie siècle Ibn ḤAZM, au xiie siècle Josef ben Isaak KIMHI, au xiiie le fils de ce dernier, David KIMHI

(« Maistre Petit »), qui s'intéressèrent aux analogies entre hébreu, araméen et arabe.

On trouve au xivᵉ siècle, chez Dante, à la fois une sorte de tableau linguistique de l'Europe et la reconnaissance de l'origine commune (latine) des langues romanes :

DANTE, *De Vulgari Eloquentia* (écrit en 1303 ou 1304), publié par A. Marigo, *Opere di Dante*, VI, Florence, 1948. — Dans cet ouvrage, les langues de l'Europe sont sommairement réparties en trois groupes géographiquement distincts dont l'origine est liée à la confusion de Babel et à la dispersion qui suivit ; le groupe méridional est représenté par les trois idiomes de *si*, d'*oc*, et d'*oïl*, dont la conformité *(convenientia)* est illustrée par des exemples. L'idée, affirmée déjà par les Pères de l'Église, que l'hébreu, langue de la révélation, est la langue primitive, restera communément admise longtemps après Dante. Sur les premiers écrits concernant la comparaison et les origines des langues romanes, des indications sont fournies par R. L. WAGNER, *Contribution à la préhistoire du romanisme*, dans *Conf. de l'Inst. de Linguistique*, X (1950-1951), Paris, 1951.

Pendant longtemps, on rassembla surtout des vocabulaires polyglottes et recueils polyglottes de textes sacrés et de prières. Les principaux ouvrages de ce genre seront seuls cités ici. On trouvera des indications complémentaires dans la *Bibliographie des langues* donnée pp. 64-68 de l'*Introduction* à l'*Atlas* de BALBI cité p. xxiv. Voir aussi les études historiques signalées pp. XL-XLI.

Vers 1427, SCHILDBERGER donna une double version du *Pater Noster*, en arménien et en tatar. De nombreuses publications de ce type suivirent ; on en trouvera l'histoire complète (?) de 1427 à 1805 dans le *Mithridate* d'Adelung (cité p. xxiii), I, pp. 645-676. Pour la suite, voir p. xxv.

Au début du xviᵉ siècle l'Italien CALEPINO (1435-1511) (en latin Ambrosius Calepinus) commença la publication de son dictionnaire en plusieurs langues (d'où le mot français calepin). La première édition de ce *Dictionarium* (1502) fut suivie de nombreuses autres, réalisées par Calepino (1509) et par des continuateurs (PASSERAT, FACCIOLATI, etc.), aux xviᵉ et xviiᵉ siècles. Le nombre des langues envisagées atteignit 11 (Bâle, 1590) : latin, grec, hébreu, langues romanes et germaniques, et même polonais et hongrois.

L'orientaliste Guillaume Postel développa la curiosité pour les langues de l'Asie occidentale :

POSTEL (Guillaume), *Linguarum duodecim characteribus differentium alphabetum introductio ac legendi modus longe facillimus*, Paris, 1538. — *Pater Noster* en cinq langues. — Du même : *De originibus seu de Hebraicae linguae et gentis antiquitate, deque variarum linguarum antiquitate*, Paris, 1538.

A la même époque, avec *Pater Noster* en deux langues :

AMBROSIUS (Th.), *Introductio in Chaldaicam linguam, Syriacam atque Armenicam, et decem alias linguas*, Pavie, 1539.

L'oraison dominicale fut présentée en 14 langues dans :

BIBLIANDER [= BUCHMANN] (Th.), *De Ratione communi omnium Linguarum et Litterarum Commentarius*, Zürich, 1548. — Des parlers celtiques sont tenus pour dérivés du grec, dont le serbe et le géorgien sont donnés comme des dialectes ; l'arménien est rapproché du chaldéen, le persan rattaché au syriaque et à l'hébreu, etc.

Ouvrage grammatical sur plusieurs langues sémitiques :

CANINIUS (A.), *Institutiones linguae Syriacae, Assyriacae atque Thalmudicae, una cum Aethiopicae atque Arabicae collatione*, Paris, 1554.

De nombreux ouvrages analogues sur les langues sémitiques ont paru par la suite, à la fin du XVIe siècle et au XVIIe siècle (liste dans le *Mithridate* d'Adelung, I, pp. 304-305).

Le français est présenté comme issu du grec dans :

PÉRION (Joachim), *Dialogorum de Linguae Gallicae origine ejusque cum Graeca cognatione libri IV*, Paris, 1555.

Le premier recueil polyglotte important reçut le titre de *Mithridates*, le roi du Pont Mithridate ayant été au Ier siècle avant J.-C. l'objet d'une grande admiration pour la connaissance qu'on lui prêtait de plus de 20 langues (désignation qui sera reprise plus tard par Adelung) :

GESNER (Conrad), *Mithridates, De differentiis linguarum tum veterum tum quae hodie apud diversas nationes in toto orbe terrarum in usu sunt, C. G. observationes*, Zürich, 1555. — *Pater noster* en 22 langues.

Spécimens de langues variées dans : LAZIUS (W.), *De gentium aliquot migrationibus*, Bâle, 1557.

Le *Pater Noster* fut utilisé comme spécimen linguistique dans une description du monde par :

THEVET (André), *Cosmographie universelle*, 2 vol., Paris, 1575. — 12 versions du *Pater Noster*.

Selon GOROPIUS Becanus (J.), *Hermathena*, Anvers, 1580, le hollandais est la langue originelle. Diverses théories du même genre, présentant comme la langue originelle telle ou telle des langues connues, sans fondement scientifique, devaient être proposées jusqu'à l'époque moderne (voir par ex., p. 525 du présent ouvrage).

L'oraison dominicale fut publiée en 40 langues en 1592 :

MEGISER (Hieronymus), *Specimen XL Linguarum et Dialectorum ab Hieronymo Megisero a diversis auctoribus collectorum quibus oratio Dominica est expressa*, Francfort-sur-le-Main, 1592. — En 50 langues en 1593 : *Oratio Dominica L diversis linguis*, Francfort-sur-le-Main, 1593. — Et en 1603 parut, avec un titre allemand, une édition encore augmentée : *Prob einer Verdolmetschung in fünfzig unterschiedlichen Sprachen, darin das heylyg Vater unser, der English Gruss, die zwölf Artikel unsers christlichen Glaubens, die zehen Gebott transferiret und in Truck verfertiget worden*, Francfort-sur-le-Main, 1603.

Les éditions de textes sacrés en plusieurs langues permirent de bonne heure certains rapprochements ; 32 concordances de vocabulaire entre le germanique et le persan, relevées ainsi par un moine, firent naître l'idée d'une parenté spéciale entre ces langues, idée qui apparaît dans :

VULCANIUS (Bonaventura), *De literis et lingua Getarum sive Gothorum, item de notis Lombardicis, quibus accesserunt specimina variarum linguarum,*

Leyde, 1597. — Spécimens de textes en gotique, vieux haut-allemand, anglo-saxon, persan, basque, frison, et tsigane.

Le *Nouveau Testament* fut publié en 12 langues à Nuremberg en 1599.

Premier essai de groupement de toutes les langues d'Europe :

SCALIGER (Joseph-Justus), *Diatriba de Europaeorum linguis*, ouvrage écrit en 1599 et publié en 1610 dans *Jos.-Just. Scaligeri opuscula varia antehac non edita*, Paris, 1610, pp. 119 et suiv. — Scaliger reconnaît parmi les langues d'Europe 11 langues-souches *(matrices)*, qui ont donné naissance à de nombreux rameaux dialectaux *(propagines)*: 4 *matrices* principales reconnues aux 4 formes différentes qu'elles ont pour le nom du dieu : latin *(deus)*, grec *(theos)*, germanique [*lingua teutonica*] *(godt)*, slave [*l. sclavonica*] *(boge)*, — et 7 *matrices* secondaires : albanais [*l. epirotica*], tatar, hongrois, finnois-lapon, irlandais, gallois [*l. britannica*]-breton, basque. Aucune relation n'est établie entre les 11 *matrices ;* le classement est fondé sur des matériaux linguistiques très réduits ; seules les langues de parenté évidente sont groupées.

Important tableau de langues de Megiser :

MEGISER (Hieronymus), *Thesaurus Polyglottus, vel dictionarium multilingue: ex quadringentis circiter tam veteri quam novi (vel potius antiquis incogniti) orbis nationum linguis, dialectis... constans*, Francfort-sur-le-Main, 1603. — Présente d'abord un tableau de toutes les langues : en premier lieu les principales langues avec leurs ramifications (l'hébreu, langue originelle, le grec, le latin, le germanique, le slave), ensuite l'ensemble des langues rangées géographiquement : Europe, Asie, Afrique, Amérique, îles du « Nouveau monde » (Amérique, Asie, Afrique).

Les recherches généalogiques étaient entravées par l'opinion que l'hébreu avait été la langue originelle, opinion réaffirmée par :

GUICHARD (Estienne), *L'harmonie étymologique des Langues Hébraïque, Chaldaïque, Syriaque, Grecque, Latine, Françoise, Italienne, Espagnole, Allemande, Flamende, Angloise, &c.*, Paris, 1606. — L'hébreu, le chaldéen et le syriaque forment une famille, le grec dérive de l'hébreu, les langues romanes sont groupées de même que les langues germaniques citées. — Nouvelle édition avec titre nouveau : *L'harmonie étymologique des langues. En laquelle par plusieurs Antiquités et étymologies de toute sorte, se démonstre euidemment que toutes les langues sont descendues de l'Hébraïque*, Paris, 1610.

Important lexique pour le sémitique :

SCHINDLER (V.), *Lexicon pentaglotton, Hebraicum, Chaldaicum, Syriacum, Talmudico-Rabbinicum et Arabicum cum triplici indice*, Hanovre, 1612 (éd. ultérieures, Londres, 1635, Francfort, 1653).

A la même époque parut un gros ouvrage rassemblant de manière confuse toutes sortes de considérations, au total d'un intérêt linguistique très réduit :

DURET (Claude), *Thresor de l'Histoire des Langues de cest Univers, contenant les Origines, Beautés, Perfections, Décadences, Mutations, Changemens, Conversions et Ruines des Langues Hébraïque...* (55 noms de langues)... *Les langues des Animaux et Oiseaux*, 2 vol., Cologne, 1613, 2e éd., Yverdon, 1619. — *Pater Noster* en 17 langues.

Un Danois signala encore des mots communs aux langues européennes et au persan, acceptant par ailleurs l'idée de l'hébreu langue originelle :

SYV (Peder), *Nogle Batenkninger om det Cimbriske Sprog* (Remarques sur la langue cimbrique [c'est-à-dire danoise]), Copenhague, 1663. — Des mots danois sont expliqués par des mots hébreux ressemblants.

Dans les années suivantes, importants lexiques pour le sémitique, notamment (avec le persan) :

CASTELL (Edm.), *Lexicon heptaglotton, Hebraicum, Chaldaicum, Syriacum, Samaritanum, Aethiopicum, Arabicum, conjunctim; et Persicum, separatim..... Cui accessit brevis et harmonica (quantum fieri potuit) grammaticae omnium precedentium linguarum delineatio*, Londres, 1669. — Du même, *Harmonia brevis sex linguarum orientalium*.

La notion de la parenté des langues sémitiques s'est précisée en Europe au XVIIᵉ siècle; le terme « sémite » sera proposé pour ces langues en 1781. Important mémoire :

LUDOLF (Job), *Dissertatio de harmonia linguae aethiopicae cum ceteris orientalibus*, dans *Lexicon Aethiopicum*, 2ᵉ éd., 1702. — Compare les langues sémitiques alors connues, accordant un rôle prépondérant à la morphologie.

A la même époque, le celtique était considéré comme étant à l'origine d'un grand nombre de langues (idée déjà présentée par CLUWER (Ph.), *Germania antiqua*, Leyde, 1616) et son domaine étendu jusqu'à l'Euphrate dans :

PEZRON (P.), *De l'antiquité de la nation et de la langue des Celtes*, Paris, 1703.

Cependant la grammaire comparée des langues celtiques était engagée solidement :

LHUYD (Edward), dans un mémoire publié dans l'*Archeologia Britannica*, 1707, compara les langues celtiques non éteintes.

Discussions sur des langues orientales, extrême-orientales, africaines et américaines dans un gros ouvrage :

RELAND (A.), *Dissertationes miscellaneae*, 3 vol., Utrecht, 1706-1708.

L'hypothèse de l'origine hébraïque des langues fut vigoureusement combattue par Leibniz, qui imagina de nouveaux groupements :

LEIBNIZ (G.-W.), *Brevis designatio meditationum de Originibus Gentium ductis potissimum ex indicio linguarum*, dans *Miscellanea Berolinensia*, I (1ᵉʳ volume des Mémoires de la *Kgl. Wissensch. Societät* — future *Akademie — in Berlin*), 1710. — Leibniz a le sentiment que les langues de la plus grande partie de l'Europe et de l'Asie, et celles de l'Égypte, viennent d'une même langue originelle d'où sont issus d'une part l'araméen et d'autre part le « japhétique », qui a donné le « scythe » (à peu près l'ouralo-altaïque) et le « celtique » (à peu près l'indo-européen ; — sur l'importance attribuée au celtique, voir ci-dessus).

Entre autres ouvrages de l'auteur sur l'arabe et l'hébreu, il faut citer :

SCHULTENS (Alb.), *Oratio prima de linguae arabicae antiquissima origine, intima ac sororia cum lingua hebraea affinitate, multisque seculis praeflorata puritate*, Francfort-sur-le-Main, 1728.

Au milieu du XVIIIe siècle, fut édité à Leipzig, chez Chr. Fr. Gesner, un gros travail réunissant en grand nombre alphabets et spécimens de prières :

Orientalische und Occidentalische Sprachmeister, welcher nicht allein 100 Alphabete nebst ihre Aussprache — auch einigen Tabulis polyglottis verschiedener sprachen und Zahlen vor Augen legt, sondern auch das Gebeth des Herrn in 200 Sprachen und Mundarten mit derselben Characteren und Lesung nach einer geographischen Ordnung mittheilet, Leipzig, 1748.

Grand tableau des langues sémitiques :

FINETTI (P. Bonifazio), *Trattato della lingua ebraica e sue affini*, Venise, 1756. — Tableaux de conjugaisons et *Pater Noster* disposé mot à mot en colonnes parallèles dans une section *Armonia delle Lingue ebraica, caldaica, siriaca, arabica litterale, arabica volgare, etiopica ed amharica.*

Pour l'ouralien (finnois et lapon étant déjà associés chez Scaliger, voir p. XX) :

SAIJNOVICS (P.), *Demonstratio idioma Ungarorum et Lapponum idem esse*, Copenhague, 1770.

On trouve non un tableau général des langues, mais des références à de nombreuses langues dans :

COURT DE GÉBELIN (Antoine), *Monde primitif analysé et comparé avec le monde moderne...*, 9 vol., Paris, 1773-1782. — Étymologies, correspondances phonétiques et même essai sur les rapports de mots entre les langues du nouveau monde et celles de l'ancien. Nombreuses vues erronées sur les parentés : le persan, l'arménien, le malais et le copte sont tenus pour des dialectes de l'hébreu, le basque est rattaché au celtique (idée ancienne).

Plus importants furent les travaux du Père Hervás :

HERVÁS Y PANDURO (Lorenzo), *Idea dell' Universo*, vol. XVII à XXI, 1784-1787, notamment vol. XVII : *Catalogo delle lingue conosciute e notizia della loro affinità e diversità*, Cesena, 1784. — Nouvelle édition augmentée : *Catalogo de las lenguas de las naciones conocidas, y numeración, división, y clases de estas según la diversidad de sus idiomas y dialectos*, 6 vol., Madrid, 1800-1805. — Tableaux sans cartes. Le P. Hervás, plus préoccupé d'établir les affinités et différences entre les peuples que de décrire des langues, eut le mérite de considérer la grammaire comme essentielle pour l'établissement des comparaisons. Vues justes sur plusieurs familles importantes, notamment le sémitique et le malayo-polynésien. Les ressemblances entre sanskrit et grec sont notées, mais non exploitées correctement. — Dans *Idea dell' Universo*, vol. XXI, est présentée l'oraison dominicale en plus de 300 langues et dialectes d'Amérique, d'Asie et d'Europe.

Leibniz avait poussé Pierre le Grand à recueillir des vocabulaires et des spécimens des langues de son empire; son impulsion et l'appui de Catherine II aboutirent à la fin du XVIIIe siècle à la publication d'un grand recueil :

PALLAS (P. S.), *Linguarum totius orbis vocabularia comparativa Augustissimae cura collecta*, 2 vol., Saint-Pétersbourg, 1787-1789 ; 2e édition augmentée par T. J. de MIRIEWO, 4 vol., 1790-1791. — La 1re édition réunit 200 langues et dialectes d'Asie (149) et d'Europe (51) ; la 2e édition mentionne environ 280 langues et dialectes, non seulement d'Asie et d'Europe, mais aussi d'Afrique et d'Amérique.

A la même époque fut établie sur des preuves grammaticales la parenté entre hongrois et finnois, dont l'affinité avait déjà été observée :

Gyármathi (S.), *Affinitas linguae hungaricae cum linguis fennicae originis grammatice demonstrata*, Göttingen, 1799.

Gros ouvrage sur l'histoire des langues de l'Europe :

Denina (Ch.), *La clef des langues, ou Observations sur l'origine et la formation des principales langues qu'on parle et qu'on écrit en Europe*, 3 vol., Berlin, 1804. — Étude du développement des correspondances de vocabulaire et des emprunts entre les langues d'Europe, présentées comme issues presque toutes de quatre langues : « la grecque, la latine, la langue esclavonne, la celtique ou teutonique » (rapport étroit entre celtique et germanique). La parenté du persan avec ce groupe est signalée. L'origine hébraïque est admise, mais la filiation laissée dans le vague.

Au début du xixe siècle parut un grand ouvrage descriptif :

Adelung (J.-Chr.) et autres auteurs, *Mithridates oder Allgemeine Sprachenkunde, mit dem Vater Unser als Sprachprobe in beynahe fünfhundert Sprachen und Mundarten*, 4 vol., Berlin : I (J.-Chr. Adelung), 1806 ; II (J.-Chr. Adelung et J.-S. Vater), 1809 ; III (J.-Chr. Adelung et J.-S. Vater), 1812-1816 ; IV (J.-S. Vater, Fr. Adelung, W. von Humboldt), 1817. — Nombreuses indications sur les travaux antérieurs. Fournit un aperçu de toutes les langues du monde connues alors, avec des indications de structure et de parenté. La répartition des langues est purement géographique : Asie, Europe, Afrique, Amérique du Sud, Amérique Centrale et du Nord. L'existence d'une famille indo-européenne n'est pas envisagée ; les diverses langues de cette famille sont étudiées d'après leur position géographique et associées aux langues non parentes de la même région ; mais l'ouvrage réaffirme une ressemblance étroite que depuis longtemps on avait cru observer entre le persan et le germanique, ainsi que la parenté spéciale du latin avec le grec ; et, avec des matériaux empruntés à des langues éteintes, est constituée une famille thrace-pélasgien-grec-latin.

Le premier ouvrage comparatif important sur les langues négro-africaines parut en 1808 :

Lichstenstein (H.), *Bemerkungen über die Sprachen der Süd-Afrikanischen wilden Völkerstämme*, Weimar, 1808.

Le rapprochement du sanskrit avec les langues de l'Europe fit l'objet, au début du xixe siècle, de travaux qui marquèrent le point de départ de la grammaire comparée. Des concordances avaient déjà été signalées par Ph. Sassetti au xvie siècle ; la parenté fut indiquée par le P. Cœurdoux en 1767, par W. Jones en 1786 ; mais l'attention fut attirée sur le sanskrit essentiellement par l'ouvrage de Fr. Schlegel, *Ueber die Sprache und die Weisheit der Indier*, Heidelberg, 1808.

Déjà, indépendamment de ce rapprochement, un très important ouvrage fut composé en 1814 :

Rask (Rasmus), *Undersøgelse om det gamle nordiske eller islandske sprogs oprindelse* (Recherches sur le vieux norrois ou islandais), mémoire de concours (présenté en 1818) dont la 2e partie, traduite en allemand par Vater, a été publiée dans les *Vergleichungstafeln* (voir ci-dessous) de ce dernier sous le titre *Ueber die thrakische Sprachklasse* (Halle, 1822). Rask, qui a analysé en détail le *Mithridate* d'Adelung et qui se proposait sans doute de produire une œuvre analogue par des recherches personnelles, établit, en attribuant une importance primordiale aux correspondances de structure, la parenté de l'islandais et des langues germaniques avec le grec, le latin, le baltique et le slave ; mais il voit dans le grec et le latin la source de l'islandais : les langues germaniques, ainsi que le slave et le baltique, ont leur source dans le « vieux-thrace », langue inconnue et disparue qui a été celle du sud-est de l'Europe et dont le grec et le latin sont les restes les plus anciens ; une source plus profonde doit sans doute être cherchée en Asie. Dans ce mémoire, Rask n'utilise pas le sanskrit, et n'inclut pas le celtique ni l'albanais dans le groupe reconnu, mais ses écrits divers réunis dans les *Samlede Afhandlinger*, Copenhague, 1834, montrent que dès 1818 il divisait la famille appelée plus tard indo-européenne en indien, iranien (où il fait entrer l'arménien), thrace (grec et latin), sarmate (lette et slave), gotique (germanique avec scandinave), celtique (brittonique et gaélique). Plus tard il exposa des vues correctes sur l'arménien et l'albanais. — D'autre part, il écrivit vers 1818 un mémoire remarquable sur la famille finno-ougrienne, et il constitua une famille scythe comprenant le finno-ougrien, le samoyède, le turc, le mongol, le toungouze, l'eskimo, les langues indigènes de l'Amérique du Nord, le basque, les langues caucasiennes et le dravidien. — Sur Rask, voir L. HJELMSLEV, *Commentaires sur la vie et l'œuvre de Rasmus Rask*, dans *Conf. de l'Inst. de Linguistique*, X (1950-1951), Paris, 1951, pp. 143-157.

En 1816 parut un ouvrage qui exerça une influence plus considérable que les écrits de Rask et qui, tirant parti pour la première fois du rapprochement du sanskrit avec les langues de l'Europe, donna une impulsion décisive à la grammaire comparée des langues indo-européennes :

BOPP (Fr.), *Ueber das Conjugationssystem der Sanskritsprache, in Vergleichung mit jenem der griechischen, lateinischen, persischen und germanischen Sprache...*, Francfort-sur-le-Main, 1816. — Sur certains groupements plus vastes tentés par Bopp, voir p. 3 du présent ouvrage.

Les méthodes de la grammaire comparée se perfectionnèrent au cours du XIXᵉ siècle et les recherches comparatives s'étendirent aux différents domaines. On trouvera l'essentiel des indications bibliographiques relatives aux divers groupes de langues dans les *Notes liminaires* et *Bibliographies* des chapitres correspondants.

Il faut citer ici quelques tableaux de langues qui parurent dans la première moitié du XIXᵉ siècle à la suite du *Mithridate* d'Adelung :

ADELUNG (Friedrich), *Uebersicht aller bekannten Sprachen und ihrer Dialekte*, Saint-Pétersbourg, 1820.

VATER (J. S.), *Vergleichungstafeln der europäischen Stammsprachen und Süd-, West-Asiastischer*, Halle, 1822.

KLAPROTH (J.), *Asia polyglotta*, Paris, 1823, 2ᵉ éd., 1832. — Ouvrage accompagné d'un atlas.

BALBI (A.), *Atlas ethnographique du globe, ou classification des peuples anciens et modernes d'après leurs langues, précédé d'un discours sur l'utilité et l'importance des langues appliquée à plusieurs branches des connaissances humaines ; d'un aperçu sur les moyens graphiques employés par les différents peuples de la terre ; d'un coup d'œil sur l'histoire de la langue slave, et sur la marche progressive de la civilisation en Russie, avec environ sept cents vocabulaires des principaux idiomes connus, et suivi du tableau physique, moral et politique des cinq parties du monde*, 2 vol., Paris, 1826. — La division est géographique ; chaque partie indique les familles (germanique, slave, etc. — avec une famille gréco-latine) sans tenir compte des « souches primitives ». Mais l'existence d'un ensemble (ou « règne ») indo-germanique est envisagée. L'*Introduction* reproduit (pp. 2-13) une lettre de C. MALTE-BRUN avec des vues sur l'indo-européen et la classification des langues. L'atlas (tableaux sans cartes) donne de brèves indications sur le système des langues classées.

D'autre part, des recueils d'oraisons en un grand nombre de langues continuèrent de paraître au XIXᵉ siècle, bénéficiant des apports nouveaux des explorateurs et missionnaires :

AUER, *Sprachenhalle, oratio dominica oder das Vater Unser in DCCLXII Sprachen*, Vienne, 1844-1847.

MARIETTI, *Oratio dominica in CCL linguas versa*, Rome, 1870.

Enfin la Société de la Bible *(The British and Foreign Bible Society)* a travaillé depuis sa fondation (1804) à publier des traductions des Évangiles en toutes langues ; à la fin de 1947, elle a atteint le chiffre de 770 traductions, dont on trouvera des spécimens dans *The Gospel in many tongues. Specimens of 770 languages...*, nouvelle édition, Londres, 1948 (réimpr. 1950).

2. — Ouvrages publiés depuis le milieu du XIXᵉ siècle et présentant des tableaux et ensembles de langues (Liste chronologique).

SCHLEICHER (Aug.), *Die Sprachen Europas*, Bonn, 1850. Traduction française *Les langues de l'Europe moderne*, Paris, 1852. — Étudie les différentes familles à l'intérieur d'une division en trois classes : langues monosyllabiques (représentées par le chinois, examiné dans l'introduction), langues agglutinantes (et incorporantes), langues flexionnelles. L'albanais est présenté comme ayant une parenté spéciale avec le grec et le latin.

MAURY (Alfred), *On the distribution and classification of tongues*, Philadelphie, 1857. — Passe en revue les familles de langues reconnues dans le monde et discute des groupements (Pour l'Afrique, suit KOELLE (S. W.), *Polyglotta africana*, Londres, 1854).

LEPSIUS (C. R.) [1ʳᵉ éd. de l'*Alphabet universel de transcription:* Berlin, 1855], *Standard alphabet for reducing unwritten languages and foreign graphic systems to a uniform orthography in european letters*, Londres-Berlin, 1863. — Contient une classification généalogique des langues à l'intérieur de divisions d'un autre ordre.

MÜLLER (Friedrich), *Linguistischer Theil*, dans *Reise der oesterreichischen Fregatte Novara um die Erde in den Jahre 1857, 1858, 1859*, Vienne, 1867. —

Plus tard, du même auteur, ouvrage beaucoup plus important :

MÜLLER (Friedrich), *Grundriss der Sprachwissenschaft*, 4 vol., Vienne,

1876-1877, 1882, 1884-1887, 1888. — Le premier grand ouvrage descriptif après le *Mithridate* d'Adelung. Grammaire résumée et texte spécimen d'une langue de chaque groupe. Plan géographico-anthropologique (voir aussi, du même, *Allgemeine Ethnographie*, Vienne, 1873, 2ᵉ éd. 1879).

MANITIUS (H. A.), *Die Sprachenwelt in ihrem geschichtlich-literarischen Entwickelungsgange zur Humanität*, 2 vol., Leipzig, 1879-1880. — Le vol. I présente un tableau de langues classées à la fois par types morphologiques (tripartition) et par familles.

FINCK (F. N.), *Die Sprachstämme des Erdkreises*, Leipzi,g 1909. — Tableau généalogique complet, dans un cadre anthropologique, de toutes les langues connues, avec liste-index. — *Die Haupttypen des Sprachbaus*, Leipzig, 1909 (voir ci-dessous, p. xxxiv).

DUGOUT (H.), *Atlas philologique élémentaire. Essai de classification géographique des langues actuellement parlées*, Zi-Ka-Wei, 1910. — Classement par grandes divisions géographiques, puis classement général des langues par types morphologiques (division traditionnelle en 3 types) avec subdivision en familles. Données statistiques, index, cartes.

SCHÜTZ (L. H.), *Die Hauptsprachen unserer Zeit* (En introduction : *Die wichtigsten Sprachen der Vergangenheit*), Francfort-sur-le-Main, 1910. — Les grandes divisions sont géographiques ; la subdivision en familles n'intervient que partiellement. Fournit surtout des textes et des spécimens d'écritures. Planisphère.

DOMINIAN (L.), *The frontiers of language and nationality in Europe*, New York, 1917. — Examine les problèmes posés par la répartition des langues en Europe et la relation entre la segmentation linguistique et la segmentation politique. Un des appendices présente en deux pages une classification généalogique des langues parlées en Europe. Abondante bibliographie et nombreuses cartes, dont 9 grandes en couleurs.

MEILLET (A.), *Les langues dans l'Europe nouvelle*, Paris, 1ʳᵉ éd., 1918, 2ᵉ éd., 1928, avec un appendice de L. TESNIÈRE sur la statistique des langues de l'Europe. — Présentation des familles de langues, avec discussion de quelques grands problèmes (principes de classification, langue et race, langue et civilisation, langues nationales, langues artificielles, etc.). 1 carte en couleurs.

Les langues du monde, par un groupe de linguistes sous la direction de A. MEILLET et Marcel COHEN, 1ʳᵉ éd., Paris, 1924. — Classification généalogique.

SCHMIDT (W.), *Die Sprachfamilien und Sprachenkreise der Erde*, Heidelberg, 1926. — La première partie (pp. 3-267) consiste en un tableau général des familles de langues, avec l'histoire de leur découverte. L'ouvrage est accompagné d'un bon atlas. Pour la seconde partie, voir ci-dessous, p. xxxii.

KIECKERS (E.), *Die Sprachstämme der Erde, mit einer Anzahl grammatischer Skizzen*, Heidelberg, 1931. — Contient un tableau général des langues, réparties en 33 sections, avec un index.

CORNISH (V.), *Borderlands of language in Europe and their relation to the historic frontier of christendom*, Londres, 1936. — 15 cartes en noir.

DAUZAT (A.), *L'Europe linguistique*, Paris, 1940 (réédition prévue en 1952). — Examen des différents groupes de langues de l'Europe, et de la situation linguistique des différentes nations. 1 carte en couleurs reproduisant celle de Meillet-Tesnière dans l'ouvrage cité ci-dessus, et, dans le texte, 15 cartes en noir.

LEWY (E.), *Der Bau der Europäischen Sprachen*, dans *Proceedings of the Royal Irish Academy*, vol. XLVIII, section C, n° 2, Dublin, 1942. — Essai de classification typologique des langues de l'Europe ; revue rapide des caractéristiques de structure de 18 langues, et essai de groupement nouveau en cinq domaines linguistico-culturels : voir ci-dessous, p. XXXII. Résumé en anglais.

LAMONT (C.), *The peoples of Soviet Union*, New York, 1944. — Donne un tableau statistique.

THOTT-HANSEN (P.), *Østens Sprog* (1er tome du *Dansk Haandbog*), Copenhague, 1945. — Étude descriptive et d'intérêt pratique des principales langues de l'Asie contemporaine ainsi que de leurs systèmes d'écriture.

RUNDLE (St.), *Language as a social and political factor in Europe*, Londres, 1946. — Cartes et statistiques.

MILEWSKI (Tadeusz), *Zarys językoznawstwa ogólnego* (Esquisse de linguistique générale), 2 vol., Lublin-Cracovie, 1947-1948. — Le vol. II (1948) décrit dans un ordre géographique les familles linguistiques connues, avec des aperçus sur leur histoire et leur structure. Résumé en anglais. Atlas de 64 cartes avec légendes en polonais et en anglais. Voir aussi plus bas, p. XXXII. — Le vol. III (non paru) serait une classification typologique des langues.

Cent-cinquantenaire de l'École des Langues orientales, Paris, 1948. — Outre la documentation concernant l'École, l'ouvrage contient une notice sur chacune des langues qui y sont enseignées, des éléments de bibliographie, et, à la fin, un essai de statistique par P. MEILE.

MATTHEWS (W. K.), *Languages of the U. S. S. R.*, Cambridge, 1951. — Exposé général sur les langues de l'Union Soviétique. Cartes, statistiques, bibliographie et index.

PEI (Marius A.), *The world's chief languages (formerly Languages for war and peace)*, 3e éd., Londres, 1949. — Tableaux des familles de langues, avec des chiffres de population et des indications de structure. Répartition géographique des langues. Grammaires élémentaires et pratiques. Indications sur les écritures avec illustrations. Esperanto en appendice. Glossaire, index. 16 cartes en noir.

Enfin, nombre d'ouvrages généraux de linguistique contiennent des tableaux de langues, notamment :

MÜLLER (F. Max), *Lectures on the science of language*, Londres, 1861. Traduction française : *La science du langage*, Paris, 1864. — La classification généalogique, présentée comme la plus parfaite, n'est appliquée qu'à la famille indo-européenne ; pour les autres langues, classification morphologique, avec un exposé sommaire sur les langues sémitiques et une étude des caractéristiques des langues « touraniennes » (tongous, mongol, turc, finnois, samoyède, tamoul, bhotîya, taïen, malais).

WHITNEY (W. D.), *Language and the study of language*, Londres, 1867. — Examine les familles bien établies (ch. VIII) puis les familles incertaines (ch. IX). -- *The life and growth of language*, New-York, 1875. En français : *La vie du langage*, Paris, 1875. En allemand : *Leben und Wachstum der Sprache*, Leipzig, 1876). — Consacre un chapitre à la famille indo-européenne et un autre aux autres familles, avec des indications de structure, mais en s'en tenant à une classification purement génétique .

HOVELACQUE (A.), *La linguistique*, Paris, 1ʳᵉ éd., 1876, dernière réimpression 1921. — Présente les langues du monde en les classant en langues isolantes, agglutinantes et flexionnelles.

SAYCE (A. H.), *Introduction to the science of language*, 2 vol., Londres, 1879. — Le vol. II contient une classification typologique des langues, flexionnelles d'une part, agglutinantes et autres (incorporantes, isolantes) d'autre part.

TUCKER (A. N.), *Introduction to the natural history of language*, Londres, 1908. Présente (pp. 115-228) un tableau général des langues classées selon une méthode « morphologique » originale (voir p. XXXIV).

TROMBETTI (A.), *Elementi di glottologia*, Bologne, 1923. — La première partie de l'ouvrage (publiée d'abord seule en 1922) présente un tableau général des langues groupées selon un système propre à l'auteur, qui reconnaît deux grandes branches : australe et boréale, et qui vise à établir la monogénèse du langage. Planisphère en couleurs. — (Antérieurement, du même auteur : *L'unità d'origine del linguaggio*, Bologne, 1905).

HOMEYER (H.), *Von der Sprache zu den Sprachen;* Olten, 1947. — Le chap. V (pp. 327-446) est consacré à un tableau généalogique des langues d'Europe, avec un exposé sur chacune des principales langues anciennes et modernes (d'après Dauzat (A.), *L'Europe linguistique*, cité ci-dessus).

Plusieurs ouvrages mentionnés dans la bibliographie de linguistique générale contiennent des tableaux de langues : ouvrages généraux de BLOOMFIELD, BODMER-HOGBEN, GRAFF, GRAY (qui donne p. 418 un tableau du nombre des langues dans les diverses familles), GRÉGOIRE, HINKLE, MAROUZEAU, PERROT, PORZIG, STURTEVANT (groupements personnels contestés), ouvrage historique de PEDERSEN.

On ne mentionne pas ici les tableaux de langues qui ne concernent qu'une famille. Voir les bibliographies des chapitres correspondants. Pour les ouvrages intéressant les groupements de langues, voir les *Notes liminaires*, avec références.

A ces bibliographies, ajouter les *Actes des Congrès internationaux des orientalistes*, qui contiennent des résumés de communications linguistiques dont certaines n'ont pas fait l'objet de publications plus étendues.

Parmi les encyclopédies, voir notamment *Les langues des peuples*, par P. RIVET, tableau en 4 pages des familles de langues dans l'*Encyclopédie française*, t. VII, Paris, 1936 (1ʳᵉ partie, section B, chap. 10) — et l'article *Lingue* par G. TAGLIAVINI dans l'*Enciclopedia italiana*, t. XXI, Rome, 1934.

Enfin, on pourra utiliser J. C. LEYBURN, *Handbook of Ethnology*, New-Haven (U. S. A.), 1931, gros lexique classant par ordre alphabétique plus de 12.000 noms de groupes sociaux et linguistiques (avec, également, des noms géographiques).

Il faudrait ajouter aux ouvrages cités les atlas, dont certains contiennent des cartes linguistiques du monde ou de parties du monde. Voir page XLII.

Note complémentaire sur la statistique des langues.

Ni les ouvrages cités dans la bibliographie ci-dessus, ni le présent ouvrage ne permettent d'établir même approximativement une statistique des langues parlées dans l'ensemble du monde. Une évaluation de ce genre se heurte aux problèmes théoriques que pose le choix d'un critère permettant de distinguer les langues des dialectes et parlers plus ou moins différenciés ; à la limite, on dénombrerait par exemple des dizaines de milliers de parlers sur le territoire français en tenant compte des divergences locales dans les patois. On a tenté d'utiliser le critère de l'intercompréhension en considérant comme une langue tout ensemble de parlers entre lesquels l'intercompréhension existe et en posant l'existence de deux langues différentes quand l'intercompréhension n'est pas réalisée. Mais, à des difficultés théoriques, s'ajoute l'insuffisance de notre information pour de vastes domaines où la complexité linguistique est extrême, comme l'Afrique et l'Amérique ; il est souvent impossible de présenter autre chose qu'une énumération de groupes de populations au sein de quelques grands ensembles linguistiques.

En ne prenant en considération que les « idiomes » qui ne sont pas de simples parlers locaux, on peut sans doute tenir pour relativement valable l'approximation qui situe le nombre des langues du monde entre 2.500 et 3.500 (chiffre donné par exemple par le *General Report* d'I. A. L. A. signalé p. XXXVI ; voir aussi L. H. GRAY, *Foundations of language* [cité p. XXXVII], pp. 417- 418). Les dénombrements qu'on peut faire dans le présent ouvrage semblent confirmer cet ordre de grandeur.

Le groupement de ces langues en familles a atteint des résultats très variables suivant les parties du monde. L'ensemble des langues de l'ancien monde se répartit en moins de vingt familles vivantes plus ou moins nettement constituées, tandis que l'Amérique offre encore, dans l'état actuel de nos connaissances, plus de cent familles distinctes, auxquelles s'ajoutent de nombreuses langues isolées.

La comparaison des planisphères des langues indigènes et des langues de civilisation fait apparaître la disproportion entre le nombre des langues existantes et le nombre de celles qui jouent un rôle important dans le monde. La statistique publiée par L. TESNIÈRE en 1928 (ouvrage de Meillet-Tesnière cité p. XXVI) indiquait que 29 langues seulement étaient parlées par plus de 10 millions d'individus, le chinois étant à lui seul la langue de près du quart de l'humanité et l'anglais venant en seconde position avec 170 millions de sujets parlants (aujourd'hui environ 250 millions). Le nombre des langues de culture est aussi très restreint : il y a environ 25 langues importantes à la fois par leur extension et par leurs productions écrites, et 40 ou 50 qui ont une littérature, importante ou non. Il y a lieu de tenir compte du développement récent de certaines langues : ainsi en Extrême-Orient la langue indonésienne, élaborée à partir d'une forme de malais pour servir de langue de civilisation à 70 millions d'individus, et, en Afrique, le haoussa, devenu principale langue de civilisation du Soudan central, et le souahili, langue officielle de toute l'Afrique orientale anglaise.

3. — Ouvrages importants pour les méthodes de classification des langues.

A) *Classification généalogique.*
Parenté et affinité

L'histoire du développement de l'indo-européen a soulevé des discussions importantes pour la méthode de classification des langues en général.

Le premier comparatiste qui proposa des reconstitutions précises, Schleicher, figura la genèse des langues indo-européennes sous la forme d'un arbre généalogique : de la langue-mère se seraient détachés comme d'un tronc commun des rameaux qui eux-mêmes auraient fait souche et aboutiraient aux différentes langues par une série de ramifications successives (Stammbaumtheorie) :

SCHLEICHER (August), *Compendium der vergleichenden Grammatik der indogermanischen Sprachen*, Weimar, 1861-1862, 4ᵉ éd., 1876.

Cette conception fut critiquée par H. Schuchardt, qui est à l'origine de la « théorie des ondes », esquissée déjà dans *Der Vokalismus des Vulgärlateins*, III, Leipzig, 1868, pp. 33 et suiv., puis appliquée aux langues romanes dans la leçon inaugurale présentée à Leipzig en 1870, *Über die Klassifikation der romanischen Mundarten* (publiée seulement en 1900, à Graz), et exposée beaucoup plus tard dans *Nordisk Tidsskrift for Filologie*, IV, 6 (1914), et dans *Sprachverwandtschaft*, paru dans les *Sitzungsberichte* de l'Académie de Berlin, vol. XXXVII, de 1917 (avec une suite de quelques pages dans le vol. XLII, de 1926). L'essentiel de ces textes a été reproduit dans :

Hugo SCHUCHARDT-*Brevier*, Halle, 1922, 2ᵉ éd., 1928.

La théorie des ondes (Wellentheorie) explique les différenciations au sein d'un ensemble linguistique par des particularités isolées qui ont rayonné comme des ondes. Ces vues ont été appliquées à l'indo-européen par J. Schmidt, à qui la théorie des ondes a été ensuite attribuée :

SCHMIDT (Johannes), *Die Verwantschaftsverhältnisse der indogermanischen Sprachen*, Weimar, 1872. — Un arbre généalogique ne rend pas compte des relations entre les langues parentes : il y a non pas des ensembles cohérents de traits distincts caractérisant des branches distinctes, mais seulement des traits particuliers reliant les différentes langues les unes aux autres par une série de chaînons. Ceci est dû au fait qu'à l'intérieur de l'ensemble indo-européen dans la période d'unité se sont développées des particularités dialectales qui ont rayonné et dont les aires respectives sont délimitées par des lignes isoglosses distinctes pour chaque fait, s'entrecroisant de façon très complexe.

Sur les discussions de cette époque, voir H. HIRT, *Die Indogermanen, ihre Verbreitung, ihre Urheimat und ihre Kultur*, Strasbourg, 1905-1907, pp. 89-98 et 579-581 (avec bibliographie).

La conception d'un indo-européen différencié en dialectes avant la dissémination a prévalu. Elle a été reprise par :

MEILLET (A.), *Les dialectes indo-européens*, Paris, 1908, 2ᵉ éd. 1922, nouveau tirage 1950. — Entre l'indo-européen et les différentes langues communes (grec commun, slave commun, etc.), A. Meillet admet trois unités linguistiques intermédiaires, l'une certaine (indo-iranien), les deux autres probables (italo-celtique, balto-slave).

Du même, voir les articles réunis dans *Linguistique historique et linguistique générale* (voir p. xxxvii) et un exposé général sur la méthode comparative avec un examen du problème des langues communes et des langues mixtes : *La méthode comparative en linguistique historique*, Oslo, 1925. (Y ajouter l'exposé de méthode qui constitue le chap. I de l'*Introduction à l'étude comparative des langues indo-européennes*, 8e éd., Paris, 1937).

Sur les critères de parenté, ajouter Kroeber (A. L.), *The determination of linguistic relationship*, dans *Anthropos*, VIII (1913).

La mise en place du hittite et du tokharien a fait apparaître la nécessité de tenir compte de l'étalement de l'histoire des langues indo-européennes dans l'espace et dans le temps : influence de la position géographique et caractère non contemporain des faits dialectaux précédemment étudiés.

Outre la question des relations dialectales intéressant ces deux langues, on trouvera esquissées des vues sur l'importance de la situation périphérique ou centrale des langues d'un même ensemble pour leur évolution dans :

Pedersen (H.), *Le groupement des dialectes indo-européens*, Copenhague, 1925.

Essai de mise en relation des données géographiques et des données chronologiques et effort pour édifier sur les principes de la théorie des ondes une méthode précise dans :

Bartoli (M.), *Introduzione alla neolinguistica. Principi. Scopi. Metodi*, Genève, 1925.

Essai de chronologie indo-européenne, et examen des problèmes, par :

Meillet (A.) dans *BSL*, 32 (1931), pp. 1-28, à compléter par *ibid.*, pp. 194-203 et *C. R. Acad. Inscr.*, 1930, pp. 149-154.

Poussant à l'extrême les vues de J. Schmidt, certains linguistes ont nié toute unité intermédiaire entre l'indo-européen et les langues dérivées, pour ne considérer que des innovations indépendantes, dues aux contacts successifs qui ont marqué l'histoire des différents groupes. Voir notamment :

Bonfante (G.), *I dialetti indo-europei*, Naples, 1931.

Pisani (V.), *Studi sulla preistoria delle lingue indo-europee*, Rome, 1933. — L'auteur a réaffirmé ses thèses dans *Geolinguistica e indeuropeo*, Rome, 1940, où il étaye ses vues relatives à la préhistoire des langues indoeuropéennes sur des exemples historiques de contagion phonétique. — Du même, plus récemment, *Parenté linguistique*, dans *Lingua*, III, 1 (fév. 1952).

Sur l'ensemble de ces problèmes, des indications historiques et bibliographiques sont fournies par M. Lejeune, *La position du latin sur le domaine indo-européen*, dans *Mémorial des Études latines*, Paris, 1943, pp. 7-31.

Ces discussions ont mis en lumière l'importance des contacts subis par les langues au cours de leur développement. Sur les interactions entre systèmes de langues non apparentées, on pourra consulter :

Sandfeld (Kr.), *Balkanfilologien. En oversigt over dens resultater og problemer*, Copenhague, 1926. Traduction française *Linguistique balkanique. Problèmes et résultats*, Paris, 1930.

HOLMER (Nils M.), *Lexical and morphological contacts between Siouan and Algonquian*, Lund, 1949.

Voir aussi, pour l'ensemble de l'Europe, l'ouvrage de E. LEWY cité ci-dessous.

L'examen théorique des problèmes posés par les échanges d'influences, les faits d'« adstrat », a fait naître la notion d'« affinité » à côté de la notion de parenté (On a parlé de Sprachbund « confédération de langues », à côté de la notion plus ancienne de Sprachstamm « filiation de langues »). Voir notamment les *Atti del III Congresso internazionale dei linguisti* [Rome, 1933], Florence, 1935, pp. 23-51 (avec un rapport de J. Van GINNEKEN) et les *Actes du IVe Congrès international de Linguistes* [Copenhague, 1936], Copenhague, 1938 (rapports de R. JAKOBSON et Kr. SANDFELD).

Sur les faits de substrat et de superstrat, sont à signaler entre autres :

BERTOLDI (V.), *La parola quale testimone della storia*, Naples, 1945.

MALMBERG (B.), *L'espagnol dans le nouveau monde. Problème de linguistique générale*, dans *Studia Linguistica*, années I et II.

Les interactions entre langues sont liées aux contacts entre les groupes humains et aux communautés de civilisation. Certains linguistes ont tenté de mettre en rapport les faits linguistiques et les faits de civilisation. Ainsi :

SCHMIDT (W.), *Die Sprachfamilien...* (cité ci-dessus, p. XXVI). — La deuxième partie (pp. 269-540), intitulée *Die Sprachenkreise und ihr Verhältniss zu den Kulturkreisen* passe les langues en revue dans un ordre géographique pour chaque trait et met en évidence nombre de concordances entre l'extension des faits linguistiques et les aires de civilisation. (Compte rendu critique de Marcel COHEN dans *BSL*, t. 28 [1928], fasc. 1, pp. 10-21).

L'idée que la répartition des caractéristiques de structure linguistique est à rapprocher de la répartition des civilisations et des influences culturelles apparaît dans :

LEWY (E.), *Der Bau der Europäischen Sprachen* (cité ci-dessus, p. XXVI). — L'auteur présente un groupement typologique géographique, puis un groupement typologique historique et enfin un groupement géographique, historique et culturel des langues d'Europe. Voir p. XXVII.

L'importance du facteur ethnique et culturel dans la vie des langues est présentée comme essentielle dans :

MILEWSKI (T.), *Zarys językoznawstwa ogólnego*, 2e partie (cité p. XXVII).

Une tentative a été faite récemment par certains linguistes des U. S. A. notamment M. Swadesh, pour déterminer la part de la conservation et de l'innovation due aux contacts dans le développement historique des langues, et pour appliquer la constante observée dans le vocabulaire de base à la préhistoire linguistique, de manière à évaluer la durée du développement isolé des langues remontant à une origine commune. Voir sur ce point :

SWADESH (M.), *Diffusional cumulation and archaic residue as historical explanations*, dans *Southwestern Journal of Anthropology*, vol. 7, n° 1, 1951. — Du même, application pratique à des groupes de langues américaines dans

International Journal of American Linguistics, vol. 16, n° 4, 1950, pp. 157-167, et vol. 17, n° 4, 1951, pp. 209-216.

Sur l'utilisation de la méthode statistique pour l'évaluation du degré de parenté entre deux langues, et sur l'application du calcul des probabilités à la recherche de la parenté, voir discussion et références dans *Lingua*, III, 1, Haarlem, 1952, pp. 3-16, article de V. Pisani, *Parenté linguistique*.

B) *Classification typologique*

Parallèlement à la classification généalogique s'est développée une classification typologique des langues, fondée sur leurs caractéristiques de structure, et qui a souvent pris une forme psychologique.

Sur les classifications antérieures au xixe siècle et fondées sur l'ancienne grammaire générale, voir par exemple l'article *Langue* de *l'Encyclopédie* (t. IX, Neufchastel, 1765, pp. 258-259) : les langues sont divisées en deux espèces, selon le rapport entre la « marche du discours » et la « succession naturelle des idées » qui sont parallèles dans les langues dites « analogues » (français, espagnol, par ex.), indépendantes dans les langues dites « transpositives » (grec, latin, allemand, par ex.).

La classification typologique moderne se fonde essentiellement sur l'examen des procédés morphologiques. Les ouvrages les plus importants pour l'histoire de cette classification sont :

Schlegel (Fr. von), *Ueber die Sprache...* (cité plus haut, p. xxiii). — Premier essai de classification morphologique.

Schlegel (A. W.), *Observations sur la langue et la littérature provençale*, 1818, où (dans l'introduction) est présentée pour la première fois la tripartition qui sera celle de Schleicher.

Le premier ensemble important de réflexions approfondies sur les structures des langues et leur variété, avec une tentative d'interprétation psychologique, est fourni par l'œuvre de W. von Humboldt, notamment :

Humboldt (W. von), *Ueber die Verschiedenheiten des menschlichen Sprachbaues*, 1829.

Les linguistes qui ont produit les principaux travaux sur l'indo-européen ont aussi apporté leur contribution à la classification structurale, déjà envisagée par :

Bopp (Fr.), *Vergleichende Grammatik des Sanskrit, Zend, Armenischen, Griechischen, Lateinischen, Litauischen, Altslawischen, Gotischen und Deutschen*, Berlin, 1832-1849 (*Von der Wurzeln*, § 108, pp. 108-113 de la 1re éd., pp. 225-250 de la trad. française établie en 1866 sur la 2e édition).

L'œuvre de Humboldt a inspiré plusieurs linguistes qui ont tenté d'élaborer une classification morphologico-psychologique des langues, et en premier lieu Pott, qui a exposé ses vues d'abord dans *Jahrbücher der freien deutschen Akademie*, Francfort-sur-le-Main, 1849, puis dans divers ouvrages, notamment :

Pott (A. Fr.), *Wilhelm von Humboldt und die Sprachwissenschaft*, 2 vol., Berlin, 1876.

Du même esprit procèdent les travaux de Steinthal :

STEINTHAL (H.), *Die Classification der Sprachen dargestellt als die Entwickelung der Sprachidee*, Berlin, 1850, remanié dans *Charakteristik der hauptsächlichsten Typen des Sprachbaues*, Berlin, 1860.

La distinction de trois types morphologiques, proposée déjà par A. W. Schlegel, a été reprise par Schleicher :

SCHLEICHER (A.), *Compendium der vergleichenden Grammatik... der indogermanischen Sprachen*, 1861 (cité plus haut, p. xxx — voir *Einleitung*, II, pp. 2-4) — et *Die Sprachen Europas*, 1850 (cité p. xxv).

La tripartition à laquelle aboutit Schleicher (et qui se relie aux conceptions hégéliennes de l'auteur) : langues isolantes, langues agglutinantes (et incorporantes), langues flexionnelles, a été largement utilisée ; elle a été diffusée en particulier par les ouvrages de Max MÜLLER (voir notamment la 8e *Lecture*) et HOVELACQUE signalés pp. xxvii-xxviii. A. Hovelacque a défendu cette classification morphologique dans la seconde des *Études de linguistique et d'ethnographie*, par A. HOVELACQUE et J. VINSON, Paris, 1878. WHITNEY l'admettait également, tout en reconnaissant sa valeur limitée (voir notamment *Language and the study of language*, chap. X, où sont discutés les principes de classification). Elle est également considérée aujourd'hui comme périmée, mais on la trouve encore dans des manuels récents, comme celui de A. GRÉGOIRE signalé plus bas (Linguistique générale, p. xxxvii).

En 1876, Fr. MÜLLER faisait une revue critique des trois types de classification des langues (morphologique, psychologique, généalogique) dans l'*Einleitung in die Sprachwissenschaft* (pp. 63-98) qui constitue la 1re partie du vol. I de *Grundriss...* (voir p. xxv).

Classification des langues en « concrètes » et « abstraites » (avec subdivisions dans chaque classe) et développements pratiques de la théorie dans :

OPPERT (G.), *On the classification of languages. A contribution to comparative philology*, Madras-Londres, 1879.

L'ouvrage de Steinthal cité ci-dessus a été refondu par :

MISTELI (Fr.), *Charakteristik der hauptsächlichsten Typen des Sprachbaues*, Berlin, 1893. — L'auteur distingue six types morphologiques et répartit les langues en quatre classes.

Ces distinctions ont été reprises et ont abouti à la reconnaissance de huit types différents illustrés par la description de huit langues représentant chacune un de ces types dans :

FINCK (F. N.), *Die Haupttypen des Sprachbaus*, Leipzig, 1909. — Voir aussi, du même, *Die Klassifikation der Sprachen*, Marbourg, 1901, où est présentée une classification psychologique.

Une classification « morphologique » nouvelle est proposée par :

TUCKER (A. N.), *Introduction to the natural history of language*, Londres, 1908.

De nouveaux principes sont également proposés (4 « types conceptuels » fondamentaux) dans l'ouvrage de SAPIR, *Language*, 1921, signalé dans la bibliographie de linguistique générale (p. xxxvi).

On trouvera une revue historique et critique des anciennes classifications typologiques dans *Language* de O. JESPERSEN, 1923 (première partie, historique, et notamment pp. 76-80).

Sur la pluralité de structures que cache un type présenté comme un dans la tripartition traditionnelle, voir en particulier P. MERIGGI, *Sur la structure des langues groupantes* (= isolantes), dans *Psychologie du langage*, par divers auteurs, Paris, 1933, pp. 185-224.

Sur la méthode typologique, ajouter W. MEYER-EPPLER, *Sprachtypologische Untersuchungen*, dans *Studia Linguistica*, année IV.

Le linguiste soviétique N. MARR (mort en 1934) avait constitué une doctrine personnelle, participant de la classification généalogique et de la classification typologique, avec la théorie des « stades ». Pas de manuel systématique à ce sujet dans ses œuvres complètes en russe ; en français, voir certaines références dans Marcel COHEN, *Une leçon de marxisme à propos de la linguistique*, dans *La Pensée*, n° 33, nov.-déc. 1950. Cet article résume la discussion qui a mis fin au développement de la théorie de Marr, avec des contributions de J. STALINE. La discussion a été publiée intégralement en traduction anglaise à New-York ; les réponses de J. Staline ont été éditées à part en plusieurs langues : russe 1950, français Paris, 1951, *A propos du marxisme en linguistique*. Voir aussi J. ELLIS et R. W. DAVIES, *The crisis in Soviet linguistics* (*Soviet Studies*, II, 3), Oxford, 1951.

Les méthodes de classement des langues (classement morphologique et classement généalogique) sont discutées dans l'ouvrage de A. N. TUCKER signalé ci-dessus ; voir également les ouvrages de W. L. GRAFF (pp. 323-351) et L. H. GRAY (discussion développée en deux chapitres pp. 295-418) mentionnés dans la bibliographie de linguistique générale.

Un examen critique rapide des différents systèmes de classification (psychologique, morphologique, anthropologico-généalogique) est présenté comme introduction au système personnel de l'auteur, qui soutient la théorie de la monogénèse du langage, dans TROMBETTI (A.), *Elementi di glottologia*, Bologne, 1923. Exposé historique très voisin par G. TAGLIAVINI dans l'*Enciclopedia italiana*, t. XXI, Rome, 1934, article *Lingue*.

Enfin, les problèmes généraux posés par la comparaison, la classification, les contacts et mélanges des langues ont été exposés dans les principaux ouvrages généraux de linguistique : à date ancienne, celui, déjà cité de Fr. MÜLLER (voir p. xxv et xxxiv), et G. von der GABELENTZ, *Die Sprachwissenschaft*, 1re éd., Leipzig, 1891, 2e éd. (A. von der SCHULENBURG) 1901 ; parmi les ouvrages récents mentionnés dans la bibliographie de linguistique générale, notamment le *Langage* de J. VENDRYES, et, de A. MEILLET, *Linguistique historique et linguistique générale*, où est reproduite (vol. II) l'*Introduction* à la 1re édition des *Langues du Monde*.

A ajouter : article de méthode de J. VENDRYES, *La comparaison en linguistique*, dans BSL, t. 42 (1942-1945), pp. 1-18 ; vues n'intéressant pas seulement l'indo-européen chez N. S. TRUBETZKOY, *Gedanken über das Indogermanenproblem*, dans *Acta Linguistica*, I (1939), pp. 81-89 ; et revue des questions par E. BENVENISTE, *La classification des langues*, dans *Conférences de l'Institut de Linguistique*, XI (1952-1953), Paris (à paraître).

II. — LINGUISTIQUE GÉNÉRALE

La bibliographie qui suit comprend :

1. des ouvrages généraux sur le langage ;
2. des ouvrages d'initiation aux problèmes et aux méthodes de la linguistique ;
3. les ouvrages et périodiques les plus importants fournissant des moyens d'étude sur le mouvement des doctrines linguistiques ;
4. les principaux ouvrages concernant l'histoire de la linguistique ;
5. les principales études sur l'écriture.

Sur le problème de l'origine du langage, on trouvera un résumé historique des théories dans G. Révész, *Ursprung und Vorgeschichte der Sprache*, Berne, 1946 (trad. française de L. Homburger, *Origine et préhistoire du langage*, Paris, 1950) ; sur la théorie personnelle de l'auteur, voir le compte rendu de J. Vendryes, dans *B. S. L.*, t. 44, Paris, 1948, fasc. 2, pp. 5-7. Voir également la première partie (historique) et les derniers chapitres (idées personnelles) de O. Jespersen, *Language*, cité ci-dessous.

Sur les enquêtes linguistiques, voir Marcel Cohen, *Instructions d'enquête linguistique*, Institut d'Ethnologie, Paris, 2ᵉ éd. 1951 (Avec bibliographies, en particulier pour la géographie linguistique). Du même, *Questionnaire linguistique*, nouv. éd. 1951 par la Commission d'enquête linguistique du C. I. P. L. Voir aussi p. XLII.

Sur les langues fabriquées à usage international, voir notamment, parmi les *Actes des congrès internationaux de linguistes*, les *Actes du IIᵉ Congrès* (pp. 72 et suiv.) et du *VIᵉ Congrès* (rapport de A. Martinet pp. 93-112, communications pp. 409-416, discussion pp. 585-600), ainsi que les publications de I. A. L. A. *(International Auxiliary Language Association)*, entre autres le *General Report* de 1945, qui contient un bref historique et quelques références.

1. — Ouvrages généraux

Principaux ouvrages modernes (ordre chronologique) :

Sapir (E.), *Language: an introduction to the study of speech*, New-York, 1921, in-12, VII-258 pp. — L'information fait une large place aux langues américaines. Vues sur la classification des langues, sur les relations entre le langage et les autres faits humains. Index. Pas de bibliographie.

Jespersen (O.), *Language: its nature, development and origin*, Londres, 1922, dern. réimpr. 1950, in-8°, 448 pp. — Intéressante introduction historique. Idées sur l'origine, le développement et le progrès du langage. Indications sur l'acquisition du langage et divers langages de relation. Pas de bibliographie systématique.

Vendryes (J.), *Le langage. Introduction linguistique à l'histoire*, Paris, 1923, dern. éd. 1950, in-8°, XXX-461 pp. (Traduit en anglais et en espagnol). — Reste, malgré sa date (rédaction achevée en 1914), un manuel essentiel, donnant sur l'ensemble des problèmes linguistiques des exposés clairs et suggestifs. Bibliographie (avec périodiques) vieillie, mais complétée par plusieurs appendices successifs. Index.

Graff (W. L.), *Language and languages, an introduction to linguistics*, New-York-Londres, 1932, in-8°, XLVI-487 pp. — Fait une place importante aux considérations théoriques sur les caractéristiques de structure. Biblio-graphie abondante avec périodiques. Index. Glossaire.

BLOOMFIELD (L.), *Language*, New-York, 1933, 2e éd. 1935, in-8º, ix-566 pp. — Contient surtout un exposé des données acquises par la linguistique. La courte introduction théorique a exercé une influence sur l'école mécaniste américaine. Bibliographie abondante avec périodiques. Index.

GRAY (L. H.), *Foundations of language*, New-York, 1939, 2e éd. 1950, xv-530 pp. — Manuel complet et bien documenté. Contient une partie historique indiquant de nombreux ouvrages anciens et récents. Gros index.

COHEN (Marcel), *Le langage : structure et évolution*, Paris, 1950, in-8º 144 pp. — Exposé méthodique : constitution et transformation des systèmes linguistiques ; les langues en raison de l'histoire des populations qui les parlent. Courte bibliographie. Index.

A ajouter :

BALLY (Ch.), *Linguistique générale et linguistique française*, Paris, 1932, 2e éd., Berne, 1944, in-8º, 440 pp.

SCOTT (H. F.), CARR (W. L.) et WILKINSON (G. T.), *Language and its growth, an introduction to the history of language*, Chicago, 1935, in-8º, 396 pp. (Nouvelle éd. augmentée de *The development of language*, 1921).

PALMER (L. R.), *An introduction to modern linguistics*, Londres, 1936, in-12, xii-216 pp. — Les aspects de la linguistique. Bibliographie limitée.

HINKLE (L. E.), *The nature and growth of language*, microfilm publication nº 1159 (Offices of Science Service, Washington). — Signalé et analysé brièvement dans *Language*, vol. 15, nº 4, Baltimore, 1939 (p. 265).

WARTBURG (W. von), *Einführung in Problematik und Methodik der Sprachwissenschaft*, Halle, 1943. Trad. française : *Problèmes et méthodes de la linguistique*, Paris, 1946, in-8º, vii-214 pp. — Consacré essentiellement à l'évolution des langues, l'histoire du français tenant la plus grande place.

STURTEVANT (E. H.), *An introduction to linguistic science*, New Haven, 1947, in-8º, 173 pp. — Contient certaines idées appelant des réserves sur l'origine du langage et sur certains groupements de langues. Bibliographie éparse dans le volume. Index.

TAGLIAVINI (C.), *Introduzione alla glottologia*, 4e éd., Bologne, 1950, 506 pp. — Bon instrument de travail, avec une bibliographie et un index.

ULLMANN (St.), *The principles of semantics*, Glasgow, 1951, in-8º, 314 pp. — Important ouvrage de méthode. Mise en place générale des faits de langue.

Quelques ouvrages importants sont des recueils d'articles :

MEILLET (A.), *Linguistique historique et linguistique générale*, 2 vol. Paris, t. I, 1921, 2e éd. 1926, nouveau tirage, 1948, t. II, 1938.

Hugo SCHUCHARDT-*Brevier*, Halle, 1922, 2e éd. 1928.

VENDRYES (J.), *Choix d'études linguistiques et celtiques*, Paris, 1952.

2. — Ouvrages d'initiation

A) Orientation générale :

MAROUZEAU (J.), *La linguistique ou science du langage*, Paris, 1921, 2e éd. 1944, in-8º, 127 pp. — Bonne initiation, avec bibliographie sommaire au début de chaque chapitre.

GRÉGOIRE (A.), *La linguistique*, Paris, 1939, 6e éd. 1948, in-12º, 235 pp. —

Maintient la répartition des langues en trois types : flexionnel, agglutinant et isolant. Bibliographie insuffisante.

MIGLIORINI (B.), *Linguistica*, Florence, 1946, in-12, 111 pp. — Courte bibliographie.

PERROT (J.), *La linguistique*, Paris, sous presse, à paraître en 1952. — Courte bibliographie.

Les différentes orientations et tendances de la linguistique sont résumées dans une brève étude en partie historique :

TERRACINI (A. B.), *Qué es la lingüistica?*, Tucuman, 1942, in-8°, 64 pp.

Les principes d'analyse des systèmes linguistiques sont esquissés à des fins pratiques (étude et enseignement des langues étrangères) dans :

BLOCH (B.) et TRAGER (G. L.), *Outline of linguistic analysis*, Baltimore, 1942 (reprod. 1948), in-8°, 82 pp. — Présente en introduction des indications générales sur le langage et la linguistique. Guide bibliographique.

Ne doit pas être retenu, malgré son titre, pour les vues générales sur le langage :

HOMBURGER (L.), *Le langage et les langues*, Paris, 1951, in-8°, 256 pp. — Apporte surtout, avec des indications historiques, des aperçus grammaticaux de quelques familles de langues.

B) Aperçus linguistiques destinés particulièrement à un public non linguiste (mais où les linguistes ont des indications à recueillir) :

BODMER (P.), *The loom of language*, éd. par HOGBEN (L.), Londres, 1944, 3e tirage 1945, in-8°, 669 pp. — Utile manuel élémentaire conçu comme une base pour l'étude des langues étrangères.

SCHLAUCH (M.), *The gift of tongues*, New York, 1945, in-8°, ix-242 pp. — Initiation, sous forme familière, aux méthodes des différentes branches de la linguistique. Appendice bibliographique et plan d'exercices d'application. 1 carte.

HALL (R. J.), *Leave your language alone*, Ithaca (New York), 1950, in-8°, xii-254 pp. — Cherche à inspirer, par une discussion simple des problèmes, un relativisme tolérant en matière de langage. Bibliographie critique très sommaire.

PORZIG (W.), *Das Wunder der Sprache*, Berne, 1950, in-12, 415 pp. — Consacre une large place à la grammaire comparée et aux langues du monde. Bibliographie comprenant essentiellement des ouvrages de langue allemande.

C) Articles d'encyclopédies :

De nombreuses publications générales et encyclopédies contiennent des articles sur le langage et les langues ; notamment :

Le langage, articles de A. MEILLET, M. LEJEUNE, A. SAUVAGEOT, H. MASPERO (et J. FÉVRIER sur l'écriture, voir ci-dessous), dans l'*Encyclopédie française*, t. I, *L'outillage mental*, Paris, 1937 (2e partie).

Le langage et l'écriture, par M. LEJEUNE, dans l'*Évolution humaine*, t. III, Paris, 1934.

Language, par E. SAPIR, dans *Encyclopedia of the Social Sciences*, t. IX, New York, 1933.

Language, par Fr. BOAS, dans *General Anthropology*, ch. IV, Boston-New-York, etc., 1938.

Language, par O. JESPERSEN, dans *Encyclopaedia Britannica*, vol. XIII, Chicago-Londres-Toronto, 1947.

Linguistica, Lingue, par G. TAGLIAVINI, et *Linguaggio*, par G. BERTONI, dans *Enciclopedia italiana*, t. XXI, Rome, 1934.

3. — Moyens d'étude sur le mouvement des doctrines

Pour le développement des doctrines modernes, le livre essentiel est :

DE SAUSSURE (F.), *Cours de linguistique générale* (professé de 1906 à 1911), Paris-Lausanne, 1916, 4e éd. Paris, 1949. — Enseignement recueilli par certains des élèves de F. de Saussure et publié après sa mort.

D'un autre de ses disciples, avec essai de définition d'une linguistique « fonctionnelle » :

FREI (H.), *La grammaire des fautes*, Genève, 1929.

Un aspect particulier et important de la linguistique moderne s'est développé dans les recherches phonologiques inaugurées par l'école de Prague, principalement sous l'impulsion de N. TROUBETZKOY et R. JAKOBSON. Voir les *Travaux du Cercle linguistique de Prague*, 8 vol. de 1929 à 1939, et notamment le vol. VIII :

TROUBETZKOY (N.), *Grundzüge der Phonologie* (1939), trad. française par J. CANTINEAU, *Principes de phonologie*, Paris, 1949.

La linguistique dite « structuraliste » inspire entre autres les *Acta Linguistica* (périodique : voir ci-dessous) ; y ajouter les *Travaux du Cercle linguistique de Copenhague*, vol. V, *Recherches structurales 1949*, vol. VI, K. TOGEBY, *Structure immanente de la langue française* (avec une introduction générale), 1951, et vol, VIII :

L. HJELMSLEV et H. J. ULDALL, *Outline of glossematics. A study in the methodology of the humanities with special reference to linguistics*, I, *General theory* (par H. J. ULDALL), 1952.

Sur la « glossématique », ajouter :

HJELMSLEV (L.), *Omkring sprogteoriens grundlaeggelse*, Copenhague, 1943. — (Voir le compte rendu de A. MARTINET dans *B. S. L.*, t. 42 (1942-1945), fasc. I, pp. 19-42). — Du même, antérieurement, *Principes de grammaire générale*, Copenhague, 1929.

Dans le même esprit :

BRØNDAL (V.), *Essais de linguistique générale*, Copenhague, 1943.

Pour les aspects « mentaliste » et « mécaniste » de la linguistique moderne aux États-Unis, voir BLOOMFIELD, *Language*, signalé p. xxxvii et les périodiques américains, notamment *Language* et *Word* (voir ci-dessous).

On peut suivre le mouvement de la linguistique en consultant les *Actes des congrès internationaux de linguistes:* I, 1928 ; II, 1931 (*Actes* publiés en 1933) ; III, 1933 (*Atti:* 1935) ; IV, 1936 (*Actes:* 1938) ; VI, 1948 (*Actes:* 1949) ; VII, 1952 (*Proceedings* à paraître en 1953). [Le Ve congrès (1939) a été interrompu par la guerre; pas d'*Actes*, seulement *Rapports*, Bruges, 1939].

Les périodiques qui donnent le plus de place aux aspects théoriques de la linguistique sont :

Bulletin de la Société de Linguistique de Paris ;
Cahiers Ferdinand de Saussure (Genève) ;
Lingua. Revue internationale de linguistique générale (Haarlem) ;
Acta Linguistica. Revue internationale de linguistique structurael (Copenhague) ;
Studia Linguistica. Revue de linguistique générale et comparée (Lund) ;
Language. Journal of the Linguistic Society of America (Baltimore) ;
Word. Journal of the Linguistic Circle of New York ;
Archivum Linguisticum (Glasgow) ;
Acta Linguistica Academiae Scientiarum Hungaricae (Budapest) ;
Archivio glottologico italiano (Florence) ;
Izvestija Akademiji nauk SSSR, otdelenije literatury i jazyka (Moscou-Leningrad) ;
Voprosy jazykoznanija (Acad. des Sciences de l'U. R. S. S., Moscou.);
Biuletyn polskiego towarzystwa jezykoznawczego (Cracovie).

4. — Études historiques

Ouvrage ancien important :

BENFEY (Th.), *Geschichte der Sprachwissenschaft und orientalischen Philologie in Deutschland,* Munich, 1869.

Bon exposé de toute l'histoire de la linguistique jusqu'à la fin du xixᵉ siècle :

THOMSEN (V.), *Sprogvidenskabens historie, en kortfatter fremstilling af dens hovedpunkter,* Copenhague, 1902 ; trad. allemande *Geschichte der Sprachwissenschaft bis zum Ausgang des 19. Jahrhunderts.* Halle, 1927 ; trad. russe *Istorija jazykovedenija do konca XIX veka,* avec supplément de R. ŠOR, *Kratkij očerk istorii linguistiěeskix uěenij s epoxi bozrozždenija do konca XIX. veka,* Moscou, 1938 ; trad. espagnole *Historia de la lingüistica,* Madrid, 1945.

Exposé très complet des travaux linguistiques pour l'ensemble des langues au xixᵉ siècle, avec des indications sur le passé de la grammaire comparée :

PEDERSEN (H.), *Sprogvidenskaben i det Nittende Aarhundrede. Metoder og Resultater,* Copenhague, 1924 ; trad. anglaise (avec remaniements et compléments) par J. W. SPARGO, *Linguistic science in the nineteenth century. Methods and results,* Cambridge, 1931.

Revue rapíde des théories jusque vers 1930, avec bibliographie :

IPSEN (G.), *Sprachphilosophie der Gegenwart,* Berlin, 1930. — Renseigne surtout sur les idées des théoriciens allemands.

On trouvera aussi des indications historiques plus ou moins développées dans les ouvrages cités ci-dessus (pp. XXXVI à XXXVIII) de BLOOMFIELD, GRAY, GRÉGOIRE, HOMBURGER, JESPERSEN (historique jusque vers 1880), PORZIG (histoire de la grammaire comparée au chap. 7).

L'*Introduction à l'étude comparative des langues indo-européennes* de A. MEILLET (8ᵉ éd. 1937, nouv. tirage Paris, 1949) comprend un appendice sur le développement de la grammaire comparée.

Il y a des indications historiques dans les *Lectures* de Max Müller (voir p. xxvii).

A ajouter :

Terracini (B.), *Perfiles de lingüistas. Contribución a la historia de la lingüistica comparata*, Tucumán, 1946. — Plus récemment, *Guida alla studio della linguistica storica, I. Profilo storico critico*, Rome, 1949.

Sur les théories anciennes en linguistique :

Steinthal (H.), *Geschichte der Sprachwissenschaft bei den Griechen und Römern mit besonderer Rücksicht auf die Logik*, Berlin, 1863, 2e éd. 1890.

Lersch (L.), *Sprachphilosophie der Alten dargestellt an dem Streite über Analogie und Anomalie der Sprache*, Bonn, 1838-1841.

Robins (R. H.), *Ancient and mediaeval grammatical theory in Europe, with particular reference to modern linguistic doctrine*, Londres, 1951.

Harnois (G.), *Les théories du langage en France de 1660 à 1821*, Paris, s. d. (vers 1930).

Berg (A.), *Die Anschauungen Ludwig Noiré's über Ursprung und Wesen von Sprache und Vernunft*, Darmstadt, 1918.

5. — Écriture

Principaux ouvrages :

Jensen (H.), *Geschichte der Schrift*, Hanovre, 1925, in-4o, viii-231 pp. — *Die Schrift in Vergangenheit und Gegenwart*, Glückstadt-Hambourg, 1935, in-4o, vi-418 pp.

Diringer (D.), *L'alfabeto nella storia della civiltà*, Florence, 1937, in-8o, lxvii-800 pp., — *The Alphabet. A key to the history of mankind*, New York, 1948, 2e éd. 1949, in-8o, xii-607 pp.

Moorhouse (A. C.), *Writing and the Alphabet*, Londres, 1946, 97 pp.

Février (J.), *Histoire de l'écriture*, Paris, 1948, in-8o, 608 pp.

Gelb (I. J.), *A study of writing. The foundations of grammatology*, Univ. of Chicago Press, 1952, in-8o, 295 pp.

Cohen (Marcel), *La grande invention de l'écriture et son évolution.* (A paraître).

Notices sur les caractères étrangers anciens et modernes rédigées par un groupe de savants et réunies par Ch. Fossey, Paris, 1927, 2e éd. 1948, xviii-427 pp.

Exposés rapides :

Ouvrages cités de Pei (voir p. xxvii), Vendryes (voir p. xxxvi), Palmer (voir p. xxxvii), Schlauch (voir p. xxxviii), Pedersen (voir p. xl).

Février (J.), *L'alphabet*, dans l'*Encyclopédie française*, t. I, Paris, 1937 (2e partie, chap. IV).

Lejeune (M.), *Le langage et l'écriture*, dans l'*Évolution humaine*, t. III, Paris, 1934.

Bibliographie :

Sattler (P.) et von Selle (G.), *Bibliographie zur Geschichte der Schrift bis in das Jahr 1930* (Archiv für Bibliographie, Beiheft 17), Leipzig, 1935.

A partir de 1939, consulter la *Bibliographie linguistique* du C. I. P. L. (voir l'*Appendice* ci-dessous).

APPENDICE : INSTRUMENTS BIBLIOGRAPHIQUES

Importants recueils bibliographiques anciens (après le *Mithridate* d'Adelung) :

VATER (J. S.), *Literatur der Grammatiken, Lexika und Wörtersammlungen aller Sprachen der Erde*, 2ᵉ éd. par B. JÜLG, Berlin, 1847. — Très abondante bibliographie des travaux antérieurs.

TRÜBNER'S *Catalogue of dictionaries and grammars of the principal languages and dialects of the world*, Londres, 1872, 2ᵉ éd. 1882. — Environ 3.000 titres dans la 2ᵉ édition. — Plusieurs autres catalogues de TRÜBNER intéressent des domaines linguistiques déterminés.

Le Comité international permanent de Linguistes (C. I. P. L.) a entrepris la publication annuelle d'un recueil bibliographique pour l'ensemble de la production linguistique. Ont déjà paru :

Bibliographie linguistique des années 1939-1947, 2 vol., Utrecht-Bruxelles, 1949-1950 ; — *de l'année 1948 et complément des années 1939-1947*, Utrecht-Bruxelles, 1951 ; — *de l'année 1949 et complément des années précédentes*, Utrecht-Anvers, 1951.

L'*Indogermanisches Jahrbuch*, édité à Berlin depuis 1914 (dernier volume paru : vol. 29, années 1944-1946, Berlin, 1951), fournit une bibliographie linguistique générale (et non limitée à l'indo-européen).

Pour les langues classiques, l'ensemble des travaux philologiques et linguistiques est signalé par l'*Année philologique*, publiée à Paris, sous la direction de J. MAROUZEAU, par J. ERNST (1ᵉʳ vol. : années 1924-1926 ; pour les années 1914-1924, *Dix années de bibliographie classique*, par J. MAROUZEAU, Paris, 1927-1928 ; pour la période précédente, en cours de publication : S. LAMBRINO, *Bibliographie de l'antiquité classique 1896-1914* [1ʳᵉ partie *Auteurs et textes*, Paris, 1951]).

De nombreux périodiques (voir pp. XXXIX-XL) contiennent des comptes rendus d'ouvrages linguistiques. On trouvera notamment une bibliographie critique abondante dans le *Bulletin de la Société de Linguistique de Paris*.

Pour la dialectologie et les atlas linguistiques, revue des travaux dans :

POP (S.), *La dialectologie. Aperçu historique et méthodes d'enquêtes linguistiques*, 2 vol. (I, *Dialectologie romane* — II, *Dialectologie non romane*), Louvain, 1950.

Le travail doit être complété et poursuivi par *Orbis, bulletin international de documentation linguistique* (vol. I, 1 publié en 1952), Louvain, Centre international de dialectologie générale.

J. PERROT.

LANGUES INDO-EUROPÉENNES

NOTE LIMINAIRE

Fr. Bopp, qui a le premier établi avec précision les carac-
tères propres aux langues indo-européennes, croyait les
retrouver aussi dans deux familles linguistiques qui ont été
depuis reconnues comme étrangères : le géorgien[1] (ou plutôt
le groupe kartvèle) et le malayo-polynésien[2]. Toutefois
certaines concordances morphologiques entre l'indo-européen
et le caucasien du sud[3] ou même le caucasien du nord[4] ont
paru dignes d'attention. Récemment on a de nouveau tenté
d'apparenter l'indonésien à l'indo-européen, mais sans
raisons valables[5].

L'hypothèse d'une parenté entre l'indo-européen et le
chamito-sémitique[6] a depuis longtemps des partisans con-
vaincus qui se sont appliqués méthodiquement à la restitution
d'un état commun.

1. Bopp, *Die kaukasischen Glieder des indoeuropäischen Sprachstamms*, Berlin, 1847.

2. Bopp, *Über die Verwandtschaft der malayisch-polynesischen Sprachen mit den indisch-europäischen* (Abhandl. Berl. Akad., 1840) ; *Über die Übereinstimmung der Pronomina des malayisch-polynesischen und indisch-europäischen Sprachstammes* (Abhandl. Berl. Akad. 1840).

3. Deeters, *Das kharthwelische Verbum*, 1930 (Introd.).

4. Troubetzkoy, *BSL.* XXIX, p. 170.

5. Brandstetter, *Wir Menschen der Indonesischen Erde.* XI. *Die Verwandtschaft des Indonesischen mit dem Indogermanischen*, 1937. Discussion : Benveniste, *BSL* (c. r.), XXXVIII, pp. *211-212.

6. Historique et bibliographie des recherches : A. Cuny, *Mélanges J. Van Ginneken*, 1937, pp. 141-147. Ajouter : W. Couvreur, *De hettitische ḫ. Een Bijdrage tot de Studie van het indo-europeesche Vocalisme*, 1937 ; A. Cuny, *Recherches sur le vocalisme, le consonantisme et la formation des racines en « nostratique », ancêtre de l'indo-européen et du chamito-sémitique*, Paris, 1943 et *Invitation à l'étude comparative des langues indo-européennes et des langues chamito-sémitiques*, Bordeaux, 1946 ; L. Heilmann, *Camito-semitico e indoeuropeo*, Bologne, 1949.

D'autre part, de nombreuses similitudes lexicales et morphologiques ont été constatées entre l'indo-européen et le finno-ougrien[1].

Sans reconnaître à ces comparaisons une valeur définitive, certains inclinent à penser qu'elles attesteraient en survivances obscurcies une parenté hautement préhistorique entre les langues des peuples de race blanche[2].

Le terme de nostratique, *c'est-à-dire « de nos langues », a été proposé pour ce vaste ensemble ; certains aussi l'emploient pour l'indo-européen et le chamito-sémitique seulement.*

Dans le présent ouvrage, il n'est admis comme assuré que le rattachement généalogique à l'indo-européen de certaines langues anciennes d'Asie Mineure (lycien, lydien) ; en raison de la connaissance insuffisante qu'on en a et de la difficulté de les bien classer à l'intérieur de l'indo-européen, il a paru préférable d'en traiter dans le Chapitre des langues asianiques et méditerranéennes.

Des comparaisons plus lointaines ont été tentées : avec le sumérien[3], l'altaïque et même l'aïnou[4] ; un examen critique de ces hypothèses[5] n'en laisse guère subsister que la possibilité de quelques emprunts de vocabulaire, dans les cas les plus favorables.

1. H. Pedersen, *Mém. de la Soc. Finno-Ougrienne*, LXVII (1933), p. 308 ss. et *Atti del III Congr. Intern. dei Linguisti*, 1935, p. 328 ss. — B. Collinder, *Indo-uralisches Sprachgut*, 1934.

2. A. Meillet, *Introduction*, 8e éd., 1937, p. 39.

3. C. Autran, *Sumérien et indo-européen*, 1925 ; A. Schott, *Indogermanisch-semitisch-sumerisch* (Festschr. Hirt, II, pp. 45-95, bibl.).

4. Güntert, *Der Ursprung der Germanen*, 1934 ; Koppelmann, *Die eurasische Familie-Indogermanisch, Koreanisch und Verwandtes*, 1933 (V. *Journal asiatique* CCXXVIII avril-juin 1936, pp. 346-348). Discussion : Jensen, *Festschr. Hirt*, II, p. 125 ss., 159 ss. En outre, A. Nehring, *Stud. zur idg. Kultur und Urheimat*, dans *Die Indogermanen- und Germanen-Frage*, 1936.

5. D'autres relations (chinois, eskimo, etc.) sont discutées par Jensen, *Festschrift Hirt*, II, 1936 (bibl.).

I. GÉNÉRALITÉS

La famille indo-européenne est celle à laquelle étaient réservées dans l'histoire les destinées les plus hautes. Elle a créé les formes linguistiques les plus achevées, expressions des littératures les plus belles et les plus riches, instruments des civilisations qui ont conquis le monde ; les langues indo-européennes se sont ainsi répandues dans la presque totalité de l'Europe et de l'Amérique, dans une grande partie de l'Asie et de l'Océanie, dans une partie notable de l'Afrique.

Ce succès prodigieux s'explique par des causes historiques : génie organisateur des Indo-Européens, supériorité de leurs institutions et de leur technique, prestige croissant de leur civilisation. Partout où, aristocratie conquérante, ils se sont imposés, ils ont instauré l'usage de leur langue, que ce soit le latin ou le sanskrit dans l'Italie et l'Inde ancienne, ou, à l'époque moderne, le français, l'espagnol, l'anglais dans le Nouveau Monde. La langue des conquérants, étendue sur de vastes territoires, y demeure sensiblement uniforme jusqu'au jour où la constitution de groupes politiques ou ethniques distincts la fractionne en dialectes qui se développent indépendamment. Ainsi, la ruine de l'empire romain donne naissance aux langues néolatines qui remplacent le latin sur le vaste domaine où il régnait uniformément.

L'unité linguistique qu'on appelle indo-européen et qui atteste une certaine unité de civilisation a dû de tout temps comporter des divisions dialectales. La langue commune enfermait des éléments de différenciation auxquels la rupture de l'unité ne fit que donner un libre essor. Cette dislocation ne s'est d'ailleurs pas faite en un jour ni de la même façon sur tous les points du domaine. De là les différences de structure et les variétés de tendances que montrent les langues indo-européennes dès la date la plus ancienne. Inversement, il importe de se rappeler que l'unité indo-européenne a sans doute été une partie d'un ensemble linguistique plus vaste et qu'elle a pu comprendre des langues qui la rattachaient indirectement à d'autres familles. Nous ne connaissons pas encore *toutes* les langues indo-européennes et nous n'entrevoyons que très imparfaitement le développement qui a précédé et préparé la langue commune.

Sur l'habitat des Indo-Européens, la linguistique apporte bien moins de renseignements que sur leur organisation sociale, leurs croyances, leur genre de vie, leur outillage. Cependant en coordonnant l'étude du vocabulaire à celle des antiquités matérielles, on peut avec probabilité situer la « nation » indo-européenne dans les plaines de la Russie méridionale et peut-être, plus anciennement, en Asie Centrale. L'origine nordique a beaucoup moins de vraisemblance, quoiqu'elle ait été proclamée avec insistance, ces derniers temps, par certains préhistoriens. Mais il ne faut pas oublier que l'histoire des peuples indo-européens a été une longue suite de migrations et que des ensembles de tribus ont pu établir leur centre commun en plusieurs régions successives. Au point de vue anthropologique, les peuples de langues indo-européennes appartiennent tous à la « race blanche ». Mais les peuples de l'Inde sont en général de teint foncé.

Entre l'indo-européen reconstitué par la comparaison et les langues indo-européennes parlées aujourd'hui, il y a de profondes différences de structure, résultant d'un long développement autonome. Tout aussi importantes sont les différences que l'on constate de l'une à l'autre de ces langues et qui s'expliquent par la variété des actions qu'elles ont subies. Le brittonique des plus anciens textes est à beaucoup d'égards plus évolué que l'irlandais moderne. Les parlers iraniens se trouvent, au début de l'ère chrétienne, à un niveau linguistique que les langues romanes ne devaient atteindre que dix siècles plus tard. Inversement le lituanien, langue rurale, à l'écart des grands courants de civilisation, parlé depuis des siècles par une population stable sur un domaine limité, a conservé des archaïsmes que le grec ancien ou le latin avaient laissé perdre. Ces circonstances historiques font qu'il y a entre le lituanien et une langue de civilisation comme le français ou l'anglais une différence de valeur qui entraîne nécessairement des différences de structure.

Malgré la variété et l'inégalité de leur évolution, les langues indo-européennes présentent dans leur développement certaines tendances communes aboutissant à des transformations analogues, et qui permettent de caractériser deux types de langues : type ancien : hittite, sanskrit, iranien ancien, grec ancien, latin ; type moderne, postérieurement à l'ère chrétienne : langues romanes, germaniques, celtiques, iraniennes, arméniennes. Les principales différences de ces deux types apparaissent si l'on passe en revue les traits généraux de la structure de l'indo-européen et les principes qui tendaient à la transformer.

II. STRUCTURE DE L'INDO-EUROPÉEN

Le phonétisme de l'indo-européen est d'une remarquable simplicité. Il ne comporte qu'un petit nombre de voyelles : *a*, *e*, *o*, et *i*, *u* comme formes vocaliques de *y*, *w*. Les consonnes se différencient en : 1º occlusives sourdes et sonores, aspirées ou non, soit *p t k ; b d g ; ph th kh ; bh dh gh ;* elles sont de valeur et de fréquence inégales ; les sourdes aspirées ne fonctionnent guère que comme variantes expressives des sourdes simples, et les sonores sont moins fréquentes (surtout *b*) que les sonores aspirées. Il y a en outre une série de gutturales prépalatales et une série de labio-vélaires *(kʷ, gʷ, gʷh)* ; 2º sonantes nasales *(m, n)*, liquides *(r, l)* et semi-voyelles *(y, w)*, susceptibles de prendre une valeur vocalique *(m̥ n̥ r̥ l̥ i u)* ; 3º une seule continue *s*, qui peut devenir *z* devant occlusive sonore (ex. *nizdos*, all. *Nest* « nid », de *ni-sd-*, racine *sed-*) ; aucune spirante non sifflante ; pas de *h* ; 4º un phonème *ə*, qui doit être le vestige d'une série laryngale et glottale dans un état phonétique plus ancien ; le *ə* peut se contracter avec une voyelle ou une sonante précédente, qui en devient longue.

Ni les consonnes doubles (sauf dans ᴄe rares formes familières comme *atta* « père ») ni les groupes consonantiques complexes ne sont admis. Toutes les consonnes peuvent se trouver à l'initiale (sauf *r-*) ou au milieu du mot ; mais en finale les aspirées, les labio-vélaires et les occlusives labiales sont exclues. Les groupes initiaux sont de deux, au maximum de trois consonnes ; quand ils sont triconsonantiques, ils comportent en général une occlusive entre *s* et *r* ou *l*, ainsi *str- spl- skr-*, etc. ; des groupes tels que *pst-* dans *pster-* « éternuer » ou *bzd-* dans *bzdey-* « péter » sont exceptionnels et de fonction expressive. En finale il n'existe qu'un nombre restreint de possibilités, surtout avec *-s* et *-t* (*-ks, -ns, -nt, -rt, -st, -kt*, etc.). Dans l'élément radical d'une forme sont évitées les séquences d'occlusive sourde et de sonore aspirée, telles que seraient *tegh-* ou *bhet-*, et les consonnes identiques au début et à la fin ; il n'y a pas de racine de la forme *pep-* ou *lel-* ; la racine *ses-* « dormir » (skr. *sas-ti*, hitt. *šeš-zi* « il dort ») est unique, et probablement de nature expressive.

Les voyelles seules sont soumises à des oppositions quantitatives et ces différences de longues et de brèves constituent le principe rythmique de la langue. La quantité des voyelles a valeur phonologique. Il y a un accent de hauteur qui, en principe, peut se placer sur n'importe quelle syllabe et détermine ainsi des oppositions grammaticales.

La morphologie indo-européenne présente des caractéristiques très accusées dont voici les principales : 1º les mots à forme fixe, indéclinables (adverbes, prépositions, enclitiques) sont bien moins nombreux que les mots fléchis (noms, pronoms, verbes) ; 2º la racine est en principe inapparente ; le sujet parlant n'a conscience que du radical, qui porte la signification ; 3º il n'y a pas de formation « absolue », indépendante de l'emploi grammatical, qui puisse désigner la notion pure, nominale ou verbale ; il y a seulement des « formes », nécessairement pourvues d'indices qui en spécifient l'emploi ; 4º la « forme » est toujours composée de deux éléments : le thème, indiquant la signification, et la désinence, qui contient toutes les marques grammaticales ; 5º la structure de la forme est réglée par le jeu complexe du ton et des alternances dans les éléments morphologiques ; l'alternance fondamentale est l'opposition vocalique *e/o/zéro* qui se manifeste encore, par exemple dans all. *binden: band: Bund;* 6º la « forme » est à la fois une unité autonome en ce qu'elle inclut toutes ses caractéristiques — et un élément de l'énoncé, auquel elle est reliée par le réseau des déterminations qu'elle porte ; 7º le nom est toujours distinct du verbe ; bien que dans les deux cas on ait affaire à un thème qui se fléchit et bien que le verbe puisse comprendre des formes nominales (infinitif, participes), la « déclinaison » d'un nom n'a rien de commun avec la « conjugaison » d'un verbe ; 8º les variations des formes se font par suffixation, jamais par préfixation ; 9º les éléments désinentiels assument à la fois plusieurs fonctions grammaticales : la finale *-orum* de lat. *equorum* indique à la fois le pluriel, le génitif et le masculin ; la finale *-itur* de lat. *loquitur* indique à la fois la 3e pers., le singulier, le présent, l'indicatif, et le déponent.

Le nom comprend des substantifs et des adjectifs qui ont les mêmes caractéristiques flexionnelles et ne diffèrent (sens et fonction à part) que par la manière dont ils expriment le genre. La formation des noms, très riche et diverse, comprend un grand nombre de types, thématiques (terminés par la voyelle *e/o*) ou athématiques, primaires (formés directement sur la racine) ou secondaires (bâtis sur un nom déjà existant), définis par des suffixes de différentes valeurs ; il en résulte des noms d'agent, des

noms d'action, des abstraits, des collectifs, etc. Certaines
formations, primaires ou secondaires, servent à marquer
la gradation et constituent des « comparatifs » et des
« superlatifs ». Les substantifs se répartissent en deux
classes de genre : le genre animé (ultérieurement différencié
en masculin et féminin) et le genre inanimé (ou neutre).
La seule différence entre les substantifs et les adjectifs est
que ces derniers ont un thème unique pour le masculin
et le neutre et qu'il s'y est développé plus tard un thème
de féminin. Deux thèmes nominaux peuvent se joindre
en un thème composé ; le premier n'a pas de désinences ;
seul le second thème du composé se fléchit. Ces composés
sont de types très divers : gr. *akró-polis* « ville haute » ;
arkhé-kakos « qui commence le mal » ; *andro-phónos* « qui
tue les hommes » ; lat. *quadrupes* « qui a quatre pieds » ;
reciprocus litt. « qui va en arrière (et) en avant » ; skr.
rāja-putráḥ « fils de roi » ; *rā́ja-putraḥ* « dont le fils est roi »,
etc. L'indo-européen offre, surtout dans la langue solennelle,
poétique et religieuse, un grand nombre de composés.

La flexion nominale comprend trois nombres : singulier,
pluriel et duel (ce dernier en voie d'élimination dès les premiers documents linguistiques). Dans les substantifs de
genre animé, au singulier, la déclinaison est à huit cas :
nominatif, vocatif, accusatif, génitif, datif, locatif, ablatif,
instrumental ; dans les noms de genre inanimé, le nominatif
et l'accusatif ont une forme commune. Au pluriel et surtout
au duel, les formes sont en nombre plus réduit : on tend à
doter d'une forme unique les cas indirects (datif-ablatif-
instrumental) au pluriel et au duel, et d'une forme unique
également, au duel, le nominatif, le vocatif et l'accusatif
aussi bien dans le genre animé que dans l'inanimé. Le type
flexionnel archaïque des neutres était « hétéroclitique »,
c'est-à-dire comportait des thèmes différents selon les cas ;
en particulier on opposait un thème en -*r* à un thème en -*n*
dans la même flexion ; ainsi lat. *iter, itineris ;* skr. *yakr̥t,*
gén. *yaknah,* etc. Avec l'extension du type thématique, ces
anomalies s'éliminent progressivement. Un autre trait
particulier au neutre est que le pluriel y est représenté au

nominatif-accusatif par une forme de collectif en -*a* qui coïncide avec la forme du féminin singulier des thèmes en -*o*-.

Les pronoms personnels ont des particularités qui les distinguent des noms : on emploie comme formes pronominales, sans distinction de genre, des mots différents au singulier et au pluriel (par ex. lat. *ego nos, tu vos*), différents aussi au nominatif et aux autres cas (par ex. *ego me*). La flexion n'est pas celle des substantifs et comporte en outre, à certains cas, des formes toniques et des formes atones.

Encore différente est la flexion des démonstratifs qui coïncide en partie avec celle des substantifs de type thématique (type en -*e/o*- -*ā*-), en partie avec celle des pronoms, par utilisation de thèmes différents pour certains cas : à un nominatif **so* s'oppose un thème **to*- pour les autres cas. Cette flexion caractérise aussi les anaphoriques et relatifs (thème **yo*-), et l'interrogatif-indéfini *(*kʷe/o-: *kʷi-).*

La marque essentielle du verbe indo-européen est, au point de vue du sens, d'exprimer exclusivement le rapport du *sujet* à la notion ; l'objet n'est pas en considération.

Le verbe n'est pas une « conjugaison » complète et constante. Il est constitué, pour chaque racine, par une série de thèmes indépendants les uns des autres, dont le nombre et la structure ne sont pas donnés d'avance. Ces thèmes, qui sont de types variés, s'unissent aux désinences personnelles par un jeu complexe d'alternances et par des oppositions de ton (p. ex. lat. *est: sunt*, anciennement **és-ti : *s-ónti*). Ils se répartissent en plusieurs catégories : thèmes d'aoriste, bâtis directement sur la racine ; thèmes de présent, qui peuvent être dérivés d'autres thèmes nominaux ou verbaux ; thème de parfait ; thèmes à redoublement intensif ou itératif ; thèmes causatifs, désidératifs, etc. Ils n'expriment pas le « temps », mais seulement le procès considéré en lui-même (aoriste) ou dans son développement (présent) ou comme état accompli (parfait), et avec diverses modalités particulières (action répétée, absolue ou transitive, etc.) ; à date ancienne, c'est l'« aspect » qui règle l'emploi du thème verbal ; le « temps » n'est marqué, partiellement, que par les désinences. A l'expression de ces modalités sont affectés des suffixes verbaux, en particulier -ē/ō-, -ye-, -ske-, -eu-, -ā-, -s(y)e-, susceptibles de s'ajouter les uns aux autres. En outre, il est toujours possible de tirer un verbe d'un nom (verbes dénominatifs). Enfin on tire du thème trois formes modales : l'indicatif qui est le thème sans addition ; le subjonctif, caractérisé par l'addition de -e/o- au thème temporel ; et l'optatif caractérisé par l'addition de -yē-/-ī- ou -oi- au thème temporel.

Au point de vue de la « diathèse », l'indo-européen ne connaît qu'une opposition *actif/moyen*, spécifiée par des désinences distinctes. Le passif s'est développé secondairement dans chaque dialecte et emprunte les désinences moyennes.

Les désinences sont actives ou moyennes, primaires ou secondaires, et varient en outre avec la personne et le nombre (mais le genre n'y est pas marqué). Il y a aussi une désinence en -r, qui marquait les formes impersonnelles. En outre, l'indicatif comporte une série de désinences propres au parfait, et l'impératif a ses désinences particulières. Une forme telle que gr. *pherontai* se dénonce, par sa seule désinence *-ntai*, comme une 3ᵉ personne — du pluriel — moyenne — primaire. De plus le présent-aoriste à l'indicatif a des désinences différentes à certaines personnes selon qu'il est thématique ou athématique (ainsi gr. *ei-mi* et *pher-ō*). La flexion verbale est plus riche encore que la flexion nominale.

Le principe de l'autonomie des mots donne une grande liberté dans la construction de la phrase, çar l'ordre des mots n'est pas significatif par lui-même.

D'étroites règles d'accord marquent la dépendance des formes les unes par rapport aux autres et permettent une grande variété de types de phrases, du fait que chaque mot indique lui-même, par sa forme, son rôle dans la proposition. On peut apposer un adjectif à un substantif ou un groupe de mots à un autre groupe. La rection n'est pas encore fixée, le verbe n'ayant pas à proprement parler de « complément » direct ou indirect. Les « préverbes », qui ultérieurement tendront à faire corps avec les formes verbales, gardent encore leur indépendance et se comportent comme des adverbes.

Dès l'origine, il y a des phrases verbales et des phrases nominales, suivant que le prédicat est un verbe ou un nom, et l'emploi de la phrase nominale est usuel quand la copule serait à la 3e pers. singulier du présent.

Dans l'ordre des mots, le principe est de mettre en tête le mot important, puis, en second lieu, tous les mots accessoires (particules, indéfinis, pronoms personnels enclitiques) ; et de placer en général le déterminant avant le déterminé.

Le rapport entre les mots considérés comme importants et les mots accessoires se marque par le ton : les mots enclitiques sont atones ; peuvent être atones en outre même des formes grammaticales si elles ne commencent pas l'énoncé. Les mots qui sont principaux dans la phrase sont nécessairement toniques.

Pour enchaîner les phrases, on tend dès l'époque indo-européenne à employer des « relatifs » (*yo- sur une partie du domaine ; *$k^w i$- sur une autre), qui préparent la « subordination ».

Il n'existe pas de particule interrogative : l'ordre des mots et — quand il y a lieu — le pronom interrogatif suffisent à caractériser l'interrogation. Il y a des mots négatifs : *ne* pour la négation ; et, pour la prohibition, un mot qui est *mē* dans certains dialectes, *nē* dans d'autres et *lē* en hittite.

La numération est décimale : les numéraux sont des mots distincts pour les nombres de un à dix ; au delà, on compte par dizaines, au moyen de dérivés du mot « dix » composés avec le nom de chaque unité (par ex. lat. *uī-ginlī, rī-g inlā*, proprement « deux, trois dizaines », etc.). Les numéraux de un à quatre sont considérés comme des adjectifs, et se fléchissent ; à partir de cinq, ils sont indéclinables. On compte ainsi jusqu'à « cent » (skr. *çatam*, lat. *centum*) et au delà, en formant des noms de centaines par le même procédé que les noms de dizaines (lat. *du-centī*, *quin-gentī*, etc.). Mais un mot commun pour « mille » n'est pas attesté ; les langues ont forgé indépendamment l'une de l'autre des dénominations qui, quand elles sont claires, indiquent que « mille » est le « grand nombre ». — Parallèlement aux numéraux cardinaux, l'indo-européen a possédé une série d'adjectifs ordinaux, dérivés des cardinaux au moyen de suffixes secondaires (*-to-*, *-yo-*, *-mo-*, en général), avec certaines variations vocaliques.

Quelques langues ont des traces plus ou moins nettes de numération vigésimale : le celtique (d'où les formes galloromanes et françaises du type de *quatre-vingts* pour *octante*), le germanique ancien (où le mot « cent » sert à indiquer « 120 »), et, en domaine iranien, l'ossète et quelques parlers pamiriens. On s'accorde à considérer ces déviations comme dues à l'action d'un « substrat » dans le cas du celtique, ou à l'influence de langues voisines, non indo-européennes, dans celui de l'iranien.

La structure ainsi définie a subi, au cours de l'histoire et à mesure que s'accusait l'évolution indépendante de chaque langue, de profondes modifications.

Dans le phonétisme on observe partout une tendance à la simplification du système des occlusives (notamment par l'élimination des labio-vélaires), à la création de spirantes (par affaiblissement de l'articulation des occlusives), à la gémination consonantique, à l'élimination des sonantes (qui deviennent définitivement voyelles ou consonnes) et du ə, à la réduction des diphtongues. Le système vocalique s'enrichit dans certaines langues par des variations de timbre, liées généralement à des différences de quantité ; il s'appauvrit dans d'autres, comme l'indo-iranien où les anciens *e o a* se confondent dans le timbre *a*.

L'accident le plus grave a été causé par la transformation du rythme de la langue ; à des dates variables suivant les langues, l'accent devient expiratoire et prend une place fixe dans le mot ; l'accent d'intensité règle les rapports quantitatifs. La structure phonique des mots a été de ce fait plus ou moins transformée ; les syllabes finales notamment ont été souvent gravement atteintes et le volume des mots tend à se réduire.

La morphologie se simplifie et se régularise. Le jeu si complexe des alternances se réduit partout. En même temps le système du verbe et le système du nom tendent à s'organiser. Dans le verbe, le latin et le germanique, le baltique et le slave se créent un type à deux thèmes (présent/aoriste ou parfait), si fermement ordonné qu'il subsiste sans changement appréciable jusque dans les langues d'aujourd'hui. Dans toutes les langues il tend à se créer des conjugaisons complètes et régulières, au besoin en unissant dans une conjugaison unique d'anciens systèmes partiels : c'est le « supplétisme » de lat. *sum*, parfait *fuī;* gr. *trékhō* « je cours » : aoriste *édramon;* avest. *vaēna-* « voir » : participe *dīta-*. Les préverbes s'unissent étroitement aux verbes et peuvent ainsi constituer des oppositions sémantiques. Le système, moins ferme, du nom se régularise aussi par simplification. On étend progressivement la flexion thématique aux anciens substantifs de flexion anomale. Les cas concrets perdent de leur importance par suite de l'emploi de particules et de prépositions. Ultérieurement il se crée des articles dans bon nombre de langues, pour marquer des rapports intéressant la valeur et l'aspect du nom. L'emploi du nom comporte ainsi, beaucoup plus tôt que celui du verbe, l'addition indispensable d'éléments accessoires.

L'altération des finales précipite la transformation du système morphologique. Les langues remédient à cette situation soit en créant de nouvelles désinences (ainsi en arménien), soit — c'est le cas le plus fréquent — en

employant des outils grammaticaux. Ceux-ci augmentent
en nombre et en importance à mesure que la flexion se
simplifie. Là où la flexion est réduite au minimum comme
en anglais ou en persan, les rapports grammaticaux ne
peuvent être exprimés que par des moyens accessoires,
extérieurs au mot : particules, mots auxiliaires, ordre des
mots à valeur grammaticale. Le mot lui-même tend alors
à devenir un symbole abstrait, également apte à l'expression d'une notion nominale ou verbale et ne portant en
lui-même aucune marque d'un emplo iquelconque. Rien n'est
plus éloigné de ce que représentait un mot indo-**européen**.

III. TABLEAU DES LANGUES INDO-EUROPÉENNES[1]

GROUPE HITTITE

Les langues réunies ici sous cette dénomination provisoire sont toutes de connaissance récente. Les documents
qui les ont révélées proviennent pour la plupart des
fouilles de Boghaz-Köy (au cœur de l'Asie Mineure, à
150 kilomètres à l'est d'Ankara) effectuées au début de ce
siècle ; ils n'ont été déchiffrés qu'à partir de 1916 pour le
hittite, plus récemment encore pour les autres langues.
Le travail d'interprétation, actuellement en cours,
demandera encore de longues années avant qu'on puisse
établir avec précision les relations complexes des langues
de l'Asie Mineure entre elles et avec les familles connues.

On peut considérer comme sûrement indo-européennes
quatre de ces langues, le hittite, le *luwi*, le *palā* et le « hittite
hiéroglyphique ». (Pour les autres, v. Langues Asianiques).

Le déchiffrement du HITTITE (du nom des *Ḫillīm*,
peuple mentionné dans la Bible) par B. Hrozný, en 1916,
a été aussi important pour la linguistique indo-européenne
que pour la connaissance du monde antique au IIe millénaire avant notre ère. Le hittite est écrit au moyen du
syllabaire cunéiforme akkadien et représente la langue des
fondateurs et des maîtres de l'empire hittite, qui avait

---

1. Voir les cartes I, II, IV et XI, A.

son centre à Ḫattušaš (Boghaz-Köy). Les archives de Ḫattušaš ont livré, entre autres, des milliers de tablettes hittites qui s'échelonnent entre le XIXᵉ et le XIVᵉ s. environ (l'empire hittite disparaît vers 1200, ruiné par l'invasion phrygienne), et dont on n'a publié qu'une faible partie ; ce sont des textes politiques (annales, édits, traités, correspondances royales), religieux (rituels, prières, mythes, présages) et juridiques (codes). On possède aussi quelques vocabulaires suméro-akkado-hittites. En outre, on a découvert en Égypte, à Tell El-Amarna, deux lettres en hittite (correspondance entre Amenophis III et Tarhundaradu, roi d'Arzawa). La langue est dès à présent connue dans les traits essentiels de sa structure et offre au comparatiste nombre de faits précieux. Mais il reste beaucoup à faire tant pour l'histoire interne de la langue (valeur exacte des signes syllabiques, chronologie des faits morphologiques, description des emplois syntaxiques) que pour l'exploration du vocabulaire où abondent les éléments étrangers. — La langue hittite s'appelait dans la tradition indigène « nésite » du nom de la ville de *Nesas* (*nāšili*, *nešumnili* « en langue nésite [= hittite] »). Les Hittites réservaient le nom de *ḫatti* à la langue (non indo-européenne) des premiers habitants du pays (v. aux Langues asianiques et méditerranéennes).

On est bien moins avancé dans la connaissance du *luwi* (louwi) langue écrite de la même manière et attestée aux mêmes époques que le hittite. Il semble que le *luwi* ait été établi en Asie Mineure dès une très haute antiquité, s'il faut considérer comme d'origine *luwi* des formations toponymiques répandues dans toute l'Asie Mineure dès le début du IIIᵉ millénaire. En tout cas la langue, localisée sur la côte sud de l'Asie Mineure à date historique, n'est connue que par un petit nombre de tablettes et d'une manière encore très fragmentaire : le principal de ce qu'on en sait vient d'un court texte bilingue hittite-*luwi*. On a affaire à une langue assez voisine du hittite au point de vue dialectal, et qui semble s'être employée comme langue « vulgaire » concurremment avec le hittite, langue « noble ». Des mots et formes en *lumi*, distingués comme tels par un signe conventionnel, se trouvent assez souvent employés dans les textes hittites.

Vraisemblablement indo-européenne est aussi la langue appelée *palā* dans un recueil hittite de formules religieuses et dont les textes hittites nous conservent quelques rares spécimens.

On ne sait encore comment se dénommait la langue des inscriptions hiéroglyphiques qu'on appelle provisoirement « hittite hiéroglyphique », ni de quel peuple celles-ci émanent. Ces textes, trouvés en Asie Mineure et surtout au Nord de la Syrie, et qui s'espacent entre le XIVe et le VIIIe s. av. J.-C., sont écrits en un système particulier d'hiéroglyphes, à valeur mi-idéographique, mi-phonétique, que l'on commence, après beaucoup d'efforts, à interpréter de manière vraisemblable. Ce qu'on entrevoit de la langue ne laisse pas de doute sur son origine indo-européenne ; mais elle appartient à un autre groupe dialectal que le hittite, selon toute apparence. La recherche n'est encore qu'à ses débuts. Elle progressera grâce aux bilingues phéniciens-« hittites » de Karatepe (Cilicie).

Indo-iranien ou Aryen

En Asie, la famille indo-européenne est représentée, longtemps avant l'ère chrétienne, par deux grands groupes, l'indien et l'iranien, qui ont des rapports linguistiques si étroits qu'on les réunit souvent sous le nom d'indo-iranien ou d'aryen. Le mot *ắrya-* — dont *Erān*, *Iran* est un dérivé plus récent — est en effet le nom que les ancêtres communs des Indiens et des Iraniens se donnaient à eux-mêmes.

Si le mot « aryen » a été parfois appliqué à l'ensemble de l'indo-européen, c'est par un abus de terme auquel les linguistes ont renoncé.

GROUPE INDO-ARYEN (carte XI, A)

Les plus anciens documents du groupe « aryen » de l'Inde ou indo-aryen, les textes védiques, sont écrits en SANSKRIT. Cette dénomination oppose le *sanskrit*, langue

noble (*saṃskṛta*[1] « accompli ») au *prākrit*, langue vulgaire
(*prākṛta* « plébéien »). Bien qu'il soit impossible de dater
exactement les textes védiques, ils sont, par le fond comme
par la forme, largement antérieurs à notre ère. Avant
d'être écrits, ils ont dû se transmettre par tradition orale ;
aussi le sanskrit « védique », bien que fixé scrupuleusement
comme langue religieuse du brahmanisme, n'est pas une
langue pure. Il repose sur le dialecte du Nord-Ouest de
l'Inde (Pendjab), mais avec un apport de pailers de l'Est.
Le plus archaïque des textes védiques, le Rig-Veda (« Veda
des chants »), recueil liturgique d'hymnes, doit être en
tout cas antérieur au xe s. av. J.-C. Sensiblement plus
récent est l'Atharva-Veda (« Veda des prêtres Atharvans »),
recueil de prières, incantations et formules de sorcellerie.
Bien plus jeunes sont les textes de prose, *Brāhmaṇa*
(commentaires sur le Veda) ou *Upaniṣad* (traités philosophiques), ainsi que les grandes épopées versifiées d'inspiration laïque *(Mahābhārata, Rāmāyaṇa)* dont la langue
est déjà du sanskrit classique.

L'emploi « laïque » du sanskrit comme langue littéraire
ne s'est produit qu'assez tard ; peut-être les grandes épopées
de l'Inde existaient-elles sous une autre forme avant
d'avoir été transcrites en sanskrit. La plus ancienne
inscription sanskrite, à Girnar, date seulement de 150 av.
J.-C. et est l'œuvre de Rudradâman, roi étranger des
Çakas ; c'est à partir du ive s. que le sanskrit devient la
langue unique de l'épigraphie officielle. Le sanskrit « classique », fixé comme langue savante par le travail de
nombreux grammairiens (surtout Pânini, ive s. av. J.-C.),
a produit une immense littérature (lyrique, dramatique,
narrative, philosophique, technique, etc.) et s'est maintenu
jusqu'à l'époque moderne comme langue littéraire et aussi
comme langue savante de relation : les pandits de l'Inde
en usent comme les savants du moyen âge se servaient du
latin. Quoique fixé rigidement par la tradition, le sanskrit
a subi l'action des parlers vivants, notamment dans le

---

1. Pour la transcription des mots indo-aryens voir la note p. 24.

vocabulaire, à mesure qu'il s'étendait comme langue profane.

Parallèlement au sanskrit littéraire, il s'était développé des langues communes, d'extension plus ou moins considérable et toutes issues à peu près de la même forme linguistique que le sanskrit védique. Ce sont les PRÂKRITS. Ainsi les premiers documents datés des langues aryennes de l'Inde offrent une langue très évoluée par rapport au sanskrit et sont déjà du moyen-indien : ce sont les inscriptions du roi Açoka (IIIe s. av. J.-C.), disséminées dans les régions les plus diverses de l'Inde et présentant, suivant les lieux, des différences dia ectales. D'autres formes de prâkrits se rencontrent dans les inscriptions de diverses parties de l'Inde ; l'une d'elles, qui semble propre au Gandhāra, s'est répandue jusqu'en Asie Centrale (documents de Niya, IIIe s.). Les dialectes du moyen-indien qui ont été admis dans la littérature lyrique ou dramatique à côté du sanskrit sont connus sous le nom de prâkrits littéraires. On distingue les prâkrits par un nom de région : *çaurasenī* (*Çūrasena*, région de Mattra), *māgadhī* (*Magadha*, région de Patna), *māhārāṣṭrī* (*Māhārāṣṭra*, pays des Marathes), etc., sans pour cela qu'ils reposent nécessairement sur les parlers de ces localités. Les prâkrits sont des langues littéraires, amendées et fixées par des théoriciens, quelque chose comme le dorien des chœurs de la tragédie attique. Leurs particularités, ni complètement artificielles ni complètement conformes à la langue parlée, offrent un mélange conventionnel où dominent les souvenirs du sanskrit. Ainsi la *paiçacī* (dont le nom n'a rien de local) ne reproduit que quelques traits de la langue du Nord-Ouest dont elle dérive ; *Gunādhya*, qui passe pour l'avoir fixée, ne perdait pas de vue la norme du sanskrit.

Évoluant indépendamment des prâkrits, les parlers locaux (*deçabhāṣā* « langue régionale » ; *grāmyabhāṣā* « langue locale ») ont parfois produit ce type de langue écrite que les grammairiens nomment *apabhraṃça* (« déviation ») et qui, intermédiaire à l'origine entre le parler local et les prākrits, offre un dialecte épuré et normalisé par suite d'une extension à plusieurs patois. Il a pu comme tel servir de langue littéraire et s'est ajouté aux prâkrits anciens.

A côté des langues littéraires, il a existé en moyen-indien des langues religieuses. La plus célèbre, le PALI, est la langue du canon bouddhique de Ceylan (avant le Ier s. av. J.-C.), langue certainement d'origine continentale, mais difficile à localiser et sans homogénéité : ses éléments essentiels paraissent provenir de la région du Mâlva (au Nord d'Indore), mais d'autres éléments s'y sont ajoutés. Il s'est conservé comme une des langues religieuses du bouddhisme à Ceylan et en Indo-Chine. — Le jaïnisme s'est constitué aussi des langues religieuses ; la principale, née dans le Magadha où fut rédigé le canon jaïnique, se transporta, avec le centre de cette religion, dans le Dekkan et au Gouzrat, et prit alors certains caractères qui la rapprochent de la *māhārāṣṭrī*.

On parle aujourd'hui indo-aryen dans l'Inde sur un domaine continu, dont les limites sont : au Nord-Ouest, le domaine iranien ; au Nord et Nord-Est, le domaine tibéto-birman ; à l'Est, le domaine mounda ; au Sud, le domaine dravidien (limité à peu près au Concan et au bassin moyen de la Godavari) ; l'aryen comprend aussi la moitié méridionale de l'île de Ceylan. D'après le recensement de 1931, les langues indo-aryennes sont parlées par 261.105.909 individus. La multiplicité des langues (plus d'une centaine pour l'indo-aryen seul) fait que de très nombreux Hindous sont au moins bilingues.

Ce vaste domaine se partage en plusieurs groupes dialectaux, dont le premier se situe en dehors de l'Inde proprement dite.

Groupe du Nord-Ouest. Dans la région montagneuse qui touche au Pamir se parlent des dialectes aberrants et divergents qu'on appelle parfois *paisacī*. Ce sont principalement : à l'Ouest, entre Kounar et Hindoukouch, le groupe *kafir* (6.239), comprenant les parlers *kati* ou *bašgali*, *veron* ou *prasun*, *aškun*, *gawarbati*, *phalūṛa*, *dameli ;* en outre le *kalaša* et le *pašai* et, au Sud de la rivière Kaboul, le *tirahi ;*

— au Centre le *khowar* (6.956) étroitement apparenté au *kalaša*, dans la vallée du Chitral ; à l'Est, le groupe DARDE (1.543.031) : *šina* (68.199 ; région de Gilgit), *kohistani* (3.521) et surtout *kaçmiri* (1.438.021), langue littéraire du Cachemir, pénétrée d'éléments iraniens et sanskrits.

Groupe occidental. En descendant le cours de l'Indus, on rencontre d'abord deux langues qui, par certains traits, rappellent le darde : le *lahnda* ou pendjabi occidental (8.566.051) ; puis, à partir du confluent de l'Indus et du Panjnad, le *sindhi* (4.006.147), dont le représentant le plus méridional a servi de langue littéraire. En suivant la côte occidentale on rencontre ensuite le GOUJRATI OU GOUZRATI (10.849.984), qui a une littérature depuis le xve s. ; puis le MARATHE (20.889.658), qui, succédant à la *mahārāṣṭrī*, occupe la région de Bombay et s'étend jusqu'aux confins méridionaux du domaine indo-aryen. Les plus anciens documents épigraphiques du marathe sont du début du xiⁱe s. de notre ère ; il y a en marathe une littérature poétique riche. En remontant à l'Est vers le bassin du Gange, on rencontre une série de dialectes intermédiaires entre le gouzrati et l'hindoustani : d'abord les dialectes *bhili* (2.110.410) et *khandesi* (233.000), puis, dans les états Rajpoutes, les dialectes *rajasthani* (13.897.896), dont le principal est le *mārvārī* (plus de 6.000.000), au Nord-Ouest du domaine.

Groupe central. Il comprend : le PENDJABI *(penjabi)* proprement dit (15.839.254), qui est notamment la langue de Lahore et d'Amritsar et celle des Sikhs et par suite a été transporté dans d'autres régions de l'Inde et jusqu'en Chine ; le groupe « montagnard » *(pahari)* dont le NÉPALAIS *(nepali)* est le principal et touche au domaine tibéto-birman (2.752.432 dans le territoire indien) ; le HINDI OCCIDENTAL (71.547.071, entre la frontière du Pendjab et Cawnpore), le HINDI ORIENTAL (7.867.103, de Cawnpore à peu près jusqu'à Bénarès ; le bihari fait la transition entre hindi et bengali). Ce groupe comporte de nombreux dialectes ; ainsi un dialecte du hindi occidental, le *brāj* de Mathurā, est devenu langue poétique ; le hindi oriental a comme principal dialecte l'*awadhi* parlé dans le pays d'Aoude et dans lequel est rédigée l'épopée de Râma par Toulsidas, une des œuvres les plus populaires de la littérature moderne.

Le hindi occidental est important parce que son principal dialecte est l'HINDOUSTANI. Ce terme, en fait, quoique accrédité par l'usage, n'est pas indien ; il a été inventé par l'Anglais Gilchrist en 1787 pour désigner la langue la plus usuelle de l'Inde. L'hindoustani, né aux environs et au Nord de Mirat, a pris la valeur d'une langue commune dans le bazar attaché à la cour de Delhi et de là s'est étendu dans l'Inde du Nord. Il comporte une forme littéraire, l'OURDOU *(urdu)* proprement « (langue du) camp militaire », qui s'écrit avec l'alphabet arabe et use largement du vocabulaire persan ; il a été d'abord employé par les Musulmans et les Hindous qui ont subi l'influence persane. Une autre forme littéraire de l'hindoustani, le HINDI, noté en alphabet indien, représente une réaction contre l'ourdou et s'est abondamment imprégné de mots sanskrits. Des tentatives se font actuellement pour rapprocher ces deux aspects de l'hindoustani, malgré les difficultés qu'opposent les traditions religieuses et les écritures.

Groupe oriental : BENGALI (53.468.469), BIHARI (27.926.559), ORIYA (11.194.265) et ASSAMAIS (1.999.057), langues très proches et qui ont toutes quatre une littérature ancienne ; la plus riche et la plus belle est toutefois celle du bengali (œuvres modernes de Rabindranath Tagore), qui a fait des emprunts au sanskrit et au hindi. Le bengali s'emploie dans le delta du Gange, le bihari dans le Magadha, l'oriya dans l'Orissa ; le bihari comprend le *bhojpuri*, le *magahi* et au delà du Gange le *maithili ;* ce dernier a un passé littéraire ; l'assamais se parle dans la vallée du Brahmapoutra, depuis l'Est de Koutch-Bihar jusqu'à Dibroughar.

Dans la partie méridionale de l'île de Ceylan s'emploie encore un parler indo-aryen assez aberrant, le SINGHALAIS (environ 4.000.000).

En dehors de l'Inde, l'indo-aryen a un rameau détaché dans le TSIGANE (appelé aussi *gypsy*, *gitan* ou *romani*), qui, issu du groupe indien du Nord-Ouest, s'en est séparé vers le ve s. de notre ère, et, transporté par des migrations de nomades, s'est divisé en une branche asiatique (tsigane de Palestine) et une branche européenne, portée à travers la Perse et l'Arménie dans l'Europe entière depuis le XIIe s. et jusqu'en Amérique. Il a subi de nombreuses transformations selon les pays et se présente parfois comme langue secrète, dont le vocabulaire seul est tsigane, avec une grammaire empruntée à la langue du pays. C'est le cas du tsigane d'Arménie. Il est difficile de chiffrer le nombre des Tsiganes ; on les estime à 900.000 au total, dont environ la moitié usant d'un parler tsigane.

Deux types d'écriture ont servi dans l'Inde depuis le IIIe s. av. J.-C. Ils notent les voyelles et les consonnes. La plus répandue, l'écriture *brāhmī*, qui s'écrit de gauche à droite est d'origine obscure ; elle comporte des variétés dans l'Inde entière et jusqu'en Indochine et en Indonésie ; la forme demeurée usuelle porte le nom de *devanāgarī* et a donné naissance à l'alphabet tibétain. L'autre type d'écriture, exclusivement limité au Nord-Ouest, est la *kharoṣṭhī*, qui s'écrivait de droite à gauche, et n'a pas survécu. Cette écriture est d'origine araméenne, mais a été remaniée d'après la *brāhmī*.

Texte sanskrit[1]

sám[1] *u vāṃ*[2] *yajñáṃ*[3] *mahayaṃ*[4] *námobhir*[5]
huvé[6] *vāṃ*[7] *mitrāvaruṇā*[8] *sabádhaḥ*[9] |
prá[10] *vāṃ*[11] *mánmāny*[12] *r̥cáse*[13] *návāni*[14]
kr̥táni[15] *bráhma*[16] *jujuṣann*[17] *imáni*[18] // (Rig-Veda VII. 61.6)

« (Je) consacre[1-4] pour Vous[2] le Sacrifice[3] avec hom-

---

1. On a employé pour le sanskrit, et l'indo-aryen en général, la transcription traditionnelle en philologie indienne. Les équivalences sont les suivantes : *ṭ, ḍ, ṇ, ṣ* = *ṭ, ḍ, ṇ, ṣ; c, j* = *č, ǰ;* consonne + *h* = consonne aspirée ; *ç* = ou analogue à *š; ṃ* nasalise la voyelle précédente ; *ḥ* est une aspiration légère (réduction en finale de *s* ou *r*).

mage[5] ; (je) Vous[7] appelle[6] avec ferveur[9], ô Mitra, ô Varuṇa[8]. (Je) pro(clame[10] que ces) nouvelles[14] prières[12] (sont) pour Vous[11] célébrer[13] : puissent ces[18] formules[16], une fois faites[15], (Vous) agréer ![17] »

Sám et *prá:* préverbes autonomes, séparés du verbe en proposition non subordonnée, et à l'initiale du vers.

u: type de particule fonctionnant comme enclitique de phrase, à la seconde place du vers.

vām: forme atone du pronom personnel, également à la seconde place.

mahayam: le verbe aux formes personnelles est atone en proposition non subordonnée et hors de la situation initiale (v. *huvé*). Il s'agit d'une forme dite d'« injonctif », caractérisée par les désinences secondaires et la fonction indifférenciée (quant au temps et au mode).

mitrāvaruṇā: type de composé « dvandva » du Rigveda, formé par deux noms de divinités, chaque membre étant au duel et (hors du vocatif) gardant son accent propre. Le vocatif est atone hors de la situation initiale.

prá...návāni. Phrase nominale.

rcáse: datif de substantif à suffixe -*as*-, morphologiquement différencié pour servir d'infinitif.

bráhma: neutre singulier fonctionnant comme pluriel, la marque du pluriel étant supportée par les adjectifs voisins.

jujuṣan: injonctif sur thème de parfait, à valeur optative.

Mètre *triṣṭubh* (4 × 11 syllabes).

Noms de nombre du sanskrit

1. *éka* 2. *dvá* 3. *trí* 4. *catúr* 5. *páñca* 6. *ṣáṣ*
7. *saptá* 8. *aṣṭá* 9. *náva* 10. *dáça* 11. *ékādaça*
12. *dvádaça...* 19. *návadaça* ou *ekonaviṃçatí (20-1)*
20. *viṃçatí* 30. *triṃçát* 100. *çatá* 1000. *sahásra.*

Les noms de 1 à 4 sont seuls susceptibles de genre.

Les dizaines sont composées avec une forme très réduite du nom de nombre « dix ».

GROUPE IRANIEN (carte II)

Le groupe iranien ne le cède pas au groupe indien en étendue et en importance. Il a produit à date ancienne une langue « impériale », le vieux-perse, et une langue religieuse, l'avestique ; puis, pendant la période du moyen-iranien, deux grandes langues communes, le sogdien à l'Est et, à l'Ouest, le pehlevi, devenu ensuite le persan, qui ont servi de langues de civilisation à une grande partie de l'Asie pendant des siècles. Mais l'histoire de l'iranien est difficile

à suivre ; sur la période ancienne, où la langue a évolué
rapidement, on n'a que des documents isolés et discontinus ;
plusieurs dialectes sont attestés par des textes récemment
exhumés et dont l'interprétation commence seulement ;
d'autres ne sont connus qu'à l'époque moderne et par des
enquêtes incomplètes.

Le VIEUX-PERSE est avant tout le dialecte de la Persis
(extrémité sud-ouest de l'Iran), mais avec quelques traits
d'un dialecte septentrional. Il est connu par les inscriptions
des souverains achéménides, gravées en un alphabet
cunéiforme qui dérive probablement du syllabaire akkadien.
On possède, outre un texte, d'authenticité discutée, au
nom d'Ariyaramna (vers 610-580) et une très courte
inscription qui émane de Cyrus le Grand (vers 560-529),
de grands monuments épigraphiques de Darius (521-486)
et de Xerxès (485-465), disséminés à travers l'empire : les
plus importants sont la célèbre inscription rupestre de
Bisutūn (Béhistoun) (en Médie, à une lieue environ au Nord-
Est de *Kirmānšāh*), la charte de fondation du palais de
Suse, les inscriptions de *Naqš i Rustem* (tombeau de
Darius), de Persépolis, d'Elvend, et celle de Suez. Elles sont
pour la plupart trilingues : le texte est donné en vieux-
perse, langue de l'aristocratie conquérante ; en élamite,
langue du pays d'*Anšan* dont Cyrus était roi, et en babylonien, vieille langue de civilisation de l'Asie antérieure. La
langue, qui a été probablement fixée par écrit pour la
première fois par les Achéménides à l'occasion des exploits
et des fondations que les grands rois entendaient perpétuer,
reflète le parler maternel des souverains et de leur entourage perse, mais trahit des influences mèdes dans le vocabulaire religieux et politique. Ce n'était pas encore une langue
commune et ce n'était pas non plus la langue de l'administra-
tration : on se servait de l'araméen, non du perse, comme
langue de relation entre les diverses chancelleries de
l'empire. Après Xerxès, la langue paraît évoluer rapidement. Les inscriptions postérieures des Artaxerxès sont
rares et souvent gravement incorrectes.

L'AVESTIQUE (il faut éviter l'appellation impropre de

zend qui ne convient qu'à la paraphrase du texte en pehlevi) est la langue d'un texte religieux, l'Avesta, bible du mazdéisme, compilée sous les Sassanides afin d'affermir le mazdéisme devenu religion d'État. Du texte qui a été ainsi formé, ce que nous possédons ne représente qu'un tiers à peine du recueil primitif ; c'est un assemblage de morceaux d'âge divers, classés d'après leur contenu et parfois réunis par des raccords tardifs. D'abord transmis par voie orale et subissant de ce fait une adaptation continue au système articulatoire de ceux qui le récitaient, l'Avesta a été transcrit par des rédacteurs qui n'avaient plus de tradition sûre, dans une écriture dérivée de l'alphabet pehlevi et qui note, avec une précision nuancée, la manière dont on prononçait à l'époque sassanide les textes sacrés. La lecture exige donc constamment une interprétation. On trouve dans ce recueil deux séries de textes, différents par la grammaire et d'étendue fort inégale : les *gāthā* (« chants »), prédication versifiée de Zoroastre, morceaux d'une langue aussi archaïque que celle du Rig-Veda et qui vraisemblablement remontent au moins au VIIIe s. av. J.-C. ; et l'*Avesta* proprement dit, vaste compilation d'hymnes *(yašt)* très anciens et de prescriptions rituelles *(Vidēvdāt)* assez récentes. Bien qu'une légende assigne la Médie comme patrie du grand réformateur *Zaratuštra* (Zoroastre), l'avestique est selon toute apparence un dialecte iranien de l'Est, et c'est dans l'Iran oriental que la prédication zoroastrienne s'est d'abord exercée avant que le mazdéisme s'implantât en Perse.

Aucun autre document d'une langue iranienne ancienne ne nous est parvenu. Rien d'ailleurs ne prouve qu'aucune des langues dont nous connaissons le nom seul (sace, carmanien, etc.) se soit écrite. Du MÈDE on ne possède que des noms propres en transcription perse ou grecque et quelques mots isolés, cités chez des auteurs grecs ou décelés comme emprunts en perse par leur forme. Du SCYTHE (ethnique *Saka* en vieux-perse, *Išguza* en assyrien, *Skuthai* en grec), des noms propres aussi, transcrits en

assyrien ou en grec et indiquant un dialecte particulier
que des tribus nomades avaient porté, dès le ixᵉ siècle
av. J.-C., du bassin de l'Oxus aux steppes de la Russie
Méridionale.

A partir de l'ère chrétienne et parfois longtemps après,
l'iranien reparaît, mais sous la forme évoluée du moyen-
iranien. Le moyen-iranien comprend un groupe occidental
et un groupe oriental.

Le moyen-iranien occidental est généralement appelé
PEHLEVI (*pahlavīk*, adjectif dérivé de l'ethnique *parṭava*
désignant les Parthes) quand on parle de la langue officielle
de l'État et de l'Église sassanides, attestée par les nombreux
textes mazdéens religieux et profanes, rédigés en Perse
pendant la durée de l'empire sassanide (226-652) ; ceux-ci
sont écrits dans une écriture d'origine araméenne, très
ambiguë et compliquée de nombreux idéogrammes.

On sait maintenant, grâce aux inscriptions et surtout
aux textes manichéens découverts à *Turfan* (Turkestan
oriental) au début de notre siècle, que le moyen-iranien
occidental comprend deux dialectes :

a) Le PARTHE, dialecte du Nord-Ouest, attesté déjà sous
les Arsacides par des documents (parchemins gréco-
parthes d'*Aurāmān*, 88 ap. J.-C.) et par des légendes de
monnaies du iᵉʳ s., est surtout connu par les inscriptions
des premiers rois sassanides (entre 224 et 303), rédigées en
double version, parthe et moyen-perse ; mais la source
principale est la littérature manichéenne en langue parthe
qui s'espace de la fin du iiiᵉ s. au viiᵉ s. environ, conservée
par des manuscrits du viiiᵉ-ixᵉ s. de Tourfan. Le parthe
a fourni de nombreux mots d'emprunt à l'arménien.
Il n'a pas survécu, mais certains parlers modernes du
Nord-Ouest et du Centre de la Perse appartiennent au
groupe dialectal qu'il représente.

b) Le MOYEN-PERSE, parfois désigné comme *pārsīk*,
dialecte du Sud-Ouest, continue historiquement le vieux-
perse et aboutit au persan moderne. Malgré certaines
différences ou contaminations dialectales, c'est essentielle-

ment la même langue à trois stades de son évolution. Le moyen-perse est abondamment représenté par des textes épigraphiques (inscriptions des rois sassanides), des papyrus (nombreux documents d'Égypte, viie s. de notre ère) et par une littérature variée dont les textes représentent les uns la tradition mazdéenne (dits en *pāzend* quand ils sont notés en écriture avestique), les autres la tradition manichéenne (fragments de Tourfan). A cette langue, l'arménien, le syriaque, l'arabe ont fait de nombreux emprunts.

La connaissance du moyen-iranien occidental a grandement progressé grâce aux textes de Tourfan (en cours de publication), dont l'écriture est claire et sans idéogrammes.

Le moyen-iranien oriental n'a été révélé qu'au cours des trente dernières années, par les textes exhumés au Turkestan Oriental (surtout à Touen-Houang, à Tourfan et à Khodjo). Il comprend :

a) Le SOGDIEN *(sugdīk)*, langue de l'ancienne Sogdiane (région de Boukhara et Samarkand), qui a été la langue internationale de toute l'Asie Centrale, et dont l'emploi se trouve attesté sur une aire très vaste : à Touen-Houang ; en Mongolie (inscription trilingue de Kara-Balgasoun, ixe s., en ouïgour, chinois et sogdien), à Si-ngan-fou, et jusqu'à la frontière du Tibet. Les textes, qui datent en majorité des viiie-ixe s., sont dans des écritures d'origine araméenne, soit parthe, soit du type syriaque « estranghelo », qui laissent la vocalisation incertaine. Ils se divisent en trois groupes, différenciés par leur contenu et aussi par leur dialecte : textes bouddhiques (traduits pour la plupart du chinois) ; textes chrétiens (traductions du syriaque ou rédactions originales) ; textes manichéens (en relation avec les textes parthes de même inspiration). Nettement plus anciens sont les documents épistolaires en écriture cursive trouvés dans une tour de la Grande Muraille à Touen-Houang, qui doivent remonter au ive s. ap. J.-C., mais ne sont encore interprétés que partiellement ; en outre, on a trouvé dans les ruines d'un château près du mont *Mug* (Turkestan russe, sur la rive gauche du *Zarafšān*) des documents administratifs, datés du début du VIIIe s.

b) Le KHOTANAIS (appelé aussi *saka*), dialecte du Khotan, révélé aussi par les découvertes du Turkestan. Le nom indigène du peuple et de la langue est *hvatanaa-* ou *hvaṃnaa-*. Il est représenté par de nombreux textes (en majorité inédits), œuvres bouddhiques ou documents divers (VIIIe-Xe s.) qui attestent deux dialectes, l'un de Touen-Houang et de Khotan (Sud du Turkestan oriental), l'autre de Maralbachi (Est de Kachgar). Ces textes, qui sont tous en écriture brahmi, dénotent un état de langue assez composite, mais qui éclaire l'évolution de l'iranien oriental. La graphie, vocalisée mais inconstante et pleine de bizarreries, doit être toujours interprétée, et le vocabulaire contient beaucoup d'emprunts prâkrits.

c) Le CHORASMIEN (ou *xʷārizm*ien), dialecte de la Chorasmie *(Xʷārizm)*, n'est connu que par des gloses et quelques phrases citées dans des traités juridiques arabes. Autant que la transcription passablement altérée en lettres arabes le laisse voir, il paraît assez voisin du sogdien.

d) Un autre dialecte dont le nom ni les caractères ne sont encore établis, est révélé par les légendes des monnaies des rois Hephtalites ou « indo-scythes » *(Kuṣāna*, IIe-IIIe s. ap. J.-C.) et par quelques fragments manuscrits encore indéchiffrés. L'écriture va de gauche à droite et dérive de l'alphabet grec.

Parmi les langues iraniennes parlées aujourd'hui et qui toutes sont notées au moyen de l'écriture arabe, il faut donner une place d'honneur au PERSAN *(fārsī)*, grande langue commune représentant une belle civilisation et dotée d'une riche littérature. Les premiers documents en sont du début du VIIIe s. (fragment de lettre en judéo-persan trouvé près de Khotan) ; la langue, qui est encore très proche du moyen-perse tardif, se trouve déjà fixée à peu près sous la forme qu'elle gardera jusqu'à nos jours. Devenue une *koinè* dont le fond est le perse proprement

dit enrichi d'apports dialectaux du Nord-Ouest et de l'Est
(la plupart des premiers écrivains, dont Firdousi, sont
originaires des régions de l'Est), la langue a rapidement
constitué ses formes littéraires. Mais alors que le grand
poète Firdousi (xᵉ s.) use encore, en puriste, d'un vocabulaire presque exclusivement iranien, les auteurs ont admis
toujours plus d'emprunts à l'arabe, si bien que le persan
écrit aujourd'hui a un vocabulaire plus arabe qu'iranien.
Comme langue commune, le persan s'est étendu au moyen
âge vers l'Est, jusque dans l'Inde où la souveraineté
moghole l'a introduit à la cour de Delhi (voir p. 23 sur
l'ourdou). Il est encore parlé, avec de notables différences
dialectales, dans presque tout l'Afghanistan dont il reste
en fait jusqu'à maintenant la langue officielle, et il connaît
au Turkestan un large usage sous la forme simplifiée du
tāǰik (les publications en tadjik utilisent maintenant
l'alphabet latin).

Le persan est le principal représentant du groupe du
Sud-Ouest qui comprend en outre : le *lūrī* (avec le *bax-
tiyārī*) du Sud de la Perse ; les parlers *fārsī* (*Somghun,
Māsarm, Būringūn*, etc.) ; et le *kumzārī* (presqu'île de
Masandām, dans l'Oman), tous parlers sans littérature.
On peut évaluer environ à 9.000.000 le nombre de ceux
qui, en Perse même, parlent persan.

Les dialectes du Nord-Ouest constituent des groupes
assez différenciés malgré leurs traits communs. On y
reconnaît principalement :

a) Les parlers centraux de la Perse, localisés entre
Teheran, Isfahan, Hamadan et Yezd (notamment ceux de
Semnān, Sīvand, Xūr, etc.) ; les Parsis de Yezd (environ
10.000 individus) ont gardé, surtout dans leur vocabulaire,
des particularités curieuses.

b) Le groupe des dialectes caspiens, relativement
homogène, comprenant : le *māzandarānī* (parlé au Mâzan-
derân), langue littéraire depuis le moyen âge ; le *ghīlakī*
(parlé dans le Ghîlân, région de Recht) et le *tāliší* qui
s'étend jusqu'à l'Azarbaïdjan. Plus au Nord encore, le

tālī qui est parlé par une population partiellement juive, près de Bakou et dans la presqu'île d'Apchéron (125.000 individus en territoire soviétique) appartient en réalité au groupe du Sud-Ouest et a été apporté dans ces régions par colonisation militaire.

c) Le KURDE, dont le centre est la région montagneuse du Zagros et qui comprend surtout le Kurdistan en territoire turc. Le nombre total des Kurdes s'élève à environ 5 millions. Le kurde a été porté par des tribus en partie nomades au Nord jusqu'aux environs d'Érivan et de Kars ; à l'Ouest, jusqu'à la Syrie septentrionale ; à l'Est, à travers la Perse, jusqu'au Khorâsân et à l'Afghanistan. Cette langue, dont la littérature est presque uniquement orale (épopées, chants, populaires, contes), comprend un grand nombre de parlers, dont les relations, encore mal connues, indiquent deux grands groupes : 1º les parlers méridionaux de la région de Kirmânchâh et du pays des Bakhtyârs ; 2º le *kurmānǰī* qui se partage en un groupe oriental (*mukrī*, parlers de Suleimâniye et de Senna) et un groupe occidental (parlers — assez divergents — de Diyar Bekr, Ourmia, Erivan, Erzeroum, Syrie et aussi Khorâsân).

d) Le *zāzā* (parlers de *Siwerek, Čabaxčur, Kor*, etc.) et le *gurānī* (parlers de *Kandūla, Pāwa, Aurāmān, Talahedešk*, etc.), dialectes assez voisins, dont les premiers témoignages (chroniques, œuvres poétiques) remontent au XVIIIe s. ; certains de leurs parlers se sont contaminés avec des parlers kurdes.

e) Le *balōčī*, qui, quoique parlé au Sud-Est de la Perse, représente un dialecte du Nord-Ouest transplanté vers le Xe s. de notre ère ; le nom des Balotchis apparaît pour la première fois chez Firdousi qui les situe en Perse même. Son domaine est limité approximativement par la mer d'Oman (v. p. 138), le cours de l'Indus jusqu'à Dera Ghazi Khan, le désert de Registân et le cours du Hilmend, le plateau de Sarhad et le Mekrân, y compris Bampour en territoire persan. Le balotchi comprend deux dialectes (séparés par les Brahoui de langue dravidienne qui occupent le centre

du domaine) : un dialecte septentrional fortement influencé
par l'indo-aryen et un dialecte méridional, très différent,
dit *makrānī*, et qui, comme l'autre, comprend de nombreux
parlers. La littérature en est presque exclusivement orale
(contes et chants populaires).

L'iranien oriental n'a aucune unité. Il se compose d'une
langue, l'afghan, et de plusieurs parlers pamiriens.

L'afghan, dont le nom indigène est *pašlō*[1] (écrit aussi
pušlu), est la forme moderne de la langue des *Parsioi*,
peuple de Bactriane selon les auteurs grecs. Il est attesté
à partir du xviᵉ s. par des œuvres que l'influence persane
a fortement marquées ; la littérature orale (surtout chants
populaires) est encore très riche et originale. On écrit le
pachto à l'aide d'un alphabet arabe augmenté. L'aire du
pachto ne coïncide pas avec les limites du royaume
d'Afghanistan : on parle pachto hors de l'Afghanistan,
sur quelques points du territoire persan et surtout dans
l'Inde anglaise (région de Peshawar) ; inversement en
Afghanistan, où un peu moins du tiers de la population
parle pachto, on parle couramment persan, et aussi turc au
nord, et balotchi sur la frontière sud. Le pachto a été érigé
en langue officielle du royaume d'Afghanistan par décret
du 4 novembre 1936. L'enseignement en est devenu
obligatoire. Néanmoins le persan garde sa position de
langue prépondérante dans le pays. On compte environ
4.000.000 d'Afghans (dont 1.700.000 dans l'Inde) dont les
parlers se divisent en deux groupes, l'un du Nord-Est
(région de Peshawar), l'autre du Sud-Ouest (Qandahâr),
avec un parler *wanēlsī* plus isolé (près de la frontière
balotchi, au N. de Quetta).

Dans la région du Pamir sont encore en usage plusieurs
parlers iraniens orientaux, survivants d'une grande expansion iranienne de date fort ancienne, et qui sont entourés
de parlers indiens ou turcs ou persans. On reconnaît un

---

1. *š* chuintante d'un type particulier.

groupe formé par le *šugni* et ses variétés (l'*orošorī*, le *rōšānī*, le *barlangī*, le *sarīkolī*) avec le *yāzgulāmi* et le *wančī* (celui-ci aujourd'hui disparu), tous parlers qui tirent leur nom des vallées du Pamir où ils s'emploient ; un autre constitué par l'*iškāšimī* et le *sanglēčī* ; en outre, le *yidghā* (Chitral) est apparenté au *munjī* (au Sud du Badakhchân). Le *waxī* occupe une position isolée au Nord-Est de l'Afghanistan, près des sources de l'Oxus. Entre l'*ōrmuṛī* (deux dialectes : Logar au Sud de Kaboul, et Kanigouram au N.-O. de l'Inde) et le *parāčī* (Nord de Kaboul), dialectes différents, certains traits communs subsistent. Tous ces parlers sont fortement menacés par l'extension du persan.

Au Nord-Ouest du Pamir, le *yagnābī* de la vallée du Yagnob, affluent du *Zarafšān*, est l'unique et précaire survivance d'un parler sogdien.

Un autre représentant de l'iranien du Nord-Est apparaît fort loin de là dans l'OSSÈTE (ou OSSE), nom indigène *iron*, reste du vaste ensemble des parlers scythes et sarmates qui ont dominé dans la Russie Méridionale depuis une très haute antiquité, avant que le slave les en ait chassés.

Le nom « ossète » représente la forme russisée du géorgien *ovs-el-i* « pays des *Os* », et *os* est lui-même la prononciation locale de l'ethnique *ās* connu par les historiens musulmans, qui correspond au peuple des *Asioi* mentionné chez Strabon. Cette langue forme une enclave iranienne en territoire caucasien, à l'Ouest de Vladikavkaz (Ordjonikidze). Le domaine en est partagé entre l'Ossétie, « région autonome » de l'Union Soviétique, et la République de Géorgie. On distingue un dialecte oriental ou *iron*, le plus important (traduction de la Bible au début du XIXᵉ s.), parlé par les Allaghirs, les Kurtates et les Tagaures dans les vallées de l'Ardon, du Saudon et du Giseldon, avec un sous-dialecte « toual » parlé par les Touales au Sud ; et un dialecte occidental ou *digor* (bassin du fleuve *Urux* et aussi district de Mozdok sur le Terek). La langue littéraire est le dialecte *tagaur* de l'*iron*. Le nombre des sujets parlant ossète dépasse 275.000 ; depuis près d'un siècle et surtout ces dernières années, il s'est imprimé un assez grand nombre d'ouvrages en ossète, d'abord à l'aide de l'alphabet russe introduit en 1862, puis dans l'alphabet latin devenu officiel en 1924.

« TOKHARIEN »

On a donné ce nom à une langue indo-européenne indépendante de toutes les autres, très différente en particulier de l'indo-iranien avec lequel elle voisine, et dont un assez grand nombre de textes ont été découverts au début du XXe siècle au Turkestan chinois. Cette désignation est empruntée à Strabon qui mentionne (XI, p. 511) le peuple des *Tokharoi*, lequel est connu en outre par de nombreuses sources orientales. Les diverses transcriptions du nom, attestées de la Grèce à l'Inde et à la Chine, supposent deux traditions : une forme « occidentale » **toxār-*, **luxār-* et une forme « orientale » **taxʷar-*, **toxʷar*. Mais on ne peut plus admettre que la langue des textes recueillis en Asie Centrale soit bien le tokharien, car le « tokharien » des historiens orientaux est un dialecte iranien, langue du Tokharestân. La question reste ouverte, après de nombreuses discussions. Le nom indigène de la langue qu'on a cru être *ārśi*, serait en fait *tuyre*, d'où la confusion avec « tokharien ».

Les textes, écrits en brahmī et fortement influencés par le sanskrit, ce qui en a facilité le déchiffrement, sont d'inspiration bouddhique et en partie traduits du sanskrit (textes et poèmes religieux, traités médicaux, etc.). Mais on possède aussi des documents qui prouvent que la langue était d'usage courant dans la région : comptes de couvents, laissez-passer de caravanes (l'un porte le nom d'un roi *Suvarnata*, et se trouve ainsi daté de la première moitié du VIIe s. ap. J.-C.). Les textes recueillis jusqu'à présent révèlent l'existence de deux dialectes bien différenciés : l'un, désigné comme « tokharien A » était probablement la langue du royaume d'Agni ; l'autre, le « tokharien B » se parlait dans la région de Koutcha ; on le désigne souvent comme « koutchéen ». On ignore la date à laquelle les deux dialectes se sont éteints.

ARMÉNIEN

Le groupe arménien est localisé dans le grand pays montagneux qui s'étend entre la Mésopotamie, les vallées méridionales du Caucase et la côte sud-orientale de la mer Noire. Les Arméniens (dont le nom indigène est *hay*, plur. *haykᶜ*, mais qui sont déjà appelés *arminiya-* dans les inscriptions perses de Darius, d'où grec *arménioi*) occupaient déjà cette région au VIᵉ s. av. J.-C. On a supposé qu'ils s'y seraient installés entre le Xᵉ et le VIIIᵉ s., venant du Nord de la Thessalie ; une tradition antique fait d'eux des colons phrygiens ; mais aucune preuve décisive, linguistique ni historique, n'en a été fournie jusqu'ici. On sait seulement que la région du lac de Van était antérieurement occupée par les Haldes, voisins des Mitanniens, dont la langue non indo-européenne a fortement agi sur la structure de l'arménien.

Les premiers manuscrits arméniens sont ceux d'une traduction de l'Évangile et datent du IXᵉ s. La langue, selon la tradition, aurait été fixée dans la première moitié du Vᵉ s. et l'écriture arménienne inventée à la même époque par un homme d'église nommé Machtots ou, selon d'autres, Mesrob, pour faciliter la traduction des Écritures et rendre l'Arménie indépendante des Églises grecque et syriaque. L'écriture arménienne, qui compte trente-six signes en partie imités du grec, est un chef-d'œuvre d'exactitude phonétique.

La langue classique ou vieil-arménien, dite *grabar* (« langue écrite »), est celle de la traduction de l'Évangile et de divers ouvrages, notamment des écrits de l'évêque Eznik de Kolb. Elle paraît fondée sur le dialecte de la région de Tarawn, sur les bords du lac de Van, et a fortement subi, surtout dans le vocabulaire, l'action de l'iranien : l'Arménie, qui a fait partie de l'empire mède, puis de l'empire perse, a été dominée, de 66 à 387 ap. J.-C., par une aristocratie parthe arsacide. A partir du moyen âge, il s'est développé une littérature arménienne assez abon-

dante, surtout théologique et historique, qui s'est enrichie
d'œuvres nombreuses à l'époque moderne.

Aujourd'hui l'arménien se parle dans la République
soviétique d'Arménie (environ 1.300.000 individus), dans
les autres républiques soviétiques, surtout en Géorgie et
dans la région du Don (environ 1.100.000) et dans les
régions adjacentes : Azarbaïdjan iranien, Perse du Nord-
Ouest. Il y a en outre des colonies arméniennes prospères en
Asie Mineure (Alexandrette, Smyrne), en Syrie, à Istam-
boul (environ 60.000), en Bulgarie, en Roumanie, en
France (70.000), dans l'Inde, en Égypte et enfin aux
États-Unis (175.000). Le total des individus parlant
arménien s'élève à environ 3.400.000.

Les parlers arméniens modernes se répartissent en
deux groupes principaux : l'un occidental (dit aussi arménien
de Turquie), comprenant les parlers de Erzeroum, Mouch,
Van, Diyar Bekr, Akn, Sivas, etc., avec ceux des colonies
du Don, d'Asie Mineure et de Constantinople ; l'autre
oriental (dit aussi arménien de Russie), comprenant les
parlers d'Érivan, de Tiflis, du Karabagh et de la côte
occidentale de la Caspienne. Entre les deux se rangent
des parlers assez dissemblables ou même aberrants (Agoulis,
O. du Karabagh; Artvin, E. de Trébizonde), surtout ceux
de la région du lac d'Ourmia (Khoy, Ourmia, Marâgha),
que l'on considère parfois comme un groupe à part.

THRACO-PHRYGIEN

L'existence d'un groupe thraco-phrygien est assurée par
les traditions anciennes : selon celles-ci, les Thraces
habitant au Nord de la péninsule des Balkans et sur la
côte occidentale de la mer Noire, peuple qui ne le cédait
en nombre qu'aux Indiens, avaient installé des colonies en
Asie Mineure ; de leur côté, les Phrygiens habitaient
auprès des Macédoniens avant de passer en Asie Mineure,
où les Arméniens n'auraient été que leur colonie (voir
p. 36). Ces traditions sont confirmées par les relations
étroites qui unissent l'onomastique des Thraces et celle
des Phrygiens.

Mais les deux langues sont très mal connues.

On n'a en THRACE qu'une courte inscription (v⁰ s. av. J.-C.) gravée en caractères grecs sur un anneau d'or (trouvé à Ezerovo près de Philippopoli en Bulgarie) et qui n'est pas encore sûrement interprétée ; la séparation même des mots prête à controverse. On n'entrevoit quelque chose de la langue que grâce à l'abondante collection de noms propres livrés par les textes et les inscriptions classiques.

Le PHRYGIEN est moins mal représenté par deux séries d'inscriptions en caractères grecs : les plus anciennes (VIIᵉ-VIᵉ av. J.-C.) comprennent une vingtaine de courts textes en vieux-phrygien ; les autres (environ quatre-vingt-dix inscriptions funéraires des IIIᵉ-IVᵉ siècles de notre ère) sont d'une langue plus récente (néo-phrygien) et souvent gravées avec des fautes : elles consistent pour la plupart en formules d'imprécation phrygiennes ajoutées à des inscriptions grecques qui sont souvent incorrectes.

Le MACÉDONIEN n'est pas mieux connu. Les documents qu'on en possède (gloses et noms propres) ne permettent pas de décider s'il faut le considérer comme un groupe à part ou le rattacher à un des groupes existants. Certains linguistes sont enclins à y voir une forme particulière et en tout cas assez aberrante du groupe hellénique.

GROUPE HELLÉNIQUE

Le groupe hellénique se résume en ce qu'on désigne du nom général de « GREC » et englobe les tribus de langue indo-européenne qui, venues du Nord, ont occupé par vagues successives ou par infiltration continue, la péninsule balkanique, les îles de l'Égée et la côte ouest de l'Asie Mineure.

Les régions que les Grecs (nom indigène : *Hellēnes*) ont occupées étaient habitées avant leur arrivée par des populations de race et de langue inconnues et dont nous ne savons que les noms : Pélasges, Lélèges, Cariens, etc. D'après les vestiges toponymiques de leur établissement, ces peuples parlaient des langues non indo-européennes.

Au témoignage des anciens, le pélasge (nom vague qui
paraît avoir été employé pour diverses langues préhelléniques) était encore en usage au ve s. av. J.-C. sur la côte
de Thrace, au Sud de la Propontide et dans certaines îles,
Imbros, Lemnos, Samothrace, et jusqu'en Crète. A Praisos
(Crète orientale), on a trouvé quelques inscriptions en
caractères grecs, mais en langue inconnue, provenant
sans doute des « Etéocrétois ». Il faut aussi tenir compte
des diverses langues non helléniques que les Grecs ont
rencontrées en Asie Mineure occidentale. Le grec s'est
donc étendu sur un substrat étranger très composite,
ce qui explique en partie les innovations de la structure
grammaticale et le grand nombre de mots étrangers dans
le vocabulaire.

L'alphabet grec, qui comprend de nombreuses variétés,
est dérivé de l'alphabet phénicien. L'écriture pouvait,
à l'origine, aller de droite à gauche et revenir en sens
inverse *(boustrophedon)* ; mais de bonne heure on écrit
seulement de gauche à droite. La plus ancienne inscription
grecque datée est sans doute une de celles d'Abou Simbel
(sur le Nil aux confins de la Nubie), gravées lors de l'expédition de Psammétique II contre l'Éthiopie, en 591 av. J.-C.
Mais des inscriptions de Thera remontent au viie s., et
certaines inscriptions sur des vases attiques, jusqu'au
viiie s. Un fragment d'inscription en caractères syllabiques, trouvé à Asiné (Péloponnèse) daterait même du
xiie s. d'après les archéologues, mais l'interprétation en
est très douteuse. A partir du vi^e s., le nombre des inscriptions va croissant et apporte un ensemble de témoignages
très précieux sur l'histoire de la langue à travers tout le
monde hellénique. Des textes littéraires, les premiers
manuscrits, écrits en onciale sur parchemin, ne remontent
guère plus haut que le iiie ou le ive s. de notre ère (Ambro-
sianus de l'Iliade, iiie s. (?) et trois mss. de la Bible, Vati-
canus, ive s. ; Sinaïticus, fin du ive s. ; Alexandrinus,
ve s.). Le sol de l'Égypte a livré des papyrus du iiie et
même du ive s. av. J.-C., mais les papyrus, qui nous ont
révélé quantité de fragments nouveaux, ne contiennent
que peu d'œuvres littéraires complètes et suivies.

Dès les plus anciens témoignages, le grec apparaît déjà fractionné en dialectes. Il se pose donc à propos du grec ancien un délicat problème de répartition dialectale, qui n'admet pas de solution précise. La formation et l'extension de ces dialectes résultent de faits historiques particuliers et de procès toujours complexes : migrations successives de groupes déjà différenciés ; extinction des premiers occupants sauf en quelques îlots ; exode de populations et fondations de colonies outre-mer ; installation des nouveaux venus dans des régions d'où ils sont délogés par d'autres envahisseurs, etc. Aussi le monde hellénique présente-t-il un grand enchevêtrement de dialectes et pas de dialectes purs. Les mieux conservés sont ceux qui demeuraient à l'écart des grands courants d'immigration : l'arcadien confiné au centre du Péloponnèse ou le lesbien de certaines îles.

On peut répartir ces dialectes anciens en quelques groupes :

a) Le groupe ACHÉEN, vestige de la plus ancienne invasion hellénique, dont survivent à date historique trois tronçons, l'arcadien, le cypriote et le pamphylien, attestés par des inscriptions ; quelques inscriptions cypriotes sont en une écriture syllabique qui servait antérieurement à noter la langue non indo-européenne des premiers habitants (voir aux Langues Asianiques).

b) Le groupe ÉOLIEN ou du Nord-Est, avec trois principaux dialectes : thessalien, béotien et lesbien ; ce dernier a été une importante langue littéraire aux VIIe-VIe s. av. J.-C.

c) Le groupe DORIEN ou occidental, avec un grand nombre de parlers assez différents qui ont recouvert, lors de la grande invasion dorienne, des parlers achéens. Il comprend notamment les dialectes de Corinthe et de Mégare, de Laconie (avec les colonies de Tarente et d'Héraclée dans la Grande-Grèce), de Messénie, de Sicile (Syracuse), et des îles : Crète, Rhodes, Cos, Thera (avec la colonie de Cyrène). Une littérature en dorien pur ne s'est guère développée qu'en Italie et en Sicile. La langue de la lyrique chorale (Pindare) a un fond dorien, mais elle est composite.

Avec le groupe dorien se rangent quelques parlers du
Nord-Ouest, dépourvus de littérature : Phocide (Delphes),
Locride, Acarnanie, Élide (Olympie).

d) Le groupe IONIEN-ATTIQUE, le plus important au point
de vue littéraire : l'ionien, langue littéraire de la région qui
a la première, dès le VIIe s., développé une civilisation
florissante ; l'attique, langue archaïque et conservatrice
d'Athènes, qui a produit aux Ve et IVe s. une littérature
qui rayonne encore sur le monde civilisé.

La langue du plus ancien monument littéraire, les
poèmes homériques (IXe-VIIIe s. pour les parties anciennes),
ne représente pas le premier état du grec : c'est un dialecte
composite où, à un fond achéo-éolien, se sont superposés
de nombreux traits ioniens. L'œuvre a subi en outre une
adaptation atticisante.

Les dialectes si variés du grec ancien se sont tous fondus
graduellement, à partir du IVe s. av. J.-C., dans la langue
commune hellénistique *(koinè)* dont l'attique constitue le
fond. C'est de la *koinè* que sort le grec moderne et si la
langue d'aujourd'hui présente des différences dialectales,
c'est que l'unité de la *koiné* s'est brisée à son tour. Il subsiste
néanmoins des particularités actuelles qui remontent
directement aux anciens dialectes, mais elles sont rares
et de peu de portée : elles se limitent à quelques parlers
archaïques : tsakonien (côte orientale du Péloponnèse),
maniote (presqu'île du Magne, Sud du Péloponnèse),
parlers grecs du Sud de l'Italie, et parlers des populations
naguère installées en Asie Mineure. Ces survivances se sont
d'ailleurs mélangées aux traits qui caractérisent les dialectes
néo-helléniques et n'en ont pas entravé le développement.

Le plus ancien document du grec moderne doit être
recherché dans le Nouveau Testament, dont la langue
représente en gros le grec commun qui était au début de
notre ère en usage dans le peuple. Mais il est malaisé de
suivre jusqu'à nos jours le développement de cette langue
parlée. Le grec byzantin, langue officielle de l'empire
d'Orient dont le siège était à Byzance (395-1453), est une
imitation artificielle du grec classique ; de nos jours encore,

l'État et l'école, appuyés par l'Église, s'efforcent de maintenir comme langue écrite une langue « puriste » *(katharévousa)*, rapprochée autant que possible de la *koinè* antique, et qui diffère du grec parlé, peu pour la phonétique, plus pour la morphologie et la syntaxe, plus encore pour le vocabulaire. Le grec parlé (démotique, romaïque ou roméique ; en grec : *dimotiki* ou *romaïki*) présente des variétés dialectales qui n'ont pas été toutes étudiées et qui sont apparues depuis le vi⁶ s. ; mais à partir du xviii⁶ s. s'est formée une langue commune, devenue la langue de la littérature, tandis que les parlers reculent lentement. Aujourd'hui le domaine du grec comprend, outre la Grèce continentale, les îles de la mer Ionienne et celles de la mer Égée. Les nombreux établissements grecs d'Asie Mineure (Smyrne, Cappadoce, Samsoun, Trébizonde, etc.) ont à peu près disparu à la suite des échanges de populations réglés par le traité de Lausanne (1923), pour se fondre dans le reste de la Grèce ; le sort de leurs parlers est désormais précaire. Mais il y a d'anciennes colonies grecques dans l'Italie du Sud (Calabre, Bova, Terre d'Otrante) et en Corse (Cargese) qui ont conservé leur langue. Enfin les Grecs ont fondé des colonies prospères sur de nombreux points du monde méditerranéen (notamment en Égypte), dans le Sud de l'Union Soviétique, en Afrique, dans le Sud de l'Amérique et en Australie. Le nombre de ces Grecs disséminés s'élève environ à 1.675.000, s'ajoutant à environ 7.000.000 d'individus en Grèce même.

Texte de grec ancien

οἶδεν γὰρ ἀκριβῶς ὅτι οὐδ' ἂν πάντων τῶν ἄλλων γένηται κύριος οὐδὲν ἔστ' αὐτῷ βεβαίως ἔχειν ἕως ἂν ὑμεῖς δημοκρατῆσθε, ἀλλ' ἐάν ποτε συμβῇ τι πταῖσμα, ἃ πολλὰ γένοιτ' ἂν ἀνθρώπῳ, ἥξει πάντα τὰ νῦν συμβεβιασμένα καὶ καταφεύξεται πρὸς ὑμᾶς.

(Démosthène, VIII, 41).

oîden   gàr   akribôs   hóti   oud'àn   pántōn   tôn   állōn
il sait   en effet   exactement   que   pas même si   de tous   les   autres

génētai   kúrios   oudèn   ésť   autô(i)   bebaíōs   ékhein   héōs
il devienne   maître   rien n'   est   à lui   sûrement   avoir   tant

àn   humeîs   dēmokratêsthe,   all'   eán   pote   sumbê(i)
que   vous   serez démocrates   mais   si   jamais   arrive

ti   ptaîsma,   hà   pollà   génoit' àn   anthrṓpō(i),
quelque accident   [choses] qui nombreuses pourraient arriver à un homme,

héksei   pánta   tà   nûn   sumbebiasména
viendront   toutes [choses]   les   maintenant   tenues ensemble par force

kaì   kata-pheúksetai   pros   humâs[1]
et   se réfugieront   auprès de   vous.

« Car il sait pertinemment qu'il aura beau se rendre
maître de tout le reste, rien ne sera solide entre ses mains
tant que vous serez une démocratie ; qu'il échoue quelque
part, et cela peut toujours arriver à qui est homme,
aussitôt viendront à vous ceux qu'il tient maintenant unis
par la force et ils se jetteront dans vos bras. »

Noter : l'ampleur et le balancement de la phrase ; la place des mots ;
le rôle des conjonctions et des particules ; l'emploi des temps (parfait-pré-
sent *oîden*, futur) et des modes (subjonctif, optatif), de l'infinitif et du
participe.

ILLYRIEN

Au Nord-Ouest de la péninsule des Balkans et faisant
en quelque sorte la liaison par le continent entre le monde
grec, le monde italique et le monde germanique, se trouvait
placé dans l'antiquité le vaste groupe ILLYRIEN. Il est
des plus mal connus. Quelques centaines d'inscriptions
très courtes, souvent réduites à des noms propres et mal
déchiffrées, quelques gloses et un assez grand nombre de
noms de personnes et de lieux sont tout ce qui en reste.
Les Illyriens ont joué un rôle fort important, mais mal
défini encore, au centre de l'Europe et ont agi dans trois
directions : vers le monde germanique avec lequel les rela-

---

1. La valeur phonétique des lettres grecques a varié. On ne donne ici
qu'une translittération. χ, θ, φ sont translittérés *kh, th, ph*.

tions et les échanges ont été incessants ; vers l'Italie où plusieurs peuples illyriens se sont installés (on a même supposé que les Ombriens étaient une fraction illyrienne) ; vers le monde hellénique, où l'invasion dorienne a dû amener des éléments illyriens. Ce groupe de langues, outre l'ILLYRIEN proprement dit (dont on n'a qu'une inscription en alphabet grec de trois mots, trouvée près de Scutari en Albanie), comprenait le VÉNÈTE (environ 200 inscriptions en écriture « nord-étrusque », entre le VIᵉ et le Iᵉʳ s. av. J.-C., dans les régions d'Este, Mantoue, Padoue et Trieste et dans la vallée du Piave) et, importé vers le VIIIᵉ s. av. J.-C. dans l'Italie du Sud, le MESSAPIEN, langue des Iapyges (environ 200 courtes inscriptions en alphabet grec, en Apulie et Calabre, à partir du IVᵉ s.). La toponymie et l'onomastique montrent que les Illyriens se sont largement répandus vers le Nord-Ouest et ont laissé de nombreuses traces de leur établissement en pays germanique. Ils ont dû aussi essaimer de bonne heure au Sud de la péninsule des Balkans où plusieurs noms de lieux marquent une ancienne colonisation illyrienne recouverte par les invasions helléniques.

Il faut aussi probablement considérer comme d'origine illyrienne les PHILISTINS, qui ont dénommé la Palestine (grec *Palaislinê*). Le radical et la formation du nom sont nettement illyriens ; comparer la ville de *Palaisle* en Épire et les nombreux ethniques illyriens en -*īno*-. Les Philistins ont dû arriver vers 1200 av. J.-C. par mer ou par terre à travers l'Asie Mineure, la Syrie et la Phénicie. D'après les représentations figurées, leur type n'est pas sémitique. Mais il ne subsiste aucun témoignage de leur langue, hormis quelques rares noms propres dans l'Ancien Testament.

ALBANAIS

On a souvent pensé que l'ALBANAIS moderne (nom indigène *škip* ; ethnique : *škipelar*) continuait l'ancien illyrien. Ce n'est pas certain, ni même qu'il descende d'une langue du même groupe. Mais sa position géographique le fait ranger à cette place.

Parmi les dialectes indo-européens, l'albanais est des plus tardivement connus : les premiers documents manuscrits sont une formule de baptême selon le rite romain (1462) et un petit vocabulaire recueilli par Arnold von Harff de Cologne (1496); les premiers textes imprimés sont le livre d'heures et le missel, traduits par Gjon Buzuk (1554-1555), les ouvrages — catéchisme, rituel, etc. — de Pietre Budi (1618-1621) et un dictionnaire latin-albanais (Rome, 1635). On emploie l'écriture romaine après s'être servi, pour le tosque, de l'alphabet grec. Au XIXᵉ s. on a recueilli en Albanie un grand nombre de chansons et de contes populaires.

La langue comprend deux dialectes principaux, délimités par le fleuve Chkoumbi : au Nord, le GUÈGUE *(geg)*, parlé notamment par les Malissores et par les Mirdites ; au Sud, le TOSQUE *(tosk)*. Un parler de type tosque est encore aujourd'hui en usage dans les colonies albanaises d'Italie (une quarantaine de centres en Calabre, Apulie, Pouilles, Abruzzes et Sicile). En outre, il y a en Grèce des restes d'établissements albanais, notamment en Attique (Éleusis et Menidi). Les États-Unis en comptent aussi un certain nombre. Les Albanais doivent être en tout 1.800.000 au maximum, dont 1.000.000 en Albanie (les deux tiers de religion musulmane).

GROUPE ITALO-CELTIQUE

A l'extrémité occidentale du domaine indo-européen se trouve le groupe ITALO-CELTIQUE, traditionnellement dénommé ainsi à cause des particularités communes que présentent l'italique et le celtique en opposition avec les autres dialectes indo-européens. Mais l'italique et le celtique n'apparaissent dans l'histoire que déjà fortement différenciés. Les peuples qui parlaient ces langues et dont on ne sait au juste comment et à quelle date ils ont occupé leur habitat historique, ne sont peut-être que les derniers venus. Il a pu exister du groupe italo-celtique des représentants plus anciens dont nous avons perdu la trace.

Parmi ceux-ci figure peut-être le LIGURE, langue d'un peuple conquérant qui a occupé un vaste territoire en Italie septentrionale et centrale et dans le Sud de la Gaule (Savoie, Dauphiné et Provence), avant d'être réduit à la Ligurie historique sur le golfe de Gênes ; mais la langue n'est attestée que par quelques gloses et des noms propres en grand nombre. Au ligure paraît se rattacher la langue des inscriptions dites « lépontiques » (environ 70, trouvées dans le Tessin, dans la région des lacs de Lugano, de Come, et Majeur, et en Lombardie ; écriture d'origine étrusque). On ne sait s'il faut y ajouter aussi le SICULE, qui se parlait en Italie Centrale et en Sicile avant le latin ; on n'en a guère qu'une inscription (vase de Centuripa, ve s. av. J.-C. ; alphabet grec) et quelques gloses. Incertaine est également l'appartenance du RHÉTIQUE, connu par quelques inscriptions (alphabet d'origine étrusque) d'interprétation douteuse, trouvées dans la vallée du Haut-Adige et aux environs du lac de Garde. La langue paraît témoigner d'une forte influence étrusque. Mais elle se rattache plus probablement au groupe illyrien. Il faut mentionner enfin les deux inscriptions trouvées à Novilara (près de Pesaro en Ombrie) dont l'interprétation est encore très discutée. — Par ailleurs, il n'est pas impossible que des liens aient existé entre certains dialectes italo-celtiques (notamment l'ombrien, dans le groupe italique) et le groupe illyrien.

ITALIQUE

L'ITALIQUE, vers l'an 400 av. J.-C., devait comprendre dans la péninsule trois langues principales : l'ombrien, l'osque et le latin.

Le domaine de l'OMBRIEN qui devait être très vaste notamment au Nord et à l'Ouest, s'est réduit, à l'époque historique, sous la pression des langues voisines et particulièrement de l'étrusque, à une étroite région entre l'Apennin et la rive gauche du Tibre. Presque tout ce qu'on sait de l'ombrien vient des Tables Eugubines, sept tables de bronze, découvertes en 1444, à Gubbio (ancien Iguvium),

qui portent le rituel lustratoire d'un collège de prêtres
(les « fratres Atiedii »). Ces tables, les plus anciennes en
caractères étrusques, les autres en caractères romains, ont
dû être écrites entre 200 et 70 av. J.-C. On ignore à quelle
date l'ombrien a cessé d'être parlé.

L'osque était la langue des Samnites, peuple montagnard
qui lutta longtemps contre Rome. Outre le Samnium, il
embrassait le Bruttium, le Picenum, la Lucanie et enfin
la Campanie où il était encore en usage au Iᵉʳ siècle de
notre ère. Toutes les inscriptions proviennent de l'Italie
méridionale, la plupart de Campanie, mais aussi de Calabre
et même de Messine, en Sicile ; l'osque était la langue
officielle à Capoue, à Pompéi, à Abella, à Bantia, au IIIᵉ et
au IIᵉ s. av. J.-C. Les plus longs textes sont le cippe
d'Abella et la table de Bantia; cette dernière inscription
est en caractères latins, la plupart des autres sont en un
alphabet dérivé de l'étrusque, quelques-unes en caractères
grecs. Elles s'échelonnent entre le IIIᵉ s. av. J.-C. et le
Iᵉʳ s. de notre ère.

Un dialecte voisin de l'osque est le PÉLIGNIEN dont le
centre était à Corfinium et qui s'employait aussi à Sulmone.
Entre l'osque et l'ombrien, dans les régions montagneuses
du centre de l'Italie, il existait des dialectes (qu'on appelle
parfois SABELLIQUES) insuffisamment connus par de rares
et trop courtes inscriptions, le VOLSQUE, le MARSE, le MAR-
RUCIN, le VESTINIEN, etc., tôt absorbés par le latin.

Le LATIN, proprement le dialecte du Latium, n'était,
même à l'origine, que le dialecte de la ville de Rome, le
« sermo urbanus » qui s'opposait au « sermo rusticus » des
territoires voisins, Lanuvium, Préneste ou Falerii. Peu à
peu, il s'étendit à tout le pays alentour, conquit les
domaines des menus dialectes, puis ceux de l'osque et de
l'ombrien, absorba même les langues non italiques de
l'Italie, l'étrusque et le celtique au Nord, le messapien au
Sud, et par une fortune vraiment inouïe finit par s'imposer
à la plus grande partie du monde occidental, y compris la
Gaule, l'Espagne, et l'Afrique du Nord. Il est demeuré

langue savante de l'Europe entière longtemps après qu'on
eut cessé de le parler ; il sert encore de langue universelle
à l'Eglise catholique.

Les débuts du latin comme langue littéraire ne datent
que du iiie s. av. J.-C., avec les drames de Livius Andro-
nicus. Mais les monuments épigraphiques, en caractères
romains dérivés des caractères grecs, remontent plus
haut. Le plus ancien texte latin est l'inscription que porte
une fibule d'or trouvée à Préneste en 1871 ; on la fait
remonter aux environs de l'an 600 avant J.-C. Viennent
ensuite l'inscription d'un cippe mutilé trouvé dans le
forum romain (ve s.) et celle qui orne le vase dit de Duenos
(ive s.). C'est surtout à partir du iie s. que les inscriptions
deviennent abondantes. A l'époque impériale elles sont
innombrables, couvrant à peu près toute l'étendue du
monde connu des anciens. Quant à la littérature latine,
aussi bien classique que médiévale, païenne que chrétienne,
elle ne le cède en importance qu'à la seule littérature
grecque.

La colonisation étendit l'usage de la langue latine à
toutes les parties de l'empire romain. Puis, lorsque l'unité
de l'empire se brisa, la langue commune qui était partout
en usage se brisa aussi en un certain nombre de parlers
locaux.

A l'époque latine succède alors l'époque romane. Parmi
les PARLERS ROMANS (qui emploient tous aujourd'hui
l'écriture romaine), certains sont demeurés jusqu'à nos
jours à l'état de patois ou ont été absorbés par des langues
voisines. Mais quelques-uns ont conquis la dignité de
langues littéraires et sont devenus des langues communes.
La constitution d'États politiquement unifiés en a favorisé
la diffusion. Il y a donc entre les diverses langues romanes
des différences de valeur littéraire ou culturelle, d'importance politique et d'extension. Elles se ramènent aux
groupes suivants :

a) Groupe ITALIEN (environ 42.000.000), comprenant,
dans la péninsule, un grand nombre de dialectes (gallo-

italien au Nord : ligurien, piémontais, lombard, émilien-
romagnol, et, un peu à part, vénitien — Centre : toscan,
parlers des Marches, de l'Ombrie, du Latium — Sud :
napolitain, parlers des Abruzzes, de la Pouille, de la
Calabre et sicilien), et, en outre, des parlers de la Suisse
méridionale, du Nord de la Corse et de la région de Nice.
Les premiers documents sont deux brèves formules en
italien dans des chartes latines, de 960 à 964. L'italien
commun *(italiano)* est essentiellement la « lingua toscana »,
développée dans la société cultivée de Florence.

b) Groupe SARDE (environ 900.000) en Sardaigne, comprenant plusieurs parlers : logoudorien et nuorais au
Centre ; campidanien au Sud ; gallurien et sassarien au
Nord, ces derniers fortement italianisés et en relation avec
les parlers méridionaux de la Corse.

c) Groupe PROVENÇAL *(prouvenço)* ou OCCITAN (environ
9.500.000) comprenant, outre les parlers de la Provence,
le languedocien, l'auvergnat, le limousin, le quercinol, le
rouergat et le gascon. La littérature provençale commence
vers l'an 1000 (poème sur Boèce) ; le plus ancien texte conservé est de 1102 (dans les archives du chapitre deRodez).

d) Groupe FRANÇAIS (environ 40.000.000 en France
débordant hors des frontières sur la Belgique wallone et
sur la Suisse romande), où l'on distingue d'après des critères dialectaux de valeur surtout historique : un français
du Nord (normand et anglo-normand ; picard et wallon ;
champenois, lorrain, franc-comtois, bourguignon ; bour-
bonnais, berrichon ; saintongeais, poitevin, angevin, gallot
(dans la partie est de la Bretagne), et, dans l'Ile-de-France,
francien, origine de la langue littéraire) ; et un français
du Sud-Est ou franco-provençal, qui forme la transition
vers le provençal (lyonnais, dauphinois, vaudois, neuchâ-
telois, valaisien, savoyard). Le français commun, parti
de l'usage de la bourgeoisie parisienne, a été fixé au début
du XVIIe s. et a pratiquement éliminé la plupart des parlers
mentionnés plus haut. Le plus ancien document est fourni
par les Serments de Strasbourg (842), que suit la Cantilène
d'Eulalie (vers 900).

e) Groupe ESPAGNOL (*español*, environ 16.500.000 en
Espagne), partagé en trois groupes qui correspondent aux
trois étapes de la « reconquista » sur les Arabes : au Nord,
l'asturien, le léonais et l'aragonais ; au Centre, le castillan
(castellano), source de la langue littéraire ; au Sud, l'andalou. Les plus anciens documents en sont les « *Glosas
Emilianenses* » (xe s.) et les « *Glosas Silenses* » (xie s.).

f) Groupe CATALAN (*català* ; en Espagne : 4.500.000 en
plus de 185.000 en Catalogne française) qui, outre la Catalogne et le Roussillon, comprend la province de Valence,
les îles Baléares (avec des émigrés en Algérie) et la colonie
catalane d'Alghero en Sardaigne. Le plus ancien texte
(1171) vient du monastère de Roda.

g) Groupe PORTUGAIS (*portughes*, 7.500.000 au Portugal
avec les Açores et Madère, sans compter plus de 2.000.000
de Galiciens en Espagne), attesté pour la première fois par
une charte de 1192, se divise en : galicien avec les dialectes
d'entre Douro et Minho et de Tras-os-Montes au Nord ;
dialecte de la Beira au Centre ; au Sud, l'« estremenho »,
dialecte de Lisbonne, les parlers de l'Alemtejo et de
l'Algarve, avec ceux des Açores et de Madère.

h) Groupe RHÉTO-ROMAN OU LADIN (environ 450.000),
partagé entre la Suisse, l'Autriche et l'Italie, comprenant
un groupe occidental, les parlers des Grisons (romanche,
nom local *rumantsch*, *grischun*, engadinois ; environ
45.000) ; un groupe central (tyrolien) et un groupe oriental
(frioulan), le plus compact. Le plus ancien texte rhétique
est un fragment du début du xiie s. (abbaye d'Einsiedeln,
canton suisse de Schwyz). Le romanche est depuis 1938
la quatrième langue officielle de la Confédération Helvé-
tique.

i) Groupe DALMATE, le moins important, représenté
autrefois sur la côte de l'Adriatique, de l'île de Veglia
jusqu'à Raguse par des parlers aujourd'hui éteints :
le ragusain a dû disparaître vers le début du xviie s., le
vegliote vers 1900.

j) Groupe ROUMAIN ou *român* (environ 16.000.000) avec

quatre principaux dialectes : le daco-roumain de la Roumanie proprement dite, le macédo-roumain (ou aromoune) en Albanie, en Thessalie et surtout en Macédoine autour de Monastir ; le meglénite (vallée de Meglena, au Nord-Ouest de Salonique) ; l'istro-roumain (en Istrie non loin de Fiume). Le daco-roumain se subdivise à son tour en valaque, base de la langue littéraire, au Sud ; moldave à l'Est et dans quelques enclaves en Ukraine ; et transylvanien à l'Ouest. Les premiers monuments du roumain sont des œuvres hagiographiques de la seconde moitié du xvie s., écrites en alphabet cyrillique.

Certaines des langues romanes ont pris par la colonisation une extension mondiale.

L'espagnol (avec prédominance, dans l'usage parlé, de traits de l'espagnol méridional) est la langue officielle de l'Amérique du Sud (moins le Brésil), de l'Amérique Centrale, avec la plus grande partie des Antilles, et du Mexique. Il est parlé dans une partie de la Californie et du Texas. L'émigration l'a transporté sur la côte septentrionale de l'Afrique, au Maroc et en Algérie (surtout dans la province d'Oran), dans les îles du golfe de Guinée (Fernando Po) et aux Philippines. Environ 65.000.000 d'individus le parlent, dont 16.500.000 seulement en Espagne. — En outre, les Juifs d'Espagne (Sefardim), expulsés de la péninsule à la fin du xve s. et émigrés en Orient (colonies juives de Salonique et de la Macédoine, de l'ancien empire ottoman) et au Maroc, ont gardé l'usage d'un castillan resté très archaïque. Le judéo-espagnol et le judéo-portugais ont même été parlés, dans une faible mesure, à Amsterdam et à Hambourg. Les sujets parlant judéo-espagnol (« spagnioles ») dans les Balkans et dans le Proche-Orient ont été estimés à environ 100.000.

Le portugais est la langue officielle du Brésil. Il est employé aussi dans l'Angola, sur la côte de Guinée et celle de Mozambique, sur quelques points de la côte Ouest de l'Inde (Goa, Diu) et des îles de la Sonde (Timor). Environ 30.000.000 d'individus le parlent hors du Portugal.

L'italien est représenté en Amérique par d'importantes colonies établies aux États-Unis et en Argentine, en Afrique par celles de Tunisie ; mais il n'a été langue officielle que dans les territoires coloniaux (Libye, Érythrée, Somalie).

Le français se parle dans la partie Est du Canada (plus de 3.000.000 de Canadiens français, surtout dans les provinces de Québec et d'Ontario ; en outre, environ 1.500.000 Canadiens français émigrés aux États-Unis, s'ajoutant à environ 200.000 parlants français en Louisiane), dans quelques Antilles, dans une partie notable de l'Afrique du Nord, dans les colonies françaises d'Afrique (y compris Maurice), d'Extrême-Orient et d'Océanie. Il est de plus employé par les gens cultivés de nombreux pays dans l'Europe Centrale et Sud-Orientale, en Égypte et dans le Proche-Orient.

On peut évaluer à 65 millions le nombre des individus parlant espagnol, contre 48 millions qui parlent français, 44 qui parlent italien et 40 qui parlent portugais.

Sur plusieurs points du globe, le portugais, l'espagnol, et le français, en contact avec des langues indigènes ou importées (Antilles), ont produit divers parlers créoles, sortes de langues mixtes, dont plusieurs ont été assez bien étudiées : négro-portugais des îles du Cap Vert et de la Guinée portugaise ; indo-portugais parlé à Ceylan par les descendants des colons, *papiamento* des nègres de Curaçao, créole de Haïti, de la Réunion, de l'île Maurice, etc.

Enfin, il faut mentionner les langues spéciales — à peu près disparues aujourd'hui — qui étaient en usage dans les ports de la Méditerranée et qu'on appelle *sabir* ou *lingua franca :* l'élément roman (français, italien, espagnol, etc.) y tient une place prépondérante.

CELTIQUE

Le CELTIQUE a eu dans l'histoire des destinées moins brillantes que l'italique.

De la langue celtique commune, « celtique continental » ou GAULOIS, qui occupait avant notre ère le centre de

l'Europe, la Gaule, l'Italie du Nord, l'Espagne et avait
pénétré en Asie Mineure (royaume des Galates), nous ne
possédons, en dehors de nombreux noms propres connus par
les écrivains classiques ou dans des monuments épigraphiques romains, qu'une centaine d'inscriptions (dont une
quarantaine de graffiti, la plupart à La Graufesenque,
dans l'Aveyron) ; inscriptions généralement fort courtes,
trouvées dans le Nord de l'Italie, dans la vallée du Rhône
ou ailleurs en France, les unes en caractères étrusques, de
beaucoup les moins claires, les autres en caractères grecs
ou latins ; la plus longue est le Calendrier de Coligny
(Ain) ; elles présentent trop peu de faits de langue utilisables pour qu'on y puisse reconnaître des distinctions
dialectales. Ces inscriptions s'échelonnent entre le IIIe s.
av. J.-C. et le début de notre ère. Le gaulois s'est éteint
en Gaule même dans les premiers siècles de l'ère chrétienne,
étouffé par le latin.

Bien plus tardivement apparaissent les dialectes du
celtique « insulaire », qui survivent en deux groupes,
gaélique et brittonique.

Du GAÉLIQUE, qui a son berceau en Irlande, les premiers
documents sont environ 350 courtes inscriptions du Ve s.
ap. J.-C., en caractères « ogamiques » (apparentés aux
runes scandinaves) d'Irlande ou de Galles. On possède,
en IRLANDAIS *(gaélig)*, du VIIIe au Xe s., de courts textes
religieux (notamment l'Homélie de Cambrai) et des gloses
de textes latins, puis, à partir du XIe s., une des plus riches
littératures de l'Europe médiévale. L'écriture est soit
l'alphabet latin, soit l'alphabet *erse* (forme de l'alphabet
latin du moyen-âge). Depuis le XVIe s., et notamment au
cours du XIXe s., l'irlandais, par suite des circonstances
historiques, a constamment reculé devant le progrès de
l'anglais et s'est trouvé confiné dans les régions rurales
et montagneuses de l'île. Il constitue aujourd'hui trois
groupes distincts de parlers : méridional, dans le Munster
(comtés de Waterford, de Cork et de Kerry) ; occidental,
dans le Connaught (comtés de Galway et de Mayo, avec
les îles d'Arran) ; septentrional, dans le Donegal. En 1926,

on ne comptait plus en Irlande qu'environ 300.000 individus parlant irlandais, soit environ un dixième de la population. Depuis une vingtaine d'années, de sérieux efforts ont été faits pour remettre en usage la vieille langue, redevenue langue nationale de l'État d'Eire ; la statistique de 1936 accuse 666.601 individus (les deux cinquièmes environ âgés de moins de 15 ans) parlant la langue, dont l'enseignement est actuellement obligatoire dans les écoles.

Dès le ve s. de notre ère, les Irlandais avaient introduit leur langue au Nord-Ouest de l'Angleterre et en Écosse (Scotia Minor), et, à partir du xvie s., grâce surtout à la Réforme, le gaélique d'Écosse (ou *erse*) se développait en langue littéraire indépendante et couvrait tout le pays au Nord de la Clyde. Il est aujourd'hui restreint à quelques régions des Highlands ; en 1931, 136.135 individus parlaient gaélique, dont 6.716 se servaient exclusivement de cette langue. Ce chiffre a dû encore diminuer depuis.

Dans l'île de Man, il n'y a plus que quelques personnes qui parlent un dialecte gaélique, le MANNOIS ou *manx*, plus voisin d'ailleurs du gaélique d'Écosse que de l'irlandais. Le mannois comme le gaélique d'Écosse, s'écrit en alphabet latin.

Il y a eu, surtout dans la seconde moitié du xixe s., une forte émigration irlandaise aux États-Unis et en Australie, mais ces importantes colonies ont en général abandonné l'usage de la langue nationale.

Le BRITTONIQUE, parlé en Grande-Bretagne avant l'invasion des Romains et qui a fortement subi l'influence romaine pendant l'occupation (de 43 à 410 ap. J.-C.), a été progressivement refoulé par les invasions germaniques, à partir du ve s., vers les régions occidentales, Pays de Galles et Cornwall et même contraint d'émigrer, au delà de la mer, en « petite Bretagne » ou Bretagne armoricaine. De là, dès les plus anciens textes, une division tripartite du brittonique :

a) Le GALLOIS *(cymraeg)* parlé au Pays de Galles et dans le Monmouthshire par plus d'un million d'individus (dont près de 200.000 unilingues, en 1931), est le plus vivace et le mieux cultivé des dialectes celtiques. Une tradition écrite, qui commence par des gloses au viiie s., se développe richement au moyen âge, surtout en poésie, et qui se fixe en langue littéraire par la traduction de la Bible (par le Dr Morgan, en 1588), l'a fait vivre jusqu'à nos jours. Les nombreux parlers locaux constituent un groupe septentrional (Anglesey, Carnarvon, Merioneth) et un groupe méridional (Cardigan, Carmarthen, Clamorgan). Les colonies galloises des États-Unis et des divers Dominions conservent en général leur langue.

b) Le CORNIQUE de Cornwall, qui confinait jadis au domaine gallois, a disparu à la fin du xviiie s., ruiné par l'anglais. Il en reste quelques gloses du ixe s., un vocabulaire du xiie s., et une série de drames religieux des xvie-xviie s.

c) Le BRETON *(breiz)*, introduit en Armorique aux ve et vie s. ap. J.-C., s'y est maintenu jusqu'à présent à l'Ouest d'une ligne à peu près droite, allant de Plouha au Sud à l'embouchure de la Vilaine au Nord ; il forme quatre principaux dialectes (trégorois, léonard, cornouaillais, et, assez différent, vannetais) avec de nombreuses variétés. En dehors de gloses anciennes et de chansons populaires modernes, on a en breton, du xvie s. à nos jours, des mystères et des ouvrages d'édification. Le breton était parlé, en 1938, par environ 1.000.000 d'individus, mais le français est compris sur la plus grande partie du domaine.

Texte en vieil irlandais[1]

is-lobur	*ar n-irnigde-ni*	*mat*	*réte*	*frecndirci*
est faible	notre prière	si ce sont	choses	actuelles

	gesme	*ocus*	*ni - n - forteil - ni*	*in-spirut*
que nous demandons		et	ne nous aide (pas)	l'esprit

---

1. Le texte est donné avec l'orthographe irlandaise traditionnelle, qui ne représente qu'imparfaitement la prononciation. Pour le détail, voir J. VENDRYES, *Grammaire du vieil-irlandais*, p. 17-36.

oc   suidiu;   is   hed   didiu   forthéit   in-spirut
en   cela ;   est   cela   d'autre part   qu'aide   l'esprit

intain   guidme-ni   inducbail   di-ar   corp   ocus
au moment   que nous demandons   gloire   pour notre   corps   et

di-ar   n - anim   iar   n - esseirgiu.
pour notre   âme   après   résurrection.

Manuscrit de Würzburg
(Thesaurus Palaeohibernicus t. I, p. 518).

« Notre prière est faible quand ce sont des choses actuelles que nous demandons et l'Esprit ne nous aide pas en cela ; c'est en cela en revanche qu'aide l'Esprit, quand nous demandons la gloire pour notre corps et pour notre âme après la résurrection. »

Noter : 1º la place du verbe *(is, forthéit)* en tête de phrase, et la place du prédicat *(lobur)* devant le sujet ; 2º l'expression de la relation par la désinence verbale *(gesme, guidme)*, ou par la mutation de l'initiale verbale *(for-théit* « qu'aide » en face de *for-téit* « aide ») et l'absence de pronom relatif ; 3º le pronom infixe *(ni-n-fortéit* « ne *nous* aide pas ») ; 4º les particules personnelles renforçantes *(ar n-irnigde-ni, guidme-ni,* etc.) ; 5º les mutations initiales (aspiration : *forthéit,* nasalisation : *ar n-irnigde, di-ar n-anim, iar n-esseirgiu).*

GROUPE GERMANIQUE

Les écrivains de l'antiquité classique appellent Germains des peuples établis dans les plaines de l'Europe Septentrionale, entre Vistule, Rhin et Alpes. Ils les ont connus d'abord par l'intermédiaire des Celtes ; le nom même de Germain, sur le sens duquel on ne cesse de discuter, semble avoir désigné une tribu germanique avec laquelle les Celtes se trouvaient en contact sur les bords du Rhin.

Le germanique comprend trois groupes distincts, oriental, septentrional et occidental :

a) Le germanique oriental ou « ostique » est représenté par le GOTIQUE. Les Gots, qui occupaient à date préhistorique la Scandinavie méridionale où se conservent les noms de Göteland, Gottland, descendirent au milieu du IIᵉ s. ap. J.-C. du bassin de la Vistule vers la mer Noire et fondèrent au début du IIIᵉ siècle, entre le Bas-Danube et le Dniepr, un royaume bientôt scindé en deux peuples, ostrogot et wisigot. Ces peuples firent des expéditions vers l'Occident, établissant en 493 un royaume ostrogot en Italie qui subsista jusqu'en 555, et un royaume wisigot en 418 à Toulouse, qui s'étendit en Espagne où il dura jusqu'à l'invasion arabe, en 711 ; mais leur langue y fut rapidement noyée dans le milieu roman qui l'entourait. En Orient, le gotique a été plus vivace, et persistait encore il y a moins de quatre siècles : en 1560, le Flamand Ogier Ghiselin de Busbecq recueillait en Crimée des restes de gotique. A part ce gotique de Crimée, les débris d'une « explication » *(skeireins)* de l'Évangile de saint Jean et quelques courts documents (actes de vente, gloses, etc.) du VIᵉ siècle trouvés en Italie, la langue est principalement connue par les fragments d'une traduction de la Bible que fit, pour l'édification de ses ouailles, l'évêque Wulfila ou Ulfila (né vers 311, mort vers 383), dont le diocèse comprenait la Mésie inférieure avec la ville de Nicopolis. Wulfila écrivit sa traduction dans un alphabet grec en lettres onciales augmenté de quelques caractères latins et runiques. — Au germanique oriental appartenaient aussi la langue des Burgondes et celle des Vandales, dont nous n'avons que quelques noms propres.

b) Le germanique septentrional ou « nordique », parlé en Scandinavie, est la langue germanique la plus anciennement attestée. Il est connu, entre la fin du IIᵉ et le VIIIᵉ siècles ap. J.-C., par environ cent cinquante inscriptions écrites en un alphabet dit « runique » qui fut également employé par les autres Germains et dont l'origine, très discutée, doit probablement être cherchée dans les alphabets du Nord de l'Italie. La langue de ces inscriptions est généralement appelée « nordique commun » et aussi norrois. Les autres textes nordiques en écriture romaine sont de beaucoup postérieurs. Relativement une jusqu'au VIIIᵉ siècle, cette langue en vient à se scinder en trois groupes, à mesure que, du VIIIᵉ au XIᵉ s., les peuples scandinaves s'étendent dans trois directions. Les Norvégiens poussent jusqu'en Écosse et en Irlande, prennent les

Shetlands, les Orcades, les Hébrides, les Féroé, et, dès la
fin du IXe s., colonisent l'Islande. Les Danois descendent
en Slesvig, passent en Angleterre (surtout à l'Est et au
Nord), en Irlande, en Normandie (au XIIe s. le danois
était encore parlé à Bayeux). Les Suédois s'étendent en
Finlande, en Estonie, en Livonie, en Russie, où ils
occupèrent Novgorod jusque vers 1300. Le nordique
comprenait, dès le XIe s., quatre dialectes principaux : le
danois, le suédois, le norvégien et l'islandais, celui-ci
évoluant indépendamment du norvégien.

L'ISLANDAIS *(islenzkr, norrœna, dönsk tunga)* a été au
moyen âge la plus brillante des langues nordiques. Dès le
Xe s., il y eut en Islande une production littéraire d'une
importance exceptionnelle : poésie de cour (skaldes),
poésie mythique et héroïque (Edda), textes juridiques
(dont les *grāgās*), et les célèbres biographies d'hommes
illustres (sagas), écrites dans une prose qui atteint à la
perfection. Cette langue s'est maintenue sans changement
essentiel jusqu'à l'époque contemporaine et ne comporte
pas de dialectes. Il y a aujourd'hui encore en Islande
(environ 120.000 habitants) une active littérature, surtout
poétique.

Le NORVÉGIEN *(norsk)*, à peine moins ancien que
l'islandais, meurt à la fin du moyen âge en tant que langue
littéraire, tandis que le SUÉDOIS *(svensk)* et le DANOIS
(dansk), écrits à partir du XIIIe s., ont vécu brillamment
jusqu'à nos jours. Le suédois se parle aussi en divers points
de la côte de Finlande. Un dialecte danois se parle aux îles
Féroé (26.000 hab.). C'est le danois qui a été la langue
écrite et religieuse de la Norvège jusqu'à la fin du XVIIe s.
Mais, à partir du XVIIIe s., s'instaure en Norvège le *riksmål*,
dont la grammaire est en partie danoise, en partie norvé-
gienne, et qui, devenu la langue commune de la bourgeoisie, s'est étendu à tout le Sud-Est du pays ; à l'Ouest,
il se heurte au *landsmål*, langue de quelques écrivains,
fondée sur des parlers locaux archaïques, et dont l'usage
paraît se développer.

Le nombre des parlants est évalué à environ 3.000.000

pour le norvégien, 6.500.000 pour le suédois (Suède et côtes de Finlande), 3.500.000 pour le danois, et 120.000 pour l'islandais.

c) Le germanique occidental ou « westique », connu à une époque où il était déjà fractionné, a pour représentants principaux l'allemand et l'anglais.

L'ALLEMAND *(deutsch)* comprend lui-même le haut-allemand et le bas-allemand.

Le haut-allemand *(hochdeutsch)* (premiers documents : gloses du viiie siècle) comprenait dès le moyen âge trois groupes de parlers principaux : bavarois (Bavière, Autriche, Styrie, partie du Tyrol et de la Carinthie, et un îlot à Gottschee en domaine slovène) ; alaman ou alémanique, parfois réuni au bavarois sous le nom d'allemand supérieur, *oberdeutsch* (haut-alaman : Suisse alémanique ; bas-alaman : Bade et Alsace ; souabe : Wurtemberg) ; et francique *(fränkisch)* (dont quelques parlers, apparentés au bas-allemand, sont parfois réunis sous le nom de moyen-allemand, *mitteldeutsch*), groupe très diversifié, souche principale de l'allemand commun. Instauré au moyen âge par la chancellerie impériale, puis sanctionné dans les milieux protestants par les écrits de Luther, et étendu au Sud catholique, l'allemand, langue d'une très riche littérature, est parlé aujourd'hui par 85 millions d'individus environ sur les territoires allemand et autrichien ; il a été en outre transporté par la colonisation dans des districts de plusieurs pays d'Europe (Hongrie, Roumanie, Russie) et il est également employé dans les nombreux groupements allemands de l'Amérique du Nord (États-Unis) et de l'Amérique du Sud (Brésil, Argentine, etc.).

Aux dialectes du haut-allemand il faut joindre le judéo-allemand ou yidich *(jüdisch-deutsch, yiddish)*, qui repose à l'origine sur un parler francique et constitue la langue spéciale des juifs Achkenazim, surtout à partir du xive s., quand commencèrent les persécutions et les expulsions. On distingue deux groupes de dialectes yidich : 1º un groupe oriental, de la Baltique à la mer Noire (communautés juives de Lituanie, de Pologne, de Russie et en partie de Roumanie), groupe très unitaire, aujourd'hui transporté par l'émigration aux États-Unis comme langue parlée et écrite (plus d'un million de Juifs dans la seule ville de New-York) ; il s'écrit en caractères hébreux ; 2º un groupe occidental, aujourd'hui à peu près restreint aux communautés juives d'Alsace ; en Lorraine, autour de Metz, il achève de mourir. Il a disparu en Allemagne depuis le XVIIIᵉ s. où, sous l'influence de Mendelssohn, les Juifs se sont mis à parler et à écrire l'allemand commun.

Le bas-allemand *(niederdeutsch)* apparaît d'abord dans le poème du Hēliand (« Sauveur »), composé vers 830, dont la langue est généralement appelée « *vieux-saxon* » (les Saxons étaient alors établis entre le Rhin et l'Elbe). Il est représenté par une foule de parlers désignés comme *plattdeutsch* et qui se délimitent vis-à-vis du haut-allemand par une ligne unissant Aix-la-Chapelle, Cassel, Nordhausen, Wittenberg et Schwiebus.

Au bas-allemand se rattachent le HOLLANDAIS *(hollandsch)* et le FLAMAND *(vlaamsch)*, langues très voisines issues d'un mélange de dialectes bas-allemands apportés par des conquérants Francs et Saxons, et qui sont restées distinctes à travers les hasards de l'histoire et les créations de langues écrites (traduction de la Bible, de 1619 à 1639), surtout à cause des divisions religieuses et politiques. Mais aujourd'hui c'est le hollandais qui est enseigné dans la Belgique flamingante, sous le nom de néerlandais *(nederlandsch)*. Le flamand parlé déborde la frontière française. Le hollandais a été transporté par la colonisation dans les Indes orientales (Insulinde) et occidentales (Antilles, dans la Guyane hollandaise) ainsi que dans l'Afrique du Sud (Transvaal, Orange et partie de la colonie du Cap). Le hollandais parlé en Afrique du Sud se dénomme *afrikaans*. On peut estimer à 13.000.000 le nombre de ceux qui le parlent en Europe et en Afrique.

Autre branche du bas-allemand, le FRISON *(friesisch)*, dialecte westique apparenté au vieil-anglais et qui fut jadis dans les Pays-Bas le rival du francique et du saxon, subsiste encore sous forme de trois parlers : frison occidental au

Nord de la Hollande, oriental en quelques points de
l'Oldenbourg, septentrional dans l'île de Heligoland, sur la
côte du Slesvig au Nord de Husum et dans les îles voisines
jusqu'à Sylt. Certains d'entre eux présentent aujourd'hui
encore des analogies frappantes avec l'anglais. Plus de
300.000 personnes parlent le frison.

L'ANGLAIS *(english)* a dès l'origine encore moins d'unité
que l'allemand. Au cours des Vᵉ et VIᵉ s. ap. J.-C., des
Angles, des Saxons et des Jutes, venus du Nord de la Ger-
manie, envahirent successivement et conquirent sur les
Celtes bretons les parties orientales et méridionales de la
Grande-Bretagne, où ils fondèrent les établissements qui
devaient former l'heptarchie anglo-saxonne. Leur langue,
— anglo-saxon, ou mieux vieil-anglais — dont les plus
anciens documents sont quelques inscriptions runiques
(du VIIIᵉ au XIᵉ siècle) et des gloses en alphabet latin,
dont quelques-unes sont antérieures au VIIIᵉ s., n'est
que le groupement de dialectes variés : l'anglien, nor-
thumbrien au Nord et mercien au Centre, le saxon occidental (west-saxon) au Sud et le kentien à l'extrémité
Sud-Est. La poésie a surtout fleuri sur le domaine anglien
et la prose sur le domaine saxon-occidental. Le danois,
puis surtout le français exercèrent sur l'anglais une forte
et durable influence. Dès la seconde moitié du XIVᵉ s.,
une langue commune se développa qui, partie de la ville
de Londres et constituée surtout d'éléments du centre
du pays, s'étend aujourd'hui à l'île entière, moins le
pays de Galles et un coin des Highlands, après avoir
absorbé le cornique, refoulé le gaélique en Écosse, conquis
les Orcades et les Shetlands (où l'on a parlé scandinave
jusqu'au XVIᵉ s.) et gagné l'Irlande (où la lutte avec
l'idiome gaélique, devenu aujourd'hui langue nationale,
présente des péripéties très variées). Les dialectes anglais
d'Écosse sont d'un type archaïque et sur un point de
l'Irlande, au Sud du comté de Wexford (baronnies de
Forth et de Bargy) s'est conservé jusqu'au milieu du
XIXᵉ s. un dialecte aberrant introduit au XIIᵉ. Mais en

général l'anglais (que plus de 50.000.000 d'individus parlent dans les îles Britanniques) s'étend sur les domaines celtiques comme langue commune, sans exclure certaines formations particulières.

Une longue prépondérance politique et économique, l'importance des entreprises coloniales de l'Angleterre, la richesse de la littérature anglaise ont diffusé largement l'anglais comme langue officielle ou comme langue de relation. Il s'est implanté et subsiste dans les colonies ou territoires sous mandat britannique. Hors d'Europe, l'anglais joue le rôle de langue mondiale. Il couvre un immense domaine : la plus grande partie de l'Amérique du Nord (États-Unis et Canada), l'Australie et la Nouvelle Zélande, et aussi — en tant que langue officielle de l'administration et des affaires — l'Afrique du Sud, l'Égypte et l'Inde. Il se comprend dans une partie considérable du monde. Près de 250 millions d'individus le parlent et l'usage s'en étend toujours. Mais cette extension entraîne des altérations qui deviennent caractéristiques de certaines régions (Australie, Canada). L'anglo-américain, en particulier, qui a déjà produit une littérature autonome, se différencie toujours plus de l'anglais tant par le phonétisme qu'au point de vue du vocabulaire ; il manifeste une grande puissance de création verbale et, sous sa forme parlée, il accuse déjà des différences dialectales entre les diverses régions des États-Unis.

Il y a enfin des combinaisons d'anglais et de langues indigènes, sortes de langues créoles : pidgin-english de l'Extrême Orient (déformation de *business english*), broken english de la Sierra Leone, Beach-la-Mar (Bichelamare, Bêche-de-mer, Biche-de-mer, désigation d'origine obscure) ou Sandalwood-english de la Polynésie. Un sabir à prédominance anglaise, dit *ingles de escalerilla* s'est créé dans les ports espagnols d'Almeria, Malaga, la Linea, etc.

Texte en vieil-anglais et en anglais moderne[1]

Beowulf 1474-9 :

geþenc[1] *nū,*[2] *se*[3] *mæra*[4] *maga*[5] *Healfdenes*[6]
snottra[7] *fengel*[8], *nū*[9] *ic*[10] *eom*[11] *sīðes*[12] *fūs*[13],
gold-wine[14] *gumena*[15], *hwæt*[16] *wit*[17] *geō*[18] *spræcon*[19] :
gif[20] *ic*[21] *æt*[22] *þearfe*[23] *þīnre*[24] *scolde*[25]
aldre[26] *linnan*[27], *þæt*[28] *þū*[29] *mē*[30] *ā*[31] *wære*[32]
forþ[33] *gewitenum*[34] *on*[35] *fæder*[36] *stæle*[37]

Traduction en anglais moderne de John R. Clark Hall :

Remember[1] *now*[2], *illustrious*[4] *son*[5] *of-Healfdene*[6],
sapient[7] *chief*[8], *rewarding-friend*[14] *of-men*[15],
now-that[9] *I*[10] *am*[11] *at-the-point*[13] *to-start*[12],
what[16] *we-two*[17] *said*[19] *a-while-ago*[18] : *if*[20] *I*[21]
for[22] *thy*[24] *necessity*[23] *should*[25] *cease*[27] *from-life*[26],
that[28] *thou*[29] *wouldst*[32] *always*[31] *be*[32] *in*[35] *a-*
father's[36] *place*[37] *to-me*[30] *when-I-am-gone*[33-34].

« Rappelle-[toi][1], ô[3] illustre[4] fils[5] [de]-Healfdene[6],
sage[7] chef[8], maintenant-(que)[2-9] je[10] suis[11] prêt[13]
(au)-départ[12], (ô) généreux-ami[14] (des)-hommes[15],
ce-que[16] nous-deux[17] avons-dit[19] naguère[18] :
que[28] si[20] pour[22] ton[24] service[23] je[21] devais[25] perdre[27]
(la)-vie[26], tu[29] occuperais[32] toujours[31] pour-moi[30],
une-fois-disparu[33-34], (la)-place[37] (d'-un)-père[36]. »

I. Les formes. En v. a. la distinction grammaticale des genres est en
vigueur : on oppose *wine* (masc.) « ami » à *þearf* (fém.) « nécessité » (Le genre
neutre, non attesté dans les lignes ci-dessus, existe également). En angl.
mod. on ne connaît plus que le genre naturel : tout nom qui ne représente
pas un être vivant masculin ou féminin, est par définition neutre, ainsi
necessity, place, life, point.

Le v. a. connaît encore les déclinaisons ; il distingue les types vocaliques
(wine) des types consonantiques *(maga)*. Il marque par des terminaisons
variées les cas : nominatif sg. *maga*, gén. *sīdes* (de *sīd*), gén. plur. *gumena*
(de *guma*), dat. *aldre* (de *aldor*), etc. L'angl. mod. n'a conservé qu'un génitif

1. Les textes sont donnés avec l'orthographe traditionnelle. Voir le
détail, pour le vieil anglais, dans F. Mossé, *Manuel de l'anglais du moyen-âge,*
t. I, p. 27-36 et pour l'anglais moderne dans D. Jones, *English phonetics,*
3e éd. 1932.

en-*s (falher's)* qui a été généralisé, mais qui en principe est réservé aux noms d'êtres animés.

Le v. a. connaît encore, comme tous les anciens dialectes germaniques (et comme l'allemand moderne), deux déclinaisons de l'adjectif, l'une forte, *fūs, mǣre, snotter,* l'autre faible : *mǣra, snottra.* En angl mod. l'adjectif, de même que l'article défini, est invariable.

Outre le singulier et le pluriel (conservés par l'angl. mod. mais avec la terminaison -*s* généralisée pour presque tous les noms [rares survivances du type *man: men*]), le v. a. connaissait encore pour le pronom personnel l'usage du duel : *wit* « nous deux ».

II. Le vocabulaire marque de façon frappante l'évolution profonde de la langue. Dans le passage ci-dessus on remarquera que les mots « grammaticaux » ont survécu : *nū* « now », *ic* « I », *eom* « am », *hwæt* « what », *gif* « if », *æt* « at », *þīn* « thy, thine », *scolde* « should », *þæt* « that », *þū* « thou », *mē* « me », *ā* « aye », *wǣre* « were », *forþ* « forth », *on* « on ». Mais, pour le vocabulaire proprement dit, les seuls termes de ce passage qui subsistent en anglais moderne sont *geþenc* « think », *gold* « gold », *fæder* « father ». Par contre, la traduction moderne contient un nombre imposant de mots d'origine romane : *remember, illustrious, sapient, chief, point, necessity, cease, place.*

III. Le vers germanique en général est composé d'un nombre fixe d'éléments accentués séparés par des éléments non accentués. En vieil-anglais les hémistiches d'un même vers sont reliés par allitération.

Groupes baltique et slave

Malgré de sérieuses différences entre elles, les langues baltiques et les langues slaves sont unies par un certain nombre de traits communs, qui les séparent des groupes voisins.

BALTIQUE

Les langues baltiques sont au nombre de trois : le vieux-prussien, le lituanien et le lette.

Le vieux-prussien, qui se parlait en Prusse Orientale jusqu'au xviie siècle, est connu par : le vocabulaire dit d'Elbing (802 mots), conservé dans un ms. du début du xve siècle qui a été copié sur un original du xive siècle ; le vocabulaire du dominicain Simon Grunau (vers 1520) ; la traduction de deux catéchismes (1545) et celle de l'Enchiridion de Luther (1561).

Le lette *(latviski)* et le lituanien *(lietuviškai)* sont encore vivants aujourd'hui. Le lette (environ 1.400.000 individus en majorité luthériens) est parlé dans la Courlande, la partie sud de la Livonie, ainsi que dans quelques localités des anciens gouvernements de Witebsk et de Pskov et dans la « Kurische Nehrung ». Le domaine du lituanien (environ 2.500.000 individus, presque tous catholiques) est l'ancienne Lituanie russe avec les régions de Memel et de Tilsitt.

Attestées l'une et l'autre depuis le XVIᵉ s. (le lituanien par la traduction du catéchisme de Luther en 1547, le lette par la traduction d'un catéchisme catholique en 1585) et restées jusqu'au XIXᵉ siècle idiomes de paysans, ces langues sont devenues langues nationales et littéraires, en gardant leurs caractères propres : le lette est plus évolué, ayant couvert des régions de langue finnoise (une petite enclave live subsiste encore à la pointe nord de la Courlande) ; le lituanien, d'un remarquable archaïsme, comprend des dialectes du Sud, base de la langue littéraire, et le *žemaïte* parlé au Nord depuis la frontière de la Courlande jusqu'à Raseiniai. Il y a eu une forte émigration lituanienne aux États-Unis (plus de 400.000 individus, fixés surtout à Chicago) où nombre de publications en lituanien ont vu le jour ces dernières années.

SLAVE

Les langues slaves forment le groupe linguistique numériquement le plus important d'Europe. Elles se répartissent en trois groupes : méridional, occidental et oriental.

A) Le *slave méridional* est le plus anciennement connu. Les apôtres Cyrille et Méthode, traduisant au IXᵉ s. de notre ère les textes sacrés pour les besoins de l'évangélisation, à la demande d'un prince slave de Moravie, prirent pour base de leur traduction leur parler maternel, celui de la région de Salonique. La langue de cette traduction (vieux slave, ou slavon ecclésiastique, ou « vieux-bulgare »), notée au moyen de l'alphabet dit *cyrillique*, dérivé de l'alphabet grec, est restée durant tout le moyen âge la langue religieuse des Slaves orthodoxes et, comme telle, a été lue et écrite par des Slaves (Russes, Bulgares, Serbes) dont le parler était sensiblement différent.

Aujourd'hui le slave méridional comprend, de l'Adriatique à la mer Noire, une succession de parlers dont les limites propres sont souvent très difficiles à déterminer, mais qui ont servi à constituer graduellement trois langues littéraires distinctes.

a) Le SLOVÈNE (*slovenski*, plus de 1.200.000 individus), dont le plus ancien texte est du Xe s. (fragment de Freising) et qui a une littérature écrite en caractères latins depuis la fin du XVIIIe s., occupe la Carniole et s'étend à la Styrie, à la Carinthie méridionale, à un coin de la Croatie et à la partie principale de l'ancien Küstenland autrichien jusqu'au delà de l'Isonzo.

b) Le SERBO-CROATE (respectivement *srp* et *hrvat* ; plus de 10.000.000 d'individus) couvre, dans la république de Yougoslavie, la Serbie proprement dite, la Croatie, la Bosnie-Herzégovine, le Monténégro, la Dalmatie, la Voïvodine (Banat, Batchka, Baranya). D'après la manière dont s'exprime le mot « quoi ? », on y distingue trois dialectes : le *štokavački* (le principal, qui a servi de base à la langue littéraire), le *čakavački* et le *kaykavački*, proche du slovène. D'une ancienne colonie serbo-croate sur la côte italienne de l'Adriatique, il subsiste un dialecte chtokavien dans trois villages de la province de Campobasso (Molise). Le serbo-croate s'écrit avec l'alphabet cyrillique chez les orthodoxes, latin chez les catholiques. Il y a eu dès la fin du XVe s. une littérature en Dalmatie et à Raguse ; mais c'est surtout au XIXe s. que le serbo-croate est devenu langue littéraire et langue de civilisation.

c) Le BULGARE (*bŭlgarski*, plus de 4.500.000 individus) dans la république de Bulgarie et en outre dans la Dobroudja, dans la Valachie méridionale, en Bessarabie et jusqu'en Ukraine, n'a pris qu'au XIXe s. la valeur d'une langue nationale de civilisation. Il s'écrit avec l'alphabet cyrillique.

En Macédoine, quoique la limite entre les parlers de type bulgare et de type serbe ne puisse être fixée avec précision, la majorité des parlers est nettement de type bulgare, avec forte serbisation.

B) Le slave occidental comprend surtout le tchéco-slovaque et le polonais.

Sous le nom de TCHÉCOSLOVAQUE on englobe les parlers tchèques *(český)* (environ 8.000.000 d'individus en Bohême et Moravie) et les parlers slovaques *(slovenský)* (environ 2.500.000 individus). Le tchèque, écrit en alphabet latin depuis le XIIIᵉ s., est devenu une importante langue litté-raire surtout à partir de la renaissance nationale du XIXᵉ siècle qui a préparé son épanouissement actuel. Il y a en outre d'abondantes colonies tchèques en Autriche (notamment à Vienne) et en Amérique du Nord.

Le POLONAIS *(polski)* (environ 25.000.000 d'individus en Europe, plus 3.500.000 en Amérique du Nord et environ 150.000 en Amérique du Sud, notamment au Brésil, dans l'État de Parana) est connu à partir du XIVᵉ siècle, et s'écrit en alphabet latin. Il comprend quatre groupes principaux de dialectes : mazovien (ou mazurien), pos-nanien, cracovien et ruthénien. Il s'est développé dans les derniers siècles une littérature polonaise riche et originale.

On donne parfois le nom de « *lékhites* » à l'ensemble des dialectes slaves (y compris le polonais), qui s'étendaient jadis loin vers l'Ouest, jusqu'au delà de l'Elbe et qui ont été refoulés et absorbés par l'allemand. Ce terme est dérivé de *Ljakh*, pl. *Ljakhove*, nom donné aux Polonais par les Russes de Kiev. Les dialectes lékhites de l'Allemagne actuelle ne sont guère parlés par plus de 100.000 individus. Le principal est le SORABE ou WENDE de Lusace, parlé sur le cours supérieur de la Sprée, entre Bautzen et Kottbus (haut-sorabe et bas-sorabe délimités à peu près par la frontière entre les provinces de Silésie et de Brandenbourg). Le POLABE (de *Labe*, nom slave de l'Elbe), très proche du sorabe, qui se parlait sur le cours inférieur de l'Elbe, dans la région de Lüchow, et dont on possède des vocabulaires et de petits textes, est mort au XVIIIᵉ siècle. Le SLOVINCE, qui ne survivait plus que dans deux paroisses (Schmolsin et Grossgarde) de l'arrière-Poméranie, doit être éteint. Le KACHOUB, encore parlé sur la côte à l'Ouest de Dantzig, confine et s'apparente étroitement au polonais.

C) Le slave oriental comprend trois dialectes principaux dont la séparation n'est guère antérieure au XIIe siècle :

a) Le GRAND-RUSSE *(velikorússkiy)* est dénommé dans l'usage courant le RUSSE *(rússkiy)*. Son représentant le plus important, le dialecte moscovite, a servi de base à la langue russe commune, littéraire et officielle. Celle-ci s'est fixée au XVIIIe siècle, fortement influencée par le vieux-slave ecclésiastique dont elle a gardé l'alphabet avec quelques modifications. Langue de conquérants, imposée à des populations non russes d'origine (surtout finno-ougriennes et turco-tatares), le grand-russe n'était, en 1897, la langue maternelle que de 43 % des habitants de la Russie tzariste (environ 70.000.000) ; mais l'administration, soutenue par l'école, en a étendu l'usage jusqu'aux extrémités de la Sibérie ; il doit y avoir plus de 100.000.000 d'individus qui le parlent. Doté d'une riche et importante littérature, il ne sert pas seulement de langue commune à l'ensemble des Républiques Soviétiques (193.000.000 d'habitants en 1945, compte tenu des déplacements de frontière à l'ouest) ; la connaissance du russe se répand au delà des frontières de l'U. R. S. S., en Europe centrale et en Asie.

b) Le BLANC-RUSSE *(bielorússkiy)* est parlé par plus de 7.000.000 d'individus dans ce qui formait au XIe s. la Russie-Blanche et qui comprend les régions de Mohilev, Smolensk, Vitebsk et Minsk et une bonne partie des anciens gouvernements de Grodno et de Vilna. Le blanc-russe, qui n'était qu'un ensemble de parlers locaux, est devenu langue officielle de la république de Biélorussie.

c) Le PETIT-RUSSE, RUTHÈNE OU UKRAINIEN *(rusniy, ukraïnskiy)*, langue de la République d'Ukraine, comporte une douzaine de variétés dialectales sur un domaine considérable. Le centre de son aire est dans l'Ukraine (régions de Poltava, Kiev, Kharkov, Tchernigov), mais il s'étend en outre vers le Sud dans la région de Kherson et de Dniepropetrovsk, où la limite avec le grand-russe est difficile à fixer ; il embrasse à l'Ouest la Podolie, la

Volhynie et la Podlachie (où une minorité parle polonais), et en outre la Bukovine, la Galicie orientale et la Russie subcarpathique anciennement rattachée à la République tchécoslovaque. Il y a plus de 30.000.000 d'Ukrainiens, sans compter 6.000.000 sur l'ancien territoire polonais en Russie subcarpathique et en Roumanie, ainsi que d'importantes colonies en Amérique (États-Unis et Canada).

J. Vendryes et E. Benveniste[1].

BIBLIOGRAPHIE

INDO-EUROPÉEN EN GÉNÉRAL

K. Brugmann, *Grundriss der vergleichenden Grammatik der indogermanischen Sprachen*, 2e éd., Strasbourg, 1897-1916 ; K. Brugmann, *Kurze vergleichende Grammatik*, Strasbourg, 1904, traduction française sous la direction de A. Meillet et R. Gauthiot, *Abrégé de grammaire comparée des langues indo-européennes*. Paris, 1905 ; H. Hirt, *Indogermanische Grammatik*, 7 vol., Heidelberg, 1921-1937 ; A. Meillet, *Introduction à l'étude comparative des langues indo-européennes*, 8e éd. Paris, 1937 ; L. H. Gray, *Foundations of language*, ch. XI, New York, 1939. A. Walde, *Vergleichendes Wörterbuch der indogermanischen Sprachen*, publ. par J. Pokorny, 3 vol., Berlin-Leipzig, 1930-1932 ; J. Pokorny, *Indogermanisches etymologisches Wörterbuch*, Berne, en cours de public. depuis 1949 ; C. D. Buck, *A Dictionary of selected synonyms in the principal Indo-european Languages*, Chicago, 1949.

HITTITE

Hittite : B. Hrozný, *Die Sprache der Hethiter*, Leipzig, 1917 ; J. Friedrich, *Hethitisch und « kleinasiatischen » Sprachen*, Berlin, 1931 (bibl. complète) ; E. H. Sturtevant, *A Comparative Grammar of the Hittite Language*, Philadelphia, 1933 ; le même, *Hittite Glossary*, 2e éd., 1936 ; H. Pedersen, *Hittitisch und die anderen indoeuropäischen Sprachen*, Copenhague, 1938 ; J. Friedrich, *Hethitisches Elementarbuch*, Heidelberg, 1940-1946 ; F. Sommer, *Hethiter und Hethitisch*, Stuttgart, 1947.

Luwi : J. Friedrich, *ouv. cité;* en dernier lieu, B. Rosenkranz, *Indogerm. Forsch.*, 1938.

« Hittite hiéroglyphique » : B. Hrozný, *Les inscriptions hittites hiéroglyphiques* I-III, Prague, 1937 ; P. Meriggi, *Die längsten Bauinschriften*

---

1. Rédaction de J. Vendryes (1re édition) remaniée et mise à jour par E. Benveniste.

in « hethitischen » Hieroglyphen, nebst Glossar zu sämtlichen Texten, Leipzig, 1934 ; J. FRIEDRICH, *Entzifferungsgeschichte der hethitischen Hieroglyphen*, Stuttgart, 1939 ; BONFANTE et GELB, *The position of « Hieroglyphic Hittite »* *among the Indo-European languages* (dans *Journ. of the Amer. Or. Soc.* LXIV, 1944, p. 169-190) ; H. TH. BOSSERT, *Ein hethitisches Königssiegel*, Berlin, 1944 ; Kara-Tepe : BOSSERT, *Oriens* I (1948), p. 163-192.

Palā : H. OTTEN, *Zeitschr. f. Assyr.* Neue Folge, XIV, p. 119-145.

INDO-ARYEN

Nom des Aryens : P. THIEME, *Der Fremdling im Ṛgveda*, Leipzig, 1938. Discussion : G. DUMÉZIL, *Le nom des Arya* (*Rev. hist. relig.*, 1941, p. 36-59).

Védique : L. RENOU, *Bibliographie védique*, Paris, 1931, continué par R. N. DANDEKAR, *Vedic Bibliography*, Bombay, 1946 ; J. WACKERNAGEL, *Altindische Grammatik*, Göttingen, 3 vol., 1897-1930 (bibl.) ; MACDONELL, *Vedic Grammar*, Strasbourg, 1910.

Prākrits : R. PISCHEL, *Grammatik der Prakrit-Sprachen*, 1900 ; L. NITTI-DOLCI, *Les grammairiens prākrits*, Paris, 1938.

Sanskrit : L. RENOU, *Grammaire sanscrite*, Paris, 1930.

Pali : W. GEIGER, *Pali Literatur und Sprache*, Strasbourg, 1916 ; ANDERSEN-SMITH, *A Critical Pali Dictionary*, Copenhague, 1924 et suiv. (en cours de publication).

Indo-aryen moderne : J. BLOCH, *L'indo-aryen du Veda aux temps modernes*, Paris, 1934 ; G. A. GRIERSON, *Linguistic Survey of India*, Calcutta, 1903-1928 (bibl.) spécialement vol. I et V-IX ; J. BLOCH, *La formation de la langue marathe*, Paris, 1914 ; R. L. TURNER, *A Comparative and Etymological Dictionary of the Nepali Language*, Londres, 1931 ; S. K. CHATTERJI, *The origin and development of the Bengali language*, Calcutta, 1926 ; T. G. BAILEY, *Grammar of the Shina language*, Londres, 1924 ; W. GEIGER, *A Grammar of the Sinhalese Language*, Colombo, 1938.

IRANIEN

Généralités : GEIGER et KUHN, *Grundriss der iranischen Philologie*, 2 vol., Strasbourg, 1895-1901 (avec un *Anhang* sur l'ossète, 1903). — H. REICHELT, *Iranisch* (Geschichte der idg. Sprachwiss. IV, 2), Berlin, 1927. — H. W. BAILEY, art. *Perse* (dialectes) dans l'*Encyclopédie de l'Islam*.

Avestique : BARTHOLOMAE, *Altiranisches Wörterbuch*, Strasbourg, 1904, et *Zum altiranischen Wörterbuch* (Indogermanische Forschungen XIX, Beiheft, 1904). — REICHELT, *Awestisches Elementarbuch*, Heidelberg, 1909. — BENVENISTE, *Les infinitifs avestiques*, Paris, 1935. — MORGENSTIERNE, *Norsk Tidsskr. for Sprogvid.* XII (1942), p. 30-82. — BAILEY, *Zoroastrian Problems*, Oxford, 1943.

Vieux-perse : MEILLET-BENVENISTE, *Grammaire du vieux-perse*, Paris, 1931. — HERZFELD, *Altpersische Inschriften*, Berlin, 1938 ; R. G. KENT, *Old Persian. Grammar, Texts, Lexicon.* New Haven, 1950 ; W. HINZ, *Altpersischer Wortschatz*, Leipzig, 1942.

Pehlevi et moyen-perse : P. TEDESCO, *Dialektologie der westiranischen Turfantexte* (Le Monde Oriental, XV, p. 184-258). — H. S. NYBERG, *Hilfsbuch* *zum Pehlevi*, 2 vol., Leipzig, 1928-1931. — W. HENNING, *Das Verbum des Mittelpersischen der Turfanfragmente* (Zeitschrift für Indologie und Iranistik, IX, 1933, pp. 158-253). — O. HANSEN, *Die mittelpersischen Papyri*, Berlin, 1938 (Abhandl. Berl. Akad., 1937).

Parthe : A. GHILAIN, *Essai sur la langue parthe*, Louvain, 1939.

Sogdien : *Essai de grammaire sogdienne* I, par R. GAUTHIOT, Paris, 1914-1923 ; II, par E. BENVENISTE, Paris, 1929. — W. HENNING, *Ein manichäisches Bet- und Beichtbuch* (Abhandl. Berl. Akad.), Berlin, 1937. — E. BENVENISTE, *Textes sogdiens de la Mission Pelliot*, Paris, 1940. — HENNING, *Bull. School Orient. Stud.* XI [1946] p. 713 ss. et XII [1948] p. 601 ss.

Khotanais : H. W. BAILEY, *Codices Khotanenses*, Copenhague, 1938 (bibl.) et *Khotanese Texts* I, Cambridge, 1945. — S. KONOW, *Primer of khotanese Saka*, dans *Norsk Tidsskr. for Sprogvid.*, XV, 1949, p. 1-136.

Chorasmien : W. HENNING, *Zeitschr. der deutschen Morgenländ. Gesellsch.*, 1936, suppl., pp. 30-34. — FREIMAN, *Sovietskoe Vostokovedenye* VI [1949] p. 63-88 (bibl.).

Persan : P. HORN, *Neupersische Schriftsprache* (dans *Grundr. iran. Phil.*); H. JENSEN, *Neupersische Grammatik*, Heidelberg, 1931. — F. WOLFF, *Glossar zu Firdosis Schahname*, Berlin, 1935. — V. MINORSKY, *Journ. Roy. As. Soc.* 1942 et 1943.

Dialectes persans ; tājik ; zāzā : MANN-HADANK, *Kurdisch-Persische Forschungen*, 7 vol. parus, Berlin-Leipzig, 1909-1932. — LAMBTON, *Three Persian dialects*, Londres, 1938. — ABAEV, etc., *Iranskie yazyki* I, Moscou, 1945.

Kurde K. BARR, *Kurdische Dialekte* dans *Iranische Dialektaufzeichnungen aus dem Nachlass von F. C. Andreas* (Abhandl. Gesellsch. Wiss. zu Göttingen III, 11), Berlin, 1939.

Caspien : A. CHRISTENSEN, *Contributions à la dialectologie iranienne*, Copenhague, 1930.

Ossete V. MILLER, *Die Sprache der Osseten*, 1904 (dans Grundr. iran, Phil.). — MILLER-FREIMAN, *Ossetisch-Russisch-Deutsches Wörterbuch*, 3 vol.. Leningrad, 1927-1934. — BAIEV et LENTZ, *Mitteil. d. Semin. für Orient. Spr.* XXXVII, 1934, p. 161 et suiv. — BAILEY, *Trans. Phil. Soc.*, 1945, p. 1-38.

Baloči W. GEIGER. *Etymologie des Balūči* et *Lautlehre des Balūči*, München, 1891. — G. MORGENSTIERNE, dans *Norsk Tidsskr. for Sprogvid.* V, 1932.

Afghan : G. MORGENSTIERNE, *Report on a Linguistic Mission to Afghanistan*, Oslo, 1926 et *An Etymological Vocabulary of Pashto*, Oslo, 1927. W. LENTZ, *ZDMG* 91 (1937), 711-732 et 95, 1 (1941), 117-123.

Dialectes pamiriens W. LENTZ, *Pamir-Dialekte*, Göttingen, 1933 ; H. SKÖLD, *Materialien zu den iranischen Pamirsprachen*, Lund, 1936 ; G. MORGENSTIERNE, *Indo-iranian Frontier Languages*, 2 vol., Oslo, 1929-1938.

Yagnâbi H. JUNKER, *Drei Erzählungen aus Yagnobī*, Heidelberg, 1914, et *Arische Forschungen. Yagnōbī-Studien*, Leipzig, 1930.

« TOKHARIEN »

A. Meillet, *Le tokharien* dans *Indogerm. Jahrb.* I, 1914 ; E. Sieg-
W. Siegling-W. Schulze, *Tocharische Grammatik*, Göttingen, 1931 ;
S. Lévi, *Fragments de textes koutchéens*, Paris, 1933 ; E. Schwentner,
Tocharisch, Berlin, 1935 (bibl. complète) ; E. Benveniste, *Tokharien et
indo-européen* (Festschrift H. Hirt, II, 1936, p. 227-240) ; H. W. Bailey,
Ttaugara (Bull. of the School of Orient. Studies, VIII, p. 883 ss.) ;
W. Henning, *Argi and the Tokharians* (*ibid.*, IX, 1938, p. 545 et suiv. ;
voir E. Schwentner, *ZDMG. N. F.* XVIII, 1939, p. 76 ss.). H. Pedersen,
Tocharisch, Copenhague, 1941 ; Henning, *Asia Major* I [1949], p. 158-162.

ARMÉNIEN

H. Zeller, *Armenisch*, Berlin, 1927 (Geschichte der idg. Sprachwiss. IV,
2) (bibl.) ; A. Meillet, *Altarmenisches Elementarbuch*, Heidelberg, 1913 ;
le même, *Esquisse d'une grammaire comparée de l'arménien classique*, Vienne,
2ᵉ éd., 1936 (bibl.) ; G. Deeters, *Armenisch und Südkaukasisch*, Leipzig,
1927 ; H. Adjarian, *Classification des dialectes arméniens*, Paris, 1909 ;
A. Abeghian, *Neuarmenische Grammatik*, Berlin, 1936.

THRACO-PHRYGIEN

Tomaschek, *Die alten Thräker* in Sitz. ber. Wien. Akad., t. 128, 130, 131
(1893-1894) ; N. Jokl, art. *Phryger* et *Thraker* du *Reallex. der Vorgeschichte*
(bibl.) ; J. Friedrich, *Kleinasiatische Sprachdenkmäler*, Berlin, 1932,
p. 123 ss. et 148.

Macédonien : O. Hoffmann, *Die Makedonen, ihre Sprache und Volkstum*,
Göttingen, 1906 ; V. Lesny, dans *Kuhn's Zeitschr.*, XLII, p. 297 et suiv. ;
Schwyzer, *Griech. Grammatik*, I, p. 69.

HELLÉNIQUE

Grec ancien : A. Meillet, *Aperçu d'une histoire de la langue grecque*,
5ᵉ éd., Paris, 1938 ; E. Schwyzer, *Griechische Grammatik*, München, I,
1934-1939, II, 1949 (bibl.) ; J. B. Hofmann, *Etymologisches Wörterbuch des
Griechischen*, I, Munich, 1949 ; E. Boisacq, *Dictionnaire étymologique de la
langue grecque*, 4ᵉ éd., Heidelberg, 1950 ; P. Chantraine, *Grammaire
homérique*, Paris, 1942 ; M. Lejeune, *Phonétique grecque*, Paris, 1947 ;
J. Humbert, *Syntaxe grecque*, Paris, 1946. — Dialectes : A. Thumb-
E. Kieckers, *Handbuch der griechischen Dialekten*, 2ᵉ édition, I, Heidelberg,
1932 ; C. D. Buck, *Introduction to the Study of the Greek Dialects*, 2ᵉ éd.,
Boston, 1928.

Koinè : A. Thumb, *Die griechische Sprache im Zeitalter des Hellenismus*,
Strasbourg, 1901.

Grec moderne : A. Mirambel, *Grammaire du grec moderne*, Paris, 1949 ;
M. Triandaphyllidis, *Grammaire du grec moderne* (en grec) I, Athènes,
1938. — Langue littéraire : A. Mirambel, *Les « états de langue » dans la
Grèce actuelle* (Conférences de l'Institut de Linguistique, V, 1938). —
Romaïque : L. Roussel, *Grammaire descriptive du roméique littéraire*,

Paris, 1922 ; N. BACHTIN, *Introduction to the Study of Modern Greek*, Cambridge, 1935 ; A. THUMB-KALITSUNAKIS, *Grammatik der neugriechischen Volkssprache*, 2ᵉ éd., Berlin-Leipzig, 1928. — Dialectes : Bibliographie complète dans l'ouvrage précité de Triandaphyllidis ; P. KRETSCHMER, *Der heutige lesbische Dialekt*, Vienne, 1905 ; H. PERNOT, *Études de linguistique néohellénique*, 3 vol., Paris, 1907 ss. ; C. HOËG, *Les Saracatsans*, 2 vol., Paris, 1920-1926 ; H. PERNOT, *Introduction à l'étude du dialecte tsakonien*, Paris, 1934 ; A. MIRAMBEL, *Étude descriptive du parler maniote méridional*, Paris, 1929 ; G. H. BLANKEN, *Introduction à une étude du dialecte grec de Cargese (Corse)*, Leide, 1947.

ILLYRIEN

JOKL, art. *Illyrier* du *Reallexikon der Vorgeschichte* (bibl.) ; H. KRAHE, *Die alten Balkanillyrischen geographischen Namen*, Heidelberg, 1925 ; le même, *Lexicon altillyrischer Personennamen*, Heidelberg, 1929 ; J. POKORNY, *Zur Urgeschichte der Kelten und Illyrier*, Leipzig, 1938 ; EISSFELDT, art. *Philister* dans Pauly-Wissowa, *Realencycl.*

ALBANAIS

WEIGAND, *Albanesische Grammatik*, Leipzig, 1913 ; A. STRATICO, *Manuele di Litteratura albanese*, 2ᵉ éd., Milan, 1928 ; M. ROQUES, *Recherches sur les anciens textes albanais*, Paris, 1932 ; le même, *Le dictionnaire albanais de 1635*, Paris, 1932 ; N. JOKL, article *Albanisch* de la *Geschichte der idg. Sprachw.* de W. Streitberg, Berlin, 1917, II, 3, II, p. 109 sq. ; le même, art. *Albanisch* du *Reallex. der Vorgeschichte* de M. Ebert. — S. E. MANN, *A short Albanien Grammar*, Londres, 1932. — Sur l'albanais d'Italie : L. BONAPARTE, *Transactions of the Philolog. Assoc.*, 1882-1884, p. 492 ss.

LIGURE, SICULE, ETC.

R. S. CONWAY-J. WHATMOUGH-S. E. JOHNSON, *The Prae-italic Dialects of Italy*, 3 vol. Londres, 1933. Sur le rhétique ; BONFANTE, *Bull. Soc. Lingu.* XXXVI (1935), p. 141-154 ; WHATMOUGH, *Harvard Stud. in Class. Phil.* XLVIII (1937), p. 181-202 ; M. S. BEELER, *The Venetic Language*, *Univ. of California, Public. in Linguistics*, vol. IV, n° 1, Berkeley-Los Angeles, 1949.

ITALIQUE

Osco-ombrien : R. von PLANTA, *Grammatik der oskisch-umbrischen Dialekte*, 2 vol., Strasbourg, 1892-1897 ; C. D. BUCK, *A Grammar of Oscan and Umbrian*, Boston, 1904 ; G. DEVOTO, *Tabulae Iguvinae*, Rome, 1937. — Autres dialectes : H. JACOBSOHN, *Altitalische Inschriften*, Leipzig, 1927.

Latin : E. LEUMANN-J. B. HOFMANN, *Lateinische Grammatik*, 1926-1928 (5ᵉ éd. de la *Lat. Gramm.*, de STOLZ-SCHMALZ) ; R. G. KENT, *The Sounds of Latin*, 3ᵉ éd. Baltimore, 1945 ; *The Forms of Latin*, Baltimore, 1946 ; WALDE-HOFMANN, *Lateinisches etymologisches Wörterbuch*, Heidelberg, 1938 et suiv. (publ. en cours) ; A. MEILLET, *Esquisse d'une histoire de la langue latine*, 3ᵉ éd., Paris, 1933 ; G. DEVOTO, *Storia della lingua di Roma*, Bologne, 1940 ; A. ERNOUT, *Les éléments dialectaux du vocabulaire latin*, Paris, 2ᵉ éd., 1928 ; A. ERNOUT-A. MEILLET, *Dictionnaire étymologique de la langue latine*, 3ᵉ éd., 2 vol., Paris, 1951 ; E. LÖFSTEDT, *Syntactica*, 2 vol. Lund, 1928-

1933. — Latin vulgaire : G. MOHL, *Introduction à la chronologie du latin vulgaire*, Paris, 1899 ; C. H. GRANDGENT, *An Introduction to Vulgar Latin*, Boston, 1907 ; M. BONNET, *Le latin de Grégoire de Tours*, Paris, 1890 ; J. VIELLIARD, *Le latin des diplômes royaux et chartes privées de l'époque mérovingienne*, Paris, 1927 ; H. F. MULLER, *L'époque mérovingienne*, New York, 1945.

LANGUES ROMANES

Généralités : W. MEYER-LÜBKE, *Grammatik der romanischen Sprachen*, 3 vol., Leipzig, 1890-1902 (trad. fr. par Rabiet et Doutrepont, 4 vol., Paris, 1890-1906) ; le même, *Einführung in das Studium der romanischen Sprachwissenschaft*, 3ᵉ éd., Heidelberg, 1920 ; E. BOURCIEZ, *Éléments de linguistique romane*, 4ᵉ éd., Paris, 1940 ; P. E. GUARNERIO, *Fonologia romanza*, Milan, 1918 ; W. MEYER-LÜBKE, *Romanisches etymologisches Wörterbuch*, Heidelberg, 3ᵉ éd., 1935 ; W. von WARTBURG, *Die Ausgliederung der Romanischen Sprachraüme*, Berne, 1950 ; S. POP, *La dialectologie*, 2 vol. (I, *Dialectologie romane*), Louvain, 1950.

Italien : W. MEYER-LÜBKE, *Italienische Grammatik*, Lpz Reisland, 1890. Sur les dialectes : G. ASCOLI, *L'Italia dialettale* dans l'*Arch. glott. ital.* VIII, p. 98 ss. et les travaux d'Ovidio, Guarnerio, Salvioni, Ceci, Morosi, de Gregorio, Parodi, S. Pieri, Rohlfs, etc., dans le même périodique. Résumé dans G. BERTONI, *Italia dialettale*, Milan, 1916 ; M. BARTOLI, *Italia linguistica*, 1927 ; *Sprach-und Sachatlas Italiens und der Südschweiz* (J. JUD, K. JABERG, P. SCHEUERMEYER, G. ROHLFS), en cours de publication depuis 1928 ; *Atlante Linguistico italiano* (BARTOLI, PELLIS, VIDOSSI), en préparation ; G. ROHLFS, *Historische Grammatik der Italienischen Sprache und ihrer Mundarten*, 2 vol., Berne, 1949.

Sarde : P. E. GUARNERIO, *Il dominio sardo* dans Rev. dial. rom., III, 1911, p. 192-231 ; G. BOTTIGLIONI, *Studi sardi*. Rassegna critica e bibliografica (1913-1925) dans *Rev. lingu. rom.*, II, 1926, p. 208-262 ; M. L. WAGNER, *La lingua sarda*, Berne, 1950.

Provençal : SUCHIER, dans le *Grundr. der rom. Phil.*, I², p. 758 ss. ; J. ANGLADE, *Grammaire de l'ancien provençal*, Paris, 1921 ; V. CRESCINI, *Manuale per l'avviamento agli studi provenzali*, 3ᵉ éd., Milan, 1926 ; O. SCHULTZ-GORA, *Altprovenzalisches Elementarbuch*, 4ᵉ éd., Heidelberg, 1924. — Pour les parlers modernes : J. RONJAT, *Essai de syntaxe des parlers provençaux modernes*, Paris, 1913 ; le même, *Grammaire istorique* (sic) *des parlers provençaux modernes*, 3 vol. parus, Montpellier, 1930-1937.

Français : F. BRUNOT, *Histoire de la langue française*, Paris, 17 vol. parus depuis 1913 ; K. NYROP, *Grammaire historique de la langue française*, 6 vol.. trad. fr., Paris, 1889 ss. ; E. PICHON et J. DAMOURETTE, *Essai de grammaire de la langue française*, Paris, 1929-1949 (7 vol. parus). — Manuels d'ensemble : F. BRUNOT et Ch. BRUNEAU, *Précis de grammaire historique de la langue française*, Paris, 1933 ; A. DAUZAT, *Histoire de la langue française*, Paris, 1930 ; W. von WARTBURG, *Évolution et structure de la langue française*, Paris, 4ᵉ éd., 1949. — Histoire : E. BOURCIEZ, *Précis historique de phonétique française*, 8ᵉ éd., Paris, 1937 ; P. FOUCHÉ, *Le verbe français*, Paris-Strasbourg, 1931 ; W. MEYER-LÜBKE, *Hist. Grammatik der französichen Sprache*, 2 vol., Heidelberg, 1913-1921 ; K. POPE, *From Latin to Modern French*, Manchester, 1934. — Prononciation : M. GRAMMONT, *Traité pratique de pronon-*

ciation française, 9ᵉ éd., Paris, 1939 ; P. Fouché, *L'état actuel du phonétisme français* dans *Conférences de l'Institut de Linguistique*, IV, 1936, p. 37 ss. A. Martinet, *La prononciation du français contemporain*. Paris, 1945. — Dictionnaires étymologiques : O. Bloch et W. von Wartburg, *Dict. étym. de la langue française*, 1 vol., Paris, 1950 ; E. Gamillscheg, *Etym. Wörter-buch der franz. Sprache*, Heidelberg, 1928 ; W. von Wartburg, *Frunz, Etym. Wörterbuch*, Bonn, 1928 ss. ; A. Dauzat, *Dictionnaire étymologique de la langue française*, 10 éd. Paris, 1949. — Dialectologie : Gilliéron et Edmont, *Atlas linguistique de la France*, Paris, 1902-1910, et les travaux de O. Bloch, Ch. Bruneau, A. Dauzat, A. Duraffour, Ch. Guerlin de Guer, G. Millardet, P. Rousselot, A.-L. Terracher, etc. Un nouvel Atlas linguistique de la France romane en préparation sous la direction d'A. Dauzat.

Français-canadien : L. de Montigny, *La langue française au Canada*, Ottawa, 1916 ; D. Behrens, *Beiträge zu einer Geschichte der franz. Spr.* dans *Ztschr. f. franz. Spr. und Lit.*, XLV, 1919, p. 157-234 (avec bibliographie abondante) ; J. K. Ditchy, *Les Acadiens Louisianais et leur parler*, Paris, 1932.

Espagnol : R. Menéndez-Pidal, *Manual de gramática histórica española*, 5ᵉ éd., Madrid, 1925 ; le même, *Origenes del español*, I, 2ᵉ éd., Madrid, 1929; P. Fouché, *Études de philologie hispanique*, Paris-New-York, 1928 ; Fr. Hanssen, *Spanische Gramm. auf histor. Grundlage*, Halle, 1910 et *Gramatica historica de la lengua castellana*, Halle, 1913 ; A. Zauner, *Altspanisches Elementarbuch*, Heidelberg, 2ᵉ éd., 1921.

Portugais : J. Cornu, dans *Grundr. der rom. Phil.* I², p. 916 sq. ; L. de Vasconcellos, *Esquisse d'une dialectologie portugaise*, Paris, 1901 et *Liçoes de filologia portuguesa*, 2ᵉ éd., Lisbonne, 1926 ; J. Huber, *Altport. Elementarbuch*, Heidelberg, 1933 ; J. Nunes, *Compêndio de gramática histórica portuguesa*, Lisbonne, 1919 ; R. de Sa Nogueira, *Curso de filologia portuguesa*, 2ᵉ éd., Lisbonne, 1926.

Catalan : P. Fouché, *Phonétique et morphologie hist. du roussillonnais*, 2 vol., Paris-Toulouse, 1924 ; A. Griera, *Gramàtica historica del català antic*, Barcelone, 1931 ; W. Meyer-Lübke, *Das Katalanische*, Heidelberg, 1929 ; A. Griera, *Atlas linguistique de Catalogne*, en cours de publication.

Judéo-espagnol : H. Loewe, *Die Sprachen der Juden*, Cologne, 1911 ; M. L. Wagner, dans *Rev. dial. rom.*, I, 1909, p. 470-506 (bibl.) ; C. J. Crews, *Le judéo-espagnol dans les pays balkaniques*, Paris, 1937 (v. J. S. Revah, *Bulletin hispanique* XL, 1938, p. 79-85 et C. M. Crews et J. P. Vinay, *ibid.*, XLI, 1939, pp. 209-235).

Rhéto-roman : Th. Gartner, dans *Grundr. der rom. Phil.*, I², p. 608 ss. ; Böhmer, in *Romanische Studien* VI, complété périodiquement par le *Krit. Jahresbericht* de Vollmöller : R. Brandstetter, *Rätoroman. Forschungen*, 1905 ; C. Battisti, *Die Nomberger Mundart* (S. B. Akad-Wien, 160); G. A. Stampa, *Der Dialekt von Bergell*, Berne, 1934 ; K. Jaberg, *Kultur und Sprache in Romanisch-Bünden*, Berne, 1921 ; R. von Planta-Schorta, *Dicziunari rumantsch-grischun*, Coire, depuis 1937.

Dalmate : M. G. Bartoli, *Das Dalmatische* (Schriften der Balkan-Kommission, t. IV et V), 1906 ; A. Ive, *Il dialetto veglioto* dans l'*Arch. glott. ital.*, t. IX.

Roumain : H. Tiktin, dans *Grundr. der rom. Phil.*, I², p. 564 sq. ; O. Den-susianu, *Histoire de la langue roumaine*, 2 vol., Paris, 1901-1932 ; A. Rosetti,

Istoria limbii romăne, I-II, Bucarest, 1938 ; S. Puşcariu, *Études de linguistique roumaine*, Cluj, 1937, et *Studii istroromăne*, 3 vol., Bucarest, 1906-1929 ; Th. Capidan, *Megleno-Komînii*, 3 vol., Bucarest, 1925-1936 ; le même, *Aromănii, dialectul aromân*, Bucarest, 1932 ; S. Puşcariu, S. Pop, E. Petrovici, *Atlas linguistique de Roumanie*, en cours de publication. E. Seidel, *Linguistische Beobachtungen in der Ukraine* (Bulletin linguistique de A. Rosetti, 1943-II) ; S. Pop, *Grammaire roumaine*, Berne, 1948.

Hispano-américain : R. Lenz, *Diccionario etimologico de las voces chilenas derivadas de lenguas indigenas americanas*, 1904-1905 ; R. J. Cuervo, *Apuntaciones criticas sobre el lenguaje bogotano*, 5ᵉ éd., Paris, 1907 ; dans la *Biblioteca de dialectologia hispano-americana*, éditée par l'Institut de Philologie de Buenos-Aires : I, A. Espinosa, *Estudios sobre el español de Nuevo Mejico*, I, 1930 ; IV (divers auteurs) *El español en Mejico, los Estados Unidos y la América Central*, 1938.

Langues créoles : H. Schuchardt, *Kreolische Studien*, 1882-1890 ; L. Hjelmslev, *Relations de parenté des langues créoles*, dans *Revue des études indo-européennes*, I (1938), pp. 271-286 ; C. Baissac, *Étude sur le patois créole mauricien*, Nancy, 1891 ; Gobl, *Rev. de lingu. rom.*, IX, 1933, p. 336 ss. ; S. Sylvain, *Le créole haïtien*, Paris, 1936 (bibl.) ; Ch. Fernand Pressoir, *Débats sur le Créole et le Folklore*, Haïti, 1947 (bibl.) ; A.Fokker, *Het papiamento of Basterd-Spaans der West-Indiese Eilanden* dans *Tijdschr. voor Nederl. Taal en Letterkunde*, 1915, p. 54-77 ; H. Schuchardt, *Die Lingua Franca* (*Z. f. roman. Phil.* XXXIII, 1909, p. 441-461) ; voir Marcel Cohen, *Le parler arabe des juifs d'Alger*, Paris, 1912, pp. 411-414.

CELTIQUE

Généralités : H. Pedersen, *Vergl. Gramm. der Keltischen Sprachen*, Göttingen, 1908-1912 (Divers auteurs) ; articles *Irish, Gaelic, Brythonic, Goidelic, Manx* dans *The Encyclopaedia Britannica*, 14th ed., 1929 ; G. Dottin, *Manuel pour servir à l'étude de l'antiquité celtique*, 2ᵉ éd., Paris, 1915 ; art. *Kelten* dans le *Reallexikon der Vorgeschichte;* H. Hubert, *Les Celtes*, Paris, 1932. — Sur le mouvement celtique contemporain : M.-L. Sjoestedt-Jonval, *Langues de culture en celtique* dans *Conférences de l'Institut de Linguistique*, 1938.

Ligure : H. Krahe, *Festschr. Hirt*, Heidelberg, 1936, II, p. 241-255.

Gaulois : G. Dottin, *La Langue gauloise*, Paris, 1920 ; L. Weisgerber, *Die Sprache der Festlandkelten*, Francfort, 1930.

Irlandais : J. Vendryes, *Grammaire du vieil-irlandais*, Paris, 1907 ; R. Thurneysen, *A Grammar of Old Irish*, Dublin, 1946 ; F. N. Finck, *Die Araner Mundart*, 1899 ; E. C. Quiggin, *A Dialect of Donegal*, Cambridge, 1906 ; A. Sommerfelt, *The Dialect of Torr Co. Donegal*, Christiania, 1922 ; *South Armagh Irish* (Norsk Tidsskrift for Sprogvidenskap, II, 1929, p. 107 ss.) ; M.-L. Sjoestedt, *Phonétique* et *Description d'un parler irlandais de Kerry*, 2 vol., Paris, 1931, 1938.

Gaélique : C. Borgstrom, *The Dialect of Barra* (Norsk Tidsskrift for Sprogvid., VIII, 1935, p. 71 sq.); N. Holmer, *Studies on Argyllshire Gaelic*, 1938.
Mannois : J. J. Kneen, *A Grammar of the Manx language*, Oxford, 1931.

Gallois : J. Morris Jones, *A Welsh Grammar historical and comparative*, I, Oxford, 1913 (cf. J. Loth, *Rev. celt.*, vol. 36 et 37) ; O. Fynes-Clinton,

The Welsh Vocabulary of the Bangor District, Oxford, 1913 ; A. SOMMERFELT, *Studies in Cyfeiliog Welsh*, Oslo, 1925.

Breton : J. LOTH, *Chrestomathie bretonne*, Paris, 1890 ; E. ERNAULT, *Glossaire moyen-breton*, Paris, 1895-1996 ; A. DAUZAT, dans *La Nature*, 1er mai 1926 et 15 décembre 1927 ; M. GUYESSE, *La langue bretonne*, Quimper, 1936 ; Ph. LE ROUX, *Atlas linguistique de la Basse-Bretagne*, en cours de publication depuis 1924.

GERMANIQUE

Noms des Germains : J. CARCOPINO, *Revue celtique*, XXXVIII, p. 319 ss. ; E. NORDEN, *Sitzungsberichte der pr. Akad. der Wissensth., Phil.-Hist. Klasse*. L, 1918, p. 95-138 ; le même, *Die germanische Urgeschichte in Tacitus Germania* p. 351 ss. ; R. MUCH, *Der Name der Germanen*, Vienne, 1920, et *Festschr., Hirt*. II, p. 507-531 ; J. SCHNETZ, *Beitr. z. Gesch. der Deutsch. Spr.*, XLVII, p. 470 ss. ; et *Zeitschr. f. Ortsnamenforsch.*, V, p. 253 ss. ; IX, p. 223 ss. ; R. E. ZACHRISSON, *Studia Neophilologica*, I, p. 18 ss.

Germanique en général : H. HIRT, *Die Stellung des Germanischen im Kreise der verwandten Sprachen (Zeitschr. f. deutsche Philol.* XXIX, p. 289 ss.) ; le même, *Handb. des Urgermanischen*, Heidelberg, I, p. 7 ss. ; F. KLUGE, *Internat. Wochenschr.*, V, 1911, p. 721 sq. ; A. MEILLET, *Caractères généraux des langues germaniques*, Paris, 5e éd., 1937 ; T. E. KARSTEN, *Les anciens Germains*, trad. Mossé, Paris, 1931 ; divers auteurs dans la *Festschr. Hirt.*, II, pass., Heidelberg, 1936; E. PROKOSCH, *A Comparative Germanic Grammar*, Philadelphie, 1939.

Gotique : W. STREITBERG, *Gotisches Elementarbuch*, 5e éd., Heidelberg, 1920 ; M. H. JELLINEK, *Gesch. der got. Sprache*, Berlin, 1926 ; F. MOSSÉ, *Manuel de la langue gotique*, Paris, 1942 ; S. FEIST, *Vergl. Wörterbuch der got. Sprache*, 3e éd., Leyde, 1939 ; A. A. VASILIEV, *The Goths in the Crimea*, Cambridge, Mass., 1936.

Langue des Burgondes : W. WACKERNAGEL, *Sprache und Sprachdenkmäler der Burgunden*, dans *Abhandl. zur Sprachkunde*, p. 334 ss. ; KOEGEL, *Zeitschr. für deutsches Altertum*, XXVII, p. 223 ss.

Langue des Vandales : F. WREDE, *Ueber die Sprache der Wandalen*, Strasbourg, 1886.

Ecriture runique : L. WIMMER, *Die Runenschrift*, Berlin ,1887 ; S. BUGGE, *Norges Indskrifter med de aeldre Runer, Inledning: Runeskriftens Oprindelse og aeldste Historie*, Christiania, 1905-1913; M. CAHEN, *MSL.*, XXIII, p. 1 ss. ; O. VON FRIESEN, *Runenschrift*, dans le *Reallex. der german. Altertumskunde*, IV, p. 5-51 (1918) ; H. PEDERSEN, *L'origine des runes* dans les *Mémoires de la Soc. royale des Antiquaires du Nord*, 1920-1924, pp. 88-136 ; C. MARSTRANDER, *Norsk Tidsskr. for Sprogvidenskap*, pp. 85-188 (1928) ; M. HAMMARSTRÖM, *Om runskriftens härkomst*, Helsingfors, 1930 ; *Runorna*, édité par O. von Friesen, 1933 ; H. ARNTZ, *Handbuch der Runenkunde*, Halle, 1935.

Nordique : A. NOREEN, *Geschichte der nordischen Sprache*, 3e éd., 1913 (dans le *Grundriss der german. Philologie*) ; V. DAHLERUP, *Det danske Sprogs Historie*, 2e éd., Copenhague, 1921 ; J. BRÖNDUM-NIELSEN, *Gammeldansk Grammatik*, Copenhague, 1928 ss. ; D. H. SEIP, *Norsk Sproghistorie*, Christiania, 1920 ; le même, *Norsk Språkhistorie til omkring 1370*, Oslo,

1931 ; F. Jónsson, *Det islandske sprogs historie i kort omrids*, Copenhague, 1918 ; A. Noreen, *Altisländische und altnorwegische Grammatik*, 4ᵉ éd., Halle, 1923 et *Altschwedische Grammatik*, Halle, 1904 ; le même, *Vart Sprâk*, Lund, 1903-1923 ; A. Burgun, *Le développement linguistique en Norvège depuis 1814*, 2 vol., Christiania, 1919-1921 ; S. Einarsson, *Icelandic grammar, texts, glossary*, Baltimore, 1945, F. Holthausen, *Vergleichendes und etymologisches Wörterbuch des Altwestnordischen Altnorwegisch-Isländischen, einschliesslich der Lehn- und Fremdwörter sowie der Eigennamen*, Göttingen, 1948.

Allemand : O. Behaghel, *Geschichte der deutschen Sprache*, 5ᵉ éd., Berlin, 1928 (avec bibliographie complète) ; le même, *Die deutsche Sprache*, Vienne-Leipzig, 7ᵉ éd., 1923 ; E. Tonnelat, *Histoire de la langue allemande*, Paris, 1927 ; R. Priebsch-W. E. Collinson, *The German Language*, Londres, 1924 ; A. Bach, *Geschichte der deutschen Sprache*, Leipzig, 1938 ; W. Braune, *Althochdeutsche Grammatik*, 5ᵉ éd., Halle, 1936 ; A. Jolivet et F. Mossé, *Manuel de l'allemand du moyen âge,* Paris, 1942. — Sur les dialectes de l'Allemagne actuelle : P. Kretschmer, *Wortgeographie der hochdeutschen Umgangsprache*, 1918 ; A. Bach, *Deutsche Mundartforschung, ihre Wege, Ergebnisse und Aufgaben*, Heidelberg, 1934 ; F. Wrede, *Deutscher Sprachatlas*, en cours de publication à Leipzig depuis 1926. — Sur l'allemand commun et littéraire : A. Socin, *Schriftsprache und Dialekte im Deutschen*, Heilbronn, 1888 ; F. Kluge, *Von Luther bis Lessing*, 3ᵉ éd., Strasbourg, 1897 ; O. Weise, *Unsere Muttersprache*, 7ᵉ éd., Leipzig, 1909 ; C. Franke, *Grundzüge der Schriftssprache Luthers*, Halle, 1913-1922. — Extension de l'allemand : H. Nabert, *Das deutsche Sprachgebiet in Europa und die deutsche Sprache sonst und jetzt*, Stuttgart, 1893. — Yidich : Bibliographie ancienne par A. Landau, dans la revue *Deutsche Mundarten*, I, 1896, p. 126 ss.; H. Loewe, *Die Sprachen der Juden*, Cologne, 1911; M. Mieses, *Die Entstehungsursache der jüdischen Dialekte*, Vienne, 1915 ; E. Lévy, *MSL.* XVIII, p. 317 ss. ; M. Weinreich, *Le yiddish comme objet de la linguistique générale*, Wilno, 1937.

Bas-allemand : H. Grimme, *Die plattdeutschen Mundarten*, 2ᵉ éd., Berlin, 1922.

Hollandais et flamand : Jan te Winkel, *Geschichte der niederländischen Sprache*, dans le *Grundriss der germ. Philologie*, 2ᵉ éd., I, p. 781-925 (1901) ; M. J. van der Meer, *Historische Grammatik der niederländischen Sprache*, Heidelberg, 1927 ; J. van Ginneken, *Handboek der nederlansche taal*, 2ᵉ éd., 1928. E. Blancquaert, *Dialect-atlas*, en cours de publication à Anvers depuis 1931. — Hollandais du Sud-Africain : H. Meyer, *Die Sprache der Buren*, Göttingen, 1901 ; D. C. Hesseling, *Het Afrikaans*, 2ᵉ éd., Leyde, 1923.

Frison : Th. Siebs, *Geschichte der friesischen Sprache* dans le *Grundr. der germ. Phil.*, 2ᵉ éd., I, p. 1152-1464 ; W. Steller, *Abriss der altfriesischen Grammatik*, Halle, 1928.

Anglais : O. Jespersen, *Growth and Structure of the English Language*, 9ᵉ éd., Leipzig, 1938 ; le même, *A modern English grammar on historical principles*, 6 vol. parus, Heidelberg-Copenhague, 1909-1942 ; H. C. Wyld, *A short history of English*, 3ᵉ éd., Londres, 1927 ; G. O. Curme, *A Grammar of the English Language*, Boston, 1931 ss. ; A. C. Baugh, *A History of the English Language*, Londres-New-York, 1935 ; S. Robertson, *The Development of Modern English*, 2ᵉ éd., Londres, 1938 ; F. Mossé, *Esquisse d'une*

histoire de la langue anglaise, Lyon, 1947 ; Ed. SIEVERS-K. BRUNNER, *Alten-*
6lische Grammatik, Halle, 1942 ; F. MOSSÉ, *Manuel de l'anglais du moyen âge*,
Paris, 1945. — Sur les dialectes : A. J. ELLIS, *On early English Pronuncia-*
tion, 5 vol., 1869-1889 ; J. WRIGHT, *The English Dialect Grammar*, Oxford,
1905 ; J. JAKOBSEN, *An Etymological Dictionary of the Norn Language in*
Shetland, Londres-Copenhague, 1928 ; MURRAY, *The Dialect of the Southern*
Counties of Scotland, 1873 ; W. GRANT et J. M. DIXON, *Manual of Modern*
Scots, Cambridge, 1921 ; Sir J. WILSON, *Lowland Scotch*, Oxford, 1915 ;
J. POOLE (mort en 1827), *A Glossary, with some Pieces of Verse, of the*
Old Dialect of the English Colony in the Baronies of Forth and Bargy (édité
par W. BARNES, 1867) ; P. JOYCE, *English as we speak it in Ireland*, Dublin,
2ᵉ éd., 1910 ; J. H. STAPLES, *Notes on Ulster English Dialect*, dans les *Trans.*
of the Philolog. Soc., 1895-1898, p. 357 ss.

Anglo-américain : G. H. KRAPP, *The English Language in Ame-*
rica, New York, 1925 ; H. L. MENCKEN, *The American Language*, 4ᵉ éd.,
New York, 1936, First supplement, 1945 ; H. W. HORWILL, *A Dictionary*
of Modern American Usage, Oxford, 1935 ; H. KURATH, *Handbook of the*
Linguistic Geography of New England et *Linguistic Atlas of New England*,
Providence, 1939 ss.

Pidgin-English : C. G. LELAND, *Pidgin-English*, 5ᵉ éd., Londres, 1900 ;
E. S. SAYER, *Pidgin English : a Text-book, History and Vocabulary*, 2ᵉ éd.,
Toronto, 1943 ; R. A. HALL Jr., *Chinese Pidgin English Grammar and Texts*
dans *Journ. Amer. Oriental. Soc.*, LXIV, pp. 95-113 ; le même dans *Lan-*
guage, XIX, pp. 263 ss. et XXIV, pp. 92 ss. et *American Speech*, XVIII,
pp. 192 ss. ; du même : *Melanesian Pidgin-English*, 2 vol., Baltimore, 1943 ;
W. CHURCHILL, *Beach-la-Mar, the Jargon or Trade speech of the Western*
Pacific, Washington, 1911. — Sur le Broken-English de la Sierra Leone :
F. W. H. MIGEOD, *The Languages of West Africa*, Londres, 1911-1913 ;
voir O. JESPERSEN, *Language*, ch. XII.

BALTIQUE

Vieux prussien : R. TRAUTMANN, *Die altpreussischen Sprachdenkmäler*,
Göttingen, 1910 ; J. ENDZELIN, *Altpreussische Grammatik*, Riga, 1944 ;
R. TRAUTMANN, *Baltisch-slavisches Wörterbuch*, Göttingen, 1923.

Lituanien : F. KURSCHAT, *Grammatik der litauischen Sprache*, Halle,
1877 ; A. SENN, *Litauische Grammatik;* F. SPECHT, *Litauische Mundarten*,
2 vol., Leipzig, 1920-1922 ; A. SALYS, *Die žemaitischen Mundarten*, 1930 ;
G. GERULLIS, *Litauische Dialektstudien*, 1930.

Letton : J. ENDZELIN, *Lettische Grammatik*, Heidelberg, 1923 ; MÜHLEN-
BACH-ENDZELIN, *Lettisch-deutsches Wörterbuch*, Riga, 1923-1932.

SLAVE

Généralités : L. NIEDERLE, *La race slave*, 2ᵉ éd., Paris, 1916 ; le même,
Manuel de l'antiquité slave, 2 vol., Paris, 1923 ; A. MEILLET-A. VAILLANT,
Le slave commun, 2ᵉ éd., Paris, 1934 ; E. BERNEKER, *Slavisches etymolo-*
gisches Wörterbuch I (inachevé), Heidelberg, 1913 ; M. VASMER, *Russisches*
etymologisches Wörterbuch, Heidelberg, en cours de publication depuis
juillet 1950 ; R. TRAUTMANN, *Baltisch-slavisches Wörterbuch*, Göttingen,
1923. Kr. SANDFELD, *Linguistique balkanique*, Paris, 1930 ; R. TRAUTMANN,
Die Slavischer Völker und Sprachen, Göttingen, 1947 ; A. VAILLANT,
Grammaire comparée des langues slaves, I, Paris, 1951.

Vieux slave : A. Leskien, *Handbuch der altbulgarischen Sprache*, 5e éd., Heidelberg, 1910 ; N. van Wijk, *Geschichte der altkirchenslavischen Sprache*, I, Berlin-Leipzig, 1931 ; P. Diels, *Altkirchenslavische Grammatik*, 2 vol., Heidelberg, 1932-1934 ; M. Weingart, *Rukověl' jazyka staroslověnského*, 2 vol., Prague, 1937-1938 ; A. Vaillant, *Manuel du vieux-slave*, Paris, 1948.

Slovène : I. Krek, *Les Slovènes*, 1917 ; F. Ramovš, *Historična gramatika slovenskega jezika*, 3 vol. parus depuis 1924, dont *Dialekti*, Ljubljana, 1935.

Serbo-croate : O.Broch, *Die Dialekte des südlichen Serbiens* et M. Rešetar, *Der štokavische Dialekt*, les deux ouvrages dans les *Schriften der Balkan-Kommission*, Linguist. Abteil., Vienne, 1905 et 1907 ; A. Leskien, *Grammatik der serbo-kroatischen Sprache*, Heidelberg, 1914 ; A. Meillet-A. Vaillant, *Grammaire de la langue serbo-croate*, Paris, 1924 ; A. Belič, dans *Rocznik slawistyczny* III, 1910, p. 82 ss. ; M. Rešetar, *Die serbo-kroatischen Kolonien Süditaliens*, dans les *Schriften der Balkankommission*, vol. IX, Vienne, 1911.

Bulgare : L. Miletič, *Das Ostbulgarische*, Vienne, 1903 ; St. Mladenov, *Geschichte der bulgarischen Sprache*, Berlin-Leipzig, 1929 ; L. Beaulieux, *Grammaire de la langue bulgare*, Paris, 1933 ; A. Vaillant, *Le problème du slave macédonien* (dans *Bull. Soc. Ling.*, 1938, p. 195-210).

Tchécoslovaque : A. Mazon, *Grammaire de la langue tchèque*, 2e éd., Paris, 1931 ; F. Trávníček, *Historická mluvnice československá*, Prague, 1935 ; M. Sova, *A Modern Czech Grammar*, I, Londres, 1944 ; M. Vey, *Morphologie du tchèque parlé*, Paris, 1946.

Polonais : C. Nitsch, *Djalekty języka polskiego* dans l'*Encyklopedja Polska*, III, 1915 ; T. Benni-J. Loś-K. Nitsch-J. Rozwadowski-H. Ulaszyn, *Grammatyka jezyka polskiego*, Cracovie, 1923; H. Grappin, *Grammaire de la langue polonaise*, Paris, 1942.

Sorabe : R. Andree, *Das Sprachgebiet der Lausitzer Wenden vom XVI. Jahrhundert bis zur Gegenwart*, Prague, 1873 ; Mucke, *Historische und vergleichende Laut- und Formenlehre der niedersorbischen Sprache*, Leipzig, 1891.

Polabe : T. Lehr-Spławiński, *Gramatyka polabska*, Lwów, 1929.

Kachoub : F. Lorentz, *Geschichte der pomoranischen (kaschubischen) Sprache*, Berlin, 1925.

Russe : P. Boyer-N. Spéransky, *Manuel pour l'étude de la langue russe*, Paris, 1905 ; K. H. Meyer, *Historische Grammatik der russischen Sprache*, Bonn, 1923 ; S. Karcevsky, *Système du verbe russe*, Prague, 1927; N. Trubetzkoy, *Description phonologique du russe moderne*, Prague, 1934 ; A. Mazon, *Grammaire de la langue russe*, Paris, 1943 (bibl.) ; B. Unbegaun, *Grammaire de la langue russe*, Paris, 1951. — Sur le blanc-russe littéraire : F. Tichy, dans M. Weingart, *Slovanske spisovné jazyky v době pritomné*, Prague, 1937.

Ruthène : Smal-Stocky et Gartner, *Grammatik der ruthenischen (ukrainischen) Sprache*, Vienne, 1913 ; O. Broch, *Weitere Studien von der slowakisch-kleinrussischen Sprachgrenze im Ostlichen Ungarn*, Christiania, 1899 ; F. Tichý, *Spisovny jazyk ukrajinsky* dans le recueil précité de M. Weingart ; le même, *Vývoj současného spisovného jazyka na Podkarpatské Rusi*, 1938.

LANGUES CHAMITO-SÉMITIQUES

NOTE LIMINAIRE

On a recherché des rapports de l'ensemble de la famille chamito-sémitique, maintenant généralement reconnue, ou de certaines de ses parties, avec d'autres familles ou avec des langues isolées.

Il n'y a pas à tenir compte de tentatives antérieures à l'établissement de la linguistique comparative ou d'ouvrages fantaisistes rapprochant de l'hébreu biblique des langues indo-européennes ou autres.

Pour les langues indo-européennes, caucasiennes et pour le basque, ainsi que pour les langues océaniennes, se reporter aux Notes liminaires des chapitres intéressés.

La question la plus agitée est celle des rapports avec les langues de l'Afrique (« blancs d'Afrique » exclus). C. Meinhof avec une partie de son école réunit au « chamitique » toutes les langues qui présentent une opposition masculin-féminin, ce qui l'a conduit jusqu'au hottentot (nama)[1].

En laissant de côté ce critérium (et en même temps le nama), il reste que les comparaisons tentées peuvent s'appuyer sur divers faits intéressants : en particulier quelques ressemblances de structure dans le verbe (opposition de l'accompli et de l'inaccompli ; certains thèmes dérivés au moyen de répétitions et d'affixes) ; présence en certaines langues de consonnes buccales avec accompagnement d'occlusion glottale ; rapprochements vraisemblables de vocabulaire. Mais les ressem-

---

1. Voir C. Meinhof, notamment *Die Sprachen der Hamiten*, Hambourg, 1912 et *Die Entstehung der flektierenden Sprachen*, Berlin, 1936.

blances de phonétique et de structure ne prouvent pas la parenté, tant qu'on ne peut pas montrer l'identité d'éléments morphologiques ; pour le vocabulaire, on peut avoir à tenir compte d'emprunts massifs anciens (il faut naturellement mettre à part l'expansion du vocabulaire arabe).

Pour l'Est, on avait cherché précédemment à déceler une transition entre le couchitique et le nilotique[1].

Depuis 1928, Lilias Homburger a conçu l'idée que toutes les langues négro-africaines sont de l'égyptien transformé ; elle s'est efforcée notamment de rattacher diverses de ces langues séparément et précisément à différents états de l'égyptien[2].

Le problème le plus pressant est celui du haoussa et des langues de son groupe que J. Lukas a dénommé « tchado-chamitique ». Le fait principal est que le haoussa a des pronoms courts employés devant le verbe qui sont en partie identiques à des préfixes ou suffixes personnels du chamito-sémitique (de plus on trouve le pronom de la 3e personne attaché au verbe même lorsqu'il y a un sujet nominal). J. Lukas pense que c'est le couchitique qui a débordé vers l'Ouest[3].

La question inverse de l'influence de substrats étrangers sur les langues chamito-sémitiques est dès maintenant posée, d'une part pour une « langue caspienne » par R. Cottevieille-

---

1. Leo Reinisch, *Die Sprachliche Stellung des Nuba*, Wien, 1911.

2. L. Homburger, *Les noms égyptiens des parties du corps dans les langues négro-africaines* dans *Comptes rendus de l'Académie des Inscriptions*, 28 décembre 1928, de nombreux articles et communications dans *BSL*, dans les comptes rendus des Congrès des Linguistes et des Orientalistes, etc. En dernier lieu : *Études de linguistique négro-africaine*, n° 1. Chartres, 1939, et *Les Langues négro-africaines*, Paris, 1941.

Discussion de l'idée générale de parenté chamito-sémitique et négro-africaine, par Ch. Kuentz, dans *BSL*, 1935.

3. W. Vyčichl, *Hausa und Ægyptisch*, dans *Mitteilungen des Seminars für Orientalische Sprachen*, XXVII, 3, Berlin, 1934.

J. Lukas, *Die Verbreitung der Hamiten in Afrika*, dans *Scientia*, février 1939, avec presque toute la bibliographie de la question.

Giraudet, d'autre part pour un « africain (afrisch) » de la « civilisation mégalithique » par D. J. Wölfel[1].

Ce champ d'étude reste ouvert pour l'avenir. Dans le présent ouvrage, les ensembles cohérents du chamito-sémitique d'une part, des langues soudanaises et du bantou d'autre part, ont été laissés séparés[2].

1. Dominik Josef Wölfel, *Hauptproblemen von Weissafrika* Archiv für Anthropologie, N. F. XXVII, 1942? ; *Sprachenkarte von Weissafrika*, Beiträge zur Kolonialforschung VI, Berlin, 1945? ; *Die kanarischen Sprachdenkmäler und die Sprache der Megalithkultur* (livre annoncé dans l'article précédent).

2. Sur ces diverses questions, voir Marcel Cohen, *Essai* (cité p. 177), pp. 24-26 (avec des références complémentaires) et encore la *Note liminaire* des langues africaines.

NOTIONS D'ENSEMBLE

Situation ancienne et moderne. — Le chamito-sémitique comprend le sémitique, l'égyptien, le libyco-berbère et le couchitique ; il couvre un vaste domaine continu et peu découpé de contours, dont les limites paraissent avoir peu varié depuis les débuts de l'époque historique : il s'étend d'une part sur l'Arabie et sur les pays qui l'avoisinent au Nord, d'autre part sur la plus grande partie de l'Afrique du Nord, dans toute sa largeur.

La densité de ce domaine linguistique est faible ; ses quelque 20 millions de kilomètres carrés sont coupés de vastes déserts ; aussi le nombre des gens qui parlent des langues chamito-sémitiques n'excède-t-il pas 50 millions environ.

Les variétés ethniques de ces gens semblent constituer, comme leurs langues, un ensemble relativement cohérent ; ce sont des blancs plus ou moins bruns, mélangés de noirs au Sud-Est. Leurs civilisations, inégalement développées, suivant les régions et les époques, donnent aussi l'impression d'une certaine unité d'ensemble. La vie pastorale, souvent nomade, est fréquente ; mais on observe d'importantes régions d'agriculture sédentaire et de vie urbaine.

Sur une planche de l'atlas (planche III), un carton montre la distribution approximative, en partie hypothétique, du chamito-sémitique vers le ve siècle avant J.-C. : les quatre grands groupes ont leurs domaines séparés et juxtaposés ; le sémitique est subdivisé en multiples langues de civilisation, dont le phénicien et le sudarabique seuls essaiment vers l'Ouest.

La planche montre la situation moderne : le sémitique a envahi les autres groupes.

L'arabe, la dernière venue parmi les langues littéraires sémitiques, a véhiculé sur un immense espace la civilisation musulmane (chez environ 250 millions d'hommes). Comme langue religieuse, il s'étend en Asie en dehors des limites de cette carte ; le vocabulaire arabe a pénétré en masse dans le lexique de langues importantes (persan, hindoustani, turc, malais, haoussa, souahili).

Les autres langues sémitiques ont péri en majorité, l'arabe occupant maintenant leurs anciens domaines : il reste de petites régions araméennes et sudarabiques, surtout en bordure du territoire de l'arabe. L'hébreu après avoir perdu son territoire propre, est resté langue religieuse et savante chez les juifs dispersés par le monde. Récemment il a repris vie comme langue des éléments juifs regroupés en Palestine. Le groupe des langues éthiopiennes, colonie sémitique pleine de vitalité, continue à s'étendre en Afrique orientale.

Les autres langues ont été en grande partie recouvertes par le sémitique. L'égyptien ne survit que dans l'usage liturgique du copte, qui n'est plus parlé ni écrit. Les dialectes berbères, coupés en îles et îlots, reculant en beaucoup de points encore de nos jours devant l'arabe (mais ayant gagné en certains points sur des langues africaines), sont très rarement écrits, et semblent avoir perdu toute chance de former une langue de civilisation. Le couchitique a été presque éliminé du haut plateau éthiopien par le sémitique ; mais il reste vivant sur ses confins ; notamment au Sud, les langues galla et somali, quoique non écrites, ont un rôle appréciable.

Au XIXe siècle, succédant lointainement à la colonisation romaine, des langues européennes ont pris pied dans la région méditerranéenne de l'Afrique, avec des apports de colons.

Étude comparative et divisions.— La grammaire comparée du chamito-sémitique n'est pas suffisamment faite.

La cohérence générale des structures de langue, avec des concordances claires des éléments grammaticaux, et la grande ressemblance des systèmes phonétiques, permettent d'affirmer la parenté entre eux des quatre groupes considérés, malgré les grandes différences qui les séparent. L'étude approfondie du vocabulaire permettra d'établir des correspondances phonétiques précises et de juger mieux certains éléments morphologiques.

L'étude intérieure des groupes est malheureusement elle-même trop peu avancée. Les langues sémitiques ont été bien examinées : grandes langues de civilisation, attestées sur une longue période par des textes, presque toutes s'imposaient à l'étude ; l'évidence de leur parenté incitait aux rapprochements. Toutefois la grammaire comparée du sémitique est loin d'avoir atteint encore le degré de perfection de la grammaire comparée des langues indo-européennes ; en particulier les études de vocabulaire sont en retard. La grammaire de l'égyptien ancien, langue éteinte, présente des lacunes ; embarrassés par une écriture compliquée qui exprime incomplètement l'état phonétique, les savants ne s'y sentent pas encore toujours sur un terrain sûr. Pour le libyco-berbère, si les dialectes modernes sont d'année en année mieux connus, la langue ancienne, très mal attestée, se prête peu à l'étude. Les dialectes couchitiques, nombreux, sont en partie mal explorés, et connus seulement à l'époque moderne, à l'exception du méroïtique.

La division en quatre groupes séparés paraît seule prudente dans l'état présent des recherches. Le rapprochement étroit que certains ont voulu établir entre l'égyptien et le sémitique n'est aucunement prouvé. Il n'y a pas lieu non plus de croire à la parenté spéciale entre l'égyptien, le libyco-berbère et le couchitique que suppose leur réunion habituelle sous le nom de chamitique ; il ne sera donc pas question ici d'un groupe chamitique à trois branches, non plus naturellement que d'un groupe chamitique à deux branches, comprenant le libyco-berbère le couchitique.

(Noter que le nom de protosémitique, plus ou moins équivalent à chamitique, n'a pas fait fortune.)

Le terme de sémitique a été adopté à la fin du xviiie siècle par les savants européens, parce que les peuples parlant les langues sémitiques sont en majorité compris parmi la postérité de Sem (en hébreu *šem*) dans le chapitre X de la Genèse. C'est à la même source biblique que, dans la seconde moitié du xixe siècle, on a puisé le terme de chamitique (hamitique, khamitique), d'après hébreu *ḥâm*, grec des Septante *kham* « Cham » (on prononce en français *kam*, et par suite aussi un *k* à l'initiale de « chamitique »). Enfin le terme de couchitique (kouchitique, couschite, etc.) a été ensuite fait sur le même modèle d'après le nom de *kūš*, qui désigne dans la Bible celui des fils de Cham dont les descendants semblent situés le plus au Sud ; *kɔš* dénomme d'autre part en égyptien les pays au Sud de l'Égypte ; le terme de couchitique paraît donc assez bien adapté à la désignation des langues non sémitiques et non soudanaises de la région abyssine ; en conséquence le nom d'éthiopien doit être (en dépit de certains auteurs) réservé aux langues sémitiques d'Abyssinie, et couchitique ne doit jamais être pris comme synonyme de chamitique.

Comme une partie du sémitique et de l'égyptien sont attestés au quatrième millénaire avant J.-C., la période où il y aurait eu un chamito-sémitique commun peut se situer en gros dans le cinquième millénaire. Le lieu où se serait développé cet ensemble peut être situé grossièrement par hypothèse dans la région Arabie-Afrique du Nord orientale.

Caractéristiques. — Des caractéristiques communes à tous les groupes chamito-sémitiques sont examinées ici brièvement. Les exemples donnés servent en même temps à montrer les principales preuves de la parenté de ces groupes entre eux. Certains des traits communs décrits peuvent n'avoir pas appartenu à l'ancêtre unique chamito-sémitique, mais résulter de développements parallèles : le parallélisme du développement dans certains détails est encore un indice de parenté. Inversement chaque groupe, chaque sous-groupe, chaque langue a développé certains traits originaux divergents, sans doute souvent

sous l'influence de substrats divers ; ces divergences naturelles ne prouvent rien contre une origine commune.

La phrase chamito-sémitique est composée de mots
nettement séparés, en général pourvus d'un accent distinct,
souvent avec traitement spécial du début et de la finale,
dont les principaux sont des verbes ou des noms. Chaque
mot reçoit toutes les caractéristiques nécessaires soit pour
indiquer les modifications secondaires de la notion principale qu'il exprime, soit pour marquer son rôle dans la
phrase ; il est indépendant de l'aspect phonétique de ses
voisins (voir les textes cités).

Le centre du mot est une racine. Chaque racine a un
certain nombre d'éléments essentiels qui sont généralement
des consonnes, mais peuvent être aussi des voyelles
longues en alternance avec semi-voyelle (ce qui se rencontre dans une partie du vocabulaire sémitique) ou stables
(ce qui est fréquent en couchitique).

En grande majorité les racines sémitiques comportent
trois consonnes ; les racines trilitères sont en majorité
aussi en égyptien et en berbère ; les premières recherches
comparatives sur le couchitique font apparaître que les
racines à deux consonnes, qui y sont en majorité, reposent
sur de plus anciennes racines à trois consonnes ; on peut
donc considérer que la « trilitéralité » habituelle est
d'époque chamito-sémitique. Mais il serait faux de considérer que toutes les racines étaient trilitères (triconsonantiques) ; en sémitique même un certain nombre de
mots fondamentaux sont bilitères ; d'autres semblent être
devenus plus ou moins récemment trilitères par l'adjonction
d'une consonne « faible » (certaines laryngales, semi-
voyelles) à une base bilitère ; des racines de sens voisin à
trois consonnes solides ont les deux premières en commun ;
des racines ont les deux dernières consonnes identiques ;
des quadrilitères sont formés par la répétition de deux
consonnes : il semble donc qu'on puisse entrevoir un temps
où les racines bilitères étaient sinon prépondérantes, au
moins beaucoup plus nombreuses. La constitution
habituelle des racines dans les langues attestées contribue

à caractériser les groupes les uns par rapport aux autres.

Les langues chamito-sémitique sont des langues à racine apparente : les éléments radicaux sont constants dans les mots formés avec la racine ; ils supportent seuls l'idée exprimée, qu'il s'agisse d'une action ou d'un objet. L'importance particulière de l'armature des racines est visible, au sens propre, dans les écritures qui ont été inventées pour des langues chamito-sémitiques : en principe les consonnes seules y sont notées.

Exemples de racine : égyptien et sémitique *mwt*, berbère *mmt*, « idée de mort » ; sémitique *ḥšb*, égyptien *ḥsb*, couchitique *hsb* « compter » ; sémitique *lbb*, égyptien (avec mouillure de *l*) *yb*, berbère (avec métathèse, et vocalisation de la labiale) *ul*, couchitique *lb* « cœur ».

Il existe une assez grande quantité de consonnes, phonèmes autonomes qui peuvent apparaître à n'importe quelle place de la racine. L'évolution les a souvent modifiées, notamment par des affaiblissements variés ; néanmoins on doit noter un certain conservatisme, en ce sens que dans toutes les langues (elles sont la majorité) qui ont conservé un aspect général trilitère, l'évolution va rarement jusqu'à l'amuissement et que les assimilations totales ne sont pas fréquentes. En revanche les racines supportent assez souvent une transformation par métathèse. On peut aussi noter que, dans les combinaisons nombreuses théoriquement possibles de trois éléments eux-mêmes divers, il s'est fait des tris évitant généralement la contiguïté de consonnes proches entre elles par leur articulation, de telle sorte que les consonnes d'une racine sont le plus souvent différentes par leur point et leur mode d'articulation.

La variété des consonnes chamito-sémitiques tient surtout à l'importance de la base laryngale. Le bruit de séparation brusque des cordes vocales (occlusive glottale, coup de glotte, attaque vocalique brusque) joue le rôle d'un phonème autonome (ɔ). Une spirante sourde *(ḥ)* est formée par l'accolement partiel des cordes vocales (comme dans la voix chuchotée) ; la sonore correspon-

dante (ε) est obtenue par une constriction du larynx
(c'est la voix pressée, qu'on fait émettre aux patients pour
montrer leur gorge au médecin ; l'effet auditif rappelle
le coassement de la grenouille et le cri du chameau) ; des
substituts ou des articulations subsidiaires de ces consonnes
semblent pouvoir se produire dans le pharynx. Le souffle *h*
est nettement articulé comme une consonne solide. De
plus, dans la région voisine, on rencontre les spirantes
vélaires *k̑*, *g*. Cet ensemble caractéristique ne semble être
altéré que sous l'influence de substrats comportant
d'autres bases principales d'articulation.

En outre, les consonnes dites emphatiques comportent
une contraction ou une tension de la région laryngale.
D'autre part on doit leur reconnaître pour l'époque
ancienne une certaine indécision sur le caractère sourd ou
sonore qui différencie par ailleurs les occlusives et spirantes
en séries d'opposition (Les notations phonétiques modernes
par des signes de consonnes sourdes ne doivent pas faire
illusion). Le résultat est la constitution de triades ; ainsi
dans la région dentale : *t*, *d* et *ṭ* ; *s*, *z* et *ṣ* ; dans la région
postpalatale : *k*, *g* et *k̑*.

Vers l'avant de la bouche, les consonnes sont abondantes
aussi, avec de fines distinctions dans les langues au consonantisme le plus fourni ; d'où la présence d'interdentales
comme *t*, *d*, de chuintantes comme *š*. La série prépalatale
se nourrit dans divers parlers, par la transformation de
dentales ou de palatales ; ainsi *č* peut provenir de *t* ou de *k*.
Peut-être faut-il tenir compte de latérales anciennes de la
même région.

Les labiales sont peu abondantes, notamment *p* et *f*
coexistent rarement dans les langues connues ; *b* est
général, mais *v* ne fait pas partie du phonétisme.

Les liquides *m*, *n*, *l*, *r*, en rôle de consonnes, sont très
employées et sujettes à de faciles échanges entre elles.

Les semi-voyelles *w* et *y* jouent un grand rôle dans la
composition des racines et alternent souvent avec les
voyelles *u* et *i*.

Les voyelles (pour leur rôle, voir ci-après) ont été sans doute peu variées en chamito-sémitique ancien. L'absence de notations anciennes rend particulièrement difficile le jugement sur l'état de départ. Une langue d'aspect conservateur comme l'arabe classique se contente de trois timbres, mais avec opposition de quantité : *a, ā; u, ū; i, ī;* les timbres *e, o* apparaissent notamment là où les oppositions de quantité ont cessé ou partiellement cessé d'être significatives et où les diphtongues tendent à se réduire. L'évolution fait facilement passer les voyelles brèves à une voyelle réduite, avec le timbre neutre *(ə)* ou avec un timbre influencé par les consonnes voisines ; cette voyelle réduite est souvent sujette à disparaître.

Des voyelles brèves, notamment la voyelle neutre, peuvent s'introduire secondairement pour éviter l'articulation d'un groupe de consonnes en début ou en fin de mot. Les consonnes sont isolées par des voyelles intermédiaires ou groupées tout au plus par deux à l'intérieur du mot.

Le squelette-idée défini plus haut n'est pas le mot, qui seul apparaît en fait dans le langage. Le mot est caractérisé dans un emploi déterminé de verbe, de nom, etc., et ce qui le caractérise le plus souvent, c'est le jeu des voyelles qui s'insèrent ou non entre les consonnes radicales : le rôle des alternances vocaliques est capital. Ainsi l'arabe a *fataḥa* « il a ouvert » *fatḥ(un)* « commencement, conquête », etc. Un pluriel-collectif comme le *simān-* (singulier *samīn-*) de la phrase analysée p. 134 montre comment des modifications vocaliques servent à marquer des modalités. Pour le rôle des affixes, voir pages 94-96.

Les voyelles qui animent les racines consonantiques caractérisent par leurs combinaisons variées tant des formes verbales que diverses catégories de noms : il n'y a pas priorité, en général, du verbe sur le nom ou du nom sur le verbe ; l'un et l'autre peuvent se dériver indépendamment de la plupart des racines ; ainsi une racine telle que l'éthiopien *ngr* fournit aussi bien un nom radical, comme *nagar* « parole, chose », qu'un verbe *nagara*

« il a dit » ; le copte *shaï* est « écrire » et « écriture » ;
le berbère du Sous marocain a *mgər* « fauche », *imgər*
« faucille ».

Mais ce principe est loin de gouverner seul la constitution
du lexique.

Tout d'abord, dans un certain nombre de racines (noms
de parties du corps, noms d'animaux, etc.), le nom apparaît
comme seul primitif : le verbe, s'il existe, est dérivé ;
ainsi arabe *riǰl(un)* « pied », *raǰul(un)* « homme », hébreu
regel « pied » montre une racine nominale ; secondairement
l'arabe tire du nom du « pied » un verbe dénominatif
raǰǰala « il a affermi sur ses pieds ».

D'autre part un grand nombre de noms ne se rattachent
pas directement à une racine, mais à un thème verbal
dont ils ont la vocalisation, les modifications consonantiques internes, les préfixes ; ils sont eux-mêmes dérivés
de ce thème au moyen d'une vocalisation spéciale, d'un
préfixe (*m*- est le plus fréquent) ou d'un suffixe. Ce ne sont
pas seulement des infinitifs ou noms d'action et des noms
d'agent, mais encore parfois des noms de lieu et d'instrument. Des exemples sont donnés ci-dessous avec les
thèmes verbaux.

Un verbe chamito-sémitique est en effet l'ensemble
d'une série de thèmes, eux-mêmes quelquefois pourvus de
différentes vocalisations ; les aspects différents du radical
expriment des modes différents de l'idée ou ordres de procès.

Des alternances vocaliques qui permettent de distinguer
au thème le plus simple un verbe déponent (neutre ou
actif) d'un verbe ordinaire, et à la plupart des thèmes
d'exprimer l'opposition de l'actif et du passif, ne sont
attestées que dans certaines langues sémitiques : ainsi
arabe *ḳatala* « il a tué », *ḳutila* « il a été tué » ; *labisa* « se
revêtir », mais *labasa* « couvrir ».

Plus répandus sont les procédés de renforcement interne
de la racine pour l'expression de divers renforcements de
l'idée. On peut noter comme principaux types : la gémination de consonne médiane (ainsi arabe *ḳattala* « tuer net »,
ḳattāl « grand tueur, tueur de métier ») ; la répétition de

la première partie du mot (ainsi somali *dabdabar*
« enchaîner en rang » de *dabar* « enchaîner ») ; l'insertion
d'un *ā* d'après la première radicale (ainsi bedja *dālib*
« commercer », en face de *delib* « conclure un achat ou une
vente » ; arabe, avec nuance extensive, *ḳātala* «combattre,
chercher à tuer », *muḳātil(un)* « qui combat »).

Le principal procédé de formation de thèmes secondaires est l'application de préfixes aux thèmes simples
et renforcés; ces préfixes peuvent être eux-mêmes complexes. Les mieux attestés dans les différents groupes
de langues sont le *t* réfléchi, qui exprime souvent le passif
(il est quelquefois infixé) et le *s* ou *š* causatif :

t : arabe *tafarraḳa* et *(i)ftaraḳa* « il a été séparé » (racine
frḳ « fendre ») ; de *tafarraḳa*, les noms d'action *tafarruḳ(un),*
mutafarraḳ(un) ; hébreu *hitpårǝḳū(w)* « ils ont été
arrachés » (même racine, avec *p* correspondant à *f*) ;
berbère marocain *(Aït Sǝgruššǝn) tuäšōr* « sois volé »
(äšǝr « vole ») ; bedja *tōbās* « être enterré », de *bis*
« enterrer ». (Cet élément *t-* n'est pas attesté en égyptien).

s- (š, ś) : amharique *asārrama* « il a fait sarcler, il a fait
corriger » (du simple *arrama*), infinitif *māsārram* « action
de faire sarcler », nom d'instrument *māsārrāmyā* « ce qui
sert à faire sarcler, ce qui concerne l'acte de faire corriger »
akkadien *ušakšad* « il fait conquérir », de *kšd* « conquérir » ;
égyptien *śnfr* « rendre beau » de *nfr* « être beau » ; berbère
(kabyle) *sǝkšǝm* « fais entrer », en face de *ǝkšǝm* « entre »;
afar *sgafa* « faire tuer », de *gafa* « tuer ».

Combinaison *st-:* arabe *(ɔi)staḱbara* « il s'est informé »,
d'une racine *ḱbr* « apprendre, être informé ».

Si des procédés analogues peuvent produire, au départ
d'une racine, soit des thèmes verbaux, soit des thèmes
nominaux, la distinction tranchée du verbe et du nom
apparaît dans la flexion.

Le verbe, presque toujours, est nettement distingué par
des marques personnelles. Elles expriment à elles seules
le sujet de première ou deuxième personne (arabe *ɔa-ktubu*
« j'écris ») ; à la troisième personne elles peuvent aussi
désigner à elles seules un sujet connu par ailleurs (*ya-ktubu*

« il écrit ») ; elles existent, inséparables du verbe, même si
le sujet est exprimé par un nom ou un pronom (*ya-ktubu
rrajulu* « (il) écrit l'homme »). Les marques personnelles
comportent des distinctions de genre (masculin-féminin,
aux 2e et 3e personnes seulement) et de nombre (singulier,
duel, pluriel).

Les seules marques personnelles qui paraissent conservées
de l'unité chamito-sémitique sont les caractéristiques préfixées (qui sont complétées au moyen de suffixes exprimant
certaines des distinctions de genre et de nombre). En sémitique occidental elles ne servent que pour la forme de
l'inaccompli (imparfait), par opposition à la forme de
l'accompli (parfait) qui est pourvue de suffixes (ar. *katabta*
« tu as écrit »). Mais en sémitique oriental, en berbère et
en couchitique (l'égyptien est à part) il n'y a que des
formes à préfixes : l'opposition des deux aspects ou bien
se fait au moyen de différences vocaliques, ou bien fait
défaut. Il semble probable que la distinction des deux
aspects est secondaire, et que le chamito-sémitique ancien
n'avait à l'indicatif qu'une forme conjuguée, exprimant
le procès (action ou changement d'état), sans en distinguer
les états. Mais il y avait peut-être en même temps une
forme durative. Le temps à trois divisions — passé,
présent, futur — n'a pas d'expression morphologique.

Les exemples suivants des aspects montrent en même
temps la caractéristique préfixée *t-* dans son double
emploi de 2e personne (ici au masculin singulier) et de
3e personne féminin singulier : arabe *taktulu* « tu tue(ra)s,
elle tue(ra) » et aussi « tu tuais, elle tuait » (en face de
katalta « tu as tué », *katalat* « elle a tué ») ; akkadien
takaš(š)ad « tu conquiers (conquerras), elle conquiert
(conquerra) », *takšud* « tu as, elle a conquis » ; berbère
marocain *(Ait Səgruššən) tgərsət* « tu égorges, tu as égorgé »
tgərs « elle égorge, elle a égorgé » ; afar *laggifä* « tu tue(ra)s,
elle tue(ra) », *tiggifä* « tu as, elle a tué ».

La flexion du nom comporte des indications de genre,
de nombre, de cas qui ne sont complètes que sur certains
points du sémitique (arabe, akkadien ancien). Rien ne

peut en être attribué avec une suffisante vraisemblance
au chamito-sémitique commun, si ce n'est le *t* qui est
très souvent la marque du féminin, et l'état construit.

Le *t* féminin est visible dans les exemples suivants.
Il ne sert pas seulement au rôle propre de féminin, c'est-
à-dire à la distinction des sexes (surtout dans les adjectifs) ;
il exprime aussi dans nombre de cas la restriction (singulatif, diminutif) et l'abstraction. Exemples : guèze *bəəsīt*
« femme » (de *bəəsi* « homme »), *səḵlat* « crucifixion », de
racine *sḵl* « pendre » ; arabe moderne tunisien (à Djen-
douba) *ḥagra* (le *t* non apparent dans cette forme se révè-
lerait, à la place de *a*, si on mettait le mot à l'état construit) « marque de dédain » en face de *ḥọḡŏr* « dédain » ;
vieil égyptien *sɛt*, « fille » (*sɛ* « fils ») ; berbère marocain
(Beni Mgild) *timiššūt* « chatte » (*imiššu* « chat »). (Cet
élément est très rare, peut-être même douteux, en couchitique).

L'état construit est le terme qui désigne au sens étroit
la forme spéciale que prend en sémitique un nom immédiatement suivi de son complément ; on peut en étendre
l'emploi à l'ensemble des phénomènes qui caractérisent le
rapport d'un nom avec un complément qui s'y annexe
sans préposition ou pronom interposés, ce qui est le cas
normalement, surtout dans les langues anciennes. Le fait
essentiel est celui-ci : les deux mots rapprochés, régent et
régi, forment un seul groupe accentué dont les termes
composants n'ont qu'une autonomie réduite ; les groupes
ainsi formés sont des composés occasionnels (alors que les
noms composés proprement dits sont exceptionnels en
chamito-sémitique). Les effets de cette sorte de composition sur les deux termes sont variables : les deux termes
peuvent n'être pas modifiés, en dehors du changement
d'accentuation ; mais le plus souvent ils le sont : le premier
terme (régent) peut avoir une finale autre qu'à l'état
isolé, il peut aussi changer son aspect vocalique interne ;
le second terme (régi) peut être changé dans son initiale :

hébreu *sūsē parɛ̄ō(h)* « les chevaux (à l'état indépendant
sūsīm) du Pharaon » ; *dəbar ɔɛlōhīm* « la parole (état

indépendant *dåbår*) de Dieu » ; arabe moderne libanais *baɔrt el-fəllāḥ* « la vache (état indépendant *baɔra*) du paysan » ; guèze *ḳāla ɔəgzīɔabəḥer* « la voix (état indépendant *ḳāl*) de Dieu », *ɔənsəsā gadām* « les bêtes (état indépendant : même forme) des champs » ; copte *gəb žoyil* « feuille (état indépendant *goobe*) d'olivier » ; berbère (kabyle) *aman ugelmim* « l'eau de l'étang (état indépendant : *agəlmim*) » ; agaw (kemant) *wāzin lānḳā* « flamme (2) de feu (1) » (on remarquera l'ordre des mots propre au couchitique en général ; les deux termes sont pareils à l'état indépendant).

Une autre annexion de compléments, qui n'est pas sans rapport avec l'état construit, et n'est pas moins caractéristique du chamito-sémitique, est ce qu'on peut appeler la flexion pronominale des verbes et des noms. Un complément pronominal, qui désigne l'objet avec le verbe et le possesseur avec le nom, s'adjoint au terme complété comme une véritable désinence variable en personne, en genre (aux 2e et 3e personnes) et en nombre. Ces désinences s'emploient aussi en suffixes avec les prépositions ; elles sont un peu différentes avec le verbe d'une part, le nom et la préposition d'autre part ; ces éléments subissent par l'adjonction des suffixes des modifications analogues à celles de l'état construit. Les pronoms personnels indépendants ont en partie les mêmes formes que les pronoms suffixes, mais allongées ou adjointes à d'autres éléments pronominaux :

hébreu *dəbårə-kå* « ta parole » ; guèze *ḳālə-ka* « ta voix » ; égyptien *pr-k* « ta maison » ; berbère (kabyle) *akkam-ik* « ta maison » ; saho-assaorta (le pronom est préfixé, non suffixé) *ku-baglā* « ta mule ».

L'ordre des mots de la phrase verbale est relativement fixe, même lorsque le rôle des éléments nominaux est marqué par la flexion : verbe plutôt en tête, sujet avant ou après le verbe, régime de verbe ensuite, compléments prépositionnels après ; l'importance de cet ordre augmente là où manque la déclinaison (pour l'état construit, voir

5

ci-dessus). Les propositions subordonnées équivalant à des compléments se mettent normalement après la proposition principale

A côté de la phrase verbale, il faut considérer la phrase nominale, fréquente pour exprimer une définition ou une situation. Dans ce type de phrase l'élément sujet est normalement en tête, l'élément prédicat en queue.

La phrase est normalement à plus d'une proposition, comme le montrent les textes cités : les subordonnées complétives, finales, etc., sont introduites généralement par un jeu de conjonctions ; les relatives (généralement avec un pronom relatif) sont abondantes.

Le vocabulaire, aisément constitué avec les combinaisons de consonnes nombreuses dans des racines en majorité à trois éléments, est abondant d'une manière générale. Il comporte dans les grandes langues écrites une riche variété dans les termes techniques (élevage, etc.), poétiques, religieux et intellectuels. Il est impossible d'évaluer pour l'époque ancienne la part de l'emprunt de termes de civilisation. Dans certaines langues, des circonstances favorables permettent de reconnaître des stocks empruntés (ainsi les éléments sumériens dans le vocabulaire akkadien) ; le fait le plus important est sans doute l'emploi dans des langues chamito-sémitiques vivantes, écrites ou non, de termes d'autres langues de la même famille ayant consolidé pendant une longue période leur emploi de langue religieuse et savante (exemples : l'arabe dans le berbère, le guèze dans l'amharique).

Sémitique

Caractéristiques et divisions

Les langues sémitiques paraissent présenter les traits chamito-sémitiques dans l'état le plus pur. On peut supposer que c'est dans l'ensemble par conservatisme, parce qu'elles se sont développées sur le plus ancien terrain chamito-sémitique, avec un minimum d'influence de substrats étrangers. Mais il faut aussi compter avec une hypertrophie secondaire possible de certains traits initiaux. Au point de vue phonétique il faut noter, surtout dans les langues qui ont survécu et se sont étendues, la solidité de la base laryngale (laryngales proprement dites et emphatiques).

La tendance à la conservation et à l'extension de la trilitéralité est flagrante. Il suffit à cet égard d'observer les mots cités, isolément ou dans les textes. En arabe moderne, la seule langue très étendue, cette tendance se réalise constamment : ainsi au Maghrib une ancienne racine *ɔkl* « manger » perdant son initiale laryngale faible acquiert une dernière radicale *y* et se conjugue comme une racine *kly* ; l'ancien bilitère *yad* « main » de l'arabe classique devient *yidd*, par répétition du *d* dans les parlers citadins.

La division généralement admise du sémitique comporte d'une part le sémitique oriental, avec le seul akkadien, d'autre part le sémitique occidental, avec une branche septentrionale (cananéen et araméen) et une branche méridionale (arabe et sudarabique avec éthiopien). Il semble maintenant possible qu'on doive assigner une place intermédiaire à l'ougaritique.

SÉMITIQUE ORIENTAL (AKKADIEN)

Le sémitique oriental est défini morphologiquement par sa conjugaison qui comprend deux formes avec préfixes (accompli : *ikšudū* « ils ont conquis », inaccompli : *ikaš(š)adū* « ils conquièrent ou conquerront ») et une forme à suffixes seulement exprimant la durée, dit permansif (*kašdū* « ils sont (étaient, seront) en train de conquérir (d'être conquis) »).

Le consonantisme semble altéré : la plupart des laryngales manquent dans la notation ; mais elles étaient sans doute mieux conservées en réalité.

On ne connaît jusqu'à présent qu'une langue sémitique

orientale : l'akkadien (accadien) quelquefois encore appelé assyro-babylonien (Sur Akkad, voir ci-dessous p. 101).

Histoire de l'akkadien. — L'akkadien est à l'origine la langue de Sémites qui ont occupé un pays où la langue et la civilisation sumériennes ont connu une longue floraison. Le sumérien a subsisté sous la domination akkadienne, surtout comme langue religieuse, littéraire et officielle ; mais il a dû céder le rôle principal à l'akkadien qui a eu une longue fortune comme langue de civilisation de puissants empires.

Le terme « akkadien » se stabilise maintenant comme désignation des sémites et des dialectes sémitiques du domaine défini ici ; malheureusement, quand on a commencé à étudier le sumérien on l'a d'abord quelquefois nommé accadien. D'autre part le terme « assyriologie » pour l'étude de tout ce domaine est si bien implanté qu'il ne paraît pas devoir disparaître. Les assyriologues n'emploient jamais le mot « chaldéen » pour désigner un dialecte akkadien ; mais ce nom est appliqué aux faits de civilisation et d'histoire akkadienne méridionale (art chaldéen, empire néo-babylonien ou chaldéen).

Le territoire central des empires de langue akkadienne couvrait environ 250.000 kilomètres carrés ; mais à maintes périodes ils ont plus que doublé l'étendue de leur domination. Les parties fertiles (environ 40.000 kilomètres en Mésopotamie) devaient être très peuplées.

Quant à la langue, si les monuments la montrent un peu différente suivant les périodes et les lieux, elle est pourtant foncièrement une.

La chronologie de l'histoire suméro-akkadienne n'est pas encore établie sans conteste, surtout pour la période la plus ancienne que la chronologie « longue » fait débuter entre 3800 et 3700 et que la chronologie « courte », préférée actuellement, date au plus de 3000 av. J.-C. Pour l'époque encore antérieure, des listes royales mal situées dans le temps donnent des indications qui sont sans doute à répartir sur plusieurs siècles.

La plus ancienne période historique, qui se prolonge jusqu'après 2000, est celle où prédominent des états situés dans la Mésopotamie entre le Tigre moyen et l'Euphrate moyen et dans la région voisine jusqu'au Golfe Persique. Ils ont eu leur centre en Chaldée d'abord au Nord, dans le pays d'Akkad (désignation indigène) ; puis, au Sud, dans l'ancien pays de Sumer (*šumeri* en désignation indigène) ; ensuite de nouveau au Nord, avec Babylone comme capitale.

La riche littérature de cette période (poèmes mythologiques et épiques, textes juridiques, etc.) a été conservée jusqu'à nous sur des matériaux durs : inscriptions monumentales sur les statues, livres et lettres écrits sur des briques (cuites après l'inscription faite).

Les documents les plus anciens livrent l'« ancien akkadien » ; celui-ci possédait la déclinaison nominale à trois cas avec -*m* final ; -*u* étant la voyelle du sujet, -*a* celle du complément de verbe (régime direct, complément de direction), -*i* celle du complément de nom ou du complément prépositionnel.

Après l'érection de Babylone en capitale, apparaît l'ancien babylonien, évolué par rapport à l'ancien akkadien, mais préservant la déclinaison.

Dans le second millénaire, la Babylonie cesse d'exercer l'hégémonie. Souvent dévastée, gouvernée pendant de longues périodes par des étrangers, elle finit par être soumise à ses voisins du Nord.

Un état sémitique a existé dans la région montagneuse de la vallée du Tigre depuis 2400 environ. Au cours du second millénaire, des rois qui avaient leur capitale à Assur *(aššur)*, puis à Ninive, se révèlent grands conquérants et disputent l'hégémonie de l'Asie antérieure à de puissants voisins ; leur empire, après avoir hérité de la puissance babylonienne en décadence, a sombré définitivement un peu avant 600 av. J.-C. Le plus ancien assyrien, proche de l'ancien babylonien (avec certaines différences concernant les sifflantes), mais plus conservateur dans l'ensemble, est représenté pour nous par les « tablettes

cappadociennes » retrouvées à Kultepe; une époque posté-
riuere est représentée par un code important, cependant
que les inscriptions royales sont rédigées en babylonien.
L'assyrien de la dernière époque, connu par des lettres,
est caractérisé par la restriction de l'usage régulier de la
flexion casuelle.

En dernier lieu, un nouvel empire méridional a fleuri
en Babylonie de 626 à 539 (date de la prise de Babylone
par les Perses de Cyrus). La langue de cet empire est le
« néo-babylonien » ; la flexion casuelle y est altérée, et m y
est souvent écrit pour w.

Aux périodes de plus grande extension, l'akkadien avait
été employé au loin en dehors des limites des empires
babylonien et assyrien, particulièrement pour l'usage
diplomatique. Ainsi on a retrouvé à Tell el-Amarna en
Égypte une correspondance en akkadien échangée vers
1400 av. J.-C. entre des souverains égyptiens et des
princes orientaux, notamment des Cananéens. Les fouilles
ont révélé des formes excentriques de l'akkadien, en partie
dues à l'établissement de gens parlant akkadien dans des
centres urbains étrangers, en partie à l'usage diplomatique
ou savant de l'akkadien par les étrangers, d'où la découverte
d'une part de certains traits dialectaux, d'autre part
d'influences de substrats étrangers sur la graphie (quelquefois simplifiée par restriction du nombre de signes utilisés)
et sur la langue, surtout sur le vocabulaire ; on a notamment en domaine hittite les tablettes de Boghaz Keuy,
en domaine, semble-t-il, hourrite, les documents de Nouzou
près Kerkouk et les lettres de Mari (voir la carte).

Après la chute de Babylone, la langue akkadienne n'a
pas persisté beaucoup dans l'usage parlé ; depuis le
IVe s. av. J.-C. environ, elle n'a plus été qu'une langue
savante et religieuse, qui a dû être utilisée jusqu'aux
environs de l'ère chrétienne. (On a retrouvé quelques
documents écrits en caractères araméens et grecs). C'est
l'araméen qui s'est substitué à l'akkadien comme langue
parlée et comme langue diplomatique.

Écriture cunéiforme. — L'akkadien a été écrit dans le système « cunéiforme » dont usaient les Sumériens et qui a été appliqué à des langues variées de l'Asie occidentale. C'était à l'origine une notation par pictogrammes, dessins représentant des objets. Les tracés linéaires schématiques sumériens, gravés en cursive sur l'argile molle, sont devenus des combinaisons de « clous » et de « coins », d'où le nom descriptif de « cunéiformes ». Les caractères cunéiformes ont été peu à peu employés par les Sumériens comme signes syllabiques en même temps que comme idéogrammes (ainsi l'étoile qui se lisait *ana* « ciel » ou *dingir* « dieu » était aussi la syllabe *an*). Les Akkadiens ont conservé les valeurs des idéogrammes, mais les lisaient en sémitique, et ont d'autre part maintenu des valeurs syllabiques sumériennes ; l'étoile est lue *šamū* « ciel », *ilu* « dieu », et *an*. De plus les mots sémitiques à leur tour peuvent fournir des valeurs syllabiques : ainsi un signe représentant une main (qui avait en sumérien la valeur *šu*), est lu *ḳātu* « main » ou, comme syllabe, *ḳāt* à côté de *šu*.

Les syllabes notées sont de toutes formes, ainsi *a*, *na*, *ab*, *nab;* une syllabe à trois éléments comme *nab* peut être à l'occasion écrite *na-ab*, ou *na-a-ab* (pour noter expressément un *a* long).

Si donc l'écriture cunéiforme a l'avantage de noter les voyelles et pas seulement le squelette consonantique des mots, elle a l'inconvénient d'une très grande complication. Pour lire un texte akkadien il faut connaître au moins trois cents signes dont la plupart ont plusieurs valeurs ; en outre les formes varient avec les périodes et les provenances. Aussi après environ trois quarts de siècle de travail depuis le début du déchiffrement de l'akkadien, la lecture des nouveaux textes mis au jour offre-t-elle encore quelquefois des incertitudes.

Les caractères cunéiformes sont séparés ; ils se lisent en général horizontalement de gauche à droite (anciennement, de haut en bas, et les colonnes de droite à gauche). L'exemple suivant en babylonien classique montre le mélange de syllabes détachées, d'idéogrammes (repré-

sentés par des mots écrits sans divisions) et d'idéogrammes « indicatifs », mis ici entre parenthèses, qui
n'étaient sans doute pas prononcés (termes géographiques,
désignations de dieux et de personnes).

Annales de Tukulti-Ninurta (lecture rectifiée pour
Ninip), de 890 à 884, lignes 49-50 :

a-na mukki (nār)		*diglat*	*ak-ti-rib-ma*	*maš-ka-na-a-te*
vers	[le] fleuve	Tigre	je m'approchai-et	[les] villages

ša (māt)	*u-tu-a-a-te*	*āl ḳab-ra-ni-šu-nu*	*ša*	*šit-ku-nu*
du pays	Utuate	ville [de] leurs tombes	qui	est située

eli	*(nār)*	*diglat*	*ak-ta-šad.*
sur	[le] fleuve	Tigre	je conquis.

OUGARITIQUE

Le site d'une ancienne ville nommée *ugarit* (Ougarit)
a été reconnu par une découverte fortuite de 1928 suivie
de fouilles à partir de 1929 (encore en cours), sur la côte
de Syrie, à 12 kilomètres Nord de Lattaquié (ancienne
Laodicée), face à l'île de Chypre, à l'endroit dit en arabe
ras šamra « cap du fenouil » (d'où le nom de langue de
Ras Chamra ou Ras Shamra donné d'abord à l'ougaritique),
où se trouvait un grand amas de ruines recouvert de terre.
Les fouilles ont ramené au jour, dans les ruines des bâtiments, des objets d'art locaux, des objets égyptiens, etc.
La découverte la plus intéressante a été celle de tablettes
de terre cuite avec des textes variés en écriture cunéiforme.
L'examen de ces documents a montré des textes divers,
certains en langue akkadienne et en langues asianiques,
la grande majorité dans une langue sémitique jusqu'alors
ignorée, qui devait être la langue de la majorité des
habitants dans la période de floraison de cette ville, située
dans un domaine qui a été possédé à certains siècles par
les Hittites. Dans l'ensemble, les bâtiments où ont été
retrouvés les tablettes sont attribués par les archéologues
au xɪvᵉ siècle av. J.-C.

Le déchiffrement a été rapide ; en effet on a pu se rendre compte sans peine que, si les traits étaient du type akkadien, les caractères n'étaient qu'au nombre d'une trentaine (y compris un trait de séparation de mot). Les essais de lecture au moyen de mots phéniciens ou hébreux ont été vite fructueux.

Le déchiffrement fait, on a reconnu que la valeur des caractères ne doit rien à l'akkadien ; d'autre part quelques-uns rappellent par leur forme des lettres phéniciennes de même valeur. Entre parenthèses, c'est une raison pour reculer sensiblement la date de l'invention de celui-ci. Il n'est pas sûr d'ailleurs que cet alphabet cunéiforme ait été inventé pour la langue sémitique d'Ougarit. Noter que l'écriture va de gauche à droite (à de rares exceptions près).

Les textes principaux, assez étendus, sont des poèmes mythologiques, où on reconnaît la plupart des dieux et certains héros légendaires phéniciens ; la découverte de Ras Chamra a donc restitué une partie de la littérature phénicienne qui manquait par ailleurs.

Le classement de la langue n'est pas établi sans conteste. Mais le nombre de ceux qui y voyaient un état dialectal, d'aspect archaïque, du cananéen (voir ci-dessous au Sémitique occidental) semble maintenant bien réduit. Donc, en raison de ses caractères spéciaux, il est préférable de lui donner une place à part. On peut espérer plus de précision d'études et de découvertes ultérieures.

L'alphabet est consonantique d'une manière générale. Mais le כ est remplacé par trois signes qui représentent des voyelles au contact d'ancien כ accompagnées ou non de l'articulation de celui-ci (voir le texte ci-après).

L'ougaritique possède le $\hbar$ et le g qui manquent au cananéen et à l'araméen; l'interdentale sourde (non emphatique) est représentée par un signe spécial, dont rien ne permet de déterminer la valeur phonétique exacte (en tout cas il n'y a pas confusion avec d'anciens $\check{s}$ comme en hébreu) ; la sonore correspondante n'est que sporadiquement distincte du d.

5—1

Dans le verbe, la forme habituelle du récit est une forme à préfixe, comme en akkadien ; mais on emploie aussi la forme à suffixes qui est celle du parfait en sémitique occidental.

Voici un colophon de tablette (d'après Ch. Virolleaud, *La légende phénicienne de Danel*, 1936, p. 31) :

s]p r	*(ɔ)el-mlk*	*śbny*	*lmd*	*(ɔ)atn-prln*	*rb-khnm*
scribe	El-melek	Sibonite	élève	d'Atn-prln	chef des
ou a écrit					prêtres

rb-nḳdm	*šɛy*	*nḳmd*	*mlk*	*(ɔ)ugrt*	*(ɔ)adn*	*yrgb*
chef des	Saite	Nqmd [étant]	roi	d'ougarit	seigneur de	Yrgb
pasteurs						

bɛl	*šrmn*
maître	de Chrmn

SÉMITIQUE OCCIDENTAL

Les langues sémitiques occidentales opposent dans le verbe un parfait (accompli) pourvu de suffixes à l'imparfait (inaccompli) pourvu de préfixes (et suffixes), et ignorent la forme durative (permansif).

Imparfait : hébreu *yiḳṭəlū*, araméen *yiḳṭlūn* (et *neḳṭəlūn*), arabe *yaḳtulū(na)*, guèze *yəqattəlū* « ils tue(ro)nt, ils tuaient ».

Parfait : hébreu *ḳâṭəlū*, araméen *ḳəṭal(ū)*, arabe *ḳatalū*, guèze *ḳatalū* « ils ont (auront) tué ».

Les laryngales sont bien conservées dans l'ensemble.

Alphabet sémitique. — C'est sur le domaine sémitique occidental que s'est développée l'écriture alphabétique sémitique. Une forme de cette écriture semble avoir été utilisée par le libyco-berbère. D'autre part, depuis l'emprunt fait par les Grecs, elle a couvert l'Europe et une partie de l'Asie ; l'expansion européenne la véhicule de nos jours dans le monde entier sous la forme de l'alphabet latin ou (d'une manière plus restreinte) de l'alphabet cyrillique.

La question de son origine est encore mal résolue. L'absence de documents de cette écriture dans les corres-

pondances de Tell el Amarna (vers 1400 av. J.-C.) semble
indiquer qu'elle n'était pas encore répandue à cette
époque.

En fait, jusqu'à la fin du XIXe siècle, on n'en connaissait
aucun monument plus vieux que les abords de 1000 av.
J.-C. ; elle apparaissait toute constituée sous une forme
qu'on cherchait à rattacher, en invoquant certaines
ressemblances de tracé, à des systèmes plus anciennement
attestés tels que les hiéroglyphes égyptiens et les écritures
égéennes. Le problème a maintenant changé d'aspect.

D'abord, l'écriture alphabétique de l'ougaritique est
contemporaine des gloses de Tell el Amarna, et d'autre
part certains documents phéniciens sont peut-être
antérieurs à l'an 1000.

Ensuite, dans les premières années du XXe siècle, on a
trouvé dans la presqu'île du Sinaï, sur le site appelé Serabit
el-Khadim, à côté d'inscriptions hiéroglyphiques anciennes,
une quinzaine de courtes inscriptions non hiéroglyphiques.
Les caractères que comportent ces inscriptions se laissent
classer en un nombre de signes aussi réduit que celui des
lettres sémitiques. Certains de ces signes ressemblent à des
hiéroglyphes, d'autres à des signes phéniciens ; la direction
serait de haut en bas et de gauche à droite (aussi de droite
à gauche), d'après les essais de déchiffrement, qui semblent
déceler un ou deux mots sémitiques. La date de ces monuments serait, de manière large, comprise entre 2000 et
1500 av. J.-C. Si on considère les présomptions fournies
par ce « paléosinaïtique » présumé sémitique, on est
amené à penser que les inventeurs de l'écriture sémitique
avaient une connaissance au moins extérieure du système
égyptien. (Quelques documents trouvés en Syrie-Palestine,
non interprétés, se rattachent peut-être au paléo-sinaï-
tique.)

Un autre problème est posé par des inscriptions trouvées
à Byblos, le site même des plus anciennes inscriptions
phéniciennes connues, avec les caractéristiques suivantes :
lignes horizontales régulières, cent quatorze signes diffé-

rents, pas de séparation de mots ; des signes ressemblent
à des hiéroglyphes égyptiens, d'autres à des lettres phéniciennes. Pour les déchiffrements proposés, voir à la fin
du chapitre des Langues asianiques et méditerranéennes,
avec références, et ci-dessous au Phénicien. L'époque
serait sensiblement celle des inscriptions du Sinaï.

On aurait donc trouvé sur le terrain des langues sémitiques des essais d'écriture faits par des gens connaissant
au moins des formes de caractères égyptiens sinon leur
valeur et cherchant un système plus simple, afin de noter
leur langue. Les essais devaient aboutir peu de siècles
après à une réalisation pratique.

L'analyse phonétique sémitique a permis de réduire à
un très petit nombre le total des signes (vingt-deux en
phénicien) ; mais, encore incomplète, elle a l'inconvénient
de ne pas spécifier les voyelles de chaque syllabe ; en effet
les signes, qu'on s'est habitué à désigner comme des
consonnes (nommées traditionnellement par un mot
commençant par la consonne en question, ainsi *b* par *byt*,
bēt « maison ») évoquent indifféremment une consonne
seule ou une consonne suivie de voyelle. Ils sont séparés
dans tous les types anciens d'écriture.

Le manque de signes distincts pour les voyelles a relativement peu d'inconvénient pour certaines langues sémitiques, où le solide squelette consonantique suffit souvent
à suggérer non seulement la racine portant la signification,
mais le thème verbal ou nominal et même les marques de
flexion : un lecteur lisant sa langue maternelle n'a que
relativement peu de peine à suppléer les voyelles caractéristiques de chaque forme, constantes pour une formation
donnée. De plus la lecture est souvent facilitée par le fait
que les mots sont séparés (par une barre, un point, ou,
postérieurement, un blanc).

Pourtant les Sémites ont été gênés par l'absence de
voyelles distinctes dans l'écriture, surtout quand ils ont
eu à lire des documents d'une langue autre que leur parler
maternel, ainsi qu'il arrive dans le cas de textes liturgiques
écrits soit dans une langue morte, soit dans une forme

ancienne de la langue vivante (par exemple arabe coranique). La difficulté a été résolue quelquefois partiellement par l'emploi de certaines consonnes laryngales affaiblies dans la prononciation et des semi-voyelles *w* et *y*, pour noter au moins les voyelles longues ; ce système poussé à bout par les emprunteurs non sémites de l'alphabet a donné les voyelles grecques, puis latines. Sur certains points il a été fait usage de signes complémentaires sur ou sous les consonnes pour noter même les voyelles brèves. L'éthiopien a constitué un syllabaire en accrochant aux consonnes des marques pour signifier les voyelles.

A cause de l'absence de notation ancienne des voyelles, on est mal renseigné sur bien des langues qui ne sont attestées qu'en squelette consonantique (comme le phénicien) ou dont le vocalisme a été noté après qu'elles avaient disparu de l'usage parlé (comme l'hébreu).

La direction ordinaire de l'alphabet sémitique occidental est la ligne horizontale de droite à gauche ; dans la suite, seules les déviations de cette direction seront indiquées.

Sémitique (occidental) septentrional

Il comprend les groupes cananéen et araméen, proches entre eux.

Peut-être faudra-t-il ajouter le « (paléo)sinaïtique » (voir p. 107).

Ici intervient la question de l'« amorite » (amorrite, amorrhéen, amoraïque) : le nom *ɔǎmōri* se trouve dans la Bible pour désigner une population non-israélite, sans doute de Syrie ; en akkadien *amurru* désigne des populations occidentales, dont certains éléments établis en Orient ont fourni des suites de rois à la Babylonie (floraison de 2200 à 1900 environ). Nos sources ne déterminent pas d'État amorite et ne donnent aucun texte d'une langue amorite. Linguistiquement, on attache ce nom surtout à divers noms propres qui ne sont pas akkadiens, mais ne permettent pas de définir une phonétique ni une grammaire. La majorité des assyriologues ne jugent pas étrangères à l'akkadien de menues particularités de divers textes que certains tentent d'expliquer par l'amorite.

Le sémitique septentrional (l'ougaritique étant laissé à part) est caractérisé principalement par la réduction du nombre de consonnes (par rapport au sémitique méridional présumé plus conservateur), par le traitement *y* de *w* initial de racine, par l'absence d'emploi (au moins dans les langues à vocalisation connue) de la flexion casuelle et par l'usage constant du pluriel à suffixes dans les noms.

CANANÉEN

Le terme « cananéen » est tiré du nom hébreu Canaan *(kənaɣan)* qui désignait les régions de Phénicie et Palestine et leurs habitants (soit peuples non sémites anciennement établis, soit envahisseurs sémites installés avant l'arrivée des Hébreux).

Le cananéen, qui comprend comme langues importantes l'hébreu et le phénicien, semble n'avoir jamais couvert qu'une petite région continentale de 80.000 kilomètres carrés environ, à laquelle il faut ajouter les colonies phéniciennes.

Aux éléments énumérés ci-dessous s'ajoutent quelques inscriptions d'interprétation douteuse.

Cananéen de Tell el Amarna (vieux cananéen). — Des gloses cananéennes en caractères cunéiformes se trouvent dans les correspondances en akkadien de princes cananéens adressées aux rois d'Égypte Aménophis III et Aménophis IV ou Ikhounaton vers 1400 av. J.-C. ; ces lettres font partie des tablettes trouvées à *täll al-ɣamarna* (emplacement de la capitale d'Ikhounaton en Égypte).

Moabite. — Ce nom désigne la langue, très proche de l'hébreu, d'une seule grande inscription, due à un roi de Moab (au Sud-Est de la mer Morte), *mešaɣ* ou *mošaɣ* (on écrit généralement Mésa), qui raconte ses démêlés avec le roi d'Israël au milieu du IXe siècle av. J.-C. On a aussi trouvé quelques cachets moabites. (La langue parlée des moabites était peut-être différente).

L'écriture moabite est la même que l'écriture phénicienne.

Phénicien, punique. — Le phénicien est la langue des
nombreuses inscriptions qui ont été gravées par les
Phéniciens de langue sémitique tant dans leurs villes de la
côte de Syrie-Palestine (Byblos ou Gebal, Sidon, Tyr, etc.)
que dans leurs colonies et comptoirs plus ou moins lointains,
notamment dans les îles (Chypre, etc.).

Le plus ancien phénicien connu serait celui des inscriptions semi-hiéroglyphiques dont il est question p. 107 si
la lecture en phénicien se confirmait.

Des anciennes inscriptions d'écriture phénicienne, aucune
n'est datée. L'inscription du tombeau d'Ahiram de Byblos,
antérieurement attribuée au XIIIe siècle, semble pouvoir
être située aux environs de l'an 1000, peu avant d'autres
inscriptions royales du Xe ou IXe siècle. Des fragments
attribués par certains à des siècles antérieurs sont peut-
être à mettre à l'époque d'Ahiram, malgré des particularités
de l'écriture. Les longues inscriptions trouvées récemment
à Karatepe ont été attribuées au VIIIe siècle, Les inscriptions les plus nombreuses sont attribuables au Ve siècle
et siècles suivants.

L'écriture alphabétique phénicienne ne comporte que
vingt-deux signes. Sa forme, répandue avant la forme
araméenne, n'a subsisté par la suite, en dehors du punique,
que dans l'usage samaritain. L'alphabet grec ancien en
est dérivé, mais s'est vite sensiblement écarté dans le tracé.

Les inscriptions phéniciennes, généralement courtes,
sont peu variées dans leur contenu ; les voyelles n'y sont
pas notées ; aussi le phénicien est-il mal connu dans le
détail. Autant qu'on peut en juger en utilisant, avec les
inscriptions, quelques noms propres notés dans les langues
étrangères et le texte de Plaute (voir ci-après), il était
distinct, mais peu différent du moabite et de l'hébreu.
Pour la littérature, voir p. 105.

Le phénicien des côtes de Syrie-Palestine, en pleine
décadence dès la fin du IIIe siècle, semble avoir été complè-

tement recouvert par l'araméen dans le dernier siècle avant l'ère chrétienne.

La plus importante des colonies phéniciennes a été Carthage ; le langage phénicien parlé par les Carthaginois s'était répandu dans le domaine qu'ils gouvernaient ; on le nomme au moyen du terme « punique », forme latine pu nom « phénicien ». La puissance effective de Carthage se situe au plus tôt au vıᵉ siècle av. J.-C., mais les établissements phéniciens sur le même emplacement remontent à un temps beaucoup plus reculé. On date seulement du ıvᵉ siècle av. J.-C. les plus anciennes inscriptions puniques connues. L'écriture en est légèrement différente du phénicien oriental ; la langue ne paraît pas représenter à l'origine un dialecte distinct. Sa prononciation est connue, très imparfaitement, par un petit texte continu : dix lignes déguisées en vers latins dans la pièce de Plaute « le Carthaginois » *(Poenulus)*, à la fin du ııııᵉ siècle av. J.-C. ; la transcription et la coupe des mots dans les manuscrits causent des difficultés de lecture, mais la traduction latine rend le sens assuré. Les quelques lignes qui se trouvent dans les manuscrits entre le texte punique et la traduction latine représentent le même texte punique plus altéré et non, comme certains l'ont supposé, une version libyque.

A partir du ııᵉ siècle av. J.-C., sous la domination romaine après la chute de Carthage en 146, les inscriptions montrent une évolution de l'écriture et aussi de la langue (confusion des laryngales) ; on les appelle pour cette période néo-puniques. Certaines sont accompagnées de leur traduction en latin ; les dernières sont postérieures à la christianisation.

Le punique s'est conservé au moins jusqu'au ıvᵉ siècle ap. J.-C. ; il est possible qu'il ait vécu encore plus tard, jusqu'à l'arabisation de son domaine (à partir du vııᵉ siècle).

Hébreu. — L'hébreu est surtout pour nous une langue littéraire, celle de la Bible ; son importance pour la civilisation occidentale déborde beaucoup dans le temps et dans l'espace le cadre de la Palestine (environ 30.000 kilomètres carrés), dont il a été la langue parlée pendant environ mille ans. Il est bien connu, sous la réserve que de nombreux détails de la prononciation ne sont pas attestés à l'époque de son existence comme langue parlée.

Le nom « hébreu » (racine ςbr de l'hébreu, dont on doute qu'elle corresponde au nom de peuple *ḫabiri* des documents akkadiens) est une désignation de la population dont faisaient partie les fils d'Israël, qui se trouvent établis dans le pays de Canaan, peut-être depuis peu de temps, vers la fin du XIIIe siècle av. J.-C. Dans la Bible, la langue des Israélites établis en Palestine (il n'est pas possible de savoir s'ils parlaient la même langue avant cet établissement) est nommée en de rares passages « (langue) juive » *yəhūdīt*. Le mot *ςibrīt* « hébreu » n'apparaît, en hébreu tardif, comme désignation de la langue qu'à la fin du IIe siècle av. J.-C. ; il est employé d'autre part en grec (*hebraïsti* « en hébreu ») ; il ne s'est pas implanté en hébreu postérieur, où le terme employé est *ləšōn hakkōdęš* « langue sacrée ».

L'« hébreu ancien » ou « hébreu biblique » est la langue de la Bible et de quelques rares et courtes inscriptions en caractères phéniciens (surtout : calendrier de Gezer en Judée, vers le IXe siècle ; inscription du tunnel de Siloé à Jérusalem, vers la fin du VIIIe siècle av. J.-C. ; quelques courts documents sur des tessons, principalement les lettres de Lakich *(läll al-ḥesi)*, sans doute du début du VIe siècle).

Le plus ancien monument littéraire, d'après les exégètes modernes de l'ancien Testament, est le chant de Debora (Livre des Juges, chapitre V), considéré comme antérieur à l'an 1000. Une grande partie de la Bible a été composée de la moitié environ du IXe siècle à la fin du VIIe siècle av. J.-C., c'est-à-dire après la séparation de l'état de David et de Salomon en deux royaumes (Israël au Nord, Juda avec Jérusalem au Sud) : poésies, paraboles, chroniques, légendes sur l'origine du monde et sur celle du peuple juif, prophéties, fragments de codes se sont peu à peu rassemblés. La destruction de Jérusalem et le départ des Juifs pour la captivité en Babylonie au début du vi^e siècle ont marqué le déclin de l'hébreu comme langue parlée de la Palestine ; par contre, ces circonstances semblent avoir été plutôt favorables à la mise au point du recueil biblique. Celui-ci a pris forme après le retour partiel des tribus de Juda et de Benjamin de Babylonie en Judée (538 av. J.-C.), la reconstruction du temple de Jérusalem et l'établissement d'une solide théocratie (activité politique et intellectuelle d'Esdras, personnage que certains considèrent comme légendaire, milieu du ve siècle). Les vieux textes ont été à cette époque mis en ordre, amalgamés, complétés (en particulier les règlements religieux et juridiques), de manière à constituer la partie essentielle de la Bible, le Pentateuque. Mais déjà les derniers textes rédigés pendant cette période ne sont pas sans traces d'influence araméenne.

Lorsqu'un siècle plus tard, en 332, Alexandre conquiert la Palestine, l'hébreu paraît être à peu près exclu de l'usage parlé. Les juifs de Palestine parlent araméen au moins dans l'ensemble, ainsi qu'une partie des émigrés (surtout en Babylonie). Ceux qui sont émigrés dans le monde hellénisé parlent grec ; à partir du iiie siècle, la Bible est traduite en grec par les juifs alexandrins (version des Septante) et c'est le grec qui sera la langue écrite des premiers chrétiens. Mais les milieux lettrés juifs ont continué à écrire l'hébreu de manière puriste jusqu'aux environs de l'an 100 av. J.-C.

Les juifs orthodoxes ne s'en sont pas tenus à la Bible. Les études considérables de générations nombreuses de docteurs (rabbins, de *rabbī* « monsieur ») ont abouti à la constitution d'un nouveau code juridico-religieux, la Michna *(mišnā)* « doctrine » ; soixante-trois petits traités y rassemblent des traditions historiques et des rites et coutumes qui s'étaient transmis oralement. La rédaction, confiée d'abord à la seule mémoire des docteurs, a ensuite été couchée par écrit en hébreu pendant les deux premiers siècles de l'ère chrétienne. Cet hébreu postbiblique de la Michna et de quelques autres textes est appelé aussi néo-hébreu, hébreu rabbinique ou « talmudique » (seule cette dernière dénomination ou le terme « michnique » sont sans ambiguïté). Par certains traits, il semble plus proche de l'hébreu parlé au moment de son extinction que les textes puristes contemporains de cette extinction ; mais il paraît d'autre part influencé par l'araméen.

La Michna est entourée de volumineux commentaires en araméen, avec quelques enclaves hébraïques, qui constituent avec elle la masse du Talmud (voir p. 122).

Au moyen âge et jusqu'à nos jours, la langue savante des rabbins ou lettrés de tous pays dont la langue maternelle était l'arabe, l'espagnol, le français, l'allemand, etc., a été un hébreu parfois mélangé de formes araméennes, qui n'a plus rien d'une langue vivante, mais ressemble par son usage au latin scolastique ; certains auteurs réservent à cette langue savante le nom de néo-hébreu ou hébreu rabbinique ; d'autres lui appliquent ces noms, en même temps qu'à l'hébreu de la Michna, sans distinguer les différents moments postbibliques.

Vers la fin du XIXe siècle, le mouvement sioniste en Europe orientale et en Palestine a commencé à ressusciter l'hébreu comme langue vivante, en généralisant l'emploi qu'en ont toujours fait les rabbins, pour écrire, enseigner, converser avec leurs confrères dans leurs déplacements en pays étrangers. Depuis 1919, l'établissement officiel d'un « foyer juif » en Palestine et le peuplement effectif de villes et de nombreux établissements agricoles (environ 600.000 juifs en 1945), l'hébreu est devenu effectivement langue officielle, langue d'enseignement, langue de la presse et du livre et langue parlée, situation maintenant renforcée dans l'État d'Israël. Cette reviviscence d'une langue ancienne pose toutes sortes de questions : l'écriture est celle de l'hébreu ancien, avec son absence de notation des voyelles brèves ; la prononciation n'est pas systématiquement restituée par imitation du consonantisme arabe ; le vocabulaire se constitue peu à peu avec un mélange de termes anciens adaptés à la vie moderne et d'emprunts aux langues européennes.

Des mots hébreux ont pénétré en grand nombre dans les langages juifs tels que le yidich ; quelquefois ils forment les éléments de vocabulaires argotiques même en dehors des milieux juifs.

Écriture ; texte massorétique. — Les textes hébreux ont été notés depuis longtemps (vraisemblablement depuis l'époque d'Esdras), et en mettant à part l'usage samaritain, non en écriture cananéenne, mais dans une écriture araméenne qui est connue sous le nom de « hébreu carré ». L'écriture ainsi dénommée s'oppose aux écritures plus cursives, mais également à caractères séparés, qui sont dites « rabbiniques » ; la plus connue est celle à laquelle on a attaché le nom de Rachi, c'est-à-dire Rabbi Chelomoh Yiskhaqi (né en France à Troyes, en 1040). L'hébreu a été quelquefois noté en caractères étrangers, tels que : arabes, grecs. Il est plus habituel que, inversement, des cursives hébraïques servent chez les juifs de différents pays à la notation de leurs langues maternelles. Dans ces cursives, pour les langues autres que l'arabe, les lettres notant des consonnes laryngales propres au sémitique ont été affectées avec les semi-voyelles à la notation des voyelles.

Cet usage moderne de notation des voyelles n'est qu'une extension de l'habitude qui s'est peu à peu implantée, à l'époque même où l'hébreu était parlé, de noter les voyelles longues au moyen de consonnes non prononcées (*matres lectionis* « mères de lecture »), ainsi $\varsigma yr = \varsigma \bar{\imath} r$ « ville », $hkmh = hokm\mathring{a}$ « sagesse ». L'ancienneté de cette notation est prouvée par sa présence sur de vieux documents. Elle se généralise dans les textes de plus en plus récents (si bien qu'en néo-hébreu comme en araméen palestinien il en est fait quelquefois usage même pour des voyelles brèves). Toutefois, comme la tradition manuscrite ne commence authentiquement de manière continue pour l'ensemble du texte biblique qu'au début du Xe siècle ap. J.-C., on ne peut jamais être assuré a priori dans un cas particulier de l'ancienneté d'une *scriptio plena* « écriture pleine » avec consonne notant une voyelle.

Récemment on a retrouvé un assez grand nombre de
fragments plus anciens (dont les plus vieux dateraient
du Ier siècle av. J.-C.) pour qu'il soit devenu possible de
se livrer à une étude de l'hébreu « prémassorétique ».

La notation des voyelles par les *matres lectionis* est
restée presque seule employée jusqu'à nos jours, en dehors
du texte de la Bible.

La Bible au contraire est généralement pourvue (dans
les exemplaires qui ne sont pas destinés à être lus solen-
nellement à la Synagogue) non seulement d'une notation
des voyelles, mais de tout un appareil destiné à assurer
une lecture correcte et à guider la cantillation pour l'usage
liturgique. Le texte ainsi équipé est dit « massorétique »
(de *mâssǫrẹt* « massora, tradition »). Le travail des massorètes, commencé au VIe ou VIIe siècle ap. J.-C. (grands
massorètes de Tibériade de 870 à 930) n'a abouti qu'au
XIIe siècle à l'adoption d'un texte unique chez tous les
juifs. En fait nous possédons une notation de différents
traits de prononciation (géminations de consonnes, affaiblissement des consonnes entre deux voyelles, qualité
et quantité des voyelles, présence ou absence de la voyelle
neutre ǝ, accentuation, etc.) employée plus de mille ans
après la constitution du canon biblique. Même en attribuant
à la tradition liturgique une force parfaite de conservation,
qui n'est pas vraisemblable, on n'atteindrait encore tout
au plus que l'état de l'hébreu à la veille de sa disparition,
au Ve-IVe siècle av. J.-C. Or certaines notations des Septante
au IIIe siècle, dans leur transcription grecque, montrent
des discordances avec la Massora qui suffisent à empêcher
qu'on prenne celle-ci comme témoin sûr pour cette époque.
Le texte massorétique n'est donc pas une notation de
l'hébreu ancien à laquelle on puisse se fier ; mais il donne
une utile figuration de la prononciation de l'hébreu par
les juifs de langue araméenne à l'époque où il a été établi.

Le plus connu des systèmes de notation vocalique, et
le seul qui soit encore utilisé presque partout à l'époque
actuelle, est le système tibérien, ainsi nommé d'après
l'école des savants de Tibériade en Palestine. Les voyelles

y sont notées par des signes généralement placés en dessous des lettres. Ces signes ont sans doute été inspirés en partie par la vocalisation nestorienne du syriaque. — La notation tibérienne est prononcée de manière légèrement différente par les juifs méditerranéens (dits *sefardi, sefaradi* ou de rite portugais) et les autres (dits *aškenazi* ou de rite allemand).

Il existe aussi un système babylonien qui n'a pas survécu aux grandes écoles juives de Babylonie (environ au ixe siècle) ; il consiste en signes au-dessus des lettres. Une pratique yéménite consiste à transcrire la vocalisation tibérienne au moyen de signes babyloniens. Enfin un autre système, écrit également au-dessus des lettres, a reçu le nom de « palestinien».

Dans l'exemple ci-dessous, on peut voir l'usage des indications massorétiques, en particulier celles qui concernent l'affaiblissement des consonnes. En effet, dans le texte massorétique, les consonnes occlusives non emphatiques sont généralement prononcées spirantes quand elles ne portent pas un signe de renforcement (lequel est le même que le signe habituel de gémination). C'est un trait de phonétique araméenne ; cette spirantisation entre voyelles, à l'initiale de mot ou après voyelle en fin et à l'intérieur de mot (rarement après consonne) ne devait pas exister en hébreu ancien.

Caractéristiques. — L'hébreu, comme le reste du cananéen, a un consonantisme réduit : les arrières-vélaires *ḳ* et *g* sont confondues avec les laryngales *ḥ* et *ɛ*, les interdentales sont confondues pour la sourde avec *š*, pour la sonore avec *z*, pour l'emphatique avec *ṣ* (les articulations *ṭ* et *ḍ* de *t* et *d* sont secondaires dans le texte massorétique, voir ci-dessus). D'autre part l'hébreu paraît archaïque pour les sifflantes : *s*, *ś* (auquel correspond *š* de l'arabe) et *š* (auquel correspond *s* de l'arabe).

Dans la morphologie, un trait semble également archaïque : c'est l'emploi accompli de la forme verbale à préfixe (imparfait), avec consonne géminée du préfixe personnel, lorsqu'elle est précédée de *wa-* «et» (voir le texte) et inversement l'emploi comme inaccompli de la forme à

suffixes (parfait) avec la même particule sous la forme *wǝ-*
(trace d'une différence entre le premier verbe d'une phrase
et les suivants, qui apparaît ailleurs en cananéen, ainsi
qu'en sudarabique et par ailleurs en berbère).

Texte. — Genèse. Chapitre 42, début. [Texte consonantique et texte massorétique].

wyrɔ	*yɛḳb*	*ky*	*yš*	*šbr*	*bmṣrym*
wayyarɔ́(ɔ)	*yaɛăḳọ́b*	*ki(y)*	*yẹš* -	*šẹ́bẹr*	*bǝmiṣráyim ;*
(et) vit	Jacob	que	il y a(vait)	grain	en Égypte

wyɔmr	*yɛḳb*	*lbnyw*	*lmh*	*ttrɔw*
wayyọ́(ɔ)mẹr	*yaɛăḳọ́b*	*lǝbǎná(y)w :*	*lǎmmǎh*	*titrǎ(ɔw)ǔ.*
(et) dit	Jacob	à ses fils	pourquoi	vous regardez-vous

Jacob vit qu'il y avait du grain en Égypte ; (et) il dit à
ses fils : « Pourquoi vous regardez-vous les uns les autres ? ».

ARAMÉEN

Le nom d'araméen (hébreu *ɔǎrǎmīt* « en araméen »)
s'applique à un ensemble de dialectes très proches entre
eux qui a connu une grande extension, bien qu'il n'y ait
pas eu de grand État araméen.

Dans la Bible et dans les documents akkadiens (à partir
de la fin du XIVᵉ s. av. J.-C.), les Araméens sont des tribus
nomades dont l'aire de parcours paraît avoir été le Nord
de l'Arabie jusqu'aux confins de la Syrie-Palestine et de
la Babylonie. La plupart semblent s'être peu à peu établis
sur les confins et jusque dans l'intérieur des régions
civilisées (Pétra, Palmyre, Édesse, Damas, etc.), en se
mélangeant avec des populations antérieurement établies.
Il n'est pas sûr que les Hébreux, avant de s'établir en
Canaan, n'aient pas fait partie des groupements araméens.

Les citadins de langue araméenne ont fourni des fonc-
tionnaires aux Akkadiens, et ils ont rempli les cadres
administratifs de l'empire perse : celui-ci s'est servi de
l'araméen comme langue de gouvernement dans les pays

enlevés à la domination des Assyriens et des Babyloniens.

Aussi certains auteurs récents parlent-ils d'un « araméen
impérial » qui aurait été plus ou moins unifié, au moins
dans l'usage écrit. En effet, pour la plus ancienne période,
on ne peut pas parler de division dialectale orientale-
occidentale dans ce qu'on connaît de l'araméen.

L'araméen s'est finalement substitué peu à peu à toutes
les langues sémitiques du Nord : akkadien, phénicien,
hébreu. Sa vitalité et son usage littéraire ont limité l'extension du grec en Asie ; cependant il a été vaincu par le
grec sur la côte méditerranéenne, au moins comme langue
écrite (témoin le Nouveau Testament). L'époque de sa
plus grande extension (environ 600.000 kilomètres carrés,
en partie inhabités), se situe entre 300 av. J.-C. et 650 ap.
J.-C. Il a été ensuite recouvert à son tour par une autre
langue sémitique, l'arabe, et il n'est plus parlé de nos
jours que par 200.000 individus environ.

A partir d'une époque non exactement précisable,
l'araméen se divise en deux groupes de parlers : araméen
occidental et araméen oriental. L'Euphrate et le désert de
Syrie les séparent, des faits linguistiques les distinguent
et les aboutissements modernes sont nettement différents
(Il y a lieu d'écarter une ancienne division qui classait le
chaldéen comme dialecte oriental et le syriaque comme
dialecte occidental). Les parlers de chaque groupe, souvent
très proches entre eux par la grammaire et le vocabulaire,
méritent des noms distincts à cause des différences de
temps, de lieu, de religion, de civilisation ; la diversité des
écritures répond à cette multiplicité des développements
autonomes.

Sans s'attacher aux détails chronologiques, on peut
prendre comme type de l'araméen relativement ancien
l'araméen biblique avec son appareil massorétique. Le
phonétisme y est proche de celui de l'hébreu ; mais si on
considère les correspondances étymologiques on voit que
les anciennes interdentales sont représentées par des

occlusives *t, d, ṭ* ; d'autre part toutes les occlusives non
emphatiques sont secondairement spirantisées lorsqu'elles
ne sont pas géminées ou précédées de consonne (voir
p. 118).

Une caractéristique morphologique est l'emploi dans les
noms d'une forme déterminée, avec un suffixe -*a*, qui
contraste avec les articles préposés de l'hébreu d'une part,
de l'arabe d'autre part.

Araméen ancien dans la région occidentale. — Quelques
inscriptions sont dues à divers principicules de Syrie ;
elles ne sont pas toutes semblables de langue et sans doute
pas toutes araméennes (certaines inscriptions de Zindjirli
ou Sendjerli sont en phénicien, d'autres en « yaoudien »).

Ces inscriptions semblent se répartir sur le cours des
IXe-VIIIe siècles.

Les principales sont celles d'un roi de *ḥmɔt* à mi-chemin
entre Damas et Alep ; les inscriptions des rois de *šmɔl*, trouvées à Zindjirli, au Nord d'Alep ; la longue inscription
de la stèle trouvée à Séfiré-Soudjin près d'Alep.

L'écriture de ces inscriptions est distincte, quoique très
proche, de l'écriture phénicienne ; on y a décelé l'amorce
des modifications qui sont le trait commun des diverses
écritures araméennes.

Araméen d'Égypte et araméen biblique — On a retrouvé
en Égypte divers documents araméens datant de la fin
du VIIe au IVe siècle Les papyrus et pièces de poterie
(ostraka) d'Éléphantine, qui contiennent toute une série
de lettres et de contrats, ont permis de reconstituer
l'existence d'une petite colonie juive parlant araméen,
établie en ce lieu au Ve siècle av. J.-C. Des documents
analogues émanent d'éléments perses. La langue est sensiblement la même que celle des parties araméennes de la
Bible. L'écriture est celle qui devait devenir l'hébreu carré.

Les textes araméens de la Bible sont : une partie du
livre d'Esdras (vers 300 av. J.-C.) et une partie du livre
de Daniel (premières décades du IIe siècle av. J.-C.) ; pour
être complet, il faut ajouter deux mots dans la Genèse

donnés expressément comme araméens et un verset de
Jérémie.

Au début du livre de Daniel, il est fait mention de la
langue des Chaldéens (en grec *dialektos khaldaïkē*) parlée
à la cour de Nabuchodonosor. Les commentateurs anciens,
ignorant l'existence même de l'akkadien (disparu de leur
temps), attentifs d'autre part à la coïncidence entre le
retour de la captivité de Babylone et le remplacement de
l'hébreu parlé par l'araméen, ont confondu « langue des
Chaldéens » et « araméen », de sorte que jusqu'à nos jours
le nom de chaldéen, chaldéen biblique ou chaldaïque a
été généralement appliqué à l'araméen biblique. (Le même
nom de chaldéen a reçu encore d'autres usages, voir dans
la suite de cette division et p. 143.)

Araméen palestinien. — Dans l'histoire postérieure de
l'araméen palestinien (quelquefois nommé syrochaldaïque) ;
il faut distinguer les documents juifs, samaritains, chrétiens.

Les documents juifs sont considérables ; ils attestent le
travail intense des rabbins pour vulgariser en langue
parlée la Bible, par des traductions ou paraphrases dites
« targoum » (*largūm* « traduction ») — et la Michna, par des
commentaires dits « guemara » (*gəmårå* « complément »).
On appelle *talmūd* « instruction » l'ensemble de la Michna
et d'une guemara. Cette littérature targoumique et
talmudique se divise en documents judéens (surtout des
targoums faits dans la région de Jérusalem, antérieurs
dans l'ensemble à la guerre d'Hadrien, 138 ap. J.-C.) et
en documents galiléens (principalement la partie araméenne
du talmud de Jérusalem, composée dans les écoles de
Tibériade au ive-ve siècle ap. J.-C.). L'araméen judéo-
palestinien est quelquefois nommé chaldéen, abusivement ;
cependant on observe que certains targoums ont été mis
dans leur forme définitive par des docteurs de Babylonie.

Les Samaritains, vestige de l'ancien royaume d'Israël,
indépendants à l'égard de la théocratie de Jérusalem, ont
conservé comme seul livre saint, jusqu'à nos jours (commu-

nauté de Naplouse), un texte du Pentateuque hébreu. Il est écrit dans le caractère samaritain qui dérive directement de l'ancien cananéen (avec l'emploi de *matres lectionis*). C'est également l'hébreu qui a surtout servi de langue savante aux docteurs samaritains. Cependant un targoum a été rédigé en araméen de la région de Samarie, et noté en écriture samaritaine ; il paraît dater du ive siècle ap. J.-C. ; quelques autres textes savants ont été écrits dans le même araméen samaritain.

Les documents chrétiens galiléens se réduisent à quelques mots insérés en transcription dans l'Évangile grec.

Au ve-vie siècle, des chrétiens melkites (c'est-à-dire « impériaux ? »), catholiques, opposés aux Syriens monophysites, ont fait des traductions de l'Évangile et de la Bible en dialecte judéen. Les manuscrits qui les contiennent ont été écrits surtout du viiie au xie siècle, mais il en existe du xve siècle ; ils montrent une écriture syriaque d'un type spécial.

Au ixe siècle, l'araméen palestinien était probablement déjà éliminé par l'arabe de l'usage parlé.

Nabatéen. — Les Nabatéens de Pétra (Arabie Pétrée) et de Bos(t)ra (dans le Hauran, à l'Est de la Palestine) ont eu du iiie siècle av. J.-C. jusqu'à 106 ap. J.-C. un rôle important comme maîtres du transit entre l'Arabie et l'Occident. En 106 leur territoire devient la province romaine d'Arabie. Il semble qu'ils n'étaient pas en majorité des Araméens, mais des Arabes écrivant en araméen.

Le dialecte des inscriptions nabatéennes est un araméen proche du palestinien. Ces inscriptions, surtout votives et tombales, sont nombreuses à Pétra, à Bostra et dans les oasis septentrionales de l'Arabie, surtout *ṭaymaɔ* et *el-ḥiǰr (madāɔin ṣaliḥ)* ; il s'en trouve aussi en Phénicie, en Égypte, et même en Italie. On les date du début du ier siècle avant l'ère chrétienne au début du ive siècle ap. J.-C. (On y a noté des arabismes). L'écriture nabatéenne est la première écriture sémitique sur pierre où les lettres soient liées en partie.

Des inscriptions nabatéennes mal tracées se rencontrent en grand nombre sur les rocs du Sinaï : tous ceux de ces grɑffiti « sinaïtiques » qu'on peut dater sont compris entre le milieu du IIe et le milieu du IIIe siècle ap. J.-C.

Palmyrénien. — La ville de Palmyre (160 kilomètres environ au Nord-Est de Damas) a été la capitale de caravaniers qui commandaient la route du Golfe Persique à la Méditerranée : leur période prospère a commencé au Ier siècle av. J.-C. ; la plus ancienne inscription connue est datée de 43 av. J.-C. Palmyre a été détruite en 273 ap. J.-C. par les légions romaines ; à ce moment il semble que son aristocratie était arabe ou arabisée ; on ne connaît pas d'inscriptions postérieures.

Les inscriptions palmyréniennes sont nombreuses. La plupart ont été trouvées à Palmyre. La plus importante est celle qui contient la loi fiscale de cette ville. Ainsi que de nombreuses autres, elle est accompagnée d'une version en grec. Des voyageurs ont été écrire du palmyrénien jusqu'au bout de l'Europe (Angleterre).

La langue est proche de l'araméen palestinien ; on y a toutefois relevé des particularités orientales.

L'écriture est assez proche de l'araméen d'Égypte ; les lettres sont presque toujours séparés ; à partir du IIe siècle un point au-dessus distingue le *r* du *d* qui était identique par le tracé. Le palmyrénien « cursif » a quelque rapport avec l'estranguela (voir ci-dessous).

Néo-araméen occidental. — La région montagneuse du Liban et de l'Antiliban n'a donné aucun texte littéraire, mais l'araméen y a mieux qu'ailleurs résisté à l'arabe. Des villages libanais parlaient encore araméen au XVIe-XVIIe siècle ap. J.-C. ; les parlers arabes de cette région conservent des éléments araméens. Un village chrétien de l'Antiliban, *maçlūla* (35 kilomètres environ au nord de Damas) et deux villages musulmans voisins, au total près de quatre mille individus, qui savent d'ailleurs l'arabe, usent encore d'un parler néo-araméen occidental (on l'a quelquefois nommé « syriaque occidental »).

Araméen ancien dans la région orientale. — On a des
traces d'emploi de l'écriture et de la langue araméennes
dès le ixe siècle av. J.-C. en domaine akkadien. Au viie siècle
les courts documents (surtout des titres araméens de
tablettes dont le texte est écrit en akkadien) sont
nombreux ; une inscription suivie a été retrouvée à Assour.
A l'époque perse, l'araméen, se répandant, est attesté en
Babylonie par des textes sur tablettes (ve siècle av. J.-C.).
Il se retrouve aussi dans des domaines excentriques : en
Cappadoce, au Caucase, dans la haute vallée de l'Indus.

Ces documents ont une écriture de type ancien, à
caractères séparés. La même écriture peu changée se lit
encore sur de petites inscriptions retrouvées à Assour et à
Hatra (Mésopotamie) qui paraissent être du iiie siècle
ap. J.-C. C'est cette écriture modifiée qui a servi à noter
le pehlevi et le sogdien, enfin l'ouïgour.

D'autre part il y a lieu de mentionner que de l'araméen
a été écrit anciennement en écriture cunéiforme et que
pour l'époque perse on a retrouvé de l'araméen en écriture
démotique.

Syriaque. — Le parler de la ville d'Édesse (moderne
Ourfa) en Mésopotamie septentrionale, est devenu une
langue littéraire. Édesse, vieux centre politique, capitale
de l'État indépendant d'Osrhoène (fin du iie siècle av. J.-C.
à milieu du iiie siècle ap. J.-C.), a été après sa conversion
au christianisme, au iie siècle, la métropole intellectuelle
de l'Orient chrétien.

Des bords de la Méditerranée aux montagnes de la
Perse, la seule langue littéraire chrétienne importante a été
le syriaque édessénien. Le nom « syriaque » est pris au
grec ; il semble perpétuer le vieux nom de l'Assyrie, avec
un déplacement géographique. Les termes indigènes
étaient les équivalents syriaques des mots : araméen,
mésopotamien, édessénien. Le nom de syrien ne peut être
appliqué qu'à l'arabe moderne de la Syrie.

Quelques inscriptions funéraires représentent l'édessénien
de l'époque païenne. D'autres inscriptions datent de
l'époque chrétienne.

La littérature chrétienne d'Édesse a fleuri d'abord du
IIIe au VIIe siècle. Par la suite, le monument le plus considérable en est la traduction complète de la Bible et des
Évangiles depuis le Xe siècle environ. Cette traduction
est dite version « simple » (en syriaque *pəšiṭṭa* d'après la
prononciation dite orientale, *pəšiṭṭo* d'après la prononciation dite occidentale), par opposition à l'Hexaplaire, à
texte en plusieurs langues.

Du VIIIe au XIIIe siècle, la langue, déjà plus ou moins
immobilisée auparavant par son usage littéraire, n'est
plus qu'une langue savante : les chrétiens d'Orient
adoptent l'arabe dans l'usage parlé et même les auteurs
syriaques, de la fin du Xe au XIIIe siècle, écrivent en
arabe en même temps qu'en araméen.

Après le XIIIe siècle, le syriaque ne donne plus d'œuvres
littéraires ; mais il reste la langue du culte chrétien et la
pratique s'en est perpétuée dans le clergé jusqu'à nos
jours chez les Nestoriens (dits aussi à tort Chaldéens) et
les Jacobites, de la Syrie jusqu'à la côte de Malabar dans
l'Inde.

Les circonstances religieuses qui ont régi le syriaque
ont fait dès l'origine incorporer à son vocabulaire une
grande quantité de termes grecs. Au Ve siècle, les querelles
confessionnelles ont causé un schisme linguistique : tandis
que les melkites renonçaient au syriaque, à Édesse même
il y avait séparation entre les Jacobites monophysites,
qui se rattachaient à l'empire romain, et les Nestoriens
diphysites, qui étaient surtout ressortissants perses.
L'aspect linguistique de la querelle a été l'adoption par
les deux partis d'habitudes de prononciation et d'écritures
différentes. L'aspect politique en a été l'expulsion des
Nestoriens d'Édesse à la fin du Ve siècle ; établis à Nisibe,
ils ont fait une grande propagande chrétienne en Asie.

Écriture syriaque. — Dérivée de l'araméen ancien,
connue d'abord par des monnaies et des inscriptions du
Ier siècle, puis par des manuscrits du Ve siècle, elle a un
caractère original de cursive, où la plupart des lettres
sont liées à l'intérieur des mots ; un point diacritique est

utilisé pour distinguer *r* de *d*. Le syriaque se lit de droite
à gauche, mais quelques inscriptions ont aidé à démontrer
que le tracé était fait de haut en bas, au moins à certaines
époques et dans certaines communautés

L'écriture syriaque telle qu'elle a servi sans concurrente
jusqu'à la séparation des Jacobites et des Nestoriens est
appelée estranguela (estranghela), ou estranguelo (estranghelo). Les voyelles n'y ont jamais été notées que par
des *matres lectionis;* des points distinguant certaines
catégories de mots facilitent la lecture.

Les Nestoriens ont employé une forme peu modifiée de
l'estranguela ; à partir du VIIIe siècle, ils ont adopté,
surtout dans les textes liturgiques, un système de notation
des voyelles par des points au-dessus et au-dessous de la
ligne. Les Jacobites ont tracé une cursive plus grêle qu'ils
ont munie (fin du VIIe ou VIIIe siècle) de voyelles grecques
placées sur ou sous la ligne.

L'écriture syriaque a été appelée *karšūni* (karchou-
nique) quand elle a servi, avec quelques additions, à la
notation de l'arabe en pays araméen et à celle du langage
des chrétiens de saint Thomas (côte du Malabar, Inde).

Caractéristiques linguistiques. — Le fonctionnement
général de la langue est le même que celui de l'araméen
occidental. Une innovation qui caractérise l'ensemble de
l'araméen oriental est le remplacement du préfixe *y-* de
3e personne de l'imparfait par *n-* ou *l-*.

Harranien. — On n'a que quelques gloses du parler de
la ville de Harran, au Sud d'Édesse, restée païenne jusqu'au
VIIIe siècle.

Talmud de Babylone. — Le principal dialecte araméen
oriental, avec le syriaque, est la langue du Talmud de
Babylone *(talmūd babli)* : celui-ci consiste en une guemara
étendue qui a été rédigée dans les écoles juives de Babylone
du IVe au VIe siècle ap. J.-C. environ (sur les targoums
voir ci-dessus p. 122).

L'écriture est l'hébreu carré, sans autre vocalisation que
les *matres lectionis*.

Mandéen. — Le domaine sud-est de l'araméen a vu se développer les littératures de diverses sectes qui ont mélangé des influences iraniennes aux influences judéo-chrétiennes. S'il ne reste rien des écrits araméens manichéens, les Mandéens (Mendéens, Mandaïtes, Mendaïtes) ou chrétiens de Saint-Jean, qui se nomment eux-mêmes *naṣōraye* et qu'on appelle encore quelquefois, par confusion avec une autre secte, Sabiens, Sabéens ont subsisté jusqu'à nos jours et ont préservé leur littérature écrite et même leur langue parlée, employée à côté de l'arabe. On en comptait environ 5500 en Iraq en 1937.

La langue de la littérature mandéenne diffère peu de celle du Talmud de Babylone. Ses plus anciens monuments datent environ de la période VIIe-IXe siècle ap. J.-C.

L'écriture est une cursive à caractères généralement liés, indépendante du syriaque ; l'usage des *matres lectionis* est étendu au point que toutes les voyelles sont notées.

Néo-araméen oriental. — Des parlers qui n'ont pas eu anciennement d'importance littéraire se sont conservés vivants jusqu'à nos jours dans la région montagneuse qui forme l'extrémité nord-est du domaine araméen, où ils s'entremêlent avec des parlers kurdes (iraniens). Ce néo-araméen oriental, souvent appelé néo-syriaque, et aussi syriaque vulgaire, soureth, est la langue de deux cent mille individus environ.

Les jacobites de la Mésopotamie septentrionale, dans le district de *ṭūr ɣabdīn*, parlent le « torani » qu'on a appelé aussi le mésopotamien.

Plus à l'Est, le néo-araméen est parlé surtout par des nestoriens, mais aussi par un petit nombre d'uniates (ralliés à la catholicité et qu'on appelle chaldéens), de jacobites et de juifs ; le principal dialecte est l'« ourmien » de la région du lac d'Ourmia, dont les missionnaires protestants et catholiques ont fait à la fin du XIXe siècle une espèce de langue littéraire (avec écriture nestorienne).

Une partie de ces éléments a émigré vers le Nord. Après la guerre de 1827-1828 entre Perse et Russie, des groupes se sont établis en Transcaucasie, notamment en Arménie où ils ont été désignés par le terme arménien *aysor* (Assyrien) ; on en comptait 2.400 en 1894. Depuis la guerre de 1914-1918, l'émigration s'est accentuée, et il s'est établi en particulier une colonie d'*aysor* ou *asiriyets* à Leningrad ; ils seraient environ cinquante mille en Union Soviétique; ils ont été dotés de livres écrits en écriture latine phonétique ; la langue s'appelle en russe *aysorskiy*.

Le néo-syriaque est remarquable surtout par la disparition de l'ancienne conjugaison, remplacée par une nouvelle conjugaison à deux aspects (accompli-inaccompli) formée par des participes avec pronoms agglutinés comme désinences.

Sémitique (occidental) méridional

Le domaine ancien du sémitique méridional est l'Arabie, avec la partie de l'Afrique qui a été colonisée par des habitants de l'Arabie. En Arabie même il faut séparer la région des langues sud-arabiques et la région de l'arabe ; dans celui-ci, il faut encore distinguer de l'arabe proprement dit (dont le domaine ancien est l'Arabie centrale) les dialectes attestés par des inscriptions dans le Nord de l'Arabie et sur ses confins.

Le sémitique méridional est remarquable en phonétique par l'abondance des consonnes (en particulier existence des arrière-vélaires k et g et des interdentales) et par le passage de p à f.

En morphologie, les traits distinctifs principaux sont les suivants : il existe, comme en vieil akkadien, une flexion nominale à trois cas ; le pluriel des noms est souvent exprimé au moyen de collectifs, caractérisés surtout par la vocalisation des radicaux (d'où les termes de pluriels internes ou brisés) ; dans le verbe, on distingue généralement un mode subjonctif du mode indicatif.

ARABE

Inscriptions du Nord de l'Arabie. — Il s'agit du domaine d'anciennes populations connues notamment par des auteurs grecs (Hérodote) et latins (Pline) ; quelques mots sur de petits objets (cachets, cylindres) de provenance mésopotamienne permettent de remonter sans doute jusqu'au xe siècle av. J.-C.

Des inscriptions se rencontrent au nord du Hedjaz, dans les oasis de Teima, el-Hidjr, el-Ela (el-Ula, Dedan).

Certaines de ces inscriptions contiennent la mention des rois de *liḥyān* ; on les situe à une époque allant du iie ou i^{er} siècle avant au ive-vi^e après J.-C. La langue lihyanite est proche de l'arabe. L'écriture est de type sudarabique ; la direction est horizontale, de droite à gauche.

Dans les mêmes endroits et aussi plus au Nord se relèvent des textes en une écriture moins soignée, tracés en différentes directions (souvent de haut en bas) ; on leur attache le nom de thamoudéens (tamoudéen, thamoudique, thamoudite) d'après le nom des Thamoud *(ṭamūd)* que le Coran situe dans cette région et dont les *liḥyān* étaient peut-être une fraction. On a aussi appelé ces graffiti protoarabes, protoarabiques.

D'autre part, au Nord du domaine nabatéen (au Sud-est de Damas), sensiblement dans la région des anciens Ituréens, les habitants du *ṣafā* ont tracé des graffiti dans leur langage arabe septentrional (à côté de graffiti en grec), probablement pendant les trois premiers siècles de l'ère chrétienne. L'écriture safaïte (safaïtique) est analogue à l'écriture lihyanite ; la direction n'en est pas fixe.

Arabe ancien. — La langue propre des Arabes (qui semblent être mentionnés en akkadien dès le ixe siècle av. J.-C.), et dans cette langue le nom même des Arabes (racine ɛrb), apparaissent dans une inscription funéraire royale trouvée à En-Nemara (partie sud du Safa) ; elle est datée de 328 ap. J.-C., écrite en caractères nabatéens ; cette inscription reporte au temps où des tribus arabes plus ou moins sédentarisées se rattachaient aux influences romaines (Ghassanides) et perses (Lakhmides de El-Hira).

L'écriture arabe, encore dénuée de tout point diacritique, apparaît dans l'inscription de *zabad* (Sud-est d'Alep), datée de 512, dans celle de *ḥarrān*, au Sud de Damas, datée de 568, et dans celle d'*umm eǰ-ǰimāl* au Sud de Bosra, de la même période.

A peu près à la même époque une langue littéraire (mais non encore écrite), celle de la poésie dite antéislamique, était florissante dans l'Arabie centrale. Une espèce de compromis entre la langue de la poésie antéislamique et le parler de la population des Qoraïchites *(ḳurayš)* de La Mekke a été la langue du Coran *(ḳurɔān)*, qui est l'ensemble de la prédication de Mahomet, dans la première partie du viie siècle.

L'arabe littéraire (ancien, classique, littéral, savant, coranique, régulier) est une des langues les plus importantes que connaisse l'histoire. D'innombrables auteurs ont écrit la langue fixée d'après les poèmes antéislamiques et le Coran : commentaires de celui-ci, recueils de traditions et de prescriptions, poésies de toutes sortes, ouvrages historiques, dictionnaires, traités de sciences exactes, contes, livres de voyages et d'aventures, presque tous les genres sont représentés. Les inscriptions sont nombreuses. Aucun autre dialecte arabe n'est devenu langue littéraire ; tout au plus le vocabulaire s'est-il assez renouvelé après quelques siècles dans certaines régions pour qu'on puisse parler du « moyen arabe » ; c'est encore l'arabe classique, plus ou moins correctement lu et pourvu des néologismes nécessaires, qui est la langue de la presse contemporaine ; pour désigner cette langue, on dit de plus en plus « arabe moderne » sous entendu « écrit », ce qui prête à confusion avec l'arabe parlé.

Le domaine de l'arabe littéraire ne se borne pas aux pays où l'arabe s'est répandu comme langue parlée ; le Coran ne devant, aux yeux des musulmans orthodoxes, être ni traduit ni transcrit, le Coran arabe a voyagé au loin avec l'Islam (plus de deux cents millions d'individus). L'arabe a été la langue écrite de peuples peu civilisés ; à des peuples musulmans qui ont écrit leur propre langue, il a fourni un très grand nombre de termes religieux et intellectuels (turc, persan, etc.).

L'arabe classique a tous les caractères d'une langue littéraire conservatrice ; la régularité schématique de l'ensemble grammatical (ainsi la notation de trois timbres vocaliques seulement, avec quantité brève ou longue) ; les règles minutieuses d'une syntaxe abondante en distinctions subtiles, presque toutes inexistantes en arabe parlé moderne ; la surabondance d'un lexique où se cumulent les vocabulaires particuliers des lieux et des époques et les trouvailles des auteurs stylistes, tout porte la marque d'une langue dès l'origine savante et non d'usage journalier.

Écriture. — L'écriture arabe, qui continue le tracé nabatéen, mais a été influencée par le syriaque, s'est perfectionnée dès le viie siècle en une cursive rapide, où la plupart des lettres sont jointes ; des points diacritiques ont distingué les caractères dont le tracé se confondait et les consonnes qui, existantes en arabe, sont inconnues du sémitique septentrional. Le total des caractères est de vingt-huit. Les voyelles longues *ū*, *ī*, *ā* sont notées au moyen des signes des semi-voyelles *w* et *y* et du signe de l'ancien ɔ *(ɔalif)*, qui s'est spécialisé dans cet emploi. L'écriture ordinaire *nasᵬ(i)* se distingue d'une forme raide, surtout monumentale, le coufique.

Les grammairiens exégètes, soucieux surtout de conserver rigoureusement exacte la prononciation du Coran, ont adopté des signes complémentaires, principalement un signe de gémination, un signe pour l'occlusive glottale et des signes pour noter les voyelles ou l'absence de voyelle. Un système rappelant le syriaque nestorien, avec des points, n'a pas persisté. Celui qui a été adopté au milieu du viiie siècle environ emploie trois lettres schématisées (d'origine jacobite, peut-être en partie arabes) sur et sous les consonnes. Depuis une époque ancienne (xᵉ siècle), les exemplaires du Coran sont toujours voyellés. La vocalisation peut aussi servir à l'enseignement. Mais l'ensemble des manuscrits et imprimés arabes est écrit sans voyelles brèves, souvent même sans signe de gémination et quelquefois même les points diacritiques des consonnes y manquent ou sont rares. Les conséquences de cette situation sont multiples. D'abord un texte arabe ne peut être lu correctement, et donc bien compris que par un lettré. D'autre part, le consonantisme étant resté très ferme dans l'évolution de l'arabe parlé, tandis que les voyelles n'ont pas cessé de se réduire plus ou moins suivant les dialectes, un texte non voyellé peut à la rigueur se lire autrement qu'avec la prononciation classique ; un article de journal, un conte, et surtout une lettre peuvent être, quoique écrits en arabe littéraire, déchiffrés tout bas ou même tout haut en parler moderne. Cette altération conditionnelle de la langue savante, malaisément tangible, personnelle à chaque lecteur peu instruit, est finalement une des causes de la persistante juxtaposition de cette langue à la langue parlée.

L'écriture arabe a eu une vaste fortune, dépassant encore celle de la langue littéraire ; elle a servi et sert encore à noter des langues variées (turc, persan, hindoustani, etc.). On appelle « aljamia, aljamiada » la littérature de langue espagnole telle qu'elle a été écrite en caractères arabes par les Morisques, musulmans d'Espagne obligés de se convertir au moins extérieurement au catholicisme après la chute de Grenade en 1498.

D'autre part l'arabe a été quelquefois noté dans d'autres écritures : il est écrit en caractères hébraïques par les juifs, en caractères latins par les Maltais ; le Coran a été récemment édité dans l'écriture latine adoptée pour le turc (sur le *karšūni*, voir p. 127).

Caractéristiques. — Le consonantisme arabe est riche ; il comprend les arrière-vélaires *k̠* et *g* et les interdentales *t̠* et *d̠* et l'emphatique *ṭ* (articulée *ḍ* dans la prononciation

classique) ; de plus une autre emphatique que nous
noterons *ḏ*, qui paraît avoir eu une articulation latérale,
et que les lecteurs soigneux s'efforcent de distinguer de *ḍ* ;
l'ancien *g* est palatalisé en *ǰ* ou en *ž* dans la prononciation
classique telle qu'on l'enseigne dans les diverses régions.

Les voyelles n'ont que trois timbres (voir p. 132).

La déclinaison nominale comporte les trois cas à -*u*, -*a*, -*i*
suivis de *n* quand le nom n'est pas déterminé par
l'article *ɔal*-. Les pluriels à alternance (voir p. 129 sont
nombreux et variés. L'imparfait des verbes distingue un
indicatif à finale -*u* (à certaines personnes), un subjonctif
à finale -*a* et une forme sans voyelle finale, employée dans
certaines propositions hypothétiques et négatives.

Texte. *Coran* XII, 46 d'après l'édition Nallino.

*yūsufu ɔayyuhā (l)ṣṣiddīḳu, ɔaftinā fī sabɛi baḳarālin
simānin yaɔkuluhunna sabɛun ɛiǰāfun wasabɛi sunbulālin
ḳuḏrin waɔuḳara yābisālin laɜallī(y) ɔarǰiɛu ɔila(y)-
(l)nnāsi laɛallahum yaɛlamūna*

yūsufu = Joseph (-*u* = marque du cas sujet ou vocatif)
ɔayyuhā = ô (adresse solennelle)

-*(l)ṣ-ṣiddīḳu* = le (article *(ɔa)l*-, dont *l* est assimilé à la
consonne suivante) juste (-*u* comme ci-dessus)

ɔafti-nā = donne une opinion (impératif d'un thème à
préfixe *ɔa*- d'une racine *fty*) -[pour] nous (pronom suffixe)

fī = au sujet de (dans)

sabɛi = sept (-*i* est la marque du cas régime de nom
ou cas après préposition) ; le nom de nombre est déterminé
par le mot suivant.

baḳarālin = vaches (pluriel de *baḳarat-un*) ; -*n* est le
signe de l'indétermination.

simānin grasses (pluriel de *samīn*)

yaɔkulu-hunna = mange(nt)-elles (verbe *ɔakala* à l'imparfait indicatif ; *ya*- préfixe de sujet 3ᵉ personne masc.
singulier ; -*hunna* suffixe de régime 3ᵉ pers. plur. ; le verbe
n'est pas accordé avec le sujet qui suit et il n'y a pas de
relatif exprimé.

sabɛun = sept (cas sujet, indéterminé)

ɛiǰāfun = maigres (pluriel de *ɛaǰīf*)

wa- conjonction « et » ; *sabei* comme ci-dessus.

sunbulātin = pluriel de *sunbulatun* « épi », au cas en *-i*.

kudrin = pluriel de *ɔakḍaru* « vert » ; état indéterminé.

ɔukara = pluriel de *ɔākaru* « autre », mot qui ne prend pas le signe d'indétermination *-n*, et dont le cas en *-a* supplée au cas en *-i* manquant (« sept » non répété).

yābisātin = féminin pluriel de *yābisun* « sec ».

laɛalla- = « peut-être », « de sorte que peut-être », adverbe-conjonction s'adjoignant les suffixes personnels ; ici *-ī*, suffixe possessif de première personne singulier, écrit *-iy* ; une variante préférable porte la forme *-ya (laɛālliya)* ; plus loin le même mot avec le suffixe de troisième personne pluriel *-hum*. Lorsque ce terme n'est pas accompagné de la conjonction *ɔan*, il est suivi de l'indicatif.

ɔarǰiɛu = 1ʳᵉ pers. sing. de l'imparfait du verbe *rǰɛ* « retourner, revenir » (le subjonctif serait *ɔarǰiɛa*).

ɔila(y) = préposition « vers » ; le *-y* ne s'articule pas, en conséquence, la voyelle initiale de l'article qui suit (et dont *-l* est assimilé à *n*) est élidée.

nāsi = cas en *-i* de *nāsun* « gens » (collectif).

yaɛlamūna = 3ᵉ pers. pluriel de l'imparfait indicatif de *ɛalima* « savoir » (le subjonctif serait *yaɛlamū*).

Joseph, ô le juste, donne-nous ton opinion sur sept vaches grasses que mangent sept vaches maigres et sept épis verts et sept autres desséchés, de sorte que je puisse retourner vers les gens et les en instruire.

Noms de nombre (en ce qui concerne les 10 premiers, sous la forme la plus simple, employée avec des noms féminins). Système décimal.

1 *ɔaḥadun*, 2 *ɔitnāni*, 3 *talātun*, 4 *ɔarbaɛun*, 5 *kamsun*, 6 *sittun*, 7 *sabɛun*, 8 *tamānin*, 9 *tisɛun*, 10 *ɛašrun*

20 *ɛišrūna*, 30 *talātuna*, 40 *ɔarbaɛūna*, 50 *kamsūna*

60 *sittūna*, 70 *sabɛūna*, 80 *tamanūna*, 90 *tisɛūna*

100 *miɔatun*, 1000 *ɔalfun*.

Arabe parlé. — Des dialectes variés existaient au temps de Mahomet, en Arabie centrale ; les armées conquérantes de l'Islam rassemblaient avec les Arabes du Centre des Arabes du Sud et du Nord dont les parlers étaient différents. Mais dans l'état actuel des études on ne peut pas assigner de sources différentes déterminées aux parlers modernes si divers qui vivent dans la partie du monde sur laquelle l'Islam a déferlé en l'arabisant. L'Arabie elle-même a plus de chances d'avoir préservé des divisions dialectales anciennes ; mais elle est encore trop mal explorée pour qu'on puisse bien en juger.

L'arabe parlé (dialectal, moderne, vulgaire) est de nos jours la langue de 50 millions d'individus au moins (arabes et populations arabisées, notamment des berbères et des noirs soudanais). Son domaine, se restreignant sur certains points (Europe), s'étendant sur d'autres (Afrique), a été au total sensiblement égal en superficie depuis le xive siècle (environ 14 millions de kilomètres carrés). L'arabisation linguistique des enclaves se poursuit ; il y a beaucoup de bilingues.

Sur ce domaine arabe, il y a de très nombreux parlers : chaque tribu de nomades (bédouins), chaque canton de campagnards sédentaires *(fellāḥ, faḥsi)*, chaque ville, et chaque élément citadin dans les villes complexes, a une manière spéciale de parler. Le langage local s'écarte plus de l'arabe ancien dans les régions les plus éloignées de l'Arabie ; dans chaque région, les parlers de nomades et campagnards sont plus conservateurs ; les parlers citadins ont plus innové.

Il apparaît que les parlers des villes et de certains sédentaires environnants représentent en pays anciennement non arabes une plus ancienne couche d'arabisation linguistique.

Malgré sa diversité, l'arabe parlé est resté assez un pour que des gens de langue arabe qui ne se comprennent pas de prime abord puissent arriver à communiquer entre eux au prix d'efforts d'accommodation peu considérables, de Zanzibar à Mogador. Au contraire de l'arabe littéraire, c'est une langue d'un maniement grammatical simple.

D'une manière générale *ḏ* a disparu ; le *ḍ* avec lequel
il s'est confondu est soit conservé, soit représenté par *ḍ*,
là où l'articulation interdentale est éliminée, ce qui arrive
généralement dans les parlers citadins ; *ǝ* est souvent
altéré jusqu'à amuissement ; d'autre part dans la majorité
des parlers citadins *ḳ* est réduit à *ǝ* tandis que les parlers
bédouins ont *g*.

L'usure des finales et la réduction (dans diverses proportions suivant le degré de conservation) des voyelles brèves
à *ǝ* alternant avec zéro ont contribué à la perte de la déclinaison nominale et à celle des distinctions par alternances
d'actif et de passif (suppléé par le réfléchi), ainsi que
d'indicatif et de subjonctif dans le verbe. En revanche le
rôle des particules (prépositions, préverbes, conjonctions)
et de certains auxiliaires est augmenté.

L'arabe parlé n'est presque nulle part connu par des
témoignages anciens. L'étude se réduit presque partout à
l'arabe d'époque moderne, observé depuis le XIXᵉ siècle
par les savants européens.

Les principales divisions dialectales du domaine arabe
répondent à des divisions géographiques naturelles et en
partie à d'anciennes régions linguistiques et nationales
distinctes, recouvertes à différentes époques ; l'exploration
n'est pas achevée, les classements ne sont pas tous définitifs.

1. Arabie (parlers arabiques). Pas de statistique (l'évaluation maximum étant de 13 millions).

Vers le Nord : les dialectes du Hedjaz, en particulier le
parler citadin de La Mekke *(mäkka)*. Le désert de Syrie
(ci-dessous 3) paraît se rattacher en partie à l'Arabie du
Nord. A l'Est du Hedjaz, parlers du Nedjd.

Au Sud : dans le Yémen, nombreux parlers, notamment
ceux des villes (Sanaa, Aden, etc.) ; l'arabe yéménite est
aussi parlé en Afrique chez des Somali comme langue
seconde. Plus à l'Est, les parlers du Hadramaut et du
daṭina (datinois). Plus à l'Est encore, les parlers de
l'Oman (Omanais) ; on a décrit surtout un parler du
centre (à l'Ouest de Mascate) ; un parler de la corne nord

6—1

s'appelle le *šaḫi* (dans le même district existe un parler iranien) ; le parler de Zanzibar en Afrique, en usage à côté du souahili, est de l'omanais.

Pour cette région, il faut tenir compte de l'islamisation des îles Comores et, partiellement, de Madagascar, où un sabir à base d'arabe a été en usage.

2. Iraq *(ɛirāḳ)*, ancienne Babylonie ; quelques gloses anciennes ; en particulier parler de Bagdad. Mésopotamie : parlers de Mossoul, de Mardin. Argot *ḳurbāti* en Perse méridionale. Peut-être 4.000.000 d'habitants.

En Turkmenistan, Kazaristan, Tadjikistan, parlers de nomades peu nombreux (peut-être 25.000 individus).

3. Syrie (arabe syrien, syrien) : parlers d'Alep, de Beyrouth, de Damas et des campagnes ; du Liban (libanais) s'étendant aux Druses. Palestine (arabe palestinien) : Jérusalem, les campagnards. Le désert de Syrie, au moins en partie : parlers bédouins et Palmyre. Environ 4.000.000 d'individus auxquels il faut ajouter de nombreux émigrants en Amérique, et ailleurs.

4. Égypte (arabe égyptien, égyptien) ; en particulier, parler du Caire (cairote) ; argot *ḫalebi* ; la haute Égypte est mal connue. Des évaluations relativement récentes donnaient 8 millions d'habitants à l'Égypte ; mais les dernières statistiques montent à 14 millions au moins.

De l'Égypte dépend linguistiquement le Soudan, avec des populations mélangées de bédouins arabes envahisseurs (*kabābiš, ɛabābde*, etc.) et de chamites (Est), de noirs (Ouest). Autour du lac Tchad, les Arabes sont appelés « choa » (*šoa, šuwa*, etc.), nom souvent donné aux parlers arabes du Bornou et du territoire du Tchad ; le parler du Ouaday fait partie du même ensemble. Les parlers orientaux du Soudan (sur la rive gauche du Nil) sont encore mal connus.

5. Maghrib (c'est-à-dire, en arabe, Occident) ; dans les anciens ouvrages, Barbarie.

Le grand domaine des parlers maghribins (magrébins, mog(h)rébins) s'étend des confins égyptiens à l'Atlantique ;

il se subdivise en groupes de parlers dont quelques-uns ont commencé à se développer déjà à partir du viie siècle, mais dont l'ensemble s'est constitué surtout depuis le xie siècle.

Il faut prendre garde, dans la nomenclature, au cas où une ville donne son nom à une région ; ainsi « algérois » désigne les parlers de la ville d'Alger (Alger-musulman et Alger-juif) ou les parlers de la région d'Alger ; « algérien » dénomme l'arabe de toute l'Algérie.

a) Parlers des îles. A Malte, le « maltais », parlé par des chrétiens maltais, et écrit au moyen de l'alphabet latin complété (xixe siècle). Environ 200.000 individus.

En Sicile aussi l'arabe a été parlé (domination arabe au xe siècle) ; des diplômes siciliens en arabe classique avec des vulgarismes ont été retrouvés et publiés.

L'arabe a laissé des emprunts nombreux dans les parlers romans à Pantellaria (où il a été en usage jusqu'au xviiie siècle), et aux îles Baléares.

b) Libyen (libyque) et tripolitain (en particulier, ville de Tripoli). Environ 1.000.000 d'individus.

c) Tunisien, en particulier ville de Tunis. Environ 2.000 000 d'individus.

d) Algérien ; il faut distinguer, de l'Est à l'Ouest, les parlers des différentes régions, sans rapport exact avec les départements de Constantine, Alger, Oran ; d'autre part, les parlers des villes (dans certaines se rencontrent les Maures, population d'origine très mélangée). Il faut distinguer aussi du Nord au Sud diverses régions : le *sāḥel* (bande côtière), le *täll* (bordure nord des hauts plateaux), le Sahara. L'évaluation de 3.500.000 individus (vers 1920) doit être largement dépassée et portée à plus de 5 millions.

e) Hispanique (andalou ou andalous). L'arabe a été parlé en Espagne méridionale à partir du viiie siècle jusqu'au xvie siècle et aussi au Nord du xie au xiiie siècle. L'arabe d'Andalousie est connu par des poèmes en langue vulgaire du xiie siècle, et par des études d'Espagnols

chrétiens, en caractères arabes au xiiie siècle, et à la fin
du xve siècle avec emploi de l'écriture latine. De nombreux
emprunts arabes sont restés en espagnol et en portugais.

f) Marocain (arabe marocain). L'arabe est parlé au
Maroc par deux cinquièmes des habitants (soit environ
1.600.000 vers 1920) surtout dans les régions basses.

g) Hassani *(ḥasaniya)* ; ainsi nommé d'après la tribu
conquérante des *dawī-ḥasan* ; c'est l'arabe de la Mauritanie
et des territoires à l'Est de la Mauritanie, jusqu'à Tombouctou ; cet arabe élimine de plus en plus les parlers
berbères et soudanais au Nord du fleuve Sénégal, et sert
de langue de relation à de nombreux musulmans.

SUDARABIQUE

Sudarabique ancien (appelé aussi sudarabe, himyarite,
sabéen, yéménite, yoktanite, etc.). Cette langue est représentée par des inscriptions nombreuses, surtout dans le
Yémen et dans les oasis au nord du Hedjaz.

L'étude de ces inscriptions permet de reconstituer en
partie l'histoire ancienne de l'Arabie occidentale.

Un état florissant a été constitué dans le Sud-Ouest de
l'Arabie par les Minéens *(mɛn)* avant tous autres états
connus en Arabie, mais à une époque mal déterminée ; les
vraisemblances paraissent être pour le viiie siècle av. J.-C.
Les Minéens, maîtres du commerce par terre de l'Océan
Indien vers le Nord par la côte arabique de la mer Rouge,
avaient des colonies septentrionales, au contact du monde
cananéo-araméen ; le minéen y a été écrit sur la pierre,
ainsi qu'en Yémen. Lorsque la puissance a passé ensuite
aux Sabéens *(sbɔ)*, qui semblent n'avoir pas eu de
colonies au Nord, c'est le dialecte « sabéen » qui a prédo-
miné dans les inscriptions yéménites. La période suivante,
illustrée à son début par les luttes des Sabéens et des
Himyarites (gens de *ḥimyar*), a vu persister la prédominance linguistique du sabéen. Quand les Abyssins
établissent au début du ive siècle ap. J.-C., pour une

courte période, leur prédominance sur le Yémen, il n'en résulte pas non plus de changement dans la langue des inscriptions. Quelques inscriptions ne provenant pas de l'État principal attestent des dialectes méridionaux : de l'Ouest à l'Est, sans doute, celui du *ɔwsn* (awsanique), et celui du *ḳlbn* ou qatabanique (au Nord du site d'Aden), enfin celui du Hadramaut (en arabe *ḥaḍramowt*).

Les dernières inscriptions sudarabiques, au VIe siècle, ont précédé de peu l'établissement de gouverneurs perses ; eux-mêmes ont été chassés au VIIe siècle par la conquête musulmane.

La tradition de la langue écrite sudarabique, incomprise des Arabes et des Sudarabiques modernes, s'est éteinte peu à peu, sans qu'aucune littérature ait été conservée en dehors des inscriptions.

Caractéristiques. — Le sudarabique, autant qu'on peut le voir par l'écriture sans voyelles, a été proche de l'arabe Le consonantisme était encore plus riche (distinguant deux variétés d'*s*). La détermination des noms était marquée par une finale à -*n*, l'indétermination (ou détermination légère) par un -*m*. Le lexique était assez différent de l'arabe ; il est insuffisamment connu, vu la brièveté et la monotonie des inscriptions.

Écriture sudarabique. — Cette écriture monumentale est une ramification originale de l'alphabet sémitique, indépendante, semble-t-il, des écritures du Nord. Les rapports de dérivation entre elle ou son prototype et les écritures lihyanite et safaïtique ne sont pas encore élucidés. Cette écriture est remarquable par les formes géométriques régulières de nombreux caractères. Le tracé est horizontal, la direction de droite à gauche prédomine, mais les inscriptions serpentines, droite à gauche, puis gauche à droite (tracé boustrophédon) sont fréquentes. Il y a vingt-neuf signes de consonnes différentes ; aucune voyelle n'est notée.

Sudarabique moderne. — Si l'arabe a recouvert la région des inscriptions sudarabiques jusqu'à présent connues, des parlers non arabes qu'on n'écrit pas ont subsisté entre le Hadramaut et l'Oman. On distingue : le *mahri* (mehri), dans le Mahra ; le *ḳarawi* ou *grawi* (*šḫawri*, *šaḥari*, *ḥaḳili*, *eḫḳili*, etc.) contigu au mehri à l'Est, dans un petit district montagneux sur la côte ; plus à l'Est encore le *harsusi* et le *boṭahari*, proches du *mahri* dont ils semblent être des dialectes ; le *soḳoṭri*, parler de l'île de Soqotra et des îles voisines (D'après un renseignement isolé, un parler, celui des *minhālī*, formerait une transition entre le mehri et le parler arabe du Hadramaut). La reconnaissance n'est pas achevée.

Le sudarabique moderne a subi une évolution originale qui le distingue nettement à la fois de l'arabe et de l'éthiopien ; si on le compare au sudarabique ancien qu'il semble continuer sur un domaine excentrique, on y remarque certaines transformations des laryngales, sifflantes et interdentales. La déclinaison nominale n'existe plus.

LANGUES ÉTHIOPIENNES

L'ensemble des langues éthiopiennes représente une avance du sémitique en Afrique, antérieure de beaucoup à l'expansion de l'arabe : invasion par des colons venus de l'Arabie du Sud, commencée sans doute plusieurs siècles avant l'ère chrétienne ; État constitué au 1er siècle au plus tard. Les diverses langues du groupe éthiopien semblent dues à l'évolution parallèle de plusieurs dialectes sudarabiques proches entre eux, soumis en domaine africain à l'influence des parlers couchitiques qu'ils ont plus ou moins lentement éliminés. Une classification rigoureuse n'en a pas encore été faite.

Le nom « éthiopien » désignait en grec différents éléments africains ; ce terme emprunté par l'éthiopien classique est devenu une désignation officielle. Le nom indigène de la population est une forme, attestée par des inscriptions du IVe siècle, de la racine *ḥbš*, d'où Abyssinie. Abyssin, qui sont les noms propres du pays et de ses habitants.

L'empire abyssin s'est étendu, de nos jours, depuis les
conquêtes du règne de Ménélik, à une superficie de
un million de kilomètres carrés environ auxquels il faut
joindre, pour envisager le domaine éthiopien complet,
les 100.000 kilomètres environ de la ci-devant colonie
italienne de l'Érythrée. La population est difficile à évaluer ;
dix millions sont sans doute un minimum. Sur l'ensemble
de l'empire, les langues sémitiques recouvrent à peu près
le quart de la superficie, dans les régions où la population
est de beaucoup la plus dense ; on peut leur attribuer
environ cinq millions d'individus ; le reste parle couchitique et, pour une faible part, nilotique.

La population, tant de langue sémitique que de langue
couchitique, est dans l'ensemble, avec des types locaux
variés, de couleur marron et à cheveux frisés, mais de
traits « caucasiques ». Le genre de vie est surtout celui
d'agriculteurs-éleveurs ; à la périphérie, des pasteurs.

Éthiopien ancien (guèze). — L'éthiopien ancien (éthiopien classique, éthiopien) a pour nom indigène *gəɛz*, qu'on
a diversement accommodé en français : guèze, ghèze, ghez,
gheez, ge'ez, etc. ; au XVIe siècle des savants européens
l'avaient appelé chaldéen, chaldaïque, sans aucune raison
valable.

Le guèze apparaît d'abord sur des inscriptions qui, pour
la plus grande partie, datent du IVe siècle ap. J.-C., et se
trouvent à Axoum, capitale de l'Abyssinie à cette époque.
Elles sont dues en majorité au roi Aeyzanas *(ɛezanā)*
qui a introduit le christianisme dans ses états. La Bible
paraît avoir été traduite en éthiopien au Ve siècle.

L'empire d'Axoum s'est disloqué vers le Xe siècle.
A partir de ce moment, tandis que la langue parlée va
continuer à évoluer en dehors des influences savantes
(voir ci-dessous *tigrigna*), la langue écrite et savante se
transporte avec la culture chrétienne vers le Sud ; après
une période de puissance du Lasta (voir p. 172), un empire
abyssin est reconstitué à la fin du XIIIe siècle d'abord
dans la province du Choa, avec l'amharique (v. ci-dessous)

comme langue parlée. Les plus anciens manuscrits éthiopiens connus ne datent que de cette renaissance.

Le guèze a survécu comme langue liturgique et savante jusqu'à nos jours (prononcé en grande partie à la manière amharique). Sa littérature religieuse et historique, ne cessant d'augmenter, a longtemps empêché le développement d'autres langues littéraires.

Écriture. — La naissance de l'écriture éthiopienne, qui sert pour les langues sémitiques d'Abyssinie en général, semble devoir être datée du iiie siècle ap. J.-C. ; elle est donc antérieure à l'époque de ꬑezanā (ive siècle), mais elle n'était pas encore uniquement employée au début de son règne ; en effet la principale des inscriptions de ce roi a, au revers d'un texte grec, la traduction éthiopienne, d'abord en caractères sudarabiques, puis en caractères éthiopiens non vocalisés. Ceux-ci sont presque semblables aux précédents, mais ont des formes plus arrondies qui font soupçonner qu'ils dérivent d'un tracé cursif. Une autre inscription du même roi est le plus ancien exemple de l'écriture éthiopienne vocalisée, qui par la suite est restée seule en usage.

Les consonnes nues se prononçant avec *a*, six autres nuances vocaliques se marquent par des signes accrochés aux consonnes, ainsi *bū*, *bī*, *bā*, *bē*, *bə* (ou *b*) et *bō*, le signe étant sensiblement constant pour chaque voyelle avec les différentes consonnes. L'alphabet-syllabaire a donc sept formes pour chacune des vingt-six consonnes. Il n'y a pas de signe de gémination. La direction de l'écriture est : de gauche à droite.

Caractéristiques. — Si on en juge à la fois par l'écriture et par l'état présent conservé dans les langues du Nord de l'Abyssinie, le guèze avait toutes les laryngales connues par l'arabe et *ḵ* (mais non *g*) ; les interdentales *t* et *d* se sont confondues avec *s* et *z*, et *ḏ* avec *ṣ*, *ḍ* restant distinct avec une prononciation inconnue (postérieurement aussi *ṣ*). Les voyelles *u* et *i* ont convergé en *ə*.

La déclinaison distingue la forme générale et le régime

de verbe en -*a* ; cette dernière forme sert aussi pour le premier terme de l'état construit.

Le verbe distingue un imparfait indicatif *yəḳattəl* « il tue(ra), tuait » et un subjonctif-jussif *yəḳtəl*.

La construction de la phrase est proche de l'arabe.

Ce système, sauf la perte de la déclinaison, est très peu altéré en tigrigna et en tigré ; cependant les prépalatales (voir ci-dessous à l'amharique) y ont pénétré.

Tigrigna ou *tigray*. — Les deux noms signifient « tigréen », le premier en amharique, le second en tigrigna même, Tigré étant le nom indigène du domaine abyssin au Nord du fleuve Takkazé. Langue de la région dont Axoum est le centre, le tigrigna est à considérer comme du guèze évolué. Il diffère légèrement suivant les provinces (au Nord, dialecte du *ḥamasen*). Très peu écrit jusqu'à nos jours, le tigrigna a été recueilli oralement dans la dernière partie du XIXe siècle. Comme l'administration italienne de l'Érythrée en a fait usage, il a tendu à s'écrire davantage, et à s'étendre aux dépens des parlers voisins. Il est parlé par environ 500.000 individus (chrétiens)

Tigré — Dans le Nord du domaine tigréen est parlé un idiome dans lequel le mot « tigré » désigne à la fois le pays et la langue elle-même ; ce terme, transporté dans les ouvrages européens, provoque malheureusement des confusions avec le tigrigna ; il faut bien prendre garde que tigré et tigrigna sont deux langues distinctes. Sur une partie seulement de son domaine, le tigré a le nom de *ḥasa* (en arabe *ḵāsiya*, *ḵāsi*, d'où la transcription approchée « khasy » ; en bedja on dit *to-hasa*, qu'on a quelquefois noté « tahase »).

Le tigré est le représentant d'un dialecte proche du guèze. Sa littérature orale a été recueillie au XXe siècle. Quoiqu'il ne soit pas langue écrite, il fait figure de langue de civilisation, gagnant sur des parlers voisins et servant de langue seconde à des Chamites et à des Soudanais. Il est la langue unique de 100.000 individus environ, consistant en tribus musulmanes qui habitent la région côtière de Massaoua à Souakin et les îles Dahlak et serait connu d'à peu près 250.000 individus au total.

Amharique. — C'est la langue parlée dans la majeure partie du haut-plateau abyssin, dans l'ensemble entre le Takkazé (sauf sur une petite longueur) au Nord, l'Abbay (Nil Bleu) et les abords de l'Aouache *(hawāš)* au Sud. Il reçoit son nom de la province centrale *amharā* (ancien *amkarā*), soit avec le suffixe indigène (d'où amharegna, amarigna, etc.), soit sous la forme latino-française en *-ique*.

« Langue du roi » depuis la fin du xiiie siècle, l'amharique semble avoir été employé depuis longtemps, comme il l'est de nos jours, dans la correspondance officielle et dans l'enseignement du guèze et des autres matières religieuses. L'usage écrit qu'on en faisait a imposé l'adoption d'un signe spécial qui s'attache à sept signes de l'alphabet éthiopien pour noter les consonnes prépalatales qui y sont fréquentes, mais n'existaient pas en guèze.

Les plus anciennes poésies conservées par écrit datent du xive-xve siècle. Au xixe siècle a commencé à se constituer une littérature amharique ; elle a consisté d'abord surtout en traductions du guèze ; mais elle s'est beaucoup étendue ensuite par la composition d'ouvrages didactiques et la création d'une presse hebdomadaire.

L'amharique, langue de civilisation envahissante, a recouvert des parlers couchitiques divers ; il est généralement langue seconde pour les gens qui ont conservé un parler enclavé de ce groupe. Il se répand de plus en plus dans les régions méridionales de l'empire ; en particulier la capitale moderne, Addis-Ababa, elle-même bâtie dans une campagne galla, attire et amharise de nombreux individus. Le nombre des sujets parlants est de quatre à cinq millions.

L'amharique a gardé en s'étendant une remarquable unité ; il a plutôt quelques particularités provinciales que de vrais dialectes ; il y a quelques années, les puristes préféraient encore le parler de Gondar, ville située dans le Nord de la région amhara et qui a été capitale du xviie au xixe siècle ; on note comme particulier le langage du

Godjam (godjamite). L'usage du Choa (on dit quelquefois dialecte « choanais ») se répand de plus en plus, vu la situation de la capitale moderne.

L'amharique a subi profondément l'influence du substrat couchitique. Outre la multiplicité des prépalatales, il faut y noter l'absence des laryngales anciennes, à l'exception de l'articulation *h* (encore la plupart des *h* représentent-ils d'anciens *k* altérés). Il en résulte que beaucoup de racines ne sont plus trilitères. L'ancienne déclinaison a disparu ; les formes composées avec des auxiliaires se sont multipliées dans le verbe. Le fait le plus remarquable est le changement de l'ordre des mots, où d'une manière générale les compléments sont mis avant les complétés et où la place du verbe est en fin de proposition ; les propositions subordonnées sont placées avant la proposition principale.

Gafat. — C'est le langage propre d'un petit district au Sud-Ouest du Godjam, sur la rive droite de l'Abbay, dernier reste du domaine anciennement plus étendu de la population appelée Gafat ; il n'est plus parlé que par quelques individus. Il est assez proche de l'amharique.

Argobba. — Également très peu répandu et encore insuffisamment connu, ce langage se situe dans deux districts du nom d'Argobba : l'un, dans les montagnes de l'Est du Choa, est habité par des musulmans ; l'autre, au Sud de Harar, a été peuplé par des émigrants de la première région.

Harari. — C'est la langue des citadins musulmans (20.000 environ) de la ville de Harar ; *adari* est le nom somali de la ville et du langage, *adarē* est aussi le nom de ce langage chez les gens de Harar. Ceux-ci se servent en général de l'arabe comme langue écrite. Quelques textes (en écriture arabe) sont attribués au XVIe siècle ; des textes courts ont été notés au XIXe siècle en écriture éthiopienne. Voir encore ci-dessous au gouragué.

Gouragué (gouraghé, guragié). — C'est un ensemble de dialectes variés parlés dans la région de ce nom (environ 10.000 kilomètres carrés), par des éléments chrétiens, musulmans et païens. Le dialecte principal à l'Ouest est le « tchaha » ; il n'est pas seulement le parler du canton de ce nom, mais il fait figure, pour tout un district, de langue littéraire dans la poésie orale. D'autre part les langages orientaux, nettement distincts des autres, paraissent devoir être groupés en un ensemble dialectal avec le harari.

Le gouragué représente l'avance la plus méridionale du sémitique abyssin, attestant une colonisation ancienne non datée exactement, que l'invasion galla du xve-xvie siècle a interrompue pour quatre siècles. On n'en possède pas de documents antérieurs au xixe siècle.

Egyptien

Généralités. — La langue ancienne de l'Égypte a une histoire plus longue en un même lieu qu'aucune autre langue. Elle nous est connue historiquement peut-être depuis les abords de 4000 av. J.-C. La même langue évoluée était encore vigoureuse au viie siècle ap. J.-C. et se survit de nos jours comme langue liturgique.

L'Égypte est ainsi nommée d'après le grec *Aiguptos* ; le nom indigène ancien avait les consonnes *kmt*. Elle comprend, avec le Delta du Nil au Nord, une longue et étroite bande de terrain cultivable sur les deux rives du fleuve ; la limite sud de cette bande s'est déplacée à différentes époques suivant les degrés de puissance du gouvernement égyptien. La superficie cultivable totale est de 30.000 kilomètres carrés environ. On n'a aucune raison de croire que, malgré certaines expéditions lointaines vers le Sud ou dans le Nord (notamment conquêtes en Asie antérieure), la langue ait jamais débordé ce domaine (Dans une partie de la presqu'île du Sinaï, de nombreuses inscriptions égyptiennes attestent des exploitations de carrières et de mines, mais non un peuplement).

La région égyptienne riche et civilisée a dû être peuplée

aux périodes prospères de l'antiquité d'une manière sensiblement aussi dense que de nos jours par des agriculteurs et des citadins (voir p. 138). Les Égyptiens étaient dans l'ensemble de couleur assez foncée (comme on le voit dans leurs peintures) ; il faut tenir compte pour eux de mélanges anciens.

ÉGYTPIEN ANCIEN

Caractéristiques et texte. — L'égyptien a surtout des racines trilitères (voir p. 90). Son consonantisme est riche. On le reconstitue péniblement pour certains détails, le copte ayant perdu la plupart des consonnes laryngales et ce que l'égyptien pouvait avoir d'emphatiques (ceci du moins d'après les indications de l'écriture et de la prononciation traditionnelle) ; on a recours surtout aux comparaisons avec le sémitique et à l'examen de diverses transcriptions en égyptien ou de l'égyptien dans des langues sémitiques. Le système reconstitué montre abondance de laryngales : ɔ, ɛ et quatre spirantes sourdes qu'on transcrit : h, ḥ, ẖ, avec la vélaire ḵ (ḫ) (en copte, au lieu de six consonnes, seulement h et, en bohaïrique de plus ḫ) ; pour les emphatiques il y a ḳ et peut-être la consonne qu'on transcrit soit ḏ soit ǧ (ici ǰ).

Pour la morphologie, l'égyptien a suivi une voie à part dans le système du verbe. L'ancienne flexion verbale avec marques personnelles préfixées y a disparu, si elle a été en usage, dès les plus anciens textes (il n'est pas impossible qu'on en ait une trace dans la partie terminale de la forme dite pseudo-participe, si elle est constituée par un auxiliaire) ; une conjugaison riche en nuances s'est constituée par la jonction de radicaux, nus ou augmentés de suffixes variés, avec des éléments pronominaux suffixés : *śǰm-k* «tu entends », *śǰm-n-k* « tu as entendu », *gm-tw-f* « il est trouvé » (comparer le fait néosyriaque p. 129).

Texte ancien de la Vᵉ dynastie (légende d'une figure représentant un roi qui assomme des prisonniers), dans Moret, *L'écriture hiéroglyphique*, p. 25.

śk̞r — écrit au moyen des signes suivants : *ś*, complément phonétique ; un signe signifiant *śk̞r* « frapper (de la massue) » ; une massue, complément idéographique.

mněw — écrit par : *mn ; n* (complément phonétique du précédent) ; *č ; w* (désinence de pluriel masculin « bédouins »).

ḫɔ́śwt — écrit par : un signe qui signifie « pays étranger », répété trois fois pour exprimer le pluriel ; *t*, suffixe de féminin (-*wt* est connu par ailleurs pour le pluriel féminin).

nb wt — écrit par le signe *nb* « tout » ; -*wt* est supposé par l'accord avec le mot précédent.

Sens de l'ensemble : « frapper de la massue — les bédouins — [et ?] — tous — les pays étrangers ».

Texte de moyen égyptien, de la XIIe dynastie (dans Gardiner, *Egyptian Grammar*, p. 309-310).

Les caractères non commentés sont alphabétiques (voir p. 152).

yk — *y* (graphie des égyptologues : *i*) écrit au moyen d'un monogramme composé du signe monolitère *y* et des jambes, déterminatif des verbes de mouvement. La forme complète serait *ykwy* (il y a souvent des omissions graphiques, comme ici celle de *wy*) ; pseudo-participe à la 1re pers. sing. « je suis revenu ».

m — préposition « en ».

ḥtp — écrit par le signe *ḥtp*, consistant en un pain posé sur une natte, idée de « repos, paix, offrande », suivi de *t* et *p*.

r — préposition « à, vers ».

šmɛw — écrit par un seul signe (idéogramme) « Haute-Égypte ».

yrn — écrit au moyen de l'« œil » (= *yr*) suivi de *n* ; -*y* final de 1re pers. non écrit « j'eus fait » ; pas de subordination exprimée.

hɔbt — écrit phonétiquement, plus les jambes (voir ci-dessus) ; « envoyé », au neutre (exprimé par le féminin ; désinence -*t*) ; pas de relatif exprimé.

wy — pronom « moi ».

rs — préposition (voir ci-dessus) et suffixe pronominal de 3e pers. fém. sing.

« Je suis revenu tranquillement en Haute-Égypte, ayant fait ce pourquoi j'avais été envoyé. »

Numération (décimale). D'après Gardiner, *Egyptian grammar;* certaines formes sont douteuses.

1 *wε(yw)*, 2 *śnw(y)*, 3 *ḫmt(w)*, 4 *fdw*, 5 *dyw*, 6 *śrśw*, 7 *śfḫ(w)*, 8 *ḫmn(w)*, 9 *pśj(w)*, 10 *mj(w)*.

20 *jbεty*, 30 *mεbɔ*, 40 *ḥm*, 50 *dyyw*.

60 *śr(*et *śyw)*, 70 *sfḫ(yw)*, 80 *ḫmn(yw)*, 90 *pśj(yw)*.

100 *št*, 1.000 *ḫɔ*, 10.000 *jbε*, 100.000 *ḥfn*, 1.000.000 *ḥḥ*.

Histoire, littérature, écriture. — Période primitive. — Pour l'histoire, c'est la période dite pré-dynastique, où l'Égypte n'avait pas encore de dynasties royales (approximativement dans les siècles après l'an 4000). Quelques documents montrent des images pour lesquelles on hésite entre deux interprétations : dessins à intention symbolique ou véritables pictogrammes, représentations figurées équivalant à des phrases, mais non décomposables en mots. Certaines sont déjà accompagnées de mots écrits en hiéroglyphes.

Débuts de la période dynastique (période thinite). — Les documents historiques, pour cette période et les suivantes, sont des listes royales reproduites imparfaitement par des auteurs grecs, retrouvées en partie dans des textes égyptiens de diverses époques, vérifiées par des découvertes de monuments qui peuvent être attribués avec certitude à une période, une dynastie, un prince déterminés. Un certain nombre de dynasties sont donc entrées dans le domaine de l'histoire ; les égyptologues travaillent à remplir les vides entre les périodes ainsi éclairées.

L'histoire suivie commence avec Ménès (forme grécisée), premier roi de la 1re dynastie issue de la région de Thinis ; c'est le fondateur de Memphis. Son règne se situerait vers 3400, suivant la chronologie « courte » sur laquelle la plupart des égyptologues s'accordent actuellement (certains l'ont situé entre 4500 et 4000).

Pour la période de transition (2e dynastie à Thinis,

3ᵉ dynastie à Memphis), on a quelques documents contemporains et des textes écrits postérieurement, en hiéroglyphes (pyramides de Saqqarah).

Ancien empire (memphite), à partir de 2900. — Les
dynasties en pleine lumière de l'histoire sont la 4ᵉ
(grandes pyramides de Gizeh), la 5ᵉ et la 6ᵉ.

Au cours de cette période, la langue littéraire qui
s'était créée dans la période précédente s'écrit sur de
nombreux monuments (textes religieux et funéraires,
autobiographies) ; elle est maintenue sensiblement immo-
bile pendant de longs siècles par ceux qui la manient :
prêtres et scribes de profession.

Écriture. — L'écriture hiéroglyphique (en grec : de
gravure sacrée) consiste en un grand nombre de dessins
séparés (animaux, végétaux, hommes dans différentes atti-
tudes et parties du corps, objets divers). Dès les plus
anciens textes, on trouve que certains de ces dessins
n'expriment pas idéographiquement le nom de ce qu'ils
représentent, mais des mots ou parties de mots homophones
à ce nom. Ce sont des hiéroglyphes phonétiques. Beaucoup
équivalent à deux consonnes (les voyelles ne sont pas
notées), d'autres à trois ; les plus fréquemment employés
sont ceux qui, représentant comme idéogrammes des mots
très courts, servent à noter une seule consonne. Les idéogrammes et les signes phonétiques se combinent en un système compliqué pour présenter aux yeux des lecteurs des
textes continus (voir ci-dessus). Les hiéroglyphes usuels
sont au nombre de 600 environ. Le total des signes qu'on a
dû graver pour les imprimeries bien montées, en tenant
compte des diverses formes d'un même signe, oscille
autour de trois mille. La direction habituelle de l'écriture
monumentale est de haut en bas sous l'ancien empire
(le texte commençant généralement par la colonne de
droite) ; plus tard elle a été horizontale, normalement de
droite à gauche. (La cursive (p. 153), verticale ou horizontale, va de droite à gauche). Les mots ne sont pas
séparés ; la disposition des signes (certains les uns au-

dessus des autres dans la ligne) est soumise à des conditions de commodité et d'esthétique.

Moyen empire (thébain). — A partir de 2000 environ, les trois dynasties bien connues sont les 11ᵉ, 12ᵉ et 13ᵉ. — Les scribes pendant cette période continuent à écrire la langue littéraire, très peu évoluée, dans les hiéroglyphes monumentaux. Les égyptologues nomment maintenant cette langue classique « moyen égyptien ».

C'est à cette époque qu'apparaissent pour nous les manuscrits en nombre (rares sont ceux qui datent de l'ancien empire) ; l'écriture en est dite, d'après le grec, hiératique, c'est-à-dire ecclésiastique, quoiqu'elle ait surtout servi à des usages profanes. C'est une manière cursive de dessiner les hiéroglyphes à l'encre, avec un roseau, sur papyrus ; les formes des hiéroglyphes ainsi simplifiés sont assez variables ; le nombre des caractères de valeur différente est d'environ six cents.

A la littérature religieuse et historique officielle s'ajoutent des documents légaux, des traités scientifiques, des romans, des lettres.

La langue des textes familiers est sensiblement différente de celle des inscriptions ; on peut admettre que c'était l'égyptien parlé de la région de Thèbes.

Nouvel empire (thébain). *Néo-égyptien.* — A partir de 1580 environ, les dynasties connues avec exactitude sont les 18ᵉ, 19ᵉ et 20ᵉ ; c'est l'époque des rois célèbres du nom de Ramsès.

Les scribes imitent encore la langue classique du moyen empire dans de nombreuses inscriptions.

Mais la langue vulgaire prend une place de plus en plus grande : elle est même à une certaine époque (un peu sous la 19ᵉ dynastie, surtout sous la 20ᵉ dynastie, vers 1200) écrite sur les monuments. D'abondants manuscrits sont écrits au moyen de signes hiératiques un peu évolués. Cette langue vulgaire est dite néo-égyptien.

Période saïte. — Au VIIᵉ siècle les rois de Saïs dans le Delta (les Psammétique) constituent les dernières dynasties indigènes, qui brillent avant la conquête de l'Égypte par Cambyse, événement bientôt suivi lui-même de la soumission à Alexandre.

De l'époque saïte datent des inscriptions archaïsantes où l'ancien égyptien est employé de façon puriste.

A la fin du VIe siècle av. J.-C., l'écriture des hiéroglyphes sur manuscrit prenait une nouvelle forme plus cursive encore que le hiératique. On lui donne le nom de « démotique » ainsi qu'à la langue contemporaine qu'elle note, langue sensiblement une sans caractères locaux. L'écriture démotique s'essaie à noter les voyelles. Elle comporte environ six cents caractères.

La période démotique comprend le temps des dominations perse, gréco-macédonienne (les Ptolémée) et romaine, jusqu'à la victoire du christianisme.

C'est le moment où les derniers prêtres, successeurs déchus du clergé qui avait été si puissant au temps des anciens empires, perpétuaient encore à la fois la religion égyptienne et l'usage des hiéroglyphes. Ceux-ci, qui avaient été à toute époque un ornement en même temps qu'un moyen d'expression, sont employés à cette période finale de manière de plus en plus fantaisiste et ornementale, par les lettrés qui seuls désormais en connaissent encore l'usage. Déjà un texte démotique s'écrit après le texte hiéroglyphique dans les inscriptions qui doivent être comprises de tous et bientôt personne n'allait plus pouvoir lire les anciens caractères. Pendant de nombreux siècles, ils sont restés lettre morte jusqu'à leur résurrection au XIXe siècle par les efforts des savants européens (moment essentiel du déchiffrement : lecture par Champollion en 1822). La dernière inscription démotique connue est d'environ 470 ap. J.-C. ; d'autre part on a des textes égyptiens en caractères grecs dès le IIe siècle av. J.-C.

COPTE

A partir de l'établissement du christianisme au IIIe siècle, les traductions des nouveaux livres saints, apportés d'abord au menu peuple par les hellénisants, s'écrivent au moyen d'une écriture elle-même grecque, dans les parlers populaires des différentes provinces.

Le nom « copte » est une forme arabe, qui répond, moins la première syllabe, au grec *Aiguptos*. En Europe on appelait le copte « égyptien » avant la redécouverte de la langue des hiéroglyphes ; depuis cette découverte et avant qu'on ait distingué les différentes périodes de l'ancienne langue, le copte a été souvent nommé « néo-égyptien ».

L'alphabet copte est composé de vingt-quatre caractères grecs et de sept lettres complémentaires prises au démotique. Les voyelles sont notées comme en grec, par une ou deux lettres.

On distingue divers dialectes en copte.

Le dialecte le plus important est le bohayrique ou boheirique, de l'arabe *buḥayra* « province maritime », nom qui désigne le district de l'Ouest du Delta où est située Alexandrie ; on le dénommait autrefois faussement « memphitique ». Ce dialecte a peut-être eu dès l'origine le caractère non d'un parler local mais du langage moyen d'une métropole à peuplement varié ; il est devenu à partir du xiᵉ siècle la seule langue littéraire et liturgique pour tous les chrétiens coptes.

En Haute-Égypte (en arabe *saƐīd*), la dialecte important est celui de la région thébaine, qui était généralisé dans l'usage littéraire de la région avant le xiᵉ siècle ; on l'appelait autrefois thébain ; le terme préféré est maintenant saïdique, sahidique, saƐidique.

On a encore des textes dans quelques autres dialectes : le dialecte de la ville d'Akhmīm ou Akhmīn en Haute-Égypte — le dialecte de la région de Memphis — le dialecte de la région du Fayoum ou fayoumique ; ce dernier dialecte avait été précédemment appelé à tort bachmourique, du nom d'un district Bachmour *(bašmūr, bušmūr)* situé dans le Delta, à l'Est de la branche de Damiette ; il n'est pas sûr qu'on aie des textes en véritable bachmourique.

Le copte a été restreint dans sa vitalité dès le viiᵉ siècle par l'usage de l'arabe, langue des nouveaux maîtres de l'Égypte. Parlé encore généralement par ce qui restait

des chrétiens d'Égypte non instruits au xiiie siècle,
il n'était plus employé couramment au xviie que par des
vieillards et il était dès lors généralement réservé à l'usage
cultuel bien qu'ait pu signaler encore au xixe s. au moins
un groupe de villageois parlant copte. De nos jours quelques chrétiens d'Égypte ont voulu ranimer l'usage parlé
de leur langue liturgique.

Libyco-berbère

Généralités. — Les Berbères, sous différents noms (voir
plus loin), couvrent ou parcourent depuis longtemps une
vaste étendue, des abords de l'Égypte, qu'ils ont souvent
attaquée dans l'Antiquité, jusqu'aux îles Canaries ; ils ont
parfois fondé dans certaines régions des États puissants :
ainsi les rois numides (surtout Massinissa) de 238 à 184 av.
J.-C., les Almoravides aux xie-xiie siècles et les Almohades
aux xiie-xiiie siècles (Maroc, Espagne), les Mérinides aux
xiiie-xvie siècles. Mais leur domaine propre consiste en
partie en déserts où leur densité est très faible, en partie
en massifs montagneux dont ils n'ont pas su défendre les
abords contre les envahisseurs ; quant à leurs empires, ils
ont toujours été fragiles.

Sans qu'on ait de documents historiques, on doit
admettre que les Berbères se sont étendus vers le Sud aux
dépens de populations noires.

Les Berbères sont en majorité des blancs bruns analogues
aux Arabes; mais on y rencontre des éléments aux cheveux
roux ou même blonds et aux yeux clairs, sans doute venus
d'Europe.

Leur langue a une histoire courte : elle n'a quasi pas
donné de littérature écrite : on a seulement des inscriptions
anciennes et, dans les temps modernes, quelques textes
religieux et des textes populaires recueillis par les savants
européens.

Dans l'antiquité, le punique (langue officielle, croit-on,
de Massinissa), puis le latin ont servi de langues écrites

à des éléments berbères ; mais on ne sait pas quelle a été
leur extension dans l'usage parlé chez les indigènes
africains. Au fur à mesure de l'islamisation (VIIe siècle,
puis XIe siècle et suivants) l'arabe est devenu la langue
écrite de presque tous les Berbères ; il s'est étendu aussi
de plus en plus dans l'usage parlé et de nombreux Berbères
se sont arabisés complètement, de sorte que le domaine
de la langue berbère est de nos jours morcelé, que les
bilingues arabo-berbères sont nombreux et que les emprunts
arabes abondent en berbère. Dans les dernières décades,
le français a été appris par un certain nombre de Berbères
(Kabyles).

Caractéristiques et texte. — Le berbère n'a pas (d'après
les rapprochements étymologiques, il semble qu'on puisse
dire : n'a plus) les laryngales ɔ, ḥ, ε qui n'apparaissent
guère que dans les mots empruntés à l'arabe ; mais il
possède les articulations h, ǩ, g, et plusieurs emphatiques.
Dans nombre de dialectes les occlusives sont sujettes à la
spirantisation. Les groupes de consonnes sont nombreux,
le vocalisme jouant un rôle subordonné.

Les racines trilitères sont nombreuses, mais beaucoup
sont bilitères.

Le nom est sans déclinaison. La marque de féminin *t*
est préposée et souvent en même temps postposée.

Le verbe ordinaire n'a que la conjugaison à préfixes (et
suffixes) ; l'opposition accompli-inaccompli n'est marquée
par alternance vocalique que dans une partie des racines ;
il est fait usage de particules secondaires pour différencier
temps ou modes ; en outre des modifications du radical
ajoutent un aspect duratif (forme d'habitude) ; des verbes
d'état dans certains parlers ont une conjugaison à suffixes.

Texte en dialecte des *Aït Səgruššen* dans le Moyen Atlas
(Destaing, p. 375).

is	*təksət*	*a*	*təǩǩīməḏ*	*i*	*təndīmt*	*ǩəbbʷala*
particule interrogative	tu veux	que	tu restes	dans	ville (ar. *mdīna*)	longtemps (ar. *ǩbāla*)

məš	*ufīk*	*ləkdənt*	*d-ad-ķīmək*
si	je trouve	travail	je resterai
		(ar. *kədma*)	(particule injonctive+
			particule de futur + verbe)

ur	*ufīk*	*ša*	*ad-rāḥək*	*gər*	*ləndimt*	*yaḍnīn*
ne	je trouve	pas	j'irai	vers	une ville	autre
(*si* non exprimé)			(particule du futur			
			arabe *rāḥ*)			

Veux-tu rester longtemps dans la ville ? Si je trouve du travail je resterai, sinon j'irai à une autre ville.

Numération, généralement décimale (quinaire au Djebel Nefousa) ; dans beaucoup de dialectes, emprunt à l'arabe à partir de 3.

Touareg : 1 *yən*, 2 *sin*, 3 *kəraḍ*, 4 *okkoz*, 5 *səmmus*, 6 *sədis*, 7 *əssaa*, 8 *əttam*, 9 *təzzaa*, 10 *məraw*. (Les dizaines par multiplication), 100 *timiḍi*, 1.000 *agīm*, 100.000 *əfəd*.

Libyque

(Écritures berbères)

Le nom de Libyen, qui nous vient du grec, se trouve sous différentes formes en hébreu et en égyptien, mais non en berbère ; il n'est pas illégitime de l'appliquer à l'ensemble des indigènes de l'Afrique du Nord qui habitaient à l'Ouest de l'Égypte dans l'Antiquité. Dans la région ouest de ce vaste domaine, un nom qui est attesté sous la forme grecque *Mazik(es)* se retrouve comme large dénomination ethnique moderne : *(i)mazig-ən* au Sahara et au Maroc, d'où le nom de langue *tamazigt* ou *tamazikt* qui est répandu en domaine berbère, notamment dans la partie centrale du Maroc.

Ce qu'on appelle le libyque est représenté par plus d'un millier de courtes inscriptions disséminées du Sinaï aux Canaries. Le plus grand nombre s'en trouve groupé dans les anciens domaines de Carthage ; on les a appelées aussi pour cette région numidiques ; on considère qu'aucune n'est authentiquement antérieure au IIe siècle av. J.-C. ; d'une manière générale elles datent de la domination romaine. Ces inscriptions sont encore mal interprétées.

On s'efforce de les déchiffrer au moyen des versions puniques ou latines (contenant des noms propres) qui accompagnent beaucoup d'entre elles, et du berbère moderne. Mais l'incertitude demeure pour beaucoup de lectures. Si on admet généralement maintenant qu'on a bien affaire à du vieux berbère, il est possible qu'il faille tenir compte d'éléments de langues autres, peut-être écrites, et maintenant disparues, de la même région.

Il n'est pas impossible que certaines monnaies trouvées en Espagne méridionale soient dues à des Berbères utilisant une autre variété d'écriture de type libyque.

On dé hiffre d'autre part en libyque quelques inscriptions en caractères latins.

Il faut joindre aux inscriptions un certain nombre de noms propres conservés sous une forme latinisée (Sur le *Poenulus* de Plaute, voir p 112.)

Quelques-uns des mots qu'on a pu lire dans les inscriptions sont encore vivants en berbère ; ainsi *(a)g(ə)l(lī)d* « chef » ; d'autre part les noms propres conservés ont des formes telles qu'on est à peu près sûr d'avoir affaire à du vieux berbère ; ainsi les noms de lieu avec le double *t* féminin : *Tubact(is)*, *Tabunt(e)*.

On rencontre sur le domaine africain septentrional des graffiti que leur écriture a fait distinguer tant des inscriptions libyques proprement dites que du touareg moderne, et dont la date n'est provisoirement pas fixée ; on les appelle libyco-berbères ou sahariens.

Écritures berbères. — Le libyque est écrit dans un alphabet de vingt-cinq caractères correspondant à des consonnes distinctes, dont les valeurs ne sont pas encore toutes déterminées sans contestation.

L'alphabet moderne des Touaregs est appelé par eux *lifīnag* (tifinagh), e qui est sans doute une forme du nom « phéni ien », ur vingt-six caractères, une quinzaine environ concorde avec l'alphabet libyque.

L'aspect général est resté le même : signes séparés, à formes raides, présentant surtout des formes géométriques simples telles que barre, barres parallèles, carré, cercle, etc. ;

dans l'écriture moderne un point correspond souvent à une barre ancienne.

Cette écriture est vraisemblablement un dérivé aberrant du sémitique occidental ; un petit nombre de signes (six) se laisse rapprocher de formes phéniciennes.

Les directions de cette écriture sont très variées. Pour le libyque, la plus usuelle est de bas en haut, la colonne de droite se lisant généralement d'abord ; quelques inscriptions horizontales vont de droite à gauche. Les Touaregs écrivent horizontalement, surtout de droite à gauche, mais aussi de gauche à droite ou en alternant. Mais on a signalé aussi les directions les plus variées, y compris la spirale.

Quand les Berbères emploient l'alphabet arabe pour la notation de leurs parlers, ils le complètent souvent en ajoutant des points à certaines lettres pour noter des consonnes qui n'existent pas en arabe.

DIALECTES BERBÈRES

Le nom général de « berbère » (terme arabe mais peut-être non sans un prototype indigène) s'applique à un ensemble cohérent pour le linguiste comme pour l'ethnographe. On ne peut parler que d'une seule langue berbère, divisée en dialectes. Entre ces dialectes les différences grammaticales sont faibles. Le vocabulaire est très cohérent dans son fonds berbère, auquel s'ajoute un autre fonds commun constitué par de nombreux emprunts arabes (un petit nombre d'emprunts romans a été aussi discerné). C'est le système phonétique qui varie le plus d'un dialecte à l'autre, certains ayant plus de consonnes occlusives, d'autres plus de spirantes, ainsi *t* au lieu de *t*. Les différences suffisent pour que les Berbères de différentes régions ne se comprennent pas entre eux.

On a des documents relativement abondants (en écriture arabe) depuis le XIIe siècle.

La distribution des dialectes berbères est exposée ici en suivant une spirale ; le groupe le moins touché d'influences extérieures est examiné d'abord, et le domaine rejeté à la fin est celui où les îlots berbères sont très espacés.

La statistique est difficile encore dans la plupart des régions où le berbère est représenté ; une évaluation globale donne un peu plus de 4 millions de gens parlant berbère.

1. Sahara méridional. *Touareg*. — La plus grande partie du Sahara est le terrain de parcours des Berbères généralement appelés Touaregs qui ont des serfs de même langue plus ou moins sédentaires et plus ou moins d'origine noire. Ils sont restés dans leurs mœurs comme dans leur vocabulaire assez à l'abri des influences étrangères. On évalue leur nombre à 250.000 individus.

Le mot arabe *twārəg* (au singulier *targi*) reproduit un nom indigène partiel. Le nom général que se donnent les Touaregs est la forme dialectale du mot *imāzigən* (v. p. 158), soit (au pluriel) *imuhag* (sous la forme septentrionale) ou *imušag* (sous la forme méridionale), d'où le nom de langue *tamāhak* « tamahek » ou *tamāšäk*, *tamāšägt* « tamacheq ».

Les dialectes varient légèrement suivant les régions — en laissant de côté au Nord l'oasis de Ghat *(gat)* dont le parler n'est pas vraiment du touareg, on trouve du Nord au Sud : le Ahaggar ou Hoggar, centre dont la langue est seule bien étudiée (tahaggart), avec le Tassili ; l'Aïr (où on parle aussi haoussa), l'Adrar oriental *(adgag)* ; le district des Ioullemiden prolongé par un territoire soudanais dans la boucle du Niger, représentant une pointe avancée de l'invasion berbère vers le Sud, où se trouvent actuellement massés la plupart des Touaregs.

2. Mauritanie méridionale. *Zenaga*. — Les Zenaga qui ont conservé leur dialecte berbère sont quelques milliers d'individus de la population des Trarza, au Nord du fleuve Sénégal (mais sans contact avec lui) ; ce sont les pauvres restes d'un domaine plus étendu ; il faut leur ajouter, semble-t-il, les *nemadi*, vassaux des Maures.

3. Maroc. — Le berbère est parlé dans la majeure partie des montagnes du Maroc (environ 2 millions et demi d'individus, soit plus de la moitié de la population totale).

Au Nord, les parlers rifains *(tarīfīt)* sont parlés dans la

7

région méditerranéenne, sur la côte (en arabe *rīf*) à l'Est
de la corne nord du Maroc ; à l'Est ils sont prolongés par
les parlers un peu différents des Beni-Snassen *(iznasǝn)*
et des groupes voisins en Algérie occidentale (voir ci-
dessous).

Au centre on a souvent mis à part les parlers des Beraber
(= « Berbères » en arabe), dans le Moyen Atlas au Sud de
Fez. Il semble probable qu'ils ne constituent pas un
groupe dialectal distinct ; les uns se rattacheraient au
rifain, les autres au chleuh.

Au Sud, l'Atlas, l'Antiatlas, et la région du Sous (avec
Agadir, Taroudant) sont occupés par le groupe des parlers
« chleuh » (nom de peuple, en arabe *šǝlḥ*, pluriel *šlöḥ*, d'où
le nom de langue *lašölḥīt* en berbère, *šölḥa* en arabe ; ce
terme a été quelquefois appliqué à d'autres parlers berbères). La ville la plus importante du Maroc méridional,
Merrakech, est en domaine récemment arabisé ; mais elle
est très fréquentée par les Berbères ; un assez grand nombre
d'entre eux parlent aussi arabe.

Le domaine chleuh se prolonge au Sud par la région
berbère qui s'étend jusqu'à l'Oued Dra.

Au Sud-Est du Maroc, dans le Tafilelt, on rencontre des
groupes de berbères appelés *ḳbāla* qui ont conservé leur
langue au milieu de populations de langue arabe.

Une littérature religieuse en chleuh est née au moment
de la réforme religieuse qui a eu pour suite la constitution
de l'empire almohade au xiie siècle ; elle est malheureusement perdue. Il reste dans le même dialecte des traités
religieux du xviiie siècle et des poèmes, également
religieux.

4. Algérie. — Les régions montagneuses et sahariennes
ont en grande partie échappé à l'arabisation ; un essai de
statistique détaillée a donné (pour 1912) environ
1.300.000 individus de langue berbère (dont 725.000 ne
parlant pas d'autre langue) sur un total approximatif de
4.500.000 habitants à cette époque (voir p. 139).

Il y a lieu de distinguer plusieurs régions.

Tout à l'Ouest, le prolongement des dialectes marocains du Nord se trouve en territoire algérien : Beni Snous, Beni Bou Saïd.

Les dialectes sahariens qui se groupent avec ces parlers septentrionaux sont ceux de Figuig et de la région des Ksour sudoranais, du Gourara, du Touat et du Tidikelt.

Plus à l'Est (partie ouest du département d'Alger) un district berbère compact comprend les environs montagneux de Cherchell, avec les Beni Menaser ; trois autres îlots plus petits et quelques parlers isolés se trouvent dans la même région (Ouarsenis, Beni Helima, etc.).

Le correspondant méridional de ce groupe se trouve au Mzab, dont le centre principal est Ghardaia. Les Mozabites, qui sont des musulmans d'une secte spéciale, ont eu une littérature religieuse, dont il reste un traité et quelques fragments.

On peut considérer comme un prolongement oriental de la même région berbère les oasis de l'Oued Ghir (surtout Touggourt) et Ouargla.

Tous les parlers dont il vient d'être question composent l'ensemble « zénète », en prenant ce terme au sens étroit ; c'est un terme indigène qui désigne une fraction des Berbères (en berbère *žana*, *ǰanāt*, en arabe *znātīya* « zenatia »).

A l'Est d'Alger, le berbère occupe un domaine montagneux compact : c'est ce qu'on appelle les Kabylies (grande Kabylie, et partie ouest de la petite Kabylie dont le reste est d'arabisation récente), sur le territoire des départements d'Alger et de Constantine ; dans cette région, par places, le berbère refoule des infiltrations arabes. Le nom « kabyle » est arabe : *ḳbāïli* « homme des tribus *(ḳbāïl)* ». Un des principaux dialectes est le zouaoua *(zwawa, agawawa)*, parlé dans la région du Djurdjura.

Dans la partie sud du département de Constantine, la région des hauts plateaux et des monts de l'Aurès est occupée par un groupe berbère compact, auquel les Européens appliquent le nom de Chaouïa (arabe *šāwiya* « bergers »).

5. Tunisie. Tripolitaine. — La Tunisie est profondément arabisée. Le berbère n'y existe que dans le Sud (onze villages en tout) : à Sened dans la région de Gafsa, dans l'île de Djerba, chez la fraction des *məṭmaṭa* de *taməzraṭṭ* (Tamezred) et dans les environs de Tataouine.

C'est au même ensemble que se rattache sur territoire tripolitain le groupe du Djebel Nefousa, qui touche à la côte en un point.

7. Oasis orientales. — Le domaine berbère de l'ancienne Libye est jalonné par quelques oasis où le berbère est encore plus ou moins parlé ou s'est éteint récemment : Ghadamès *(gdāməs)*, Socna *(sokna)*, Temissa, Aoudjila, Djarahboub, Koufra et surtout Siouah *(sīwa)*, l'ancien Ammon.

Des points de vue encore discutés amènent à diviser l'ensemble berbère en deux groupes : l'un comprendrait les parlers du Maroc central (beraber) et méridional (chleuh), du Sahara (touareg), de la Mauritanie (zenaga) et, dans le Nord, le kabyle ; l'autre (qui pourrait s'appeler « zénète » au sens large) comprendrait tous les autres parlers, c'est-à-dire le Nord et l'Est, moins le kabyle.

GUANCHE DES ILES CANARIES

Le parler des Guanches, seuls habitants des îles Canaries avant l'arrivée des Européens, s'est éteint au xvie siècle au plus tard, cédant à l'espagnol. On a comme base d'étude quelques inscriptions en caractères libyques et d'autres non lues et des éléments de vocabulaire transmis par des auteurs européens depuis le xive siècle.

Le parler guanche semble se classer comme libyco-berbère par ce qu'on entrevoit de sa grammaire et par son vocabulaire essentiel. Il est possible qu'il ait présenté un dialecte ancien différent des dialectes de l'Afrique continentale. On n'y a pas déterminé d'éléments d'un autre parler antérieur ou concomitant des îles Canaries.

Couchitique

Généralités. — Les langues couchitiques occupent presque toute la corne orientale de l'Afrique jusqu'à 4 degrés de latitude sud, en enrobant le domaine sémitique éthiopien à l'intérieur duquel elles forment encore des enclaves ; leur domaine se prolonge au Nord jusqu'en territoire égyptien entre le Nil et la mer Rouge. Dans la région éthiopienne, la limite occidentale de la zone montagneuse marque aussi généralement toutefois la limite actuelle du couchitique ; au Nord toutefois, le nilotique (avec le *kunama* et le *barya*) marque sur le haut plateau un éperon qui est peut-être le reste d'un domaine plus large, antérieur à l'extension du couchitique ; de même pour certains districts méridionaux. La superficie totale approche de 2 millions de kilomètres carrés (avec sans doute environ 6 millions d'habitants). Pour le type physique et le genre de vie, voir p. 143, pour le nom p. 88.

Les langues qui bordent la mer Rouge et l'océan Indien, du Nord au Sud : bedja, saho et afar, somali, sont les plus proches par leur morphologie du sémitique et du berbère ; celles des régions élevées, agaw et langues du Sud-Ouest, sont d'un type plus éloigné. Mais des faits de transition permettent de rattacher sans peine un groupe à l'autre : le galla, intermédiaire entre eux par sa position géographique actuelle, a surtout des rapports morphologiques avec l'agaw ; son vocabulaire le rapproche étroitement du somali et de l'afar-saho. Les faits sont donc plus complexes que ne le supposait la division en deux groupes, souvent invoquée (*bas couchitique*, avec bedja, afar-saho, somali, galla ; *haut couchitique*, comprenant agaw et langues du Sud-Ouest).

Aucune des langues couchitiques modernes n'a une littérature écrite ; elles ne sont connues que par des observations de savants européens qui commencent presque toutes avec la seconde moitié du xixe siècle.

Caractéristiques et texte. — Le couchitique a dans l'ensemble peu de laryngales (ʿ existe en afar-saho et en somali) et un nombre restreint d'emphatiques ; en revanche les prépalatales y abondent.

Beaucoup de racines ont une forme à deux consonnes avec une voyelle stable, ainsi *bāt* « être perdu » (afar) ; mais, sans même sortir du couchitique, la comparaison permet souvent de leur restituer la forme trilitère, qui reste d'ailleurs représentée par d'assez nombreuses racines des différentes langues.

La conjugaison ancienne, restreinte à quelques verbes ou même disparue dans diverses langues, comporte la flexion au moyen de préfixes personnels (avec des voyelles différentes de ce préfixe pour l'accompli et l'innaccompli). La conjugaison plus récente, qui a tendu à prévaloir, comporte la suffixation à un radical invariable d'un auxiliaire très court, lui-même conjugué au moyen de préfixes, également avec une distinction vocalique des deux aspects. Il n'y a pas de déclinaison des noms.

L'ordre des mots, dans l'état actuel où on saisit ces langues est presque partout tel que les compléments précèdent les complétés, la place des verbes étant en queue.

Exemple (en afar) dans Colizza, *Lingua ʿafar*, p. 108.

alá	*yō-k*	*bálä*	*wāh*
chamelle	moi -à	fut perdue	je manque

* aní-k*	*rámili*	*yō*	*ulúḳ*
je suis parce que	sable	moi	jette

« Lance-moi du sable, puisque je ne retrouve pas la chamelle que j'ai perdue. »

Numération. — Le système est décimal dans l'ensemble ; mais dans une partie des langues (ainsi bedja, agaw) les unités de 6 à 9 sont dérivés des unités de 1 à 4 : il y a donc là un système quinaire. Les termes sont par ailleurs assez variés. Les noms de dizaines sont dérivés des unités avec des suffixes, ou obtenus par multiplication (unités et « dix »).

agaw : 1 *lag*, 2 *ləña*, 3 *sik̆wa*, 4 *saǰǰā*, 5 *ankuā*, 6 *waltā*, 7 *lañala*, 8 *sok̆wala*, 9 *sassā*, 10 *čəka*, 100 *lēn*, 1.000 *ši*, 10.000 *alf* (emprunt à l'éthiopien).

galla : 1 *tokko*, 2 *lamma*, 3 *sadi*, 4 *afur*, 5 *šan*, 6 *ǰaa*, 7 *torba*, 8 *saddet*, 9 *sagal*, 10 *kuḍa*, 100 *ḍibba*, 1.000 *kumma*.

Méroïtique

Le pays que les Égyptiens appelaient *kɔš* et les Grecs Éthiopie (actuellement Haute Nubie, Soudan égyptien) a eu dans la haute antiquité des vicissitudes variées, tantôt soumis aux Pharaons du Nord, tantôt fournissant des dynasties royales à l'Égypte même ; les brassages de populations (nègres, égyptiens, libyens, couchites orientaux) ont dû y être variés. Pendant plus d'un millénaire, de 750 av. J.-C. jusqu'à 350 ap. J.-C. environ, il y a lieu d'envisager l'histoire d'un domaine plus ou moins indépendant des maîtres de l'Égypte, avec un ou deux royaumes distincts (capitales Napata et Méroé), à certains moments en relations avec la civilisation grecque. Les fouilles ont livré, à côté de textes égyptiens, des textes « méroïtiques » de l'époque d'autonomie, en deux écritures alphabétiques de vingt-trois caractères (dont trois signes vocaliques), l'une à tracé hiéroglyphique, l'autre à tracé linéaire dérivé de caractères démotiques (les mots étant séparés par deux points).

Le peu que livrent ces documents aux déchiffreurs montre une ancienne langue chamito-sémitique qui paraît être du couchitique ancien, sans doute proche mais distincte du bedja voisin à l'Est. On a donc retrouvé du vieux-couchitique écrit, encore insuffisamment connu pour une utilisation efficace de comparaison.

Bedja

Le bedja est la plus septentrionale des langues couchitiques. Le terme bedja provient de l'arabe écrit ; le nom est *begā* sur les anciennes inscriptions éthiopiennes ; le nom indigène de la langue est *(to-) beḍawye*.

Dans l'antiquité, les Bedja (dont les anciens Blemmyes étaient sans doute une fraction) étaient, à l'Est, les voisins souvent hostiles des Égyptiens et des Éthiopiens de Méroé.

De nos jours, les *ɛababde*, fraction nord des Bedja, ne sont pas seulement islamisés comme leurs congénères, mais arabisés presque entièrement pour la langue ; toutefois l'usage de leur idiome national paraît avoir encore été général chez eux au début du xixe siècle.

Au centre on distingue les dialectes des Bichari et des Hadendoa ; au Sud celui des Halenga, dans la région de Kasala, et surtout celui des Beni Amer ; ceux-ci sont partagés en tribus de langue uniquement bedja, en tribus bilingues (bedja et tigré) et en tribus de langue uniquement tigré. Le nom de langue *ḥedāreb* s'emploie dans cette région.

AFAR. SAHO

Le saho et l'afar ne sont pas deux langues différentes, mais la même langue, parlée, avec certaines différences, par deux populations distinctes, encore qu'étroitement parentes. Les Saho, que les Abyssins appellent aussi Choho *(šoho)* sont des pasteurs, presque tous musulmans, établis dans un petit district de la région de Massaoua, sur les contreforts et sur la crête du haut-plateau abyssin. Les fractions du plateau (irob-saho), chrétiennes, ont adopté le tigrigna, ou le parlent en même temps que le saho. Le nombre total des Saho était environ 40.000 au milieu du xixe siècle.

Les Afar *(ɛafar)* musulmans s'appellent aussi Dankal (en arabe : pluriel *danākil*, singulier *dankali*) ; les Abyssins les nomment au Nord Taltal et au Sud Adal. Leur domaine, qui est désertique (aucune statistique sur les habitants), s'étend au Sud des Saho, entre la mer Rouge et le plateau abyssin ; la limite méridionale se trouve dans les contreforts montagneux au Sud de l'Aouache. Les îles en bordure de cette région parlent aussi afar.

On n'a pas encore déterminé le langage des Doba ou Dobi, qui ont eu de l'importance autrefois dans la même région et plus à l'Ouest et subsistent en partie ; c'était peut-être une fraction afar.

SOMALI

Le nom indigène de Somali s'applique à un ensemble de tribus plus ou moins complètement islamisées qui peuplent l'extrême corne orientale de l'Afrique, à l'Est du 33 degrés longitude Est Greenwich, de Djibouti à l'embouchure du fleuve Tana (approximativement 2 millions).

Il n'y a pas de langue commune somali (l'arabe est répandu sur la côte dans certains centres chez les hommes, voir p. 137). Les parlers semblent se grouper en dialectes qui correspondent à des confédérations de tribus.

Le langage qui est généralement décrit sous le nom de somali est parlé vers le Nord, par les *isāḳ* (habitants de l'Ouest de la Somalie anglaise et Somali du Nord habitant à Aden).

Plus au Nord encore, en particulier dans la partie Sud de la Côte française des Somali, en Somalie anglaise et en territoire abyssin jusqu'à Diré Daoua se trouvent les *ɛisa* dont le dialecte n'est pas encore étudié.

Le dialecte le plus répandu est, au centre, celui des *darod*, dans une partie de la Somalie anglaise, dans la province Ogaden en Abyssinie, dans la majeure partie de ce qui a été la Somalie italienne et dans le Nord du Kenya anglais ; la grande subdivision des Darod, celle des *maǰertēn*, en italien Migiurtini, est souvent prise par erreur pour l'ensemble.

Dans la vallée du *wēbi šabellä* se parle le dialecte des *hawiyya* ; certains des Somali de cette région font aussi usage du galla.

Enfin dans le Sud (province Benadir) domine le dialecte de l'élément qui est nommé *sab* par les *hawiyya* et qui est répandu à Aden parmi les immigrants étrangers appelés Djabarti. Les Sab, ainsi que certains hors-castes du Nord paraissent des représentants plus ou moins purs d'une race antérieure aux Somali.

Des restes d'anciennes populations bantoues de la région se trouvent dans la région du Webi Chebeli ; les éléments qu'on appelle, en dialecte darod, *addōn* « esclaves » parlent somali ; mais il est resté une enclave de langue bantou dans le port de Brava.

Écriture. — Les signes gravés qui couvrent certains rochers en pays somali ont été interprétés provisoirement comme des marques de passage des transhumants.

Quelques textes religieux et politiques ont été écrits au moyen des caractères arabes. Récemment un somali connaissant l'écriture arabe et l'écriture latine a fabriqué un alphabet de caractères séparés notant les consonnes et les voyelles, qui doit être en usage au moins dans un petit cercle.

GALLA

Galla est un terme partiel mal localisé qui a été généralisé par les Abyssins et transmis par eux aux Européens ; les Galla eux-mêmes se nomment *oromo*, ainsi que leur langue. (du Sud au Nord) depuis la partie centrale de la colonie du Kenya (le long du fleuve Tana) jusque sur le plateau abyssin dans sa partie centrale. Approximativement 3 millions.

Il est probable qu'avant le xvᵉ siècle les Galla s'étendaient plus au Sud, leur domaine se situant entre les Somali et les Bantou dans la plaine côtière ; il est certain que c'est seulement à partir de ce moment qu'ils ont occupé la partie septentrionale de leur domaine : ils ont séparé les Somali (ainsi rejetés vers l'Est) des gens dits Sidama (voir ci-dessous), recouvert une vaste région dite sidama (le massif montagneux d'où descendent l'Aouache, l'Omo et le Baro) jusqu'à l'Abbay au Nord, et débordé jusqu'au delà du Choa en atteignant les abords du Tigré dans la seconde moitié du xvıᵉ siècle.

Les Galla sont païens dans l'ensemble. Ceux du Nord se sont en partie islamisés ; au xvıᵉ siècle, ils ont été plus ou moins mêlés à l'assaut musulman contre l'Abyssinie qui leur a ouvert la voie de l'invasion ; le groupe galla

musulman le plus important de nos jours est à l'Ouest
dans le Djimma et districts voisins. Mais ceux qui, individuellement ou en groupe, en sont venus à jouer un rôle
important en Abyssinie se sont chacun à leur tour christianisés. De nos jours la religion chrétienne et la langue
amharique ont repris ou reprennent possession d'enclaves
galla (comme celle des *wollo* entre le Choa et le Lasta)
et des régions frontières.

Les Galla des différentes régions septentrionales
paraissent se comprendre entre eux sans avoir le sentiment
de différences dialectales profondes ; il y a cependant lieu
de distinguer les parlers *mačč̣ā* à l'Ouest, *tulama* au Nord-
Est (Choa), *borana* au Sud-Est et peut-être aussi au Wollo
(avec des traits méridionaux) ; à cet ensemble septentrional
s'oppose nettement le dialecte méridional des Bararetta
et des Kofira-galla dans la colonie anglaise du Kenya.

Le galla n'est pas écrit. Depuis le xvie siècle les Abyssins
en ont noté des éléments dans leur écriture ; celle-ci a
aussi quelquefois servi au xixe siècle à l'édition de textes
en galla par les missionnaires européens. Une lettre en
galla écrite dans des caractères par ailleurs inconnus, qui
était venue en 1842 entre les mains d'Antoine d'Abbadie,
est restée un document isolé. Il semble, mais sans précision,
qu'il y ait eu d'autres essais. D'autre part il a été fait
usage de l'écriture arabe chez des Musulmans.

AGAW

Agaw (*agaga*, d'après un auteur) est le nom des populations
chamitiques qui, avant l'arrivée des Sémites, couvraient
la majeure partie du haut plateau abyssin, approximativement de 10 degrés jusqu'au-delà de 14 degrés latitude
Nord. La sémitisation progressive, qui a eu pour contrepartie une certaine couchitisation des langues sémitiques,
a été telle que de nos jours les parlers agaw apparaissent
généralement comme des îlots linguistiques plus ou moins
près de disparaître ; la plupart sinon la totalité des gens
de langue agaw savent aussi l'amharique ou le tigrigna.

Les domaines séparés ont des dialectes distincts avec des noms particuliers.

1. *bilin* (au Nord). — Les *bilin (bilen)* ou *bogos (båḵus)* sont une population musulmane actuellement peu nombreuse, dans la vallée moyenne de la rivière Anseba en Érythrée, et dans les montagnes environnantes (environ 2.000 kilomètres carrés, sans doute plus de 15.000 âmes), à la frontière linguistique du tigrigna, du tigré, du saho et du bedja. Ils sont arrivés dans cette région sans doute au xe-xie siècle ap. J.-C., venant du Lasta, et occupaient autrefois une région plus vaste que de nos jours. Le bilin, reculant surtout devant le tigrigna, a gagné quelque peu sur le tigré. Il a été bien étudié au xixe siècle.

2. *ḵamir* et *ḵamla* (au centre, vers l'Est). Les domaines de ces deux dialectes (environ 5.000 à 6.000 kilomètres carrés), à l'Est du Takkazé, sont séparés par la frontière du Tigré et du Lasta.

Le *ḵamir* (chamir, hhamara) est parlé dans le Wag, pointe entre le Takkazé et le Tsellari, et dans la région de Sokota *(soḵoṭa)*, c'est-à-dire dans le Lasta septentrional. Le Lasta méridional a été le siège de l'empire chrétien d'Abyssinie pendant un siècle environ (xiie-xiiie siècle), avec une dynastie agaw ; mais l'amharique semble y avoir prévalu depuis longtemps.

Le nom de *ḵamla* (khamta), terme indigène de la même racine que *ḵamīr*, s'applique aux parlers situés au Nord du Tsellari, dans un district qui paraît avoir été indépendant et non chrétien jusqu'au xvie siècle environ.

Les indications de d'Abbadie sur la langue *ḵamṭəña*, se rapportent à cette région de même que celles de Bruce sur les agaw tcheratz et même sans doute celle du grec Agatarchides sur la *kamara leksis*.

3. *ḵwara, ḵwara* (qwara, kouara), au centre, vers l'Ouest.

Le groupe de l'Est se situe, de manière discontinue, entre le bord ouest du plateau abyssin sur la latitude du lac Tana *(ṣanā)* à l'Ouest et le fleuve Takkazé à l'Est.

Dans le Qwara, à l'Ouest du lac, il semble exister encore un domaine continu du parler *kwārasā*.

Jusqu'au xviie siècle, un état agaw indépendant, de religion juive (non orthodoxe), s'est maintenu dans le Samen, vaste massif montagneux, où au moins un îlot de langue agaw a encore été signalé au milieu du xixe siècle.

De nos jours les Abyssins de religion juive ne sont plus que des artisans dispersés en petits groupes dans les villes et villages de l'Abyssinie du Nord, de l'Ouest du lac Tana jusqu'en Érythrée ; on les appelle généralement Falacha *(falāšā)* en pays de langue amharique et Kayla dans le Wagara et dans le Tigré. L'usage de l'agaw sous différents noms, et peut-être avec différents dialectes *(falāšā, kayleñā, kwarasa)* était déjà précaire chez les Falacha dans le dernier quart du xixe siècle ; il en reste cependant quelque chose de nos jours, les Falacha parlant d'ailleurs maintenant soit amharique, soit tigrigna. Ils emploient comme livres religieux (Bible, etc.) les textes guèzes, complétés quelquefois de gloses en agaw qui servent ou servaient aux prêtres pour la paraphrase orale.

Les kemant (en amharique *kəmānt* ; dits aussi kamant, gamant, etc.) sont les restes d'une population non assimilée aux Abyssins dans le Dembia *(dämbyā*, plaine au Nord du lac Tana) et districts voisins ; baptisés, mais observant certaines pratiques juives, ils se maintiennent en élément distinct religieusement et socialement Leur langue est dite *kəmāntnay*, mais rien ne prouve qu'elle soit une, ni qu'elle leur soit propre

Une autre population des bords du lac Tana, les chasseurs Woyto *(wåyṭo)*, islamisés, qui ont des congénères en plusieurs autres endroits de l'Abyssinie (restes probables de populations anciennes du pays) ont eu sans doute un langage spécial mais emploient maintenant l'amharique avec quelques particularités de vocabulaire.

4. *agaw* du Sud. L'agaw est encore parlé (avec l'amharique) dans la région dite Agaoumeder *(agāw-mədər* « pays des Agaw », en amharique) au Sud du Kouara et

du lac Tana, à l'Ouest du Godjam. Les indigènes nomment leur langage *awiya*, au moins dans la région des sources de l'Abbay et semble-t-il aussi *awña*.

Un dialecte très proche est situé immédiatement à l'Est de la partie sud de l'Agaoumeder, dans le Damot ; ce parler *(damōṭ, damōṭǝñā)*, aujourd'hui d'usage très restreint, paraît avoir été bien vivant au XVIIe-XVIIIe siècle.

COUCHITIQUE DU SUD-OUEST (SIDAMA)

Le nom de Sidama est donné par les Galla à leurs voisins du Sud-Ouest et à d'autres encore. Ce sont dans l'ensemble les occupants de la région haute entre la rive droite de l'Abbay au Nord et les abords du lac Rodolphe au Sud, en prolongement des Agaw vers le Sud. Ce domaine a été coupé et restreint de la moitié environ par la conquête gǝlla ; il est encore d'environ 100.000 kilomètres carrés. Les Sidama ont, avant l'arrivée des Galla, subi l'influence septentrionale de l'Abyssinie sémitisée et ils avaient en partie reçu le christianisme ; un autre courant apportait l'Islam à l'Est à certains éléments. D'autres part, ces couchites paraissent avoir donné leur langue à un certain nombre de populations noires qui vivaient à leur contact sur les contreforts ouest du plateau abyssin ; des parlers non-couchitiques existent dans cette région.

Le terme de sidama précédemment adopté en Europe ne paraît pas devoir se maintenir à l'avenir pour l'ensemble de ce domaine où la classification varie encore.

Les langages de la région envisagée commencent à être assez bien connus grâce à des explorations récentes, et on peut apercevoir des groupements dialectaux. Les langages orientaux présentent certaines affinités, notamment pour le vocabulaire, avec le galla ; les langages occidentaux paraissent dans l'ensemble s'être plus éloignés du type couchitique connu, notamment pour le fonctionnement de la conjugaison et pour le vocabulaire. L'exploration imparfaite de la région et le mélange de dénominations indigènes et de dénominations recueillies chez les Abyssins (en partie dans des sources anciennes) ou chez les Galla rendent difficile l'énumération exacte des langages ; les statistiques manquent généralement.

Groupe oriental.

Ce groupe est situé dans la région des lacs (du Zway au Chamo et au lac Rodolphe) et dans la zone montagneuse à l'Est (province abyssine du Sidamo).

1º Au Nord-Ouest, en partie dans la région gouragué (voir p. 147) le groupe du *gudella* ou *hadya*, avec le *kambatta* (dont un parler du nom de *tambaro*) et l'*alaba* ;

2º A l'Est, le *jamjam*, le *sidamo*, le *darasa;* plus au Sud, le *burji (amaro bambala)* constitue un groupe (qui se rapproche par certains traits du galla) avec une série de langages qui s'étendent vers l'Ouest : *konso*, *gidole*, *arbore*, *gäläbä*, etc.).

Groupe occidental.

Ce groupe est divisé lui-même en plusieurs régions distinctes :

1º Langues de l'Omo. Les *wamate* ou *omate* se trouvent sur les deux rives de l'Omo et se comprennent entre eux ; on peut donc parler d'une langue *ometo*, en distinguant sur la rive droite les éléments parlant *dawro (dawaro)* ou *kullo* (notamment districts de *konta(b)* et *koyša ;* noter aussi le *gofa* dans lequel on a traduit un évangile) ; sur la rive gauche les *walamo* (adjectif dérivé *walaytta*, *walaytsa*) s'étendant vers le lac *abaya* (Margarita) ; dans une île de ce lac le parler très proche dit *haruro* ou *gatsamba;* plus à l'Est un dialecte distinct, sans intercompréhension, le *badditu* avec le *zaysse*.

2º Au Nord de l'Ometo, sur la rive droite de l'Omo, le *janjero* dans un petit état distinct à l'Ouest du Gouragué (dit aussi *zenjero*, *yangaro*, *yamma*).

3º Plus à l'Ouest, la langue du Kafa (le *kaffəčo*) dans l'ancien royaume de ce nom (à aristocratie gonga) dans la région de la rivière *gojeb*, parlée aussi dans le *garo* et le *moča*.

Ce domaine plus étendu autrefois a laissé en enclave dans le domaine galla l'*anfillo* (ou *affilo*) et il faut y rattacher beaucoup plus au Nord, sur les deux rives de l'Abbay (à l'Ouest du Gafat) le *šinaša* (sinacha) ou *gonga*, sans doute aussi le *šat* et le *zet* apparemment éteints (signalés par des auteurs des xviᵉ-xviiᵉ siècles).

Ce groupe occupait sans doute la province de l'Ennarya, autrefois christianisée, depuis submergée par les Galla.

4° Des langues parlées par des nilotiques plus ou moins purs et elles-mêmes de caractère plus ou moins altéré :

a. Au Sud-Ouest du Kafa, les parlers *gimira* (ghimirra) et *maji.*

b. Au Nord, sur les contreforts du massif abyssin, dans la boucle et très peu sur la rive gauche de l'Abbay, le langage des *gunza*, signalés aussi sous les noms de *dizzela*, *naga* et *šangalla* (en amharique *šankəlla*, francisé « changalla », nom général des peuplades nilotiques, d'où sont provenus de nombreux esclaves).

Marcel COHEN.

BIBLIOGRAPHIE

CHAMITO-SÉMITIQUE EN GÉNÉRAL

Marcel COHEN, *Essai comparatif sur le vocabulaire et la phonétique du chamito-sémitique*. Paris, 1947. En première partie : Aperçu historique et bibliographique sur la comparaison chamito-sémitique.

SÉMITIQUE

Carl BROCKELMANN, *Grundriss der vergleichenden Grammatik der semitischen Sprachen*, Berlin, I, 1908, II, 1913. En partie dépassé ; à compléter par des études partielles de diverses questions.

Carl BROCKELMANN, *Semitische Sprachwissenschaft*, 2e éd., Berlin-Leipzig, 1916. Utile résumé, avec l'essentiel de la bibliographie. (Traduction de la première édition par W. Marçais et M. Cohen, Paris, 1912).

Gotthelf BERGSTRÄSSER, *Einführung in die semitischen Sprachen*, Munich, 1928. Avec nombreux textes transcrits, traduits et annotés et un vocabulaire comparatif.

Louis H. GRAY, *Introduction to semitic comparative linguistics*, New York, 1934. Des reconstructions douteuses. Riche bibliographie.

Marcel COHEN, *Le système verbal sémitique et l'expression du temps.* Paris, 1924.

(Pour l'écriture, voir la Bibliographie spéciale.)

AKKADIEN

Friedrich DELITZSCH, *Assyrische Grammatik*, Berlin, 2e éd., 1906. Ouvrage vieilli, non remplacé.

A. UNGNAD, *Babylonisch-assyrische Grammatik*, 3e éd., Munich, 1949.

G. RYCKMANS, *Grammaire accadienne*. Louvain, 1938.

René LABAT, *Manuel d'épigraphie akkadienne*, Paris, 1948.

OUGARITIQUE

Cyrus H. GORDON, *Ugaritic Handbook*, Rome, 1947 (avec les éléments de la bibliographie), 2e édition en cours en 1947.

E. HAMMERSHAIMB, *Das Verbum im Dialekt von Ras Schamra*, Copenhague, 1941.

Andrée HERDNER, *Grammaire du dialecte d'Ugarit* (non publié en 1950).

PALÉOSINAITIQUE

J. LEIBOVITCH. *Les inscriptions paléosinaïtiques*. Mémoires de l'Institut d'Égypte, 1934 (N'est pas partisan de la lecture en sémitique. Bibliographie).

CANANÉEN EN GÉNÉRAL

Zelig S. HARRIS, *Development of the Cananaite Dialects*, New Haven, 1939 (L'ougaritique y est considéré comme cananéen).

AMORITE

P. DHORME, *Les Amorrhéens* dans *Revue biblique*, 1928, 1930 et 1931.

Julius LEWY, *Les textes paléo-assyriens et l'Ancien Testament*, dans *Revue de l'Histoire des religions*, juillet-août 1934, notamment pp. 38-40.

Charles-F. JEAN, *Vestiges de cananéisme dans l'amorrite des Lettres de Mari. Comptes rendus du Groupe linguistique d'Études chamito-sémitiques.* T. IV, pp. 25-27 (1946), avec discussion.

PHÉNICIEN

Johannes FRIEDRICH, *Phönizisch-punische Grammatik*. Rome, 1951.

M. DUNAND, *Byblia Grammata*, Beyrouth, 1945.

HÉBREU

David DIRINGER, *Le iscrizioni antico-ebreiche palestinesi*. Florence, 1934.

G. BERGSTRÄSSER, *Hebräische Grammatik*, Leipzig, I (Introduction, écriture, phonétique), 1918 ; II (verbe), 1929. Bibliographie exhaustive à ces dates.

Paul JOÜON, *Grammaire de l'hébreu biblique*, Rome, 1923 (2e éd. 1947).

Mayer LAMBERT, *Traité de grammaire hébraïque*, Paris, 1938.

Voir de plus : *Jewish Encyclopedia*, New York, 1901-6 et *Encyclopädia judaica*, Berlin, depuis 1928.

ARAMÉEN

Hans Heinrich SCHAEDER, *Iranische Beiträge* I, Halle (Saale), 1930 (Consacré à l'araméen).

A. DUPONT-SOMMER, *Les Araméens*, Paris, 1949.

Hans BAUER und PONTUS-LEANDER, *Grammatik des Biblisch-Aramäischen*, Halle (Saale), 1927.

P. LEANDER, *Laut-und Formenlehre des Agyptisch-aramaïschen*, Göteborg, 1928.

J. CANTINEAU, *Grammaire du palmyrénien épigraphique*, Paris, 1935.

Franz ROSENTHAL, *Die Sprache der palmyrenischen Inscriften*, Leipzig, 1936.

J. CANTINEAU, *Le Nabatéen*, Paris, 1930-1932.

Carl BROCKELMANN, *Syrische Grammatik*, Leipzig, nouvelle édition, 1938. Bibliographie complète.

A.-J. MACLEAN, *Grammar of the dialects of vernacular syriac*, Cambridge, 1895.

Adolf SIEGEL, *Laut-und Formenlehre des neuaramäischen Dialects des Tur Abdin*, Hanovre, 1923.

Anton SPITALER, *Grammatik des neuaramäischen Dialektes von Malula (Antilibanon)*, Leipzig, 1938.

LIHYANITE, ETC.

F. V. WINNETT, *A Study of the Lihyanite and Thamudic inscriptions*. Toronto, 1937.

Enno LITTMANN, *Safaïtic inscriptions*, Leyde, 1943.

ARABE

W. WRIGHT, *A Grammar of the Arabic Language*, 3e éd. Cambridge, 1896 et 1898.

M. GAUDEFROY-DEMOMBYNES-R. BLACHÈRE, *Grammaire de l'arabe classique*, Paris, 1939.

Voir en outre *Encyclopédie de l'Islam*, article *Arabie* (étude comparée sur les dialectes modernes par G. KAMPFFMEYER, antérieure à 1913) et divers articles linguistiques.

W. MARÇAIS et ABDERRAHMAN GUIGA, *Textes arabes de Takrouna* I, 1925. Dans l'avant-propos, aperçu sur les modes de propagation de l'arabe dans le Maghrib.

SUDARABIQUE

Ditlef NIELSEN, etc., *Handbuch der altarabischen Altertumskunde* I, Copenhague, 1927.

Maria HÖFNER, *Altsüdarabische Grammatik*, Leipzig, 1943 (Avec une bibliographie qui sera complétée dans un volume ultérieur).

Wolf LESLAU, *Lexique soqotri*, Paris, 1938. Vocabulaire comparatif ; bibliographie.

LANGUES ÉTHIOPIENNES SÉMITIQUES

August DILLMANN (révision par Carl Bezold, trad. par J. A. Crichton), *Ethiopic Grammar*, Londres, 1907.

Marcel COHEN, *Études d'éthiopien méridional*, Paris, 1931 ; contient un tableau comparatif sommaire des langues éthiopiennes et des études de gouragué, harari, argobba.

Marcel COHEN, *Traité de langue amharique*, Paris, 1936. Description complète (caractères éthiopiens et transcription) ; bibliographie.

Enrico CERULLI, *La lingua e la storia di Harar*, Rome, 1936, avec lexique étymologique.

Marcel COHEN, *Nouvelles études d'éthiopien méridional*, Paris, 1939. Complément d'études sur l'amharique, y compris le vocabulaire des *woyto* ; étude sur l'argobba-sud.

Pour toutes les langues, voir Wolf LESLAU, *Bibliography of the Semitic Languages of Ethiopia*. New York, 1946 (Pour BRYAN, voir p. 181).

ÉGYPTIEN ET COPTE

Adolf ERMAN, *Aegyptische Grammatik*, 4e éd., Berlin, 1928. Bibliographie complète, comprenant les périodiques.

Alan H. GARDINER, *Egyptian grammar*, Oxford, 1927.

Gustave LEFEBVRE, *Grammaire de l'égyptien classique*, Le Caire, 1940.

Marcel COHEN, *Sur la forme verbale égyptienne dite « pseudo-participe »* dans *Mémoires de la Société de linguistique*, t. XXII (1922).

Alexandre MORET, *L'écriture hiéroglyphique en Égypte*, dans *Scientia*, février 1919 (avec bibliographie).

H. SOTTAS et E. DRIOTON, *Introduction à l'étude des hiéroglyphes*, Paris, 1922.

Alexis MALLON, *Grammaire copte*, 3ᵉ éd., Beyrouth, 1926. Bibliographie très étendue.

Walter TILL, *Koptische Dialektgrammatik*, Munich, 1931.

Jean SIMON, *L'aire et la durée des dialectes coptes* dans *Actes du IVᵉ congrès de linguistes* (1936), pp. 182-186.

LIBYCO-BERBÈRE. INSCRIPTIONS

Oric BATES, *The eastern Libyans* (an Essay), Londres, 1914.

Stéphane GSELL, *Histoire ancienne de l'Afrique du Nord*, tome I, chap. 5, Paris, 1913.

J.-B. CHABOT, *Inscriptions punico-libyques* dans *Journal asiatique*, mars-avril 1918 (avec bibliographie).

Georges MARCY, *Les inscriptions libyques bilingues de l'Afrique du Nord*, *Cahiers de la Société asiatique* (1936).

Ernst ZYHLARZ, *Die « unbekannte » Schrift des antiken Südspaniens*, *ZDMG*, vol. 87 (1933-4), pp. 50-67.

DIALECTES BERBÈRES

Nombreuses monographies, études partielles, bibliographies dans : Publications de l'École des Lettres (de la Faculté) d'Alger. Publications de l'Institut des Hautes Études marocaines (Rabat) : Archives berbères, 1915-1919 ; Bulletin de l'Institut des Hautes Études marocaines, 1920. Hespéris, depuis 1921 (Rabat). En particulier bibliographie dans E. LAOUST, *Siwa*, 1932. Voir en outre Francisco BÉGUINOT, *Il berbero nefusi di Fassâto*, Rome, 1931.

*Dans les divers ouvrages, nombreux noms de localités ou de groupements de langue berbère qui ne sont pas insérés dans le chapitre ci-dessus.

Pour la comparaison et le classement des dialectes, voir :

René BASSET, *Étude sur les dialectes berbères* (collection de la Faculté des Lettres), Alger, 1884.

Edmond DESTAING, *Études sur le dialecte berbère des Aït Seghrouchen* (Moyen Atlas marocain), dans la collection d'Alger, 1920.

Pietro BRONZI, *Frammento di fonologia berbera*, Bologne, 1919.

André BASSET, *Le verbe berbère* (étude de thèmes), Paris, 1929.

— *Études de géographie linguistique en Kabylie*, Paris, 1929.

— *Atlas linguistique des parlers berbères*, Algérie, territoires du Nord. Noms d'animaux domestiques, I, Alger, 1936.

De plus : articles et notes de E. DESTAING, G. MARCY, André BASSET dans *Mémoires de la Société de Linguistique*, tomes XXI et XXII, *Bulletin de la Société de Linguistique*, à partir de tome XXIX et *Comptes rendus du Groupe linguistique d'études chamito-sémitiques*, depuis 1931.

Pour la répartition du berbère : E. Doutté et E.-F. Gautier, *Enquête sur la dispersion de la langue berbère en Algérie*, Alger, 1913.

GUANCHE

John Abercromby, *A Study of the ancien Speach of the Canary Islands* dans *Harvard african studies 1 Cambridge* (États-Unis), 1917.

[Dominik Josef Wölfel] Leonardo Torriani, *Die Kanarischen Inseln und ihre Urbewohner*, Leipzig, 1940, pp. 247-310.

Dominik Josef Wölfel, *Die Kanarischen Sprachdenkmäler und die Sprache der Megalithkultur*, annoncé en 1946.

Georges Marcy. *La langue des Guanches*, ouvrage posthume à paraître.

MÉROÏTIQUE

Ernst Zyhlarz, *Das meroïtische Sprachproblem*, tirage à part de *Anthropos*, t. XXV, 1930, avec bibliographie.

COUCHITIQUE MODERNE

Leo Reinisch, œuvres nombreuses (grammaires, vocabulaires comparatifs, recueils de textes) dans les publications de l'Académie de Wien ou dans les collections subventionnées par cette Académie, sur le bedja, l'afarsaho, les dialectes agaw, le kafa, et, en particulier, *Die Somali-Sprache*, 3 vol., 1900-1903.

Franz Praetorius, *Ueber die hamitischen Sprachen Ostafrikas*, dans *Beiträge zur Assyriologie II*, 1894 ; *Zur Grammatik der Gallasprache*, Berlin, 1893.

Carlo Conti Rossini, *La langue des Kemant en Abyssinie*, Wien, 1912 (avec comparaison des autres dialectes agaw).

M. M. Moreno, *Grammatica della lingua galla*, Milan, 1939.

E. Cerulli, *La lingua et la storia dei Sidamo*, Rome, 1938, *Il linguaggio dei Giangero e alcune lingue Sidama dell' Omo (Basketo, Ciara, Zaissè)*, Rome, 1939.

M. M. Moreno, *Introduzione alla lingua ometo*, avec carte, Milan, 1938.

*M. M. Moreno, *Manuale di Sidamo*, Milan, 1940 (avec classification des langages couchitiques).

M. M. Moreno, *I recenti studi italiani sulle lingue « Sidama orientali » e la loro classificazione*. Actes du XXᵉ Congrès des Orientalistes, Paris, 1948.

Des trois derniers auteurs, divers articles dans *Rivista degli studi Orientali, Oriente moderno* et *Rendiconti della Accademia dei Lincei ;* de E. Cerulli notes comparatives dans les comptes rendus du Groupe linguistique d'études chamito-sémitiques.

Voir aussi, depuis 1941, des contributions de divers auteurs la *Rassegna di Studi etiopici*.

Pour la bibliographie en général : Giuseppe Fumagalli, *Bibliografia etiopica*, Milan, 1893, dont la partie linguistique doit être prolongée dans S. Zanutto, *Bibliografia etiopica linguistica*, à paraître à Paris.

De plus : M. A. Bryan, *The distribution of the Semitic and Cushitic Languages of Africa*, Oxford, 1947, avec statistiques et carte.

LANGUES ASIANIQUES ET MÉDITERRANÉENNES

NOTE LIMINAIRE

La relation des langues asianiques et égéennes entre elles ou avec d'autres familles linguistiques pose une série de problèmes difficiles et dont les chances de solution varient beaucoup selon les langues considérées. Certaines sont trop mal attestées, d'autres trop peu interprétées pour que la question puisse être posée utilement ; c'est le cas du proto-hatti et des langues connues par les inscriptions de Mohendjo Daro, d'Ördek Burnu, de Crète, et même de Carie et de Cypre.

On discerne quelques groupements maintenant assurés. Les langues indo-européennes sont plus largement représentées en Asie Mineure qu'on ne l'avait cru d'abord. Elles ne comprennent pas seulement le hittite, le louvi, le « hittite-hiéroglyphique » et probablement aussi le « palā » (toutes langues attestées par les archives de Boghaz-Köy, voir ci-dessus, p. 16), mais encore, sur la côte occidentale, le lycien et le lydien. La morphologie du lycien et du lydien est de structure indo-européenne comme il est montré ci-après. Quand le vocabulaire de ces deux langues sera mieux connu, on sera en mesure de définir plus exactement la relation qu'elles soutiennent avec celles du groupe hittite et les autres langues indo-européennes.

Entre le halde et le hurri, il y a parenté certaine, malgré les différences de vocabulaire[1]. Ces langues sont de type « caucasien », sans qu'on puisse les identifier avec l'une quelconque des langues caucasiennes actuelles[2]. On relève aussi au moins un trait caucasien dans le hatti.

---

1. En dernier lieu, v. SPEISER, *Introduction to Hurrian*, 1941, p. 10.
2. Tentative par R. BLEICHSTEINER, *Festschrift P. W. Schmidt*, p. 1-19.

Des autres langues la parenté n'est pas encore établie.

Le sumérien, la plus ancienne langue de civilisation de l'Orient, n'a pu être incorporé à aucune famille connue. On a tenté de l'apparenter au turc[1], à l'indo-européen[2], au malayo-polynésien[3], au caucasien[4], ou à un ensemble basco-caucaso-tibétain[5]; mais aucune de ces comparaisons n'a semblé convaincante. Certains de ces rapprochements ont été appliqués aussi, sans plus de succès, à l'élamite, qu'on a voulu par ailleurs relier au brahoui et, par là, à la famille dravidienne[6] (voir au chapitre des langues dravidiennes, note préliminaire).

L'étrusque est la langue dont l'obscurité a sollicité le plus de chercheurs. Négligeant les rapprochements fantaisistes avec l'hébreu ou le hongrois[7], nous retiendrons seulement les suggestions qui se fondent sur des faits authentiques et sur des interprétations correctes. Mais ces suggestions sont contradictoires: on a pensé à certaines langues du Caucase septentrional[8], à l'indo-européen[9], au turc[10], au lydien[11]. D'autres ont supposé que l'étrusque faisait partie d'un

---

1. F. HOMMEL, *Zweihundert neue sumerisch-türkische Wortgleichungen*, 1915. C'est la doctrine des linguistes turcs.

2. C. AUTRAN, *Sumérien et indo-européen*, Paris, 1925.

3. Ed. STUCKEN, *Polynesisches Sprachgut in Amerika und in Sumer*, Leipzig, 1927 ; P. RIVET, *Sumérien et océanien*, Paris, 1928.

4. CHRISTIAN, *Babyloniaca*, XII, 1931-32, p. 97-229.

5. K. BOUDA, *Die Beziehungen des Sumerischen zum Baskischen, West-kaukasischen und Tibetischen* (Mitteil. d. altorient. Gesellschaft. XII, 3), Leipzig, 1938.

6. F. BORK, article *Elamiter* dans EBERT, *Reallexikon der Vorgeschichte*. N. L. du dravidien.

7. Voir l'historique détaillé des recherches dans E. FIESEL, *Etruskisch*, 1931.

8. V. THOMSEN, *Remarques sur la parenté de la langue étrusque* (Bull. de l'Acad. roy. de Danemark), Copenhague, 1899.

9. E. GOLDMANN, *Beiträge zur Lehre vom indogermanischen Charakter der etruskischen Sprache*, Heidelberg, 1929-1930.

10. W. BRANDENSTEIN, *Die Herkunft der Etrusker*, dans la série *Der alte Orient*, XXXV, 1937.

11. G. HERBIG, *Kleinasiatisch-etruskische Namengleichungen* (Sitzungs-berichte bayrischer Akademie, 1914).

ensemble proto-indoeuropéen[1], *ou « égéo-illyrien »*[2], *toutes constructions fortement hypothétiques.*

Encore moins prouvée est celle de N. Marr qui voulait voir dans l'étrusque, l'élamite et les langues asianiques en général des témoins d'un ancien groupe étendu dont les restes vivants seraient le caucasien d'une part, le basque d'autre part ; à ce groupe il donnait le nom de « japhétique », que d'anciens auteurs ont employé pour l'indo-européen[3]. *Sans employer de nom général, Alfredo Trombetti a admis le groupement du basque, de l'étrusque et de la plupart des langues asianiques*[4] *avec le caucasien.*

Le travail méthodique et opiniâtre de ces vingt dernières années a éclairé profondément la structure de plusieurs de ces langues, révélant tantôt une parenté génétique (entre le hurri et le halde par exemple), tantôt des caractères typologiques qui peuvent orienter la recherche des affinités. C'est par des recherches toujours plus rigoureuses sur le fonctionnement de ces langues, par une détermination exacte de tous les éléments qui les constituent qu'on préparera le plus utilement les classifications historiques à venir, que des découvertes toujours possibles enrichiront et compléteront.

---

1. P. Kretschmer, *Die protindogermanische Schicht,* dans *Glotta* XIV ; W. Brandenstein, *Rev. étud. indo-europ.,* I, 1938, pp. 301-322 ; P. Kretschmer, *Glotta,* XXVIII, 1940, p. 231 ss. ; Georgiev, *Die sprachliche Zugehörigkeit der Etrusker* (Ann. de l'Univ. de Sofia, XXXIX), Sofia, 1943.

2. V. Georgiev, *Die Träger der kretisch-mykenischen Kultur,* Sofia, 1937-1938.

3. Publications de l'*Institut de recherches japhétiques* de Leningrad, à partir de 1922 (Voir *Note liminaire* des Langues caucasiennes).

4. A. Trombetti, *Elementi di glottologia,* 1923, notamment p. 104.

GÉNÉRALITÉS[1]

Sous le nom général de langues *asianiques* (du grec *asianos* « Asiatique », c'est-à-dire d'Asie Mineure), on comprend un certain nombre de langues dont le seul trait commun est d'avoir été en usage dans l'Asie Antérieure ancienne. Cette dénomination purement géographique ne préjuge aucunement de leurs relations génétiques. Elle n'implique ou n'exclut aucune parenté. En fait, si l'on met à part les langues reconnues comme indo-européennes, celles qui font l'objet du présent chapitre constituent presque toutes des unités distinctes et ne se laissent pas grouper en familles. Aux langues asianiques nous avons adjoint les langues préhelléniques de la Méditerranée orientale, ainsi que l'étrusque, à cause des relations qui unissent à la Grèce et à l'Asie Mineure occidentale les civilisations égéenne et étrusque.

De plus nous avons entendu l'Asie antérieure dans un sens large, en poussant jusqu'à la vallée de l'Indus pour traiter en fin de chapitre des découvertes qui y ont été faites récemment.

Avant de procéder à la description, il convient de présenter quelques observations qui valent pour toutes ces langues indistinctement.

1° Ce sont exclusivement des langues mortes, dont on ne sait ni les limites géographiques exactes ni combien d'individus les employaient. D'aucune d'elles on n'a pu démontrer qu'elle se continuât dans un parler actuel, même quand leur type général évoque une structure connue par des langues qui vivent encore, comme c'est le cas pour le

1. Voir la planche IV.

halde ou le hurri vis-à-vis du caucasien. Ces langues ont disparu à des époques différentes et qu'il est en général impossible de préciser ; leur extinction devait être un fait accompli dans les premiers siècles de notre ère au plus tard.

2º La tradition de ces langues a été perdue. La connaissance que nous en avons dépend entièrement d'un déchiffrement et d'une interprétation opérés depuis le début du xixᵉ siècle et dont le degré d'avancement varie beaucoup selon les langues considérées.

3º Nous ne connaissons pas encore toutes les langues asianiques. Malgré de nombreuses découvertes, il s'en faut de beaucoup que nous possédions des monuments de toutes les langues de l'Asie Mineure ; telles, comme le paphlagonien, le cilicien, le lycaonien, etc., ne sont pour nous que des noms. On ne saurait, il est vrai, affirmer qu'elles se soient toutes écrites. Nos connaissances sont ici, plus que sur un autre domaine, à la merci d'une fouille heureuse.

4º Certaines de ces langues ne sont représentées que par des textes indigents et de contenu monotone, par exemple par des inscriptions funéraires. Elles ne se prêtent donc, quand elles sont interprétables, qu'à une description partielle, où peuvent manquer des traits importants.

5º On ne peut déterminer et encore moins caractériser les langues que recouvrent certaines écritures non déchiffrées des domaines asianique et égéen. Elles seront seulement signalées d'après le site des monuments qui les font connaître.

Sous ces réserves, il est permis de classer les langues asianiques en deux grandes catégories, d'après un critère non linguistique mais historique : l'écriture, différente selon que leur civilisation est tributaire de l'influence suméro-akkadienne à l'Est, ou de l'influence hellénique à l'Ouest. Nous distinguerons donc : 1º les langues notées à l'aide du syllabaire cunéiforme (groupe A) ; 2º celles qui empruntent l'alphabet grec ou des écritures qui en déri-

vent (groupe B). Cette division tient compte aussi d'une
importante différence chronologique : les langues du premier
groupe sont attestées entre le IIIe et le début du Ier millénaire av. J.-C. ; celles du deuxième groupe apparaissent toutes à partir de la seconde moitié du Ier millénaire av. J.-C.

Si nombreuses que soient ces langues, elles ne sont
qu'une partie de celles qui ont voisiné et se sont succédé
pendant quatre millénaires d'une histoire très mouvante
et qui reste pleine d'obscurités.

I

LANGUES ASIANIQUES

Groupe A

SUMÉRIEN

Le sumérien est la plus vieille langue écrite de l'humanité.
On trouve les Sumériens installés dès la plus haute antiquité
dans la région qui s'étend du sud de Babylone au golfe
Persique. Anthropologiquement ils n'appartiennent à
aucun des types, sémitique, arménoïde, dravidien, représentés dans les populations voisines ; ce sont des « Européens » dolichocéphales à nez droit. Leur culture, la plus
ancienne de l'Asie Mineure, semble avoir pris naissance
sur place ; toutefois certains indices invitent à penser
que les premiers Sumériens seraient venus de l'Est ou du
Nord-Est. Ils ont inventé l'écriture cunéiforme dont on
suit l'évolution à travers les siècles sur leurs nombreux
monuments, depuis les premières pictographies (vers
3500 av. J.-C.) jusqu'au système élaboré qu'ils ont transmis, avec une civilisation très avancée, aux Assyro-
Babyloniens. Ils apparaissent isolés dans l'histoire : ni
leur langue ni leur culture ne s'apparentent à celles d'aucun
autre peuple. Leur désignation vient du nom babylonien
šumeru, peut-être identique au nom du pays désigné par
hébr. *šinɛar*, égypt. *sngr* et qui en tout cas répond au nom

indigène *kengir*. Le centre de la culture sumérienne a été Nippour, avec les villes de Our, Kich, Larsa, Lagach, etc.

La langue est attestée par de très nombreux textes et fort divers : stèles, inscriptions et dédicaces, annales, hymnes, rituels, contrats, textes juridiques, médicaux, mathématiques, etc. Même après la conquête babylonienne, le sumérien a survécu pendant des siècles comme langue savante, et a tenu à peu près le même rôle que le latin en Occident. Les scribes et les prêtres ont continué de traduire, de gloser et même d'écrire le sumérien (avec des innovations et des incorrections) alors qu'il était depuis longtemps sorti de l'usage, et sans doute jusqu'à la phase ultime de la civilisation babylonienne, peu avant notre ère.

On discerne en sumérien des divisions dialectales. Les scribes babyloniens appelaient *eme-sal* (probablement « langue rustique ») des formes particulières qui ne se rencontrent que dans des textes religieux. La particularité la plus notable de ce dialecte est de répondre par *š* à *n* et par *m* à *g* de la langue usuelle. Ainsi *gar* « faire » est représenté en « eme-sal » par *mar* — *dingir* « dieu » par *dimmir* — *nirgal* « chef » par *širmal*. La nature exacte de cette distinction n'est pas éclaircie.

Les sons du sumérien comprennent les voyelles *a e i u* et les consonnes *p b t d k g l r m n ḫ z s š*. Il n'y a pas de consonnes doubles à l'initiale ni en fin de mot. Les consonnes finales, particulièrement *t d k g m n r*, sont en général sujettes à s'élider devant une consonne suivante, ce qui obscurcit souvent la forme du mot. A l'intérieur les consonnes tendent à s'assimiler : *enlil>ellil*.

La racine est généralement monosyllabique, consonne+voyelle, voyelle+consonne, le plus souvent consonne+voyelle+consonne. Il n'y a pas de distinction entre racine verbale et nom : *dug* signifie « bon » ou « être bon ».

Les pronoms personnels ont trois formes, suivant qu'ils sont indépendants, suffixés, ou infixés (dans le verbe seulement)[1]. Sous forme indépendante : 1 sg. *ma, mae,*

---

1. Voir ci-dessous, p. 194.

pl. *mende(n)* — 2ᵉ sg. *za, zae,* pl. *menze(n)* — 3ᵉ sg. *ene,* pl. *enene.* Ces pronoms admettent les suffixes à valeur de désinences casuelles (voir plus bas) ; avec *-ak* gén., *-r(a)* dat., on obtient *mā(k)* « de moi », *mar(a)* « à moi », etc. En position suffixale : 1ʳᵉ sg. *-mu* (obl. *-ma*), pl. *-men, -me* — 2ᵉ sg. *-zu* (obl. *-za*), pl. *-zune(ne)* — 3ᵉ sg. *-ni, -bi* (obl. *-na, -ba*), pl. *-nene, -bine.* A ces formes enclitiques s'attache aussi la fonction possessive.

Comme démonstratifs, on a le pronom *ḫur* et surtout les enclitiques *-e* (pl. *-emeš*), *-ne* (pl. *-nemeš*), *-bi* (pl. *-bina*). Les interrogatifs sont *aba* « qui ? » (et aussi *mulu*), et *ana* « quoi ? ». Pour l'expression du réfléchi, on emploie *ni*, souvent renforcé par *-te*, et qui s'adjoint le pronom suffixé : *ni zu* « toi-même », *nite-anenea* « par eux-mêmes ».

Aucune distinction de genre n'apparaît dans le nom, l'adjectif, ni le verbe. Il arrive seulement que pour certaines catégories d'êtres, on distingue le sexe par le mot *sal* « femme » ; ainsi *dumu* « fils », *dumu-sal* « fille ».

Le nombre exprime l'opposition du singulier et du pluriel. Celui-ci se forme par plusieurs procédés. Tantôt on redouble le mot : *kur* « pays », pl. *kurkur*, tantôt on le suffixe par *-ene* ou *-meš* pour les noms d'êtres : *dingir-ene* « les dieux » ; *dubsar-meš* « les scribes » ; ou par *-ḫia* pour les noms de choses : *igi-ḫia* « les yeux ».

Il n'y a pas de flexion nominale à proprement parler, mais une série de postpositions qui fournissent l'équivalent des cas. On distingue, pour la commodité de l'exposition : un cas sans désinence ; un « cas-sujet » en *-e* (voir ci-dessous) ; un génitif en *-ak* (où *-k* s'amuit normalement devant une consonne suivante) ; un datif en *-r(a)*, un ablatif-locatif en *-ta, -a ;* un allatif en *-š(u)*. Ces affixes valent sans distinction de nombre ; l'affixe de cas s'ajoute à celui du pluriel. Un principe important est que ces affixes s'attachent non seulement à un nom, mais à un *groupe nominal* comprenant deux ou plusieurs mots et qui est tout entier traité comme une unité. Le déterminé précède toujours le déterminant, et si plusieurs mots sont en rapport de dépendance successive, l'affixe est répété :

dumu-ninsun-ak « le fils *(dumu)* de *Ninsun* » ; — *dumu-uru-n-ak-ene* « les fils *(dumu...+-ene* aff. plur.) de *(-ak-)* sa *(-n)-* ville *(uru)* » — *lugal ankibidage* (= *an-ki-bid-ak+e* du cas-sujet) « roi *(lugal)* du ciel *(an)* et *(bid)* de la terre *(ki)* » ; *-ak* est postposé au groupe nominal *an+ki*, comme dans *zagankige* (= *zag-an-ki-k)* « les confins *(zag)* du ciel [et] de la terre » — *eri-lugal-a(k)-ra* « à *(-ra)* l'esclave *(eri)* du roi » ; — *eri-dumu-lugal-ak-a(k)-ra* « à l'esclave du fils du roi » ; — *ningišzida-dumu-ninazu(k)-kiag-dingir-ene-ra* « à *(-ra)* *Ningišzida*, fils de *Ninazu*, aimé *(ki-ag)* des dieux *(dingir-ene)* » ; la marque du datif peut s'ajouter ainsi à un groupe nominal fort complexe.

L'emploi, en fonction de sujet, du cas sans désinence ou du cas en *-e* est déterminé par la nature transitive ou intransitive du verbe. Le sujet du verbe transitif se met au cas en *-e* et le régime au cas sans désinence : *ningirsu ursag-kalga-enlilage* (= *enlil-ak-e)* .... *ki munanigara* « *Ningirsu*, le fort *(kalga)* guerrier *(ursag)* d'*Enlil* (*-ak* gén.+-e* cas sujet), a accordé l'emplacement *(ki)* » ; — *enlil lugal-kurkura abba-dingir-dingirenege* (= *dingir-ene-k-e)* .... *ki enesur* « *Enlil*, roi des pays, père des dieux.... a fixé l'emplacement » ; *gudea isag lagaš-uk-e e-ninnu* .... *muna(n)du* « *Gudea*, prince de *Lagaš*, lui *(-na-)* a construit l'*Ea-ninnu* ». Mais le sujet ou le prédicat d'une phrase nominale se met au cas sans désinence : *mae kingia men* « je *(mae)* suis *(men)* un messager » ; *enlil lugal-am* « *Enlil* est *(-am)* roi ». De même le sujet d'un verbe intransitif ou passif : *urlumma badakar* « *Urlumma* s'enfuit » — *il girsuta ummašu gardara egin* « *Il* (n. pr.) marcha *(egin)* victorieusement de *Girsu* à *Umma* » — *e badu* « le temple *(e)* fut construit ».

La composition est largement employée pour former des mots usuels tels que : *lu-gal* « roi » (litt. « grand homme ») ; *e-gal* « palais » (litt. « grande maison ») ; *ki-izi* « foyer » (litt. « place de feu »), ou pour former des adjectifs comme *dumu-nu-tuk* « privé de fils » (litt. « fils+non+avoir »). On constitue des mots abstraits par préfixation de *nam-* et de *nig* (ce dernier indéfini neutre) : *dingir* « dieu » :

nam-dingir « divinité » — *gina* « sûr, ferme » : *nig-gina* « fidélité ; vérité ». Le mot *diri(g)* qui indique la surabondance est pris souvent avec valeur de comparatif.

La forme verbale est spécifiée comme telle par sa structure complexe. Avant et après la racine se disposent des affixes indiquant la personne, le temps et le mode, le sujet et l'objet, ainsi que le caractère transitif ou intransitif du verbe. On ne peut en définir que sommairement l'agencement, qui n'est pas toujours clair.

Il semble que deux temps soient distingués : un présent-futur et un prétérit.

Le sujet est caractérisé par un pronom préfixé ou infixé (voir p. 194) ; l'objet, par un pronom infixé. Certains de ces éléments affixés ne servent qu'au verbe transitif, d'autres sont spéciaux au verbe intransitif. Au présent-futur transitif et intransitif, la personne est exprimée par les pronoms suivants : sg. 1. *-e(n)*, 2. *-e(n)*, 3. *-e;* pl. 1. *-e(n)de(n)*, 2. *-e(n)ze(n)*, 3. *-ene.* Au prétérit transitif : sg. 1. zéro ; 2. *-e-* ; 3. *-n-* ; pl. 1 *-me*(?) ; 2. *-ene-*(?) ; 3. *-n-.* Au prétérit intransitif : sg. 1. *-e(n)-*, 2. *-e(n)-*, 3. zéro ; pl. 1 *-e(n)de(n)*, 2. *-e(n)ze(n)*, 3. *-eš.*

En outre les formes verbales comportent des préfixes qui, quoique le rôle n'en soit pas exactement défini, doivent être liés au temps et à la voix. Le préfixe *i-* se rencontre avec tous les temps : *i-n-du* « il a construit ». Au prétérit, *mu-*, spécial à la forme transitive, s'oppose à *ba-* de l'intransitif ou du passif : *mu-ḫul* « il a détruit », mais *ba-ḫul* « il a été détruit », *ba-ug* « il mourut », *ba-zaḫ* « il s'est enfui ». D'autres préfixes sont de valeur moins claire. De plus une distinction de forme d'accompli, sans désinence, et d'inaccompli (futur) avec *-e*, se marque dans les formes verbales d'une prescription telle que : *tukundi-bi lu giššarluka giš insig barmanaku ilale* « si un homme coupe du bois dans le jardin d'autrui, il payera une demi-mine d'argent », litt. « si *(lukundi-bi)* un homme *(lu)*, du *(-a)* jardin *(giš-šar)* d'un homme *(lu-k-)*, du bois *(giš)* a coupé *(insig)*, demi *(bar)* mine *(mana)* argent *(ku)* il doit payer *(ilal-e)* ». Mais cette distinction n'est pas absolument constante.

8

Comme formes modales, il n'y a qu'un impératif et un optatif. L'impératif s'exprime par la racine nue ou suivie de -e, -a, occasionnellement -u : zu « sache », nigin-u « tourne », ou encore par u- précédant la racine préfixée : mu-zu u-mi-sar « écris ton (zu) nom (mu) ». L'optatif, bâti sur la forme du présent, a pour caractéristique ga- à la 1ʳᵉ personne et ḫe- (ḫa-, ḫu- selon la voyelle des syllabes suivantes) aux deux autres personnes : ga-na-tum « que j'apporte » ; — ḫe-ib-dim-e « qu'il fasse » ; — ḫe-gub « qu'il se dresse ». En outre, il est fait un large emploi de noms verbaux, qu'on peut appeler infinitifs ou participes, formés par la racine suivie de -a, -e, et employés en fonction de propositions subordonnées : gudea lu eninnu in-du-a « Gudea qui construisit l'Ea-ninnu » (litt. « Gudea, homme ayant construit l'Ea-ninnu ») ; lu e indu-a « celui qui a construit la maison » ; litt. « l'homme (lu) le-ayant-construit (in-du-a) la maison (e) ». Il n'est pas d'autre moyen d'exprimer en sumérien la « proposition relative ». Spécialement comme infinitif la racine est suivie de -da (-de) : mu-bi ḫa-lam-e-de « pour détruire son (-bi) nom (mu) ».

La négation est nu, employée avec les adjectifs, les participes et les formes verbales, où elle occupe la première place : gal « il y a » : nu-gal « il n'y a pas » ; nu-mun-ši-n-gi-gi « il ne [le] lui rend pas » (nu- nég. + -mun- préf. verb. + ši « à » + -n- pronom + gi-gi « rendre »). Avec l'optatif, on use de la forme prohibitive na, qui remplace le préfixe d'optatif : ḫa-ma-pad « qu'il me déclare » ; na-ma-pad « qu'il ne me déclare pas ». On emploie aussi bara- en cette fonction.

L'assemblage des préfixes, infixes[1] et de la racine est soumis à un schème dont l'ordonnance est la suivante : préfixe de conjugaison ou négation+infixe personnel+infixe relationnel (voix, mode, etc.)+infixe de l'objet+racine verbale+suffixe temporel. Dans le cas où le verbe est composé à l'aide d'un substantif (ex. ki « place »+gar

---

1. On appelle ici infixe un élément placé entre un préfixe et la racine verbale.

« faire »>*ki*...*gar* « fonder » ; *šu* « main »+*il* « lever »>
šu... *il* « prier »), le substantif vient en tête du complexe :
alnedug « il leur commanda », de *al* préfixe+*ne* pron.
indirect plur.+*dug* « parler, commander » — *munagi*
« il l'a restauré », de *mu-* préf. du prét. trans.+*na* pron.
indir. 3ᵉ sg.+*gi* « remettre » — *ba-la-an-dur-ba-a* « il y
a été installé », de *ba-* préf.+*la* adv. « là »+*an* pron. 3ᵉ sg.+
dur « résider »+*ba* suff. passif — *šu-na-mu-da-ni-bal-e-ne*
« puissent-ils ne pas le changer », de *šu* « main » (composé
avec *bal* « transgresser » d'où « altérer »)+*na* prohibition+
mu aff. transitif+*da* adv. « ensemble »+*ni* pron. objet+*bal*
racine « transgresser, traverser »+-*ene* désin. 3ᵉ pl.

Le verbe « être » mérite une mention distincte. Les
formes sont au présent : sg. 1. *me(n)*, 2. *me(n)*, 3. *ime;*
pl. 1. *menden*, 2. *menzen*, 3. *imeš*. A l'optatif : sg. 1. *ḫe-
me(n)*, 2. *ḫe-me(n)*, 3. *ḫe-me* ou *ḫe;* pl. 3. *ḫe-meš*. Communément le verbe a une forme de copule -*am* pour le 3ᵉ sg.
qui s'ajoute à la forme de participe en -*a : mu gin-na-am
ilu til-la-am* « l'année *(mu)* passa, le mois *(ilu)* fut accompli ».

La numération sumérienne est le produit de deux
systèmes combinés, l'un à base décimale, l'autre à base
vigésimale et sexagésimale : 1 *aš, geš* ; 2 *min* ; 3 *eš* ; 4 *limmu* ;
5 *i, ia;* 6 *aš;* 7 *imin;* 8 *ussu;* 9 *ilimmu;* 10 *u;* 11 *u-aš;*
12 *u-min*, etc. ; 20 *niš;* 30 *ušu;* 40 *nimin;* 50 *ninnu;*
60 *geš ;* 80 *geš-niš;* 100 *geš-nimin;* 600 *geš-u ;* 3600 (60×60)
šar; 216.000 (60×60×60) *šar-gal* (« grand *šar* »). On
forme les ordinaux par addition de *kam : eš-kam* « troisième ».

ÉLAMITE

Le peuple élamite qui a joué un rôle important dans
l'histoire ancienne de l'Asie Mineure habitait la région
montagneuse qui va de la plaine mésopotamienne au plateau iranien, et qui comprend le Zagros, le Louristan et
le Khouzistan actuels. Sous la forme qui prévaut aujourd-
'hui, leur nom vient de *Elamtu* qui désignait en assyrien
leur pays (dont le nom indigène était *Ḫatamtu*), gr.

Elumaïs. Ils portent encore d'autres noms : leur capitale
Suse (akk. *šušu,* hébr. *šušan,* gr. *Sousa*) les a fait parfois
dénommer *Susiens ;* ou du nom indigène de la province
d'*Anšan* ou *Anzan,* on a tiré la dénomination d'anzanite
pour leur langue ; enfin l'Élam étant appelé en vieux-
perse achéménide *(h)ūža,* d'où l'ethnique *xōzī* et le nom de
pays *Xōzislān* dans les langues de l'Orient moderne,
certains orientalistes allemands ont appliqués le terme de
« chozisch » à la langue des monuments récents. Nous
désignons par élamite, sans distinction d'époque, la langue,
aujourd'hui éteinte, de l'Élam.

Cette langue est connue à trois époques successives de
sa longue histoire. Les plus anciens monuments, en une
écriture figurative encore incomplètement déchiffrée,
remontent au milieu du IIIe millénaire. Puis viennent des
inscriptions en caractères cunéiformes dérivés du syllabaire akkadien, du XVIe au VIIIe siècle. Enfin l'élamite
(également écrit en cunéiforme) a été une des trois langues
de l'empire achéménide (V[e]-IVe s.) : les inscriptions des
rois perses sont pour la plupart trilingues (vieux-perse,
akkadien et élamite), et Cyrus portait le titre de roi
d'*Anšan.* Au cours des fouilles de Persépolis on a découvert
environ 30.000 tablettes ou fragments élamites d'époque
achéménide ; ces textes, dont les spécimens édités sont en
majorité des documents de comptabilité commerciale,
permettront sans doute une meilleure description de la
langue. On ne saurait dire quand l'élamite s'est éteint ;
le géographe arabe Istahri affirme, au milieu du Xe s.
de notre ère, que les habitants du Khouzistan parlaient
arabe, persan et *xūzī ;* mais on ne peut démontrer qu'il
s'agisse d'une survivance de l'élamite à une date aussi
récente.

Beaucoup de traits importants nous restent obscurs
dans la structure de l'élamite et même les textes achéménides attendent encore une étude approfondie. Dans le
phonétisme, les faits notables sont l'existence de voyelles
présumées nasalisées, l'échange fréquent entre occlusives
sourdes et sonores (dans les noms et mots pris au perse),

la transcription de *w* perse par *m*, la réduction parfois très forte des syllabes intérieures, la gémination consonantique. Les mots se terminent par consonne aussi bien que par voyelle.

Il n'y a pas de genre grammatical, mais une distinction entre animé et inanimé dans les substantifs : ceux du genre animé ont seuls un pluriel, qui est en -*p*. En outre le nom prend une finale différente selon sa position « personnelle » : *sunki-k* signifie « (moi) roi », *sunki-r* « (lui) roi, le roi », pl. *sunki-p*. La liaison de dépendance entre les substantifs se marque par le fait, très caractéristique, que le nom régi assume aussi le suffixe du régissant : *sunki-k sunkime-k* « (moi) le roi du royaume » ; *sunki-r sunkime-r* « (lui) le roi du royaume » ; *sunki-p sunkime-p* « (eux) les rois du royaume » ; *nappi kiki-p ak muri-p* « les dieux (pour **nappi-p* avec élision) du ciel *(kiki-)* et de la terre *(muri-)* ».

Pronoms personnels : *ū* « je », *nu* « tu », *e*, *i* « il » ; *niku*, *elu* « nous » (peut-être exclusif et inclusif), *num* « vous », *ape*, *apu* « ils ». En outre les affixes -*me* -*meni* ajoutés au pronom et les transformant en possessif : *takki-me u-meni* « ma *(u-meni)* vie » ; *nika-me* « notre ». Cet élément -*me*, marque de dérivation, peut servir à indiquer la relation syntaxique d'un groupe nominal entier : *takki-me naḫḫunte-utu rutu hanek-u-re-me* « la vie de *Naḫḫunte-Utu*, ma *(-u-)* chère *(hane-k)* femme *(rutu)* ».

Dans le système verbal, très riche et encore très imparfaitement connu, on distingue, au moins au stade ancien, une flexion active et une flexion passive, plusieurs modes (indicatif, impératif, subjonctif, optatif) et un présent opposé à un parfait et à un prétérit La flexion du prétérit transitif comporte les désinences suivantes : 1. -*ḫ*, 2. -*t*, 3. -*š*; pl. 1. -*ḫu*, 2. -*ḫti*, 3. -*ḫ-ši*. Ainsi *ḫutta-ḫ* « je fis », *ḫutta-t*, etc. ; *me-ni u tašsup me-mi daḫ* « après cela *(me-ni)* j' *(u)* envoyai *(daḫ)* l'armée *(tašsup)* derrière lui *(me-mi)* » — *uramašta sunki-me u tuni-š* « Ahouramazda m' *(u)* donné *(tuni-š)* la royauté *(sunki-me)* ». Au prétérit passif, les désinences sont -*k* à la 3ᵉ sg. et -*p* à la 3ᵉ plur. : *ḫutta-k*

« il a été fait », *ḫutta-p* « ils ont été faits ». En ajoutant *-ne* à ces désinences, on obtient la forme de l'optatif : *ḫutta-k-ne, huttap-ne.* D'autres formes sont plus complexes et admettent un pronom complément infixé : *miši-r-maḫ* « je le *(-r-)* restaurai », avec *-ma-* auxiliaire de flexion. La négation est *ani.* Une particule *nanda, nenda* signale dans une proposition un discours rapporté.

CASSITE

Au voisinage des Élamites, dans le Zagros jusqu'aux environs de Diarbekir, vivait le peuple CASSITE ou COSSÉEN (gr. *Kossaioi,* bab. *kaššu*) entre le XVIe et le Xe siècle av. J.-C. De leur langue survivent seulement quelques noms propres et mots traduits en akkadien. Si le nom du dieu du soleil *šuriaš* évoque skr. *sūrya,* d'autres mots feraient croire à une parenté avec le hatti, comme *bašḫu* « dieu » ; la plupart sont inconnus par ailleurs : *dakaš* « étoile », *nula* « roi », *šir* « arc », *ašrak* « sage », *uzīb* « protéger », etc. On n'en peut rien inférer sur la structure ni sur l'appartenance de la langue.

HATTI

On est convenu d'appeler hatti (chatti) ou proto-hatti la langue indigène qui se parlait au pays de *Ḫatti* (capitale *Ḫattuša* = Boghaz-Köy) au IIIe millénaire av. J.-C. et que l'invasion des Indo-Européens dits Hittites devait recouvrir et éliminer. C'est la plus vieille langue de l'Asie Mineure proprement dite, et très tôt elle a dû tomber en désuétude au point que les Hittites devaient munir de traductions les citations qu'ils en faisaient dans leurs propres textes. Le substrat hatti se décèle dans un grand nombre de noms propres conservés par l'akkadien ou par le hittite.

Cette langue nous est connue par d'assez nombreux textes et fragments religieux des archives de Boghaz-Köy, la plupart sous forme de citations dans les textes hittites. On a en outre plusieurs fragments bilingues hatti-hittites, malheureusement courts et mutilés. Ils ont permis quelques observations sur la structure de cette langue archaïque, dont l'interprétation n'en est encore qu'à ses débuts.

Le trait dominant en est la flexion qui s'opère surtout, mais non exclusivement, par préfixes, caractéristique qui rappelle certaines langues du Caucase (telles que l'abkhaz). Ainsi le pluriel se forme par *le-* préfixé : *binu* « le fils », pl. *le-binu* « les fils », *le-i-binu* « ses fils ». Nombreux sont les préfixes et infixes verbaux, qui paraissent soumis à un jeu complexe ; le préfixe négatif *taš-* est toujours en tête ; *te-* marque futur ou obligation ; *ta-* indique addition. On obtient ainsi, de *šul-* « laisser » : *te-ta-ḫ-šu-šul* « il doit *(te-)* le *(-ḫ-)* laisser *(-šul)* toujours *(-šu-)* en plus *(-ta-)* » ; — de *nuwa-* « venir » : *taš-te-nuwa* « il ne doit *(-te-)* pas *(taš-)* venir *(-nuwa)* ». Dans le vocabulaire, *wašḫab* « dieux » rappelle curieusement tcherkesse *wašḫo* « dieu ». Mais il s'en faut encore de beaucoup qu'on puisse interpréter, même approximativement, des phrases entières.

HALDE

Le halde (chalde, khalde), apparenté au hurri, est la langue préindo-européenne de l'Arménie. Le royaume des *Ḥaldi* (gr. *Khaldaioi*), que les Assyriens appelaient *Urarṭu*, avait pour centre la ville de *Turušpa* ou *Tušpa* établie sur le site de l'actuel Van en Arménie. De là viennent les noms de urartéen (ourartéen)[1] ou de vannique qu'on a parfois donnés à la langue. Ce royaume a duré du IXe au VIIe siècle av. J.-C. : en 640, sous la pression des envahisseurs indo-européens il se soumit à Assourbanipal et perdit son indépendance. De cette période datent les monuments écrits de la langue, plus de 200 inscriptions, dont l'interprétation, encore incomplète, a été largement facilitée par la découverte de deux inscriptions bilingues haldo-assyriennes, les stèles de *Kelišin* et de *Topzawä*.

Le vocalisme du halde, autant que la notation le laisse voir, comporte les voyelles *a e i u* avec tendance à fermer

1. En fait, le nom d'*urartéen* paraît être le seul justifié pour désigner la langue.

e en *i* et à contracter ou à syncoper les voyelles. Les consonnes comprennent deux séries, sourde et sonore, d'occlusives ; *r* et *l* distincts ; nasales *m* et *n* ; semi-voyelles *w* et *y* ; sifflantes *s*, *š*, *z;* un *ḫ* sourd. Il semble que le mot se termine toujours par une voyelle.

Le nom et le verbe sont distincts. L'emploi des formes nominales est régi par le principe de la construction « passive » du verbe transitif.

Le thème nominatif est toujours vocalique, généralement en *-i*, mais aussi en *-a -e -u : paṭari* « ville », *euri* « maître », *ebani* « pays », *pili* « canal », etc.

En dehors du cas en *-še* (v. ci-dessous), la flexion comprend : un génitif sg. en *-i :* n. pr. *menua*, gén. *menuai;* un datif sg. probablement en *-e;* un locatif sg. en *-a* (?) ; un ablatif sg. et pl. en *-ni*. Au pluriel, une forme en *-awe* pour le génitif et le datif. Il y a en outre un cas allatif sg. en *-edi*, plur. *-edi* ou *-ašle*.

Des pronoms on connaît : 1. sg. *ieše*, encl. *-me*. L'adjectif possessif suffixé de la 1ʳᵉ sg. est en *-uki : ebani-uki* « mon pays ». Démonstratifs : *mani* « il, lui » (possessif *masi* « son ») ; *ini* « celui-ci » (plur. *inili*) ; *inani* « celui-là » (plur. *inanili*). Relatif *ali- alu-*.

La dérivation nominale se fait, pour les adjectifs, au moyen du suffixe *-ḫini* marquant appartenance ; *menua-ḫini* « appartenant à *Menua* », mais qui peut aussi, dans des patronymes, indiquer la descendance : *sarduri-ḫini* « fils de *Sarduri* ». Ce *-ḫini*, renforcé par *-ini* de même fonction, aboutit à *-ḫinini* (= *-ḫini+ini*). La formation en *še-* constitue des abstraits : *alsui-* « grand » : *alsuiše* « grandeur ».

Deux mots servent pour la négation: *we* négatif et *me* prohibitif.

Le verbe est bâti sur l'opposition transitif/intransitif qui se marque dans l'expression du sujet, dans le thème et dans les désinences de la forme verbale.

Les thèmes transitifs sont généralement en *-u*, les thèmes intransitifs généralement en *-a* : *šia-* « venir », *šiu-* « apporter ». A ces deux thèmes correspondent deux séries de désinences dont on connaît au prétérit les formes suivantes. Transitif : 1ʳᵉ sg. *zadu-bi* « je fis » ; 3ᵉ sg. *zadu-ni ;* 3ᵉ pl. *zadu-(i)tu.* Intransitif : 1ʳᵉ sg. *ušta-di* « je me mis en marche » ; 3ᵉ sg. *ušta-bi ;* 3ᵉ pl. *ušta-li.* La forme transitive du prét. 3ᵉ sg. peut impliquer un complément pronominal singulier : *terubi* « je (le, la) mis », mais quand le pronom complément est au pluriel, la forme verbale est en *-ali* au singulier : *zaduali* « il les fit », *karuali* « il les combattit », et en *-ituli* au pluriel : *ḫarḫarš-ituli* « ils les détruisirent » ; **ši-dišt-ituli*>*šidištuli* « ils les construisirent ». Si le complément pronominal est l'enclitique *-me* « me, moi », celui-ci se substitue à la désinence *-ni* de 3ᵉ sg. prét. trans. : *aruni* « il (l')a donné », mais *arume* « il me l'a donné » ; *teruni* « il (l')a mis », mais *erume* « il m'a mis ». A la 3ᵉ plur., *-me* s'ajoute à la désinence *-tu*, ainsi *artu* « ils (le) donnèrent », mais *artume* « ils me (le) donnèrent ».

Au temps qui équivaut à un présent-futur, la 3ᵉ sg. de la forme transitive est en *-lē* : *ḫarḫaršulē* « il détruit », *tiulē* « il dit ».

Le « sujet » et le « complément » sont différenciés selon la construction « passive » du verbe transitif.

Dans la phrase transitive, le « sujet », singulier ou pluriel, est au cas en *-še* qui joue le rôle d'un « agentif », et le complément à la forme sans désinence : *menua-še ini pili aguni* « *Menua* a tracé (= fait) ce canal *(pili)* » ; — *menua-še alē : alu-še ini* DUB.TE (idéogramme) *tulē alu-še pilulē* « Menua dit : quiconque *(alu-še)* détruit *(tulē)* cette tablette, quiconque (l')endommage *(pilulē)*... » ; — *išpuini-še sardureḫine-še ini* E-e *zaduni* « Ispuini, fils de Ṣarduri, a construit *(zaduni)* ce temple ».

Dans la phrase intransitive, le « sujet » est au cas (« ablatif ») en *-ni*, au singulier : *ušlabi menua-ni* « Menua se mit en marche » ; au pluriel, la forme est en *-li*.

La phrase nominale est d'emploi régulier à la 3ᵉ personne du singulier du présent : *menuai pili tini* « il s'appelle canal de Menua », litt. « de Menua *(menua-i)* canal *(pili)* [est] son nom *(tini)* ».

Des noms de nombre on n'interprète sûrement que

šusini « un » *(šusini šale* « en un an »), *atibi* « dix mille » ;
peut-être *tarani* « pour la deuxième fois », *šištini* « pour
la troisième fois ».

HURRI

La dénomination de hurri (hourri, churri, khurri, khour-
rite) a prévalu sur celles de « subaréen » et de « mitannien »
pour désigner la langue qui a été parlée dans le pays que
les Assyriens appelaient *Subartu* (au nord d'Akkad),
langue qu'on a d'abord connue par une lettre du roi du
pays de Mitanni (au Nord-Ouest de la Mésopotamie)
trouvée à Tell El-Amarna en Égypte. Le nom *ḫurri* est
la désignation indigène, adoptée par les Assyriens et confirmée par l'ethnique hébr. *ḥorī* (grec des Septante *Khor-
raios*).

L'usage en est attesté sur une aire étendue, depuis la
Mésopotamie et la région de Kirkouk (site de l'ancien
Nuzu) jusqu'à la Syrie, entre le IIIe et le milieu du IIe millénaire av. J.-C. Les documents proviennent en majorité
des archives de Boghaz-Köy (pour la plupart textes religieux, édités en partie seulement et encore très difficiles) ;
il y a aussi la lettre du roi mitannien *Tušratta* à Amenophis III (vers 1400 av. J.-C.), très précieux document
long d'environ 500 lignes qui a été la base de l'interprétation. On a découvert en outre à Māri six textes, poétiques
et religieux, de l'époque de Hammourapi, et à *Ugarit (Ras
Šamra)* un vocabulaire suméro-hurri et plusieurs longs
fragments (d'environ 1500 av. J.-C.) écrits en cunéiforme
alphabétique sans vocalisation. Enfin il survit une masse
considérable de noms propres hurri dans les textes akkadiens, surtout dans ceux de *Nuzu*. A quelques détails
près, tous ces documents sont d'une langue homogène.

Le phonétisme du hurri est éclairé par la variété même
des notations qui nous font connaître la langue. Il comporte
les voyelles *a e i o u* et les semi-voyelles *y* et *w* ; des oppositions d'occlusives et de spirantes sourdes et sonores :
k g, t d, p b, f v (différent de *w*), *s š, z ž, ḫ g*. En outre :
r l m n. Il faut observer que les sourdes sont écrites par

la consonne double, les sonores par la consonne simple ; ceci est notamment établi par la notation des spirantes vélaires : *turuḫḫi-* « masculin » (ougaritique *trḫ-*), mais *ḫalbaḫi-* (ougaritique *ḫlbg*) « de la ville de *Ḫalba* (= Alep) ». En outre, il n'y a pas de *r-* initial ; *l-* initial est très rare ; *r l m n* sonorisent une occlusive sourde suivante : *Ḫalba* « Alep » ; *ard-* « ville », etc. Il se produit de nombreuses assimilations consonantiques : *rn>rr ; rl>rr ; ln>ll*.

Les thèmes nominaux, distincts des thèmes verbaux, se terminent le plus souvent en *-e/i :* p. ex. *arti-* « ville », *eni-* « dieu », *ašti-* « femme », *umini-* « pays », *eše-* « ciel », *tiwe-* « mot » ; adj. *urḫi-* « vrai », *turi-* « inférieur » — mais parfois en *-a :* *šala-* « fille », *ela-* « sœur », *šena-* « frère » — ou plus rarement en *-u :* *utḫuru-* « côté », *ašḫu* « haut » — ou en diphtongue : *attai-* « père », *allai-* « maîtresse », ou en consonne : *ḫawur-* « terre », etc.

Dans les pronoms personnels, ont été reconnues jusqu'ici les formes pour les deux premières personnes au singulier. De « je, moi » on a trois formes : *iša-* dans l'« agentif » *išaš ; ište-* dans le cas sujet *išten*, et *šu-* aux cas obliques. Pour « toi », le thème est *we-*. Les démonstratifs sont *anti-* « celui-ci, » *anni-* « celui-là » ; *agu-* « l'un des deux ». Dans le rôle de pronom relatif, on emploie souvent *ya-*, particule à laquelle s'ajoute *-ma/e-* au sg., *-lla/e-* au plur. Pronom réciproque : *išlani-*. Indéfinis : *uli-* « autre », *šui-* « tout » et plur. *ḫeyarunna* « tous, chacun ».

Les possessifs s'expriment par des postpositions : *-iww(u)-* (= *-ifu-) « mon » ; *-w(u)-* « ton » ; *-i-(ya-), -di-* « son » ; *-iww-as-* (= *ifas-) « notre », *iy(a)-aš* « leur ». Ex. : de *šena-* « frère » *šeniwwu-* (= *ženifu) « mon frère » ; de *attai-* « père » : *attaiwwu-* « mon père » ; *attaiwu-* « ton père » ; *attayi-* « son père » ; *attaiwwaš* « nos pères ».

Les formes nominales se fléchissent, au singulier et au pluriel, par suffixation. On distingue huit cas : 1° cas-sujet qui coïncide avec la forme du thème au singulier, plur. en *-aš ;* à ce cas se met le sujet de la phrase nominale ou du verbe intransitif ou du verbe passif et aussi l'« objet », du verbe transitif construit « passivement » ; le hurri n'a donc pas d'accusatif proprement dit — 2⁰ cas « agentif », sg. *-š*, pl. *-(a)š-uš ;* désignation de l'agent du verbe transitif accompagné d'un objet ; — 3⁰ génitif, sg. *-we*, pl. *-(a)še* ($<$*-aš-we*) ; — 4⁰ datif, sg. *-wa*, pl. *(a)ša$<$*(a)š-wa ;* — 5⁰ allatif, marquant la direction du mouvement sg. *-da*, pl. *(a)š-la ;* — 6⁰ comitatif, sg. *-ra*, pl. *-(a)š-ura ;* — 7⁰ locatif (mal distingué du datif), sg. *-(y)a*, pl. *-aš-a ;* — 8⁰ « statif », cas du prédicat, indiquant l'état subi ou la situation où la notion est placée : sg. *-a*, pl. *-aš-a.* — A ces éléments flexionnels s'ajoute la particule *-ne*, pl. *-na* qui a valeur d'article défini.

Un des traits les plus notables du hurri est l'abondance des éléments suffixaux et aussi, dans les groupes nominaux, le « redoublement suffixal » consistant à répéter dans les attributs ou mots en connexion le suffixe du mot régissant et à indiquer ainsi la fonction des mots régis : DINGIR-MEŠ-*na a-ar-ti-ni-we-na* URU*ḫa-at-ti-ni-bi-na* DINGIR-ME š-*na u-mi-bi-na* URU*ḫa-at-te-ni-bi-na aš-du-ḫa-ni*[1], litt. « les dieux, ceux de la ville, ceux de Hatti, les dieux, ceux du pays, ceux de Hatti, les féminins », c'est-à-dire : « les divinités féminines de la ville de Hatti et du pays de Hatti ».

Les verbes, selon qu'ils sont transitifs ou intransitifs, sont distingués par le timbre, *i* et *u* respectivement, de la voyelle qui termine le thème devant les suffixes verbaux tels que *-kk-* et *-wa/e-* (celui-ci négatif). Ainsi *kat-* « communiquer » : *katikk-* ; ou *war-* « savoir » : *warikk- ;* mais *un-* « venir » : *unukk- ;* ou *tup-* « être puissant » : *tuppukk-.* La forme verbale est constituée par le thème suivi de divers éléments, qui peuvent être nombreux et qui s'ajoutent à la racine dans un ordre fixe qui est le suivant : 1⁰ élargissement de racine ; 2⁰ marque temporelle; 3⁰ élément *-št- ;* 4⁰ élément *id(o)- ;* 5⁰ signe de classe ; 6⁰ déterminatif d'« état », *-kk-* ou *-wa/e-* (négation) ; 7⁰ indication de la voix ; 8⁰ déterminatif d'« aspect » ; 9⁰ déterminatif de « mode » ; 10⁰ suffixes d'agent ; 11⁰ autres éléments

---

1. Les petites capitales reproduisent des idéogrammes.

(pluriel, etc.). La valeur de la plupart de ces éléments ne se laisse pas encore définir exactement.

Selon leur nature, les formes verbales donnent lieu à des constructions très différentes. Dans la phrase nominale, le sujet et le prédicat sont également au cas-sujet : *manen-an šeniuwwue paššithi* « et Mane [est] l'envoyé de mon frère », litt. « et *(-an)* Mane *(mane-n,* litt. [ce qui] est Mane) de mon frère *(šeniuwwue)* l'envoyé *(paššithi)* ». Le sujet d'une phrase à verbe intransitif se construit de même : *manen-an šeniuwwue paššithi una* « et Mane, envoyé de mon frère, vient », avec *una* forme participiale « [est] venant ». Mais dans une proposition à verbe transitif où le sujet et le régime sont indiqués, le régime se met au « cas-sujet » et l'auteur s'exprime par l'« agentif » : *šeniwwuš-an ašli šaruša* « et mon frère a demandé l'épouse » ; litt. « et *(-an)* par-mon-frère *(šeni-wwu-š* avec *-š* agentif) l'épouse *(ašli* cas-sujet sans désinence) fut-demandée *(šaruša)* ». Quand l'objet du verbe transitif n'est pas énoncé, le sujet de l'action se met au cas-sujet, non à l'agentif, et le verbe est un participe en *-i*, non une forme personnelle. La construction de la phrase verbale est donc dominée par la distinction des formes transitives et intransitives, et par la considération « passive » du procès transitif. Les indices temporels varient aussi selon que le verbe est transitif ou intransitif : le parfait est exprimé par *-ož* (trans.) et par *-ošl-* (intrans.) ; le futur par *-ed-* (trans.) et par *-ell-* (intrans.).

Des particules marquent des relations diverses : *inu* « comme » ; *guru* « de nouveau », *pati-* « jusqu'à ».

Parmi les noms de nombre, on peut considérer comme assurés : *šin* « deux » ; *kig* « trois » (probable) ; *lumni* « quatre » ; *šinda* (et *šilla*) « sept » ; *niži* « neuf », *eman* « dix » ; *nubi* « dix mille ».

Groupe B

LYCIEN

Le peuple que les Grecs ont appelé *lycien (hoi Lukioi)* et qui se trouve mentionné dès Homère, se nommait lui-

même « termile », en langue lycienne *trm̃mili ;* selon Hérodote,
I 173, les *Termílai* seraient des Crétois immigrés en Lycie
sur la côte sud-ouest de l'Asie Mineure. Les nombreux
monuments funéraires qu'ils ont laissés en Lycie portent
des inscriptions parfois longues, dont quelques-unes sont
accompagnées d'une traduction grecque. Leur écriture
qui va de gauche à droite, est formée de lettres empruntées
à l'alphabet grec, mais quelques-unes dotées de valeurs
nouvelles. Ce fait et l'existence de textes bilingues ont
beaucoup facilité l'interprétation de ces textes dont les
premiers ont été découverts au début du xixe siècle.
On en connaît aujourd'hui 150, pour la plupart des
épitaphes, auxquels s'ajoutent une cinquantaine de
légendes de monnaies. Le texte le plus important, la stèle
de Xanthos (ve siècle av. J.-C.) qui célèbre la victoire des
Lyciens sur l'armée de l'Athénien Melesandros, présente,
séparés par une épigramme grecque, deux longs développements, le premier en lycien normal, le second, versifié,
en un dialecte assez différent, plus archaïque, peu intelli-
gible et qu'on a dénommé « milyen » (de *Milúai,* nom
ancien des Lyciens d'après Hérodote I 173).

Le phonétisme du lycien comprend : *a e i u ;* les voyelles
nasalisées *ã, ẽ ; y, w ; p b, i d ; c* palatal (valant probablement *ś*) *k g ; q* labiovélaire valant peut-être *ḫ* spirant,
r l n m ; s, z ; h aspiré ; θ probablement spirant. En outre
certaines occlusives ont plusieurs expressions graphiques,
dont on ne connaît pas la valeur phonétique ; on a ainsi *b*
et β, *k* et ϰ, *t* et τ. Le *r* n'apparaît pas à l'initiale ; il peut
avoir valeur de sonante, de même que *n* et *m* (écrits alors *ñ*,
m̃) : *sñta* « cent » ; *trm̃mili* nom des Lyciens ; *hrppi* « pour » ;
umrgga n. propre, en grec *Amórgēs.* Les *b d g* devaient
être spirants ; de là la notation *ñt* pour *d* occlusif dans
ñtariyeusehe gén. « de Darius ». On observe souvent des
syncopes de voyelles avec gémination de consonnes,
comme dans *pttarazẽ* gén. pl. répondant à gr. *Pataréōn*
(« habitants de Patara »). Des groupes comme *tl-* sont
admis à l'initiale : *Tlawa* « Tlos ».

Le lycien distingue le nom du verbe. Il semble qu'un

féminin soit attesté dans plusieurs mots par une finale -*a*.
Il y a une flexion nominale qui au singulier compte au
moins cinq cas : nomin. -*a*, gén. -*ahe*, -*ehi* (pl. -*ai*), dat.
-*i* (pl. -*a*, -*e*, -*iya*), acc. -*ã*, -*u ;* abl. -*adi*, -*edi* (pl. -*ede*).
Les phrases bilingues illustrent bien quelques-unes de ces
désinences : *dapara pulenydah purihimetehe* = gr. *Lapáras*
Apollōnídou Purimálios n. propre — *hrppi lada epttehe se*
tideime « pour leurs femmes *(lada)* et *(se)* enfants
(tideime) », gr. *epi taîs gunaiksìn taîs heaotôn kai toîs*
eggónois, contrasté avec *iktta hlah tideimi hrppi ladi ehbi*
se tideime ehbiye « Iktas, fils *(tideimi)* de La, pour sa femme
(ladi) et ses enfants », gr. *Ikta La... gunaikì kai téknois.*
Comparer encore : ... *crup*[*sseh*] *tideimi se purihime*[*teh*]
tuhes tlãñna atru ehb[*i*] *se ladu ehbi ticeucēprē pilleñni*
urtaqiyahñ cbatru se priyenubehñ tuhesñ = gr. [*Porpaks*]
Thrupsios Puribátous adelphidoûs (tuhes) Tlōeùs heauton
ka[*ì*] *tên gunaîka Tiseusémbran ek Pindrōn (pilleñni)*
Ortakia thugatéra (cbatru) Prianóba adelphidên (tuhesñ) ».
On a reconnu comme pronoms *ēmu (ēmi)* « moi, mien »,
dans un emploi comme *ladã ēmi se tideimis ēmis* « ma femme
et mes enfants » (accus.). A la 3e sg. *ehbi* « soi, son » a été
cité plusieurs fois dans les exemples ci-dessus. Il se joint
à *atti* réfléchi « soi-même » dans les expressions *hrppi atli*
ehbi « pour soi-même » et *hrppi atla eptte se prñnezi epttehi*
« pour elle-même et pour sa maison ». Démonstratif *ebē*
« celui-ci, ce » et *ti* anaphorique : *ebēñnē ñtatã me ne prñ-*
nawãtã pulenyda mulliyeseh se dapara pulenydah=gr. *toûto*
to mnêma (ñtatã, acc.) *ergásanto Apollōnides Mollísios kai*
Lapdras Apollonídou « Apollonidès fils de Mollis et Laparas
fils d'Apollonidès ont édifié ce monument ».
   Plusieurs suffixes servent à la dérivation nominale :
-*ezi* dans *prñna*- « maison », gr. *oîkos* : *prñnezi*- « de la
maison », gr. *oikeîos* — -*(i)li* dans l'ethnique *trm̃mili*
« lycien » — -*ãñna* dans *Tlãñna* = gr. *Tlōeus* « de la ville
de Tlos », peut-être identique à -*ēñni* dans *wedri* « ville » :
wedrēñni « de la ville », etc.
   La flexion verbale n'est attestée que par des exemples
assez peu variés, vu la teneur des inscriptions, mais la

fonction de plusieurs formes est assez bien établie. On peut distinguer un présent-futur (3ᵉ sg. *-li*) et un prétérit (1ʳᵉ sg. *-ka*, 3ᵉ sg. *-le, -de*) à l'indicatif ; en outre, un impératif (3ᵉ sg. *-lu, -du*) et un infinitif en *-ana, -ane.* Moins claires sont les formes du pluriel. On oppose ainsi *tāti* « il pose » à *tāte* « il a posé », *kñtewete* « il a commandé » ; *prñnawakã* « j'ai construit » (verbe *prñnawa-* « construire, gr. *oikodomeîn* » dérivé de *prñna-* « maison » gr. *oîkos*) à *prñnawate* « il a construit ».

Le sens de quelques prépositions ressort ou peut être inféré des bilingues : *hrppi* « pour » ; *epi* = gr. *epí* ; *ñte*, élargi en *ñtepi* « dans » ; *pri* « sur » ou « devant » ; *ēti* = gr. *anti* ; *ese* « avec » qui se réduit à *se* conjonction « et ». La négation est *ne ;* la forme de prohibition est *ni*.

Plusieurs numéraux ont été reconnus : *tbi, cbi* « deux », *tri-* « trois », *kadr-* « quatre », *nu(ñ)-* « neuf » ; *sñta* « cent », parmi les plus clairs, avec des dérivés probablement multiplicatifs *tbiplẽ trpplẽ* (Xanthos), *cbisñni trisñni* = latin « bīnī trīnī ».

Outre les termes de parenté déjà cités : *tideimi* « fils », *lada* « épouse », *tuhes* « neveu », *cbatra* « fille », mentionnons, pour le vocabulaire : θ*urtta* « frère », *quga* « grandpère », *arawaziya* = gr. *herô(i)on* « temple d'un héros », *erubliya* « monument », *sttala* « stèle », *miñti* « assemblée politique » (gr. *míndis*), *prñna* « maison, famille », etc.

LYDIEN

Presque tout ce que nous possédons du lydien vient des fouilles de Sardes (lyd. *śfard-*, vieux-perse *sparda-*, gr. *Sárdeis*), capitale de la Lydie. Ce sont des inscriptions, assez longues parfois, qui datent du IVᵉ siècle av. J.-C., gravées en un alphabet particulier dérivé du grec et dont la lecture a créé maintes difficultés. Ces textes, une cinquantaine environ, bien conservés, sont écrits en général de droite à gauche. Quelques-uns sont rédigés en vers. Le point de départ de l'interprétation a été fourni par une inscription bilingue lydo-araméenne, qui a permis de reconnaître progressivement le sens de plusieurs mots et la structure des formes.

Outre les voyelles *a e i o u*, le lydien possède des voyelles nasalisées *ã* et *ẽ* et une voyelle de timbre indécis, transcrite *ι*. Le consonantisme est constitué par des occlusives sourdes et sonores *(p b k g t d)*, des spirantes *f* et *v*, des nasales *m n* et aussi ν (nasale non autrement déterminée), des liquides *r* (non initial), *l* et λ (= *l* mouillé), un signe ↑ valant *q* ou *h*, les sifflantes *s* et *ś*. Les mots sont normalement à finale consonantique.

Le nom, qui se distingue clairement du verbe, comporte une opposition de genre masculin et féminin, et un neutre bien caractérisé dans les pronoms. La flexion nominale présente un nominatif en *-s* (en *-a* dans certains noms féminins en *-a*), un accusatif en *-n* (écrit souvent *-ν*) et un cas oblique en *-l*. Pronoms personnels : *amu* « je, moi » et *ẽmis* « mien ». Dans le relatif s'opposent masc. *pis* = lat. « quis » à neutre *pid* = latin « quid », d'où est probablement venue la finale *-od* des substantifs neutres. Avec la négation, *ni-d;* adverbe de lieu *kud* « où ». Démonstratif *es-* « ce ».

La structure générale du verbe commence à apparaître. On discerne deux temps : un présent-futur et un prétérit. Au présent la finale de 3e sg. est *-t*, *-d*, celle de 1re sg. en *-u (-v)*. Le prétérit est caractérisé par *-l*. Il semble bien y avoir des préverbes, notamment *kan- (kat-)*.

La conjonction *-k* « et » se substitue à la finale casuelle.

Trois spécimens illustreront l'emploi des formes dans des formules consacrées : *esν taśẽν asνil bartaraś qatit* accompagné des mots grecs *Partaras Athēnaiēi* signifie « Partaras a consacré (? *qatit*) cette colonne (? *taśẽν* acc. sg.) à Athena (*asνil* avec *-l* du cas oblique) — *nannaś bakivalis artimuλ* = gr. *Nannas Dionusikléos Artémidi* (le patronymique *bakivalis*, dérivé de gr. *Bákkhos*, est transposé en grec par *Dionusikleos*). — *eśś sιrmaś Pλdañl Artimuλ-k dacuverśt vintad ak-it esλ sirmaλ pis fẽnsλibid niviścν tak-m-λ-it-in Pλdãnś Tavśaś Artimu-k Ibśimsis katsarlokid* « ce temple *(sιrmaś)* est consacré *(dacuverśt)*... à Apollon et *(-k)* à Artémis. Or si *(ak-)* quelqu'un *(pis)* ce temple endommage *(fẽnslibid)* par impiété *(? ni-viścν)*,

alors *(ʃak-)* celui-la *(-in)*, Apollon Tausas et Artémis
d'Éphèse *(Ibśimsis)* l'anéantiront *(katsarlokid)* ».

CARIEN

De la langue des Cariens (gr. *kâres*) qu'Homère qualifie
de « barbarophones », il nous reste 76 inscriptions et
graffiti très courts trouvés pour la plupart en Égypte,
où de nombreux mercenaires cariens s'étaient mis au
service de Psammétique I et II (entre 663 et 589 av. J.-C.).
A ce total s'ajoutent plusieurs inscriptions plus longues
du IVe s. environ, trouvées ces dernières années en Carie,
et récemment publiées. Elles sont partiellement bilingues,
mais mutilées, au point que la correspondance ne s'établit
pas sûrement entre les rédactions grecque et carienne.
L'écriture va de gauche à droite ou inversement.

L'alphabet, où se mêlent des lettres prises à un alphabet
grec occidental et des signes syllabiques du type cypriote,
est encore de lecture incertaine ; la valeur exacte de maint
caractère reste conjecturale. La grande majorité des textes
d'Égypte paraît ne comprendre que des noms propres avec
des patronymes en *-oḫḫe*. Quelques spécimens donneront
une idée du phonétisme de la langue, telle qu'elle apparaît
d'après la lecture traditionnelle : *he-r-v-vo-o-z va-v-s-l-ja*
m-g-u-l-he-vo — m-z-a-ḫe-ti s-r-a-va-vo-h-he — ja-u-n-
a-l-k'-a s-a-d n-o-h(e)-vo (?) m-g-ḫe-o(?)-s-vo ro-v-o-n-vo
a-k' ro-v-u-r.

MYSIEN (?)

Une inscription du Ve siècle av. J.-C. (?), trouvée à
Uyujik, à l'ouest de Kotiaeion en Phrygie Epiktète, semble
être l'unique vestige de cette langue : quelques lignes
grossièrement gravées et en partie effacées sur une plaque
de marbre qui porte un relief animalier. On suppose, d'après
le site, qu'elle est conçue dans la langue de Mysie dont
l'historien Xanthos dit qu'elle était mi-phrygienne, mi-
lydienne. Ce texte, écrit en alphabet grec avec quelques
caractères lydiens, présente plusieurs formes apparentées
au phrygien.

Pisidien (?)

On attribue hypothétiquement à la langue pisidienne
un ensemble de seize très courtes inscriptions relevées près
du village de Sofoular, sur le territoire de l'ancienne Pisidie.
Gravées grossièrement sur des stèles funéraires dans
l'alphabet grec de l'époque impériale, ces inscriptions
semblent ne contenir que des noms propres, dont plusieurs
d'apparence phrygienne.

II

LANGUES MÉDITERRANÉENNES

Étéo-crétois

L'île de Crète a connu, à l'époque mycénienne, une
prestigieuse civilisation que les découvertes mémorables
d'Arthur Evans ont révélée. Entre autres monuments on
a exhumé, notamment à Cnossos et à Mallia, plus de
1.600 sceaux et tablettes portant des inscriptions qu'on
appelle *étéo-crétoises* (hom. *Eteokrêtes* « les vrais Crétois »)
pour les distinguer de celles, plus tardives, qui sont rédigées
en grec. Ces inscriptions, qui datent du IIe millénaire
(environ 1500) av. J.-C., sont conçues les unes en hiéroglyphes, les autres en écritures linéaires de deux types
(dits A et B), et sont écrites de gauche à droite ou de
droite à gauche indifféremment. Aucune de ces écritures
n'est encore déchiffrée et l'on ne saurait rien dire de la
nature de la langue qui s'y exprime. Également mysté-
rieux est le principal texte hiéroglyphique, le célèbre
disque de Phaistos (xviie s. av. J.-C. environ).

On peut cependant se faire quelque idée de la langue
étéo-crétoise par des témoignages indépendants :

1° Un papyrus médical égyptien d'environ 1500 av. J.-C.
contient une formule de conjuration « en langue de Keftiou
(= Crète) » transcrite en hiéroglyphes égyptiens sans

séparation de mots. Certains interprètes la vocalisent :
śanti kupapa waya yaya minti lekakali.

2º On a trouvé à Praisos (Crète), à côté d'inscriptions
grecques, des fragments d'inscriptions en écriture grecque
(boustrophedon) et en langue indigène, sans séparation
de mots (environ 600 av. J.-C.). En voici un spécimen :
οναδεσιεμετεπιμιτσφα δοφναλαραφραισοιιναι ρετσνμτορσαρδοφσανο
σατοισστεφεσιαμυν ανιμεστεπαλυνγυτατ, etc. (onadesiemete-
pimitspha dophnalaraphraisoiinai retsnmtorsardophsano
satoisstephesiamun animestepalungutat...). Les séparations
ne marquent que la fin des lignes. On y reconnaît seulement le nom de Praisos (φραισοιιναι).

Une importante trouvaille a élargi l'aire de cette langue.
Au cours de fouilles sur l'emplacement de l'ancienne Pylos,
patrie de Nestor (au Sud-Ouest du Péloponnèse), on a
découvert en 1939, au milieu de vestiges de l'époque
mycénienne, un dépôt d'archives comprenant plus de
600 tablettes et fragments datant du XIIIᵉ siècle av. J.-C.
Ces tablettes portent des signes identiques à ceux de
l'écriture dite « linéaire B » de Cnossos ; ils doivent, d'après
les séquences observées, noter la même langue. Mais on
ne pourra, tant que cette écriture n'aura pas été lue,
décider si la langue de la région était « créto-mycénienne »
comme la civilisation, ou si ce dépôt d'archives est seulement un témoignage des relations commerciales qui
reliaient Pylos à la Crète.

En outre, une très courte inscription écrite en « linéaire
B » a été trouvée à Ras-Chamra.

B. Hrozný, dans un déchiffrement dont les principes sont
très contestables, essaie de lire et d'interpréter cette langue
comme indo-européenne et apparentée au hittite cunéiforme
et hiéroglyphique.

ETÉO-CYPRIOTE

La langue préhellénique de l'île de Cypre (aujourd'hui
Chypre), appelée *éléo-cypriote* (= cypriote authentique)
pour la distinguer du dialecte grec de Cypre, est notée au
moyen de l'écriture syllabique qui a servi également à

fixer plusieurs inscriptions grecques, notamment la table
d'Edalion. De cette langue on possède huit courtes inscriptions attribuées au IVe s. av. J.-C. L'une est un texte
bilingue cypriote-grec, mais dont les deux parties ne se
correspondent pas en détail, la partie grecque étant
beaucoup plus courte : *a-na ma-to-ri u-mi-e-sa-i-mu-ku-
la-i-la-sa-na a-ri-si-to-no-se a-ra-to-va-na-ka-so-ko-o-se ke-
ra-ke-re-tu-lo-se-ta-ka-na-ku* (?) *no(?)-so-ti a-lo ka-i-li-po-ti*
gr. *hē pólis hē Amathousíōn* («la cité des habitants d'Ama-
thonte») *Aristōna Aristōnaktos Eupatridēn* («Ariston Eupa-
tridès fils d'Aristonax», acc.). L'interprétation de ce texte
— et à plus forte raison des autres — est encore très
incertaine. L'écriture syllabique ne donne même pas une
idée claire du phonétisme ni de la forme des mots, bien
qu'ils soient séparés. A en juger par la transcription en
usage, la langue a comporté cinq voyelles *(a e i o u)*, une
série d'occlusives sourdes *(p t k)*, en outre *m n l*, *r, v* et
une sifflante *s*. On ne peut encore rien dire de la parenté
possible de l'étéo-cypriote avec l'une ou l'autre des langues
voisines.

ÉTRUSQUE

Le débat ouvert depuis l'antiquité sur l'origine des
Étrusques n'a pas encore trouvé de solution décisive et
oppose toujours les partisans du peuplement autochtone
à ceux qui croient les Étrusques venus d'Asie Mineure.
La première thèse, que Denys d'Halicarnasse soutenait
déjà, se fonde sur l'ancienneté des sites étrusques en Italie
septentrionale (dès le Xe s. av. J.-C.), sur les relations —
encore mal définies — entre l'étrusque et la langue de
certaines inscriptions pré-italiques de la région de Bolzano,
Sondrio, Lugano, ainsi que sur la structure particulière
de l'étrusque, qui n'est réductible jusqu'ici à aucune autre
famille linguistique. Par contre, ceux qui considèrent les
Étrusques comme immigrés de l'Orient égéen font valoir,
outre le témoignage d'Hérodote (I 94) sur l'origine lydienne
des Tyrsènes, l'inscription de Lemnos dont la langue est
très voisine de l'étrusque, ainsi que le grand nombre

d'éléments communs à l'onomastique des Étrusques et à celle des Lydiens et Lyciens. Peut-être doit-on admettre que le peuplement de l'Étrurie s'est fait progressivement par des apports venus d'Asie Mineure et par fusion des nouveaux venus avec les autochtones.

Les Étrusques se dénommaient *rasena, rasna*. Leur nom latin *Etrusci, Tusci* se ramène, par *E-trusc-*, **Tu(r)sc-* (ombr. *turskum* « etruscum ») au radical **turs-* qui survit dans leur nom grec *Turs-ēnoi* (cp. *tursis* « bastion, ville forte » et la ville de *Tursa, Turra* en Lydie méridionale). Leur civilisation a d'abord connu une longue période d'éclat et de puissance, du viie au ive siècle av. J.-C., au cours de laquelle leurs rois ont dominé Rome (dont le nom, proprement étrusque, est *Ruma*). Puis, vaincus par les Romains après une suite de guerres malheureuses, leurs cités furent à partir de 200 av. J.-C. définitivement incorporées au territoire romain et soumises à des institutions nouvelles. L'usage de la langue étrusque a duré néanmoins longtemps après, et l'on reconnaît dans l'articulation toscane de *k* par *h (la hasa* pour *la casa)* une survivance actuelle du phonétisme étrusque, dans une région dont la toponymie garde fidèlement le souvenir de son premier peuplement.

En dehors d'un petit nombre de gloses et de mots cités par les anciens, tout ce qu'on sait de l'étrusque a été patiemment conquis sur l'obscurité des textes par la méthode combinatoire : il s'agit d'assurer l'interprétation des mots, de leur sens et de leur fonction par l'étude exclusive des textes mêmes, en écartant par principe tout rapprochement avec d'autres langues. Ce procédé, employé avec une rigueur toujours plus exigeante, a permis de déterminer les traits généraux de la structure de la langue et la signification d'un assez grand nombre de mots. Cependant on est loin de pouvoir traduire des phrases entières et notre connaissance du lexique, en particulier, demeure très incomplète. Cela tient en grande partie à la nature même de la documentation.

Tous les monuments de la langue étrusque proviennent

d'Étrurie, à l'exception de trois : l'inscription de Lemnos (10 lignes courtes écrites boustrophedon en un alphabet grec du vi^e s. av. J.-C.), dont la langue est sinon identique, du moins apparentée étroitement à l'étrusque ; le texte (conservé au Musée de Zagreb) des bandelettes d'une momie étrusque découverte en Égypte ; et une très courte inscription sur une amulette trouvée à Carthage.

L'alphabet étrusque méridional dérive d'un alphabet grec du type de celui de la Grèce centrale, particulièrement de Corinthe, région dont sont venus également en Étrurie de nombreux mythes et noms propres. Les plus anciennes inscriptions sont boustrophedon et ne comportent pas de séparation de mots ; mais la plupart sont écrites de droite à gauche, avec intervalles ou points entre les mots. Quant aux inscriptions nord-étrusques (Lugano, Bolzano), l'alphabet en est à peu près pareil à celui des monuments préitaliques dit « sabelliques ».

On possède environ 10.000 inscriptions étrusques, dont la plus ancienne, la stèle de Vetulonia (10 mots) remonte au viie s. av. J.-C. Mais ce sont en grande majorité des textes funéraires, souvent très courts, monotones, riches seulement en noms propres et de contenu peu instructif. Les plus longs sont : 1º le texte écrit sur les bandelettes de la momie de Zagreb ; c'est le seul manuscrit étrusque qui nous soit parvenu ; les douze bandelettes, d'époque grécoromaine, portent une suite d'invocations et de prescriptions rituelles ; 2º le texte de Capoue (ve siècle) d'environ 300 mots ; 3º le cippe de Pérouse (120 mots), plus tardif, contrat entre deux familles ; 4º le plomb de Magliano (vi^e siècle), texte religieux de 66 mots ; 5º la lame de Volterra (iiie s. environ), 80 mots ; 6º la lame de Monte Pitti, tablette d'exécration de 50 mots (iiie s.) ; 7º le texte funéraire du sarcophage de Tarquinia, 60 mots (iiie ou iie siècle) ; 8º le foie de Plaisance, liste assez tardive de 47 noms divins ; 9º l'inscription de San Manno près de Pérouse, 28 mots. On a en outre beaucoup d'inscriptions sur des objets variés (notamment sur des miroirs et des vases) ainsi que sur les fresques qui décorent les chambres funéraires. Très peu de bilingues et ne comportant à peu près que des noms propres. Le plus notable est celui de Pesaro : *nelśvis trutnvt frontac = haruspex fulguriator*. Du moins les noms propres, qui abondent, ont-ils permis d'utiles observations sur la flexion nominale.

Au point de vue phonétique, le trait le plus remarquable est l'absence de sonores : occlusives ou spirantes, seules les sourdes sont représentées : *p t k* (ou *c*) et φ (ou *f*) θ χ (ces trois lettres grecques notant des spirantes). Il y a tendance à spirantiser les occlusives (ainsi *k, c* passe souvent à χ), et rapport étroit entre *f* et *h*. Outre *l m n r v*, les consonnes comptent deux sifflantes, *s* et *ś*, et *z* (= *ts*). Le vocalisme ne comprend que quatre timbres : *a e i u*, et *e* se ferme souvent en *i*. La finale admet des groupes complexes : *spurtn, lursθ, avilsχ, cealχlś, heχśθ*, etc. Au cours du développement historique on observe une réduction des diphtongues *(ai>e)* et une accumulation croissante de consonnes : gr. *Klutaiméstra* devient *cluθumusla*, puis *clutmsta;* — *Aléxandros* devient *elχsntre*. Mais plutôt qu'à l'action d'un accent d'intensité, ce procès doit être attribué à des habitudes de simplification graphique.

Il semble que des alternances vocaliques aient eu une fonction morphologique : *clan* « fils » : plur. *clen-ar;* mais cette variation n'est pas constante.

L'étrusque ne connaît pas de genre grammatical. Mais il en est venu progressivement à caractériser par certaines finales les noms propres féminins. On a ainsi opposé -*e* masc. à -*ai* fém. dans *menle* (Menelas), *eite* (Hades) : *elinai* (Hélène), φ*ersipnai* (Persephone), ou ajouté à certains noms féminins une finale -θ*a* d'origine diminutive (θ*ufulθa*, nom divin) qui a servi aussi à définir des fonctions féminines, dans *lautni* « libertus (affranchi) » : *lautni-*θ*a* « liberta (affranchie) ». La différence des noms masculins et féminins se voit dans : *lartiu cuclnies larθal clan larθialc einanal* « Lartiu, fils de Larth Cuclnie et *(-c)* de Larthi Einanei ».

Dans la morphologie nominale, on discerne une opposition de singulier sans désinence et de pluriel en -*ar* :

clan « fils » : pl. *clen-ar ; ais-* « dieu » : pl. *ais-ar.* Il y a, au singulier, un datif en *-eri* et plusieurs marques de génitif : *-aia, -eia* dans les inscriptions archaïques, généralement *-s* et *-l*, ainsi : θ*ansi vipiś lautni* « Thansi, affranchi *(lautni)* de Vipi » ; *camnas* larθ *larθals atnalc clan* « Larth Camnas, fils *(clan)* de Larth et *(-c)* de Atnei ». On forme un « genetivus genetivi » à double caractéristique *-(i)ś-la* pour indiquer le patronymique. Comparer : *lar*θ *cuclnie vel*θ*urus* « Larth Coculnius, fils de Velthur » et : *puia larθal cuclnies vel*θ*urusla* « femme de Larth Coculnius [lui-même] fils de Velthur ».

Cependant ces indices de génitifs, en tant qu'ils apparaissent dans des noms propres, peuvent aussi être interprétés comme des suffixes possessifs à fonction définie : *-al* matronymique dans les gentilices, *-sa* pour désigner l'épouse (*hanu-sa*, femme de *Hanu*). On constate en effet que l'étrusque a fait un large emploi de suffixes nominaux variés, dont quelques-uns ont une fonction apparente : *-*θ*a* suffixe de « motion » déjà mentionné ; *-c, -χ* dans des noms de dignités (*zila*χ, *zil*χ nom de magistrat) ou dans des ethniques (*ruma*χ « Romanus ») ; *-na*, suffixe d'adjectif (*śu*θ*i* « tombeau » : *śu*θ*i-na* « funéraire » ; *ais-* « dieu » : *ais-na* « divin ») ; *-a, -e, -u, -na*, suffixes de gentilices masculins, etc.

Parmi les pronoms personnels on n'a identifié que *mi* « ego », et, comme démonstratif, *eca* « celui-ci ».

Le verbe est encore très mal connu, en partie à cause de la monotonie des formules, et aussi parce que les mêmes formes semblent employées dans les mêmes conditions avec et sans finales. La désinence la plus sûrement reconnue est *-ce* pour le 3ᵉ sg. du prétérit : *amce* « fut » ; *turuce* « a donné » ; *lupuce* « est mort ». Mais on rencontre aussi *lupu* sans différence apparente. Du titre de *zila*χ a été tiré un verbe *zila*χ*nu-* dont on trouve à la fois les formes de prétérit *zila*χ*nu* et *zila*χ*nuce* « il a été zilath » ; de même *zi*χ*u* et *zi*χ*uce* « il a écrit ». Les autres désinences et caractéristiques verbales sont encore très hypothétiques. Ainsi d'un verbe *mulu-* signifiant à peu près « offrir,

consacrer », on a concurremment, dans le même sens :
mulu, mulune, muluvane, muluvaneke.

Deux postpositions servent à unir les mots, *-c* et *-(e)m*,
-(u)m-, valant pareillement « et » : *ramθa matulnei seχ
marces matulnas puiam amce śeθres ceisinies* « Ramtha
Matulnei fut *(amce)* la fille *(seχ)* de Marce Matulna et
(-m) la femme *(puia)* de Sethre Ceisinie » — *arnθal clan
θanχvilusc* « fils d'Arnth et *(-c)* de Thankhvila (Tanaquilla) ».

Dans le vocabulaire, les mots qui reviennent le plus
souvent sont des termes de parenté ou des noms de magis-
trats : *clan* « fils » ; *seχ* « fille » ; *nefts* (Lemnos *nafoθ*) « petit-
fils » ; *prumts* « arrière-petit-fils » ; *puia* « femme » ; *ratacs*
« frère » ; *lautni* (fém. *-θa*) « affranchi » ; *elera* « domestique
mercenaire » ; *zilaθ, zilaχ* « magistrat suprême » ; *purθni*
« prytane » — des désignations de temps : *tin* « jour » ;
tiv « lune », d'où *tivr* « mois » ; *avil* « année » ; *ril* « âge » ;
des mots relatifs au culte : *ais-* « dieu » ; *θaura* « tombeau » ;
maru nom de prêtre (lat. *maro*) ; *flere* « génie » ; *tinścvil*
« offrande », *hinθial* « âme (?) » ; des termes politiques :
meχl « peuple » ; *spur* « cité » ; *tular* « frontières », etc.

Les numéraux étrusques sont encore un problème des
plus controversés. Nous connaissons les six premiers
nombres par les mots que portent sur leurs six faces les
dés de Toscanella. Mais dans quel ordre les lire ? Après
d'incessantes discussions, la question reste ouverte. Voici
les trois plus récentes propositions sur l'ordre des nombres
de un à six : *θu, zal, ci, śa, maχ, huθ* (Cortsen, 1925) ;
maχ, θu, ci, śa, huθ, zal (Goldmann, 1929) ; *θu, ci, zal,
huθ, śa, maχ* (Slotty, 1937). Aussi incertains sont *semφ*
« sept (?) », *cezp-* « huit (?) ». Les dizaines se forment par
addition de *-alχ* au nom des unités : *ci : cealχ ; semφ :
semφalχ.* Dans l'inscription de Lemnos, dont la langue est
très voisine de l'étrusque : *zivai aviz sialχviz* « il a vécu (?)
x années » répond à des formules telles que étr. *zivas
avils XXXVI.*

L'abondance des noms propres dans les inscriptions
étrusques a permis d'en étudier les procédés de formation
et d'en reconnaître les survivances parmi les noms romains.

Très caractéristiques entre autres sont les types en -*rn*-
tels que *Saserna, Laverna, Manturnus*, et en -*mn*-, comme
Volumnus, Pilumnus, Picumnus, Vertumnus, etc.

III

LANGUES NON IDENTIFIÉES

MOHENDJO-DARO

Les importantes découvertes faites dans le bassin de
l'Indus, à Mohendjo-Daro et à Harappa, ont révélé une
civilisation préindienne qui florissait au milieu du IVe millénaire av. J.-C. ; elles ont aussi fourni la preuve que, dès
cette époque, il existait des rapports étroits entre le Nord-
Ouest de l'Inde et la Mésopotamie. On a exhumé en
particulier plus de 700 sceaux portant des signes idéographiques d'un type inconnu ailleurs, écrits en général de
droite à gauche, mais aussi en sens inverse ou boustrophedon. Cette écriture n'est pas encore déchiffrée. Certains
signes évoquent soit des pictogrammes du proto-élamite
ou du sumérien de Djemdet-Nasr, soit des signes crétois ou
cypriotes, mais la variété même de ces comparaisons, toutes
partielles, en montre l'incertitude et interdit pour le
moment d'en tirer aucune conclusion précise sur la nature
de la langue. On n'accueillera donc pas sans réserve la
tentative de lecture de cette idéographie par B. Hrozný
qui veut y retrouver les plus anciens monuments de la
langue « hittite-hiéroglyphique » et le témoignage de la
première apparition des peuples indo-européens avant les
Aryens.

Il ne semble pas non plus qu'on doive admettre la comparaison qui a été proposée entre l'écriture de Mohendjo-
Daro et celle des tablettes de l'île de Pâques. Non seulement les deux sites sont à une distance considérable et les
deux séries de monuments séparées par un énorme écart
chronologique (les sceaux de Mohendjo-Daro sont de

3500 av. J.-C. environ, les tablettes de l'île de Pâques
datent de quelques siècles à peine), mais on n'est même
pas certain que ces dernières portent une véritable écriture ;
les pictogrammes pascuans semblent être plutôt de simples
signes mnémoniques.

STÈLE D'ÖRDEK-BURNU

Une stèle trouvée à *Ördek-Burnu* près de Sendjirli (sur
l'Amanus, à la limite de la Syrie et de la Cilicie) et qui
paraît dater du ixe s. av. J.-C., porte, au-dessous d'une
scène de caractère religieux, un assez long texte en lettres
araméennes de type ancien dont quelques lignes seulement
restent lisibles. Quoiqu'on y retrouve quelques mots
araméens (idéogrammes ?), la langue n'est pas sémitique.
Cette inscription, malaisée à lire, non vocalisée, ne peut
s'interpréter. Comme le style et l'exécution de la scène
figurée rappellent les monuments dits « hittites-hiéro-
glyphiques » de la Syrie septentrionale, on s'est demandé
si le texte ne serait pas conçu dans la même langue. C'est
une conjecture qui reste jusqu'à présent dénuée de preuves
directes.

STÈLES DE BYBLOS

Les fouilles de Byblos ont mis au jour plusieurs stèles
qui paraissent dater du début du IIe millénaire av. J.-C.
et qui font connaître une nouvelle écriture mi-hiérogly-
phique, mi-alphabétique. Certains de ces hiéroglyphes
rappellent ceux de l'égyptien, d'autres ressemblent à des
signes de l'écriture crétoise. Selon un déchiffrement proposé
par B. Hrozný, on aurait ici la même langue (indo-européenne) que dans les monuments dits « hittites-hiérogly-
phiques ». Mais M. Ed. Dhorme a donné une interprétation
de la langue de ces monuments qu'il considère comme
un état du phénicien (Voir au chapitre des Langues chamito-
sémitiques pp. 107 et 111).

E. BENVENISTE.

BIBLIOGRAPHIE

GÉNÉRALITÉS

A. Götze, *Kulturgeschichte des Alten Orients : Kleinasien* (Hdb. der Alter-
tumswissenschaft, III, 1, 3), Münich, 1933 ; *Hethiter, Churriter und Assyrer*,
Oslo, 1936 ; L. Delaporte, *Les Hittites*, Paris, 1936 ; *Les peuples de
l'Orient méditerranéen*, Paris, 1938 ; A. Ungnad, *Subartu*, Berlin-Leipzig,
1936.

Sur les langues : P. Kretschmer, *Einleitung in die Geschichte der griechischen Sprache*, Göttingen, 1896 (description dépassée sur nombre de
points) ; J. Friedrich, *Hethitisch und « kleinasiatische » Sprachen* (Gesch.
der idg. Sprachwiss. II, 5, 1), Berlin-Leipzig, 1936 ; *Kleinasiatische Sprachdenkmäler*, Berlin, 1932 (utile recueil des principaux textes en langues de
l'Asie Mineure et de l'Égée) ; W. Brandenstein, *Kleinasiatische Ursprachen*,
dans Pauly-Wissowa-Kroll, *Realencycl*. Suppl. Bd. VI 1935, p. 165 s. (à
utiliser avec réserve).

Onomastique d'Asie Mineure : J. Sundwall, *Die einheimischen Namen
der Lykier nebst einem Verzeichnisse kleinasiatischer Namenstämme* (Klio,
Beiheft XI), Leipzig, 1913 (à utiliser avec critique ; nombreuses rectifications chez L. Robert, *Études épigraphiques et philologiques*, Paris, 1938,
p. 159 et suiv.) ; listes de noms propres, à utiliser avec critique, chez
Autran, *Introduction à l'étude critique du nom propre grec*, Paris, 1925.

Sur de prétendues survivances des langues asianiques v. Friedrich,
ZDMG, 1934, p. 289 s.

Chroniques annuelles dans l'*Indogerm. Jahrbuch* et dans *Glotta*. Beaucoup
d'articles importants dans la *Revue hittite et asianique* (depuis 1930), dans
les *Kleinasiatische Forschungen* (1929-1931), dans *Caucasica* (1925 ss.) et
dans le *Journal of Cuneiform Studies* (depuis 1947).

Bibliographie récente : E. Laroche, dans les *Conférences de l'Institut
de Linguistique*, IX, Paris, 1950.

SUMÉRIEN

A. Pœbel, *Grundzüge der sumerischen Grammatik*, Rostock, 1923 -
A. Deimel, *Sumerische Grammatik*, 2ᵉ éd., Rome, 1939 ; C. J. Gadd, *A Sume;
rian Reading-book*, Oxford, 1924 ; D. Opitz, art. *Sumerer (B. Sprache)* dans
Ebert, *Reallex. der Vorgeschichte ;* R. Jestin, *Le verbe sumérien* I, 1943 ;
II, 1947 ; A. Falkenstein, *Grammatik der Sprache Gudeas von Lagaš*,
2 vol., Rome, 1949-1950.

— Sur la numération : THUREAU-DANGIN, *Esquisse d'une histoire du système sexagésimal*, Paris, 1932.

ÉLAMITE

F. W. KÖNIG, *Geschichte Elams* (Der Alte Orient, XXIX, 4), Leipzig, 1931 ; C. FRANK, *Zur Entzifferung der altelamischen Inschriften* (Abhandl. Preuss. Akad. 1917) ; *Altelamische Steininschriften*, Berlin, 1923 ; F. W. KÖNIG, *Corpus Inscriptionum Elamicarum*, Hanovre, 1926 ; V. SCHEIL, *Textes élamites-anzanites* (Mémoires de la Délégation en Perse, tomes III, V, IX, XI, XVII, XXII, XXIII, XXIV), Paris, 1900-1933 ; F. H. WEISSBACH, *Die Keilinschriften der Achämeniden*, Leipzig, 1911 ; E. HERZFELD, *Altpersische Inschriften*, Berlin, 1938 ; A. PŒBEL, *Amer. Journ. of Semitic Langu.* LV, 1938, p. 130-132 (quelques spécimens des textes élamites de Persépolis) ; J. FRIEDERICH, *Orientalia*, XII, 1943, p. 23 ; F. BORK, art. *Elam (B. Sprache)* dans EBERT, *Reallex. der Vorgesch.* (seule description grammaticale existante ; à utiliser avec réserve) ; G. G. CAMERON, *Persepolis Treasury Tablets*, Chicago, 1948 ; R. LABAT, *La structure de l'élamite, état présent de la question*, dans *Conférences de l'Institut de Linguistique*, X, Paris, 1951.

HATTI

Quelques fragments bilingues dans FRIEDRICH, *Kleinas. Sprachdenkm.*, p. 1 et suiv. Grand nombre de textes en cunéiforme dans les *Keilschrifturkunden aus Boghaz-Köi*, t. XXVIII. Voir sur la langue : FORRER, *Z. d. deutsch. Morg. Gesellsch.*, 1922, p. 189 s., 288 s. ; FRIEDRICH, *Hethitisch*, p. 42 s. et *Arch. f. Orientforsch.*, XI, 1936, p. 76 s. ; LAROCHE, *Journ. Cuneif. Stud.* I, p. 187-216 et *Rev. Assyr.* XLI, 1947, p. 67-98 et XLIII, 1949, pp. 55 ss.

HALDE

Publication complète des textes en cours dans LEHMANN-HAUPT, BAGEL et SCHACHERMEYR, *Corpus Inscriptionum Chaldicarum*, Berlin, 1928 ss. Historique des recherches et bibliographie jusqu'en 1931 chez FRIEDRICH. *Hethitisch...*, p. 55 ss. ; *Kleinas. Sprachdenkm.*, p. 41. Depuis : J. FRIEDRICH, *Einführung ins Urartäische* (Mitteil. der Vorderas. Aeg. Ges. XXXVII, 3), Leipzig, 1933 ; A. GÖTZE, *Rev. hitt. et asianique*, 1936, p. 179-198 et 266-282 ; FRIEDRICH, *Analecta Orient.* XII, 1935, p. 135 ; TSERETHELI, *Rev. Assyr.*, 1936.

HURRI

Bibliographie ancienne v. J. FRIEDRICH, *Hethitisch...*, p. 44 s. ; *Kleinas. Sprachdenkm.*, p. 7-35 (principaux textes) et *Jaarbericht Ex Oriente Lux* VI, 1939, p. 91 ; THUREAU-DANGIN, *Syria* XII, 1931, p. 225-266 ; FRIEDRICH, *Kleine Beiträge zur churritischen Grammatik* (Mitteil. der vorderas. ägypt. Gesellsch. XLII. 2), Leipzig, 1939 ; A. GOETZE, *Rev. hitt. et asian.*, V, 1940, p. 193-204 ; E. A. SPEISER, *Introduction to Hurrian* (Annual of the Amer. Schools of Orient. Research, XX), New Haven, 1941 (fondamental ; résumé par J. FRIEDRICH, *Orientalia* XII, 1943, p. 199-225).

LYCIEN

Historique des recherches : J. FRIEDRICH, *Hethitisch...*, p. 60 sq. — Édition complète des inscriptions : E. KALINKA, *Tituli Asiae Minoris* I, Vienne, 1901 ; republiées par J. FRIEDRICH, *Kleinas. Sprachdenkm.*, p. 52 ss G. DEETERS, art. *Lykia* (section *Sprache*) dans Pauly-Wissowa-Kroll, *Realencycl.* XXV, p. 2282 ss. : MERIGGI, *Festschr. H. Hirt*, 1936, II, p. 257-282 ; P. KRETSCHMER, *Die Stellung der lykischen Sprache* (Glotta, XXVIII, 1939, p. 256-261 et XXVIII, 1940, p. 101-116) ; H. PEDERSEN, *Lykisch und Hittitisch* (Dansk Vid. Selskab, fil. hist. Medd. XXX, 4), Copenhague, 1945.

LYDIEN

Historique : J. FRIEDRICH, *Hethitisch...*, p. 71 s. Textes réunis par W. H. BUCKLER, *Sardis* VI, 2 : *Lydian Inscriptions*, Leyde, 1924 et reproduits par J. FRIEDRICH, *Kleinas. Sprachdenkm.*, p. 108 s. Il faut y ajouter une inscription publiée par BOSSERT, *Forschungen und Fortschritte* XII, 1936, p. 430 s.

Bilingue lydo-araméen : KAHLE-SOMMER, *Kleinasiat. Forsch.* I, 1927, p. 18 s.

Interprétation : E. GRUMACH, *Arch. f. Orientforsch.*, IX, 1934, p. 189-198 ; P. MERIGGI, *Rev. hit. et asian.* III, 1935, p. 69-116 et *Festschr. H. Hirt* II, 1936, p. 283-290.

CARIEN

J. FRIEDRICH, *Hethitisch...*, p. 58 s. ; *Kleinasiat. Sprachdenkm.*, p. 90 s. ; F. BORK, *Die Schrift der Karer* (Archiv für Schreib-und Buchwesen, IV, 1930, p. 18-30) ; BORK, *Archiv f. Orientforsch.* VII, 1931, p. 14-23 ; W. BRANDENSTEIN, *Karische Sprache* dans P. W. *Realencycl.* Suppl. Bd. VI (1934), p. 140-146 (très hypothétique). Les nouveaux textes cariens ont été publiés par L. ROBERT, *Hellenica*, VIII (1950).

MYSIEN (?)

Inscription publiée par COX et CAMERON, *Klio* XXV, 1932, p. 34-49, et étudiée par P. KRETSCHMER, *Glotta*, XXII, 1934, p. 201 et s.

PISIDIEN (?)

W. M. RAMSAY, *Revue des Universités du Midi* I, 1893, p. 353-362 ; J. FRIEDRICH, *Kleinas. Sprachdenkm.*, p. 142 ; BRANDENSTEIN, *Arch. f. Orientforsch.* IX, 1933, p. 52 et s.

ÉTÉO-CRÉTOIS

Arthus EVANS, *Scripta Minoa, the written documents of Minoan Crete with special reference to the archives of Knossos*, Oxford, 1909 ; *The Palace of Minos*, I-IV, Oxford, 1921-1935 ; G. GLOTZ, *La civilisation égéenne*, Paris, 1923 ; F. CHAPOUTHIER, *Mallia*, Écritures minoennes, Paris, 1930 ; J. SUNDWALL, *Ursprung der kretischen Schrift*, Abo, 1920 (Acta Acad. Aboensis, I), et art. *Kretische Schrift*, dans EBERT, *Reallex. der Vorgesch.*

VII, p. 95 s. — *Alkretische Urkundenstudien* (Acta Acad. Aboensis X, 2), Abo, 1936 ; KOBER, *Amer. Journ. of Archaeol.*, 1944-1945.
Disque de Phaistos : J. SUNDWALL, *Phaistos-Diskus* dans EBERT, *Reallex. der Vorgesch.* X, p. 124 s. ; G. IPSEN, *Indogerm. Forsch.* XLVII, 1929. p. 1-41.
Écritures : GARDTHAUSEN, *Kleinasiatische Alphabete* (dans P. W. *Realencycl.* XI, p. 601 ss.).
Textes en écritures égyptienne et grecque : J. FRIEDRICH, *Kleinasiat. Sprachdenkm.*, p. 145 et s.
Archives de Pylos : BLEGEN et KOUROUNIOTÉS, *Amer. Journ. of Archaeology*, 1939, p. 557-576 (avec reproductions de plusieurs tablettes) ; P. MERIGGI, *Die Antike*, XVII, 1941, p. 170-176.
Texte trouvé à Ras-Chamra : SCHAEFFER, *Ugaritica* I, p. 98.
Essai de déchiffrement : B. HROZNÝ, *Archiv Orientalni*, XIV, 1943, p. 1-117 et XV, 1946, p. 158-302, (discuté par J. SUNDWAL, *Eranos*, 1947, p. 1-12) et republié sous le titre : *Les inscriptions crétoises*, Prague, 1949.

ÉTEO-CYPRIOTE

Textes : R. MEISTER, *Sitz. ber. Preuss. Ak.*, 1911, p. 166-169 ; J. VENDRYES, *Mém. Soc. Ling.*, XVIII, p. 271-280. — Édition complète : E. SITTIG, *Z. f. vergl. Sprachforsch.*, LII, 1924, p. 194-202 ; J. FRIEDRICH, *Kleinas-Sprachdenkm.*, p. 49 et s. — Sur la langue : J. FRIEDRICH, *Hethitisch.*, p. 58 ; H. PEDERSEN, *Mélanges E. Boisacq* II, Bruxelles, 1938, p. 161-165 ; F. BORK, *Die Sprache von Alasija* (Mitteil. der altorient. Ges. V, 1), Leipzig, 1930 (très discutable).

ÉTRUSQUE

Textes : *Corpus Inscriptionum Etruscarum*, en cours de publication depuis 1893. Histoire des recherches et bibliographie ancienne : SKUTSCH, art. *Etrusker* (section *Sprache*) dans Pauly-Wissowa, *Realencycl.* VI. Travaux récents résumés par G. HERBIG, art. *Etrusker* dans EBERT, *Reallex. der Vorgeschichte* et E. FIESEL, *Etruskisch* (Grundr. der idg. Sprach-und Altertumskunde V, 4), Berlin-Leipzig, 1931.
Travaux d'ensemble ou études importantes : E. FIESEL, *Das grammatische Geschlecht im Etruskischen*, Göttingen, 1922 ; *Namen des griechischen Mythos im Etruskischen*, Göttingen, 1928. — P. DUCATI, *Etruria antica*, 2 vol., Turin, 1927 ; A. TROMBETTI, *La lingua etrusca*, Florence, 1928 ; E. GOLDMANN, *Beiträge zur Lehre des idg. Charakters der etr. Sprache*, 2 vol., Heidelberg, 1929-1930, et *Neue Beiträge...* Vienne, 1936 ; S. P. CORTSEN, *Etruskische Standes-und Beamtentitel*, Copenhague, 1925 ; G. BUONAMICI, *Epigrafia etrusca*, Florence, 1932 ; RUNES-CORTSEN, *Der etr. Text der Agramer Mumienbinde*, Göttingen, 1935 ; M. PALLOTTINO, *Elementi di lingua etrusca*, Florence, 1937 et *Etruscologia*, Milan, 1942 ; OLZSCHA, *Interpretation der Agramer Mumienbinde*, Leipzig, 1939 ; M. RENARD, *Initiation à l'étruscologie*, Bruxelles, 1941.
Sur les noms de nombre, en dernier lieu SLOTTY, *Archiv Orientalni*, IX, 1937, p. 379 suiv. et GEORGIEV, *Die sprachliche Zugehörigkeit der Etrusker*, Sofia, 1943.

Sur les emprunts étrusques en latin : A. ERNOUT, *Les éléments étrusques du vocabulaire latin* (Bull. Soc. Ling., 1930).

Sur les noms propres : W. SCHULZE, *Zur Geschichte der lateinischen Eigennamen* (Abh. Gött. Gesellsch. d. Wiss. V, 5), Berlin, 1904.

Sur les relations de l'étrusque avec les langues préitaliques : CONWAY-WHATMOUGH, *The Prae-italic Dialects of Italy*, 3 vol., Londres, 1933.

Sur l'inscription de Lemnos, très souvent étudiée, les derniers travaux sont ceux de P. KRETSCHMER, *Donum natalicium Schrijnen*, Nimègue, 1929 ; S. P. CORTSEN, *Glotta*, XVIII, 1930, p. 101 s. ; W. BRANDENSTEIN, *Die tyrrhenische Stele von Lemnos*, Leipzig, 1934 ; B. HROZNÝ, *Studi Etruschi*, IX, 1935, p. 127 ss. ; P. KRETSCHMER, *Glotta*, XXIX, 1941, p. 89-98.

Sur la petite inscription de Carthage : BENVENISTE, *Studi Etruschi*, VII, 1933, p. 245 sq.

Chroniques annuelles des trouvailles et des travaux dans *Studi Etruschi*, *Glotta*, et *Indogerman. Jahrbuch*.

MOHENDJO-DARO

J. MARSHALL, *Mohenjo-Daro and the Indus Civilisation*, 3 vol. Londres, 1931 ; P. MERIGGI, *Zur Indus-Schrift* (*ZDMG* XII, 1933, p. 198-241) ; G. R. HUNTER, *The Script of Harappa and Mohenjo-Daro and its Connection with other Scripts*, Londres, 1934.

Essai de déchiffrement : HROZNÝ, *C. r. Acad. Inscr.*, 1939, p. 346 s. (v. G. ORT-GEUTHNER, *Syria* XXI, 1940, p. 241 ss.) ; HROZNÝ, *Die älteste Geschichte Vorderasiens und Indiens*, 2e éd., Prague, 1943 (trad. fr. : *Histoire de l'Asie antérieure, de l'Inde et de la Crète*, Paris, 1947).

Rapports avec l'île de Pâques : A. MÉTRAUX, *The Proto-Indian Script and the Easter Island Tablets* in *Anthropos* XXXIII, 1938, p. 218-239 avec les réponses de G. de HEVESY et R. v. HEINE-GELDERN, *ibid.*, p. 808 s. et 815 s.

STÈLE D'ÖRDEK-BURNU

M. LIDZBARSKI, *Ephem. f. semit. Epigraphik*, III, 1915, p. 192-206 ; J. FRIEDRICH, *Hethitisch*, p. 54 et *Kleinas. Sprachdenkm.*, p. 38-39.

STÈLES DE BYBLOS

M. DUNAND, *Syria* XI, 1930, p. 1 ss. ; M. DUNAND, *Fouilles de Byblos* I, Paris, 1939, et *Byblia Grammata*, Beyrouth, 1945. Essai de déchiffrement par B. HROZNÝ, *C. r. Acad. Inscr.*, 1945, p. 382-385. Autre interprétation chez DHORME, *Syria*, 1946-48, p. 1-35.

LANGUES CAUCASIENNES

NOTE LIMINAIRE

Si la parenté de toutes les langues du Caucase du Nord est certaine, celle de ce premier groupe avec les langues du Caucase du Sud n'est encore que probable. La séparation s'est accomplie en tout cas très anciennement et les langues du Sud ont été à plusieurs reprises fortement influencées, dans leur morphologie et dans leur syntaxe, par des langues de civilisation non apparentées. Les vocabulaires, au Nord et au Sud, sont très différents[1].

Probable également, une parenté de ces deux groupes avec le basque. Entre le caucasien du Nord (surtout du Nord-Ouest) et le basque, dans toutes les parties de la grammaire, des analogies précises de structure et de remarquables coïncidences de détail ont été signalées : on entrevoit un « système » commun. Entre le caucasien du Sud et le basque, peu d'analogies de structure, mais d'assez nombreuses rencontres de vocabulaire (au moins une centaine). La différence des systèmes phonétiques (très riches au Caucase, relativement pauvres pour le basque) ne permet d'ailleurs pas d'établir de correspondances phonétiques régulières[2].

---

1. J. van Ginneken, *Contribution à la grammaire comparée des langues du Caucase*, Amsterdam, 1938, avec bibliographie : voir G. Dumézil, *Caucasien du Nord et Caucasien du Sud*, dans *Conférences de l'Institut de Linguistique*, II, Paris, 1934, pp. 25 et suiv. ; *Id.*, *Recherches comparatives sur le verbe caucasien*, Paris, 1933, et *BSL*, XXXIX, 1938, pp. 82 et suiv. ; I. Djavakhichvili, *Structure originelle et parenté du géorgien et des langues caucasiennes*, Tiflis, 1937, en géorgien, avec une riche bibliographie.

2. Voir A. Trombetti, *Le origini della lingua basca*, Bologne, 1926, avec bibliographie et discussion des auteurs antérieurs, notamment de Winkler, pp. 5 et suiv. ; G. Dumézil, *Introduction à la Grammaire comparée des langues caucasiennes du Nord*, Paris, 1933, ch. V, et *BSL*, XXXVIII,

Pour des rapprochements avec les langues asianiques anciennes, voir la note liminaire du chapitre qui les concerne.

Des rapports de parenté avec l'indo-européen ont été jadis supposés par F. Bopp, dans des conditions inadmissibles. Mais récemment plusieurs auteurs ont à nouveau noté des concordances dont la plupart peuvent s'expliquer par emprunt ou par influence[1], dont les autres paraissent à de bons esprits mériter un nouvel examen[2].

L'école de N. Marr, la « japhétidologie » sous ses diverses formes, s'est spécialement occupée des langues du Caucase (surtout du géorgien, du mingrélien et de l'abkhaz)[3]; au début de sa carrière, N. Marr qui employait alors le nom de japhétique pour le caucasien, avait admis une parenté particulière entre le sémitique et le caucasien du Sud[4].

Les langues caucasiennes interviennent dans les constructions de M. Ostir (langues « alarodiennes »)[5] et de M. Karst (langues ibéro-caucasiennes)[6].

1937, pp. 122 et suiv. ; R. Lafon, *Basque et langues kartvèles* dans *Revue Internationale des Études Basques*, XXIV, 2, 1933 ; N. M. Holmer, *Ibero-caucasian as a linguistic type*, dans *Studia Linguistica* (Lund), I, 1947, pp. 11 et suiv.

1. H. Vogt, *Arménien et caucasique du Sud*, dans *Norsk Tidsskrift for Sprogvidenskap*, IX, 1938, pp. 336 et suiv.

2. G. Deeters, *Das kharthwelische Verbum*, Leipzig, 1930 ; voir R. Bleichsteiner, *Anthropos*, XXXII, 1937, p. 73.

3. La liste des ouvrages antérieurs à 1926 est donnée dans le *Répertoire méthodique des travaux imprimés concernant la japhétidologie*, en russe, Léningrad, 1926 (= *Publications de l'Institut pour l'étude des cultures ethniques et nationales des peuples orientaux de l'U. R. S. S.*, n° 7).

4. *Tableaux pour une grammaire du vieux-géorgien, avec une introduction sur la parenté du géorgien avec les langues sémitiques*, en russe, Saint-Pétersbourg, 1908. Voir aussi A. Trombetti, *Delle relazioni delle lingue caucasiche con le lingue camito-semitiche e con altri gruppi linguistici*, *G. S. A. I.* XV (1902) et XVI (1903). En dernier lieu : N. V. Youchmanov, *Constrictives laryngales sémito-chamito-japhétiques*, dans le recueil *Langue et pensée*, n° 11, Moscou-Léningrad, 1948 (en russe).

5. Bibliographie dans *MSL*, XXIII, 1927, pp. 54 et suiv.

6. *Grundzüge einer vergleichenden Grammatik des Ibero-Kaukasischen*, I, Leipzig-Strasbourg, 1932.

*Des rapports avec le bourouchaski ont été recherchés par
M. R. Bleichsteiner[1] et discutés par M. G. Morgenstierne[2].
De plus vastes connexions sont proposées par M. Bouda[3].*

1. *Wiener Beiträge zur Kulturgeschichte und Linguistik*, I, 1930, pp. 239-331.

2. Préface à Lorimer, *The Burushaski Language*, I, Oslo, 1935.

3. *Die Beziehungen des Sumerischen zum Baskischen, Westkaukasischen
und Tibetischen*, Leipzig, 1938 ; *Baskisch und kaukasisch*, dans *Zeitschrift
für Phonetik*, 1948, pp. 182 et suiv., 336 et suiv. ; *Baskisch-kaukasische
Etymologien*, Heidelberg, 1949 ; *L'Euskaro-caucasique* dans *Homenaje a don
J. de Urquijo*, pp. 207 et suiv., Saint-Sébastien, 1950.

I. GÉNÉRALITÉS[1]

On entend par « langues caucasiennes » toutes les langues qui se parlent (ou se parlaient avant 1864) dans les montagnes du Caucase et dans les plaines avoisinantes, à l'exception de quelques langues indo-européennes (osse, russe) ou tatares (koumyk, balkar, karatchaï) importées par des envahisseurs. Elles sont parlées par des populations de race blanche, de type variable (allant du nordique au méditerranéen), généralement sveltes et élégantes, d'intelligence très vive, mais de civilisations très diverses : la Géorgie a constitué très tôt un État, à formes de vie multiples (urbaine et rurale, agricole et industrielle) ; les Tcherkesses ont maintenu jusqu'à notre temps une société de type à la fois féodal et patriarcal ; la plupart des montagnards, isolés et autonomes dans leurs hautes vallées, vivent de chasse, un peu de culture, et ont longtemps pratiqué, soit entre eux de village à village, soit sur les plaines, de fructueuses razzias.

Le russe, langue de l'administration depuis un siècle au Sud, depuis un demi-siècle au Nord, n'avait que peu empiété, sauf au Nord-Ouest, et même pas influé sur les langues indigènes avant 1917 ; il a perdu son monopole officiel sous le nouveau régime, qui favorise les langues nationales.

II. LANGUES DU NORD

Les langues caucasiennes du Nord se divisent en deux grandes branches : celles du Nord-Est-Nord-Centre (appelées parfois artificiellement « tchétchénolesghiennes »)

---

1. Voir la planche V.

et celles du Nord-Ouest (appelées parfois « abasgoker-kètes »). Bien que les structures soient très divergentes, la parenté de ces deux branches n'est pas douteuse.

Elles ont en commun plusieurs traits, dont le plus considérable est le « caractère passif » ou plutôt « intransitif » des verbes : « je te vois » se dit partout « je suis en vue à (ou sur...) toi » ; seules deux langues méridionales (le bats et une forme de l'oudi), qui ont été en contact avec d'autres structures linguistiques, présentent un commencement de construction transitive. Les thèmes des pronoms personnels sont identiques ou apparentés, le système de numération est le même. Des rencontres de vocabulaire, où l'emprunt est improbable, la présence ici et là d'articulations originales (latérales) confirment la parenté. Mais surtout, sur la plupart des points, les langues du Centre, tout en étant structurellement du type oriental, font une liaison précise entre celles de l'Est et celles de l'Ouest (en particulier pour les désinences de la déclinaison, les caractéristiques des temps, les thèmes pronominaux).

Les deux principaux traits qui opposent l'Est et l'Ouest, outre la différence des équilibres phonétiques, sont les suivants : à l'Est toute la morphologie, toute l'expression des rapports est dominée par la répartition des notions en *classes*, tandis que les langues de l'Ouest ignorent les classes (sauf l'abkhaz où le système des classes est original et d'ailleurs de fonction et d'expression limitées), mais présentent des indices *relatifs* spéciaux ; à l'Est la déclinaison nominale est extrêmement développée, avec simplification compensatoire des formes verbales de la phrase, tandis qu'à l'Ouest la déclinaison est très pauvre, avec alourdissement compensatoire — et parfois énorme — du « complexe verbal » (accumulation d'éléments préfixés : préverbes, particules d'orientation, jusqu'à trois éléments pronominaux...).

Dans l'état actuel des recherches, on ne peut dire avec assurance quel groupe a innové ; la considération des langues du Nord-Centre rend probable que, sur le second point, c'est l'Est qui a conservé le type ancien. Quant aux classes, il semble que l'Est et l'Ouest aient orienté dans deux sens divergents un ancien système d'un troisième type.

A) Langues du Nord-Est et du Nord-Centre

Les langues du Nord-Est, nombreuses comme il est naturel dans un pays de montagnes très morcelé, se répartissent le plus probablement comme suit :

I. Le groupe *avar-andi-dido*, comprenant :

1º L'*avar* (nom indigène : *xxunzaq'*), l'une des langues de civilisation du Daghestan, écrite au XIXe siècle pour la propagande musulmane en caractères arabes modifiés (*lam* et *qaf* avec trois points pour indiquer des latérales, etc.), en caractères latins modifiés depuis la révolution russe pour la propagande politique et pour l'enseignement ; elle est parlée, comme première langue, par près de 250.000 montagnards (districts de Ghounib, de Tchchokh, de Khhounzaq, de Tchikab, de Harakouni ; nord du district de Zakataly).

2º L'*andi* (nom indigène : *q'uannu*) langue de l'aoul du même nom (7.700 h.), et une série de dialectes voisins, à peine connus, parlés chacun dans un aoul de la vallée du Koissou d'Andi inférieur, et en voie d'élimination au profit de l'avar (au total de 20 à 24.000 h.) : *boλix, godoberi, čamalal, qarala, axwaλ, quanada* (ou *bagulal*), *l'indi*.

3º Le *dido*, le *xwarši*, le *qapuči*, à peine connus, parlés sur le Koissou d'Andi supérieur (de 5 à 6.000 h.).

II. Le *lak'* ou *kazikumuk*, parlé par environ 40.000 h. du Daghestan central (districts Lak, Dargwa et Samour).

III. Le *dargwa*, parlé par 125.000 montagnards (districts Lak, Dargwa, Tabasaran, Ghounib et Bouinak) ; le dargwa, sous sa forme *aquša*, a été promu par le nouveau régime au rang de langue littéraire (alphabet mixte russe et latin avec quelques compléments) et gagne dans le

9—1

Daghestan Central ; autres dialectes : *gäwa*, bien décrit, et *ʆudaqar*. Une langue sœur, mal connue, est parlée dans l'aoul de *Qubači* (2.500 h.), dans le sud du district Dargwa.

IV. L'*arči* qui, parlé seulement dans le village du même nom (850 h.) du district Lak, a gardé une structure phonétique et morphologique originale.

V. Le groupe *kʿüri-ʿabasaran* (dit parfois « samourien » d'après un nom de district) comprenant :

1º Au Nord-Est, le *kʿüri* et ses dialectes *axli* et *kuba*, parlés par 165.000 montagnards dans le Sud du Daghestan et dans quelques aouls de l'Azerbeidjan septentrional (Kouba, Noukha, Chemakha) ; les *Kʿüri* sont seuls les Lesghi (Lesghiens) au sens strict ; mais Géorgiens et Russes ont étendu l'usage de ce mot (« danses lesghiennes », c'est-à-dire « daghestaniennes »).

2º L'*agul* et le *ʿabasaran* (30.000), proches du *kʿüri*.

3º Au Sud-Est, presque inconnus, le *budux* (2.000), le *ʆek* avec ses deux dialectes *hapuʆli* et *qrẓ* (10.000), et le *xinalug* (2.000), parlés dans quelques aouls de l'Azerbeidjan septentrional.

4º Le *ruʆul* ou *mexəd* (12.000), parlé à l'ouest du *kʿüri*, et le *ʆaxur* (11.000) à l'ouest du *ruʆul*.

VI. L'*udi* (peut-être à joindre au groupe *kʿüri-ʿabasaran*) parlé seulement aujourd'hui dans les deux villages de Nich et de Vartachen (2.700 h.) et chargé d'emprunts arméniens, géorgiens, persans et tatars ; il y a des raisons de penser que l'oudi est l'héritier le plus direct de la langue des Albaniens du Caucase (armén. *aʆuankʿ*, etc.) pour lesquels les convertisseurs chrétiens avaient inventé au Vᵉ siècle un alphabet qui vient d'être retrouvé (1938) dans un manuscrit d'Etchmiadzin.

Les langues du Nord-Centre, qui sont très proches les unes des autres et présentent des affinités spéciales avec l'avar-andi-dido, sont les suivantes :

1º Le TCHÉTCHÈNE (russe *čečen-skiy*, nom indigène : langue des *Naxčuo*), parlé par les habitants du territoire autonome de « Tchetchniya » (près de 300.000 h.) et dans plusieurs villages d'émigrés dans l'Anatolie turque ; c'est aujourd'hui une langue littéraire.

2º L'INGOUCHE (russe *inguš*, nom indigène : *galgay*), parlé dans le territoire autonome des Ingouches (plus de 70.000 h.), également promu langue littéraire, avec de nombreuses publications originales ou traduites.

3º Le BATS *(baʈ)* parlé par 2.500 montagnards dans la province géorgienne de Thouchéthie (d'où le nom de *ťuš* donné d'abord faussement au *baʈ;* le véritable *ťuš* est un dialecte géorgien).

Quant aux sons, les langues du Nord-Est se caractérisent par un grand développement du consonantisme, comportant des nuances nombreuses de gutturales et de dentales (occlusives et affriquées), de laryngales, de sifflantes et de chuintantes (que l'inventeur de l'alphabet albanien au vᵉ siècle avait bien notées : cet alphabet conviendrait aujourd'hui encore à une langue du groupe *kʿüri-lʿabasaran*) ; le groupe avar-andi-dido et quelques autres langues opposent des consonnes simples et des géminées ; l'avar-andi-dido et l'artchi seuls ont des latérales (occlusive et affriquée sourdes, antérieures et postérieures, simples et géminées)[1]. Si les nuances d'articulation des consonnes sont nombreuses, en revanche les accumulations de consonnes sont partout évitées. Le vocalisme est pauvre mais net dans le groupe avar-andi-dido, plus nuancé dans le groupe *kʿüri-lʿabasaran:* l'oudi a neuf timbres et l'alphabet albanien notait neuf voyelles. Un bon alphabet daghestanien type a été établi dans ces dernières années à partir des caractères latins ; avec de légères modifications, il convient à toutes les langues que l'administration soviétique a décidé de répandre.

Les langues du Nord-Centre ont un consonantisme simple, un vocalisme riche (avec des voyelles nasales) ;

---

1. Voir ci-dessous, p. 238-39 et p. 245, les précisions phonétiques et les signes spéciaux adoptés par les caucasologues.

mais les voyelles finales sont fragiles et la morphologie se trouve compliquée par l'action constante et multiforme de la voyelle (subsistante ou disparue) d'une syllabe sur celle de la syllabe antérieure.

Sauf quelques langues du Daghestan où le système est en régression (*t'abasaran*) ou même a disparu, mais non sans laisser des traces (*k'üri, agul, udi*), tout ce groupe divise l'ensemble des notions en « classes » (6 dans les langues du Nord-Centre : 4 ou 3 dans les langues du Nord-Est), chacune étant caractérisée par un indice singulier et par un indice pluriel qui, préfixés ou suffixés à l'adjectif, au verbe, parfois aux noms de nombre, marquent par voie d'accord les rapports grammaticaux. Il y a partout une classe de « raisonnables masculins » (indice sg. presque partout *u, w, v,*), une de « raisonnables féminins » (ind. sg. presque partout *i, y*) ; lorsque les «non-raisonnables» sont répartis en plusieurs classes (2 en avar, 4 en tchétchène, etc.), le principe de répartition n'est pas clair ; les animaux (à quelques exceptions près) sont dans une même classe, mais qui contient bien d'autres notions : il semble qu'il entre en compte des considérations telles que « objet senti comme un ensemble, composé de parties perceptibles » (variétés de collectif), « notion inconcevable autrement qu'en rapport avec d'autres notions » (sorte de « genre relatif ») ; on s'expliquerait ainsi que les indices sg. d'une des classes de non-raisonnables servent presque partout à marquer le pluriel des deux classes de raisonnables.

Nulle part il n'y a d'article.

Dans le verbe, sauf innovations indépendantes *(lak' ; dargwa ; t'abasaran ; udi)*, ces langues n'indiquent pas la personne mais (au moins quand l'initiale de la racine est vocalique ; parfois dans tous les cas, avec voyelle de liaison) elles marquent par un indice préfixé à quelle classe sg. ou pl. appartient le sujet du verbe (sujet d'intransitif, pseudo-régime direct de pseudo-transitif) : en tchétchène *v-u*, en avar *v-u-go* veut dire indifféremment « je suis, tu es, il est », mais on sait que le sujet est « raisonnable masculin » *(v-)* ; en avar *y-oη-ula* (*-ula :* présent) veut dire « j'aime, tu aimes, il aime », mais on sait que l'être aimé est un « raisonnable féminin » *(y-)*. Parfois, dans des formes nominales du verbe, il peut y avoir un indice préfixé et un indice suffixé, indiquant les divers rapports : en avar *ros v-oη-ule-y* *čužu* veut dire « la femme *(čužu)* qui aime l'homme *(ros)* » : la forme verbale indique que le pseudo-sujet est féminin et le pseudo-régime direct masculin. Les nuances temporelles sont partout nombreuses, avec ou sans temps périphrastiques. Il semble que la langue commune ait connu un présent en **-u* et un prétérit en **-i̩*.

Dans plusieurs langues, un *-r-* ou *-l-* préfixé à la racine, ou bien (parfois en combinaison avec ce premier procédé) une variation de la voyelle de liaison qui joint les indices de classes à la racine, marque une nuance d'aspect (généralement duratif) ; c'est en dargwa que ce système s'observe dans toute son ampleur, mais il y en a des survivances partielles ou des traces fossiles dans beaucoup de langues.

Les préverbes (locaux) ne jouent qu'un rôle très réduit dans la plupart de ces langues, la déclinaison exprimant avec précision les nuances de position. Plusieurs des langues du Daghestan forment tout ou partie de la conjugaison normale en suffixant un élément *-d-* (conjugué) à la racine verbale nue ou élargie en *-r-*, *-n-* (accessoirement *-š-*, *-l-*) ; c'est le cas au maximum en andi ; en avar on retrouve ce procédé, mais les verbes en *-n-d-*, *-r-d-* ont une valeur nette d'itératifs-duratifs par rapport aux verbes simples (sans *-d-*). Il semble qu'on ait là un ancien auxiliaire (racine **d-*), joint à des formes gérondives du verbe (des gérondifs en *-n*, *-r*, *-š*, *-l* sont bien attestés). La négation est tantôt autonome, tantôt incorporée, en suffixe (avec des formes parfois très variables dans une même langue), au complexe verbal.

La déclinaison des substantifs est très riche : un grand nombre de suffixes, susceptibles de se combiner, indiquent des nuances de position et de direction (cas locaux). Il y a partout un génitif. Le sujet des verbes pseudo-transitifs n'est pas toujours au même cas : si le sujet d'un verbe « opératif » (« je tue »...) est partout à l'ergatif (qui, dans ces langues, a une forme nettement distincte des autres cas), il arrive que celui d'un verbe « affectif » (« je vois »...) soit à un cas local (le « superessif » en avar) ou au datif (*k'üri*).

La déclinaison est souvent construite sur plusieurs thèmes, celui des cas obliques contenant un « formatif » suffixé ou présentant un vocalisme différent de celui de la forme sans désinence.

Le déterminant (génitif et adjectif) se place toujours avant le déterminé.

Quant aux pronoms personnels, dont la déclinaison est parfois très complexe, il est à noter que l'avar et l'andi distinguent à la 1re pers. du pluriel une forme d'inclusif et une forme d'exclusif.

Aux vocabulaires, peu riches en mots radicaux, mais à dérivés abondants, l'arabe n'a guère fourni que des termes religieux ou moraux, le russe que des termes administratifs et économiques.

Texte avar
(*Journal Asiatique*, 1933, I, p. 291 ; stance 67.)

[1]*reqečč'eb* [2]*biļ$_1$arasda* [3]*boη$_1$ulareb* [4]*raɔula;*
[5]*xxwalč$_1$al* [6]*rugunaldasa* [7]*raɔul* [8]*rugun* [9]*unł'ula.*

(*q* : pharyngale sourde occlusive ; *η* : latérale sourde affriquée postérieure asymétrique (généralement avec écoulement d'air sur la droite) ; $_1$ marque des nuances particulières d'articulation).

[2]Celui qui a dit (rac. *-iļ$_1$-* « dire » ; participe parfait *iļ$_1$-ar-a-*, avec indice de classe suffixé se rapportant au sujet de *-iļ$_1$-* ; *-as-* : ergatif et thème des cas obliques des raisonnables masculins ; *-da* « sur » : le verbe « entendre » a son pseudo-sujet au superessif ; *b-* indice de la classe non-rais. sg., se rapportant au pseudo-régime direct) —

[1]une (chose) ne convenant pas (rac. *req-* « s'accorder, convenir », conjuguée en *-e-* : sans doute ancien aspect ? ;

-*čč'*- : indice négatif ; participe présent nég. *req-e-čč'-e-* avec indice de classe, ici -*b*, non-rais. sg., se rapportant au sujet de *req-*) —

[4]entend (rac. *raɔ-* ; présent -*u-la* à toutes les personnes ; la rac. étant à initiale consonantique, il n'y a pas d'indice de classe préfixé) —

[3]une chose ne plaisant pas (rac. *oη₁-* «aimer»; participe présent « agréable, plaisant », avec même indice de classe préfixé et suffixé, se rapportant à l'objet aimé, ici indice non-rais. sg. *b ;* positif *b-oη₁-ule-b*, négatif *b-oη₁-ul-are-b*) ; — [8]la blessure (*rugun*, erg. *rugnaca*, gén. *rug(u)nal*, pl. *rugnal*) —

[7]de la parole (*raɔi*, erg. *raɔuṭa*, gén. *raɔul*, pl. *raɔabi*).

[9]fait mal (rac. *unl'-*, sans indice de classe préfixé bien que l'initiale soit vocalique ; -*u-la :* présent) —

[6]plus que la blessure (voir [8] ; -*al-da-sa*, plutôt que -*al-da-san* imprimé dans l'original : ablatif en -*sa*- du superessif en -*da*- formé sur le thème des cas obliques en -*al*- ; c'est l'expression ordinaire du comparatif : « (plus) en partant de dessus, (plus) par rapport à ») —

[5]de l'épée *(x(x)walč₁en ;* génitif *xxwalča₁dul*, ici exceptionnellement *xxwalč₁al ;* pl. *xxwalč₁abi* ou *xwulč₁bi*).

« Celui qui dit un propos inconvenant entend une réponse désagréable ; plus que la blessure de l'épée, la blessure de la parole est cuisante ».

Numération : décimale-vigésimale. Nombres cardinaux de l'avar :

1. *ḷ₁o*, 2. *k'i-go*, 3. *λab-go* (λ : latérale spirante sourde asymétrique), 4. *unqo*, 5. *šu-go*, 6. *anλ₁-go*, 7 *anη-go*, 8. *miη-go*, 9. *ičč'-go*, 10 *anḷ'-go*, 11. *anḷ'illa ḷ₁o*, etc. ; 20 *qo-go*, 30. *λeber-go*, 40. *k'i-qogo* (2×20), 50. *k'iqoyalda anḷ'go* (10 sur 2×20), 60. *λab-qogo* (3×20), etc. ; 100. *nuss-go*, 1.000. *azar-go* (emprunt au persan).

B) Langues du Nord-Ouest

Les peuples parlant ces langues, récemment (xviie-xviiie siècles) mais fortement islamisées, ont en grande partie émigré dans l'empire ottoman lors de l'occupation de leurs terres par les Russes (1864-1865). Même avant cette date ils avaient été refoulés du Nord et du Nord-Ouest vers le Sud et vers l'Est : au moment où les Grecs et les Romains les connurent, il semble qu'ils atteignaient la mer d'Azov et occupaient au moins les steppes comprises entre les cours inférieurs de la Volga et du Don.

Ces langues, proches de structure mais de vocabulaires divergents, sont :

I. Le TCHERKESSE (*čerkes, čerkas :* nom russe, turc) ou circassien (nom « franc ») ou adyghé (*adǝge :* nom indigène) qui se divise en deux groupes de dialectes :

1º Le tcherkesse oriental ou *qaberdey* (kabardi) est la seule langue tcherkesse encore parlée massivement au Caucase (150.000 h.), dans le district Kabardi-Balkar.

2º Le tcherkesse occidental ou langue « basse » *(k''axǝ)* était parlé, avant 1864, sur un territoire étendu : dans toute la steppe au Sud du Kouban, depuis la Mer Noire jusqu'à la Tiberda et, le long de la mer, depuis le Kouban jusqu'à la rivière Sakhé. En 1865, presque tous les Tcherkesses occidentaux — plusieurs centaines de mille — se sont fixés dans l'empire ottoman. Ils y ont fondé de nombreux villages, qui subsistent, notamment en Anatolie (régions d'Ada Pazar et d'Ismit, de Sivas, d'Adalia, etc.), et en Syrie, et où se maintiennent des différences dialectales ; il est impossible d'évaluer le nombre de ces émigrés. Au Caucase, il est demeuré à peine 50.000 Tcherkesses occidentaux, dans une vingtaine de villages du Kouban, où a été constitué un « district-national tcherkesse », et autour de Touapsé, près de la mer.

Principaux dialectes vivants : *šapsug, bžedux, xak'uč[w] abzax* (ou *abadzex*), *k'emirgoy* (ou *temirgoy*) ; le *besleneg* est un parler mixte, très chargé d'éléments qaberdey. Partout

où sont rassemblés des tcherkesses d'origines diverses,
il tend à se constituer une koiné. Mais — sauf en ce qui
concerne le qaberdey, phonétiquement et grammaticalement aberrant — il ne faut pas exagérer l'originalité de
ces dialectes ; il s'agit surtout de différences de prononciation (le *bžedux* et le *k'emirgoy* prononcent *č* et *ǰ* le
k' et le *g'* mouillés du *šapsug*, etc.).

En dehors de quelques mots tcherkesses et des noms de
lieux cités par les auteurs anciens ou byzantins ou par des
voyageurs occidentaux — et qui suffisent à prouver que
le système phonétique n'a pas beaucoup changé depuis
1.000 ou 1.500 ans — le plus ancien document du tcherkesse
(occidental) est une liste de mots (noms de nombres) et
des phrases transcrites par un voyageur turc du xviie siècle,
Evliya Tchélébi. Evliya a également dressé une liste de
mots et de phrases oubykhs et abkhaz, qui sont les plus
anciens témoignages de ces deux langues et qui ne diffèrent
presque pas de ce qu'ont observé les linguistes contemporains.

La littérature épique tcherkesse est restée orale, et n'a
été recueillie que par fragments depuis la fin du xixe siècle.
Après 1918, à Constantinople, en Syrie, au Caucase, des
lettrés se sont efforcés de donner au tcherkesse une écriture
(à partir des lettres arabes ou latines), une norme grammaticale, une littérature. Particulièrement importante est la
« langue littéraire adyghé », déjà munie d'un alphabet
(lettres latines modifiées), de grammaires, de manuels, de
nombreuses publications originales ou traduites du russe,
qui se précise à Krasnodar à partir du dialecte *k'emirgoy*.
Le qabardey est également écrit et enseigné au Caucase.

II. L'oubykh (*ubəx* : nom turc ; nom indigène : *a-lʷəx*,
a étant l'article défini, *lʷ* une dentale labialisée) a complètement disparu du Caucase où il occupait jusqu'en 1864
la côte et l'arrière-pays de la Mer Noire au Sud du domaine
tcherkesse jusqu'à la rivière Chatché. Il achève de mourir,
au profit du tcherkesse, dans quelques villages turcs
(région d'Ada Pazar et de Sapandja).

III. L'ABKHAZ (*abxaz :* nom géorgien, russe et turc ; nom indigène : *ap'sšᵂa*) est encore fortement représenté au Caucase (République autonome d'Abkhazie, plus de 70.000 h.). L'abkhaz est parlé sur la Mer Noire, là où Arrien signalait déjà les Abaskhoi, entre la rivière Mzymtha et le Nord de la Mingrélie, et a été soumis, dans son vocabulaire, à une forte influence mingrélienne. Quelques villages abkhaz sont installés en territoire tcherkesse, sur le Kouban et sur la Kouma ; d'autres près de Batoum. Enfin une partie de la population est passée en Turquie en 1864. Les principaux dialectes sont le *bzəb*, l'*abšuy*, le *samursaqan* et l'*abaza ;* ce dernier dialecte, assez différencié, commence d'être étudié et écrit et se constitue en langue littéraire.

Une trentaine de livres avaient été publiés dans le dernier quart du XIXᵉ siècle et au début du XXᵉ, dans un alphabet russe modifié. Après la révolution, l'abkhaz étant une des langues que N. Marr connaissait d'expérience personnelle, bénéficia de l'intérêt des japhétisants. Aujourd'hui, dans une écriture simplifiée (à base latine), il se publie de nombreux livres et plusieurs journaux.

Phonologiquement, toutes ces langues se caractérisent par la pauvreté et l'instabilité du système vocalique (abkhaz et sans doute oubykh : *a* et *ə ;* tcherkesse *a, e, ə* (*u, i, o* n'étant que des colorations de ces deux ou trois timbres), la complexité du système consonantique, et l'aptitude à accumuler les consonnes. A ces divers égards, l'abkhaz présente un type « maximum », l'oubykh un type moyen, le tcherkesse (et surtout le qaberdey) un type « minimum ». L'abkhaz, par exemple, qui, pour les trois ordres d'occlusives et pour les deux ordres d'affriquées dentales, distingue une sonore, une sourde non glottalisée et une sourde glottalisée, peut en outre palatiser ou labialiser la plupart de ces phonèmes (ainsi d'ailleurs que les spirantes sifflantes ou gutturales) ; il obtient ainsi des sons qu'il est difficile de décrire et qui jouent un rôle important dans la langue : *žᵂ, šᵂ* (faciles à confondre avec un *f* et un *v* bilabiaux) qui se retrouvent en oubykh et

en tcherkesse occidental ; d^w, l^w, l^w’ (donnant l'impression
de $p+l$, etc., prononcés en même temps), qui ne se
retrouvent qu'en oubykh. L'abkhaz a en propre une semi-
voyelle qu'on a notée œ ou ẅ, sorte de coup de glotte
labialisé (qui aboutit dans certains dialectes à une simple
articulation vocalique de timbre ö ou ü), et dialectalement
des spirantes gutturales postvélaires, et des chuintantes
à la fois labialisées et palatalisées ($š^w$′, z^w′). L'oubykh et
le tcherkesse ont en propre des latérales spirantes (sourde
ʟ, sourde glottalisée ʟ’, sonore l : tous les l du tcherkesse
sont un écoulement d'air d'un seul côté) ; enfin le tcherkesse a des sifflantes mi-chuintées d'un type particulier
ź, ś, ś’ (glottalisée).

La déclinaison est très pauvre : l'abkhaz l'ignore ;
l'oubykh et le tcherkesse n'ont qu'un cas oblique (oub.
-$n(ä)$, tcherk. -m : composer des formes de génitif ou de
datif dans tout le domaine Nord-Centre-Nord-Est :
tchétchène gén. « voyelle nasalisée », dat. -na) qui sert de
datif, d'ergatif et de cas local (précisé par les préverbes incorporés à la forme verbale). Il n'y a pas de génitif : l'appartenance « la maison du père » est marquée par une périphrase
« au-père sa-maison ». Cette pauvreté de la déclinaison
est compensée par un large usage des postpositions, dont
quelques-unes (tcherk. -re, oub. -$lä$ et abkh. -la « avec » ;
tcherk. -k″e « par », oub. -k″$ä$ « par, hors de, un d'entre »,
d'où abkh. -k « un ») sont peut-être des suffixes casuels
et rappellent en tout cas des formes de la déclinaison
tchétchène (équatif -la, allatif et support des cas locaux
-ge, -ke). Ces langues forment volontiers des noms composés.
Le rapport « substantif-épithète » est exprimé par un
mot composé où l'épithète occupe la seconde place.

L'abkhaz et l'oubykh ont un article défini préfixé a- ;
le tcherkesse, au cas sans désinence seulement, un article
défini suffixé -$(e)r$.

L'abkhaz, seul de ces langues, distingue des classes
(raisonnables masculin et féminin, non-raisonnables), mais
seulement à 3 sg. et partiellement à 2 sg. ; les indices de

ces classes ne recouvrent pas ceux des langues du Nord-Centre-Nord-Est, et la morphologie, notamment celle du verbe, reste dominée par la notion de personne.

Les formes verbales sont extrêmement complexes. Elles peuvent contenir (au maximum) : 1º devant la racine, éventuellement un élément conjonctif (« quand, parce que...») ; de un à trois préfixes personnels (dont l'un peut être relatif) renvoyant au sujet (ou pseudo-sujet de transitif) et éventuellement au pseudo-régime direct et au régime indirect, ce dernier parfois appuyé sur une particule d'orientation (« pour », « à ») ; un ou deux préverbes ; éventuellement l'indice négatif (la négation étant toujours incorporée au verbe, tantôt avant tantôt après la racine) ; éventuellement l'indice du causatif ; 2º la racine ; 3º un ou deux suffixes d'aspect ; un suffixe de temps ; éventuellement le suffixe du pluriel ; éventuellement l'indice négatif ; enfin éventuellement une désinence nominale (ou spécifique) transformant la forme verbale en participe-gérondif. Ainsi, en oubykh, $dg\ddot{a}^1$-s^2-u^3-di^4-k''^5-ay^6-l^7-$\bar{o}n\partial^8$ signifie « étant donné que (1 : conjonctif + 8 : casuel) tu (3) me (2) fais (4 : causatif,) re- (6 : aspect itératif-réparatif)-partir (5 : racine) définitivement (7 : aspect définitif) ».

Les participes-gérondifs jouent un grand rôle dans la syntaxe ; chacune des trois langues, mais surtout le tcherkesse, traite volontiers les noms en participes-gérondifs : le tcherkesse s'est ainsi constitué un vrai cas de la déclinaison (« cas participial » en -$\bar{o}$), susceptible d'emplois très larges (*bag'e* « renard » : *bag'-$\bar{o}$* « étant renard, qui est le renard, comme renard, le renard qui... »).

Les vocabulaires sont riches, mais la plupart des mots un peu longs se laissent ramener avec assurance à des éléments dont la plupart sont monosyllabiques ; l'apport arabe et russe se réduit à quelques termes techniques.

Texte tcherkesse (occidental)

(*Fables de Tsey Ibrahim*, XIII, début).

[I]ẖenl'arqwə¹-r² [II]xu¹-p'e²-m³ [III]yi¹-s²-ō³ [IV]čʷə¹-r² vš'ə¹-
xw²-ō³ [V]zər¹-ye²-ʟagwə³-m⁴ : « [VII]u¹-š'² [VIII]fediz¹-ō² [IX]sə¹-
mə²-xw³-ō⁴ ˣmə¹-dunaye¹-m¹ [XI]sə¹-ł²-ye³-ł⁴-əne⁵-p⁶ !» [XII]a¹-
xe²-r³ [XIII]ə¹-ɔw²-i³ [XIV]z¹-i²-ge³-beg⁴-ō⁵ ˣᵛšʷefə¹-gupč'e²-m³
[XVI] yi¹-ł'əsẖa²-g³.

ẖ : laryngale d'un type particulier.

[I]la² grenouille¹ / [III]elle¹ étant³ assise²/ [II]a(u)³ lieu² (de)
pâture¹/ [VI]quand¹⁺⁴ elle² vi(t)³/ [IV]le² bœuf¹ [V]y¹ paiss²-ant³ :
/ « [IX]moi¹ ne² deven³ -ant⁴ pas²/ [VIII]étant² égale¹/ [VII]à²
celui-ci¹, / [XI]je¹ ne⁶ se⁴ -rai⁵ pas⁶ sur² lui³/ ˣà³ ce¹ monde²
(mot persan) -ci¹ ! »/ [XIII]elle¹ ayant³ dit²/ [XII]ce¹ -s² (choses)
là¹ (³ : article défini, toujours joint aux démonstratifs)
/ [XIV]elle² se¹ fais³ -ant⁵ gonfler⁴ / [XVI]elle¹ s'ass² -it³/ ˣᵛa(u)³
milieu² (du) champ¹.

« Quand la grenouille, assise sur le pré, vit le bœuf
qui y paissait, elle dit : « Si je ne me fais pas aussi grosse
que lui, je ne peux plus vivre ici-bas ! » Et, se dilatant,
elle s'installa au milieu du champ ».

Numération : décimale-vigésimale. Nombres cardinaux
du tcherkesse occidental (*k'emirgoy*) : 1 *zə*, 2 *ł'u*, 3 *š'ə*,
4 *p'ʟ'ə*, 5 *tfə*, 6 *xə*, 7 *blə*, 8 *yi*, 9 *bgu*, 10 *p'š'ə*, 11 *p'š'ə-k'u-zə*
(10+1), etc. ; 20 *ł'wə-č'ʹə* (2×10), 30 *š'e-č'ʹə* (3×10),
40 *ł'wəč'ʹ-i-ł'w* (20×2), 50 *śe-nəqwe* (« moitié de 100 »),
60 *ł'wəč'ʹ -i-š'* (20×3), 70 *ł'wəč'ʹiš'-re p'š'ə-re* (et 60 et 10),
etc. ; 100 *śe ;* 1000 *min* (emprunt au turc).

III. Langues du sud

Seule de toutes les langues caucasiennes, le géorgien
est connu depuis de longs siècles et s'est élevé très tôt
au rang de langue littéraire. Aussi a-t-il été longtemps
considéré comme la « langue caucasienne » typique. En
fait, préhistoriquement et à l'époque historique, de même
d'ailleurs que les langues sœurs (sauf le svane), il s'est

trouvé en contact avec d'autres langues de civilisation
(indo-européennes, sémitiques) et a évolué sous leur
influence.

I. Le GÉORGIEN (nom indigène : *k'arΤ'veli ena ;* en russe :
gruzinskiy yazịk) est parlé actuellement par plus de
1.600.000 hab. dans la république de Géorgie et dans
quelques districts adjacents.

Outre le *k'arΤ'luri* et le *kaxuri* des provinces orientales
de Kharthlie (avec Tiflis) et de Kakhéthie (avec Thélavi),
dont le premier forme le fond de la langue littéraire, il
faut noter les dialectes suivants (les différences n'étant
guère que dans le vocabulaire) : dans les montagnes du
Nord le pchav *(p'šauri)*, le thouch *(Τ'ušuri)*, le khevsour
(xevsuruli) et généralement les parlers dits *mΤ'iuli* (de
mΤ'a « montagne ») ; à l'Est, dans le district de Zakataly
(République d'Azerbeidjan), l'inguiloy *(ingilouri)* qui,
à la différence des autres dialectes dont le vocalisme est
stable, pratique l'infection vocalique et, d'une façon
générale, est assez aberrant ; à l'Ouest, jusqu'à la Mer Noire,
plus ou moins contaminés par le lazo-mingrélien, les
parlers des provinces de Gourie, d'Imérétie, de Ratcha
(guruli, imeruli, rač'uli).

Les plus anciens témoignages connus du Géorgien sont
des fragments de la Bible trouvés en 1923 sur palimpsestes
et dont certains remontent au VIᵉ siècle ; ils ne révèlent
pas (sauf maintien ou adjonction fréquente de *x-* ou de *h-* :
d'où les noms de « textes à *x* » et de « textes à *h* ») un état
de langue très différent de celui des premiers manuscrits
antérieurement connus (milieu du IXᵉ siècle). La littérature
géorgienne a produit de grandes œuvres, originales de
forme et de pensée malgré l'influence persane, dès le
XIIᵉ siècle (notamment le poème de Chotha Rusthaveli,
L'Homme à la Peau de Panthère) ; la langue, instrument
officiel de l'administration, n'a jamais cessé d'être cultivée,
et, depuis la seconde moitié du XIXᵉ siècle, soutient une
importante littérature moderne (le romancier Qazbégi,
les poètes et philosophes Ilia Tchavtchavadzé, Akaki

Tséréthéli, etc., que plusieurs autres continuent dignement). L'université de Tiflis, où l'enseignement est donné en géorgien, est, à tous égards, l'une des plus actives de l'U. R. S. S. La grammaire de la langue moderne diffère moins de celle de la langue classique que ce n'est le cas pour l'arménien par exemple.

II. Les langues occidentales (rameau « tubal-caïnien » de la famille « japhétique » de N. Marr première manière) sont :

1º Le MINGRÉLIEN (nom indigène : *megreli nina*), parlé par près de 300.000 individus sur la côte de la Mer Noire et dans l'arrière pays depuis le Nord de l'Ingouri jusqu'au Sud du Rioni ; les plus récents observateurs distinguent les dialectes, proches, en « centraux, septentrionaux, méridionaux ». Evliya Tchélébi a donné (xviie siècle) une liste de mots et de phrases en mingrélien. Il n'y a eu de littérature qu'orale jusqu'à ces dernières années ;

2º Le LAZE (nom indigène : *č'anuri nena*), langue des Tchanes, déjà connus des anciens sous le nom de Tsanoi), qui n'est plus parlé en territoire soviétique que par moins d'un millier d'individus (Batoum, Atchara), mais qui se maintient massivement (160.000 h.) en Turquie, le long de la mer, entre la frontière soviétique et Trébizonde ; on rencontre des Lazes dans tous les ports de la Mer Noire, et jusqu'à Constantinople. Islamisés, ils n'ont plus de liens culturels avec la Géorgie et leur vocabulaire a subi partout l'influence turque. Les dialectes diffèrent considérablement (phonétique, grammaire, vocabulaire) ; ils peuvent être groupés en : dialectes orientaux, autour des bourgs de Sarphi et de Khopha ; dialectes occidentaux, autour des bourgs de Arkhavi (ou Arkhabi), Vitsé, Arthachen, Athina.

III. Le SVANE *(svanuri ena)*, langue septentrionale, est parlé par environ 13.000 montagnards dans les hautes vallées des fleuves Ingouri et Thskhenis-Tsqali ; très aberrant, il est encore insuffisamment connu. Il comprend deux groupes de dialectes : ceux de Haute-Svanétie ou de l'Ingouri (légèrement différents en amont et en aval du mont Bali : « cis- » et « transbalien ») et ceux de Basse-Svanétie ou du Thskhenis-Tsqali (*lašxuri* et *lentexuri*). Phonétiquement, il se caractérise par l'usure des finales, la multiplicité et la sensibilité des timbres vocaliques (avec brèves et longues) et par quelques articulations consonantiques rappelant le caucasien du Nord (chuintante labialisée).

La tradition veut que l'un des deux alphabets géorgiens (le *mxedruli xeli* « la main guerrière », ignorant les majuscules) ait été inventé par le premier roi, Pharnavaz, et le second (le *xuc'uri* « ecclésiastique », avec majuscules et minuscules) par le même convertisseur que les alphabets arménien et albanien. La question d'origine reste obscure, mais beaucoup de lettres sont certainement imitées ou inspirées du grec. L'alphabet est parfaitement adapté à la langue.

Ni le laze, ni le svane n'ont été notés avant les enquêtes linguistiques modernes. L'Université de Tiflis en poursuit diligemment l'étude, et l'alphabet géorgien complété leur convient très bien ainsi qu'au mingrélien.

Phonologiquement, le svane mis à part, les langues caucasiennes du Sud présentent un vocalisme simple et stable (géorgien, laze : *a, e, i, o, u*, sans nuance ; en outre, en mingrélien, *ə* et voyelles longues) et un consonantisme également simple et équilibré : une occlusive sonore, une sourde aspirée et une sourde glottalisée dans chacune des séries de labiales, dentales, gutturales, affriquées dentales des types sifflant et chuintant; une sonore et une sourde dans les sifflantes et dans les chuintantes pures ; un seul *r ; l, m, n ; v* labio-dental (*f* seulement en laze, par emprunt) ; *g* et *x* palatales ; en outre une pharyngale *q* (réduite souvent en laze à *ə* ou à zéro) ; en vieux-géorgien seulement, semi-voyelles *y* et *w* (en laze, *y* est usuel).

Le géorgien est capable d'accumulations impressionnantes de consonnes : le datif « à la victime » est *msxverp'ls*,

nettement monosyllabique ; le mingrélien et le laze au
contraire ou simplifient les groupes, ou insèrent des
voyelles ; par ce trait et par plusieurs autres (métathèse
de *r* dans les groupes « sonores + *r* » ; présence de *ǝ* en
mingrélien, généralement par réduction de *i ;* épenthèse
de *w ;* passage de *šw-* à *šk(w)-* ; traitement de *-r'i* en *-ᵗrǐi* >
-ǐi, -nǐi), la phonétique mingrélienne et laze rejoint celle
de l'arménien dans la mesure où cette dernière s'oppose
à celle du géorgien.

La déclinaison n'est pas très riche ; outre un génitif
et un datif, elle comprend un ergatif (géorg. *-ma(n)*,
-m ; laze, mingr. *-k'*), un instrumental et un cas adverbial
(géorg. *mama-d* « en père ») ; mais à ces cas proprement
dits s'ajoutent de nombreuses formes à postpositions,
dont les unes se suffixent au génitif (*mam-is-t'vis* « pour
le père »), et dont d'autres, suffixées directement au thème,
sont presque, au moins dans la langue moderne, des
désinences (*mama-ze(d)* « sur le père »). A la forme sans
désinence, « nominatif » des thèmes consonantiques, le
géorgien joint — sauf dans des positions « construites » —
un *-i* d'origine sans doute pronominale mais qui est senti
comme une désinence ; c'est cette forme en *-i* que donnent
les dictionnaires (*saxli* « maison », ergatif *saxl-ma(n)*...).

Le vieux-géorgien avait une déclinaison plurielle très
simple, entièrement différente du singulier : cas sans
désinence *-ni ;* cas obliques *-al'(a)*. La langue moderne
(comme le laze et le mingrélien) a, au pluriel, les mêmes
désinences qu'au singulier, seulement jointes à un formatif
spécial du pluriel (*-eb-i, -eb-ma(n)*, etc.).

Les fonctions de relation (« qui, quand, où... ») sont
exprimées explicitement par un riche système de racines
relatives-interrogatives, à vrai dire différemment utilisées
en géorgien et en laze-mingrélien.

La négation est également exprimée, dans tous les cas,
par un mot indépendant.

Le verbe est l'élément le plus original. Une forme
verbale peut contenir : 1º devant la racine, un ou deux

préverbes locaux ; un seul indice personnel préfixé ; une voyelle caractéristique de « direction » (le géorgien varie la voyelle, suivant que l'action est faite : sans précision de bénéficiaire, pour soi, en rapport avec un autre, sur un autre, pour un autre) ; 2º la racine ; 3º après la racine, un « formatif » ; des marques de mode et de temps ; éventuellement un suffixe personnel (3ᵉ personne) et un indice de pluriel. Les possibilités de combinaison sont encore multipliées par le fait qu'il y a deux séries d'indices personnels préfixés, directs (« ego, tu... ») et indirects (« mihi, tibi... »), utilisés dans des temps et dans des modes qui ne sont pas les mêmes pour toutes les racines, et aussi cinq voix (deux variétés de transitifs, deux de passifs, une de causatif) dans lesquelles les voyelles caractéristiques des cinq « directions » ne sont pas les mêmes. Quelques formes simples de 3 sg. des présents de la racine *ḷ'er-* « écrire » donneront une idée du fonctionnement des voyelles caractéristiques : *ḷ'er-s* « il écrit » (sans précision de destinataire), *i-ḷ'er-a* « il écrit pour soi », *mi-s-ḷ'er-s* « il écrit à (un autre ; *mi-* est un préverbe marquant l'éloignement ; voy. caractéristique : zéro) *a-ḷ'er-s* « il écrit sur (le mur...) », *u-ḷ'er-s* « il écrit pour (un autre) » ; au causatif *a-ḷ'er-in-eb-s* « il le fait écrire », *u-ḷ'er-in-eb-s* « il le fait écrire pour (un autre) » ; au passif *i-ḷ'er-eb-a* « il est écrit »...

Il n'y a pas proprement de transitif, mais, suivant les temps et le sens radical des verbes « pseudo-transitifs », le pseudo-sujet et le pseudo-régime direct sont à des cas divers (une de ces combinaisons est presque transitive : à certains présents, pseudo-sujet au cas sans désinence en valeur de « nominatif », et pseudo-régime direct au datif, en valeur d'« accusatif » : (¹*mze* ²*pir-s* ³*i-ban-s* « ¹le soleil ³se lave ²le visage »).

Les substantifs et adjectifs verbaux se forment à la fois par des préfixes *(sa-, si-, m-, me-, mo-, na-, ...)* et par des suffixes.

Texte géorgien
(Qazbegi, *Elgoudja*, début).

[1]*Dariel-is* [2]*viṭ'ro-eb-ši,* [3]*sada-ṭ'* [4]*axla* [5]*m-šven-ieri* [6]*gza-ṭ'k'eṭ'-ili* [7]*mi-d-is* [8]*da* [9]*šav* [10]*klde-eb-s* [11]*šua* [12]*gvel-sa-viṭ'* [13]*i-k'lak'n-eb-a,* [14]*u-ṭ'in* [15]*marṭ'o-ka* [16]*bilik'-eb-i* [17]*i-qo,* [18]*rom-el-zeda-ṭ'* [19]*ṭ'xen-eb-is* [20]*k'aravn-eb-i* [21]*dzlivs* [22]*da-d-i-od-a.*

[2]Dans les (passages) étroits (*-eb-* : pluriel ; *-ši* : postposition « dans ») [1]du Dariel (*-is :* génitif), [3]où (*sad(a) ; -ṭ' :* particule fréquente après les éléments relatifs, voir 18) [4]maintenant [5](une) belle (rac. *šven-* « convenir, être beau » ; forme participiale *m-...+-ieri* « beau ») [6]route-aplanie (participe passé de la rac. *ṭ'k' eṭ'-,* combiné avec le substantif *gza* « route » dans un mot composé) [7]va (rac. *d-* qui fournit une partie des formes de « aller » ; *mi- :* préverbe marquant l'éloignement ; *-i- :* présent : *-s* : 3 sg.) [8]et [13]se tord (*k'la-k'(v)n-a* « tordre », passif-réfléchi à voyelle caractéristique *-i- ; -eb-a* : 3 sg. prés. passif) [12]comme (*-viṭ',* suffixé au datif *-s(a)*) un serpent *(gvel-i)* [11]entre [10]des rochers (*-s* : datif) [19]noirs (*šav-i,* sans désinence, composé avec le substantif suivant), [14]antérieurement (*ṭ'in* « devant » ; *u- :* comparatif) [15]seulement [16]des sentiers [17]était(en)t (3 sg. imparfait de « être », rac. *qav-* ; noter le singulier, voir 22), [18]sur *(-zeda-)*-lesquels (relatif : *rom* « que » conjonction, *rom-el-i* « lequel »...), [20]des caravanes [19]de chevaux [21]à peine (adverbe, cf. *dzali* « force ») [22]descendai(en)t (rac. *d-,* voir 7 ; préverbe *da-* « vers le bas »).

« Dans le défilé de Dariel, que traverse aujourd'hui une magnifique chaussée, tordue comme un serpent entre les falaises noires, il n'existait jadis que des sentiers, où les caravanes de chevaux avaient peine à passer ».

Numération : décimale-vigésimale. Nombre cardinaux du géorgien :

1 *erṭ'i,* 2 *ori,* 3 *sami,* 4 *oṭ'xi,* 5 *ḫuṭ'i,* 6 *ek'vsi,* 7 *švidi,* 8 *rva,* 9 *ṭ'xra,* 10 *aṭ'i* ; 11 *ṭ'-erṭ'-meṭ'i* (10, 1 en plus), 12 *ṭ'-or-meṭ'i,* etc. ; 20 *oṭ'i,* 30 *oṭ'-da-aṭ'i* (20 et 10), 40 *orm-oṭ'i ;* (2×20), etc. ; 100 *asi ;* 1000 *aṭ'-asi* (10×100).

Georges DUMÉZIL.

BIBLIOGRAPHIE

Collections et revues principales :

Recueil de matériaux pour la géographie et l'ethnographie du Caucase, I-XLIV, Tiflis, 1881-1915, en russe ; cité : *SMK.*

Ethnographie du Caucase, série linguistique (grammaires diverses, par le baron P. USLAR, en russe), I-VI, Tiflis, 1887-1896 ; cité : *EK.*

Caucasica, I-XI, Leipzig, 1924-1934, en allemand ; cité : *Cauc.*

Ouvrages généraux .

A. DIRR, *Einführung in das Studium der kaukasischen Sprachen,* Leipzig, 1928, résumant toutes les descriptions antérieures des diverses langues).

R. BLEICHSTEINER, *Die kaukasische Sprachgruppe, Anthropos,* XXXII, 1937, pp. 51-74 (bibliographie).

H. SCHUCHARDT, *Ueber den passiven Charakter des Transitivs in den kaukasischen Sprachen, Sitzungsberischte der k. k. Akad. Wissenschaft. Wien,* 1895.

H. VOGT, *La parenté des langues du Caucase,* dans *Norsk Tidsskrift for Sprogvidenskap.* XII, 1942.

LANGUES DU NORD-EST

Grammaires antérieures à 1917 : de USLAR dans *EK* (III : avar ; IV : lak ; V : dargwa ; VI : kuri), de DIRR dans *SMK* (XXXIII : oudi, XXXV : tabasaran ; XXXVI : andi ; XXXVII : aghoul ; XXXIX : artchi ; XL : notes sur les langues du groupe avar-andi-dido ; XLII : routoul ; XLIII : tsakhour).

Grammaires, dictionnaires et textes publiés en U. R. S. S. depuis 1917 dans les nouveaux alphabets pour diverses langues, notamment (en russe) :

L. JIRKOV, *Grammaire avar,* Moscou, 1924 ; *Dictionnaire avar-russe* (avec grammaire), Moscou, 1936.

L. JIRKOV, *Grammaire dargwa,* Moscou, 1926.

A. A. BOKAREV, *Syntaxe de l'avar,* Moscou 1949.

A. A. BOKAREV, *Esquisse d'une grammaire du čamalal,* Moscou, 1949.

K. BOUDA, *Beiträge zur kaukasischen und sibirischen Sprachwissenschaft,* 1 : *die darginische Schriftsprache,* Leipzig, 1937, et III : *das Tabassaranische,* 1939 (dépouillement grammatical d'une partie des textes des nouvelles littératures dargwa et tabassaran) ; *Beiträge zur Kenntnis des Udischen auf Grund neuer Texte*, dans *ZDMG*, 1939, pp. 60 et suiv. *Lakkische Studien*, Heidelberg, 1949.

M. TRUBETZKOY, *Die « kurzen » und « geminierten » Konsonanten der awaroandischen Sprachen*, *Cauc.* III, pp. 7-36 ; *die Konsonantensysteme der ostkaukasischen Sprachen*, *Cauc.* VIII.

A. CHANIDZÉ, *L'alphabet des Albaniens du Caucase récemment découvert et son importance pour la science*, en russe, *Bulletin de l'Institut Marr*, IV Tiflis, 1938 (v. DUMÉZIL dans *J. As.*, 1940-41, pp. 125 et suiv.).

De nombreux et *très* importants articles dans le second volume des *Langues du Caucase du Nord et du Dughestan*, Moscou, 1949 (recueil qui promet d'être annuel).

LANGUES DU NORD-CENTRE

USLAR, *Grammaire tchétchène (EK*, II), Schiefner, *Grammaire bats* (*Mémoires de l'Acad. de S.-Pétersbourg*, 1856, en allemand).

A. G. MATSIJEV, *Dictionnaire tchétchène-russe*, Groznyj, 1927.

Z. MALSAG, *Grammaire ingouche*, en russe, Vladikavkaz, 1925 ; en ingouche, *ibid.*, 1926, avec vocabulaire ingouche-russe.

M. G. OUJATH, *Dictionnaire ingouche-russe*, Vladikavkaz, 1927.

A. SOMMERFELT, *Études comparatives sur le caucasique du Nord-Est, Norsk Tidsskriftg for Sprogvidenskap*, VII, IX, XIV (1934-35 et 1947, à suivre) : phonétique comparée très soignée du tchétchène, de l'ingouche et des bats.

K. BOUDA, *Tschetschenzische Texte*, dans *Mitt. des Semin. für orient. Sprachen zu Berlin*, XXXVIII, 2 (1935) ; avec traduction allemande et notes.

M. DJABAGUI et G. DUMÉZIL, *Textes populaires ingouches*, avec traduction, notes et grammaire, Paris. 1935.

LANGUES DU NORD-OUEST

USLAR, *Grammaire abkhaz (EK*, I) ; N. MARR, *Dictionnaire abkhaz-russe*, Léningrad, 1926 ; DONDUA, *Index russe-abkhaz* du précédent, Léningrad, 1928.

G. DEETERS, *Der abkhasische Sprachbau*, dans *Nachr. v. d. Gesellsch. der Wiss. zu Göttingen, ph.-h. Klasse*, 1931, pp. 289-303 ; G. SERDIUTCHENKO, *Alphabet abaza et orthographe...*, Ejovo-Tcherkassk, 1938 ; K. BOUDA, *Das Abasinische, eine unbekannte abchasische Mundart*, *ZDMG*, XCIV (1940).

A. DIRR, *Die Sprache der Ubychen*, *Cauc.* IV-V, 1927-8 ; G. DUMÉZIL, *La langue des Oubykhs*, Paris, 1931 ; J. MESZAROS, *Die Päkhy-Sprache*, Chicago, 1934.

N. JAKOVLEV, *Petite grammaire adyghé* (en russe), Moscou, 1930 ; *Kurze Uebersicht über die tscherkessischen Dialekte und Sprachen*, *Cauc.* VI ; D. ACHHEMAF, *Grammaire adyghé* (en tcherkesse), Krasnodar, 1934 ; G. DUMÉZIL et A. NAMITOK, *Fables de Tsei Ibrahim* (tcherkesse occid.), avec traduction interlinéaire, commentaire et introduction grammaticale, Paris, 1938.

L. LOPATINSKIY, *Grammaire qabardey et dictionnaire russe-qabardey* (*SMK*, XII) ; N. JAKOVLEV, *Matériaux pour un dictionnaire qabardey*, I, Moscou, 1927 (en russe).

G. DUMÉZIL, *Études comparatives sur les langues caucasiennes du N.-O., morphologie*, Paris, 1932 (sur une discussion qui a suivi, voir note bibliographique complète dans *Norsk Tidsskrift*, 1935, p. 143 et *BSL*, XXXVIII, 1937, pp. 122-138).

Articles importants (qabardi, abaza) dans le second volume des *Langues du Caucase du Nord et du Dughestan*, Moscou, 1949.

LANGUES DU SUD

N. MARR, *Grammaire du vieux-géorgien*, en russe, Léningrad, 1925 ; F. ZORELL, *Grammatik zur altgeorg. Bibelübersetzung*, Rome, 1930 ; N. MARR et M. BRIÈRE, *La langue géorgienne*, Paris, 1931 ; A. CHANIDZÉ, *Chrestomathie du vieux-géorgien*, Tiflis, 1935 (avec bibliographie sur les plus anciens textes). A. DIRR, *Grammatik der modernen georgischen Sprache* (coll. Hartleben, *s. d.*) ; A. CHANIDZÉ, *Grammaire géorgienne*, en géorgien, Tiflis, 1930 ; H. VOGT, *Esquisse d'une grammaire du géorgien moderne*, dans *Norsk Tidsskrift...*, IX-X-XI, 1938-1939 et XIV, 1947 ; D. TCHOUBINOV, *Dictionnaire géorgien-russe*, Tiflis, 1890.

Pendant la dernière guerre, de 1941 à 1945, M. CHANIDZÉ a publié, principalement sur le verbe, une série d'articles dont on trouvera la liste dans une note de M. R.-P. Blake, *JAOS*, vol. 67 (1947), p. 227.

Pour les dialectes, l'Institut Marr, à Tiflis, a commencé en 1938 la publication systématique de vocabulaires (Gourie, Haute-Iméréthie, Letchkhoumi ; en géorgien). Dans la revue *La Géorgie Ancienne*, II, Tiflis, 1911-13, il y a une bonne grammaire, un vocabulaire et des textes inguiloy.

I. QIPCHIDZÉ, *Grammaire mingrélienne avec chrestomathie et vocabulaire*, en russe St-Pétersbourg, 1914 ; Th. KLUGE, *Beiträge zur mingrelischen Grammatik*, Berlin, 1916 ; M. KHUBUA, *Textes mingréliens*, Tiflis, 1937.

N. MARR, *Grammaire laze avec chrestomathie et vocabulaire*, en russe, St-Pétersbourg, 1910 ; A. THCHIKHOBAVA, *Analyse grammaticale du laze*, Tiflis, 1936 ; G. DUMÉZIL, *Contes lazes, avec traduction interlinéaire*, Paris, 1937 ; S. JGHENTI, *Textes lazes*, Tiflis, 1938 ; I. QIPCHIDZÉ, *Textes lazes*, Tiflis, 1939.

Svane : tout le tome X du *SMK* (notes grammaticales, textes ; cf. tomes XVIII et XXXI) ; I. I. NIJARADZÉ, *Dictionnaire russe-svane*, dans *SMK*, XLI ; A. ONIAN, *Textes svanes*, Petrograd, 1917.

G. DEETERS, *Das kharthwelische Verbum*, Leipzig, 1930 ; *Forschungen zur vergleich. Morphologie und zum Verbalbau des georgisch. süd-kaukas. Idioms (Rekonstruktion der kartwelisch. süd-kauk. Urprache)*.

A. THCHIKHOBAVA, *Lexique comparé laze-mingrélien-géorgien*, en géorgien, Tiflis, 1938.

LANGUE BASQUE

NOTE LIMINAIRE

Les origines de la langue basque ont préoccupé beaucoup d'érudits, et l'on n'en est plus à compter les hypothèses souvent aventureuses auxquelles elles ont donné lieu. Celle qui a dominé pendant fort longtemps, grâce surtout à l'impulsion vigoureuse que lui donna Guillaume de Humboldt, consiste à considérer l'eskuara comme le dernier vestige de la langue des Ibères (ibère, ibérien), ou de l'une des langues parlées par les Ibères[1]. Or, l'état linguistique de l'ancienne Ibérie est fort mal connu. En dehors de quelques mots et noms de lieux que nous ont transmis les écrivains grecs et latins, nous avons des médailles et des inscriptions (quelques-unes celtibériennes). Ces inscriptions et les légendes des médailles sont dans un alphabet qui ressemble à l'alphabet phénicien. On les déchiffre de façons fort différentes: c'est ainsi que la lame de plomb de Castellón offre un texte qui a été l'objet de cinq ou six interprétations n'ayant absolument rien de commun entre elles[2]. Cette hypothèse ibéro-basque perd du terrain aujourd'hui[3].

1. W. von Humboldt, *Prüfung der Untersuchungen über die Urbewohner Hispaniens vermittelst der Vaskischen Sprache* (Berlin, 1821), et surtout H. Schuchardt, principalement dans *Die iberische Deklination* (Vienne, 1907). Voir aussi E. Hübner, *Monumenta linguae Ibericae*, Berlin, 1893.

2. Philipon, *Les Ibères*, Paris, 1909, p. 144 et suiv., et *L'Europe méridionale*, Paris, 1925, *passim* (Pour une écriture du sud de l'Espagne qui aurait servi pour du libyque, voir à la bibliographie du libyco-berbère). Bosch Gimpera, *El problema etnológico vasco y la arqueología* et *La prehistoria de los Iberos y la etnología vasca*, Revue internationale des Études basques, 1924 et 1926.

3. On a récemment trouvé sur une poterie du ive-iiie siècle av. J.-C. l'inscription GUDUA DEITZDEA. Le mot *gudua* en basque signifie « le combat », mais l'autre mot est obscur.

S'il faut en croire Bosch-Gimpera, le basque serait un idiome pré-ibère (pyrénéen) qui aurait fait des emprunts à l'ibérien : c'est ce qui expliquerait comment les quelque deux cents noms de personnes et de divinités qui nous restent de l'aquitain et qu'a étudiés Achille Luchaire ont une physionomie basque[1].

Parmi les autres rapprochements qui ont été faits entre le basque et beaucoup d'idiomes, ceux qui signalent des concordances avec des langues chamito-sémitiques méritent sans doute une certaine considération[2].

D'autre part, plusieurs linguistes supposent que le basque appartiendrait à une grande famille méditerranéenne, dont feraient partie les langues caucasiennes, l'étrusque, etc. G. Dumézil va même jusqu'à soutenir qu'« il ne paraît plus douteux aujourd'hui que les langues caucasiennes du Nord, les langues caucasiennes du Sud et le basque ne soient trois branches — les trois seules survivantes — d'une même famille »[3].

Ajoutons que le basque peut être aussi « rapproché » (et l'a été) du japonais[4] et de diverses langues américaines[5].

---

1. A. Luchaire : *Les origines linguistiques de l'Aquitaine*, Paris, 1877.

2. L. Gèze, *De quelques rapports entre les langues berbères et le basque*, Toulouse, 1883 ; G. von der Gabelentz, *Die Verwandtschaft des Baskischen mit den Berbersprachen Nord-Afrikas*, et en particulier H. Schuchardt, *Nubisch und Baskisch* (Revue intern. des Ét. basques, 1912, p. 282), et *Baskisch und Hamitisch* (*ibid.*, 1913, p. 289), contenant cent cinquante-quatre comparaisons avec le chamito-sémitique. Voir aussi les ouvrages de D. J. Wölfel cités p. 84, n. 2.

3. Voir pp. 229-230 (bibliographie en note) ; voir aussi C. C. Uhlenbeck, *De oudere lagen van de baskische Woordenschat*, Meded. N. R. 5, 7, 1942.

4. Renseignements donnés par des missionnaires basques et par M. Yoshitorni.

5. H. de Charencey, *Des affinités de la langue basque avec les idiomes du Nouveau-Monde*, Caen, 1867, *Études asiatiques*, 1902, et Vinson, *Le basque et les langues américaines*, 1875.

I. GÉNÉRALITÉS[1]

Le basque, appelé *euskera, euskara, eskuara*, etc. (la forme la plus anciennement attestée est *heuskara*) par ceux qui en font encore usage, est parlé, pour les quatre cinquièmes environ, en Espagne, et pour un cinquième en France, au Nord et à l'Ouest des Pyrénées Occidentales, c'est-à-dire dans les provinces de Biscaye, Alava, Guipúzcoa et Navarre d'une part, dans les arrondissements de Bayonne et l'ancien arrondissement de Mauléon (aujourd'hui compris dans l'arrondissement d'Oloron), d'autre part. Il n'occupe pas la totalité des divisions administratives qui viennent d'être énumérées : en effet, la partie occidentale de la Biscaye, constituant à peu près le quart du territoire de la province, n'est plus basque quant à la langue, de même que les neuf dixièmes environ de l'Alava, et plus de la moitié de la Navarre. En France, le domaine de l'*euskara* correspond à peu de chose près aux limites des anciennes provinces de Labourd, Basse-Navarre et Soule, qui, avec le Béarn, constituèrent le département des Basses-Pyrénées. En outre, le basque est encore parlé assez fréquemment en Amérique par quelques milliers d'« Euskariens » qui, ayant conservé le culte de leur langue maternelle, ont fondé au delà des mers des associations et des périodiques basques.

A combien peut-on évaluer le nombre des gens qui se servent de cette langue ? Il y a des bilingues, en proportions variées, dans tous les villages et villes basques : et, dans certains d'entre eux, le total des bascophones est sensiblement inférieur à ceux des personnes qui n'emploient

1. Voir la planche VI.

qu'un idiome roman. Il est donc très difficile de répondre
avec précision à la question posée. Le prince Louis-
Lucien Bonaparte, l'auteur qui a le plus minutieusement
étudié le problème de la répartition de l'*euskara*, évaluait,
en 1873, à 660.000 le nombre des Basques d'Espagne
n'ayant pas abandonné la langue de leurs pères, et à
140.000 celui des Basques de France se trouvant dans le
même cas. Mais à l'heure actuelle on peut affirmer que
ces chiffres sont exagérés, car en Navarre par exemple
quelques localités ont perdu l'usage du basque, et, dans
certains endroits, les vieux seulement parlent habituellement euskarien, si bien que maintenant il y a, approximativement, 600.000 bascophones en Espagne et guère
plus de 100.000 en France.

Il est impossible de délimiter avec quelque précision
l'extension ancienne de cette langue : il est évident,
toutefois, qu'elle occupait la totalité du territoire des
provinces citées plus haut, et même au-delà, surtout en
Espagne. Divers témoignages, en sus des données de la
toponymie, ne laissent aucun doute à ce sujet.

Une chose avant tout frappe celui qui veut observer la
langue basque, qu'il la prenne dans sa réalité vivante ou
dans les livres, c'est son extrême variété dialectale.
Plusieurs auteurs, depuis le xviiᵉ siècle, se sont occupés
de classer ces dialectes. Nous dirons simplement un mot
de la classification que le prince L.-L. Bonaparte proposa,
après avoir beaucoup tâtonné, il y aura bientôt soixante-
dix ans. Il divisait le basque en trois groupes dialectaux,
huit dialectes, vingt-cinq « sous-dialectes » se fragmentant
en cinquante « variétés » donnant elles-mêmes lieu à
plusieurs « sous-variétés ». C'est surtout par l'étude du
verbe que le prince parvint à cette consciencieuse classification. Il nous semble qu'il serait suffisant de distinguer
deux grands groupes dialectaux : le biscayen (que l'on
pourrait appeler aussi basque occidental) d'un côté, et de
l'autre côté tous les autres dialectes (guipuzcoan, labourdin,
souletin, parlers de la Navarre française et de la Navarre
espagnole). On pourrait appeler ce groupe, par opposition

au premier, centro-oriental. Nous justifierions ce classement par la considération suivante : on passe par gradations insensibles d'un dialecte à l'autre parmi ceux qui constituent ce groupe, tandis que le saut est assez brusque quand on passe du guipuzcoan au biscayen. Ce dernier se distingue en effet, dans toute une partie de sa conjugaison, par l'emploi d'auxiliaires qui lui sont propres, il offre des particularités typiques dans maints détails de la grammaire en plus grand nombre que les autres dialectes, et enfin son vocabulaire a souvent des mots non compris des autres Basques.

Les divisions dialectales ne correspondent pas toujours aux divisions géographiques : le biscayen, par exemple, est non seulement parlé en Biscaye, mais dans les rares villages de l'Alava où l'*euskera* est encore vivant, et enfin dans une partie notable du Guipuzcoa. Cette dernière province n'est pas exclusivement guipuzcoane de langue : le haut-navarrais septentrional l'envahit en effet par le Nord, mais, en revanche, le guipuzcoan se parle quelque peu en Navarre. De même pour le labourdin, dans le domaine géographique duquel le bas-navarrais occidental et même oriental est employé, et qui en revanche est en usage, à peine différent, dans presque toute la vallée transpyrénéenne de Baztan.

Il va sans dire d'ailleurs que toutes ces distinctions n'ont qu'une valeur relative, car dans les parlers basques beaucoup de faits sont limités par des lignes indépendantes les unes des autres.

Qui sont les hommes blancs qui parlent le basque ? On est frappé, en observant le type physique de Basques pris au hasard, de la diversité extrême de leurs caractères anthropologiques. Le peuple euskarien constitue donc une race fort mélangée, et encore est-il problématique que l'on puisse ici parler de race. Quant à sa civilisation, elle est en très grande partie tributaire de celle des populations avec lesquelles il s'est trouvé en contact. Mais il est à noter que si le Basque emprunte beaucoup, il ne le fait pas servilement, et transforme en y mettant sa marque propre ce qu'il prend à autrui : nous citerons comme exemples la musique, les jeux de pelote, les jeux de cartes. Quant à savoir d'où viennent les Basques, quelles furent leurs migrations, ce n'est guère possible dans l'état actuel des recherches. Les hypothèses les plus variées ont été faites à ce sujet.

Les noms de lieux sont les plus anciens documents incontestables : on en cite qui remontent au viiie siècle. Les phrases ne commencent à paraître que beaucoup plus tard, et nous ne trouvons de textes de quelque étendue qu'à partir du xvie siècle. Le premier livre est un recueil de poésies, *Lingvæ Vasconum primitiæ*, œuvre d'un prêtre, Dechepare : il fut édité à Bordeaux, en 1545, et il est en dialecte bas-navarrais oriental cizain. Depuis cette époque, la littérature basque se compose principalement de traductions d'ouvrages religieux. Cependant on peut y joindre, en très petit nombre, quelques ouvrages originaux. Mais à partir de 1880 environ, ces derniers devinrent plus nombreux que les traductions. Vers cette époque, une véritable renaissance, plus ou moins liée à des théories politiques, s'est produite un peu partout en Euskarie, et une véritable littérature (romans, poésies, théâtre) s'est constituée. Des journaux se sont fondés. Et cela s'est continué jusqu'aujourd'hui en deçà des Pyrénées, tandis qu'au-delà la guerre civile d'Espagne a tout arrêté. A cette littérature écrite il faut joindre la littérature orale, contes et chansons, dont on a recueilli une très grande quantité dans ces dernières années, et les « pastorales » souletines, pièces de théâtre qui se jouent encore de temps en temps, et dont les sujets, la facture et la technique sont empruntés, dans ce qu'ils ont d'essentiel, aux mystères français du moyen âge. Signalons enfin les improvisations poétiques chantées auxquelles certains Basques excellent.

II. ÉTUDE INTERNE

Le fait que les dialectes basques sont très différents les
uns des autres, tant au point de vue phonique, qu'aux
points de vue morphologique, syntaxique et lexicologique,
rend malaisée une description d'ensemble. Force nous sera
donc de nous borner à quelques indications, car une
accumulation de détails ne serait pas de mise ici. Nous
voudrions seulement illustrer par un seul exemple cette
diversité. Un ancien *i* consonne s'est conservé presque pur
en labourdin, mais est devenu en souletin une chuintante
sonore analogue au *j* français (*ž*), mais un peu mouillé,
alors que dans d'autres régions nous avons affaire à une
chuintante sourde, et ailleurs enfin à une spirante palatale
identique à la jota espagnole.

Phonétique. — On observe en basque d'assez nombreuses occlusives et une grande variété de spirantes, parmi
lesquelles deux prépalatales. Le roncalais (dialecte mar-
ginal de Navarre, presque éteint) possède une cérébrale
que l'on peut noter *ḍ* (entre *d* et *r*). Les phonèmes dits
mouillés sont fréquents dans quelques dialectes, alors que
dans d'autres ils ne le sont pas. A date ancienne, il n'y avait
pas d'occlusives sourdes à l'initiale, mais maintenant sous
l'influence du latin d'abord, des idiomes romans ensuite,
beaucoup commencent des mots.

Quant au système vocalique, il est d'une grande variété,
mais les voyelles nasales ne se rencontrent guère qu'en
roncalais et en souletin, où du reste elles tendent à disparaître. Le *u* (*ou* français) est de tous les dialectes, mais
le *ü* s'est infiltré dans quelques parlers : on a même observé,
sporadiquement, un son intermédiaire entre les deux
précédents. Mentionnons aussi la grande variété des
diphtongues.

Voici, à titre d'exemple, un tableau des phonèmes
labourdins actuels.

Voyelles : *a* généralement moyen ; *e* généralement moyen, *i* généralement ouvert, *o* généralement moyen, *u* généralement ouvert.

Semi-voyelles : *w* et *y*.

Consonnes. Comprenant des aspirées et des mouillées ; noter que les continues sonores ne sont admises que devant une autre consonne sonore.

Labiales : *p* et *p'* ; *b* ; *f*.

Dentales : *t* et *t'*, *d ;* deux spirantes et deux affriquées sifflantes, il existe en effet un *ś*, *s* d'articulation spéciale qui le rapproche de *š*, un *s* analogue à celui du français (noté *z* dans l'orthographe basque), *ļ* et *ḍ*.

Prépalatales : *š*, *č* et *ᵈy*, ou *y* précédé d'une attaque dentale occlusive (voir ci-dessus l'observation sur *i* consonne).

Postpalatales : *k* et *k'*, *g*.

Laryngale : il existe un *h*, qui tend à disparaître.

La série des liquides comprend *l* et *l'*, et deux *r* apicaux, l'un doux (un seul battement) l'autre fort (deux battements au moins).

Les nasales sont : *m*, *n*, *n'* et *ṅ*.

Les géminations de consonnes sont rares, surtout à date ancienne. — Certaines consonnes, telles que *b*, *p*, *m*, ne peuvent terminer aucun mot : *-p* cependant se trouve dans l'interjection *eup !*

L'accent basque, malgré quelques travaux récents, est encore assez mal connu. Bornons-nous à dire que le souletin et le « sous-dialecte » de las Cinco-Villas paraissent être les seuls où certaines syllabes (généralement les pénultièmes) sont très nettement plus intenses que les autres. Le chant de la phrase est assez différent suivant les dialectes et souvent même suivant les localités.

Morphologie. — Le système morphologique est, comme il arrive souvent, plus stable que le phonétique : il est également moins différent d'un basque à l'autre. Si nous nous plaçons d'abord au point de vue des procédés grammaticaux, l'*euskera* est, avant tout, une langue à suffixation, encore qu'on y trouve quelques rares préfixes : le nombre des suffixes dont un mot peut être affecté peut aller jusqu'à cinq ou six : exemple (que nous avons entendu de la bouche d'un enfant de quatre ans) : *ponetekiakoaekin* [*ponet-(e)ki-la͡-ko-a(re)-kin*] « avec celui qui a le béret » (mot-à-mot : béret-avec-de-le-avec).

Au point de vue des catégories grammaticales, voici quelques traits essentiels. Bien que le verbe puisse être affecté des mêmes suffixes que le nom — au moins dans la plupart des cas — la distinction du nom et du verbe est très marquée en basque. Très rarement un nom peut, avec un auxiliaire, constituer un verbe.

Le sujet de l'intransitif n'a aucune caractéristique, et c'est ce qui le fait reconnaître, car le *-k* qui se postpose au sujet du verbe transitif est en réalité un ergatif (« l'homme bat l'enfant » se dit en basque « par l'homme est battu l'enfant »). Il suit de là que le complément direct n'existe pas. Quant au complément du nom, il le précède, tantôt avec l'un des suffixes du génitif, tantôt sans caractéristique.

Si l'on prend le verbe dans l'ensemble des dialectes et chez certains auteurs, il apparaît comme comportant une multitude de modes et de temps ; mais dans la bouche des ruraux il est beaucoup plus simple. On pourrait en dire autant de la multiplicité des flexions que les grammairiens se plaisent à énumérer et quelquefois à forger. La forme normale du verbe est périphrastique (je suis en marche = je marche), mais cette conjugaison a été créée et développée sous l'influence du latin et des langues romanes. Les verbes forts, qui disparaissent petit à petit de tous les dialectes, représentent la vieille conjugaison euskarienne : ils ne connaissent la périphrase qu'aux temps dits composés.

Les pronoms personnels sont *ni* « je », *(h)i* « tu », *gu* « nous », *zu* « vous ». Ce dernier étant devenu un singulier honorifique, on a créé un pluriel *zuek*. Quant au pronom de la 3ᵉ personne, il n'existe plus aujourd'hui : un Basque dira : « moi, toi, celui-ci ». Mais l'étude du verbe nous indique qu'à date ancienne il devait y avoir un pronom

*d- (ou *da) : il y avait aussi un *b-(*be) qu'on rencontre
à l'impératif et dans *bere* «son», c'est-à-dire de lui *(be-re)*.

Le basque ne connaît que deux nombres, le singulier
et le pluriel : on ne trouve avec les documents dont on
dispose, et qui sont peu de chose étant donnée l'antiquité
de cette langue, aucune trace du duel. Quant au genre,
il n'existe pas non plus : on a cependant indiqué à date
récente, et à l'imitation du roman dans quelques parlers
voisins du Béarn, le sexe féminin par le suffixe emprunté *-sa*
ou *-esa* (suivant le phonème qui précède). A noter aussi
que le sexe de l'interlocuteur est indiqué, et cela dans
tout l'ensemble du domaine, dans les formes tutoyantes
de la conjugaison du verbe transitif : *duk* «tu l'as» [homme]!
dun « tu l'as » [femme] ! (Le verbe basque étant passif, ces
formes signifient proprement « il est eu par toi »).

Il n'y a qu'une seule déclinaison en basque. Substantif,
adjectif, formes verbales, pronoms, quelques adverbes
même sont susceptibles de se décliner. Les cas grammaticaux et les cas à signification concrète sont très nombreux
et permettent d'indiquer des rapports très variés, par suite
des combinaisons de ces suffixes, avec une extrême con-
cision : nous en avons donné plus haut un exemple.

Syntaxe. — La syntaxe est très complexe, elle constitue
la plus grande difficulté pour les étrangers qui veulent
acquérir la pratique de la langue. Pour en donner une idée,
voici une phrase où l'ordre des éléments est presque toujours
exactement l'inverse de ce qu'il est en français. Si je veux
dire : « le livre que j'ai donné à l'enfant est très beau »,
voici comment je m'exprimerai en guipuzcoan : *aurrari
eman diodan liburua čit ederra da.* Voici l'analyse :

aurr-a-(r)i   eman   diod - (a) - n
enfant le à   donné   je l'ai   de [= que j'ai]
liburu-a   čit   ederr-a   da
livre le   très   beau le   il est

(-*n* est un suffixe nominal de génitif qui, ajouté à une
forme verbale personnelle, lui donne un sens relatif).

L'agencement des phrases n'est pas compliqué dans la bouche des illettrés, qui procèdent le plus souvent par parataxe. Toutefois les propositions ainsi mises bout à bout sont reliées quelquefois entre elles par des conjonctions. Les orateurs et littérateurs cependant, bilingues et cultivés, sont parvenus à constituer des périodes à l'imitation des langues de civilisation.

Vocabulaire. — Le vocabulaire basque a perdu un nombre considérable de mots. La toponymie nous offre à chaque instant des éléments que l'on ne comprend pas. D'autre part, les livres du XVIᵉ et même du XVIIᵉ siècle présentent assez souvent des termes sortis aujourd'hui de l'usage. Dans tous les dialectes, les emprunts foisonnent, et, malgré les efforts des puristes, ils s'accroissent sans cesse. La plupart de ces mots étrangers sont latins ou romans, mais il en est, en petit nombre, de celtiques, germaniques, arabes, etc. Dans la mesure où on est capable de l'entrevoir, le lexique ancien était constitué surtout de mots désignant des notions concrètes, l'immense majorité de ceux qui se rapportent à la psychologie, à la logique et à la sociologie en général ayant été empruntés. Le basque par ailleurs possède à un degré éminent la faculté de former des mots nouveaux, et c'est par dizaines que l'on compte les suffixes de dérivation ; la composition est riche aussi.

Texte. — Pour conclure, nous donnerons une strophe du plus ancien auteur basque connu, Dechepare (1545), en y joignant une traduction interlinéaire. Elle est extraite du livre cité plus haut, poème intitulé : *Emazten fauore* (en faveur des femmes) :

Orthographe originale

andren	*gayz*	*errayle*	*oroc*	*bearluque*	*pensatu*
femme des	mal	disant	tout	devrait	penser

bera	*eta*	*verce*	*oro*	*nontic*	*guinaden*	*sorthu*
lui-même	et	autre	tout	où de	nous étions	nés

ama	*emazte*	*luyen*	*ala*	*ez*	*nahi*	*nuque*	*galdatu*
Mère	femme	s'il l'a	ou	non	volonté	j'aurais	demandé

amagatic		*andre*	*oro*	*beharluque*		*goratu*
Mère à cause	de femme		toute	besoin il	aurait	mettre haut

Transcription phonétique

andren gays errayle orok bearluke penśatu
bera eta verse oro nontik ginaden śort'u
ama emaste luyen ala es nahi nuke galdatu
amagatik andre oro bearluke goratu

(*ś* : sifflante d'un type particulier, voir p. 264).

Traduction

« Quiconque dit du mal des femmes devrait penser d'où lui-même et nous autres nous sommes tous nés : je voudrais lui demander si sa mère était ou non une femme : à cause de sa mère il devrait placer haut les femmes ».

Noms de nombres. — Voici quels sont les principaux noms de nombre basques : *bat* « un », *bi* et *biga* (ou *bida*) « deux », *hirur* « trois », *laur* « quatre » (on remarquera que ces deux derniers mots riment), *bost* ou *bortz* « cinq », *sei* (on trouve aussi *seir*) « six », *zazpi* « sept », *zortzi* « huit », *bederatzi* ou *bederatzü* « neuf », *hamar* « dix ». Ensuite, on aura *hameka* « onze » (biscayen *amaika* < *amar-eka*, ce qui a donné lieu à un rapprochement du second élément avec le sanskrit), *hamabi* « douze », etc.

Les dizaines montrent un système vigésimal. Pour « vingt » il y a *(h)ogoi* ou *hogei*. « Vingt et un » = *hogoi eta bat*, et ainsi de suite. « Trente » se dit « vingt et dix », « quarante », « de nouveau vingt » *(berrogoi)*, « cinquante », « de nouveau vingt et dix », « soixante » « trois (fois) vingt », « soixante-dix », « trois fois vingt et dix », « quatre-vingts » « quatre (fois) vingt ».

« Cent » se dit *ehun* (qu'on a rattaché au gothique). Quant à « mille », il est emprunté au roman.

Georges LACOMBE.

BIBLIOGRAPHIE

On a écrit des centaines de livres, brochures et articles sur la langue basque, mais l'immense majorité d'entre eux doivent être consultés avec critique. Nous ne mentionnerons ici qu'un petit nombre d'ouvrages essentiels.

Parmi les bibliographies, on aura recours à celle de Julien VINSON, *Essai d'une bibliographie de la langue basque* (Paris, I, 1891, II, 1898). Un troisième volume supplémentaire, annoncé, n'a pas paru. Pour la suite, voir, par G. LACOMBE, dans la *Revue int. des Études basques,* numéro de mars-avril 1936, la liste des articles bibliographiques de Vinson, postérieurs à 1898.

Les revues basques étaient nombreuses, mais par suite des événements elles ont toutes, à l'heure où nous écrivons, suspendu leur publication. Les deux plus importantes étaient la *Revue internationale des Études basques* (fondée en 1907) et l'*Euskera* (travaux de l'Académie basque) dont le premier fascicule est de 1919.

Pour la phonétique, l'ouvrage le plus important est celui de GAVEL, *Éléments de phonétique basque* (Paris et Biarritz, 1921).

Les *Primitiae linguae Vasconum (Einführung ins Baskische)*, de Hugo SCHUCHARDT (Halle, 1923), donnent une idée de la morphologie. Il y a un très grand nombre de faits dans la *Morfologia vasca*, de R. M. DE AZKUE (Bilbao, 1925). Voir aussi la *Grammaire basque* de GAVEL, tome I, Bayonne, 1929 (Le tome II, en collaboration avec G. Lacombe, est en cours de publication.)

L'étude la plus scientifique qui ait été faite de la syntaxe est celle d'Ernst LEWY, *Skizze einer elementaren Syntax des Baskischen* (dans le fascicule 9 de *Caucasica*, Leipzig, 1931).

Pour l'étude particulière de la conjugaison il est indispensable de lire, du prince Louis-Lucien BONAPARTE, *Le Verbe basque...* (Londres, 1864 et 1869), avec ses deux compléments : *Études sur les dialectes d'Aezcoa, de Salazar et de Roncal* (Londres, 1872), et *The simple Tenses in modern basque and old basque* (Londres, 1884). On verra aussi H. SCHUCHARDT, *Baskische Studien* I : *Ueber die Entstehung der Bezugsformen des baskischen Zeitworts* (Vienne, 1893).

Les deux dictionnaires les plus importants sont celui de AZKUE (*Diccionario vasco-español-frances*, 2 vol., Paris et Bilbao, 1905-1906) et celui de LHANDE, *Dictionnaire basque-français* (Paris, 1926-1938). Le *Dictionnaire basque-français* de VAN EYS (Paris et Londres, 1873) n'est qu'un lexique, mais donne des étymologies dont quelques-unes sont à retenir.

Ont paru depuis la rédaction du précédent chapitre les travaux suivants : (Indications fournies par M. René Lafon).

René LAFON, *Le Système du Verbe basque au XVIe siècle*, 2 volumes, (Bordeaux, Publications de l'Université de Bordeaux, 1944). Le premier volume contient, en appendice, une liste de concordances morphologiques entre le basque et les langues caucasiques. Compte rendu par C. C. UHLENBECK dans *Anthropos*, XXXVII-XL, 1942-45, p. 385-387.

Abbé Pierre LAFITTE, *Grammaire basque (navarro-labourdin littéraire)*, Bayonne, 1944.

Deux articles de C. C. UHLENBECK : *Gestaafde en vermeende affiniteiten van het Baskisch*, in *Mededeelingen der Koninklijke Nederlandsche van Wetenschappen* (1946) ; *La langue basque et la linguistique générale*, in *Lingua*, vol. I, 1947.

Karl BOUDA, *Baskisch-kaukasische Etymologien* (Heidelberg, Carl Winter, Universitätsverlag, 1949).

R. LAFON, *L'état actuel du problème des origines de la langue basque*, dans la revue *Eusko-Jakintza*, 1947, fasc. I, II, V-VI ; *Les origines de la langue basque, état actuel de la question*, in *Conférences de l'Institut de Linguistique de l'Université de Paris, année* 1951 (Klincksieck).

Trois revues consacrées aux études basques paraissent régulièrement en 1951 : *Boletin de la Real Sociedad Vascongada de Amigos del Pais* (à Saint-Sébastien, depuis 1945) ; *Eusko-Jakintza* (primitivement *Gernika* ; à Bayonne, depuis janvier 1947) ; *Ikuska* (à Sare, depuis novembre 1946). Cette dernière est consacrée aux recherches d'ethnologie, mais contient des travaux qui intéressent les linguistes ; dans le n° 6-7 (sept.-déc. 1947), important article de J. M. de BARANDIARAN, *Antropologia de la Población vasca*. Dans le *Boletin* et dans *Eusko-Jakintza*, articles d'ordre linguistique (beaucoup ont un caractère comparatif). *Eusko-Jakintza* a publié notamment une traduction française de deux mémoires de C. C. UHLENBECK, *Les couches anciennes du vocabulaire basque* (cité ici p. 258, n. 3, sous son titre hollandais ; traduit dans le fasc. V-VI de 1947), et *Affinités prouvées et présumées de la langue basque* (cité quelques lignes plus haut ; traduit dans le fasc. II de 1947).

Signalons enfin que les inscriptions dites ibériques ont été, depuis quelque 25 ans, l'objet de travaux très importants de plusieurs savants espagnols, au premier rang desquels figure GÓMEZ-MORENO. Si ces inscriptions restent indéchiffrées, on les lit d'une façon plus exacte et plus sûre qu'autrefois. Voir, notamment, dans la *Revista de Filologia Española* (IX, 1922) et dans le *Boletin de la Real Academia Española* (XXIV et suiv., 1945 et suiv.), les articles de GÓMEZ-MORENO, de J. CASARES et de Julio Caro BAROJA.

Les travaux de Gómez-Moreno sur les inscriptions ibériques sont rassemblés, ainsi que les inscriptions, dans la 1re série de ses *Misceláneas* (Madrid, Consejo Superior de Investigaciones Científicas, 1949).

Gerhard BAEHR, *Baskisch und Iberisch*, publié dans *Eusko-Jakintza*, vol. II, 1948 ; ouvrage posthume, écrit avant mars 1940 ; a été tiré à part.

Antonio TOVAR, *Léxico de las inscripciones ibéricas (celtibérico e ibérico)*, in *Estudios dedicados a D. Ramon Menéndez Pidal*, sous presse à la fin de 1950.

LANGUES DE L'EURASIE ET DE L'ASIE SEPTENTRIONALE

NOTE LIMINAIRE

La suite de chapitres qui commence ici traite d'un vaste domaine allant de la Finlande et la Hongrie à l'Ouest jusqu'au Japon à l'Est (langues ouraliennes, turques, mongoles, toungouzes, paléosibériennes, coréenne, japonaise, aïnoue).

Sur le domaine occidental, que divers auteurs appellent eurasien, il y a des juxtapositions de langues ouraliennes et turques avec des langues indo-européennes.

Pour les relations supposées de l'indo-européen avec ces langues, voir la Note liminaire *des langues indo-européennes, ajouter les rapprochements de vocabulaire faits récemment par D. Sinor[1]. Pour une tentative non reçue de rapprochements avec des langues de l'Asie méridionale, voir la* Note liminaire *des langues de l'Asie du Sud-Est, fin. Se reporter aussi à la* Note liminaire *des langues asianiques et à celle des langues américaines[2].*

Les questions actuellement les plus importantes sont celles qui concernent les relations entre elles des langues considérées. Les groupements tentés sont plus ou moins vastes, les relations envisagées sont de diverses natures (origine commune ou « affinités »). L'étude est en cours, avec des fluctuations diverses, les formulations des différentes opinions ne sont pas toujours nettes, ni constantes chez le même auteur.

---

1. D. SINOR, *Ouralo-altaïque-indo-européen*, dans *T'oung Pao*, Vol. XXXVII, 1944, pp. 226-244.

2. Les rapprochements tentés de l'ouralien avec d'autres langues sont examinés, avec références, dans : T. A. SEBEOK, *Finno-Ugric and the Languages of India*, Journal of the American Oriental Society, 1945, p. 59-62.

Les problèmes sont ici sériés ; les prises de position actuelles des auteurs de chapitres, avec rappel de certaines opinions d'autres auteurs, sont indiquées par des résumés, ou par des développements faits par eux pour la présente note.

1. Ouralien. — *Ce terme est maintenant admis, avec A. Sauvageot, pour désigner l'ensemble finno-ougrien et samoyède.*

A. Sauvageot dit en outre: « Les analogies découvertes par quelques linguistes [dont A. Sauvageot lui-même] entre l'ouralien (et l'ouralo-altaïque) et l'eskimo n'ont pas été retenues par les spécialistes de l'eskimo, sans que ceux-ci se soient d'ailleurs préoccupés de les interpréter de leur côté »[1].

2. Ouralo-altaïque (au sens étroit). — *La question est ici double: d'abord y a-t-il une famille génétique altaïque (ou touranienne au sens étroit), ensuite cette famille constitue-t-elle une famille plus large avec l'ouralien (ouralo-altaïque ou touranien au sens large)?*

A. Sauvageot parle ordinairement dans ses ouvrages d'ouralo-altaïque, et naguère a cherché à fonder une étymologie et une phonologie comparées pour la famille entière[2]. *Il a donné une description commune des langues ouralo-altaïques*[3]; *cependant il n'y affirme pas l'unité d'origine du matériel de ces langues. Ses travaux récents sont restreints à l'Ouralien.*

J. Deny constate que l'unité de la branche altaïque est parfois contestée et ajoute: « On peut dire cependant qu'après une vague de scepticisme, la théorie altaïque a retrouvé

---

1. Voir la *Note liminaire* des Langues américaines. On peut citer ici : N. Iacovlev, *Les connexions linguistiques anciennes entre l'Europe, l'Asie et l'Amérique*, dans Bulletin de l'Académie des Sciences de l'U. R. S. S., classe des sciences lttéraires et linguistiques, tome V, 2, 1946, pp. 141-148 (L'Europe est représentée par le Caucase, avec rappel de rapports proposés avec des langues africaines ; les rapprochements portent sur des traits généraux de fonctionnement).

2. A Sauvageot, *Recherches sur le vocabulaire des langues ouralo-altaïques*, Budapest, 1929.

3. *Encyclopédie française*, vol. I, IIe partie, chapitre III, 1927.

aujourd'hui une assez forte créance, avec, parfois, des modalités particulières ; c'est ainsi que Poppe tient pour une parenté plus étroite entre turc et mongol, la parenté entre la langue turco-mongole commune et le toungouze ne venant qu'au deuxième degré[1]. *Il y a aussi des variations sur la place à attribuer exactement au tchouvache dans le turc ou le proto-turc.» Pour sa part, il a estimé que la description des traits généraux de l'altaïque devait se faire en bloc, tout en indiquant les difficultés de l'étude, d'où le chapitre introductif séparé qui se trouve plus loin ; pour le détail, il a maintenu la séparation, décrit lui-même les langues turques et laissé les langues mongoles et toungouzes à D. Sinor.*

Pour la question ouralo-altaïque, J. Deny s'exprime ainsi : «Quant à l'affirmation de l'unité ouralo-altaïque (ou, comme on a dit parfois, altaïque, en prenant ce mot dans un sens plus large), elle a été pressentie dès 1730 par Von Strahlenberg, le fameux officier Suédois prisonnier en Sibérie après la bataille de Poltava[2], *et affirmée avec éclat au milieu du XIXe siècle par Bunsen et Max Müller, qui admettent [en différents passages de leurs ouvrages] l'existence d'une vaste famille «touranienne». Ce terme a été forgé... en puisant dans la mythologie iranienne du «Livre des Rois»: Tour était l'un des trois fils du Feridoun dont il reçut en apanage le Touran ou Turkestan».*

D. Sinor a pris position pour l'unité ouralo-altaïque, en s'appuyant en particulier sur des rapprochements morphologiques de détail[3]. *Mais dans des articles récents*[4] *il incline à restreindre la parenté génétique claire à l'ouralien et au turc, le mongol et le toungouze étant rattachés par des affinités plus lâches et peut-être à fonds paléosibérien.*

---

1. POPPE, *Istoria... voprosa... rodstvie altaiskix yazįkov*, Tcheboksary, 1926.

2. Ph. J. STRAHLENBERG, *Der nord und östliche Theil von Europa und Asia...*, Stockholm, 1730.

3. D. SINOR, *D'un morphème particulièrement répandu dans les langues ouralo-altaïques*, dans T'oung Pao, vol. XXXVII, 1944, pp. 135-152.

4. D. SINOR, *Les langues ouralo-altaïques*, BSL, tome XLIV, 1948 et Revue de Géographie humaine et d'ethnologie I, 1948.

3. Ouralo-altaïque (au sens large). Langues d'Extrême-Orient. *Pour ce qui est des langues les plus orientales du domaine considéré, le japonais et le coréen avaient déjà été rattachés à l'ouralo-altaïque*[1]. *Mais, d'autre part, on avait cherché des rapports du japonais avec des langues du Sud*[2]; *et aussi avec le basque (voir* Note liminaire *de celui-ci) ; on avait parlé d'une connexion possible de l'Aïnou avec les langues paléosibériennes (voir ci-dessous, p. 471). Ch. Haguenauer s'est convaincu de la parenté des trois langues orientales, entre elles et avec l'ouralo-altaïque, et a fondé son affirmation déterminée sur des rapprochements morphologiques de détail*[3]. *Voici le résumé de son opinion :*

« *En fait, si l'on compare avec soin, d'une part, le groupe altaïque oriental (mongol, mandchou-toungouze) et, d'autre part, le coréen, le japonais et l'aïnou, on arrive, et sans qu'aucune contestation soit possible à ce sujet, à cette conclusion que le coréen s'apparente de façon étroite à ce rameau oriental de l'altaïque et qu'il en va de même du japonais et, à un moindre degré, de l'aïnou. Cette conclusion est fondée non point sur l'existence de similitudes générales entre les langues considérées, mais bien sur celle d'analogies de structure profondes, d'identités très précises d'ordre morphologique (enclitiques et suffixes morphologiquement identiques employés dans des fonctions identiques) ainsi que de correspondances qui ne sauraient être fortuites dans le domaine de la phonétique et pour ce qui concerne le vocabulaire, les emprunts étant mis à part dans ce dernier cas.*

Si le substrat et le matériel linguistiques se révèlent identiques, dans une large mesure du moins, dans toutes les

---

1. Notamment par Alfredo TROMBETTI ; voir *Elementi di glottologia*, 1923, p. 140, avec références, et RAMSTEDT, *Koreanisch Kes* « Ding, Stück », Helsinki, 1937. Voir encore notes liminaires de l'indo-européen (p. 4, note 4) et du dravidien (p. 486, note 10).

2. Nobuhiro MATSUMOTO, *Le japonais et les langues austroasiatiques*, Paris, 1928 et W. SCHMIDT, *Die Beziehungen der austrischen Sprachen zum Japanischen*, Wiener Beiträge zur Kulturgeschichte und linguistik, 1930.

3. Charles HAGUENAUER, *Les origines de la civilisation japonaise* (Thèse soutenue à la Faculté des Lettres de Paris en 1947, non encore imprimée. Chapitre III, intitulé : *Le point de vue linguistique*).

langues considérées, on observe néanmoins entre le coréen, le japonais et l'aïnou des divergences suffisantes pour qu'il soit préférable de les étudier chacun à part. On peut, par contre, les classer sans inconvénient sous le nom de groupe altaïque extrême-oriental ».

4. Langues de l'Extrême Nord ou paléosibériennes. *Pour ces langues voici la note de R. Jakobson :*

« *Les langues paléosibériennes sont divisées géographiquement en deux groupes qui ont donné lieu à des rapprochements différents.*

« *Les langues yénisséiennes se distinguent essentiellement des langues avec lesquelles elles voisinent. L'hypothèse d'une parenté avec les langues sino-tibétaines a été soutenue par G. Ramstedt*[1], *K. Donner*[2], *E. Lewy*[3] *et K. Bouda*[4]. *Elle donne lieu à de sérieuses hésitations.*

« *Les langues paléosibériennes de l'Est semblent par certains caractères faire la transition entre le type ouraloaltaïque d'une part et des faits particulièrement répandus dans les langues américaines de l'autre. Le premier, Ph. J. Strahlenberg a remarqué des affinités entre les peuples paléosibériens du Kamtchatka et leurs voisins d'Outre-Mer*[5]. *V. Bogoraz*[6], *Decourdemanche*[7], *L. Sternberg*[8] *et V. Jochelson*[9] *ont attiré l'attention sur des traits rapprochant les langues paléosibériennes de l'Est de celles de l'Amérique du Nord. On observe des correspondances du même ordre dans les traditions populaires, dans la musique*[10] *et dans la culture matérielle des tribus en question. Au point de vue*

1. Voir p. 430, **30**.
2. Voir p. 430, **31**.
3. Voir p. 431, **33**.
4. Voir p. 431, **34**.
5. *Das Nord- und Östliche Theil von Europa und Asia*, Stockholm, 1730. p. 71 et suiv.
6. Voir p. 429, **1**.
7. Voir p. 430, **15**.
8. Voir p. 430, **28**.
9. Voir p. 430, **16**.
10. Voir G. HERZOG, Proceeding of the 23rd Congress of Americanists, 1928, p. 156.

*anthropologique, les Paléosibériens du Nord-Est représentent
un type intermédiaire entre les types mongoloïde et américanoïde, tandis que les Guiliaks ont subi fortement l'influence
de leurs voisins toungouzes et aïnous*[1].

« *Les langues du monde ouralo-altaïque et de l'Amérique
qui offrent dans leur structure le plus de similitudes avec
les langues paléosibériennes de l'Est sont d'une part le groupe
ouralien et surtout sa branche samoyède, la plus avancée
vers l'Est, d'autre part les langues du Nord-Ouest de
l'Amérique et notamment, comme F. Boas surtout l'a
souligné*[2], *l'eskimo, qui pénètre jusqu'au domaine tchouktche
et que certains investigateurs ont rapproché du groupe
ouralien. S'agit-il entre toutes ces langues de simples affinités
ou de véritables liens de parenté? A. Trombetti joint résolu-
ment le* « *paléoasiatique* » *(dans lequel se comprend l'aïnou)
aux langues américaines*[3]. *Contre l'opinion de V. Bogoraz*[4]
*par exemple, F. Boas soutient que les langues paléosibé-
riennes de l'Est ont été importées d'Amérique*[5]. *En fait
l'étude comparée reste à faire. Mais on a déjà pu constater
que les ressemblances de structure ne sont pas les seules:
l'inventaire des racines et des affixes des langues luorawetlan
fait apparaître une quantité d'éléments communs avec les
langues samoyèdes, selon l'observation de Trubetzkoy*[6],
*ainsi qu'avec les langues eskimo, comme l'ont indiqué
V. Bogoraz*[7], *Thalbitzer*[8] *et Uhlenbeck*[9]. *On remarque quelques suffixes communs au guiliak et à l'aléoute*[10]. *K. Bouda*[11]

---

1. W. JOCHELSON, *Peoples of Asiatic Russia*, New York, 1928. Cp.
G. MONTANDON, *La civilisation aïnou et les cultures arctiques*, Paris, 1937.

2. *Race, Language and Culture*, New York, 1940, p. 223 et suivantes.

3. *Elementi di glottologia*, Bologne, 192 , notamment p. 167.

4. Actes du XXIIe Congrès des américanistes, Rome, 1928.

5. *Race, Language and Culture*, p. 337.

6. Acta Linguistica, I, p. 67.

7. Voir p. 429, **5**.

8. Medelelser om Gronland, XL, p. 575 et suivantes.

9. Mededeelingen der Nederlandsche Akademie van Wetenschappen.
Afd. Letterkunde IV, no 7, 1941.

10. Voir p. 429, **2**.

11. Voir p. 430, **20**.

et surtout B. Collinder[1] notent maintes concordances lexicales et morphologiques entre le groupe ouralien et le youkaguir qui par sa structure paraît occuper une place intermédiaire entre les types ouralien et luorawetlan. Vestiges d'un patrimoine commun ou anciens emprunts, ces faits méritent en tout cas d'être examinés de plus près.

« Par contre on ne suivra pas Klaproth et Finck dans leurs tentatives pour rattacher l'aïnou au paléosibérien, la dissemblance des langues est trop profonde, et les quelques mots communs au guiliak et à l'aïnou s'expliquent facilement par des emprunts mutuels ».

1. Voir p. 430, **21**.

LANGUES OURALIENNES

EXTENSION[1]

Les langues ouraliennes sont parlées depuis la côte septentrionale de la Norvège (Finmark) et les rives de la Lajta, affluent du Danube, jusqu'au delà du fleuve Iénissei, en Sibérie. On les entend également sur le pourtour oriental de la Baltique (Finlande, Estonie, Courlande) et, en U. R. S. S., jusque dans la région de Kazan et d'Orenburg. Ce vaste territoire n'est pas uniformément recouvert par des populations parlant des langues ouraliennes. Les Ouraliens n'y constituent que des enclaves plus ou moins considérables (Hongrie, Finlande et ses alentours, établissements finno-ougriens de Russie d'Europe, colonies samoyèdes de Sibérie). Il arrive même souvent que les populations ouraliennes soient mêlées plus ou moins intimement à des voisins de langue allogène. Les territoires occupés par les Mordves sont également habités par des Russes. De même, les Samoyèdes nomadisent sur des espaces où ils rencontrent des Tongous, etc.

L'extension actuelle des parlers d'origine ouralienne ne répond pas à leur expansion ancienne. Elle est le résultat d'une sorte de dislocation. Anciennement, les parlers ouraliens étaient concentrés dans une région située entre l'Oural et la Baltique, autour du confluent de la Volga et de la Kama, où se trouvent aujourd'hui encore les Votiaks, les Tchérémisses et les Mordves. L'habitat primitif ouralien a donc été essentiellement européen.

Sous la poussée d'envahisseurs indo-européens et turks, les Ouraliens ont gagné successivement l'Ouest, le Nord et les territoires à l'Est de l'Oural. Les Samoyèdes sont passés en Sibérie à date relativement tardive et ils y ont été

1. Voir la carte VII.

rejoints par les Vogouls et les Ostiaks entre le xvɪe et le xvɪɪɪe siècles. Les Hongrois ont accompli une sorte de périple avant de venir s'installer en 896 dans le bassin du Danube. Au cours de ce long voyage de plusieurs siècles, ils ont été successivement établis dans le Caucase, entre le Don et la Volga puis entre le Don et le Dniestr.

Les Ouraliens ne présentent pas de type physique homogène. A l'Ouest domine la race nordique (Finlande) avec sa variante balte (Estonie), tandis qu'en Hongrie, le type dinarique est largement représenté. Mais les Lapons ont rendu perplexes les anthropologues par leurs caractères raciaux singuliers et les Zyriènes, Tchérémisses et Mordves diffèrent sensiblement des Ostiaks tant par la couleur des cheveux, par le teint et par la taille que par la forme du crâne. Les Samoyèdes, voisins des Ostiaks, sont brachycéphales alors que les Ostiaks sont dolichocéphales. Il est évident qu'un brassage intense, préhistorique et historique, a mélangé tous ces peuples.

Les Ouraliens, à l'exception des Hongrois, n'ont jamais joué un rôle de premier plan dans les fastes de l'Histoire. Ils ont vécu plutôt à l'écart, surtout préoccupés de se conserver en résistant soit aux infiltrations, soit aux pressions des peuples indo-européens et des peuples turks. Leurs caractères ethniques et linguistiques sont profondément marqués par cette lutte perpétuelle, au cours de laquelle de nombreux peuples ouraliens ont disparu.

CLASSIFICATION

Les langues ouraliennes sont actuellement représentées par deux groupes d'idiomes : les langues finno-ougriennes et les langues samoyèdes.

Les langues finno-ougriennes sont :

1º Le lapon, qui se répartit en :

a) Lapon occidental, parlé en Norvège et en Suède, dont les principaux dialectes sont ceux de Finmark, de

Luleå, Pite (Arjeplog, etc), Umeå, du Jämtland, du Herjedal, etc. (appelé aussi lapon du Sud) ;

b) Le lapon oriental (dialecte d'Énare en Finlande, de Koltta et Kola en U. R. S. S.).

Les lapons sont dans les 31 à 32.000. Sur ce total, 20.000 environ vivent sur le territoire norvégien, 7.000 en Suède, 2.000 en Finlande et le reste en U. R. S. S.

Les Lapons se nomment *same*, *sābme* ou encore *sābmelaš* (ceux du Sud *almoč* « homme »). Les Norvégiens les appellent *finn*, ce qui est à l'origine de notre terme Finnois et répond à l'appellation que leur a appliquée Tacite (*Germania*, 46). Le terme « lapon », répandu par l'intermédiaire du suédois signifierait « attardé, arriéré ». On ne sait s'il est d'origine suédoise ou finnoise.

Le Lapon a développé plusieurs langues écrites. La plus ancienne est celle qui a été fondée sur le lapon de Finmark par Knud Leem (au xviiie siècle). Viennent ensuite la langue écrite dite lapon du Sud (xviiie siècle également), puis le lapon du Nord (établi sur les parlers de Vestrobothnie) et le lapon de Luleå. Plus récemment, le lapon de Kola en U. R. S. S. a été également érigé en langue écrite. A l'exception de cette dernière, les langues écrites lapones, qui sont l'œuvre de théoriciens non-lapons, ont été surtout employées à reproduire des textes religieux.

2º Le finnois, qui comprend les dialectes suivants :

a) Suomi ou finnois de Finlande, este, live ;

b) Carélien, vepse, vote.

C'est le finnois suomi qui est parlé par le plus grand nombre de sujets : 3.400.000 en 1935, dont alors 130.000 environ, en U. R. S. S., 30.000 en Suède (en Bothnie et au Värmland), 7.000 en Norvège (Finmark) sans parler de plus de 250.000 émigrés en Amérique (surtout aux États-Unis), ainsi qu'en Australie (2.000).

Le finnois *suomi* possède une langue écrite depuis le xvie siècle (abécédaire et traductions de textes bibliques par l'évêque luthérien Michel Agricola, 1542-1548). Cette

langue, qui est devenue la langue officielle de l'État
finlandais en évinçant peu à peu le suédois (qui subsiste
dans des enclaves côtières : environ 300.000 sujets), a été
créée par une fusion des dialectes où les éléments occidentaux (région de Turku) ont d'abord dominé pour faire
place de plus en plus aux éléments orientaux (centre et
Carélie occidentale).

L'étymologie du mot *suomi* est inconnue. Il s'agit
probablement du nom d'une tribu qui a dû venir s'établir
sur la côte nord du Golfe de Finlande après avoir traversé
la mer, en provenance de l'actuelle Estonie.

Les Estes ou Estoniens *(eesti)* étaient un million environ
en Estonie avant la guerre. A quoi s'ajoutaient plus de
150.000 sujets établis en U. R. S. S., à l'Est du lac Péipous,
sans parler de quelques colonies dispersées à travers la
Crimée, la région de Samara, le Caucase et la Sibérie, et
d'émigrés en Lettonie et en Amérique (États-Unis).

L'este est la langue finnoise attestée le plus anciennement (quelques mots isolés, des noms propres et deux
courtes phrases dans la chronique latine d'Henri le Letton,
vers 1220 et un manuscrit de 1524-28, puis un fragment de
catéchisme luthérien de 1535).

Le live est parlé dans 12 villages de l'extrême pointe
nord de la côte de Courlande, par 1.500 personnes environ
(kala'mie'd, rāndalist).

Les Votes *(vad'd'alain*, pluriel *vad'd'alaizet)* sont établis
au nombre d'environ 500 autour des villages de Kaprio
et de Kattila dans la région de Narva. On voit en eux les
descendants des fameux Tchoudes mentionnés par les
chroniques russes.

Le carélien *(karyala)* était parlé avant la guerre par
environ 300.000 personnes habitant pour la plupart sur le
territoire de la république autonome de Carélie. Le carélien
est parlé sur les rives de la Mer Blanche jusqu'au Sud du
lac Onéga et sur le pourtour du Ladoga (Olonetz, Petros-
koï, etc.). Les Caréliens ont encore des colonies importantes
dans la région de Kalinin et dans celle de Novgorod.
Le carélien n'a été attesté que très tard. En réalité, la

langue écrite ne s'est développée que depuis la révolution russe de 1917. Certains auteurs contestent l'existence d'une langue carélienne propre. Selon eux il s'agirait de parlers hybrides issus d'un mélange d'éléments finnois et vepses.

Les Ingriens, qui vivent au nombre de quelques centaines dans la région de Léningrad (dans l'ancien Ingermanland), sont à distinguer des Caréliens. Originaires de Finlande, ils ont un parler finnois de type *suomi*.

Le vepse *(veps'an, beps'an)* est la langue d'une trentaine de milliers de sujets établis entre l'Onéga et la rivière Radogochtcha. Les Vepses forment le rameau le plus oriental du groupe finnois. Les Russes qui les entourent les appellent Tchoudes, terme qui semble s'être historiquement appliqué aux Votes.

Le lude ou ludique, parlé environ par 10.000 personnes dans la région d'Olonets, est constitué par plusieurs patois formant transition entre le carélien et le vepse.

Signalons enfin que plusieurs dénominations plus ou moins impropres figurent dans certains ouvrages traitant incidemment des langues finnoises. C'est ainsi que le terme « krevinien » ne s'applique en réalité qu'à un parler éteint, parlé autrefois par des Votes déportés en Lettonie au xve siècle.

3º Le mordve ou mordvine est la langue d'une population de plus de 1.200.000 âmes répandue en un grand nombre d'enclaves dans une région allant des rives de la Mokcha jusqu'à Oufa, d'Oulianovsk jusqu'aux abords de Saratov. On distingue deux dialectes : l'erza *(er'z'a, er'ḍ'a)* et le *mokša* ou *mokšo*. Ce dernier, qui est le moins répandu, se parle exclusivement dans la région de la Mokcha.

Le mordve n'est attesté qu'à date récente. Une langue écrite erza a été développée depuis 1917.

4º Le tchérémisse *(mari)*, parlé par 425.000 personnes, dont 250.000 dans la république tchérémisse, 80.000 dans celle des Bachkirs et 15.000 dans celle des Tatars, est formé par l'ensemble de trois groupes de dialectes (*kurku-mari* ou tchérémisse des montagnes au Nord de la Volga, *olɨk-*

mari ou tchérémisse des prairies au Sud du fleuve et *üpö-mari* « tchérémisse d'Oufa » aux alentours de cette ville). Du point de vue linguistique, les parlers tchérémisses se répartissent en un groupe Ouest et un groupe Est.

5º Les langues permiennes : le votiak et le zyriène. Le votiak *(ud-murt)* est parlé entre la Viatka et la Kama, quelques colonies débordant de part et d'autre de ce territoire. Le nombre des Votiaks dépasse 500.000, dont presque 400.000 vivent sur le territoire de la république autonome votiaque. Les parlers votiaks sont très homogènes, à la seule exception de celui des Bessermans ou Boussourmans de la région de Glazov.

Les Zyriènes sont répandus dans le vaste espace allant des bords de la Louza jusqu'à l'Oural et jusqu'au littoral de la Mer de Glace, en particulier dans les vallées de la Vytchegda et de la Petchora, sans parler des Zyriènes disséminés de part et d'autre de ces cours d'eau et de ceux qui sont passés de l'autre côté de l'Oural.

Les Zyriènes sont plus de 360.000 dont 200.000 environ vivent sur le territoire de la république zyriène.

Les parlers zyriènes *(komi)*, nombreux et variés, ressortissent à quatre groupes principaux. La langue zyriène est attestée depuis le XIVe siècle par des fragments de textes religieux et quelques inscriptions rédigés dans un alphabet spécial inventé par saint Étienne de Perm, évêque des Zyriènes et leur convertisseur (1335-1396).

Trois langues écrites sont actuellement utilisées : le votiak. le zyriène et le permiak, construit sur les parlers de la région de Perm.

6º Les langues « ougriennes » de l'Ob : l'ostiak et le vogoul.

L'ostiak *(handa, handi)* est parlé par un peu plus de 23.000 personnes qu'on rencontre depuis les abords de Narym sur l'Ob jusqu'à l'embouchure de ce fleuve, à Obdorsk. Les Ostiaks sont disséminés le long de ce puissant cours d'eau ainsi que sur les rives de ses tributaires, formant de petits îlots dialectaux assez différenciés. En gros, on classe les parlers ostiaks en 3 grands groupes (Nord, Est, Sud).

Le vogoul (*man'śi, men'j'i*) est la langue de 5.000 personnes environ, établies dans le vaste espace compris entre l'Oural, l'Ob et l'Irtych. On les trouve surtout dans les vallées des affluents de ces deux cours d'eau (Tavda, Konda, Sozva), ainsi que sur les rives de leurs tributaires (Lozva, Pelim, Sigva, etc). Les parlers vogouls sont classés en trois groupes (Nord, Centre et Sud) qui présentent entre eux pas mal de divergences.

7º Le hongrois ou magyar *(mâd'âr)*, la langue finno-ougrienne parlée par le plus grand nombre de sujets (environ 11 millions). La plupart des Hongrois vivent sur le territoire de l'État hongrois, mais d'importantes minorités sont établies sur la périphérie de ses frontières actuelles (en Slovaquie, en Yougoslavie, en Roumanie). Des colonies hongroises nombreuses sont établies aux États-Unis, en Autriche, en France, etc. Les dialectes hongrois sont très homogènes, y compris celui des Csangós de Moldavie. On es a classés en 8 groupes, mais cette classification est peu satisfaisante du point de vue linguistique.

Le hongrois est la langue finno-ougrienne la plus anciennement attestée. Outre des mots isolés et des noms qui remontent jusque vers l'an 1000, on possède un texte de sermon du début du XIIIe siècle (*Halotti beszéd* « Oraison funèbre »), ainsi qu'un fragment d'hymne à Marie à peine plus récent. Le hongrois est écrit en caractères latins.

Cet inventaire des langues finno-ougriennes ne peut naturellement pas faire état des idiomes disparus. Tout porte à croire que des peuples finno-ougriens entiers ont été soit exterminés, soit assimilés au cours des siècles. Les chroniques russes, après Jordanes, nous ont laissé seulement quelques noms de peuples vraisemblablement finno-ougriens désormais éteints, comme les *merya* et les *muroma* de la région de Rostov.

Les langues samoyèdes sont :

1º Le yourak *(n'enəʇ'')*, parlé par environ 15.000 Samoyèdes vivant en nomades entre l'Oural, le fleuve Iénisséi, la Mer de Glace et la limite de la zone forestière. Environ 2.000 d'entre eux sont établis dans la forêt, sur la rivière Pour et sur quelques affluents de l'Ob (Lamin, Sokhalinska, Konda, etc.).

On distingue deux dialectes : celui de la toundra et celui de la forêt *(p'an-hasawa)*. La langue écrite, créée en 1932, a été fondée sur le dialecte de la toundra (parler de la Bolchaïa Zemlia).

2º Le samoyède de l'Iénisséi *(eneʇ'eɔ)* dont on sait qu'il est parlé à l'Est de l'Iénisséi. Castrén le divisait en deux dialectes. Les Samoyèdes qui le parlent sont peu nombreux et nous ne sommes guère renseignés sur eux.

3º Le samoyède tavgui ou tawgui *(ṅanasan)*, également peu connu, parlé par des nomades à l'Est de l'Iénisséi.

4º Le samoyède ostiak *(śelkup)*, parlé par 4.000 personnes environ sur l'Ob et sur le Haut-Iénisséi, ainsi que dans le bassin de la Tyma, du Ket et sur les bords du Taz.

Il y a trois dialectes samoyèdes ostiaks : celui du Ket, celui de la Tyma et celui du Taz. C'est ce dernier qui a fourni la base de la langue écrite créée récemment (caractères latins).

5º Le samoyède du Sud ou du Sayan, traditionnellement appelé kamasse ou kamassique *(kuza)* est pratiquement éteint (8 personnes le parlaient en 1914, selon le témoignage de l'explorateur finlandais Kai Donner).

Bien que notre connaissance des Samoyèdes soit relativement récente, nous savons qu'un certain nombre de parlers ont disparu, comme le motorique, le koïbalique, le karagasse et le soyote dont quelques voyageurs nous ont conservé des vestiges épars. Plusieurs tribus samoyèdes se sont turquisées, d'autres se sont éteintes.

ASPECT LINGUISTIQUE

GÉNÉRALITÉS

Les traits communs qui prêtent aux langues ouraliennes un air de famille très caractéristique sont les suivants :

1º Elles ne connaissent qu'un nombre de sons relativement réduit : occlusives, spirantes, chuintantes, affriquées, liquides, nasales. Elles répugnent aux accumulations de consonnes et observent des règles strictes qui limitent le nombre et la qualité des sons pouvant figurer au début ou à la fin de mot. Les voyelles ont peu de variété.

2º La morphologie est essentiellement fondée sur le procédé dit d'agglutination, dont le mécanisme est presque partout le même.

3º La syntaxe repose sur quelques relations simples et la phrase complexe ne s'est développée et articulée que dans une partie du domaine ouralien.

LE SYSTÈME PHONOLOGIQUE

A l'origine, l'ouralien n'a possédé que des occlusives sourdes *(p, t, k)*, si l'on fait exception de l'occlusive vélaire nasale *ṅ*. Les sonores correspondant aux occlusives étaient des spirantes *(b̦, d̦, g̦)*. En revanche, il y avait tout un jeu d'affriquées et de sifflantes ainsi que des chuintantes *(s, z, ṭ, ḍ, š, ž, č)*.

Une partie des consonnes pouvaient se différencier par une ,mouillure *(s', z', ṭ', ḍ', š', ž', č')*. C'est ce dont plusieurs langues ont gardé des traces (hgr. *n'ål* « lécher », lap. *n'olo-*, zyr.-vot. *n'ul-*, ost. *n'alij-*, vog. *n'aluj-*, *n'alent-* en face de fin. *nuole-*, mdv. *nola-*, tchér. *nul-*, même sens). Les consonnes mouillées ont été traitées dans certains idiomes autrement que les consonnes ordinaires : hgr. *szem* « œil » ∾ fin. *silmä* « id. », mais hgr. *öl* « sein, giron » ∾ fi. *süli*, corroborés par l'opposition lp. *čalbme* « œil » ∾ lp. *salla* « giron » ne s'expliquant que par le contraste ancien entre *⋆ś-* et *⋆s-*, etc.

L'alternance consonantique. — Contrairement à ce qui était enseigné précédemment, il ne semble pas qu'il ait existé originellement une alternance consonantique selon laquelle, à l'intérieur du mot, les consonnes auraient connu deux degrés, l'un faible, l'autre fort, selon le schéma :

fin. *kukka* « fleur » ∾ *kukat* « fleurs » (*kuka-t*)
  vika « faute » ∾ *viat* « fautes » (<*viga-t*)
  tüttö « jeune fille » ∾ *tütöt* « jeunes filles » (*tütö-t*)
  setä « oncle » ∾ *sedät* « oncles » (<*sedä-t*)
  pappi « prêtre » ∾ *papit* « prêtres » (*papi-t*)
  tapa « manière » ∾ *tavat* « manières », etc. (<*taba-t*)

L'alternance entre un degré fort *kk, tt, pp* et un degré faible, *k, t, p,* entre un degré fort *k, t, p* et un degré faible zéro (<*g*), *d* (<*d*), *v* (<*b*) est circonscrite en finnois aux seules occlusives *k, p, t.* En lapon, le même phénomène a pris plus d'extension dans certains dialectes, alors que dans d'autres il n'existe pas. Il s'agit probablement d'une innovation propre au finnois et au lapon. Son origine et son développement ne sont pas élucidés.

L'harmonie vocalique. — Il semble bien que les voyelles aient été soumises dès l'origine à la règle de l'harmonie vocalique. Comme les radicaux ouraliens étaient constitués de deux syllabes, la voyelle de la deuxième syllabe possédait le même timbre que celle de la première. Si la première syllabe était sombre (*a, o, u*), la seconde syllabe (qui était la syllabe finale) présentait *-a* ou *-i̯*. Si au contraire, la première voyelle était claire (*ä, e, i*), la deuxième syllabe était caractérisée par un *e̥-* ou un *-ə*.

Il en est résulté que dans certaines langues finno-ougriennes, tous les éléments vocaliques du mot se sont harmonisés sur la première voyelle selon des règles qui varient légèrement d'une langue à l'autre :

fin. *pelkä-* « craindre » ∾ hgr. *fe̥lek* « j'ai peur » ∾ mdv. *p'el'e-* « craindre ».

fin. *solmu* « nœud » ∾ hgr. *čomó* , même sens ∾ md *śulma, śulmo,* même sens.

Tous les élargissements qui affectent le mot participent à cette « harmonisation », ce qui amène les suffixes à se présenter sous un double aspect : clair ou sombre. On trouve :

hgr. *boldogtålånšāg* « infélicité » (*boldog-tålån-šāg*)
meztelenšēg « nudité » (*mez-telen-šēg*)

f. *yumalaton* « impie » (*yumala-ton*)
näkümätön « invisible » (*näkü-mä-tön*), etc.

md. *azorovtomo* « sans maître » (*azoro-vtomo*)
p'il'ev't'em'e « sans oreille » (*p'il'e-v't'em'e*), etc.

Cette harmonisation n'a eu lieu que progressivement, à mesure que les éléments agglutinés ont perdu leur autonomie pour se réduire à l'état de suffixe :

v. hgr. *vilāgbele* « dans le monde »>*vilāgbå*
hålālnek « à la mort »>*hålālnåk*, etc.

En outre, dans les langues comme le finnois et le hongrois, les voyelles *e* et *i* apparaissent comme des voyelles indifférentes pouvant tantôt s'harmoniser avec des voyelles claires, tantôt avec des voyelles sombres :

f. *onneton* « malheureux »
kaivo « puits »

hgr. *fiåtål* « jeune »
vēznå « mince, chétif », etc.

Ces phénomènes d'harmonie vocalique ont disparu d'une partie des langues ouraliennes, mais on en retrouve des traces presque partout (même en samoyède ostiak). Il n'est pas douteux que l'abolition de l'harmonie vocalique s'est accomplie au cours même de l'évolution de chaque dialecte. Les documents que nous possédons permettent, par exemple, de suivre le cours de ce phénomène de résorption en estonien, pourtant si proche parent du finnois, où l'harmonie vocalique semble presque intacte.

Quant à l'alternance vocalique signalée dans quelques cas (f. *pala-* « brûler » ∽ *poltta-* « faire brûler », etc.), elle est due sans doute à des accidents phonétiques anciens, de peu d'ampleur, dont le mécanisme n'est pas élucidé.

11

Début et fin de mot. — Le mot ouralien était marqué par des lois rigides quant à son commencement et à sa fin. Au début du mot ne pouvait figurer qu'une voyelle ou une seule consonne. De même un mot ouralien primaire ne se terminait que par une voyelle brève dont le timbre était -*a* ou -*į* pour les mots à voyelle radicale sombre, -*ę* ou -*ə* pour ceux à voyelle radicale claire.

Ces deux règles se sont partiellement maintenues dans les parlers actuels. Alors qu'en hongrois, de nombreux vocables empruntés à date plus ou moins récente commencent par plus d'une consonne (*drāgå* « cher »< slave *drago*, *bluz*< français « blouse », etc.), le finnois répugne toujours à prononcer à l'initiale plus d'une consonne (*ranta* « rive » <suéd. *strand*, *likka* « fille » <suéd. *flicka*, etc.). Même récemment, des mots de civilisation introduits en finnois ont dû s'adapter à la règle ancienne dès qu'ils se sont vulgarisés (*ropakanta* <*propaganda* !).

Pour ce qui est de la voyelle finale brève, elle s'est conservée avec plus ou moins d'altérations en lapon, en finnois, partiellement en mordve et en tchérémisse, ainsi qu'en samoyède, mais elle a disparu en permien et en ougrien. Toutefois, des vestiges s'en sont conservés dans les formes suffixées où elle se trouvait protégée par les syllabes ou la syllabe agglutinées :

hgr. *hål* « poisson » ∾ pl. *hålåk* (*hålå-k*, cp. f. *kala* « poisson », lpL. *kuölle*, sam. your. *hal′a*, sam. O *qəlį*)

hgr. *nęv* « nom » ∾ pl. *nevek* (*neve-k*) cp. f. *nimi* (<*nime*), lpL. *namma*, sam. your. *n′im* ∾ *n′iw*-, etc.

La quantité. — Si grand que soit le rôle joué par la quantité, tant vocalique que consonantique, dans des langues comme le lapon, le finnois et le hongrois, il ne semble pas que la langue initiale ait connu de système quantitatif. Une opposition de quantité entre forme isolée et formes suffixées dans le genre de :

hgr. *få* « arbre » ∾ pl. *fåk*, accusatif sg. *fål*, etc.

résulte de l'abrègement de la voyelle longue d'origine en

finale absolue alors qu'elle s'est maintenue longue sous
la sauvegarde du suffixe (cp. fin. *pū* « arbre », sam. your.
p'ā, sam. O *pō*).

Inversement, dans le cas de :

hgr. *kę̄z* « main » ∾ pl. *kęzek (kęzę-k)*
la voyelle longue est le résultat d'un allongement compensatoire qui s'est produit lorsque la voyelle brève finale
est tombée en hongrois et c'est dans les formes suffixées
(à date ancienne), que l'équilibre primitif du mot s'est
maintenu (cp. fin. *käte-* « main », lpL. *kiehta*, etc.).

L'ouralien commun a dû posséder des voyelles longues
radicales dans certains mots, mais il est difficile de se
représenter le rôle que la quantité des voyelles a pu jouer
dans la morphologie. Autant qu'on en puisse juger par la
comparaison ainsi que par les quelques documents anciens
que nous possédons, il n'a pas dû exister de voyelles longues
en dehors de la première syllabe. Dans les parlers qui en
présentent aujourd'hui, elles sont issues de développements
ultérieurs :

fin. *kalā* « du poisson » (cas partitif $<$ *kalaďa*)
   avān « j'ouvre » ($<$ *avayan*)
   kasvā « (il) pousse, il croît » $<$ *kasvav* $<$ *kasvavi*
hgr. *sāntō* « labourant » (part. prés.) $<$ *samtag*
   menō̄ « allant » (id) $<$ *meneh*, etc.

Pour ce qui est de la quantité des consonnes, le problème
est plus ardu. Il semble que l'ouralien ait possédé des
consonnes longues entre la première et la deuxième syllabe
du mot, mais aucun exemple sûr ne remonte à la langue
commune. C'est seulement jusqu'en finno-ougrien commun,
c'est-à-dire après la séparation d'avec le samoyède, que
l'on suit les quelques rares cas où la comparaison fait
admettre une consonne longue intervocalique :

fin. *sappi* « fiel » ∾ lpN. *sappe* « id. » ∾ md. *sep'e* ∾ vot.
sep ∾ zyr. *sep* ∾ hgr. *epe*
semblent reposer sur une ancienne forme en -*pp*- alors
que

fin. *hupa* (<**šupa*) «éphémère, mauvais» ∿ mdv. *ševa,*
ševán'e, čov'in'e «mince, fin» ∿ hgr. *šovān'* «maigre»
dériveraient de formes comportant -**p-*.

L'accent. — Le rôle de l'accent n'est pas moins malaisé
à définir. Son intensité et son emplacement varient d'un
idiome à l'autre. Il porte sur la première syllabe du mot
dans les parlers lapons, finnois, hongrois. Il porte sur des
syllabes différentes selon les dialectes en zyriène et en
tchérémisse. En samoyède yourak, son emplacement
dépend de la quantité. En mordve, il semble bien qu'il
n'existe aucun accent d'intensité appréciable.

Si l'on veut toutefois expliquer la chute de la voyelle
brève finale par l'effet de l'accent, il faut supposer que
l'accent d'intensité a frappé la première syllabe du mot
en ouralien ancien. La réduction des élargissements
suffixés au mot s'expliquerait également ainsi.

SYSTÈME MORPHOLOGIQUE

La morphologie ouralienne est fondée sur l'agglutination.
Par là, il faut entendre la juxtaposition de suffixes à un
mot-base ou thème fourni soit par le mot primaire isolé
soit par une forme d'aspect différent qui ne se rencontre
pas à l'état isolé :

hgr. *hāz* «maison» ∿ *hāzbån* «dans (une) maison»
(hāz-bån)

pl. *hāzåk* «maisons» *(hāzå-k)*

sam. your. *wɔɔ* «toundra» ∿ *wɔngana* «dans, sur la
toundra» *(wɔn-gana).*

Il en résulte que, dans un certain nombre de langues,
l'agglutination se produit par suffixation sur des thèmes
consonantiques aussi bien que sur des thèmes vocaliques :

fin. *vesi* «eau» (<**vete*) ∿ *vedessä (vede-ssä)* «dans
l'eau», *vettä* «de l'eau» *(vet-tä)*

vog. *wit* «eau» ∿ *witɔn* «sur l'eau» *(witɔ-n)*, *witnɔ*
«hors de l'eau» *(wit-nɔl)*

hgr. *vīz* « eau » ∾ *vizen* « sur l'eau » *(vize-n)* ∾ *vīzbŏl*
« hors de l'eau » *(vīz-bŏl)*, etc.

fin. *menen* « je vais » *(mene-n)* ∾ *mennen* « je pourrais
aller » *(men-ne-n)*

hgr. dial. *menek* « je vais » *(mene-k)* ∾ *mennẹk* « j'irais
(men-nẹ̄-k), etc.

L'agglutination sur thème consonantique paraît de date
plus récente que celle sur thème vocalique en hongrois,
mais le cas du finnois est plus énigmatique, puisque la
voyelle brève de la seconde syllabe (finale) des thèmes
primaires s'est maintenue (f. *veri* « sang » ∾ *veressä* « dans
le sang » ∾ hgr. *vẹr* « id. » ∾ *vẹrben* « dans (le) sang », mais
fin. *verta* *(ver-ta)* « du sang », etc.).

Par suite de circonstances qui ne sont pas élucidées,
il semble que la voyelle finale de certains mots primaires
ait subi une réduction (f. *suomalainen* « finnois » dérive
d'un thème *suoma-* <*sōma*, alors que *suomi* « finnois,
Finlande » repose sur un ancien *sōme*).

Indistinction des parties du discours. — La langue ouralienne commune n'a pas distingué de parties du discours.
La fonction des mots cependant était déjà différenciée,
mais elle dépendait de la place du mot dans la phrase.
Le mot avait une structure uniforme, quelle que fût la
fonction assumée. Encore actuellement, on relève les
similitudes suivantes :

hgr. *tollunk* « notre plume » *(toll-unk)*
tolunk « nous poussons » *(tol-unk)*

sam. your.

tubkaw « ma cognée » *(tubka-w)*
madaw « je (l')ai coupé » *(mada-w)*
tubkar « ta cognée » *(tubka-r)*
madar « tu l'as coupé » *(mada-r)*
tubkada « sa cognée » *(tubka-da)*
madada « il l'a coupé » *(mada-da)*, etc.

On a encore :

hgr. *kẹrt* « il demanda » ∾ *kẹrtẹk* « ils demandèrent »
(kẹrtẹ-k)

kert « jardin » ∾ pl. *kertek* « jardins » *(kerte-k)*, etc.

Le genre. — Les langues ouraliennes ne possèdent pas de genre grammatical. C'est tout au plus si certains pronoms distinguent les personnes et les choses (hgr. *ki* « qui » ∾ *mi* « quoi, quelle chose », fin. *ken* « qui » ∾ *mi-* dans *mikä* « quoi », etc., sam. O. *kut, kuty* « qui » ∾ *qay* « quoi », etc.).

Le nombre. — La distinction de nombre semble avoir existé à date très ancienne bien qu'il soit impossible de décider de son extension, et de son acception véritable. L'ouralien commun a connu un pluriel et un duel. Toutefois, les thèmes de pluriel ne se construisent pas d'une manière uniforme dans tous les dialectes alors que les formes de duel conservées en lapon (seulement dans les pronoms personnels, les suffixes possessifs et les verbes), en ougrien de l'Ob et en samoyède semblent les unes et les autres remonter à un suffixe en -*ʼk*. On a en sam. your. :

hasawa to « un homme est arrivé »
hasawahaɔ toṅahaɔ « deux hommes sont arrivés »
hasasawaɔ toɔ « des hommes sont arrivés »

sam. O. *åtä* « renne »
åtäqị « deux rennes »
åtät « des rennes », etc.

Les thèmes de pluriel sont construits au moyen d'un suffixe -*t* en finnois (*kala* « poisson » ∾ pl. *kalat, silmä* « œil » ∾ pl. *silmät*, etc.), en mordve (*kal* « poisson » pl. *kalt* *vʼelʼe* « village » pl. *vʼelʼet*), en ostiak (*lau* « cheval », pl. *lauɔt*), en vogoul (*lū* « cheval » ∾ pl. *lūt*), en samoyède (sam O. *qɔlị* « poisson », pl. *qɔlịt*, etc). Le pluriel en -*ɔ* du sam. your. remonte à une forme en -*t* (*halʼa* « poisson », pl. *halʼaɔ*), tandis qu'en lapon et en hongrois, le pluriel est marqué à l'aide du suffixe -*k* :

hgr. *hål* « poisson » ∾ pl. *hålåk*
eb « chien » ∾ *ebek*
lpN. *yokka* « rivière » ∾ pl. *yogak*
guolle « poisson » ∾ pl. *guolek*, etc. (l'opposition -*kk*- -*g*- et -*ll*- -*l*- est un phénomène d'alternance consonantique propre au lapon).

Le suffixe -*k* apparaît également en finnois et en mordve dans la formation du pluriel des pronoms personnels :

fin.   *meə* (<*mek*)
    teə (<*tek*)

conservée dans les suffixations possessives (mordve -*mok*, *muk*, -*mik*, vieux hgr. -*muk*, hgr. -*tok*, -*tek*, etc.). Il y a lieu de se demander si le pluriel en -*k* n'est pas identique au duel (les pronoms personnels duel et pluriel de la 1re et 2e personnes sont identiques tant en sam. O. qu'en lapon de Luleå). Certains théoriciens séparent par contre ces morphèmes les uns des autres et refusent d'identifier le -*k* du pluriel hongrois au -*k* du pluriel lapon.

Le pluriel des cas obliques en lapon et en finnois se forme au moyen d'un suffixe -*i*-, -*y*- :

fin.   *külä* « village » ∾ *külät* « les villages »
    ∾ *külissä* « dans les villages » *(küli-ssä)*
    lintu « oiseau » ∾ pl. *linnut* (*linnu-t*, -*nn*- représentant le degré faible de -*nt*-)
    ∾ *lintuya* « des oiseaux » (cas partitif, *lintu-y-a*)
    lpN.   *manna* « enfant »   nom. pl.   *mānak* « les enfants » *(māna-k)*
    ∾ acc. pl. *mānaid* « id. » *(māna-i-d)*

Cet élément -*i*- a été identifié avec le suffixe dérivatif en -*i* qu'on retrouve en finnois dans des constructions comme *lexmikarya* « troupeau de vaches » (*lexmä* « vache », *karya* « troupeau » où -*i* est une dérivation adjective), en hongrois comme dérivation fréquente (*išten* « dieu »> *išteni* « divin », *tēl* « hiver »> *tēli* « hivernal », vog. *tāli* même sens, <*tāl* « hiver », etc.). Les formes hongroises en -*i*- des pluriels des mots élargis du suffixe possessif (*hāz* « maison », *hāzâm* « ma maison » ∾ *hāzâim* « mes maisons », etc.) ne doivent pas être rapprochées des formes finnolapones évoquées plus haut. Elles sont l'aboutissement de développements propres au hongrois.

Les pluriels en -*n*- relevés dans les langues ougriennes de l'Ob (ostiak et vogoul) figurent uniquement dans les formes possessivées des noms. L'élément -*n*, qui se retrouve dans certaines formes possessivées du mordve, du permien et même du finnois et du lapon est sans doute lui aussi un ancien suffixe dérivatif.

C'est qu'en effet, l'indication du pluriel a été peu homogène en ouralien. Il est difficile dans l'état actuel de nos connaissances de nous représenter ce qui a pu se passer, mais le samoyède ostiak suggère peut-être une explication. Il distingue les noms animés et les noms inanimés. Alors que les premiers font leur pluriel en -*ł* (variante dialectale -*n*), les autres construisent le pluriel au moyen d'un adjectif dérivé. On a l'opposition entre :

ảlä « renne » ∾ pl. ảläł (ảlä-ł)

mảł « tente » ∾ pl. mảłịl' mị (mảłị-l'+le mot mị « chose, objet » qui seul se décline : acc. sg. mảłịp ∾ acc. pl. mảłịl' mịp, locatif sg. mảłqịł ∾ loc. pl. mảłịl' mịqịł, etc.).

Des combinaisons de ce genre ont peut-être été à l'origine des pluriels en -*i*-, en -*n*-, etc.

Les suffixes possessifs. — Dans la formation des noms possessivés comme dans celle des verbes, l'agglutination des éléments pronominaux a eu un rôle essentiel. C'est par ce procédé que s'est opérée progressivement la différenciation morphologique du nom et du verbe.

Les pronoms personnels ont été caractérisés en ouralien par des particularités remarquables. Le pluriel se distinguait du singulier par le timbre de la voyelle radicale, procédé absolument insolite en ouralien :

fin. *minä* « je »   pl.   ∾ *meɔ (<*mek)* « nous »
     sinä « tu » *(<*ʈinä)* ∾ *ʈeɔ (<*ʈek)* « vous »
     hän « il, elle »*(<*sän)* ∾ *hec (*zek)* « ils, elles »
mdv. *mon*   ∾ *m'in'*
     ton   ∾ *ʈ'in'*
     son   ∾ *s'in'*, etc

(cp. hgr. *ʈe* « tu » ∾ *ʈi* « vous », et sam. O. *mał, man* « je » ∾ *mē* « nous », *ʈał, ʈan* « tu » ∾ *ʈē* « vous », etc).

L'élément -*n* de renforcement qui figure dans les formes ci-dessus est probablement ancien. L'agglutination des éléments pronominaux personnels au thème des autres mots a été à l'origine de trois sortes de développements parallèles :

1º noms possessivés ;
2º verbes conjugués ;
3º prédicats nominaux.

Toutes les langues ouraliennes n'ont pas donné à ce système une extension complète et le phénomène d'agglutination ne s'est pas accompli en même temps. En ougrien, par exemple, les éléments pronominaux, restés longtemps autonomes, ne se sont réduits en suffixes qu'à date relativement tardive (à en juger par le fait que leur consonne initiale est traitée comme l'initiale d'un mot indépendant :

hāz « maison »   *hāzȧm* « ma maison » *(hāzȧ-m)*

hāzȧd « ta maison » (*hȧza-d*, -*d* ne peut résulter d'un ancien -*l*- intervocalique)

hāzȧ « sa maison » (*hȧz-a*, -*a* provient d'une forme où *ˣs*- est tombé comme dans *öl* « sein, giron », en face de f. *süli* « id. », etc.). Tout s'est donc passé comme si l'on avait eu affaire à un composé dont les deux termes étaient sentis comme autonomes.

Un autre fait vient corroborer cette hypothèse. C'est que l'ordre de succession dans lequel le suffixe possessif a été agglutiné varie d'un dialecte à l'autre. En ougrien, il a été accroché directement au thème du mot, tandis qu'en finnois, en mordve, etc., il a été attaché après le suffixe casuel :

hgr. *hāzȧtokbōl* « hors de votre maison » (*hāzȧ-+-tok* « votre »+-*bōl* « hors de... »)

md. *kudostonk* « id. » (*kudo-sto-+-* « hors de » +-*nk* « votre »)

fin, *kodastanne* « hors de votre hutte » (*koda-+-sta-* « hors de » +-*nne* « votre »), etc.

Il arrive même que, selon les cas, le suffixe possessif s'attache soit directement au thème soit après le suffixe casuel, comme en permien (vot. *valẹd* « ton cheval » ∾ *valẹdlị* « à ton cheval ») ∾ *valẹnịd* « avec ton cheval, au moyen de ton cheval » où, *-d* est le suffixe possessif de 2ᵉ pers. sg.)

LA CONJUGAISON

La conjugaison s'est constituée d'une manière analogue, au point que ses formes, dans beaucoup de langues, sont presque complètement identiques à celles du nom possessivé :

hgr. *kertem* « mon jardin » *(kerte-m)*, *kerted* « ton jardin » *(kerte-d)*, *kertünk* « notre jardin » *(kert-ünk)*, *kertetek* « votre jardin » *(kerte-tek)*

kẹrem « je le demande » *(kẹre-m)*, *kẹred* « tu le demandes » *(kẹre-d)*, *kẹrünk* « nous demandons » *(kẹr-ünk)*, *kẹrtek* « vous demandez » *(kẹr-tek)*, etc.

La différenciation tient parfois à des distinctions morphologiques relativement ténues :

vār « château fort » ∾ *vārå̊m* « mon château fort » *(vārå̊-m)*

vār « il attend » ∾ *vārom* « je l'attends » *(vāro-m)*. C'est le timbre de la voyelle précédant la désinence personnelle qui réalise ici la distinction entre la forme verbale et la forme nominale.

Les éléments pronominaux qui ont fourni les désinences personnelles ont été greffés tantôt sur le thème primaire, tantôt sur un thème dérivé. Les thèmes dérivés ont ainsi abouti à constituer des modes verbaux différents :

fin. *menen* « je vais » *(mene-n)*
menet « tu vas » *(mene-t)*

mais *mennen* « je pourrais aller » *(men-ne-n)*
mennet « tu pourrais aller » *(men-ne-t)*

Un même paradigme peut avoir été construit sur des thèmes différents :

fin. *menemme* « nous allons » *(< *menek-mek)*
menette « vous allez » *(< *menek-tek)*

Les formes de 1re et 2e pers. sg. sont construites directement sur le thème primaire *(mene-)*, alors que celles du pluriel sont établies sur un thème en -*$^*k$, dérivé au moyen d'un suffixe qui a fourni les formes de 2e pers. sg. de l'impératif :

fin. *mene³* « va » ($<^*menek$)

hgr. *meny* « va » *(men-y$<^*menx'$ $<^*mene-k$)*

md. *er'ak* « vis » (*er'a-* « vivre »)

sam. your. *yile'* « vis » (*yile* « vivre »+^{x}-k)

D'autre part, les formes de 3e pers. sg. sont fournies dans beaucoup d'idiomes par le thème primaire nu (naturellement quand il s'agit de l'indicatif). On a :

hgr. *ẹl* « il vit »

åd « il donne »

sam. your. *yile* « il vit »

to « il est venu »

sam. ostiak *ila* « il vit » , etc.

En finnois, en permien, en ougrien de l'Ob par contre, c'est un thème dérivé qui a fourni les formes de 3e pers. sg. On a :

fin. *menee* « (il) va » $<menevi$ ($<^*mene-vä$, qui s'est maintenu comme participe présent)

zyr. *munə* « il va » ($<^*munek$)

vog. *mini* « id » ($<^*minig$), etc.

Mais quelle que soit la nature du thème nu, primaire ou dérivé, qui sert de 3e pers., sg., son pluriel (éventuellement son duel) se construisent en ajoutant le suffixe utilisé à cet effet pour le nom :

sam. your. *hasawa to* « l'homme est venu »

hasawaha³ toñaha³ « les deux hommes sont venus »

hasawa³ to³ « les hommes sont venus »

Il en est de même en ce qui concerne les thèmes dérivés qui ont fourni soit des temps passés, soit des modes :

hgr. *vårt* « il attendit » ∾ *vårtåk* « ils attendirent » (-k est la forme habituelle du pluriel des noms : *vår* « château fort » ∾ pl. *våråk*, etc).

fE. *paluks* « (il) demanda »

*paluksi*ᴅ « (ils) demandèrent » (-ᴅ est la marque du pluriel des noms en estonien, f. suomi -*t*).

Types de conjugaison. — Toutefois, sur le modèle des deux premières personnes, il est arrivé que certains dialectes ont construit une partie des 3ᵉˢ personnes par suffixation de l'élément pronominal de 3ᵉ personne aux thèmes primaires ou dérivés. Il en est résulté une forme différente de conjugaison qui s'est ensuite distinguée par une fonction spéciale. On a en finnois suomi :

mūtta- « changer, transformer »

mūttā « (il) change, transforme » ($<$*mūttavi* $<$ *mūttava)

mūtaksen « il change, se transforme » (*mūtak*+-*sen*, pron. pers. 3ᵉ pers. sg.), etc.

Dans des conditions analogues, le hongrois a développé une conjugaison caractérisée par la présence d'un suffixe -*ik* à la 3ᵉ personne sg. du prés. ind. :

tör « il casse, brise »

törik « il se casse, se brise », etc.

Ce genre de différenciation n'est pas le seul qui se soit produit. Plusieurs dialectes ont construit parallèlement une partie de leurs formes verbales avec des éléments pronominaux divergents (les uns étant identiques aux suffixes possessifs, les autres rappelant davantage les pronoms personnels eux-mêmes). Ces procédés ont abouti à des différenciations à la fois morphologiques et fonctionnelles. C'est ainsi qu'en samoyède yourak deux conjugaisons coexistent, l'une employée pour le cas où le verbe est intransitif (ou encore ne possède qu'un objet indéfini), l'autre pour le cas où le verbe a un objet défini :

sam. your. *handam* « j'appelle » ∾ *handaw* « je l'appelle »

handan « tu appelles » ∾ *handar* « tu l'appelles »

handa « il appelle » ∾ *handada* « il l'appelle »,

etc.

On a de même en vogoul :

ēli « il tue » ∿ *ēlila* « il le tue »

elēl « ils tuent » ∿ *eliyen* « ils le tuent »

et en hongrois :

öl « il tue » ∿ *öli* « il le tue »

ölnek « ils tuent » ∿ *ölik* « ils le tuent », etc.

(cp. sam. your. *hada* « il tue » ∿ *hadada* « il le tue », *hadaɔ* « ils tuent » ∿ *hadadoɔ* « ils le tuent », etc.).

Le samoyède et l'ougrien ont développé sensiblement le même type de conjugaison (conjugaison subjective ou indéfinie et conjugaison objective ou définie). Le mordve construit n'importe quel nom avec des désinences verbales, tout comme le samoyède :

sam. your. *man' nenəḷ'am* « je suis un homme, un Yourak » (thème *nenəḷ'*),

manaɔ neneḷ'amaɔ « nous sommes des hommes, des gens »

sam. O. *lal īyandi̦* « tu es un enfant » (*īya* « enfant »)

lē īyali̦l « vous êtes des enfants », etc.

md. E. *mon alan* « je suis un homme » (*ala* « homme »)

lon alal « tu es un homme » *(ala-l)*, etc.

Mais de plus il a édifié de son côté une conjugaison objective d'un type assez aberrant où sont indiquées les dépendances personnelles les plus complexes :

lonaftlan « je t'enseigne »

lonaftsa « je l'enseigne »

lonaftsamak « tu m'enseignes »

lonaftanzal « il t'enseigne », etc.

Le détail des différents paradigmes de la conjugaison objective mordve ne se laisse pas expliquer aisément. Il est probable que des actions analogiques sont venues troubler le tracé primitif de ces formes, si tant est qu'elles aient jamais formé un système cohérent. L'histoire du hongrois (la seule langue qui ait une histoire, les autres n'ayant pratiquement qu'une préhistoire) nous incite, en effet, à être prudents dans les hypothèses de ce genre.

C'est ainsi que la 2ᵉ pers. sg. (prés. ind.) des verbes « subjectifs » se construit avec une désinence -*s* qui n'est qu'un élargissement servant originellement à fournir des thèmes de présent duratif (d'où la coexistence de *ảds* « tu donnes », *ẹls* « tu vis » et de *mels* « il coupe », *ves* « il prend »). A l'origine, un verbe intransitif n'avait en hongrois aucune désinence personnelle et c'est seulement au cours de l'évolution de la langue que certains thèmes de présent se sont spécialisés dans l'expression de la 2ᵉ pers. sg. (on a par exemple *mẹd′* « tu vas », thème nu qui s'oppose désormais à *med′* « il va », reconstruit avec voyelle brève d'après les 1ʳᵉˢ personnes).

Modes et temps. — En conclusion, force est de constater que le verbe ne s'est construit et n'a développé sa conjugaison personnelle que dans les différents dialectes après leur dislocation. Il n'est donc pas surprenant que les modes et les temps ne soient pas constitués de la même façon d'une langue à l'autre. Alors que le finnois possède, outre l'indicatif (primitivement construit sur un thème nu ou, pour certaines formes, sur des thèmes en -*k* et en -*pa/ -*pä*), un conditionnel (en -*isi*-) et un potentiel (en -*ne*-), le hongrois ne connaît qu'un conditionnel dont le suffixe correspond à celui du potentiel finnois (f. *men-ne-n* « je pourrais aller » ∾ hgr *men-nẹ̄-k*, même sens). Ce même suffixe a également fourni un conditionnel à l'ostiak et au vogoul, en combinaison avec le suffixe -*k*- de présent (ost. *menäñem* « j'irais », vog. *minnegm, minnēm*, même sens), un désidératif en tchérémisse (*tolnem* « je désirerais venir », etc.). Mais les modes développés par les autres dialectes sont construits avec des éléments suffixaux différents, variant d'un cas à l'autre.

L'expression des temps verbaux ne présente pas non plus d'homogénéité. A l'origine, la notion de temps n'était pas dégagée des autres notions exprimées par le verbe (aspect, orientation, etc). Selon le sens du thème primaire, celui-ci répondait soit à un présent, soit à un passé, soit à un futur, ce qui est encore le cas en samoyède (sam. your. *to* « il est venu », mais *yile* « il vit », etc.). En hgr. on s'explique ainsi l'opposition de sens entre *les* « il sera » (*le-s, -s* étant un élargissement duratif) et *tes (te-s)* « il fait ».

Les passés simples que possèdent actuellement certains dialectes ont été construits sur des thèmes secondaires, dérivés au moyen de suffixations différentes : *-ya/-yä* en finnois (*kuoli* « (il) mourut » <*kōliya*), *meni* « (il) alla » (<*meniyä*) qui a fourni par ailleurs des noms d'agent (*laula-* « chanter » ∾ *laulaya* « chanteur », *etsi-* « chercher » ∾ *etsiyä* « chercheur », etc.), en mordve (*vani-n* « je guettai », *vanit* « tu guettas », etc.), zyr. *muni* « il alla », lpN. *manai*, même sens, (*manna-* « aller »), *-s* dans les langues ougriennes de l'Ob (ost. *mənəs* « il alla », vog. *mins* « il alla »), à la 3ᵉ pers. en mordve (md. *kulos'* « il mourut », *kulos't'* « ils moururent », etc.). Le passé éloigné du samoyède yourak est également construit avec *-s'* :

manzaras' « il travailla » *(manzara-s')*

mais cette désinence vient après la suffixation personnelle (*tom* « je viens d'arriver » ∾ *tomanz'* « j'étais arrivé », où *manz'* <*man*, « moi »+*-s'*, etc.). C'est donc un élément de dérivation à acception temporelle attaché à la forme déjà conjuguée du verbe (avec maintien de l'élément pronominal suffixé sous une forme plus pleine : *man* au lieu de *-m*, *-na-* au lieu de *-n* pour la 2ᵉ pers. sg., etc.). Il convient d'ajouter qu'en samoyède ostiak, le même élément *-s* se greffe immédiatement sur le thème verbal, avant la désinence personnelle (*tü-* « arriver » ∾ *tüsak* « j'étais arrivé » ; *ilị-* « vivre » ∾ *ilịsak* « j'avais vécu », etc.).

Toutes ces disparités rendent peu probable l'existence de différenciations temporelles à date ancienne. C'est ce que confirme l'histoire du hongrois dont le passé désuet n'est qu'une variante des thèmes dérivés qui ont fourni par ailleurs le participe présent. (On a également en estonien *meneval astal* « l'an passé », construit sur *meneva* « allant, partant »).

Verbe de négation. — Une autre particularité de la conjugaison des langues ouraliennes, c'est le verbe de négation (et d'interdiction) qui sert à construire les formes négatives (et interdictives) du verbe. Le principe est le suivant : au lieu de nier le verbe par le moyen d'une particule, c'est un verbe qui se conjugue à cet effet. On a :

> sam. your   *n'im l'uɔ* « je ne suis pas venu »
> *n'in l'uɔ* « tu n'es pas venu »
> *n'i l'uɔ* « il n'est pas venu », etc.

(f. *en luleɔ* « je ne viens pas », *et luleɔ* « tu ne viens pas, *ei luleɔ* « (il) ne vient pas », etc). Le verbe de négation (ou d'interdiction pour ce qui est des formes négatives de l'impératif) se combine à un thème « négatif » en -*k* (sam. yourak, fin. suomi -ɔ, etc.).

Le développement de ce type de conjugaison varie d'un dialecte à l'autre. Alors que le finnois ne possède qu'une forme de présent du verbe de négation (pour nier le passé, par exemple, il le combine avec un participe passé : *en tullut* « je ne vins pas », *et tullut* « tu ne vins pas », etc), le mordve et le permien possèdent, ainsi que le sam. yourak, des formes de passé (zyr. *og mun* « je ne vais pas » ∾ *eg mun* « je n'allai pas »). En revanche, le mordve ne possède pas de formes du présent de l'indicatif et, en lapon, certains parlers ont un passé du verbe de négation alors que d'autres ne possèdent qu'un présent.

L'impératif négatif est obtenu au moyen d'un verbe d'interdiction :

> f.   *älä luleɔ* « ne viens pas »
> sam. your   *n'on l'uɔ* « ne viens pas »,

dont les formes diffèrent d'une langue à l'autre (lpL. *alēh kulāh* « n'entends pas », mdE. *ila vano* « ne guette pas » mais zyr. *en mun* « ne va pas », etc.). Les formes tchérémisses présentent certaines particularités dont il serait oiseux de faire état ici.

Mais ni les langues ougriennes, ni le samoyède ostiak ne possèdent ce type de conjugaison négative bien que certains vestiges puissent être interprêtés en faveur de l'hypothèse selon laquelle ces langues auraient également connu une forme de verbe négatif à date ancienne.

Mais on aurait tort d'attribuer à l'existence du verbe de négation une trop grande signification. En ouralien, tout mot ou groupe de mots est susceptible de se conjuguer, c'est-à-dire de recevoir des élargissements fournis par des éléments pronominaux. On trouve en effet en mordve des constructions comme :

stol' ekšneyan « je suis à table (*stol'* « table », *ekšne* « derrière, auprès », *-yan* « je » = derrière la table-moi) *stol' ekšneyat* « tu es à table », etc.

Une pareille formule peut même comporter un passé : *stol' ekšenel'en'* « j'étais à table » *stol' ekšenel'nek* « nous étions à table », etc.

La « déclinaison » du nom. — Le développement du nom est caractérisé en ouralien par le foisonnement des formes casuelles suffixées. Ces formes ont abouti à constituer une sorte de déclinaison dont les cas sont très nombreux dans certaines langues. C'est ainsi que l'on a prétendu attribuer au hongrois jusqu'à 24 cas, alors que la grammaire du zyriène en connaît 18, celle du finnois 16. Mais cette « hypertrophie » ne caractérise pas au même degré tous les dialectes. Le vogoul et l'ostiak, qui sont le plus immédiatement apparentés au hongrois, ne distinguent, selon les parlers, que de 5 à 8 cas. Le votiak, frère du zyriène, oppose 14 cas aux 18 de ce dernier. Le tchérémisse a 13 cas, le mordve seulement 10 et le lapon 8. Le samoyède yourak dispose de 7 cas, alors que le samoyède ostiak en construit 10.

La raison de ces discordances est que le développement de la « déclinaison » ouralienne est tardif. Il est le résultat de l'agglutination de mots autonomes qui se sont vidés peu à peu de leur substance aussi bien sémantique que morphologique ou phonique. Nous saisissons ce processus au cours de l'histoire du hongrois, la seule langue dont le passé est attesté par des documents suffisamment étendus. Un mot **belü* (actuellement *bęl*, pl. *belek*) « intérieur,

intestin» a fourni les suffixes casuels -be/bå, -ben/-bån,
-bŏl/-bōl qui servent à former respectivement les cas illatif
(mouvement du dehors vers l'intérieur d'un lieu clos),
inessif (présence à l'intérieur d'un lieu clos), élatif (sortie
hors d'un lieu clos) :

vilāgbå « dans le monde » (vieux hgr. vilāgbele)
yōbån « dans le bien » (vieux hgr. youben)
lömlöṭēbōl « hors de sa prison » (vieux hgr. limnüṭebeleül).

Les formes -bele, -ben et beleül du vieux hongrois sont
en réalité elles-mêmes des formes casuelles de type plus
ancien (bele est un latif servant à indiquer un mouvement
orienté, -ben est un ancien locatif en -n et beleül un ablatif).

La déclinaison nominale d'une langue comme le hongrois
est donc une reconstruction autant qu'une innovation. Les
anciens cas se sont effacés et des cas nouveaux ont été
fabriqués de toutes pièces.

Il en a été de même pour le finnois, le zyriène, le votiak,
le mordve, le tchérémisse, le samoyède. Ainsi, le samoyède
yourak possède un comitatif dont l'analyse révèle qu'il est
issu de la combinaison du génitif et d'un élément n'a
« camarade » qui existe indépendamment dans l'usage. On
a :

nis'anin'a « avec mon père » (nis'ani « de mon père »)
nis'andn'a « avec ton père » (nis'and « de ton père »), etc.
Ces exemples pourraient être indéfiniment multipliés.

A l'origine de ces constructions, il y a un syntagme ou
groupe de mots composé de deux termes dont le second est
fourni par un mot de sens plus général qui devient peu
à peu une « postposition », c'est-à-dire un outil grammatical rendant des services analogues à nos prépositions.
On a :

md.   popl' l'eys « chez le prêtre, vers le prêtre »
(popl' « le prêtre », l'eys « vers, auprès ») où l'élément l'eys
est le cas illatif (mouvement vers l'intérieur) d'un thème
l'ey-, l'e- qui se retrouve dans les autres dialectes avec le
sens de « souche, tronc d'arbre » (fin. lüvi, hg. lō, löve-, etc.).
Or, ce mot a développé en hgr. un cas ablatif :

ištentōl « depuis Dieu » (vhgr. *išten tül)*
fālōl « depuis l'arbre », etc.

La comparaison avec la postposition votiaque *dinə* « vers »
(à partir de *din* « souche, tronc d'arbre », qui est le même
mot que fin. *tüvi* et hgr. *tō*), réduite à l'état de suffixe dans
ayizn « chez, vers son père » (*ai* « père », *-iz-* « son ») révèle
que l'orientation de la relation spatiale exprimée par
cette construction a varié selon le cas représenté par la
forme de la postposition.

Ce sont en effet les adverbes et les postpositions qui
ont conservé le mieux les traces de l'ancienne déclinaison
ouralienne pour laquelle il n'a été possible de restituer que
4 cas :

1º Un locatif en *-n-* (il est impossible de définir le
timbre de la voyelle) attesté dans fin. *-na/-nä*, tchér. *-n*, lp.
-n, perm. *-n*, ostiak *-nə, -n, -na*, vog. *-n, -nə*, hgr. *-n*, sam.
your *-na*.

2º Un ablatif en *-t-* (même remarque sur la voyelle qui
le suivait), dénoncé par fin. *-ta/-tä*, md. *-da, -do/-d'e ;* lp. *-t*,
-de, ougrien *-l*, sam. your *-d*).

3º Un « génitif » en *-n* retrouvé dans fin. *-n*, md. *-n'*,
tchér. *-n*, lp. *-n* ou zéro, sam. *-n*).

4º Un « accusatif » en *-m*, signalé par tchér. *-m*, lp.
-m, -b, -v, -u, zéro, vog. *-m*, fin. md. *-n*, sam. *-m, -p*.

Il semble qu'on soit également justifié à restituer un
ancien latif en *-s* (fin. *-s*, md *-s*, tchér. *-š*, hgr. zéro : fin. *alas*
« vers le bas », hgr. *ålā*, même sens, md. *kudos* « dans la
maison » ∾ *kudo* « maison », tchér. *mönges* « en arrière » ∾
hgr. *mögē* « id. », etc.), qui remonterait au moins à la
période finno-ougrienne et un ancien latif en *-*n'* que
certains faits samoyèdes pourraient faire remonter à
l'ouralien commun.

Si réduit que soit le volume de ces suffixations anciennes,
il n'est pas exclu qu'elles aient comme origine des mots
autonomes agglutinés. D'autre part, il convient de
remarquer la différence profonde qui sépare la « déclinaison » ouralienne de celle des langues indo-européennes.

Les élargissements qui, en ouralien, servent à marquer le « cas » sont uniformément construits sur n'importe quel mot. Seuls des accidents phonétiques survenus au cours de l'histoire de chaque dialecte ont pu rompre cette uniformité. Il n'y a donc pas plusieurs types de déclinaison mais un seul, commun à tous les mots. En outre, les cas ont un sens concret, ils signalent des rapports spatiaux (ultérieurement développés dans certaines circonstances en rapports temporels). Le génitif est manifestement un adjectif possessif et l'accusatif, en dehors du samoyède et du lapon, paraît avoir joué le rôle d'une sorte de déterminant. Il ne figurait d'ailleurs à l'origine qu'au singulier.

En résumé, le système morphologique ouralien, essentiellement fondé sur l'agglutination, s'est constitué en grande partie à date récente et c'est seulement dans certains dialectes que la différenciation des mots en parties du discours s'est ébauchée, sans s'être toutefois accomplie nulle part.

SYSTÈME SYNTAXIQUE

A l'origine, la syntaxe des langues ouraliennes est dominée par deux règles : 1º le déterminant est antéposé au déterminé ; 2º le prédicat, placé en fin de phrase, est séparé du sujet ou de son groupe par une syncope dans le débit du discours. On a ainsi l'opposition :

     sam. your   *sawa har* « un bon couteau »
               har sawa « le couteau est bon ».

Il en résulte deux corollaires : *a)* le déterminant ou épithète est invariable, *b)* il n'y a accord qu'entre le sujet et le prédicat. On a :

a) sam. your *ṅarka harad lo warhana ṅa* « la grande maison est sur la rive du lac » (*ṅarka* « grand », *harad* « maison », *lo* « lac », *war* « rive » -*hana* suff. du locatif, *ṅa* « est, se trouve, existe »).

ṅarka haradm serlawa « nous avons construit une grande maison » (*haradm*, acc. sg.) où *ṅarka* demeure invariable ;

b) sam. your. *n'umi haya* « mon fils est venu »
n'uhuyun hayahaᴐ « mes deux fils sont venus » (duel)
n'un hayaᴐ « mes fils sont venus » (pl.)

Si rigide que soit l'ordre des mots ainsi conçu, il permet cependant de distribuer les déterminations selon une certaine hiérarchie. Le mot placé immédiatement devant le prédicat est celui sur lequel est attirée l'attention :

sam. your. *puhuḷ'a pᴐdarahana yile* « le vieillard vit dans la forêt » (= c'est dans la forêt que vit le vieillard).

pᴐdarahana puhuḷ'a yile « dans la forêt vit un vieillard » (dans la forêt, c'est un vieillard qui vit).

L'ouralien n'a pas connu ce que nous appelons la subordination. Il n'a pas employé davantage la coordination. Il est curieux de constater, par exemple, que les conjonctions de coordination ont été souvent empruntées à des langues indo-européennes (le *i* du russe est ainsi passé en mordve, tchérémisse et en permien de même qu'en lapon de Kola alors que fin. *ya* « et » provient du germanique ancien !). Il n'y a donc eu en ouralien ni relatifs, ni conjonctions. Ce qui correspond à notre phrase complexe a consisté en une succession de déterminations constituées par des groupes de mots antéposés les uns aux autres :

sam. your. *neboy po ṅanodami tᴐmdamaw wᴐsako wị̇nd hewị̇.*

« le vieillard chez qui j'ai acheté le bateau l'année passée est parti (dit-on) dans la toundra.

(*neboy* « passé », *po* « année », *ṅano* « bateau », *tᴐmda-* « vendre », *wᴐsako* « vieillard », *wị̇nd* « dans la toundra », *hᴐ-* « partir »).

Le groupe prédicatif *wᴐsako wị̇nd hᴐwị̇* « le vieillard est parti dans la toundra (dit-on) » est déterminé par le groupe épithétique dont le dernier terme est la forme *tᴐmdamaw* « l'endroit où j'ai acheté » (*tᴐmda-* « acheter », *-ma* suff. de dérivation indiquant le lieu de l'action, *-w* « mon, ma »). Le terme *tᴐmdamaw* fonctionne comme un adjectif qualifiant *wᴐsako* « vieillard » et est, à son tour, qualifié par les mots précédents (*ṅano-da-mi* « son bateau à moi », *po* « année » et *neboy* « passé »).

Ce qui correspond au verbe de la subordonnée, c'est un nom verbal dérivé qui figure soit isolé, soit élargi d'un suffixe casuel, soit affecté d'un suffixe possessif quand il n'est pas à la fois caractérisé par l'un et l'autre :

fin. *tätä kiryā lukiessani olen monesti itkenüt* « en lisant ce livre j'ai souvent pleuré ».

(*tätä* « ce, cet », cas partitif, *kiryā*, cas partitif de *kirya* « livre », *lukiessani*, déverbatif de *luke-* « lire », construit avec le suffixe *-ssa* « dans » et la désinence possessive « *-ni* « mon, ma », *olen* « je suis », *monesti* « souvent », *itkenüt* « ayant pleuré »).

LE LEXIQUE

Le vocabulaire que la comparaison des langues ouraliennes a permis de restituer pour l'ouralien commun n'est constitué que d'un petit nombre de termes. Cela ne veut pas dire que la langue d'origine ait été pauvre en mots, mais l'absence de documents anciens empêche de pousser très avant l'étymologie du lexique ouralien, et, d'autre part, les vocabulaires des différentes langues ont dû se renouveler considérablement. C'est que le lexique ancien n'exprimait qu'une civilisation de type néolithique alors que les Ouraliens ont été amenés successivement à s'adapter à des civilisations étrangères, représentées par les peuples avec lesquels ils se sont trouvés en contact.

La lacune la plus troublante est celle qui a trait aux noms de nombre. Les Finno-Ougriens ne savaient compter que jusqu'à 6 ; en ce qui concerne l'ouralien, il est impossible de faire aucune supposition car les noms de nombre du samoyède ne coïncident pas avec ceux des langues finno-ougriennes, à l'exception du nombre 2 (sam. your. *sida*, sam. O. *sittị* ∾ f. *kahte-*, md. *kafta, kavto*, etc.).

Les langues de l'Ouest, soumises à une forte pénétration indo-européenne, ont emprunté beaucoup de termes de civilisation à l'iranien (fin. *sata* « cent », md. *s'ada, s'ado* ∾ hgr. *sāz* qui reposent sur un prototype **s'ata*), puis aux langues indo-européennes occidentales. Le finnois a puisé dans les langues baltes, puis dans le germanique et dans le russe. L'action du germanique s'est perpétuée jusqu'à nos jours. Il en a été de même du lapon dont une partie au moins des emprunts (les emprunts baltes) a été transmise par le finnois. Le mordve contient quelques rares emprunts venus de l'Ouest tandis que le tchérémisse et le permien (surtout le votiak) sont remplis de mots fournis par le turk. Il en est de même du vogoul et de l'ostiak. Quant au hongrois, il a d'abord admis des mots turks d'un type archaïque (probablement bulgare), puis des vocables iraniens (ossètes et iazyges), enfin des mots slaves, allemands, latins, italiens, français, turcs osmanlis, etc.

La date de ces différentes immigrations de mots a été très variable. Une partie des mots iraniens anciens ont pénétré dans le finno-ougrien commun (le samoyède en était déjà séparé). D'autres n'ont déjà plus touché que les langues restées en contact avec 'e monde iranien (mordve, tchérémisse, permien, ougrien et, séparément, le hongrois). L'influence turque n'a atteint que les langues restées dans le voisinage de la Volga et des contreforts orientaux de l'Oural (tchérémisse, votiak, ougrien et hongrois). Inversement, le germanique ancien n'a agi que sur le finnois et le lapon, etc. Plus récemment, le russe a considérablement influencé les langues parlées sur le territoire de l'U.R.S.S., y compris le samoyède dont certains parlers n'avaient reçu que de rares emprunts turks.

L'ÉVOLUTION DES LANGUES OURALIENNES

Selon que l'on considère leur forme phonétique ou leur structure interne, les langues ouraliennes ont évolué très diversement.

1º Phonétiquement, les parlers finnois et une partie des parlers samoyèdes semblent avoir gardé des vestiges de l'ancien système phonique ouralien. En particulier, c'est là que s'est maintenue la voyelle brève finale des mots primaires dissyllabiques (sam. tawgui *säime*, sam. kam *saima*, etc. « œil » ∾ fin. *silmä* « id. », lpN. *čalme*, etc., mais hgr. *sem*, vog. *säm*, ost. *sem*, etc.). De même le finnois et le lapon semblent avoir conservé davantage l'état ancien des consonnes intervocaliques (fin. *ikä* « âge » ∾ lpN. *yakke* « année », mais md. *iye*, *ī* « année », tchér. *ii*, *ī*, hgr. *ēv*, même sens), et des groupes de consonnes (fin. *kelpa-* « être approprié, être apte » ∾ hgr. *kell* « être nécessaire, être désiré », zyr. *kol-*, même sens, tchér. *kel-*, même sens, etc.).

2° Morphologiquement, c'est dans les parlers occidentaux que s'est opérée la différenciation la plus marquée des parties du discours. Partant d'un thème *tahto*, qui signifie « volonté », le finnois distingue désormais ce nom du verbe *tahto-* « vouloir » (on a *tahtomme* « notre volonté », mais *tahdomme* « nous voulons », de même *tahtoni* « ma volonté » contre *tahdon* « je veux » alors que le hongrois dit toujours *verem* « je le frappe » à côté de *vẹrem* « mon sang » (sur *ver* « il frappe » et *vẹr* « sang »).

3° En ce qui concerne la structure de la phrase, les parlers de l'Ouest ont également innové. Au contact des langues indo-européennes, ils ont brisé le cadre rigide des constructions anciennes et ont assoupli la phrase en l'articulant. Le verbe a cessé de venir en dernier dans l'ordre des mots et des outils de subordination et de coordination ont été créés pour permettre d'employer des phrases subordonnées et coordonnées. Comme en indo-européen, c'est à partir des pronoms interrogatifs que s'est construit le système des relatifs, ainsi qu'une partie des conjonctions (hgr. *ki* « qui ? » et *ki* « qui, lequel », *mi* « quoi ? » et *mi* « que, ce que », IpN. *gi* « qui ? » et « qui », *gutti* « lequel ? » et « lequel », *mi* « quoi ? » et « ce que », etc.). Les éléments démonstratifs y ont également contribué (fin. *yoka* « qui » < **yo* ancien démonstratif, etc.).

C'est le lapon qui s'est adapté le plus complètement à la syntaxe européenne. Ses phrases se superposent presque terme pour terme à celles des langues nordiques et les noms verbaux qui jouaient un si grand rôle dans la formation des quasi-propositions se sont fortement atrophiés.

Parmi les parlers finnois, l'estonien a été le plus loin dans l'européanisation de sa syntaxe, en dépit d'efforts tardifs pour lui rendre une partie de son originalité perdue. Le finnois suomi, malgré sa richesse en formes nominales du verbe, a calqué l'allure de sa phrase sur celle de la phrase suédoise. Quant au hongrois, dès les plus anciens textes, il s'est efforcé d'exprimer les mêmes catégories que le latin, qui a servi longtemps de langue officielle. Son ordre des mots a acquis une singulière liberté et il peut rivaliser à cet égard aussi bien avec son modèle latin qu'avec le grec ancien par exemple.

Au contraire, les langues orientales de l'Ouralien sont restées relativement fidèles à leur structure atavique. La phrase du samoyède yourak est aujourd'hui fort peu différente de la phrase ouralienne ou finno-ougrienne primitive. Il en est de même des parlers ougriens de l'Ob, alors que déjà le tchérémisse et le mordve marquent d'importantes innovations qui s'affirment encore davantage en permien, plus particulièrement en zyriène.

Ainsi, les langues ouraliennes tendent à se différencier en deux groupes très marqués qui risquent de n'avoir bientôt plus de commun entre eux que la filiation généalogique.

ÉCHANTILLONS DE TEXTES DE TYPE PRIMITIF

I. Extrait d'un texte samoyède yourak relevé par Prokofiev (*Samoučitel' n'eneḽkogo yaziḳa*, Leningrad, 1936, p. 165).
— *Han'ad ton?*
N'ud'a habi ma :
— *Sarmik' tịni hanaḽ'. Tịni pumna yadǝrmahanani wịdaram. yepada ludami p'urñam.*
Mando ma :
— *Man' n'anani lịm yerana lara. N'anani yileɔ.*

Traduction

« — D'où es-tu venu ?

Le jeune étranger répondit :

— Les loups ont pourchassé mes rennes. Comme j'étais à la poursuite de mes rennes, je me suis senti défaillir. Je cherche un feu flambant.

Mando dit :

— J'ai besoin de quelqu'un qui garde le renne. Reste chez moi. »

Explications

han'ad « d'où » (ablatif en -*d*) ; *ton* « tu es venu » *(to-n)* ; *n'ud'a* « jeune, petit » ; *habi* « étranger, homme d'une autre tribu » ; *ma* forme réduite de *maña* « il dit » ; *sarmik'*, nominatif pluriel de *sarmik* « loup, bête féroce » ; *ḷịni*, accusatif pluriel possessivé de *ḷị* « renne » ; *hanaḷ'*, 3ᵉ pers. pl. du passé éloigné de *hana* « prendre en chasse, pourchasser » ; *ḷịni*, gén. pl. possessivé de *ḷị* ; *pumna* (réduit de *punamna*), postposition au cas prolatif, construite avec le génitif du déterminant qui lui est antéposé, elle indique le passage par derrière; *yadərmahanani*, cas locatif possessivé de *yadərma*, nom verbal en -*ma* construit sur l'itératif en -*r*, dérivé de *yada* « aller à pied » ; *wịdaram* « j'ai défailli » (de *wịdara* « défaillir ») ; *yepada*, participe présent de *yepa* « être brûlant, flambant » ; *ludami*, accusatif singulier possessivé de *lu* « feu » ; cette forme est constituée par l'adjonction de deux suffixes : -*da*- et -*mi* « mon » ; elle indique que l'objet est rapporté à la première personne du singulier « un feu, du feu pour moi » ; *p'urñam* « je cherche », de *p'urña* « être à la recherche, être en quête » ; *Mando*, nom propre masculin ; *man'* « je, moi », épithète de *n'anani*, locatif possessivé de *n'a* « camarade, compagnon », servant à construire le cas locatif du pronom personnel de 1ʳᵉ personne du singulier ; *ḷịm*, accusatif singulier de *ḷị* « renne », ce singulier a la valeur d'un collectif ; *yerana*, participe présent de *yera* « garder » ;

tara, 3ᵉ pers. sing. prés. ind. « est nécessaire » ; *n'anani*
« chez moi », locatif expliqué plus haut ; *yileɔ*, impératif
de 2ᵉ pers. sg. de *yile* « vivre » (= finnois *eläɔ* « vis »,
hongrois *ẹ̄ly* « vis »).

II. Extrait de l'Oraison funèbre, le plus ancien texte
hongrois (et ouralien) :

Graphie originale

*Latiatuc feleym zumtuchel mic vogmuc. ysa pur es chomuv
uogmuc. menyi milostben terumteve eleve miv isemucut
adamut. es odutta vola neki paradisumut hazóá. es mend
paradisumben uolov gimilcictul munda neki elnie...*

Lecture probable
(orthographe phonétique)

*Lāttyātuk, feleim, sümtükhel, mik vod'muk! Iša pur eš
xomuw vod'muk ! Men'i milostben terümtevē elevē miü
išemükül, Ādāmut eš odutta vola neki paradišumut hazoā.
Eš mend paradišumben volow d'imilčiktūl munda neki
ēlnie...*

Transposition moderne
(orthographe du hongrois moderne)

*Látjátok, testvéreim, szemetekkel, mik vagyunk! Bizony por
és hamu vagyunk. Mennyi malasztban teremté elő mi
ősünket Ádámot és adta vala neki a paradicsomot hazává.
És minden paradicsomban levő gyümölcsből mondá neki,
hogy éljen...*

Traduction

« Voyez-vous, mes frères, de vos yeux, qui nous sommes !
Assurément, c'est de la poussière et de la cendre que nous
sommes ! En quelle grâce il (Dieu) avait créé notre père
Adam et il lui avait donné le paradis pour patrie. Et il
lui avait dit de jouir de tous les fruits du paradis... »

Explications

lāttyātuk, 2ᵉ pers. pl. indicatif objectif (l'objet déterminé
est fourni par la subordonnée qui suit) ; *feleim* (-*im* « mes »),

sümtükhel (*süm* « œil, les deux yeux », *-lük* « votre », *-hel*
suffixe du cas sociatif, répondant au sens de « avec » ;
mik, pluriel de *mi* «quoi, ce que», *vod'muk* «nous sommes» ;
iša « certes, assurément », mot disparu ; *pur* «poussière»,
xomuw « cendre », *eš* « et » ; *men'i* « combien, de quelle
masse, de quelle quantité », *milost*, « grâce », emprunt slave ;
terümtevē « il créa », passé du récit, en voie de disparition
actuellement ; *elevē* particule servant de préverbe, traduit
le latin *pro* ; *miü* « nous », sert d'épithète à *išemükül* dont
il renforce l'idée de possession ; *išemükül*, acc. sg. de *iše*
« père », élargi du suffixe poss. *-mük* « notre », variante
claire de *-muk* rencontré plus haut ; *Ādāmut*, acc. de
Ādām ; *odutta* part. passé du verbe *odu* « il donne », élargi
du suffixe possessif de 3ᵉ pers. sg. *-a* « son », construit en
combinaison avec *vola*, passé narratif du verbe « être » ;
neki « à lui », cas datif supplétif en *-nek* du pronom
personnel de 3ᵉ pers. sg. ; *paradišumut*, acc. sg. de *para-
dišum* ; *hazoā*, cas factif de *hāz* « maison, patrie », élargi du
suff. poss. de 3ᵉ pers. sg. ; *mend* « tout, tous » ; *paradišumben*
« dans le paradis » (*-ben* « dans » n'est pas encore harmonisé
avec les voyelles sombres qui précèdent) ; *volow* part.
prés. du verbe « être », sert ici de liaison pour permettre
à *paradišumben* de fonctionner comme épithète de *d'imil-
čiktül*, cas ablatif pl. de *d'imilč* « fruit » ; *munda*, passé
narratif du verbe *mund* « dit », *ēlnie*, infinitif du verbe *ēl*
« il vit », élargi du suffixe possessif de 3ᵉ pers. sg. = « son
vivre ».

NOMS DE NOMBRE

1° Finnois (orthographe finnoise) : *yksi* [prononcer
üksi], *kaksi*, *kolme*, *neljä*, *viisi* (thème *viite-* = (*vīte-*),
kuusi (thème *kuute-* = *kūte-*), *seitsemän*, *kahdeksan*,
yhdeksän, *kymmenen yksi toista* (11), *kaksi toista* (12), etc.
(= un de la deuxième dizaine, deux de la deuxième
dizaine, etc.) ; *kaksi kymmentä* (20 = deux dix), *kolme
kymmentä* (30 = trois dix), etc., *kaksi kymmentä viisi*
(25 = deux-dix-cinq), etc. ; *sata* (100), *tuhat* (1.000).

2° samoyède ostiak : *ukkir, okkir* (1), *śitti* (2), *nãqir* (3)
lētti (4), *sombila* (5), *muktit* (6), *sēl'ći* (7), *śitti t'ängit̥it'*

köt (8), *ukkir ḷ'äṅgiḷiḷ' köt* (10) — *ukkir kəl' kēt* (11), *sitti kəl'köt* (12) (= dix plus un, dix plus deux) — *sittisar* (20), *nassar* (30), *tēssar* (40), etc — *köt ḷ'äṅgiḷiḷ' tot* (90 = cent moins dix), *tot* (100), *köt tot* (1.000 = dix cents). La numération est décimale (en samoyède ostiak comme en finnois : 8 = dix moins deux, 9 = dix moins un), mais à l'origine, il n'a pas dû en être de même. Les noms de nombre samoyèdes ne coïncident pas entre eux ni avec ceux du finno-ougrien. Les langues finno-ougriennes ne possèdent en commun que les noms de nombre de 2 à 6 (cp. hongrois (orthographe hongroise) *egy, két, három, négy, öt, hat, hét, nyolc, kilenc, tíz* où seulement *két, három, négy, öt, hat* correspondent aux formes finnoises ci-dessus).

A. Sauvageot.

BIBLIOGRAPHIE SOMMAIRE[1]

ne comprenant que les ouvrages rédigés en français, anglais et allemand

LANGUES OURALIENNES EN GÉNÉRAL

Aucun ouvrage d'ensemble mais de nombreuses études parues dans les périodiques suivants :

Journal de la Société Finno-ougrienne de Helsinki.
Mémoires de la Société Finno-ougrienne de Helsinki.
Le Monde Oriental (Upsal).
Finnisch-ugrische Forschungen (Helsinki).
Keleti Szemle (Budapest, jusqu'en 1918).
Ungarische Jahrbücher (Berlin, jusqu'en 1942).
Studia Fennica (Helsinki).
Cf. aussi *Encyclopédie Française* I (Paris, Larousse).

LANGUES FINNO-OUGRIENNES PROPREMENT DITES :

J. Szinnyei. *Finnisch-ugrische Sprachwissenschaft* (2ᵉ éd. 1922, Sammlung Göschen 463, Walter de Gruyter, Berlin) (Ouvrage un peu sommaire, sans syntaxe, inspiré par des théories en partie périmées).

---

1. La bibliographie détaillée se trouve indiquée dans les ouvrages et périodiques mentionnés ci-dessus.

LANGUES PARTICULIÈRES

A. Sauvageot : *Esquisse de la langue finnoise* (Paris, C. Klincksieck. 1949).

A. Saareste : *Die estnische Sprache* (Tartu, 1932).

S. Simonyi : *Die ungarische Sprache* (Trübner, 1907) (ouvrage ample, bien rédigé mais en partie périmé).

J. Szinnyei : *Die Herkunft der Ungarn, ihre Sprache und Urkultur, Ungarische Bibliothek*, I, 1, Berlin, 2ᵉ éd. 1923 (Définition sommaire du hongrois, envisagé surtout du point de vue comparatif).

A. Sauvageot : *La structure de la langue hongroise* (Revue des Cours et Conférences, XXXIX, 8) (Sommaire, fixe le point d'évolution où se trouve actuellement le hongrois).

A. Sauvageot : *Esquisse de la langue hongroise* (C. Klincksieck, Paris, sous presse).

LANGUES TURQUES, LANGUES MONGOLES ET LANGUES TOUNGOUZES

GÉNÉRALITÉS

Les trois groupes de langues turques, mongoles et toungouzes présentent assurément des ressemblances frappantes. Il faut reconnaître cependant que ces ressemblances sont généralement du domaine du vocabulaire ou de la phonétique (harmonie vocalique) ou enfin de la syntaxe. Or ce sont là des faits qui peuvent s'expliquer soit par l'emprunt, soit par l'influence qu'exerce une langue sur une autre. Il s'agit, en effet, de populations non seulement voisines, mais qui comme on le verra ci-après ont été mêlées et brassées par une série ininterrompue de guerres et de migrations. Si l'on pouvait se contenter de considérations tirées de la syntaxe, il faudrait donner raison à ceux qui ont rangé dans la même famille le japonais et le turc.

Les similitudes d'ordre morphologique, qui seraient les plus concluantes, se réduisent encore à assez peu de chose : ressemblance dans la structure syllabique des mots et dans le mécanisme des variations grammaticales (suffixation). Quant aux morphèmes, peu nombreux sont ceux qui se laissent ramener à l'unité. Ce sont, notamment, le suffixe du locatif qui est -dä dans ces trois groupes de langues, le suffixe -ki qui accompagne le même locatif et le suffixe du génitif. Il est vrai de dire que bien des suffixes (notamment dans la formation nominale des verbes) de la langue commune ont pu être abandonnés par l'une des langues apparentées et remplacées par d'autres morphèmes.

Les formes du pronom personnel se ressemblent beaucoup, mais on sait que c'est un fait qui dépasse le cadre des langues dites altaïques.

C'est en multipliant les rapprochements entre morphèmes qu'on pourra, espérons-le, établir rigoureusement la parenté suggérée. Entre turc et mongol, elle semble déjà assurée. Les cinq faits suivants viennent compliquer l'étude de la grammaire comparée des langues altaïques :

1° Obscurité de l'origine des peuples qui les parlent. Dès le deuxième millénaire avant notre ère, les Chinois se trouvaient en contact avec des peuplades « barbares », au Nord du Fleuve Jaune dans les provinces de Chan-si, Chàn-si et Kan-sou. Le nom du principal de ces peuples change au cours des siècles dans les chroniques chinoises, mais ses diverses formes, dans tout le premier millénaire avant J.-C., semblent bien représenter déjà le nom même des Hiong-nou, dont l'empire s'étendait au Nord de la Grande Muraille construite contre eux à partir de 214 av. J.-C. Cet empire dont le centre sacré se trouvait en Mongolie sur les rives de l'Orkhon (affluent de droite de la Selenga qui se jette dans le lac Baïkal) fut détruit au IIIe siècle de notre ère. Deguignes, dès 1756, proposa d'identifier les Hiong-nou avec les Huns d'Attila et cette hypothèse sans être vraiment prouvée, reste vraisemblable (voir les travaux de Hirth, Franke et Pelliot). Mais qui étaient les Huns ? Des Turcs, comme on l'a cru le plus généralement depuis Klaproth ? des Mongols ? ou des Toungouzes (voir Shiratori, *J. As.*, 1923) ? On l'ignore encore. Ce n'est qu'à partir de la constitution de l'Empire turc, dit des T'ou-Kiue au VIe siècle (voir plus loin, p. 332) que l'on commence à voir plus clair dans l'histoire de l'Asie Centrale.

2° Extrême mobilité des peuples. Il suffit de rappeler, dans cet ordre d'idées, les invasions qui traversèrent les steppes de la Russie méridionale et pénétrèrent jusque dans les Balkans : Huns, Avars (des Mongols, pense-t-on), Bulgares (du Ve au VIIe siècles), hordes turques telles que les Petchénègues, les Oghouz (IXe s.), Comans ou *Polovtsi* (xie s.), invasion mongole du xiiie s., sans compter celles, plus importantes assurément, des Seldjoukides (xie s.) et des Ottomans (xive s.) qui suivirent une autre voie.

Citons encore des migrations mongoles relativement récentes : dans le courant du xviie siècle, les Torgoutes obtinrent du gouvernement russe la permission de s'installer entre la Volga et le Don et en 1771 une partie de cette population revint, au nombre de 30.000 familles, et au prix des pires difficultés, se soumettre au gouvernement chinois ; en 1688, mille familles khalkha (Mongols du Nord) pressées par les Oïrates (fédération de Mongols occidentaux) traversèrent la frontière russe et sont connus actuellement sous le nom de Bouriates de la Selenga.

Il y a aussi un mouvement de migration de peuplades toungouzes de Russie en Mandchourie.

3° Changements de langue. On peut relever le caractère éphémère de certains dialectes, ou langues, conséquence probable de la mobilité des peuples et de l'absence d'une civilisation nationale jouissant d'un grand prestige. C'est ainsi qu'à en croire certains textes chinois, les Kirghiz, dont la présence entre l'Ob et l'Iénisseï est signalée dès le i^er siècle av. J.-C., n'étaient pas à l'origine un peuple de langue turque. Les *Mišer* (les Mechtcheriak des Russes), les *Tipter* ou *Tepter*, peuplades d'origine diverse, n'ont été turquisés que postérieurement. Les « Tatars » de l'Iénisseï *(Tuba)* sont, en grande partie, des descendants de Samoyèdes. Les « Sart » d'Asie Centrale sont d'anciens Iraniens.

L'exemple suivant, relativement récent, est assez déconcertant : les « Kamasintsy », peuplade de langue samoyède, commencent à parler le turc en 1840 ; en 1860, ils ont oublié leur ancien parler, mais en 1890, ils abandonnent le turc pour le russe. Deux changements de langue en 50 ans !

4° Similitude relativement grande entre les dialectes ou langues de même groupe, surtout dans les groupes turc et mongol. Dans le premier, seuls le yakoute et le tchouvache offrent un aspect aberrant. Il en résulte que les formes ou les mots du turc commun qu'on peut restituer ressemblent étrangement aux formes et aux mots des différents dialectes actuellement parlés. Ce fait n'est pas favorable au progrès du travail comparatiste, mais il n'en faudrait pas exagérer la portée. L'expérience montre qu'en approfondissant l'étude sur le terrain même du turc on peut restituer des formes aujourd'hui disparues.

5° Lenteur de l'évolution de la plupart des dialectes. Ce fait est solidaire du précédent. Les documents les plus anciens (v111e siècle pour le turc, x111e siècle pour le mongol) nous livrent des langues qui diffèrent relativement peu des parlers modernes qui leur ont succédé.

Nous énumérons ici les principaux traits communs aux trois groupes de langues pour éviter d'inutiles redites. Tant mieux, si, l'avenir aidant, ils peuvent servir d'arguments à la théorie de l'unité d'origine.

I. — Phonétique

1° *Harmonie vocalique.* L'harmonie vocalique, dont il a été déjà question à propos des langues finno-ougriennes, est, comme l'indique son nom, un phénomène fondé sur l'assimilation entre les voyelles du même mot. Étant donné que dans les langues qui nous occupent ici, il n'existe pas, en principe, tout au moins, d'hiatus, cette assimilation est forcément harmonique, c'est-à-dire qu'elle s'exerce à distance, par-dessus les consonnes. C'est un phénomène non seulement phonétique, mais, peut-on dire, morphologique, en ce sens qu'il renforce l'agglutination en assurant une plus grande cohésion aux syllabes formant le mot.

Il existe deux lois d'harmonie vocalique : 1° l'une, palatale, fondée sur l'attraction de profondeur (voyelles antérieures s'opposant à des voyelles postérieures : ex. : turc *ölmäk* « mourir », *olmak̦* « devenir, être »), et 2° l'autre, labiale, plus récente, fondée sur l'attraction de largeur (voyelles rétrécies ou labiales ou arrondies opposées aux voyelles élargies ou non labiales ou neutres : ex. : turc *öldürülmüş* «qui a été tué», *araštirilmiš* «qu'on a fait rechercher»).

Le phénomène est progressif ; c'est-à-dire que c'est le timbre de la première voyelle du mot et, dans les emprunts étrangers, de la dernière voyelle, qui détermine le timbre des voyelles suffixales subséquentes (du moins dans l'application de la première loi d'harmonie vocalique). Dans la pratique c'est toujours la dernière voyelle du mot (turc et étranger) qui doit servir de point de départ à l'application des lois d'harmonie vocalique aux suffixes.

A notre avis, il faut distinguer entre l'harmonie vocalique et les phénomènes d'assimilation vocalique accidentelle qui peuvent être aussi régressifs et dont l'importance est moindre. Nous leur laisserons le nom d'assimilation en faisant remarquer que celle-ci ne s'exerce pas sous l'influence des voyelles radicales, comme généralement dans l'harmonie vocalique.

En résumé et plus exactement, sera pour nous assimilation vocalique ordinaire tout phénomène d'assimilation qui n'est pas régi par l'application, dans le sens progressif, des deux lois d'harmonie vocalique précitées.

2° Répercussion de l'harmonie vocalique (palatale) sur certaines consonnes, surtout les gutturales. Les gutturales mouillées *k' (x')* et *g'* ne se rencontrent qu'en voisinage de voyelles antérieures, les gutturales post-palatales ou simplement sans mouillure *k (k̦, x)* et *g (g̦)* avec des voyelles postérieures seulement, dans les mots nationaux ou dans les suffixes des mots nationaux et étrangers. Les trois groupes de langues ont des signes différents pour ces deux séries de consonnes, à l'exception cependant de certains alphabets romanisés (celui de la Turquie moderne par exemple). Quant aux autres doublets analogues de lettres (l'une «antérieure», l'autre «postérieure»), comme par exemple en mandjou et (vieil) osmanli pour *t* et *d*, en osmanli pour *s*, en turc de l'Orkhon pour un grand nombre de consonnes (voir p. 345), il resterait à examiner s'il ne s'agit pas simplement de graphies destinées, à l'origine, à suppléer à l'insuffisance de la notation des voyelles *(scriptio defectiva)*. Certains dialectes turcs distinguent deux sortes d'*l* : *l* vélaire ou creux dans les mots de la classe postérieure et *l* ordinaire ou plat (quelquefois mouillé) dans ceux de la classe antérieure.

3º Tendance, sauf en toungouze, à éviter une consonne sonore à l'initiale du mot, tendance sensible surtout en turc où l'on ne trouve dans cette position aucune des consonnes suivantes : *v* (sauf dans les dialectes oghouz), *n* (sauf dans le mot *näṅ* ou *nä* « chose, rien ; quoi? »), *ṅ*, *z*, *d* (interdental), *g* (postpalatal), *r*, *l*. Le son *m* initial y est tardif (il remplace le *b* ou *p* initial, lorsque la voyelle qui l'accompagne est suivie elle-même d'une nasale *m*, *n*, *ṅ*). La consonne *ṅ* initial est inconnue aussi au mongol et la liquide *r* initiale au mongol et au toungouze.

4º Rôle très réduit des semi-voyelles ; le son *w* n'apparaît que comme tardif et exceptionnel. Le son *y* est employé en valeur de consonne ordinaire et l'on se demande pourquoi certains auteurs conçoivent le groupe *ay* (comme dans le mot turc signifiant « lune, mois ») en valeur de diphtongue et l'écrivent *ai*.

5º Instabilité, plus ou moins accentuée, de l'*n* final.

6º A moins de raisons d'expressivité ou de recherche de précision (comme dans les noms de nombre), les consonnes ne sont jamais géminées (dans les racines ou les suffixes isolés).

7º Jamais un mot ne commence par un groupe de consonnes.

8º Les syllabes sont rarement fermées par deux consonnes, à moins que la première ne soit liquide *(r, l)* ou sifflante *(s)*. En mandjou, surtout, emploi fréquent des syllabes ouvertes (presque autant qu'en japonais).

II. Morphologie

1º Pas de genre grammatical (sauf peut-être de faibles traces) ;

2º Deux nombres seulement (pas de duel) ;

3º Peu de rigueur dans l'emploi du pluriel ;

4⁰ Emploi de racines « nues ». A la différence de ce qui se passe en indo-européen et en sémitique, toute racine peut figurer dans une proposition sans aucun changement, c'est-à-dire comme mot non fléchi (sans désinence). Les racines sont *verbales* (exprimant une action, un procès ou devenir, un état) ou *nominales* (désignant un objet concret ou abstrait).

Toute racine (ou base) verbale nue a la valeur d'un impératif sg., 2ᵉ pers.

Toute racine (ou base) nominale nue a la valeur d'un cas absolu et peut, par conséquent, être employée, notamment, comme sujet, au singulier, d'une proposition.

Le terme de « base » que nous avons ajouté ici entre parenthèses sera expliqué plus loin.

Un assez grand nombre de racines (ou de bases) sont simultanément nominales et verbales. Dans les parlers moins anciens, cette confusion tend à s'éliminer. A l'origine verbe et nom se confondaient peut-être.

5⁰ Les variations lexicographiques et grammaticales s'obtiennent surtout au moyen de suffixes. Il n'y a ni préfixe (la première syllabe est toujours radicale), ni infixe. Les suffixes n'altérant pas sensiblement la structure du mot auquel ils se joignent et, changeant peu eux-mêmes (sauf en ce qui concerne l'harmonie vocalique) sont faciles à reconnaître. Les mots ont pu d'ailleurs subir plus anciennement des changements qui nous échappent actuellement.

En résumé, étudier les langues dites « altaïques », revient à *étudier le maniement des suffixes*.

Ces observations sont vraies surtout pour le turc. Le mongol, dans une faible mesure, et, dans une plus large, le toungouze offrent des exemples de « flexion » (en prenant ce mot dans le sens de fusion plus intime entre le suffixe et le mot).

6⁰ La grande masse des suffixes se laisse répartir assez facilement en deux types principaux : les suffixes de dérivation et les suffixes désinentiels.

a) Suffixes de *dérivation*. — Ils servent à former ce que nous appelons une *base dérivée*. Plus exactement, ils servent à former avec la racine (ou une base) une base (ou une base nouvelle) dérivée. Les bases assument le même rôle morphologique que les racines (quand elles sont non fléchies, sans désinence) : les bases nominales sont des cas absolus, et les bases verbales, des impératifs.

Qu'on parte d'une base nominale (dérivés dénominatifs) ou d'une base verbale (dérivés déverbatifs), on peut former des bases dérivées aussi bien verbales que nominales.

D'où quatre combinaisons possibles, que nous énumérons ci-après dans l'ordre de l'importance croissante de leur rôle grammatical (par opposition au rôle lexicographique). (Abréviations : b. n. : base nominale ; b. v. : base verbale).

1º Les b. n. dénominatives (ex. : turc *bir-lik* « unité » de *bir* « un »). Elles relèvent du lexique, mais les dérivés diminutifs, augmentatifs, péjoratifs, caritatifs font partie de la même catégorie.

2º Les b. v. dénominatives (ex. : le suffixe turc-mongol *-lä-:* turc-mongol *kara-la-* « noircir ») sont également du domaine de la lexicographie, mais on leur fait, généralement et avec raison, une place dans les grammaires.

3º Les b. n. déverbatives (ex. : le suffixe turc-mongol *-k :* t. *biti-g,* ou *biti-k* ou *biti,* m. *biči-k* « écrire » de t. *biti-*, m. *biči-* « écrire ») sont en grande partie des éléments lexicologiques, mais quand il s'agit de formations vivantes, certaines d'entr'elles peuvent être considérées comme des éléments grammaticaux obtenus au moyen de véritables désinences. Telles sont les différentes « formes nominales » du verbe. Plus exactement il s'agit de suffixes mixtes, voir plus bas *c)*.

4º Les b. v. déverbatives sont des éléments véritablement grammaticaux, puisqu'elles expriment la voix. Le mongol et le turc possèdent les voix réfléchie, coopérative, causative et passive.

b) Suffixes *désinentiels* ou désinences. — Est désinentiel tout suffixe qui sert à fléchir une base, c'est-à-dire tout suffixe qui enlève à une base son caractère de cas absolu ou d'impératif.

Si nous appelons la racine « base élémentaire (abréviation : b. él.) », nous obtenons pour le mot fléchi le schème suivant qui est aussi le schème le plus complet du mot : Mot fléchi = b. él.+1 ou plusieurs suffixes de dérivation+1 ou plusieurs désinences.

Sont désinentiels les suffixes de la déclinaison et de la conjugaison.

c) Suffixes *mixtes*. — Ce sont ceux qui tiennent à la fois du suffixe de dérivation et de la désinence. Il en est ainsi de certains suffixes pronominaux (suffixe possessif par ex.) qui laissent à un nom sa qualité de cas absolu au singulier, mais qui en cas de cumul avec d'autres désinences (le pluriel, par ex. en turc) prennent place après celles-ci : ex. : t. *at* « cheval », *at-im* « mon cheval », *at-lar-im* « mes chevaux ».

Sont également mixtes les suffixes des formes nominales (substantives, adjectives et adverbiales) du verbe. En tant que suffixes nominaux ils sont suffixes de dérivation (puisqu'ils fournissent des bases nominales comme par ex. le suffixe du participe turc *-gän*, en « turquien » *-(y)än* dans *al-gan, al-an* « qui prend »), mais en tant que suffixes verbaux, ce sont des éléments désinentiels (puisqu'ils font perdre à la base ou la racine verbale sa valeur d'impératif).

7º L'élément initial du mot est représenté par la racine (conséquence de l'absence des préfixes).

8º Au lieu des prépositions des langues indo-européennes et sémitiques on a des *postpositions*.

9º *Rareté des alternances* que l'emploi des suffixes rend inutiles. — Elle a pour résultat : *a)* la transparence et la clarté du système morphologique : les mots avec leurs suffixes *agglutinés* ressemblent à des *mosaïques*, et *b)* la régularité de la grammaire ;

10º *Rareté des exceptions* (conséquence de 9º). Il n'y a qu'une déclinaison et qu'une seule manière de conjuguer.

11º Nombre relativement grand des suffixes verbaux exprimant la *voix* (voir plus haut, p. 326).

12° Imprécision dans la différenciation des fonctions du *nom*. Le même nom peut être employé comme *substantif* ou nom variable (chose) et comme *adjectif* (qualificatif ou déterminatif) et *adverbe* (circonstance), ces deux derniers étant les représentants du nom invariable (l'adverbe est partiellement variable). C'est surtout entre l'adjectif et l'adverbe que la confusion formelle (morphologique) est fréquente et même normale.

13° Grand nombre et importance des *formes nominales du verbe*. Elles se diversifient, comme le nom lui-même, en formes *substantives*, *adjectives* et *adverbiales* du verbe. Certaines sont spécialisées dans tel ou tel de ces emplois, mais il existe aussi des formes nominales non différenciées (passe-partout).

Les formes substantives sont représentées par l'*infinitif* (ou le supin) et les *noms d'action*. Elles sont déclinables.

Les adjectives par les *participes*, invariables en principe.

Les adverbiales par les *gérondifs*, invariables, sauf en ce qui concerne certaines locutions gérondives.

Les formes nominales du verbe diffèrent du nom ordinaire en ce que, exprimant une action, elles peuvent avoir un sujet, des compléments d'objet direct ou indirect ou circonstanciels propres. Leur sujet peut être traité comme celui des formes personnelles, mais il peut aussi, souvent, devenir le complément déterminatif de la forme nominale (surtout substantive). A la notion verbale d'action exercée se substitue alors celle, nominale, d'une chose possédée (voir, pour le turc, p. 363).

Ces procédés contribuent à donner à la syntaxe « altaïque » une physionomie très particulière.

Les formes nominales sont, en outre, à l'origine des formes personnelles du verbe, elles-mêmes, auxquelles elles fournissent les thèmes.

14° Les « thèmes ». — Nous appelons signe du thème, le suffixe désinentiel qui porte toutes les notions grammaticales du verbe autres que celle de la personne (qui peut s'ajouter, s'il y a lieu, sous forme d'une autre désinence dite personnelle ou prédicative), c'est-à-dire les notions de temps, mode ou aspect.

Les thèmes sont primitivement des formes adjectives du verbe (participes) et la forme personnelle est, en général, une ancienne proposition nominale (voir, p. 357) ayant pour prédicat (attribut) un participe. Pour dire « je (tu) sais », on emploie des formes qui, si on les analyse, sans y rien changer d'ailleurs, signifie en réalité « je suis (tu es) sachant », mieux : « ego (tu) sapiens » ou « sapiens ego(tu) » ; ou même « ego (tu) sapiens ego (tu) » (avec répétition du pronom, primitivement).

15° *Monosyllabisme.* — Il est probable que les langues altaïques étaient, comme on l'a dit dès le début des études, monosyllabiques, à l'origine, ou dissyllabiques avec 2e syllabe ouverte.

III. Syntaxe

1° Ordre des mots dans la subordination. — Souvent l'inverse du français, il s'inspire du principe suivant : *tout élément secondaire (spécificateur) précède l'élément principal :*

a) Le déterminant se place avant le déterminé :

α) L'épithète avant le nom : t. *aḳ köy* « (le) blanc village ou (le) village blanc ».

β) Le complément (nominal) déterminatif avant le nom complété : t. *köy aga-si* « l'agha du village » (proprement « village son agha ») (rapport d'annexion). Le suffixe possessif (ici : -*si*) peut manquer en mandjou.

b) Le complément-régime ou complément d'objet (direct, indirect, circonstanciel) se place avant le mot ou la particule (voir plus haut sous 8°).

c) Le sujet se place avant le prédicat : t. *köy aḳ* « (le) village (est) blanc ».

d) Toute forme verbale se place à la fin du groupe dont elle fait partie (conséquence des règles *b* et *c*).

2° Les *propositions nominales.* — Comme le montrent les exemples figurant plus haut sous α et *c*, la proposition nominale est au point de vue de l'ordre des mots l'inverse du groupe formé par l'épithète et le nom qu'elle détermine :

turc *bän Türk* « je suis Turc »,
mongol *bi Mongol* « je suis Mongol »,
toungouze *bi Tungus* « je suis Toungouze ».

On verra plus loin comment cette construction, donnée ici sous sa forme primitive, a abouti à des formations de désinences prédicatives en turc (p. 357) et dans certains dialectes mongols comme le bouriate.

Pour la copule (3ᵉ personne), en principe inutile, voir les faits turcs (p. 358).

3° *Propositions verbales.* — Au lieu de subordonner les jugements secondaires ou incidents au jugement principal au moyen de conjonctions ou de pronoms relatifs, comme dans nos langues occidentales, on donne au jugement secondaire la forme d'une « quasi-proposition », c'est-à-dire d'un groupe de mots terminé par une forme nominale du verbe (au lieu d'une forme personnelle). Ceci permet d'insérer ce groupe en tant que membre (complément, épithète, sujet) dans la proposition principale, comme si c'était un nom ordinaire (de le décliner s'il est déclinable etc.), la forme grammaticale de ces groupes subordonnés s'adaptant exactement à leur rôle logique. Avec ce procédé, ce qui est phrase complexe dans nos langues occidentales devient une simple proposition dont le dernier verbe seul se met à une forme personnelle. On peut ainsi réduire, comme cela s'est fait dans les chancelleries asiatiques, en une seule proposition des textes interminables, des rouleaux de firmans de plusieurs mètres de long.

4° Absence presque totale de conjonctions et de pronoms relatifs (sauf les cas d'emprunt et d'influence des langues étrangères). Ceci est la conséquence de ce qui vient d'être dit plus haut.

D'autre part la coordination peut se faire par simple juxtaposition, sans avoir recours à des particules coordinatives ou alternatives : t. *ana ata* « père et mère, père ou mère » (proprement « mère et père »).

J. DENY.

LANGUES TURQUES

INDICATIONS EXTERNES

Le nom des « Turcs ». — Encore plus que pour « français », le contenu linguistique de « turc » en dépasse le contenu ethnique. Pour la commodité de l'exposé, on peut cependant employer l'expression « populations turques » dans le sens de « populations parlant une langue turque ». Il faut ajouter : « avec, chez le sujet parlant, le sentiment que c'est la langue de ses ancêtres éloignés ». Cette définition a l'avantage de faire abstraction de la question inextricable des races et de réserver des cas spéciaux, comme celui des Arméniens et des Grecs turcophones de Turquie.

La difficulté réapparaît, du moins dans l'usage courant, quand il s'agit de la portée exacte du terme « langue turque ». Pour le grand public il n'y a de Turc que de Turquie et de langue turque que celle qui est parlée par les Turcs (musulmans) de ce pays, ceux qu'on appelait naguère les Osmanlis ou Ottomans (de *Otuman* ou Osman). L'abandon de cette dernière désignation proscrite par la nouvelle République met dans l'embarras ceux qui ont le légitime désir de distinguer par un terme approprié cette langue de l'ensemble des parlers apparentés. « Turc anatolien » est trop étroit et « turc occidental » trop large. Les termes de « turc de Rum (Taeschner, Wittek) et *türkye-li* ou « turc de Turquie » n'ont pas réussi à s'implanter, le premier parce que le mot *Rum* sert normalement à désigner les Grecs de Turquie, par opposition à *Yunan* « Hellène ». En prenant pour modèle le mot « francien » qui a été préconisé pour « français de l'Ile de France », on pourrait proposer «turquien» (suggéré par N. L. Bazin).

Il n'y a pas lieu d'imiter l'usage russe qui se sert du terme « langues turco-tatares », les Russes appelant « Tatar » certaines populations de langue turque (ce nom désignait primitivement une population de langue mongole).

Le nom de *Türk* (avec sa variante sporadique *Türük*) apparaît dans l'histoire au vıe siècle de notre ère (Menander Protector) sous la forme grecque Τοῦρκος. C'est le peuple que la science occidentale désigne sous le nom de T'ou-kiue, mot qui n'est pas autre chose que le nom *Türk* tel que les Chinois eux-mêmes l'entendaient prononcer, sous la forme du pluriel, par les Mongols *(Türküt)*.

L'habitude est prise, mais logiquement, il n'y a pas lieu d'employer la forme chinoise plutôt que la forme grecque, d'ailleurs relativement plus exacte.

Quant au mot *Türk-män* « Turcoman », c'est à notre avis un dérivé, augmentatif (péjoratif) à l'origine. Ce terme qui désignait — et qui désigne encore parfois — les Turcs restés nomades, est devenu ensuite synonyme de *Oguz*.

Le type physique. — Le type physique des Turcs varie suivant les régions. On a proposé d'attribuer à la « race » turque le type mongoloïde atténué (pommettes relativement peu saillantes et œil légèrement bridé), mais, si ces caractéristiques conviennent aux Turcs Orientaux, voisins des Mongols, les Turcs Occidentaux ne se distinguent pas des Européens et on trouve chez eux même des individus blonds à allure nordique, sans compter, au centre, des représentants du type dit assyrien.

On notera que, dans l'histoire, les esclaves turcs étaient considérés comme réalisant l'idéal de la beauté, par les poètes persans (de filiation indo-européenne).

Atatürk attribuait une grande importance à la brachycéphalie des Turcs.

Expansion des Turcs. — Dans la nuit des temps, les Turcs occupaient non les deux Turkestans, comme pourrait le faire supposer le nom de ces régions, mais l'Altaï et, sans doute, en tant que séjour d'hiver, la dépression de Dzoungarie. Ils se sont peu étendus vers l'Est où ils ont possédé la Mongolie de 552 à 924 (T'ou-kiue, Ouigours et Kirghiz, successivement). De ce côté, ils se sont généralement laissés siniser (Tavgatch ou T'o-pa Wei, Cha-to ?). Mais vers l'Ouest, c'est une expansion incessante, avec pour avant-garde principale les Oghouz *(Oguz)* nomades, fédération de 24 tribus dont la plupart ont laissé leurs noms à divers villages d'Anatolie. Après avoir fourni sa dynastie à l'empire dit des T'ou-kiue, les Oghouz ont fait toujours figure de Turcs de l'Ouest, comme en témoigne encore aujourd'hui le parler d'Istanbul et d'Ankara qui est un dialecte oghouz (de même que les parlers des deux Azerbeidjan, le soviétique et l'iranien, et du Turkmenistan).

Au IXe siècle il y a déjà un état oghouz sur le cours inférieur de l'Amou-Darya (capitale Yeni Kent). Cet état s'étendait jusqu'à la rive orientale de la Caspienne en englobant l'actuel Turkmenistan. C'est de Yeni Kent qu'est partie la fortune de la brillante, mais éphémère dynastie des Seltchoukides (Oghouz de la tribu des Ķinik). Cependant à l'Est les Kara-khanides s'emparaient du Turkestan chinois et l'assimilaient. Sur les ruines de l'empire seltchoukide, d'autres Oghouz, les Ottomans (de la tribu de Ķayi) ont fondé l'état que l'on sait, en poussant leurs conquêtes jusqu'à Oran et leurs randonnées jusqu'à Otrante, jusqu'aux murs de Vienne. Au XVIe siècle, le Turc Babur conquiert les Indes et en est le premier empereur (état dit du Grand Mongol). Ce sont encore des Oghouz qui sous le nom de *ķizil-baš* « tête rouge » font la fortune des Séfévides de Perse et qui fournissent à ce pays Nadir chah au XVIIIe siècle et la dynastie des Kadjar ou Ķačar (encore une tribu oghouz) au XIXe siècle. Le nom des mercenaires oghouz déformé en « algozan », puis « argousin » pénètre par le Maroc et l'Espagne musulmane jusque dans le vocabulaire occidental.

La pénétration ethnique et linguistique turque n'a pas dépassé les Balkans à l'Ouest et ne s'est fait sentir d'une façon massive que dans certaines régions : Thrace orientale et occidentale, Dobroudja (sans parler des Gagaouzes chrétiens plus au Nord, en Bessarabie). Ailleurs dans les

Balkans ce furent plutôt des îlots, souvent importants,
en Bulgarie, Thessalie, Macédoine, Serbie, Morée. Depuis
le recul des Turcs et surtout depuis les guerres de 1912 à
1923 accompagnées de l'échange des populations (appelé
d'un nom arabe *mübādele*), l'élément turc a fortement
baissé dans la péninsule et a entièrement disparu par
endroits.

Au Nord-Ouest russe l'avance turque (à laquelle les
Oghouz n'ont pas pris part) n'a pas dépassé la région de
la Volga (Tchouvaches, Bachkirs) : elle a recommencé
avec l'invasion mongole (xiiie siècle), qui, au point de vue
linguistique, a été uniquement turque et qui a été arrêtée
par les Russes (reconquête des khanats de Kazan,
Kassimov et Astrakhan au xvie siècle et de celui de Crimée
au xviiie siècle).

*Distribution géographique et classement des langues
turques.* — L'aire géographique occupée par les différents
dialectes turcs est vaste (voir la planche VIII) : elle touche,
avec les Yakoutes, qui sont, il est vrai, séparés des autres
Turcs, au 160e degré de longitude Est. En Macédoine elle
atteignait naguère à peu près au 21e degré. La densité
démographique est généralement faible.

L'expérience montre qu'il serait vain de prétendre
donner ici des données numériques exactes. Étant donné
l'enchevêtrement des dialectes et l'idée imprécise qu'ont
les sujets parlants de leur propre langue, les statistiques
les mieux faites restent douteuses. Il est probable qu'un
recensement exact fait par des linguistes spécialisés
réserverait des surprises.

Le dernier recensement soviétique est de 1939. Ceux
de Turquie ont été faits en 1927, 1935 et 1940.

Le relevé qu'on trouvera ci-après s'inspire surtout de
la préface du travail du regretté Bogoroditski. Il a l'avantage de concilier le point de vue géographique et le point
de vue généalogique (linguistique).

Répartition géographique des dialectes turcs

Abréviations : *app.* : s'appelant eux-mêmes ; *app. r.* : appelés par les Russes ; *ch.* chamanistes ; *litt.* : désignation littéraire ; *off.* : désignation officielle ; *orth.* : orthodoxes ; *sunn.* : musulmans sunnites ; R. S. F. S. R. : République socialiste fédérative des Soviets de Russie ; R. S. S. : République socialiste soviétique (alliée) ; R. S. S. A. : République socialiste soviétique autonome ; T. A. : Territoire (oblast') autonome.

I. *Groupe du Nord-Est*

1. Yakoutes (R. S. S. A.), 324.000 (1941). Ajouter : les *Dolgan* (Toungouzes yakoutisés) 967 (1897) ; 2 (1926).

2. Turcs de la Mongolie et des confins mongols :

a) Ḳaragas, N. des Monts Saian (carte : 1), 543 (1851), 389 (1897), plus de 800 (1928) ; ch., 5 familles-clans ; appelés aussi *Tuba* du nom d'un affluent de droite du « Iénisséï » (voir *b* et III, 2, *b*).

b) Touva ou app. *Tuba* (voir *a* et III, 2, *b*), ci-devant ouriankhaï (nom emprunté au chinois) ou *Soyon* ou *Soyot*. Rép. de Tannou-Touva. (carte : 2). Environ 45.000. Anciens Samoyèdes. Ceux du lac Terinor app. *Uygur*.

c) Ḳoḳčulutun (carte : 3) et *Koton* près du lac d'Oubsa en Mongolie (nombre inconnu).

II. *Hakas (off.) ou de l'Abakan ou de Minoussinsk*
(carte : 4)

[Ce nom de *Hakas* désignait au commencement de l'ère chrétienne les Kirghiz. D'après le recensement de 1926, il y avait en tout 45.559 Hakas ?]

1. Sur l'Abakan moyen : *Sagay*, 3019 (1897) ; 21 (1926), *Beltir*, 7.959 (1897), *Ḳoybal*, 1015 (1897) ; 67 (1926) ; ch. off. orth.

2. Sur l'Abakan inférieur : *Ḳač* (ou dialecte de la Katcha), app. r. Katchintsy, 11.974 (1897) ; 203 (1926) ; en 10 tribus ; ch., off. orth.

3. Plus au Nord, sur les deux Youss (le Blanc et le Noir) *Ḳïzïl*, 17.959 (1897) ; 22 (1926) ; 10 tribus ; ch. off. orth.

4. Kamasintsy (nom russe), dans le S. de l'okroug de Kansk, 137 (1890) orth. (survivances ch.) ; Samoyèdes turquisés ; ch.

III. *Groupe altaï* (anc. T. A. des Oyrates) (carte : 5)

1. Région Sud :

  a) Altaï proprement dit, app. *Altay-kiži* « hommes de l'Altaï », app. r. *Oyrat* (off.) ou *Oyröt* ou Kalmouks Blancs ou Kalmouks montagnards (en russe *gorniye*), 26.084 (1897) ; ch., orth. et boud.

  b) Teleout ou *Telenget*, app. *Telenet*, 9.200 (1897) ; ch., orth. et boud. (Zaroubine distingue, au point de vue de la langue, entre teleout 1.898 (1926) et telenget (7.000 en 1923) ; 3.415 (1926).

2. Région Nord :

  a) Koumand, 873 (1917) ; ch.   .

  b) Tatars *čern'eviye* (nom russe), app. *Tuba* (cf. 1, 2, *a* et *b*) ou *Yiš-kiži* « hommes de la forêt (de la montagne) » ; ch. off. orth. — Voir ci-après, *c* et *d*, 12 en 1926 ?

  c) *Šor*, quelquefois app. r. : *čern'eviye* ou *tomsko-kuzn'eḷkiye* (voir *b* et *d*). En font partie les Tatars *kondomskiye* (sur la Kondoma), nommés *L'eb'ed* (du nom de la rivière), app. *Ḳu-kiži* et *Čolḳanug* 907 (1897) ; ch. — 12.601 *Šor* en 1926.

  d) Tatars *tomsko-kuzn'eḷkiye*, app. (pour une partie) *Aba;;* nommés aussi *čern'eviye* (voir ci-dessus *b*), 8.164 (1892). En tout 50.140 *Oyrat* en 1941.

IV. *Groupe de la Sibérie Orientale*

1. Tatars du Tchoulym (affl. de l'Ob), (carte : 6) app. *Küerik*, 11.123 (1897), sunn., ch., orth.

2. *Baraba* (carte : 7), 4.433 (1897) ; 39 (1926) ; sunn.

3. Tatars de la Tobol (carte : 8), 37.637 (1898) ; sunn., de l'Ichim, de Tümen, de Toura ; sunn.

4. Boukhariotes de Sibérie ou *Buxarliḳ*, vers Tobolsk *(Tubil)* et Tomsk, 11.659 (1897) ; sunn. ; parlent tatar.

V. *Groupe de la Volga et de l'Oural*

1. Tatars de Kazan, d'Oufa, d'Astrakhan et de Kassimov, app. *Tatar* (chez les Kazak et les Kirghiz : *Nogay*), R. S.-

S. A. du Tataristan et R. S. S. A. des Bachkirs et régions
voisines (pour la répartition voir 1re édition), 2.265.000
(1920) ; sunn. et petit nombre d'orth. *(kriašen)*, russe,
109-466 (1926) et *Nagaybak* pour *Nogaybak*, ces derniers
au nombre de 5.101 (1891) ; 11.219 (1926).

2. *Mišar* ou *Mišer*, app. r. *M'ešč'er'ak*, dispersés en
R. S. S. A. du Tataristan et dans 10 des anciens gouvernements, 188.568 (1917) — évaluation portant sur le territoire
de 3 anciens gouvernements seulement ; 242.640 (1926).

3. Teptiar, *Tipter* (ou abusivement *Bašḳurt*), R. S. S. A.
des Bachkirs et gouvernements de Perm, Oufa et Orenbourg, 289.571 (1917) sunn. ; parlent le bachkir.

4. Bachkir, app. *Bašḳurt* (chez les Finnois : *Ištak*),
R. S. S. A. des Bachkirs et 3 gouvernements, 1.320.743
(1897), 885.747 (1941) ; sunn. ; parlent bachkir en deux
dialectes principaux.

5. Tchouvache (voir VIII. Divers).

VI. Dialectes de l'Asie Centrale

1. Turcs de la Chine :

a) Turkestan Chinois (Hsin-Kiang) et région de
Kouldja (carte : 9) 1.500.000. Y ajouter les Tarantchi
ou Sart (litt.), 62.303 (1920) ; 53.010 (1926) et des
Kachgariens ou *Kašgarlïḳ*, 34.528 (1920) ; 13.010
(1926) ? transportés d'abord dans la région de l'Ili,
puis par les Russes, vers 1880, dans le Kazakstan.
Les uns et les autres ont adopté le nom off. de *Uygur*,
préconisé par Radloff. Ont émigré, en même temps de
Kouldja en Kirghizistan et Kazakstan les *Dungan*,
18.318 (1917) ; 14.000 (1926) , parlant chinois (en
famille) et tarantchi.

b) Province du Kan-sou : ouigour jaunes ou *Sarïg
Uygur*, 200 (d'après Malov) et *Salar*.

2. *Ḳazaḳ*, ou *Kazax* anc. Kazak-kirghiz (litt.) Kirghiz-
kazak (litt.), Kirghiz-Kaïssak (litt. russe), Kirghiz (vieilli),
R. S. S. des Kazak ou Kazakstan, se divise en 3 *orda :*
la Grande *(ulu ǰüz)*, la Moyenne *(orta ǰüz)* et la Petite
(kiši ǰüz) divisées chacune en nombreuses tribus, 3.256.193

(1941) ; sunn. — Voir aussi plus haut (1, *a*) les Tarantchi et Kachgariens immigrés).

3. Kirghiz, *Ķịrgịz*, anc. Kara-Kirghiz ou *Burut*, R. S. S. des Kirghiz et en marge, divisés en aile droite *(oṅ)* et gauche *(sol)* avec subdivisions, 929.231 (1941) ; sunn.

4. Ouzbek, Ouzbeg, Euzbeg, y compris les sédentaires *Sart*, proprement « marchands », ancien Iraniens soumis par les Ouzbeg, qui trouvant ce terme péjoratif l'ont abandonné ; R. S. S. de l'Ouzbekistan et régions voisines, 5.090.116 (1941) ; sunn. ; divers dialectes dont celui de Khiva, ou Kharezm ; sunn. — Nombreux clans et divisions dont les plus importants sont les Kiptchak du Fergana, 42.114 (1917) ; 33.502 (1927) et les Turcs de Samarcande, 29.476 (1917). Un groupe de clans est connu sous le nom de *Kurama*, 50.218 (1926).

5. *Ķara-Ķalpaķ* ou « bonnets noirs », les Tchorniyé Klobouki des annalistes russes, région de Khiva, (carte : 10), 146.317 (1926) ; 195.211 (1941) ; sunn. Ceux de l'Ouzbekistan proprement dit sont confondus avec les Ouzbeg.

VII. *Groupe du Sud-Ouest ou oǧuz*

1. *Türkmen* ou Turcomans, R. S. S. du Turkmenistan, 677.000 dont 932 *J̌emšid* en 1936, en Ouzbekistan (considérés comme Ouzbek) 203.750, en Afghanistan et Perse 80.000, au Caucase (okroug de Stavropol : *truxmen*) 24.522 ; en Russie d'Europe : 281.357. En tout 853.009 (1941) ?

2. Azerbeidjan, *Türk* (litt.) ou Turcs d'Azerbeidjan ou Tatars d'Azerbeidjan ou (dans l'ouyezd de Zakatal) *Mugal* « Mongols » :

a) Azerbeidjan soviétique : R. S. S. d'Azerbeidjan, R. S. S. de Géorgie, R. S. S. A. du Daghestan et Nord du Caucase, 1.506.540 (1897), 2.390.374 (1941). Chiites et sunn.

b) Azerbeidjan de Perse, 2.000.000. Chiites.

3. Dialectes du Caucase septentrional :

a) *Ķaračay* (carte : 11), 79.583 (1941) ; sunn. Déportés à la suite de la suppression du T. A., comme unité politique, en 1945.

b) Balḳar ou *Malḳar* 23.695 (1926) ; sunn. Divisions (géographiques) : *Bezengi, Hulam, Čegem, Urusbi, Baḳsan.* Déportés à la suite de la suppression du T. A. Kabarda-Balkar en 1945.

c) Koumik *(Kumiḳ)* R. S. S. A. du Daghestan et côte Caspienne du Terek au Derbent, 160.000 (1925) ; sunn. Langue des échanges entre les différentes nations du Caucase (carte : 12).

4. Karapapakh, ouyezd d'Akhalkalaki de la R. S. S. de Géorgie, 8.000 (1910) et d'Arménie 6.317 (1926) ? Mélange d'Azerbeidjaniens de la Bortchala et de Turcs anatoliens ; sunn. et chiites.

5. Turcs de Turquie (« Turquiens »), ci-devant *Osmanli,* Ottomans : Turcs d'Anatolie et de la Thrace Orientale, environ 15.500.000 (chiffre approximatif obtenu par calcul, sachant que les Turquiens de Turquie étaient en 1927 au nombre de 11.800.000 sur une population totale de 13.650.000, et que cette population totale a augmenté de 31 % entre 1927 et 1940 ; Turcs des Balkans : Thrace occidentale (région de Gumuldjina), de Roumélie orientale, de Bulgarie (?), de Macédoine (?) ; Turcs d'U. R. S. S., en R. S. S. A. d'Adjarie, en R. S. S. d'Arménie, 1.480, des régions de Dniépropetrovsk, de Tauride et du Nord du Caucase, environ 1.500 ; sunn.

6. Gagaouz, en Bessarabie (volost de Bendery, Akkerman et Ismaïl), 76.266 (1907) ; orthodoxes. Parlent gagaouz (dialecte oghouz) et bulgare.

7. Tatars du littoral Sud de la Crimée, appelés *Tat* par les Tatars de la plaine Nord de Crimée (pour ces derniers, voir VIII Divers).

VIII. *Divers autres dialectes*

[Remarque sur l'appellation *Nogay* ou *Nugay*, en mongol *noxay* ou *noxoy* « chien ». Nom d'un arrière petit-fils de Djoutchi ; a été appliqué à diverses populations. Les Tatars de Tobolsk se donnent à eux-mêmes le nom de *Nugay.* Chez les Kirghiz, Kazak, Tarantchi, à Boukhara et Stamboul (?) on appelle de ce nom les Tatars de Kazan].

1. *Nogay* de la Dobroudja ou *Čịtak̦*, *Čịtax*, 27.685 (*ibidem* 12.464 Turcs «turquiens», soit en tout 40.349 en 1895) ; sunn.

2. *Nogay* du haut Kouban, 6.000 (1910), au Sud de l'anc. T. A. des Kalmouk (48.000), dans la R. S. S. A. du Daghestan (4.000) ; clans *Jembulak̦*, *Yedişkul, Edisan ;* sunn.

3. Tatars des plaines Nord de la Crimée, appelés *Čongar* par eux-mêmes et *Nogay* par les Tatars du littoral Sud de la presqu'île (voir pour ces derniers VII, 4) ; nombre ? ; sunn.

4. Caraïtes, *K̦araïm* (appellation ancienne : hébraïque ; moderne : russe et polonaise), app. *K̦aray* (au féminin avec suffixe slave : *k̦arayk̦a*), en «turquien» *K̦arayi*, Crimée (centre principal à Eupatoria, *alias* Kozlov, en turc *Gözleve*), 6.166 (1897) ; 8.324 (1926) ; 650 (1941-42) ; 100 (actuellement), Leningrad 331, Moscou 347, Samara 331, Astrakhan 404, Province du Don 99, Ekaterinoslav, 359, Odessa 2.008, Kharkov 255 ; *Lah K̦arayi* ou Caraïtes polonais (et lithuaniens) à Poniewierz (gouv. de Kowno ou Kaunas) 203, à Luck (pron. Lutsk) en Volhynie 166, à Troki (gouv. de Vilna) 576, à Vilna 252, à Halicz (Galicie) 192 ; en tout 13.000 (1897) Caraïtes ; Égypte (2.000 ?) ; Turquie (1.500) ; France 267 (1948) ; Allemagne 6 ; Tchécoslovaquie 810 ; juifs non talmudistes ; langue comane ou kiptchak *(k̦aray) ;* langue litt. : hébreu.

5. Krymtchak ou Juifs de Crimée turcophones, Karasu-Bazar et *Ak̦mečet* (Simferopol), 7.500 (1912) ; 6.383 (1926) ; talmudistes ; lang. litt. : hébreu.

6. Tatars des deux capitales et du Sud de la Russie en 1897, Léningrad 5.663, Moscou 5.122, Province du Don 2.879, Ekaterinoslav 16.894, Odessa 1.144. Sont à ajouter aux Tatars mentionnés sous V, 1.

7. Turcs «turquiens» en U. R. S. S. : R. S. S. A. d'Adjarie et R. S. S. d'Arménie 1.480 ; rég. de Dniépropetrovsk, de Tauride et au Nord du Caucase, environ 1.500. En 1926 : 8.503 en Géorgie et Arménie.

8. Turcs «turquiens» des Balkans. Nombre et répartitions difficiles à préciser, à cause des vides faits par

l'échange des populations. Le noyau de la Thrace occidentale (centre : *Gümülǰina*) s'est maintenu.

9. Tchouvaches, dans la R. S. S. A. de ce nom et dans le voisinage, 1.437.424 (1941) dont 29.334 en Sibérie ; orthodoxes ; la langue, très aberrante, s'apparente, d'après quelques auteurs, davantage aux dialectes occidentaux.

D'après l'Annuaire de la Turquie *(Türkiye Yıllığı)* publié par Tahsin Demiray pour 1947 (Istanbul, *Türkiye Basımevi*, p. 291), il y aurait dans le monde 51 millions de Turcs (de turcophones), et ils se répartiraient ainsi : Turquie : 16 ; Russie : 22 ; Iran : 6 ; Chine : 4 ; Afghanistan : 2. Les pays suivants ont moins d'un million (les chiffres sont indiqués en milliers) : Bulgarie : 400 ; Iraq : 200 ; Roumanie : 200 ; Grèce : 100 ; Syrie : 50 ; Chypre : 40 ; Égypte : 10.

Ces évaluations, données en chiffres ronds, sont manifestement approximatives. Elles fournissent cependant, sur les pays autres que la Turquie et l'U. R. S. S., des indications que ne contient pas notre tableau et complètent en quelque sorte celui-ci.

Répartition dialectale. — Il serait difficile et, en tout cas, prématuré d'établir une classification définitive des langues turques. Ceci tient d'une part au brassement considérable qu'ont subi les sujets parlants et au fait que plusieurs langues sont encore à étudier plus à fond (voir pp. 320-321).

Il existe trois tentatives de classement principales, par Radloff, Korsch et Samoïlovitch.

Radloff distinguait les dialectes *orientaux :* nos groupes II (Abakan) et III (Altaï), IV et en partie le groupe I ; les dial. *occidentaux :* notre groupe V (Volga, Oural) et, en partie VI (kazak, kirghiz et karakalpak) ; les dial. de l'*Asie Centrale :* le reste du groupe VI ; les dial. du *Sud :* notre groupe VII, que nous appelons *oguz.*

Korsch, combinant les considérations phonétiques et morphologiques distinguait le groupe du Nord, le groupe de l'Est.

Samoïlovitch isole d'abord, d'après la prononciation

du nom de nombre 9, le rhotacisme du tchouvache *(töxör)* et l'articulation des autres langues qui est du type *tokuz*.

Il distingue ensuite les langues *tokuz* d'après le traitement de la dentale intervocalique dans le mot signifiant « pied » *(adak,* etc.) et d'après le traitement des gutturales.

D'où la distinction qu'il fait entre les langues D (mieux delta Δ, pour éviter une nouvelle confusion avec la suite) : *adak, adak* et les langues Y : *ayak.*

Les langues Δ se divisent en langues T : *atak,* langues D : *adak* et langues Z : *azak.*

Les langues Y : *ayak* se divisent en langues *kalgan* et en langues *kalan* (comme chez Korsch).

Comme dans les langues ou la langue à rhotacisme (tchouvache) la correspondance R×Z de Samoïlovitch se complète par une correspondance L×Š, on distingue les langues *Lir* de l'ensemble des langues *Šaz* (mots artificiels).

Il existe encore d'autres principes de distinction : par ex. les langues *ol-* opposées aux langues *bol-* « devenir, être ».

Pour le turc ancien, enfin, on distingue les documents écrits en dialecte Y et en dialecte N, d'après l'opposition des prononciations *ayïg* et *anïg* « mauvais ; très », la forme primitive *anyïg* se rencontrant dans les inscriptions de l'Orkhon.

Indépendamment des faits qui ont servi de base aux diverses classifications, on peut noter des traits particuliers qui permettent de caractériser certains parlers ou groupes de parlers.

Dans nos groupes II et III les consonnes finales et initiales sont sourdes et les consonnes intervocaliques sont sonores. L'harmonie vocalique y atteint son maximum de développement (assimilation labiale étendue même aux voyelles basses, ce qui fait que les voyelles *o/ö* ne sont plus condamnés à figurer uniquement dans la première syllabe, comme c'est le cas — de même que pour la voyelle *ẹ* — dans la plupart des langues turques).

Dans le groupe V la belle symétrie du système vocalique est fortement altérée : on y trouve des voyelles mixtes.

Les voyelles basses ont tendance à passer aux voyelles hautes : *ę* devient facilement *i* ; *o* devient *u*.

Dans les dialectes ouzbeg (groupe V), probablement sous l'influence de l'Iran) l'harmonie vocalique subit des entorses (surtout à Tachkent) : l'*i̦* postérieur disparaît pour faire place à l'*i* antérieur ; il en est de même de la consonne *ł* creux (postérieur) qui passe à l'*l* plat. En revanche les assimilations vocaliques régressives sont fréquentes : *bäš-i* pour *baš-i̦* « sa tête ».

Dans les dialectes oghouz (groupe VI), les consonnes initiales sonores (*d*, *g* et *b*) sont plus fréquentes que dans les autres groupes. La gutturale continue postérieure sonore *g* tombe fréquemment (*sari̦* pour *sari̦g*, voir plus haut). L'ancien *v*, remplacé ailleurs par *p* et *f*, est généralement conservé. En position devant une voyelle suivie elle-même de *r* ou *z* ou *n*, *b* se transforme en *v* : *bar-* « partir, aller », *bar* « existant », *bir-* « donner », *yalbar-* « supplier » *yuba-n-* « se consoler, se leurrer » deviennent *var*, *var*, *yalvar-*, *yuvan-* (mod. *avun-*).

Malgré ces quelques changements, les langues turques (tchouvache et yakoute mis à part) sont, comme nous l'avons déjà dit p. 321, relativement peu différenciées.

Littérature. — Les premiers monuments littéraires du turc sont des épitaphes du VIIIᵉ siècle de notre ère, figurant sur des stèles qui se dressent ou gisent dans la région du Haut-Iénisséï et, en Mongolie, dans celle de l'Orkhon (affluent de droite de la Sélenga). Les textes de l'Orkhon, de beaucoup les plus longs et les plus importants sont datés des années 734 et 735 et donnent un historique très développé du peuple turc. Ils sont accompagnés d'une traduction chinoise. Signalées dès le milieu du XIIIᵉ siècle par l'historien Djouwayni, les deux stèles de l'Orkhon furent retrouvées en 1889 par Yadrintsev. En 1893, elles ont fait l'objet du déchiffrement demeuré célèbre, par le Danois Vilhelm Thomsen. Elles sont également très importantes au point de vue de la linguistique historique turque, d'ailleurs encore peu avancée.

Vers les xᵉ et xɪᵉ siècles les Turcs possédaient une littérature religieuse (surtout de traductions) bouddhique, manichéenne et chrétienne (nestorienne). Au xɪᵉ siècle également s'est développée une littérature didactique musulmane en langue turque connue surtout par le grand poème moralisateur intitulé *Kutadgu Bilig* qui a été écrit en 1069 en Kachgarie sous la dynastie des kara-khanides.

Il existe, en outre, de nombreux et précieux textes trouvés dans les villes ensablées du Turkestan Chinois, au carrefour des civilisations bouddhique, grecque, iranienne et turque, et rapportées par les missions anglaises d'Aurel Stein (1900), allemandes de Grünwedel et Huth (1904), von Le Coq (1904), Grünwedel encore (1905), française de Pelliot (1906), japonaise de Tachibana (1906). Ils ont été étudiés par F. K. W. Müller, von Le Coq, W. Bang, von Gabain, Foy, Pelliot. Signalons enfin l'ouvrage, sorte de glossaire-encyclopédie, de Mahmoud de Kachgar, composé vers 1074 (publié en 1915, en Turquie), qui fournit sur les dialectes turcs les renseignements les plus précieux, et le *Codex Comanicus*, sorte de vocabulaire latin-persan-turc, romanisé par un religieux catholique du commencement du xɪvᵉ siècle, concernant la langue comane ou kiptchak (parler des Polovtses) qui a été en usage également parmi certaines colonies arméniennes émigrées de Crimée et l'est encore chez les Caraïtes de Volhynie.

Depuis la fondation de l'Empire Ottoman (1300), il s'est développé une abondante littérature ottomane, appelée aujourd'hui turque. Depuis 1850 elle s'est affranchie de l'influence persane et arabe, pour subir celle de la littérature occidentale (surtout française).

Au Turkestan et dans des centres comme Kazan régna une littérature dite tchaghataï (du nom d'un des fils de Gengiskhan) ; il y eut aussi une littérature du Kharizm (Khiva) et une autre, qui existe encore, de l'Azerbeidjan).

De nouvelles littératures en diverses langues turques se développent actuellement dans certaines républiques d'Union Soviétique.

Écriture. — Les Turcs ont possédé un alphabet national (d'origine sémitique, d'après la plupart des savants) dès le vi^e siècle ; il a été en usage dans l'empire dit des T'ou-kiue (voir p. 332) et chez les Kirghiz de l'Iénisséi. Il s'écrit de droite à gauche (comme la plupart des alphabets sémitiques anciens), sans ligature et ressemble à l'écriture runique (d'où son nom de *runiforme*). Quatre signes représentent les voyelles et trente-six les consonnes : les sons *b*, *d*, *g*, *k*, *f*, *s*, *r*, *l*, *n* sont figurés par des lettres différentes suivant qu'ils se trouvent dans un mot à voyelles antérieures ou postérieures.

L'alphabet runiforme ou, comme on dit souvent, de l'Orkhon a été remplacé par l'alphabet ouïgour ou néosogdien qui, bien que représentant, avec peu de changements l'écriture sogdienne (voir p. 29), peut être considéré comme national également (Voir A. von Le Coq, *Kurze Einführung in die uigurische Schriftkunde*, Mitt. Sem. Berlin, 1919, p. 93 à 109). Les consonnes sonores et sourdes y sont généralement confondues, d'où le petit nombre des caractères (une quinzaine). S'écrit également de droite à gauche.

Cette écriture qui a servi de modèle à celles des Mongols et des Mandjous a cédé le pas à l'écriture arabe introduite par l'islamisation des Turcs et complétée par des signes diacritiques pour quatre caractères par les Persans.

Depuis la révolution bolchevique, un certain nombre d'alphabets du type cyrillique (russe) et du type latin ont été adoptés par les États de langue turque de l'U. R. S. S. Le plus important de ces alphabets est celui de l'Azerbeidjan (il est mixte : cyrillique et latin). Dans les autres États les caractères latins ont été finalement évincés par les caractères russes.

La Turquie a adopté elle-même sous l'impulsion de Kamal Atatürk une écriture romanisée (3 novembre 1928).

Nous indiquons ci-après celles des lettres de cet alphabet latin qui ne concordent pas avec la transcription adoptée dans cet ouvrage : *c(ǰ)*, *ç(č)*, *e(ä)*, *ğ* (équivaut au γ du

grec moderne, c'est-à-dire *g* avec voyelles postérieures et *y* avec voyelles antérieures, *h (x* et *h), ι(ị̆), j(ž̆), ş(š̆).*
L'apostrophe figure l'implosion glottale (*hemze* arabe) ou sert à séparer un nom propre de son suffixe grammatical. L'accent circonflexe indique que la consonne *qui précède* est mouillée ou sert à différencier certains homonymes d'origine arabe.

Le turc a été écrit en divers alphabets étrangers : Anciennement en *manichéen* ou *estranghelo* modifié (déchiffré par F. K. W. Müller), *syriaque* (textes chrétiens-nestoriens), *tibétain,* et *brahmi* (voir p. 24, 126-127). Dans les temps modernes, les Arméniens turcophones, les Grecs de Caramanie, les Juifs (surtout les Caraïtes) se servent ou se sont servi, respectivement, des écritures arménienne (qui s'adapte très bien au turc), grecque et hébraïque.

Étude interne

Structure phonétique

Consonnes. — Les langues turques disposent d'un matériel consonantique assez complet, notamment en ce qui concerne les labiales (*p, b (f), v*), les dentales (*t, d, s, z*) et, sauf l'absence du *ž̆*, les prépalatales (*č̆, ǰ, š̆*). Il en est de même pour les sonantes, sauf la rareté de la semi-voyelle *w* (*m,* deux *l, r, n, y*). Les gutturales sont peu variées ; la sourde *k* avec ses trois variétés (articulation arrière, moyenne ou avancée suivant les dialectes), est pourtant largement employée. Les laryngales ressemblent à celles du germanique. Les dialectes occidentaux tendent à l'amuissement du *g* continu. Le turc commun possédait une interdentale sonore *đ* qui a été éliminée.

Dans l'ensemble, la prononciation est facile pour un non-turc et, à l'Occident du domaine, douce.

Mais l'originalité du système phonétique turc c'est son vocalisme.

Classification des voyelles turques. — Le turc commun comporte 9 voyelles : *ä, ẹ, i, ö, ü ; a, į̣*[1], *o, u*. 3 d'entre elles (*ẹ, o* et *ö*) n'apparaissent que dans la première syllabe en turc commun et dans la plupart des langues turques. Si l'on fait abstraction de l'*ẹ* qui est un son mixte et qui s'est éliminé dans presque tous les dialectes en passant à *i* ou à *e* ouvert (*ä*), les voyelles fondamentales du turc sont au nombre de 8.

Pour l'articulation de ces voyelles qui sert en même temps de base à leur classification, il faut distinguer trois critères qui correspondent aux trois voyelles types de la plupart des langues *a, i, u :*

1° Critère de *profondeur :* déplacement de la langue dans le sens horizontal d'avant en arrière ; d'où la distinction des voy. *antérieures* ou moins profondes (*ä, i, ö, ü*), et *postérieures* ou plus profondes (*a, į̣, o, u*). D'où la série de quatre mutations ou alternances de deux voyelles $\dfrac{ä\ i\ ö\ ü}{a\ į̣\ o\ u}$, qu'on peut remplacer conventionnellement par la série des quatre majuscules : Ä Í Ö Ü (dans l'ordre alphabétique). Voyelle typique du critère : *a*. (*ẹ* n'a pas de correspondante postérieure).

2° Critère de hauteur : déplacement de la langue ou d'une partie de la langue dans le sens vertical : d'où la distinction des voyelles *basses* $\dfrac{ä\ ö}{a\ o}$ ou Ä, Ö, d'une part et *hautes* $\dfrac{i\ ü}{į̣\ u}$ ou Í, Ü, d'autre part. Voyelle typique du critère : *i* (la plus haute).

3° Critère de *largeur* ou d'articulation labiale : élargissement ou rétrécissement de l'orifice labial ; d'où la distinc-

---

1. Comme on l'a vu page 346, l'écriture turque romanisée transcrit ce son par un ı (un i sans point). Cette graphie conviendrait d'autant mieux ici qu'elle permettrait d'affecter les lettres sans point aux voyelles postérieures et les lettres pointées aux voyelles antérieures, mais il a fallu se soumettre aux exigences de l'uniformité de la transcription pour l'ensemble du volume.

tion des voyelles *élargies* ou étirées $\dfrac{\ddot{a}\ i}{a\ \underset{\circ}{\imath}}$ ou Ä, İ, d'une part

et *rétrécies* ou arrondies $\dfrac{\ddot{o}\ \ddot{u}}{o\ u}$ ou Ö, Ü, d'autre part. Voyelle typique du critère : *u* (la plus rétrécie).

D'où le schème d'ensemble :

	Élargies (étirées)		Rétrécies (arrondies)	
	Basses	Hautes	Basses	Hautes
Antérieures...	$\ddot{a}$	i	$\ddot{o}$	$\ddot{u}$
Postérieures...	a	$\underset{\circ}{\imath}$	o	u

Soit le même schème simplifié :

Élargies (étirées)		Rétrécies (arrondies)	
Basses	Hautes	Basses	Hautes.
Ä	İ	Ö	Ü

On remarquera que chaque fois qu'on applique l'un des *trois* critères, on aboutit au partage des *huit* voyelles en *deux* moitiés qui sont en corrélation d'opposition ou de contraste entre elles (chacune des quatre voyelles d'un demi-groupe étant en affinité avec les trois autres et en opposition avec une voyelle qui lui fait pendant dans l'autre demi-groupe). Le nombre huit représente en effet la troisième puissance de deux. D'où aussi la possibilité de présenter la classification des voyelles géométriquement sous la forme d'un cube, puisque l'articulation se fait d'après les critères des trois dimensions : profondeur, hauteur et largeur.

La figure ci-dessous, qui met bien en lumière l'étonnante symétrie des voyelles turques permet de se rendre facilement compte des affinités qui existent entre elles : il y a affinité simple (un seul caractère commun) entre les deux voyelles placées sur une même face en diagonale ; affinité double entre les deux voyelles des deux extrémités de l'arête de chacun des douze dièdres ; absence d'affinité pour les deux voyelles placées aux sommets des trièdres opposés.

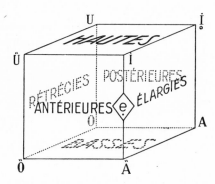

Cube des voyelles turques de François Deny.

L'harmonie vocalique. — Le triple classement des voyelles turques trouve une application pratique importante dans le phénomène de l'harmonie vocalique dont il a été déjà question (voir p. 322).

Le premier critère (profondeur) sert de fondement à la première loi ou *loi générale d'harm. voc.*, la plus ancienne et la plus importante, parce que s'appliquant à tous les mots et à toutes les langues turques.

Elle peut s'énoncer ainsi : *suivant que la première voyelle d'un mot turc (ou la dernière d'un mot étranger) est antérieure (ä, i, ö, ü) ou postérieure (a, ı̇, o, u)*, les voyelles subséquentes (y compris celles des suffixes rajoutés) sont toutes antérieures ou postérieures. Ex. : *kaldı̇rma* « ne (sou)lève pas » ; *öldürme* « ne tue pas » ; *hareket-ler-imiz* « nos mouvements, nos actes » ; *kitap-lar-ı̇mı̇z* « nos livres » (les deux derniers mots sont empruntés à l'arabe).

Le deuxième critère (hauteur) n'a pas donné lieu à une loi d'harmonie vocalique (sans quoi on aurait eu la même voyelle à toutes les syllabes d'un même mot turc), mais il a servi à distinguer deux classes de voyelles suffixales :

les basses (Ä) et les hautes (Ĭ, Ü), les basses $\frac{\ddot{o}}{o}$ (Ŏ) étant
exclues des suffixes dans la plupart des langues turques,
comme n'apparaissant qu'en première syllabe (p. 347).
Une voyelle basse reste toujours basse quels que soient
les changements qu'elle subisse. Il en est de même, *mutatis
mutandis*, pour les voyelles hautes.

Le troisième critère (largeur ou labialisation) sert de
fondement à la deuxième loi d'harmonie vocalique. On
en obtiendra, en principe tout au moins, l'énoncé en remplaçant dans celui de la première loi, les mots « antérieure »
par « élargie (Ä, Ĭ) » et « postérieure » par « rétrécie (Ŏ, Ü) ».

La deuxième loi d'harmonie vocalique étant un phénomène relativement récent, le turc commun et le turc
ancien ne l'appliquent pas (sans quoi la voyelle Ŏ aurait
pu apparaître dans les syllabes autres que la première).
En *oguz*, l'harmonie labiale s'est développée très lentement et ce n'est que de nos jours qu'elle a gagné toutes
les voyelles hautes (sauf les cas où le voisinage d'une
consonne labiale empêche la délabialisation : *yavuz*
« terrible, méchant », au lieu de *yaviz; kapu* que quelques-
uns préfèrent encore à *kapi* « porte »).

C'est en altaï et *(kara)kïrgïz* que le phénomène a atteint
son maximum de régularité et de perfection. Pour ces
langues, on peut (tout en conservant aux lettres de transcription l'ordre alphabétique) poser la règle suivante :

Suivant que la dernière voyelle du mot est élargie (Ä, Ĭ)
ou rétrécie (Ŏ, Ü), on a dans les suffixes à voyelle basse, la
première voyelle de chaque groupe, soit respectivement
l'élargie Ä ou la rétrécie Ŏ ; dans les suffixes à voyelle
haute, on a la deuxième voyelle, soit respectivement
l'élargie Ĭ ou la rétrécie Ü.

Il est à noter que même en altaï il arrive souvent qu'une
voyelle basse échappe à l'assimilation (à l'harmonie)
labiale. C'est le cas pour le suffixe négatif -*mä*.

D'autre part, lorsqu'une voyelle basse apparaît dans un
mot turc et qu'elle est en même temps élargie (ce qui est

le cas pour Ä), il ne peut y avoir après elle de voyelles suffixales rétrécies.

Il résulte de ce qui précède que de par l'harmonie vocalique les seuls types de mots possibles dans les langues où l'assimilation labiale s'est généralisée sont les suivants :

a) Mots dont toutes les voyelles sont élargies (Ä, Í).
Ex. : *il-iš-tir-il-ämä-miš* « il n'a pu être rattaché ».

b) Mots dont toutes les voyelles sont rétrécies (Ö, Ü), la voyelle Ö n'étant possible qu'à la première syllabe.
Ex. : *öl-dür-ül-müš-tür* « il a été tué » ;

c) Mots mixtes, avec des voyelles rétrécies dans leur *première* partie et des voyelles élargies dans leur dernière partie : Ex. : *süpür-ür-lär-kän* « tandis qu'ils balaient ».
Pour qu'il y ait un mot mixte de cette sorte, il faut qu'il s'agisse d'une langue où les voyelles basses échappent à l'assimilation labiale, ce qui est d'ailleurs le cas le plus fréquent.

Dans les langues comme le turquien où les voyelles basses ont intégralement résisté à l'assimilation labiale, il y a une certaine dissymétrie dans les règles de l'harmonie vocalique et inégalité du nombre de voyelles possibles dans les deux classes de voyelles suffixales : les suffixes à voyelles basses ne connaissent que deux variétés de voyelles (Ä), ceux à voyelle haute, quatre (Í, Ü).

Quantité des voyelles : Il y avait des voyelles longues en turc ancien. Elles ne sont conservées comme telles que dans un petit nombre de langues (yakoute, *türkmen*).

Suffixes désinentiels

Ce qui a été dit plus haut (p. 326) des suffixes de dérivation des langues altaïques suffit pour caractériser ceux du turc.

Quant aux suffixes désinentiels turcs (voir définition, *ibidem*) on peut les ramener aux catégories suivantes :

I : pluriel ; II : déclinaison (changement de cas) ; III : conjugaison ; IV : formes nominales du verbe.

I. Désinence du pluriel.

Si l'on fait abstraction d'une sorte de collectif signalé par Kachgari, à propos des mots *oglan* « garçon » et *ärän* « saint homme » (dans le sens moderne de ces deux mots), on trouve en turc deux désinences de pluriel :

1º -*iz*, désinence qui figure presque uniquement dans les pronoms personnels et les désinences pronominales : ex. *biz* « nous », *siz* « vous », par opposition à *bän* « moi » et *sän* « toi » ; -[*i*]*miz* « notre », par opposition à -[*i*]*m* « mon » ; -[*i*]*ṅiz* « votre », par opposition à -[*i*]*ṅ* « ton, ta » (de même les désinences de la 2ᵉ personne du pl. de l'impératif et des formes personnelles simples des thèmes en *di*- et en *sä*-). A noter aussi un suffixe -[*i*]*z* des objets jumelés : *ikiz* « jumeaux » (de *iki* « deux »), *üç-üz* « triple », etc. Voir enfin les noms de nombre *säkiz* (8), *doḳuz* ou *toḳuz* (9) et *otuz* (30).

2º -*lär*, désinence primitivement spéciale aux noms, mais qui, par l'intermédiaire des formes nominales du verbe s'est étendue aux formes verbales personnelles.

Sur l'origine probable de ce morphème, voir plus loin p. 358.

II. Désinences de la déclinaison (casuelles).

Les langues turques possèdent peu de cas (en comparaison des langues finno-ougriennes). Ce sont :

génitif : -(*n*)*iṅ*, -*niṅ* ; formes secondaires : -*diṅ*, -*tiṅ* ; tchouv. -*en*, -*in*.

accusatif : -*ig*, -*äg*, -(*y*)*i*, -*ni* ; formes secondaires : -*di*, -*ti* ; yak. aussi -*nä*,-*tä*,-*lä*.

datif : -*gä*, -*kä*, -(*y*)*ä* ; tchouv. -*ä*.

locatif : -*dä* ou -*tä* (tchouv. y compris) ; yak. -*nä*, -*inä*

ablatif : -*dän*, -*din* ; les mêmes suffixes avec *ṅ* au lieu de *n* ; les mêmes suffixes avec *t* au lieu de *d* ; -*nän*, -*näṅ*.

On peut ajouter à cette liste l'ancien cas instrumental en -*in* et les comparatifs ou relatifs dont les formes variables présentent l'intérêt de nous montrer comment des mots autonomes tels que *täṅ (däṅ, tay)* et *čag*, exprimant tous deux une idée de « quantité » et qui semblent être devenus communs au turc et au persan se sont transformés en désinences casuelles (*-täg*, *-däg*, *-täk*, *-däk*, *täy*, *däy*, *-tiy*, *-diy ; -čäk*, *-ǰäk*, *-čä*, *-ǰä*, *-čik*, *-ǰik ;* voir notre *Grammaire de la l. t.* 930 et 918).

Anciennement le loc. et l'abl. ne formaient qu'un cas (suff. *-däṅ*, probablement). Dans le turc de l'Orkhon, ils ne sont pas encore tout à fait différenciés.

Il est possible qu'à l'origine le génitif et l'accusatif n'aient formé qu'un seul cas. La consonne *n* qu'on y trouve serait d'origine pronominale (venant du pronom de la 3e personne) ; on peut aussi supposer qu'il s'agit d'une déformation du mot *näṅ* « chose ».

La marque caractéristique des désinences casuelles par rapport aux autres particules consiste dans le fait qu'elles développent un *n* « pronominal », lorsqu'elles sont affectées à un mot déjà muni du suffixe possessif de la 3e personne : *dil-i* « sa langue », au dat. : *dil-i-n-ä*.

On sait (voir p. 325) qu'un substantif peut figurer dans la phrase turque sans aucune désinence casuelle.

Il en est ainsi (en turquien par ex.) lorsque le substantif (par ex. : *baliḳ* « poisson ») est :

a) sujet de la proposition : *baliḳ baš-tan ḳoḳ-ar* « le poisson sent (mauvais) par la tête » (proverbe) ;

b) complément d'objet direct indéterminé : *bir baliḳ sat-maḳ* « vendre un poisson » ; *baliḳ sat-maḳ* « vendre des poissons, être marchand de poissons » ;

c) complément nominal, dans les expressions fixées par l'usage : *baliḳ ag-i̯* « filet de poisson » (mot-à-mot : « poisson son filet »).

Le complément d'objet direct déterminé s'exprime par l'accusatif : *balig̯-i̯ gätir* « apporte le poisson ».

Le complément d'objet indirect prend la forme d'un datif ou d'un ablatif. Ces deux cas s'opposent l'un à l'autre : on met au datif les noms des objets *vers* lesquels tend une action (allatif), et à l'ablatif ceux dont émane ou s'éloigne une action (au propre ou au figuré) : *at-a bin-mek* « monter à cheval » ; *at-tan in-mek* « descendre de cheval » ; *su-ya baḳ-maḳ* « regarder l'eau » ; *su-dan ḳorḳ-maḳ* « avoir peur de l'eau, craindre l'eau ».

13

Ces deux cas joints au locatif — qui localise l'action (avec ou sans mouvement) — forment avec lui comme un triptyque qui joue un rôle important dans les notions adverbiales (circonstances de lieu et de temps). Aussi peut-on appeler ces trois cas *adverbiaux;* bien qu'en principe l'adverbe soit indéclinable, certains adverbes et locutions adverbiales reçoivent ces trois désinences et ne connaissent même pas de forme en dehors d'elles.

Le complément nominal (surtout quand il est déterminé) se met au génitif : *baliĝ-in ķilčiĝ-i* « l'arête du poisson », proprement « du poisson son arête ».

La désinence du génitif et celle du locatif peuvent être suivies du suffixe *-ki* dont il sera question plus loin p. 359.

III. *Conjugaison* :

A la différence du terme de « déclinaison », celui de « conjugaison » est pris ici dans un sens plus large que celui qu'on lui donne habituellement et peut se définir ainsi : « changement de personne moyennant l'adjonction d'une désinence ». Or il existe deux sortes de désinences qui répondent à cette définition : la désinence possessive et les désinences prédicatives. D'où deux conjugaisons également : la *possessive* et la *prédicative* (cette dernière englobe ce qu'on appelle conjugaison dans les grammaires européennes).

La conjugaison qui occupe une place particulièrement importante dans la grammaire turque, est, par définition, d'origine pronominale. Nous donnons ci-après un tableau du pronom personnel turc et des désinences qui s'y rattachent.

En réalité, il n'y a de pronoms personnels qu'aux deux premières personnes des deux nombres, et, par voie de conséquence, il n'y a de vraie conjugaison (du moins en ce qui concerne la conjugaison prédicative) qu'aux mêmes deux personnes (voir le tableau).

A la 3e personne, le pronom personnel a été emprunté au pronom démonstratif *apparenté* ou qui, sous l'influence du pronom personnel, s'est différencié en trois variétés qu'on peut comparer à celles qui existent en latin :

CONJUGAISON PRÉDICATIVE — CONJUGAISON POSSESSIVE

	PRONOMS PERSONNELS AUTONOMES	(Pronoms personnels enclitiques : verbe substantif)	IMPÉRATIF	THÈMES EN -di- ET -sä-	Génitif du pronom personnel répété enclitique, au singulier
SINGULIER					
1re pers.	bän, män, min (démonstratif : bu, fléchi : bun-, mun-)	-bän, -vän, -män, -än, -äm -bin, -min.-in, -(ṭ)im	-äy, -äyin, -(y)äyim -iyin, -iyim, -im	-m	-[i]m
2e pers.	sän, sin (démonstratif : šu, (o), šol, fléchi : šun-)	-sän -sin ; yak.-gin et -kin	Zéro (ou -kil, -gil, -kin, -kilän, -kinän)	-ñ, -g	-[i]ñ
3e pers.	ol, ul, o fléchi : an-, on- = démonstratif	-ol, -ul (en turc ancien) -dur-ur (aor. du verbe dur-) -dürür (littér.), -dir, -di ; les mêmes avec ṭ, au lieu de d ; -ṭ	-sin, -zin, -zü ; yak. : -tin, -din, -lin, -nin	Zéro	-(s)i, -(z)i yak. : -(t)ä
PLURIEL					
1re pers.	biz, bis, pis, biz-lär tchouv. : ebir (démonstratif : bu-lar, bun-lar)	-biz, -bis, -pis ; yak. : -bit ; -miz, -(y)ik	-(y)älim, -älik, -äli, -äl, -äli-gär, etc. ; -äni, -äñ -(y)äyik, -iyik, -äñ, yak. : iäx	-bis, -miz, yak. : -bit -k	-[i]biz, -[i]miz yak. : -[i]bit -[i]bit yak.-[i]gi
2e pers.	siz, siz-lär, silär (démonstratif : šu-lar, šun-lar)	-siz, -siz-lär, -silär, -siñär, -sär	-(y)iñiz,-igiz,-iñ, -(y)iñ, -iñär, -igär	-niz, -giz, yak. : -gil, -ñär, -gär	-[i]niz, yak. : -[i]ñär, -[i]gär
3e pers.	olar, ular, onlar, onnar, anlär = démonstratif	Les mêmes suffixes que pour le singulier ou les mêmes suivis de -lär (sauf pour le suff. poss. : -läri à côté de -(s)i.			

1re personne : *bu* ou *išbu* (pour *oš-bu*, *uš-bu*, form▸
qui comporte, exceptionnellement, un préfixe expressif, *o*▸
« voici, voilà ») « celui-ci, celle-ci, ceci ». Objets rapproché▸
(hic). En flexion : *bun- išbun-*.

2e personne : *šu* ou *šol* (pour *oš-ol*, quelquefois *oša*▸
forme tirée, par le même procédé que ci-dessus, de ▸
forme *ol* donnée ci-dessous) ou *šušbu* « celui-là... ». Objet
plus éloignés, mais visibles pour l'interlocuteur (iste▸
En flexion : *šun-*.

3e personne : *o*, *ol* ou *ul*, « celui-là... ». Objets éloigné▸
invisibles (ille). En flexion : *on-*, *an-*. Commun aux pronom▸
démonstratifs et personnels.

1° *Conjugaison possessive*. — On trouvera les désinenc▸
de la conjugaison possessive dans la dernière colonne d▸
tableau de la page 355. Elles correspondent aux adjecti▸
possessifs français. Ex. : *äl-im*, *äl-iñ*, *äl-i*, etc. « ma mai▸
ta main, sa main, etc. » Le suffixe possessif de la 3e personn▸
des deux nombres développe en flexion un *n* pronominal
äl-i-n-ä « à sa main (datif) ».

La conjugaison possessive sert à exprimer le rappo▸
complétif (possessif) qui existe entre un complément nom▸
nal (exprimé ou sous-entendu) et le mot (réellement o▸
virtuellement) complété, celui-ci recevant le suffix▸
possessif : *äl-im* « ma main » ou d'une façon plus explici▸
bän-im (génitif) *äl-im*, proprement « la main de moi »

Lorsque, comme dans l'expression *bän-im äl-im* l▸
deux termes envisagés forment un groupe celui-ci e▸
appellé « rapport d'annexion » ou « état construit ». I▸
mot complété en est, comme on vient de le voir,
deuxième terme et le complément (nominal) en est
premier terme, qui se met au génitif ou au cas abso▸
suivant le plus ou moins de fixité du rapport (voir p. 354▸

Ex. : *čoban-iñ äv-i* « (la) maison du berger » ;

čoban äv-i « maison de berger ».

Avec le génitif, le rapport possessif est exprimé de▸
fois, donc souligné : « du berger sa maison ». (Le su▸
poss. vient d'ailleurs du gén. du pron. répété).

La conjugaison possessive permet de faire du *sujet logique* d'une forme nominale du verbe le *complément déterminatif* nominal) *grammatical* de cette forme, et de mettre, au besoin, les deux termes en rapport d'annexion. Ce fait se produit avec :

a) Les formes substantives du verbe (noms d'action). Ex. : *ordu-nuń* (gén.) *toplan-ma-si̯* (suffixe possessif de a 3ᵉ personne) « le rassemblement de l'armée », mieux le fait de l'armée de se rassembler », c'est-à-dire « le fait que l'armée se rassemble ».

Il a été fait allusion (voir p. 330) aux conséquences de cette formation au point de vue de la syntaxe des jugements subordonnés.

Ex. : *Orxan ordu-nuń* (1ᵉʳ terme) *yazi̯da toplan-ma-si̯-ni̯* 2ᵉ terme) *buyur-du* « Orkhan a ordonné que l'armée se rassemblât dans la plaine *(yazi̯-da)* ».

Le nom d'action est mis à l'accusatif, parce que le verbe principal *(buyur-du)* est transitif. Avec d'autres verbes le nom d'action pourra être mis au datif, ablatif, etc. (compléments d'objets indirects ou circonstanciels) ;

b) Certaines formes adjectives du verbe (les pro-participes). Voir p. 362.

c) Certaines locutions gérondives (voir les grammaires).

On a vu (p. 330) que ces procédés ont empêché l'éclosion de particules comme les conjonctions et les pronoms relatifs en turc.

2º *Conjugaison prédicative*. — Propositions nominales. — On a vu l'aspect qu'avait en altaïque la proposition nominale. Dans les propositions nominales ayant pour sujet un pronom personnel, on prit de bonne heure l'habitude, en turc, de répéter ce pronom après l'attribut : *bän Türk-bän, sän Türk-sän, ol Türk-ol ; biz Türk-biz, siz Türk-siz, olar Türk-olar*. Le pronom répété, portant un accent tonique plus faible devint enclitique et sa prononciation s'altéra, comme le montre la deuxième colonne du tableau des désinences d'origine pronominale (p. 355). D'où, pour les deux premières personnes, les formes *bän Türk-üm, sän Türk-sün ; biz Türk-üz, siz Türk-sünüz*.

A la 3ᵉ personne l'enclitique *ol* attesté encore dan
Mahmoud de Kachgar et le *Kutadgu Bilig*, disparut pou
ne laisser de trace que dans le morphème négatif *däyü*
däyil qui, comme nous l'apprend Mahmoud de Kachgar
est pour *dag-ol*, proprement « pas lui ». Voir en altaï là
particule des réponses négatives *tań* et *ta* « non, j'ignore
et le turc commun *tań* « chose étonnante ! ». Quant à
l'enclitique du pluriel *olar* (qui est en réalité un plurie
archaïque en -*ar*, de *ol*) il devint l'origine du suffixe -*lär*
Ce dernier morphème est maintenant la marque normale
du pluriel, mais il a encore conservé dans certaines expres
sions archaïques des traces de son emploi primitif (*äv-dä*
lär mi? « sont-ils à la maison ? » ; *däyil-lär* « ils n'y son
pas »). Pour la place de -*lär*, comme pluriel, v. p. 361.

A la place de *ol*, il s'élabora une copule de 3ᵉ personne
empruntée au verbe *tur- (dur-)* « être debout » (cp. le latin
stare qui a fourni également des formes de verbe « être
aux langues romanes).

Ainsi s'est constituée la *désinence prédicative* qui a le
même sens que notre verbe substantif, mais qui gramma
ticalement sert à *conjuguer les différents noms*. Un nom
peut être conjugué même quand il est déjà fléchi : *bär*
äv-dä-yim, sän äv-dä-sin, etc. « je suis à la maison, tu
es... etc. » ; *bän sän-iń-im* « je suis à toi ».

La désinence prédicative ayant la valeur d'un présent
(du verbe substantif) on a eu recours, pour introduire une
notion de temps différent ou de mode, à des formes du verbe
ęr-mäk qui est devenu par usure *i-* (sans infinitif) et qu
peut même disparaître entièrement pour ne laisser subsister
que les suffixes qui l'accompagnaient : (Cette disparition de
la racine a été rendue possible par le fait que les suffixes
thématiques -*di-*, -*sä-* et -*miš-* n'ont pas le même sens avec
le verbe défectif *i-* qu'avec un verbe normal. De la racine
disparue subsiste la nuance de sens qu'elle a introduite.
(i)-dim « j'étais », *(i)-säm* « si je suis », *(i)miš-im* « je suis
ou j'étais, paraît-il », soit respectivement l'*imparfait*, le
suppositif et le *dubitatif* du verbe « être ». Ex. : *bän Türk-*
tüm (ou *Türk idim*) « j'étais T. », *bän Türk-säm* (pour

Türk isäm) « si je suis T. », *bän Türk-müš-üm* (ou *Türk imišim*) « je suis ou j'étais T., paraît-il ».

A ces morphèmes il faut ajouter la forme nominale du même verbe défectif *i-kän* qui s'est différenciée en deux emplois :

a) comme gérondif, avec la forme réduite en désinence : *-kän* « tandis que je, tu, il... suis es, est, etc. » ;

b) comme participe, dans cet emploi, *i-kän* s'est réduit successivement en *i-kin, i-ki, -ki*, particule qui se joint au génitif, au locatif et à des adverbes de localisation dans l'espace et le temps, avec le sens de « (celui) qui est de (à)... ou dans... ». Devenu suffixe mixte, pour former de nouvelles bases nominales, ce morphème, qui remplace les noms au besoin, a été senti comme élément pronominal et il développe, à ce titre, et par analogie, l'*n* pronominal habituel dans la déclinaison.

Les suffixes *-kän* et *-ki*, échappent tous deux à l'harmonie vocalique. En résumé, la désinence prédicative sert à conjuguer les noms et, ce qui revient au même, les propositions nominales.

Propositions verbales. — En turc, les propositions verbales sont le résultat de la substitution des formes nominales du verbe (surtout adjectives) à des noms (surtout adjectifs) employés comme attribut et les participes ainsi traités sont devenus des thèmes de la conjugaison proprement verbale. Le procédé est le même que pour les noms. Au lieu de *bän Türk-bän* (ego Turca), on a dit *bän säv-är-bän* (ego amans) « je suis aimant, j'aime ».

Telle est l'origine des formes *personnelles* du verbe (par opposition aux formes nominales qui en sont, d'ailleurs l'origine). Elles constituent la conjugaison prédicative verbale.

Les « thèmes » sont au nombre de huit (en turquien actuel). Voir sur ce terme p. 328.

Les formes personnelles du verbe sont de trois sortes :

a) L'impératif. La désinence prédicative d'un genre particulier (voir la 3ᵉ colonne du tableau p. 355) se joint directement à la base (ou à la racine) : *al-iń* ou *al-iṇiz* « prenez ! ».

b) Les formes simples des huit thèmes. — On les obtient en affectant le thème, de la désinence prédicative. Celle-ci est l'ancien pronom enclitique (2ᵉ colonne du tableau) pour les six premiers thèmes et la désinence prédicative spéciale (3ᵉ colonne) pour les deux derniers thèmes (*-di-* ou passé déterminé et *-sä-* ou conditionnel). Voir plus loin.

c) Les trois formes composées (passée, suppositive et dubitative) de chaque thème. Elles s'obtiennent en remplaçant la désinence de la forme simple de chaque thème par, respectivement, les trois formes (ou désinences) auxiliaires *(i)-dim*, *(i)-säm* et *(i)-mišim*, dont il a été question plus haut. Il y a donc en principe $8 \times 3 = 24$ formes composées, 22 en réalité (le suppositif ne se combinant pas avec le conditionnel et l'optatif).

Si l'on ajoute aux vingt-deux formes composées les huit simples et l'impératif, on obtient trente-et-une formes personnelles. La régularité du système évite cependant la confusion. Il suffit de dire : la forme simple ou telle forme composée de tel thème.

Parmi ces formes nombreuses, ce sont celles des deux derniers thèmes (*-di-* et *-sä-*) qui sont les plus évoluées comme formes proprement verbales *(verbum finitum)*. On remarquera que leur désinence (3ᵉ colonne) ressemble le plus au suffixe possessif (4ᵉ colonne), ce qui permet de supposer que ces formes représentent en réalité une ancienne conjugaison possessive dans le genre de celle qu'on trouve en toungouze et dans les langues finno-ougriennes.

Ordre des désinences en cas de cumul. — Sauf exception (suffixe *-ki*, désinence personnelle du verbe) toute désinence peut se joindre directement à une base (ou racine), mais en cas de cumul l'ordre de préséance à observer est le suivant :

	1	2	3	4
Base *nominale*	Pluriel	Conjugaison possessive	Déclinaison	Conjugaison prédicative (y compris le suff. -*ki*)

	1	2	3
	Impératif		
Base verbale (y compris les suff. des *voix*).	F. nomin. du verbe	Conjugaison possess.	Déclinaison (ou copule)
	F. pers. du v. (thème)	Conjug. prédicative (y compris le verbe *i*-)	

Dans le présent exposé où il est tenu compte du développement historique des morphèmes, il n'a pas été fait état de l'ordre des désinences, mais dans un traité didactique et pratique, il y aurait lieu, en ce qui concerne les bases nominales, d'étudier les suffixes dans l'ordre où ils se présentent dans le mot.

IV. *Formes nominales du verbe, quasi-propositions.*

Nous appelons quasi-propositions les groupes propositionnels subordonnés qui sont terminés par une forme nominale du verbe. Ils représentent les jugements subordonnés et donnent à la syntaxe turque son caractère synthétique, par opposition au caractère analytique d'une syntaxe comme la nôtre.

Comme cela résulte de leur définition, le prédicat des quasi-propositions est représenté par une forme nominale du verbe et non par une forme personnelle.

La forme nominale du verbe figurant dans une quasi-proposition peut avoir, en tant que forme du *verbe*, son sujet et ses compléments propres, comme les propositions subordonnées. En tant que forme *nominale*, elle est l'élément final d'un *terme* (complexe) *de proposition* (sujet, complément, épithète) d'une proposition principale (indépendante) dont le prédicat est une forme personnelle du verbe. Le caractère de ces groupements est donc mixte. D'où le nom de quasi-propositions que nous leur avons donné.

La nature (substantive, adjective ou adverbiale) de la forme nominale d'une quasi-proposition dépend donc de la nature de son emploi comme terme de proposition :

1° *Quasi-propositions adverbiales* (nous commençons par elles pour la commodité de l'exposé). — S'il s'agit d'un complément circonstanciel (d'état, de manière, de temps, de cause, etc.), la forme nominale est un gérondif (ou une locution gérondive). Le sujet propre d'un gérondif se met au cas absolu comme celui des formes personnelles. Ex. : *gün dog-madan nälär dog-ar* « Avant que naisse (*dogmadan*, gérondif de temps) le jour (*gün*, anc. « le soleil »), que de choses *(nä-lär)* naissent ! ».

2° *Quasi-propositions adjectives.* — S'il s'agit d'une épithète (verbale), elle se place, conformément à la règle, immédiatement avant le nom déterminé. Quant à la forme que prend l'épithète, plusieurs cas peuvent se présenter :

a) Le nom déterminé est en même temps le sujet logique de l'épithète : la forme nominale du verbe employée est, un *participe :* en français, on a, habituellement, en ce cas, une proposition relative commençant par « qui ». Ex. : *yan-an äv* « (la) maison qui brûle » ; en turc oriental : *ok at-kan kiši* « l'homme qui lance (une) flèche » ; au passif : *yak-il-an äv* « (la) maison qui a été brûlée » ; *at-il-gan ok* « (la) flèche qui a été lancée » :

b) Le nom déterminé est le complément d'objet logique de l'épithète ; l'action est exercée par un sujet différent (extérieur au nom déterminé) : la forme nominale du verbe employée est un *pro-participe.* Cette forme spéciale à l'oghouz comporte les suffixes *-dik-* ou *(-tik)* (pour le futur, *-(y)eǰek)*, accompagnés d'un suffixe possessif qui sert de rappel au sujet. Si celui-ci est énoncé dans la même quasi-proposition, il devient le premier terme (au cas absolu ou au génitif) d'un rapport d'annexion. Les pro-participes sont donc une sorte de participes variables, d'où le nom par lequel nous les désignons. La construction est la même que pour les noms d'action, voir plus loin. En français on a, en pareil cas, une proposition subordonnée relative commençant par « que, auquel, duquel, où ». Ex. : *Orxan-iň yap-tig-i (yap-aǰag-i) äv* « (la) maison qu'Orkhan a construite (construira) » ;

En turc oriental on a les participes : *Orxan at-ḳan oḳ* « la flèche qu'a lancée Orkhan » ou avec le suffixe possessif accompagnant le nom déterminé : *at-ḳan oḳ-u.*

Le turquien peut également avoir un participe, si le sujet de l'action est peu apparent : *su bul-un-ma-yan yer* « endroit où l'on ne trouve pas d'eau ».

Les mêmes constructions seront utilisées pour les *épithètes complexes* dans lesquelles l'action exprimée concerne non le mot déterminé, mais un terme intermédiaire qui lui appartient et qui en porte l'indice (possessif) de rappel. En français, on a, en pareil cas, « dont, auquel, duquel, etc. ».

Ex. : *dam-ị yan-an äv* « maison dont le toit brûle ».

Enfin toutes les épithètes simples ou complexes peuvent être employées substantivement et devenir, par conséquent déclinables comme les noms d'action, En français on a, en pareil cas, « celui, celle, ce qui... ; celui que... etc. ».

Ex. : *yan-an* « celui qui brûle » ;

Orxan-ịň yap-tịg-ị « ce qu'Orkhan a construit (fait) » ; la même expression signifie, comme nom d'action « le fait qu'Orkhan a construit (telle chose) ».

3° *Quasi-propositions substantives.* — Elles sont employées dans tous les cas autres que ceux prévus sous 1° et 2°, c'est-à-dire quand la quasi-proposition sert de sujet, de complément d'objet direct ou indirect ou de complément nominal déterminatif. La forme nominale du verbe est en ce cas, un nom d'action qui se met en rapport d'annexion avec son sujet logique ou qui en porte l'indice de rappel. Ces quasi-propositions se déclinent. Il en a été question à propos de la conjugaison possessive ; voir p. 357.

Noms de nombre

Les formes placées en tête sont celles du « turquien » moderne. Celles qui sont précédées d'un astérisque se rencontrent également dans les inscriptions de l'Orkhon. Les géminations de consonnes sont d'origine expressive.

Abréviations : yak. = yakoute ; tch. = tchouvache ; pour

le tchouvache les graphies *ă* et *ĕ* sont empruntées à l'usage actuel de l'alphabet tchouvache (cyrillique). Ce sont deux voyelles de timbre altéré et imprécis ; la première est postérieure (transcription de Ramstedt : *ậ*), la deuxième est antérieure (transcription de Ramstedt : *ə*).

1. **bir, pir ;* yak. *bīr ;* tch. *pĕrä, pĕrrä, pĕr.*
2. **iki, ikki, äki (ęki) ;* yak. *ikki ;* tch. *ikĕ, ikkĕ, ik.*
3. **üč ;* yak. *üs ;* tch. *vis'ĕ, vis's'ĕ, vis'.*
4. *dört* (devant voyelle suffixée : *dörd-*), **tört ;* yak. *tüört ;* tch. *tăvată, tăvattă, tăvat.*
5. *bäš,* **biš (bęš) ;* yak. *biäs (biyäs) ;* tch. *pilĕk, pillĕk.*
6. **altị ;* yak. *alta ;* tch. *ultă, ulttă, ult.*
7. *yädi, yäti, yätti,* **yiti (yęti) ;* yak. *sättä ;* tch. *s'ičĕ, s'iččĕ, s'ič.*
8. **säkiz, säkkiz ;* yak. *agịs ;* tch. *sakăr, sakkăr.*
9. *dokuz,* **tokuz, tokkuz ;* yak. *togus ;* tch. *tăxăr, tăxxăr.*
10. **on ;* yak. *uon (won) ;* tch. *vună, vunnă, vun.*
20. **yigirmi (yigirmä, yirmi,* yak. *sürbä) ;* 30. **otuz (oltuz) ;* 40. **kịrk (kịrịk) ;* 50. *älli* (forme géminée de l'ancien *älig « cinquante » ; proprement « main », trace probable du système quinaire primitif) ; 60. *altmịš ;* 70. *yetmiš ;* 80. *säksän* (pour *säkizon ;* 90. *doksan* (pour *dokuz-on*); 100. **yüz ;* 1000. **biṅ (miṅ) ;* 10.000. *tümän (mot turco-mongol ?).

Les nombres de deux chiffres, à partir de « onze » (en turc *on bir* « dix-un ») se construisent comme le français « vingt-deux, vingt-trois », etc., mais, plus anciennement (Orkhon et textes ouigours) on disait pour ces nombres « deux-trente », « trois-trente », etc., en mettant les unités avant les dizaines, ce qui revenait à dire « deux de la troisième dizaine » au lieu de « vingt-deux », etc. C'est une sorte de numération par anticipation, dans laquelle chaque dizaine est considérée comme formant un tout distinct des autres dizaines. On disait « deux *trentes* (dans le sens d'un pluriel) » pour « deux trentaines » c'est-à-dire « deux unités portant le nom de la dizaine à laquelle elles appartiennent ».

TEXTE TURC

Commencement du texte de la face est de la stèle élevée
en 732 de notre ère en l'honneur de Kül tegin.

üzä	*kök*	*täṅri*	*asra*	*yagịz*	*yir(yẹr)*	*ḳilịndukda*
en haut	bleu	ciel	en bas	sombre	terre	quand furent créés.

ẹkin-ara	*kiši*	*oglị*	*ḳilịnmịš.*	*kiši*	*oglịnda*
entre les deux	homme	son fils	fut créé	homme	de son fils (abl.)

üzä	*äčüm-apam*	*bumịn ḳagan istämi ḳagan*	*olurmịš.*
au-dessus	mes ancêtres	(noms propres d'empereurs)	se sont élevés

olurịpan	*türk*	*bodunịṅ* (sic)	*ilin (ẹlin)*	*törüsin*
s'étant élevés	Turcs	de leur peuple (gén.)	son empire (acc.)	sa loi (coutume)

tuta-birmiš (bẹrmiš)	*iti-birmiš (ẹti-bermiš).*	*tört*
ont (facilement) pris (en mains)	organisé	quatre

buluṅ	*ḳop*	*yagị*	*ẹrmiš .*	*sü*	*süläpän*
coins du monde	tous	ennemis	étaient (dit-on)	armée	ayant levé

tört buluṅdaḳị	*bodunịg*	*ḳop*	*almịš*
qui est aux quatre coins du monde	le peuple (acc.)	tous	ils asservirent

ḳop	*baz ḳilmịš*	*bašlịgịg*	*yükündürmiš*
tous	ils pacifièrent.	ceux ayant tête (acc.)	ils la firent baisser

tizligig	*sökürmiš.*
ceux ayant genou (acc.)	ils firent agenouiller.

Traduction en turquien moderne de *Hüseyin Namịk Orkun*

(Les mots précédés d'un astérisque sont empruntés à l'arabe et de deux
astérisques au persan.)[1]

*Yukarda mavi gök, asağıda yağız yer yaratıldıkta ; ikisinin
arasında* *insan oğlu *yaratılmış.* *İnsan oğulları *üzerine
ecdadım Bumın hakan, İslemi hakan **tahta *oturmuş ;
oturarak Türk* *milletinin *ülkesini, türesini,* *idare
edivermiş, tanzim edivermis. Dört *taraf *hep* **düşman
imiş. *Asker *sevk *edip dört* *taraftaki *kavmi *hep (* *itaati
altına) almış hep *muti *kılmış. Başlılara baş eğdirmiş,
dizlilere diz çöktürmüş.*

---

1. Sur l'alphabet romanisé de Turquie, voir plus haut, p. 345 et les *Notices
sur les caractères étrangers anciens et modernes...*, Imprimerie Nationale, 1948.

Traduction française

Quand le ciel bleu en haut et la terre sombre en bas eurent été créés, entre les deux furent créés les fils de l'homme. Au-dessus des fils de l'homme s'élevèrent mes ancêtres *Bumịn kagan* et *Istämi kagan*. S'étant (ainsi) élevés ils prirent en mains (ils gouvernèrent) et organisèrent l'empire et les lois du peuple turc. Aux quatre coins du monde tous étaient (nos ennemis). S'étant mis en campagne avec (leur) armée, ils (mes ancêtres) soumirent entièrement les peuples aux quatre coins du monde, les pacifièrent tous. (Aux uns et aux autres) ils firent baisser la tête et ployer le genou.

J. Deny.

BIBLIOGRAPHIE

Il n'existe pas de bibliographie complète de la turcologie.

On trouvera une liste assez longue donnant les ouvrages les plus importants dans A. von Gabain, *Alttürkische Grammatik*, Leipzig, Harrassowitz, 1941, in-12, p. 225 à 246 (ouvrage devenu rare).

LEXICOLOGIE

La lexicologie turque compte à son actif des œuvres dont quelques-unes sont monumentales. Tels sont le *Thesaurus* de Meninski, 5 vol., 1680 avec texte latin, italien, français, allemand et polonais, réédité sous le nom de *Lexicon* en 1780, avec texte latin seulement et utilisé en édition française abrégée par Bianchi et Kieffer (2 vol., 1843-6, 2ᵉ éd. 1850), le *Versuch eines Wörterbuches der Türk-Dialeckte*, de Radloff (4 vol. 1893-1911) avec texte allemand et russe, le Dictionnaire Yakoute de Pekarski (3 vol. 1907-1930) le *Thesaurus Tschuwaschorum* d'Ašmarin, Kazan, 1928 et années suiv., le dict. des dialectes de l'Azerbeidjan publié par l'Institut des Études scientifiques du gouvernement de l'Azerbeidjan, Bakou, 1930 et années suiv. Il faut mentionner les dictionnaires de Redhouse, ottoman-anglais (1890 ; l'un des plus complets), Zenker, ott.-français, allem. (1866-76) ; Khloros, ott.-grec (1899), Pavet de Courteille, turc-oriental-français (1870), utilisé par Šeyh Süleyman, tchaghataï-turc ottoman (1882), Boudagov, turc-russe (2 vol., 1869-1871), Barbier de Meynard, ottoman-français (1881-86 ; fait d'après le dict. d'Ahmed Vefik et le manuscrit du P. Arcère), Samy-Bey Fraschery, ott.-turc (1883 ; augmenté par Kelekian en 1910), Hony, turc-angl., 1947.

GRAMMAIRE

On trouvera une liste de grammaires turques dans Deny, *Grammaire turque*, Paris, 1920, p. xxix-xxx (*ibidem*, p. xii-xxviii, d'autres indications bibliographiques ; l'ouvrage est en cours de traduction en turc ; onze fascicules parus dans cette langue).

On ajoutera la grammaire du tatar de Crimée par Samoïlovitch (1916 ; en russe), la grammaire de Gotthold Weil (1917 ; en allemand) et celles plus récentes, pour l'osmanli, de Samoïlovitch (1925), Gordlevski (1928 ; Chrestomathie du même en 1931), Izzet Hamid (1937, etc. ; en français), Lüdner-Preusser (1938 ; en allemand), Rossi (1939 ; en italien), Kononov (1941 ; en russe), Jansky (1943 ; en allemand), Godel (1945 ; en français).

DIALECTOLOGIE

Les contributions à l'étude du turc sont dispersées dans les diverses revues d'orientalisme ou dans les « mélanges ». Des turcologues de marque, comme Bang, F. W. K. Müller, von Le Coq n'ont pas publié d'études d'ensemble. Il en est de même pour Pelliot et bien d'autres.

Nous donnons ci-après une liste des principaux ouvrages de fond, généralement en langues étrangères.

Ašmarin, *Opįt izsl'edovania čuvašskavo sintaksisa*, Kazan, 1903 ; Simbirsk, 1923 (tchouvache, en russe).

Bogoroditski, *Vv'ed'enie v tatarskoye yazįkoznanie* (introduction à l'étude des langues tatares, en russe), Kazan, 1934.

Böhtlingk, *Ueber die Sprache der Jakuten* (forme le tome III de Dr. A. Th. v. Middendorf's Sibirische Reise, St-Petersburg, 1848). — (C'est, malgré sa date, l'un des meilleurs ouvrages concernant une langue turque). Réédité séparément en 1851.

Grönbech, *Der türkische Sprachbau*, Copenhague, 1936.

Jarring, *Studien zu einer osttürkischen Lautlehre*. Lund et Leipzig, 1933.

Katanov, *Opįt izsl'edovania urianxayskavo yazįka* (touva ou soyot, en russe), Kazan, 1903.

(Gloukharëv, en religion Makariy), *Grammatika altayskavo yazįka* (altaï, en russe ; excellente grammaire et vocabulaire, composés par la Mission de l'Altaï, sous la direction de Gloukharëv), Kazan, 1869.

Németh, *A honfoglaló Magyarság Kialakulása* (en hongrois), Budapest, 1930.

Pekarski, *Obrastsį narodnoy lit'eraturį Yakutov* (textes de folklore yakoute), Petersbourg, 1907-1918.

Kowalski, *Karaimische Texte im Dialekt von Troki*, Cracovie, 1929.

Poppe, *O rodst'ennįx otnoš'eniax čuvašskavo i t'urko-tatarskix yazįkov*, Tcheboksary, 1925 (rapports entre le tchouvache et les langues turco-tatares, en russe).

Radloff, *Die alttürkischen Inschriften der Mongolei*, 2 vol., Petrograd, 1895, 1897.

— *Proben der Volkslitteratur der türkischen Stämme*, 11 volumes, Petrograd, 1885 et années suivantes.

— *Phonetik der nördlichen Türksprachen*, Leipzig, 1882.

Samoïlovitch, *Mat'erialį dl'a ukazatel'a literaturį po yenis'eysko-orxonskoy pism'ennosti* (Bibliographie des inscriptions de l'Yenisséi et de l'Orkhon, en russe), Société impériale Russe de Géographie, 1912 et 1914.

SHAW, *Sketch of the Turki language as spoken in Eastern Turkistan.* *(Kashgár and Yarkand)*, deux parties, Calcutta, 1878 et 1880.

THOMSEN (V.), *Déchiffrement des Inscriptions de l'Orkhon et de l'Yénisséi.* Notice préliminaire (Extrait du Bulletin de l'Académie Royale). Copenhague, 1894, 15 pages, in-8°.

— *Inscriptions de l'Orkhon, déchiffrées par Vilh. Thomsen,* Helsingfors, 1894-1896.

VAMBÉRY, *Alt-osmanische Sprachstudien,* Leyde, 1901.

ZAJĄCZKOWSKI, *Les suffixes nominaux et verbaux dans la langue des Karaïms occidentaux* (en polonais), Cracovie, 1932.

COLLECTIONS ET REVUES

Signalons, comme consacrée à la turcologie, la collection *Türkische Bibliothek* dont 26 volumes (format in-12) ont paru à Berlin (Leipzig pour les plus récents), entre les années 1904 et 1929, sous la direction de Georg Jacob et Rudolf Tschudi.

Les revues suivantes se consacrent ou se sont consacrées spécialement aux questions « altaïques » ou « ouralo-altaïques » :

Keleti Szemle « Revue Orientale pour les études ouralo-altaïques », organe hongrois (mieux : international), Budapest. A paru de 1900 à 1932.

Körösi Csoma-Archivum, Budapest-Leipzig, depuis 1921.

Turan, Budapest, 1918 (une année seulement).

En Turquie même, la turcologie a pris un grand essor au XXᵉ siècle, principalement sous l'impulsion de Mehmet Fuat Köprülü(zade).

Si l'on fait abstraction de la *Revue de Turcologie* publiée par un seul auteur, Riza Nur, à Alexandrie (1931-1937) et de quelques autres organes éphémères, l'unique organe de turcologie pure connu paraît à Istanbul *(Türkiyat Mecmuası),* depuis 1925, sous la direction de Köprülü (8 volumes in-8°, parus).

De grands travaux de lexicologie et dialectologie ont été entrepris, sous l'impulsion d'Atatürk, par voie de consultation ou d'enquête, et ont abouti à l'élaboration de plusieurs ouvrages très importants pour l'étude de la langue (Hamit Zübeyir Koşay, feu Ishak Refet, les différents membres de la Société de Linguistique Turque dite *Türk Dil Kurumu,* etc.). Des textes anciens ont été reproduits en fac-simile et édités avec un index (le *Kutadgu Bilig,* le *Diwan lugat-it-Turk* de Mahmoud de Kachgar dont il a été question plus haut, p. 344). Ce dernier ouvrage, qui a été résumé en 1928 par Brockelmann *(Mitteltürkischer Wortschatz),* a été réédité en 5 volumes par Besim Atalay (1941-1943). Une édition critique du *Kutadgu Bilig,* qui rendra inutile celles de Vambéry et de Radloff, est en préparation par Rahmeti Arat. Le texte en a été déjà établi et publié en transcription latine (1947). Des textes modernes de folklore ont été recueillis en abondance (Ahmet Caferoğlu, Pertev Boratav, etc.). Le Türk Dil Kurumu publie depuis 1933 une revue appelée *Türk Dili* « La langue turque ».

LANGUES MONGOLES

INDICATIONS EXTERNES

Aperçu historique

Le nom « mongol » apparaît pour la première fois au
VIIe siècle, sous la forme *moṅ-wu* (transcription chinoise),
et désigne une tribu cantonnée dans les environs du cours
supérieur de l'Amour. Nous ne sommes pas en mesure de
suivre leur histoire.

Cependant, depuis la fin du IVe siècle nous avons des
données précises sur un autre peuple mongol : les Kitans.
Ils habitaient le cours supérieur du Sira Muren, en
Mandjourie. Ils passèrent successivement sous l'obédience
des T'ou-kiue, des Ouigours, des Chinois, mais surent se
maintenir et, après plus de quatre cents ans réussirent à
atteindre le plus grand titre de gloire dont un peuple
barbare puisse s'enorgueillir : ils fondèrent une dynastie
chinoise.

Un chef remarquable, A-pao-ki, après avoir unifié les
tribus kitans et subjugué ses voisins, finit, en 907, par se
proclamer Empereur, et sa dynastie prit à partir de 957 le
nom de Leao. Elle périt en 1125 sous le choc des toungouzes Jou-tchen. Une fraction assez importante des
Kitans, dépossédés de leur empire chinois émigra vers
l'Ouest et fonda un état puissant, comprenant le
Turkestan Chinois, le Transoxiane, le Khwarezm. Les
succès de leur chef Ye-liu Ta-che laissèrent des traces dans
la légende occidentale du Prêtre Jean. Cet empire qui porta
le nom de Kara Kitay, et qui figure dans les annales
chinoises sous le nom de Si Leao, Leao de l'Ouest, fut

détruit par les armées de Gengis khan en 1199. Les documents nous permettent d'affirmer que les Kitans étaient de langue mongole. L'empire Kara Kitay était, selon toute vraisemblance fortement turcisé.

Il est à peine besoin de rappeler la prodigieuse épopée des Mongols de Gengis khan. Proclamé empereur des Mongols en 1206, lui et ses successeurs étendirent son empire jusqu'à l'Adriatique et la Méditerranée à l'Ouest, le golfe Persique et la Mer d'Oman dans le Sud. Ses successeurs agrandirent encore son empire, et enfin Khoubilay réussit à conquérir la Chine entière — fait sans précédent dans l'histoire des peuples barbares — et fonda la dynastie Yuan (1280-1368).

En Russie, l'Empire de la Horde d'Or, dont les origines remontent aux campagnes victorieuses menées de 1236 à 1240 par Batou, petit-fils de Gengis khan, se maintint jusqu'en 1502, mais ses sujets devinrent entre temps turcophones.

Les différents khanats mongols, Timourides, Cheibanides, etc., furent complètement turquisés.

Les Mongols restés dans leurs habitats ancestraux de la Mongolie n'ont pu, après la chute de la dynastie Yuan, jouer un rôle important. Divisés par des luttes intestines ils reconnurent, lors de la délimitation sino-russe des frontières communes en 1689, la souveraineté de la dynastie Ts'ing. Après la chute de celle-ci, et non sans avoir passé par des troubles, la Mongolie extérieure devint, avec sa constitution de 1924, une république indépendante, de tendance soviétisante.

A l'heure actuelle on ne saurait parler d'un type de civilisation déterminé et uniforme parmi les Mongols, l'influence extérieure — notamment de côté russe et chinois — les ayant marqués de leur sceau. L'on peut dire cependant que depuis l'époque gengiskhanide et jusqu'à nos jours, l'élevage est l'occupation principale de la quasi-totalité des peuples mongols. Il y a lieu de penser qu'à l'aube de l'histoire les peuples de langue mongole appartenaient, dans leur majorité, à la civilisation dite

« forestière » et que leurs principales occupations étaient la chasse et la pêche.

Du point de vue anthropologique les Mongols forment une unité relativement homogène ; ils appartiennent au type dit mongolique, qui est caractérisé avant tout par la peau jaunâtre, les cheveux longs, lisses, raides et noirs, l'œil bridé. Les Mongols sont généralement tapeinocéphales, la stature moyenne est de 1 m. 63.

CLASSIFICATION DES LANGUES MONGOLES

Les langues mongoles ne diffèrent pas beaucoup les unes des autres, ce qui ne simplifie guère leur classification.

Nous pouvons cependant distinguer trois groupes principaux (voir la planche IX) :

1º DIALECTES OCCIDENTAUX

a) L'*oirat* de la Volga, ou kalmouk proprement dit.

därbät : grand-*därbät, buzava* du Don.

torgut : kalmouk de l'Oural, kalmouk d'Orenbourg.

Le *torgut* et le *därbät* sont parlés dans la région d'Astrakhan.

b) L'*oirat* de Kobdo.

därbät, baït, parlés dans la région de Kobdo.

torgut, uriaṅkai, parlés dans l'Altaï.

zahačin, dambi-älät, mingat, parlés dans le Sud-Ouest de la Mongolie.

c) Le *torgut* près du Kuku-nor, et l'*ölöt* parlé dans la vallée de l'Ili.

Dans le « kraj » (unité administrative) de Stalingrad, se trouvait incorporé, jusqu'à sa suppression en 1945, un territoire autonome Kalmouk, d'une superficie approximative de 74.000 kilomètres carrés, dont la capitale était Élista. Le nombre des habitants était, en 1935, de l'ordre de 190.000.

Dans la République Populaire Mongole se trouvent environ 22.000 Därbät, 13.000 Baït, 3.000 Torgut, 10.000 Zahačin, 2.000 Mingat, 4.000 Ölöt.

2° Le KHALKHA *(xalxa)* :

a) Le khalkha proprement dit : khalkha d'Ourga, avec
sous-parler *dariganga*, khalkha oriental, khalkha occidental ;

b) hotoguitu, employé par les nomades sur les bords des
rivières *Bälgär, Bälčir, Täš.*

Le khalkha est la langue de la Mongolie Extérieure. Le
nombre des sujets parlants est d'environ 600.000. C'est la
plus importante parmi les langues mongoles actuelles.

3° Le BOURIATE *(buryat)* :

a) bargu-buryat, parlé dans le Nord-Ouest de la Mandjourie, dans la région de Hailar ;

b) xori-buryat ;

c) bouriate de la Selengga : *sartūl, ļongōl ;*

d) bouriate occidental : *exirit-bulgat, unga-buryat*, bouriate de Nijné-Oudinsk.

Les langues *b, c, d* sont parlées dans la République
autonome Bouriate, par environ 237.000 sujets, le nombre
total des habitants étant de plus d'un demi-million.

Les Bouriates possèdent deux « Territoires Nationaux »
incorporés respectivement dans les régions d'Irkoutsk
et de Tchita.

Les Bouriates qui se trouvent dans la République
Populaire Mongole sont au nombre de 22.000.

Le bouriate de la Selengga se rapproche beaucoup du
khalkha. Le khori-bouriate est parlé dans la partie orientale de la République Bouriate, le bouriate occidental est
répandu dans l'ancien gouvernement d'Irkoutsk, à l'Ouest
du lac Baïkal.

Les Bargou-bouriates sont administrativement divisés
en trois bannières, une « ancienne » et deux « nouvelles ».
Nous ne connaissons pas leur nombre.

On croit savoir qu'environ 4.500 Bouriates, parlant un
dialecte autre que le bargou, habiteraient la Mandjourie,
dans la province de Hing-an, près de Haïlar.

En face de ces trois groupes, l'oïrate, le khalkha et le
bouriate, assez bien déterminés, nous trouvons une pléiade

de langues dont les rapports mutuels ne sont pas encore suffisamment éclaircis. On a cependant l'impression que certains des parlers de la Mongolie Intérieure peuvent être groupés dans une famille, que l'on appelle quelquefois : « mongol du Sud ».

On peut y distinguer quatre groupes principaux : le dialecte *oriental*, le *harčin*, le *čahar* et *l'ordos*.

Le premier est parlé dans le Nord-Est de la Mongolie Intérieure, notamment dans la confédération *Ǯerim*.

Les *Harčin* sont cantonnés dans le Sud de la province Jehol, et sont divisés, administrativement, en trois bannières.

Les *Čahar* habitent dans la province chinoise du même nom, où ils furent refoulés par les Chinois. Une petite fraction a émigré, paraît-il, dans la vallée de l'Ili, dans le Turkestan.

L'ordos est parlé dans la boucle du Fleuve Jaune. C'est un dialecte conservateur, remarquablement homogène.

Pour clore cette énumération de langues mongoles, il nous faut parler des langues dites « archaïques ».

Géographiquement on peut en distinguer trois groupes : en Afghanistan, le *mogol ;* dans le Nord de la Mandjourie, dans la vallée du Nonni, le *dahur ;* en Chine, dans la province Kansou, le *monguor*, le *sera yögur*, le *san-č'uan* le *santa* et *l'aragva*.

Ces langues, malgré leur dispersion géographique, ont des traits communs, archaïques. Leur étude est, du point de vue historique, d'une importance capitale.

Nous ne sommes pas en mesure de fournir des renseignements sur le nombre des sujets parlants.

En général, il est difficile sinon impossible de déterminer le nombre des Mongols. Il doit être de l'ordre de 3.500.000.

Littérature

Sous l'influence nivellatrice de l'écriture, une langue mongole écrite s'est développée dès le XIIIᵉ siècle. Vers la fin du XVIᵉ siècle elle a pris une forme définitive, que l'on nomme « mongol classique ».

La littérature mongole connaît plusieurs ouvrages historiques, dont le plus important est « l'Histoire secrète des Mongols » *(moṅɣol-un niɣuča tobčiyan)* écrite entre 1240 et 1242 et dont seule une transcription en caractères chinois nous est parvenue. Elle compte, avec quelques inscriptions, parmi les monuments les plus anciens de la langue mongole. La langue de ces documents, appelée « moyen-mongol » diffère en certains points du « mongol-classique ». Les dialectes archaïques, mentionnés plus haut en ont conservé quelques particularités.

Le gros de la littérature mongole est constitué d'ouvrages bouddhiques. Le canon bouddhique tibétain, le *Kanǰur*, ainsi que ses commentaires formant le *Tanǰur*, ont été traduits en mongol.

Certains ouvrages ont été rédigés non dans la langue écrite, mais dans des dialectes.

Le folklore mongol est assez riche ; des contes, des épopées, souvent en vers, ont été recueillis dans les différentes langues et plus particulièrement en kalmouk et bouriate. Ces derniers temps ont vu naître une langue littéraire moderne, basée essentiellement sur le dialecte khalkha, en usage dans la Mongolie indépendante.

Écritures

Le premier peuple mongol qui ait eu une écriture nationale est — pour autant que nous sachions — le Kitan. Les textes chinois nous parlent de deux sortes d'écritures kitans : celle des « grands caractères » et celle des « petits caractères ». Toutefois les monuments qui nous sont parvenus ne nous montrent qu'une seule et même écriture. Ou bien donc nous devons admettre qu'aucun document d'une des écritures kitans n'est arrivé entre nos mains, ou bien — comme le pensent certains — que les dénominations « petits et grands caractères » se rapportent aux deux types de caractères que l'on voit sur les documents kitans.

En effet nous pouvons y distinguer des signes formés par transformation de caractères chinois simples, et d'autres formés de plusieurs fragments de caractères chinois. L'invention des écritures, ou de l'écriture kitan se situe sous le règne de T'ai-tsou (906-927). Le déchiffrement des documents kitans, quoique ébauché, reste tâche de l'avenir.

Pour ce que nous appelons aujourd'hui « l'écriture mongole », Pelliot dit : « d'un bout à l'autre, et sauf pendant la faveur éphémère de l'alphabet ·phags-pa, les Mongols se sont servis de l'écriture ouigoure, d'où l'écriture mongole moderne est sortie peu à peu par modifications insensibles ». En effet, utilisée couramment jusqu'à nos jours, elle aurait été introduite par un lettré ouigour T'a-t'a-t'ong-a, chargé par Gengis khan de l'enseignement de ses fils. Elle s'écrit de haut en bas et les lignes se suivent de gauche à droite.

L'écriture ·phags-pa — tirée de l'écriture tibétaine, mais écrite dans le sens vertical — fut créée en 1269 par un religieux qui lui donna son nom. D'un aspect curieusement angulaire — d'où son nom *dörbelǰin* « carrée » — difficile à écrire, elle n'a pu se maintenir quoiqu'elle correspondît mieux aux nécessités de la langue mongole que l'écriture ouigoure.

Mentionnons encore l'alphabet *galik* composé d'éléments de l'écriture ouigoure et qui a servi uniquement à la transcription des mots tibétains et sanscrits.

Les Kalmouks apportèrent, au milieu du XVIIe siècle, quelques améliorations à l'écriture mongole.

Les caractères chinois furent également employés pour écrire le mongol. Malgré l'importance des textes à nous parvenus en transcription chinoise, on peut dire que cette façon d'écrire demeura cantonnée en Chine et ne fut pas d'un usage généralisé. La langue littéraire moderne dispose d'un alphabet basé sur le cyrillique, comprenant trente-cinq signes, dont l'usage fut introduit en 1941.

ÉTUDE INTERNE

Phonétique

Le système phonétique du mongol classique est simple.
Voyelles : *a, ä, o, u, ö, ü, i*. Cette dernière est neutre,
mais selon certains l'ancien mongol connut un *i* palatal
et un *į* vélaire.

Les longues sont rares.

Les lois de l'harmonie vocalique président aussi bien à
la formation des mots qu'à leur suffixation. Des voyelles
palatales et vélaires ne peuvent se rencontrer à la fois à
l'intérieur du même mot.

Consonnes : *p, b, t, d, k, g, q, ġ; č, ǰ; b, v, s, z* (disparu
de bonne heure), *š; m, n, ṅ; l, r; y; h* (disparu).

On remarquera que les explosives prépalatales ne figurent
que dans des mots à vocalisme prépalatal, les explosives
vélaires qu'avec des voyelles vélaires.

Le *b* est une spirante bilabiale, marquée dans l'écriture
tantôt par un γ, tantôt par un *b*.

La valeur phonétique de la lettre mongole que nous
transcrivons par γ change selon les cas ; elle peut désigner
aussi bien un *b* qu'un *ġ*, ou tout simplement un hiatus
intervocalique.

Il n'est pas possible de donner ici un aperçu, si succinct
soit-il, du développement de cette structure phonétique
dans les différents dialectes.

Le système vocalique s'est particulièrement développé.
Le khalkha connaît une vingtaine de voyelles ! Les
longueurs, apparemment inconnues dans le mongol
littéraire, apparaissent dans la quasi-totalité des dialectes
et peuvent même déterminer des changements sémantiques.

Le *q-* se spirantise surtout devant les voyelles vélaires ;
les gutturales sonores *g, ġ*, mais surtout cette dernière,
tombent en position intervocalique. Le plus souvent la
longueur de la voyelle garde leur trace.

Les affriquées, palatales et dentales, sont fréquentes dans les dialectes, de mêmes les sourdes douces.

Le mongol classique ne tolère pas en position initiale les liquides *l*, *r*, ni en position finale les affriquées *č*, *ǰ* et la spirante dento-labiale : *v*.

Le *n* paragogique se rencontre dans la plupart des dialectes aussi bien qu'en mongol classique.

Morphologie

Les langues mongoles ne connaissent pas le genre. Cependant certains indices nous laissent supposer que ce ne fut pas toujours le cas. Si le mot même n'a pas de genre, certains suffixes peuvent l'indiquer. Par exemple *qara noqai* « le chien noir » (*qara* = noir), *qaraqčin noqai* « la chienne noire ». Ce suffixe *-qčin*, s'ajoutant uniquement à des noms de couleur, sert, dans le mongol ancien, à former des noms féminins.

Les plus anciens textes mongols gardent les traces d'une distinction de genre dans le système verbal. Ainsi les suffixes *-ba* et *-bai* du passé servaient à indiquer que la personne agissante était respectivement masculine ou féminine.

Le mongol possède un grand nombre de suffixes de pluriel : *-s ; -nar, -när ; -d ; -ud, üd ; -čud, -čüd ; -nuγud, -nügüd*, dont quelques-uns sont certainement composés. Signalons que le suffixe *-nar*, *-när* correspond vraisemblablement au suffixe turc *-lar*, *-lär*, tandis que le *-d*, est un suffixe ouralo-altaïque que l'on retrouve dans le vieux turc ainsi que dans les langues finno-ougriennes.

En dépit du caractère agglutinant du mongol, certains de ces suffixes apportent un changement à la base : *qubčasun* « le vêtement », *qubčad* « les vêtements ».

La déclinaison mongole comporte les cas suivants :

Nominatif : désinence zéro.

Accusatif : *-i*, *-yi*

Génitif : *-u*, *-ü ; -un*, *-ün ; -yin*.

Datif-locatif : *-dur*, *-dür ; -du*, *-dü ; -da*, *-dä ; -a*, *-ä*.

Ablatif : *-ača, -äčä*.

Instrumental : *-bar, -bär; -iyar, -iyär*.

Comitatif : *-luγa, -lügä*.

Terminatif : *-čaγa, -čägä* (très rare).

Tous ces suffixes s'ajoutent, le cas échéant, aux suffixes du pluriel.

Tous les cas de la déclinaison — à l'exception du nominatif — peuvent s'élargir d'un suffixe possessif : *-ban, -bän, -γan, -gän, -iyan, -iyän*. Sauf indication contraire, donnée par les pronoms personnels, le possesseur est la troisième personne (dans la phrase : le sujet de l'action). Par exemple : *köbägün-tägän* « à son fils » (*köbägün* « fils », *-tä-gän* « datif possessif »), mais *bi köbägün-tägän* « à mon fils » (*bi* « je, moi »). Quand le concept possédé est au nominatif, c'est le génitif du pronom personnel qui sert d'adjectif possessif : *köbägün minu* « mon fils ».

Partant de ces formes, certains dialectes, tel le bouriate, ont développé des suffixes possessifs. On dira dans cette langue : *aḫḫam* « mon frère aîné », *aḫḫaš* « ton frère aîné » (mong. litt. *aqa* « frère aîné »). Ces suffixes possessifs suivent les désinences casuelles.

Le mongol littéraire ne connaît que les pronoms personnels des 1re et 2e personnes :

Sing. 1. *bi*, 2. *či* ; plur. 1. *bidä*, 2. *ta*.

Le pronom personnel de la troisième personne est remplacé par les pronoms démonstratifs.

La 1re personne du pluriel se désigne, dans l'ancien mongol, avec le pronom *ba* « nous (à l'exclusion de ceux à qui on parle) ».

Les noms de nombres cardinaux — de 1 à 10 — du mongol classique sont les suivants : *nigän, qoyar, γurban, dörbän, tabun, ǰirγuγan, doluγan, naiman, yisün, arban*. 11 = *arban nigän*, 3657 = *γurban minγan ǰirγuγan ǰaγun tabin doluγan*.

La conjugaison mongole est caractérisée par une extraordinaire richesse des formes.

Le nombre des *voix* est, comme dans toutes les langues altaïques, très élevé. Elles ne font pas partie de la conju-

gaison proprement dite, car les suffixes de dérivation
servant à leur formation forment, avec la base verbale,
une unité dite « base modifiée », invariable. En fait il
s'agit d'un verbe différent. Par exemple la voix factitive
de *yabu-* « marcher », *yabuɣul-* est en fait un *autre* verbe :
« faire marcher ». La base modifiée fonctionne donc exactement comme la base élémentaire. Les « voix » ne relèvent
pas de la conjugaison, mais de la dérivation des mots.

Dans le mongol littéraire, la quasi-totalité des formes sont
à l'indicatif. Le mode impératif a plusieurs variantes selon
la force du désir du sujet parlant. Il y a encore d'autres
modes : le dubitatif, le conditionnel, etc. Les formes qui
les désignent ont ceci de particulier que ce ne sont pas,
comme dans le turc ou certaines langues finno-ougriennes,
des suffixes thématiques qui, en s'ajoutant à la base,
indiquent le mode et auxquels viennent s'ajouter les
suffixes du temps et de la personne. Si l'attitude du sujet
parlant vis-à-vis du procès cesse d'être neutre, c'est-à-dire
si on quitte le mode indicatif, on a recours à un outillage
linguistique entièrement différent. La forme acquise par
ce procédé ne désignera que le mode, à l'exclusion du temps
et de l'aspect de l'action.

Ainsi par exemple le suffixe du conditionnel : *-basu*,
-bäsü ne forme pas un verbe conjugué, mais un nom
verbal. A ce suffixe aucun autre morphème verbal ne
pouvant s'ajouter, il exprimera l'action conditionnelle
pure, sans spécification aucune quant au temps, à la
personne, ou à l'aspect de l'action.

Le mongol littéraire connaît un présent : *-mui*, *-müi*, et
trois passés : *-ba*, *-bä*; *-luɣa*, *-lügä*; *-ǰuqui*, *-ǰüküi*.

Le futur est exprimé par un nom verbal *-qu*, *-kü*, qui
sert en même temps d'infinitif : *yabqu* « aller », *bi yabqu*
« j'irai ».

La conjugaison mongole possède un nombre très élevé
de noms verbaux, principalement adverbiaux, qui sont
les véritables chevilles ouvrières de la langue. Il est souvent
difficile de les distinguer des formes personnelles, car ils
peuvent servir de prédicat.

Un exemple éclairera bien leur emploi :
kädün ɣaʄar ɣartala ayuʄu ʄoɣsuɣsan ügäi «ayant eu peur
il courut sans s'arrêter jusqu'à (ce qu'il eût parcouru)
plusieurs lieues».

(*kädün* «quelques», *ɣaʄar* «lieue», *ɣar-* «courir», *-tala*
suffixe du gérondif terminatif, *ayu-* «avoir peur», *-ʄu*
suffixe du gérondif imperfectum, *ʄoɣsu-* «s'arrêter»,
-ɣsan «participe perfectum», *ügäi* «sans». Il n'y a pas de
verbe principal dans cette phrase).
Le mongol littéraire exprime la personne agissante par
des pronoms personnels. Plusieurs dialectes, tel le bouriate
ou le khalkha connaissent des suffixes personnels dont
l'emploi n'est cependant pas exclusif. Ainsi le khalkha
connaît en face de la forme classique *ʙi yawʜʋ* «j'irais»
une autre à suffixe personnel : *yawʜʋ-mən* dont la signification est légèrement différente : «je dois aller».

Vocabulaire

La plupart des mots mongols sont dis- ou trisyllabiques ;
les mots monosyllabiques sont rares.
Les mots composés ne sont pas nombreux, l'élément
ügäi «sans», en forme souvent la seconde partie. Par
exemple bouriate *amugui* «muet», de *aman* «bouche»+
ügäi.
Les rapports entre une très grande partie du vocabulaire
mongol et celui des langues turques sont indéniables.
L'étude phonétique des correspondances nous permet de
distinguer plusieurs époques dans les rapports turco-
mongols.
Ainsi les sons *y-*, *ʄ-*, *d-*, et *n-*, correspondant chacun au
y- des langues turques, marquent incontestablement
différentes époques — sans qu'on puisse en déterminer
l'ordre — dans les relations turco-mongoles. Il n'est pas
sans intérêt de remarquer que ces correspondances — à
moins qu'on ne puisse les attribuer à des divergences
dialectales, ce qui est peu probable — nous font remonter
à une époque assez lointaine, puisque les premiers monuments turcs ont déjà le *y-* initial.

Vu l'ancienneté et la continuité des rapports turco-mongols, que laissent supposer de semblables correspondances phonétiques, certaines divergences de vocabulaire, portant souvent sur les éléments les plus simples deviennent difficilement explicables. Force est d'admettre qu'une partie, et peut-être la plus ancienne, du vocabulaire mongol ne relève pas du fonds commun altaïque ou tout au moins ne peut en être déduite avec nos connaissances actuelles.

La mesure exacte de l'apport toungouze ne peut être établie à l'heure actuelle, cependant on peut admettre, à priori, qu'elle est importante.

Le mongol littéraire, et tout particulièrement les textes bouddhiques, contient bon nombre de mots tibétains ou sanscrits. Certains parmi eux se sont introduits dans les dialectes actuels.

En fonction de leur situation géographique, certains parlers mongols ont subi une plus ou moins forte influence du chinois (monguor, dahour, dialectes de l'Ordos, etc.) ou du persan (mogol, kalmouk). L'influence du russe devient de plus en plus considérable, surtout en ce qui concerne les termes modernes.

TEXTE

Extrait de la lettre d'*Ölĵäitü* à Philippe le Bel (1305).

1	2	3	4	5	6
ölĵäitü	*sultan*	*ügä*	*manu.*	*iriduvarans*	*sultan-a.*
		parole	notre	roi de France	au sultan

7	8	9	10	11	12
ärtän-äčä	*ta*	*bürin*	*virängüd*	*irgän-ü*	*sultad*
depuis longtemps	vous	tous	francs	du peuple	les sultans

13	14	15	16	17	18	19
manu	*sayin*	*älinčäk*	*sayin*	*äbügä*	*sayin*	*äčigä*
notre	bon	arrière grand-père	bon	grand-père	bon	père

20	21	22	23	24	25
sayin	*aqa-dur*	*amiralduĵu*	*qola*	*bar*	*bögäsü*
bon	frère aîné	ayant des relations amicales	loin	s'ils	étaient

26	27	28	29	30	31
oyira	*mätü*	*sedkiĵü*	*alibar*	*ügäs-iäyn*	*öčiĵü*
près	pareil	pensant	pour cette raison	leurs paroles	disant

32	33	34	35
ilčin-iyän	*äsän-ü*	*bälägüd-iyen*	*iläldügsäd-i*
leurs ambassadeurs de santé		leurs présents	le fait d'avoir mutuellement

36	37	37
yaγu	*ändäkün*	*ta*
envoyé comment	oublier	vous

COMMENTAIRE :

4. Génitif du pronom personnel, 1re pers. du plur. Le fait qu'il soit placé après *ügä* nous montre que cette forme était en passe de devenir une désinence possessive.

5. Transcription de « roi de France », pris comme nom propre. On remarquera l'élimination de la liquide initiale, et de l'accumulation des consonnes. — Cette première phrase est une formule de chancellerie.

6. Datif.

7. Ablatif.

8. Pronom personnel, 2e personne du plur.

10. Transcription du mot « franc » ; *-üd*, suffixe du pluriel.

11. Génitif.

12. Pluriel en *-d*.

15-21. *-dur*, suffixe du datif-locatif valable pour tous ces mots.

22. Gérondif imperfectum en *-ǰu*.

24. Conjonction, dont l'emploi exact est difficile à définir. Avec le mot suivant elle forme un concessif.

25. « Adverbe conditionnel » verbal en *-bäsü* du verbe « être ».

28. Voir n° 22.

30. Accusatif possessif du pluriel en *-s*.

31. Voir n°s 22 et 27.

32. Accusatif possessif.

33. Génitif.

34. Accusatif possessif du pluriel en *-d*.

35. Base *ilä-* « envoyer »+suffixe dérivatif *-ldü-*, réciproque et fréquentatif, +pluriel en *-d* du « nomen perfecti » verbal en *-gsän*+accusatif.

37. Pluriel en -n (rare!) du « nomen futuri » verbal en -kü. Joue le rôle d'un infinitif.

TRADUCTION :

« Euldjeïtu sultan, notre parole. Au sultan Roi de France ! Comment oublieriez-vous que depuis les temps anciens, vous tous, rois des peuples francs, avec nos bons arrière-grand-pères, grand-pères, pères et frères aînés, eûtes des rapports d'amitié, et quoique éloignés (les uns des autres) vous vous êtes considérés proches, et pour cette raison, vous vous envoyâtes mutuellement des ambassadeurs avec des messages divers et des présents de santé ? »

Denis SINOR.

BIBLIOGRAPHIE

L'étude des langues mongoles a fait, dans les dernières décades, de très importants progrès. Le travail de B. LAUFER, *Skizze der mongolischen Literatur*, Keleti Szemle VIII, Budapest, 1907, pp. 165-261, donne un tableau fidèle de la mongolistique plus ancienne et de la littérature mongole. Dans la traduction russe de ce travail (Leningr. Vostočnij Institut Imeni A. S. Enukidze n° 20, Leningrad, 1927), VLADIMIRCOV en a réparé certaines omissions et l'a complété jusqu'en 1927. Le *Bilan de vingt ans de recherches sur la langue et la littérature mongoles en U. R. S. S.*, (en russe) dressé par M. POPPE (Izvestija Ak. Nauk, 1937, pp. 1281-1301) élargira encore ce tableau.

MONGOL CLASSIQUE

La meilleure grammaire est celle de N. N. POPPE, *Grammatika pis'menno-mongol'skogo yazʒka*, Moskva-Leningrad, 1937, à laquelle il faut joindre G. D. SANŽEEV, *Grammatika buryat-mongol'skogo yazʒka*, Moscou-Léningrad, 1941. Une récente *Grammaire de la langue mongole écrite* de Louis HAMBIS, Paris, 1945, ne peut être utilisée sans de constantes vérifications. Ceci vaut également pour sa bibliographie, assez nourrie, mais où se rencontrent maintes inadvertances.

Le dictionnaire le plus utilisable demeure l'ouvrage centenaire de O. KOVALEVSKI, *Dictionnaire mongol-russe-français*, I-III, Kazan, 1844-1849.

MONGOL ÉCRIT MODERNE

On consultera N. N. POPPE, *Praktičeskiy učebnik mongol'skogo razgovornogo yazʒka*, Leningr. Vostočnij Institut Imeni A. S. Enukidze n° 41, Leningrad, 1931, et *Učebnik mongol'skogo yazʒka*, n° 46 de la même série, Leningrad, 1932.

Comme dictionnaires : A. V. BURDUKOV, *Russko-mongol'skiy slovar'*.
Razgovornogo yazįka, n° 52 de la même série, Leningrad, 1935, et A. R.
RINČINE, *Kratkiy mongol'sko-russkiy slovar'*, Moskva, 1947. Mentionnons :
BLECHSTEINER, HEISSIG, UNKRIG, *Wörterbuch der heutigen mongolischen
Sprache mit kurzem Abriss der Grammatik und ausgewählten Sprachproben*,
Wien-Peking, 1941.

DIALECTOLOGIE

Il serait vain de tenter dans cette courte esquisse de donner une liste
même approximative des publications sur les dialectes mongols. Parmi les
dictionnaires mentionnons l'ouvrage monumental du P. A. MOSTAERT,
Dictionnaire ordos, I-III, Peking, 1941-1944, le *Dictionnaire monguor-
français*, des PP. A. DE SMEDT et A. MOSTAERT, Pei-p'ing, 1933, et G. J.
RAMSTEDT, *Kalmückisches Wörterbuch*, Helsinki, 1935. Nous signalerons aussi
bien pour leur haute qualité que pour l'intérêt qu'elles présentent pour les
études mongolistiques, dans le sens le plus large, les grammaires suivantes,
le vol. II, *Grammaire* du *Dialecte Monguor parlé par les Mongols du Kansou
occidental*, des PP. DE SMEDT et MOSTAERT, Peiping, 1945, et POPPE,
Grammatika buryat-mongol'skogo yazįka, Moskva-Leningrad, 1938.

ÉCRITURES, LITTÉRATURE, HISTOIRE

En ce qui concerne les écritures mongoles, voir P. PELLIOT, *Les systèmes d'écritures en usage chez les anciens Mongols*, Asia Major II, Leipzig,
1925, pp. 284-289.

Le texte de l'Histoire Secrète a été reconstruit et édité par E. HAENISCH,
Manghol un Niuca Tobca'an, Leipzig, 1937, qui en a également donné une
traduction : *Die Geheime Geschichte der Mongolen*, Leipzig, 1941. Plus récemment : *Histoire secrète des Mongols*. Restitution du texte mongol et traduction française des chapitres I à VI. — Œuvres posthumes de Paul
PELLIOT, vol. I, Paris, 1949.

Sur la lettre d'Öljäitü, dont nous avons donné plus haut un extrait, voir
les travaux de KOTWICZ, *En marge des lettres des il-khans de Perse retrouvées
par Abel-Rémusat*, Collectanea Orientalia n° 4, Lwow, 1933, et *Quelques mots
encore sur les lettres*, etc. *ibid.* n° 10, Wilno, 1936.

Grâce aux travaux de M. GROUSSET, nous possédons de belles vues
d'ensemble sur l'histoire des Mongols. De son œuvre considérable citons :
L'empire des steppes, Paris, 1939, et *L'empire mongol (1re phase)*, Paris, 1941.

Pour l'époque contemporaine les travaux de O. LATTIMORE, par ex. *The
Mongols of Manchuria*, London, 1935, *The Innerasian Frontiers of China*,
London-New York, 1940, ainsi que le chapitre consacré aux Mongols dans les
volumes, vers 1935, du *China Year Book*, donneront d'utiles renseignements.

LANGUES TOUNGOUZES

Aperçu historique

L'histoire des peuples toungouzes ne forme qu'un chapitre secondaire dans l'histoire mondiale. Leurs apparitions intermittentes sur l'avant-scène de l'histoire furent toujours séparées par de longs intervalles passés dans leurs habitats originaux.

Le premier peuple auquel nous sommes à même d'attribuer avec certitude un idiome toungouze est le Jou-tchen. Ce nom est la transcription chinoise d'un nom indigène ǰürčät, čürčät. Ils apparaissent vers le milieu du viie siècle de notre ère. On les identifie quelquefois avec les Sou-chen, connus depuis la plus haute antiquité chinoise, et qui habitaient le Nord-Est de la Mandjourie.

Les Jou-tchen sont décrits comme un peuple forestier, habitant l'Est de la Mandjourie. Ce sont des chasseurs remarquables. Au xe siècle, ils se soumirent aux Kitans. Le chef jou-tchen A-kou-ta, renversant la dynastie chinoise (mais d'origine kitan) des Leao, se proclama empereur en 1115 fondant ainsi la dynastie Kin.

Son destin fut semblable à celui des Kitans, et peut-on dire, au destin commun des dynasties étrangères de la Chine. Dispersés sur l'immense territoire du pays soumis, ils se sont vite sinisés, et abandonnant leurs vertus guerrières succombèrent devant l'assaut des nouveaux barbares : les Mongols.

Après plusieurs siècles, pendant lesquels les différentes tribus toungouzes ne réussirent pas à s'organiser en nation puissante, le chef Nurhaci réussit, après de sévères luttes, à renverser la dynastie chinoise des Ming, et à installer

14

la sienne, nommée, en faisant allusion aux ancêtres jou-tchen : Ta Kin (1616). En 1636 l'empereur T'ai-tsong fit changer ce nom en Ts'ing, dénomination qui demeura jusqu'à la disparition de la dynastie « mandjoue ». Ce nom, dont l'étymologie nous demeure inconnue, a été introduit par le même empereur, à la place du nom Kin. La dynastie Ts'ing fut riche en empereurs remarquables. Les noms de K'ang-hi (1662-1722) ou K'ien-long (1736-1796) — qui mentionnons-le entre parenthèses, ne sont pas les noms des personnes mais ceux des règnes — grands protecteurs des arts et lettres, sont universellement connus. La dynastie mandjoue devait être la dernière à régner sur la Chine. Elle dut céder sa place en 1912 à la jeune République Chinoise.

Son dernier empereur Pou-yi devint en 1931 régent de la Mandjourie indépendante, en réalité satellite du Japon, puis en 1934 il fut intronisé empereur du même pays.

La civilisation toungouze n'est pas très bien connue. Elle est essentiellement du type « forestier », mais on a l'impression qu'elle n'est pas uniforme, et qu'elle renferme les résidus d'autres civilisations forestières, mais non toungouzes. Les Toungouzes connaissent l'élevage du renne. L'influence chinoise qui s'exerce depuis de longs siècles sur les Toungouzes continue à être très forte et il est à prévoir qu'elle finira par absorber la civilisation autochtone.

Les Toungouzes appartiennent pour la plupart au type anthropologique mongolique, tel que nous l'avons défini plus haut. La stature moyenne est cependant plus basse : 1 m. 60. D'autres traits les distinguent également des Mongols. Les Mandjous forment un groupe particulier et métissé d'éléments chinois.

CLASSIFICATION DES LANGUES TOUNGOUZES

Dans l'état actuel de nos connaissances, il est impossible de donner une classification exacte des langues toungouzes, celle que nous donnons ici, n'a certes pas la prétention de l'être (voir la planche IX) :

I. Langues septentrionales

1. Langues proprement tougouzes : *evenki, oročen, manegir, birar, solon.*

2. Langues lamoutes : *lamut, oročen* du Kamtchatka-Okhotsk.

3. *negidal.*

II. Langues méridionales

1. MANDJOU, écrit et parlé *(manju).*

2. GOLDE *(goldi).*

   a) Golde de l'Amour : *olča, kile, samagir.*

   b) Golde de l'Oussouri.

   c) Golde de la Soungari.

   d) orok.

3. *oroč: oroč* proprement dit, *kyakar, ude.*

Le nombre total des Toungouzes vivant sur le territoire de l'U. R. S. S. était en 1926 de 50.279. Administrativement ils possèdent deux « territoires nationaux » ; celui de Vitim-Olekminsk, dans la région de Tchita, où sur une superficie de 219.840 kilomètres carrés se trouvent une dizaine de milliers d'habitants, et celui dit des Evenki, dans la région de Krasnojarsk, s'étendant sur 541.600 kilomètres carrés, avec environ 5.000 habitants.

Les *Evenki*, ou Toungouzes proprement dits, parlent plusieurs dialectes, dont les principaux sont celui du Nord ou d'Erbogotchen, et celui du Sud ou de la Katanga. Il est intéressant à signaler que le sous-dialecte de Simsk, appartenant au dialecte du Sud, est parlé à l'ouest de l'Iénisséi, jusqu'au fleuve Ob. On oublie souvent l'existence de Toungouzes dans des régions aussi occidentales.

Les *Oročen (Oročon, Orončon)*, dont le nom est dérivé de celui du renne : *oron,* et que l'on désigne souvent comme « Toungouzes du renne », habitent en partie en U. R. S. S., sur la rive gauche de l'Amour et dans la Transbaïkalie (selon les statistiques russes de 1926 : 856 individus), en partie en Mandjourie. Ces derniers forment deux groupes, dont le premier (environ 200 familles) habite dans la région de Haïlar, le second (environ 100 familles) sur le cours supérieur du Nonni, dans la région de Mergen.

Les *Manegir* ou *Humari*, environ 430 familles, habitent dans la région de la rivière Humar.

Les *Birar* habitent au Sud-Est de ceux-ci, dans les vallées des rivières Siun et Korfin. Ils comprennent environ 200 familles. On les désigne parfois sous le nom de *Kiler*.

Le nombre des *Oročen*, *Manegir* et *Birar* serait, au total, d'environ 4.500. Le recensement de 1926 signale en U. R. S. S. 59 *Manegir*.

Les *Solon* habitent dans le district de Hailar, leur nombre est d'environ 30.000.

Le nombre des *Lamut*, que l'on appelle également *even* est aujourd'hui d'environ 12.000. Les statistiques de 1926 n'en signalent que 1306. Ils habitent dispersés, au bord de la Mer d'Okhotsk, entre les rivières Ulja et Gijiga, dans la région de l'Amour inférieur, dans la République Yakoute.

Le nombre des *Negidal* était, en 1926, d'environ 683.

Il faut distinguer le mandjou parlé du mandjou écrit, le premier étant légèrement entaché d'éléments du toungouze septentrional. Il est en usage particulièrement dans la sous-préfecture Aïhun, de la province Hei-long-kiang. Sur les 30.000.000 d'habitants de la Mandjourie, on peut compter approximativement 200.000 Mandjous.

La langue des Goldes ou Nanaj — que l'on appelle également *Heče*, ou Tatares Peaux-de-poisson — sert de langue de relation parmi les tribus de l'Amour inférieur.

En 1926, sur le territoire de l' U. R. S. S. vivaient 5.309 Goldes, 728 *Olča*, 550 *Samagir*.

Les *Orok* habitent l'île Sakaline.

Les *Oroč* habitent entre l'Oussouri et la Mer Orientale, et dans les parties septentrionales de l'île Sakaline. Le recensement russe de 1926 en signale 646 individus.

L'existence des *Kyakar* n'est pas certaine. Au dire de Lopatin, ce n'est que le nom que les *Oroč* donnent aux *Ude*. En 1926, 1.375 individus parlaient l'*ude* comme langue maternelle.

Il est difficile d'établir, même approximativement, le nombre des sujets parlant une langue toungouze. Le recensement russe de 1926 signale, en plus des Goldes, Oltchas, etc. 19.694 « Toungouzes » sans que nous puissions en définir la langue. Il est vraisemblable que le total des Toungouzes ne dépasse pas les 300.000. La dénomination « toungouze » est d'origine étrangère, vraisemblablement turque. Les Toungouzes Septentrionaux se désignent sous le nom générique de *evenki*. Les Toungouzes Méridionaux n'ont pas d'appellation générique, un grand nombre d'entre eux se disent *manǰu*.

Littérature

Parmi les langues toungouzes, seul le mandjou a une littérature. Elle se compose de plus de sept cents ouvrages, en majeure partie traduits du chinois. Les traductions sont soignées, quelques-unes présentent une valeur littéraire certaine. A part les classiques Chou-king, Che-king, les « Quatre livres », l'intérêt des Mandjous s'est surtout porté sur l'histoire des dynasties d'origine mongole ou toungouze, sur des textes moralisateurs et quelques travaux sur l'administration, les lois, la guerre.

Cependant la littérature mandjoue connaît aussi des œuvres originales, telle le fameux « Éloge de la ville de Moukden » écrit par l'empereur K'ien-long en 1748.

Les ouvrages linguistiques occupent une large place dans la littérature mandjoue. Le premier dictionnaire mandjou-chinois parut en 1682, et fut suivi de nombreux autres dont le plus important date de 1771. La linguistique moderne tire grand profit des dictionnaires trilingues mandjou-mongol-chinois.

C'est sous le règne de K'ien-long, que la littérature mandjoue était à son apogée ; au cours du xixe siècle, au fur et à mesure que se sinisaient les conquérants mandjous, elle décline pour s'éteindre presque complètement au xxe.

Le développement extraordinaire de la langue mandjoue nous donne un exemple frappant de l'importance que peuvent avoir dans la vie d'une langue les destinées politiques du peuple qui la parle. Kotwicz a très bien caractérisé le changement qu'apporta l'ascension des Mandjous au pouvoir en Chine : « En un bref laps de temps surgit une langue littéraire nouvelle, de construction claire, régulière... de vocabulaire abondant et précis... Cette langue bien que développée et enrichie artificiellement, ne constitua pas d'ailleurs un capital improductif : adaptée aux fins les plus diverses, elle est journellement employée par les sphères officielles, la cour régnante en tête aussi bien que par les vastes cercles de la nation mandchoue... ».

Écritures

Le nombre des écritures utilisées pour les langues toungouzes est relativement restreint.

Pour écrire le jou-tchen, le général Wang-yen Hi-yin composa, sur l'ordre de l'empereur A-kou-ta de la dynastie Kin, en 1119, une écriture inspirée de l'écriture kitan. Plus tard, elle fut désignée sous le nom de « grands caractères jou-tchen », pour la distinguer d'une autre écriture, inventée en 1138 par l'empereur Hi-tsong (1135-1149) et appelée « petits caractères jou-tchen ». Celle-ci resta — semble-t-il — seule en usage après 1191. Le déchiffrement de l'écriture jou-tchen appartient à l'avenir, mais il est clair qu'elle se rattache, en fin de compte, à l'écriture chinoise.

L'écriture mandjoue dérivée de l'écriture mongole a été employée à partir de 1599 pour écrire le mandjou. Cependant cette écriture s'avérait à l'usage insuffisante pour transcrire les sons de la langue mandjoue. Notamment la différenciation entre les sourdes et les sonores laissait à désirer.

Le secrétaire impérial Dahaï réussit à remédier en 1632 à cet état de choses, en inventant un système de signes diacritiques dont l'application permit l'usage plus rationnel de l'écriture mongole.

Les monuments les plus anciens qui nous soient parvenus

(à partir de 1639) ont tous été rédigés dans cette écriture perfectionnée. Elle est restée en usage jusqu'à nos jours.

Au milieu du xviiie siècle, à la demande de l'empereur K'ien-long une écriture « carrée » mandjoue, d'aspect archaïsant, fut créée, trouvant un emploi restreint notamment sur les sceaux.

Signalons un phénomène dont l'importance paraît échapper à la science européenne : l'écriture mandjoue, sous sa forme actuelle, est une écriture syllabique. Elle est formée de douze groupes de signes, dont le premier se compose de syllabes ouvertes : *voyelle*, ou *consonne*+ *voyelle*. Les onze groupes suivants ont comme base le premier groupe auquel s'ajoutent les sons : *i, r, n, ṅ, k, s, t, p, o, l*, et *m*.

Ces syllabes sont des entités graphiques. Leur dissection en lettres — prenant pour base l'alphabet mongol — est un procédé arbitraire présentant de graves inconvénients. Ainsi la syllabe écrite par les lettres mongoles *č* et *a* se prononce en mandjou *ča*, tandis que le groupe graphique *č*+*i* se prononce *ẖi*. De ce fait on ne peut cependant conclure — comme on l'a fait si souvent — à une double prononciation de la « lettre *č* » ; celle-ci n'existant pas dans le mandjou. Nous sommes en face de deux unités graphiques, dont l'une se prononce *ča* et l'autre *ẖi*. La dissection de ces entités graphiques en lettres nous obligerait non seulement à prononcer de façons différentes la même « lettre », mais également à écrire par des signes distincts le même son. Par exemple les *t* en fin de syllabes (8e classe) s'écrivent autrement que les autres *t*.

A partir du milieu du xviie siècle on a imprimé en mandjou. Le procédé adopté fut celui de la xylographie, les caractères mobiles ne furent employés que pour certains ouvrages imprimés en Corée.

Récemment, chez les Tougouzes de l' U. R. S. S., différents alphabets, basés pareillement sur le cyrillique, ont été créés. On peut dire qu'en général ils correspondent assez bien aux nécessités des langues.

ÉTUDE INTERNE

Phonétique

Dans l'état actuel des recherches, il est malaisé de brosser un tableau précis du système phonétique des langues toungouzes. La raison en est tantôt le manque de renseignements précis, tantôt les perturbations causées par des influences étrangères. C'est le cas notamment pour le mandjou. Les Mandjous de Pékin, par exemple, prononcent leur langue à la façon chinoise ; pour nombre d'entre eux le mandjou est devenu comme une langue morte, tel le latin en Occident. Même en le parlant on se contente de prononcer, dans la mesure où les organes de la parole sinisés le permettent, les syllabes de l'écriture mandjoue, d'une façon purement conventionnelle. Il est manifeste que la langue ainsi prononcée n'a, dans son système phonologique, que des rapports lointains avec le mandjou original. Toutefois il y a une forte probabilité que la façon dont les Mandjous des régions de l'Argun et de l'Illi *lisent* la langue écrite reflète la prononciation « classique ».

Le mandjou connaît six voyelles, écrites : *a, e, o, u, i, ö/ü*, mais prononcées respectivement : *a, ə, o, u, i* et — si nos renseignements sont exacts — *u* ouvert (dans notre transcription : *û*).

Par rapport au turc et au mongol on peut donc constater un certain appauvrissement ; ce sont surtout les voyelles prépalatales qui en font les frais. Le système, encore complet dans le turc : *a, ä, i̯, i, o, ö, u, ü*, ne contient plus dans le mandjou qu'une seule voyelle palatale : *ə* (écrite : *e*), et une voyelle neutre : *i*. Certains parlers toungouzes connaissent cependant un *ä* très ouvert et le *i̯* vélaire.

On a l'impression que la vélarisation du système vocalique mandjou est relativement récente. Le *u* s'écrit comme une voyelle palatale et prend fréquemment la place de l'*ü* altaïque. Le *û* ouvert s'écrit avec le signe *ö/ü* de l'écriture mongole et se joint, dans l'écriture, tantôt à la forme vélaire, tantôt à la forme palatale des occlusives. Dans les emprunts il correspond alternativement aux *u* et *ü* chinois.

Le mandjou connaît également des diphtongues, descendantes ou ascendantes, ainsi que des triphtongues. La loi de l'harmonie vocalique subit en mandjou de fréquentes entorses.

Le système des consonnes n'accuse aucun trait particulier, mais montre une certaine richesse.

Occlusives : *p*, *b*, *t*, *d*, *k*, *g*, *q*, *ġ*. Chacune de ces consonnes a une variante palatalisée dont le caractère exact reste à définir.

Spirantes : *f*, *v*, *s*, *š*, *y*, *ḫ*, *h; z* et *ž* dans le mandjou du Nord.

Nasales : *m*, *n*, *ñ*, *ṅ*.

Liquides : *r*, *l*.

Affriquées : *ṭ*, *č*, *ḍ*, *ǰ*.

Les mots mandjous se terminent par une voyelle ou en *-n*, et, pour des onomatopées, en : *-ṅ*, *-r*, *-k*, *-s*. En orotche le mot finit toujours sur une voyelle.

Les mots commencent soit par une voyelle, soit par certaines consonnes, variables selon les langues. Le mandjou ne connaît pas le *r-* initial, et ne tolère pas en fin de syllabe *f*, *š*, *y*, *h*, *g*, *b* et les affriquées.

On peut dire que le cumul des consonnes est toujours évité, deux consonnes consécutives étant constamment séparées par une limite de syllabe. Les affriquées ne comptent que pour un son.

L'hostilité du mandjou envers des mots se terminant par des consonnes autres que le *-n* se manifeste dans le traitement qu'il a fait subir aux mots ne répondant pas à ces exigences : l'addition d'une voyelle, dans la plupart des cas *u*, à la consonne finale. Ainsi turc-mongol *ärdäm* « mérite », devient mandjou *erdemu*.

Le *-n* final est très instable. Il s'ajoute ou disparaît, à la fin des mots de plus d'une syllabe, sans qu'on puisse en définir les règles. Cependant on peut dire que sa chute est de règle devant les suffixes. Par exemple *kumun* « musique » *kumusi* « musicien » ; *morin* « cheval », *morila-* « aller à cheval » ; *morisa* « chevaux », mais : *han* « empereur », pluriel : *hansa*.

Mentionnons encore que, à l'intérieur du même mot, une syllabe contenant un *u* ne peut être suivie par une autre renfermant un *o*. Dans un mot bisyllabique les variations possibles sont donc *o-o, u-u, o-u*, à l'exclusion de *u-o*.

Morphologie

Il existe une différence considérable entre les structures morphologiques du mandjou et la plupart des parlers toungouzes. Car si le premier montre un état très primitif, les parlers toungouzes marquent un degré d'évolution très avancé se rapprochant sensiblement du type des langues indo-européennes. La grande richesse des suffixes de toutes sortes fait que la véritable structure des langues toungouzes apparaît beaucoup mieux, à notre avis, dans le mandjou, relativement peu évolué, que dans les autres parlers toungouzes.

Le genre est inconnu dans les langues toungouzes. Cependant on peut noter dans le mandjou une certaine différenciation, peut-être factice : à un vocalisme vélaire masculin s'oppose un vocalisme palatal féminin. Par exemple : *ama* « père » — *eme* « mère » ; *haha* « homme » — *hehe* « femme ».

La distinction entre noms et verbes n'est pas très marquée, le même mot pouvant figurer tantôt comme verbe tantôt comme nom. Par exemple : mandjou *selbi* « rame ou « ramer », *jalu* « plein » ou « remplir », *dergi* « haut » ou « monter ».

Dans le cas d'un emploi nominal, à la base viennent s'ajouter des suffixes dérivatifs ou désinentiels. Les premiers peuvent former, comme dans le reste des langues altaïques, des verbes ou d'autres noms, substantifs ou adjectifs. Notons à ce propos que la distinction entre ces deux derniers n'est pas nette.

Le nombre des cas de la déclinaison est, dans le mandjou, restreint :

Nominatif : désinence zéro.
Accusatif : -be
Génitif : -i.
Datif-locatif : -de.
Ablatif : -ḷi.
Terminatif : -tala, -tele, -tolo.

Il convient d'y ajouter quelques suffixes désinentiels ne faisant pas, à proprement parler, partie de la déclinaison. Par exemple : -dari, dont la signification approximative est : « chaque, toutes les fois que », ainsi : *ineṅgi* « jour » *ineṅgidari* « chaque jour ».

Le nombre des cas de la déclinaison des autres parlers toungouzes est variable, quelquefois assez élevé, comme dans certaines langues finno-ougriennes.

Plusieurs langues toungouzes n'ont pas de pluriel proprement dit. Le mandjou marque la pluralité des êtres vivants avec les suffixes : -sa, -se, -si, -so, -ta, -te, -ri. Pour les autres noms, ou souvent même pour ceux-là, il a recours à des expédients, tels *tome*, *gemu* « tous, toutes ». Les suffixes du pluriel précèdent les désinences casuelles.

Les pronoms personnels du mandjou sont les suivants :

Sing. 1. *bi*   Plur. 1. *be*
      2. *si*   2. *suve*
      3. *i*   3. *če*

Il convient de signaler que les parlers toungouzes connaissent deux sortes de pronoms personnels dans la 1ʳᵉ personne du pluriel. Ainsi en face de *be* « nous (sans inclure la personne à laquelle on s'adresse) », le mandjou a une forme *muse* « nous (y compris la personne à laquelle on s'adresse) ». Dans nombre de parlers toungouzes cette distinction se maintient dans toutes les formes personnelles, notamment dans la conjugaison.

Les pronoms personnels reçoivent les mêmes désinences casuelles que les substantifs. Leurs génitifs *(mini, sini, ini ; meni ; suweni, čeni)* servent d'adjectifs possessifs :

mini ama « mon père ». En y ajoutant un suffixe *-ṅge* formant des adjectifs, on obtient les pronoms possessifs : *miniṅge* « le mien ».

Certaines langues toungouzes, telle le lamoute, ont des suffixes possessifs.

Les noms de nombres cardinaux — de 1 à 10 — du mandjou sont les suivants : *emu, ǰuve, ilan, duin, sunǰa, niṅgun, nadan, ǰakûn, uyun, ǰuvan*. 11 = *ǰuvan emu;* un nom spécial pour 15 : *tofohon;* 2387 = *ǰuve miṅgan ilan taṅgû ǰakûnǰu nadan*.

L'écart déjà signalé entre le mandjou et le reste des parlers toungouzes se manifeste particulièrement dans le système verbal. A l'extrême simplicité du verbe mandjou s'oppose, dans certaines langues toungouzes, une conjugaison de grande complexité.

Le nombre des formes ou voix du verbe mandjou est considérable. Leur étude est plus à sa place dans le traité de dérivation de la langue — sous le chapitre « verbes déverbaux » — que dans le cadre de la conjugaison.

Le suffixe du passif-factitif n'est autre que le verbe *bu-* « donner » : *tafa-* « monter », *tafabu-* « être monté, faire monter » Le sens originel de cette forme ressort des constructions comme : *amade tantabuha* « il a été battu par son père » où le suffixe *-de* du datif du mot *ama* « père » nous indique que le sens étymologique en est : « à son père battre a été donné ».

Parmi les autres suffixes modificateurs notons ceux qui, au sens originel du verbe, ajoutent celui d'un déplacement : *-na, -ne, -no* ajoutent au verbe le sens « aller » ; par exemple : *omi-* « boire », *omina-* « aller boire ».

-ḍi, ajoute au sens originel celui de « venir » ; par exemple : *fonḍi-* « demander », *fonḍinḍi-* « venir et demander ». Étant donné que le verbe *ḍi-* signifie « venir », on peut se demander si nous ne nous trouvons pas en face de verbes composés.

Dans le mandjou nous ne pouvons guère parler de « temps » verbaux, mais beaucoup plus « d'aspects ». Le sujet parlant, au lieu de situer objectivement dans le temps l'action exprimée par le verbe, opère du point de vue subjectif, en désignant l'état dans lequel se trouve l'action au moment de son énoncé.

Ainsi le suffixe -*ha*, -*he*, -*ho* désigne une action terminée : *bi foloho* « j'ai imprimé » (*folo*- « imprimer »), *foloho bithe* « un livre imprimé ».

L'imperfectum est désigné par le suffixe -*ra*, -*re*, -*ro* qui dans nombre de grammaires est considéré comme signe du futur, mais qui en réalité exprime une action en cours, indépendamment du temps dans lequel elle se déroule. Cette forme a tantôt une valeur active : *tarire ihan* (*tari*- « labourer », *ihan* « bœuf ») « un bœuf qui laboure ou qui va labourer ; un bœuf de labour », tantôt une valeur passive : *jetere orho* (*jete*- « manger », *orho* « herbe ») « une herbe que l'on mange ou qui doit être mangée ; une herbe mangeable ». Il y a forte présomption que cette forme soit identique au participe turc en -*r*.

Le caractère nettement nominal de cette forme ressort du fait qu'elle peut recevoir les désinences casuelles : *niyalma bučere-de* « lorsque l'homme meurt » (*niyalma* « homme », *buče*- « mourir », -*de* suffixe du datif-locatif).

La seule forme vraiment verbale que possède dans l'indicatif le verbe mandjou, se termine en -*mbi*. Dans l'usage elle correspond à notre temps présent, mais en réalité elle ne désigne ni le temps, ni l'aspect. Étymologiquement ce suffixe n'est rien d'autre que le verbe « être » *bi*-, ajouté, moyennant une consonne de liaison *m*, à une racine verbale, ou même nominale. Ainsi *bi dergimbi* « je monte » est étymologiquement : « je haut être », *dergi* signifiant aussi bien « haut » que « monter ».

Le mandjou connaît encore des formes de verbe composées, telles *tarimbiha* ou *tarihabi*, dont le sens est approximativement « labouré », et où l'on peut distinguer les suffixes *bi* et *ha*.

Outre l'indicatif et l'impératif — qui s'exprime, comme dans toutes les langues « altaïques », avec la racine verbale pure — le mandjou connaît d'autres modes : le conditionnel (-*ļi*), le concessif -*ļibe*, des optatifs : -*ļina* et -*ki*, -*kini* qui peut exprimer aussi bien le désir du sujet parlant que le désir du sujet de l'action.

Le mandjou est moins riche en formes purement nominales que le mongol. On n'y rencontre que deux adverbes verbaux, l'un pour le perfectum : -*fi*, l'autre pour l'imperfectum : -*me*. Ce dernier sert également d'infinitif. Le mandjou ne connaît pas les formes personnelles, la personne agissante n'y est signalée que pour éviter des confusions, et l'indication est faite au moyen du pronom personnel.

Vocabulaire

La divergence des parlers toungouzes quant à la structure de leurs mots n'est pas essentielle.

Les mots mandjous se composent de deux ou plusieurs syllabes. Les mots monosyllabiques sont rares et se recrutent presque exclusivement parmi les emprunts.

Dans le mandjou — contrairement aux autres langues « altaïques » — on rencontre fréquemment des mots composés. Quelquefois il s'agit de composés copulatifs tel que *fula-buru* « rouge-gris », de *fula* « rouge » et *buru* « gris », mais plus fréquemment encore de composés déterminatifs, par exemple *tuveri* « hiver », composé de toungouze *tuɣa*, *tua* « hiver »+mandjou *erin* « temps, époque ». Les phénomènes d'accommodation sont fréquents : *sifulu* « vessie » est formé de *sike* « urine »+*fulhu* « sac ».

Des composés peuvent, à leur tour, entrer dans d'autres composés, dans ce cas leur comportement est celui d'un mot simple : *tuveturi*, nom d'un oiseau, de *tuveri* « hiver »+ *turi* « légume, haricot ».

Le mandjou connaît en très grand nombre des onomatopées géminées dans le genre de : *per por* « bruit du battement d'ailes des oiseaux », *fak fik* « bruit des fruits se heurtant dans le vent ». Le verbe *se-* « dire », donne à ces onomatopées un sens verbal : *dar dar se-* « trembler » (mot à mot : « dire *dar dar* »), *he fa se-* « haleter ».

Pour ce qui est des emprunts, ils sont faits surtout aux langues altaïques, sans qu'on puisse déterminer avec exactitude leur origine. Les emprunts mongols paraissent toutefois être plus fréquents que ceux faits aux parlers turcs.

Certains parlers toungouzes ont subi l'influence plus ou moins forte d'une langue déterminée. Ainsi dans la langue orotche on peut relever de nombreux éléments yakoutes, tandis que d'autres langues, notamment le solon, et, en général, les langues toungouzes de la Mongolie et de la Transbaikalie, ont subi l'influence des parlers mongols.

Le vocabulaire mandjou contient une très forte proportion d'éléments chinois. Ceux-ci datent d'époques différentes et leur diffusion est inégale. Certains mots chinois ont à tel point gagné droit de cité dans le mandjou que leurs origines ne peuvent être éclaircies que par des travaux linguistiques ; d'autres ne sont que des néologismes livresques, créés par les lettrés, facilement reconnaissables et d'un emploi purement littéraire. Les autres parlers toungouzes ont également subi l'influence chinoise dans la mesure de leurs rapports culturels avec la Chine.

Dans l'état actuel de nos connaissances il est impossible de déterminer jusqu'à quel degré l'influence des langues paléo-sibériennes s'est exercée sur les langues toungouzes. Aucune recherche méthodique n'avait été encore entreprise dans ce domaine, dont l'importance est pourtant capitale et du point de vue historique et du point de vue linguistique. L'influence du guiliak est très forte sur l'oltcha.

Restreintes en nombre, quelques correspondances entre les langues toungouzes et ouraliennes constituent cependant un témoignage historique du plus haut intérêt.

Texte

Extrait de la traduction mandjoue (1735) du Santsö-king :

niyalmai	tuktan-de	banin	daļi	sain,	banin
de l'homme	au début	caractère	d'origine	bon	caractère

ishunde	hanļi	taļin	ishunde	goro.	uneṅgi
mutuellement	près	science	mutuellement	loin	vérité

taļiburakû	oļi	banin	uthai	gurimbi.
pas enseigné	si est	caractère	alors	change

Commentaire : *niyalma* « homme »+génitif en *-i ; -de*
suffixe du datif-locatif ; *da* « racine, origine, début »+
ablatif en *-ļi ;* la première phrase est nominale, avec trois
prédicats : *sain, hanļi, goro ; uneṅgi* est aussi bien substantif qu'adjectif ou adverbe ; *taļi-* « enseigner, instruire »,
nous avons rencontré la même racine en *taļin,* nom déver-
bal. *-bu* suffixe du passif-factitif, *-ra* suffixe de l'aspect
inaccompli, *akû* « particule négative : sans » ; *oļi* « conditionnel du verbe *o-* « être » ; *-mbi* « suffixe de l'aspect neutre,
présent ».

Traduction : « Au commencement de l'homme, la nature
humaine était originellement bonne. Proches de nature,
la science éloignait (les hommes) les uns des autres. Si la
vérité ne lui est pas enseignée, la nature humaine se
pervertit ».

DENIS SINOR.

BIBLIOGRAPHIE

Établir une bibliographie tougouze n'est pas chose aisée. Les travaux,
peu nombreux et de valeur très inégale, sont souvent difficilement accessibles. En général on peut dire, que parmi les langues altaïques les langues
tougouzes sont traitées par les savants en parent pauvre.

C'est le domaine mandjou qui est le plus étudié.

MANDJOU

B. LAUFER, *Skizze der mandjurischen Literatur,* Keleti Szemle IX, Budapest, 1908, pp. 1-53, donne une bibliographie raisonnée, toujours indispensable. On la complétera par W. KOTWICZ, *Sur le besoin d'une bibliographie
complète de la littérature mandchoue,* Rocznik Orjentalistyczny V, Lwow,
1928, pp. 61-75, et les travaux de W. FUCHS,*Neues Material zur mandjurischen
Literatur aus Pekinger Bibliotheken,* Asia Major VII, 1932, pp. 469-482 ;
Beiträge zur mandjurischen Bibliographie und Literatur, Tokyo, 1936 ; *Neue
Beiträge zur mandjurischen Bibliographie und Literatur,* Monumenta Serica
VII, Peking, 1942, pp. 1-37.

Les grammaires mandjoues foisonnent, les unes plus mauvaises que les
autres. Elles se trouvent énumérées dans le travail précité de Laufer. La plus
récente : H. PEETERS, *Manjurische Grammatik,* Monumenta Serica V,
Peking 1940, pp. 349-418, ne se distingue guère de ses précurseurs. En

attendant que la grammaire mandjoue scientifique se fasse on n'a qu'à
faire soi-même sa grammaire en se basant uniquement sur les textes, et
sur les grammaires écrites en chinois.

Nous sommes un petit peu mieux placés en matière de dictionnaires,
car les anciens ouvrages de Zacharov et de Gabelentz (références dans
Laufer, *Skizze...*), rendent toujours service. Cependant là encore il faut
utiliser les ouvrages mandjous. Le meilleur dictionnaire actuel : T. HANEDA,
Manju ži-ben gisun kamcibuha bithe, Kyôto, 1937, est malheureusement
rédigé en japonais ce qui rend son utilisation très difficile pour la plupart des
altaïsants.

La transcription du mandjou, employée plus haut, nous ayant été imposée,
pour des raisons bien compréhensibles, dans ce livre, on aura intérêt à
consulter sur les problèmes qui s'y rattachent D. SINOR, *La transcription
du mandjou*, Journal Asiatique 1949, pp. 261-272.

Il n'existe presque pas de travaux récents consacrés à des questions de
linguistique mandjoue. Mentionnons : D. SINOR, *Le verbe mandjou*, Bulletin
de la Soc. de Ling. de Paris, XLV, 1949, pp. 146-156 ; SANŽEEV, *Mančžuro-
mongolskie yazįkove paralleli*, Izvestiya Akademii Nauk SSSR, Leningrad,
1930, pp. 601-708 ; P. SCHMIDT, *Chinesische Elemente im Mandschu*, Asia
Major VII, Leipzig, 1932, pp. 573-628 et VIII, pp. 233-276 et 353-436 ; S. M.
SHIROKOGOROFF, *Reading and Transliteration of Manchu Lit.* Rocznik Orjentalistyczny X, Krakow, 1934, pp. 122-130 ; W. BANG, *Türkisches Lehngut
im Mandschurischen*, Ungarische Jahrbücher IV, Berlin, 1924, pp. 15-19 ;
W. KOTWICZ, *Les éléments turcs dans la langue mandchoue*, Rocznik Orjentalistyczny XIV, 1938, pp. 91-102.

En fait de grammaires autres que mandjoues, celle de A. CASTRÉN,
Grundzüge einer tungusischen Sprachlehre, éditée par A. Schiefner, St-
Petersburg, 1856, garde toujours son importance. B. G. BOGORAZ, *Materialį
po lamutskomu-yazįku*, Tungusskiy Sbornik I, 1931, pp. 1-106 ; K. MYL'
NIKOVA-B. CINCIUS, *Materialį po issledovaniyu negidalskogo yazįka, ibid.*,
pp. 107-218 ; Karl H. MENGES, *The function and origin of the Tungus tense
in -ra*, Language, 1943, p. 237-251. Sur la langue littéraire toungouze
moderne : V. I. LEVIN, *Samoučitel' evenskogo yazįka*, Moskva-Leningrad,
1935, G. M. VASILEVIČ, *Učebnik evenkiyskogo (tungusskogo) yazįka*, Moskva-
Leningrad, 1934.

Nous sommes un peu plus riche en dictionnaires : E. I. TITOV, *Tungussko-
russkiy slovar'*, Irkutsk 1926 ; plusieurs travaux de P. Schmidt (Smits) :
The Language of the Negidals, Acta Universitatis Latviensis V, Riga 1923,
The Language of the Olchas, ibid., VIII, 1923, *The Language of the Oroches,
ibid.*, XVII, 1927, *The Language of the Samagirs, ibid.*, XIX, 1928 ;
A. SCHIEFNER, *Alexander Czekanowski's tungusisches Wörterverzeichnis*,
Mélanges Asiatiques, VIII, Saint-Pétersbourg, 1877, pp. 335-416 ;
W. GRUBE, *Goldisch-deutsches Wörterverzeichnis*, St.-Peterburg, 1900, etc.
V. I. LEVIN, *Kratkiy evensko-russkiy slovar'*, Moskva-Leningrad, 1936 ;
sur la langue littéraire moderne : G. M. VASILJEVIČ, *Evenkiysko-russkiy
slovar'*, Moskva, 1940.

Voir aussi : S. M. SHIROKOGOROFF, *Critical Bibliographical Notes. Study
of the Tungus Languages*, Journal of the North-China Branch of the Royal
As. Soc., LV, 1924, pp. 261-269.

On imprime en U. R. S. S. des livres toungouzes de toutes sortes, notamment des manuels scolaires, dont l'étude présente un intérêt certain. Quelques-uns d'entre eux sont accessibles dans nos bibliothèques.

HISTOIRE, CIVILISATION

Pour toutes questions historiques, anciennes ou récentes, concernant les Mandjous et une partie des Toungouzes on consultera le *Dictionnaire historique et géographique de la Mandchourie*, du P. L. GIBERT, Nazareth-Hongkong, 1934, travail de premier ordre de tout point de vue, mais sans renseignements bibliographiques.

Des hypothèses parfois hasardeuses côtoient toute une multitude de renseignements précieux, sur des faits linguistiques, ethnographiques ou historiques dans les travaux de S. M. SHIROKOGOROFF, notamment : *Northern-Tungus Migrations in the Far East*, Journal of the North-China Branch of the Royal Asiatic Society LVII, 1926, pp. 124-183, et *Social Organization of the Northern Tungus, with Introductory Chapters concerning Geographical Distribution and History of these Groups*, Changhai, 1929. On y trouvera également des renseignements bibliographiques.

LANGUES PALÉOSIBÉRIENNES

INDICATIONS EXTERNES

NOTIONS GÉNÉRALES. — DIVISIONS

Il est en Sibérie quelques langues indigènes qui n'appartiennent pas aux familles ouralienne, altaïque, eskimo et qu'on réunit conventionnellement sous le nom de langues paléosibériennes. Ces langues bordent actuellement le domaine toungouze, les unes du côté du Nord-Est et de l'Est, les autres de l'Ouest. Elles se trouvent depuis des siècles en recul progressif : écartées et séparées d'abord par la poussée du monde altaïque, elles ont ensuite cédé du terrain à l'extension russe. Elles ont jadis occupé une grande partie de la Sibérie et au XVIIe siècle encore leur domaine était considérablement plus vaste qu'à présent. On peut donc à bon droit se servir du nom de « langues paléosibériennes ». Le nom de « langues paléoasiatiques » est moins exact ainsi que la dénomination de « langues hyperboréennes » peu convenable en particulier au guiliak et au kot situés tous deux à la latitude de l'Angleterre.

Les langues paléosibériennes de l'Est se divisent en trois variétés nettes :

1o Le tchouktche, le koriak, qui est particulièrement proche du tchouktche, et le kamtchadal forment ensemble (**4, 5**)[1], une famille compacte nommée *luorawetlan* dans les ouvrages de la linguistique russe actuelle (selon le nom que se donnent les Tchouktches, le plus important des trois peuples en question) ;

2o La famille youkaguire comprend à côté du youkaguir proprement dit le tchouvants qui lui est étroitement apparenté ;

1. Les chiffres renvoient à la bibliographie.

3° Le guiliak n'a pas de parent sûr parmi les autres langues paléosibériennes, bien qu'on ait été parfois enclin à le rapprocher du youkaguir (25).

Toutes les langues paléosibériennes de l'Est offrent dans leur structure un certain nombre de caractères similaires.

Toutes les langues paléosibériennes de l'Ouest forment une seule famille connue sous le nom de « famille yénisséïenne ». Ces langues présentent dans leur structure quelques traits caractéristiques communs avec les langues paléosibériennes de l'Est. Certaines coïncidences ethnographiques et anthropologiques (fréquence du type américanoïde) semblent de même rapprocher les Paléosibériens de l'Ouest de ceux de l'Est.

En somme, si rien ne nous autorise à admettre une parenté entre la famille luorawetlan, la famille youkaguire, le guiliak et la famille yénisséïenne, on entrevoit entre toutes ces langues des affinités dues à un ancien voisinage. Le domaine paléosibérien, jadis continu et relié au monde ouralo-altaïque d'une part et au monde américain de l'autre, s'est trouvé désagrégé par la propagation du toungouze.

CLASSIFICATION[1]

I. *Langues paléosibériennes de l'Est*

1° Le TCHOUKTCHE, le plus résistant des idiomes en question, occupe le Nord-Est de la Sibérie. Ce vaste domaine, interrompu par l'enclave russe enveloppant le fleuve Kolyma, s'étend du bassin de l'Alazeïa au Nord-Ouest jusqu'au détroit et la mer de Bering à l'Est, exception faite de quelques caps et îlots littoraux, habités par les Eskimos et par les Koriaks (cap Navarin), et il se termine au Sud par le bassin de l'Anadyr. Le parler des Tchouktches semi-sédentaires du littoral et celui des nomades *ćawću* (« propriétaires de rennes » — source, du terme russe « tchouktche ») se distinguent l'un de l'autre.

1. Voir la planche IX.

2º Le KORIAK est parlé vers le Sud-Ouest du domaine tchouktche — au Nord de la Kamtchatka et dans la partie adjacente du continent. Les Koriaks ainsi que les Tchouktches sont actuellement unis en districts nationaux. Les Koriaks nomades — *ćawću* (= « propriétaires de rennes ») ou *ḳorak* (= « éleveur de rennes ; de là le terme russe « koriak ») — parlent un seul dialecte, tandis que les parlers de la population actuellement ou encore récemment semisédentaire répartis en groupes du Nord et du Sud sont très variés (v. **9, 10**). Le dialecte *kerek* du cap Navarin est actuellement isolé du reste des parlers koriaks et garde des traits particuliers. Les Koriaks et les Tchouktches sont les seuls peuples paléosibériens qui jusqu'aux derniers temps s'opposaient au bilinguisme ; pour se faire comprendre par eux, l'entourage a dû s'approprier leurs langues.

3º Le KAMTCHADAL occupait encore au XVIIIᵉ siècle tout le Sud de la péninsule Kamtchatka, mais au cours du XIXᵉ siècle le russe est venu se substituer au kamtchadal du Sud et de l'Est en gardant toutefois des vestiges indigènes dans sa phonologie et dans sa grammaire. En 1909 un seul vieillard se rappelait encore le kamtchadal de l'Est. Seul le kamtchadal de l'Ouest s'est maintenu et d'ailleurs lui aussi a cédé une partie de son territoire au russe et au koriak et il n'est parlé à l'heure actuelle que dans huit hameaux maritimes appartenant au district koriak. Ce reste, divisé en deux parlers, remanie son lexique et simplifie son système grammatical sous une très forte influence russe.

4º Le YOUKAGUIR qui au XVIIᵉ siècle atteignait vers le Sud les montagnes Stanovoï et vers l'Ouest le bassin de la Léna et même au XIXᵉ siècle la côte Est de la mer de Nordenskjöld a pour la plus grande partie cédé la place au toungouze *(lamut)*, au russe et au yakoute et ne présente actuellement que deux îlots isolés : l'un entre les rivières Yassatchnaïa et Korkodon, affluents de la Kolyma, et l'autre dans la toundra entre les rivières Indighirka et Alazéïa ; celle-ci le sépare à peu près du domaine tchouktche.

5º Le TCHOUVANTS étroitement lié au youkaguir de la Kolyma a été parlé entre les amonts de l'Anadyr et de la Penjina d'un côté et les affluents droits de la basse Kolyma de l'autre avant d'être complètement supplanté au cours des deux derniers siècles par le russe, le tchouktche et le koriak.

6º Le GUILIAK est réparti en groupes dialectaux du Nord-Ouest et du Sud-Est ; le premier embrasse le bas Amour et le Nord du détroit Tatar, à savoir sa côte continentale et celle de Sakhaline, tandis que les autres parlers de cette île, situés en partie plus à l'Est, en partie plus au Sud, sont séparés du parler Nord-Ouest par des enclaves du golde, du tungouze et du russe. Contrairement à une opinion selon laquelle Sakhaline serait la patrie originaire du guiliak, depuis on a signalé que la flore et la faune caractéristique de cette île ont en guiliak des noms aïnous et que vraisemblablement les Guiliaks venus du continent se sont heurtés à une population aïnou et l'ont repoussée vers le midi de l'île. Jusqu'à ces derniers temps ce sont le tungouze et le golde qui ont été pour les Guiliaks les principales langues de civilisation et de communication avec les voisins.

Dans l'U. R. S. S., des années durant, la terminologie administrative et scientifique a tendu à substituer aux noms usuels des langues et des nations paléosibériennes leurs propres désignations. Ainsi on a remplacè : tchouktche par *luorawetlan* (« véritable homme »), comme se nomment les indigènes, tandis que la langue natale porte chez eux le nom de *liiyiliil* (« véritable langue ») ; koriak par *nįmįlɔan* (« habitant »), nom propre des indigènes sédentaires ; youkaguir par *odul* (« puissant ») ; tchouvants par *etel* (modification du même mot) ; guiliak par *nivx* (« homme » dans le parler de l'Amour) ; kamtchadal par *itelmen* (« homme »), en gardant le terme « Kamtchadal » uniquement pour les indigènes qui ont adopté la langue russe.

II. *Langues yénisséïennes*

1º Le KET ou OSTIAK DU YÉNISSÉÏ (les indigènes se nomment ou bien *ket* « homme » ou bien *ostīk*) borde des deux côtés le cours du Yénisséï entre ses affluents Kouréïka et Toungouska moyenne et se maintient plus haut à l'embouchure du Sym ; il a été autrefois répandu jusqu'au fleuve Tas vers l'Ouest et jusqu'au Ket', affluent de l'Obi, vers le Sud.

2º Le KOT (ou *kotu*) parlé au XVIIIe siècle dans la région de Kan (d'après le voyageur Strahlenberg 400 à 500 personnes) et dans celle de Mana (selon le même auteur 300 à 400 personnes se disant *kištim* « tributaire ») disparaissait vers le milieu du XIXe siècle. Castrén en 1845 n'a pu trouver que 5 Kots connaissant encore leur langue maternelle.

3º L'ASSAN (cp. kot *asan* « démons ») étroitement apparenté au kot et confinant avec lui du côté du Nord occupait le bassin de Tasséïeva.

4º L'ARIN se trouvait à l'Ouest du Yénisséï dans la région de Krasnoïarsk. Cette langue, parlée encore par deux centaines d'hommes au temps de Strahlenberg, s'est rapidement éteinte au cours du XVIIIe siècle ainsi que les derniers restes de l'assan.

Le recensement de la population de l'U. R. S. S. (incomplet surtout pour l'extrême Nord) comptait en 1926-1927 d'après la langue natale 12331 Tchouktches, 7434 Koriaks, 4076 Guiliaks (de plus, selon la statistique japonaise de 1930, une cinquantaine de Guiliaks résidaient dans le Sud de Sakhaline, près de l'embouchure du Poronaï), 1428 Kets, 803 Kamtchadals et 353 Youkaguirs. Ce recensement connaissait au surplus 704 individus se déclarant être Tchouvants de nation, mais Russes, Tchouktches ou Koriaks d'après leur langue natale et de même 3448 Kamtchadals ne parlant à présent que le russe. Actuellement il n'y a pas de Paléosibériens en dehors de l' U. R. S. S.

La civilisation de tous ces peuples paléosibériens est des plus archaïques. A l'arrivée des Russes ils sortaient à peine de la période néolithique. La chasse à pied et la pêche étaient et sont pour la plupart les occupations principales donnant lieu à de nombreux tabous et à des argots ésotériques ; la vie quotidienne des femmes est pleine de tabous spéciaux et dans la plupart des cas le langage féminin diverge nettement dans sa phonétique et dans son lexique de celui des hommes. L'élevage des rennes connu des Kets et des Youkaguirs de la toundra et répandu surtout chez les nomades tchouktches et koriaks paraît être un emprunt tardif et reste à un stade primitif. Le chien, l'unique animal domestique de vieille date chez les Paléosibériens, prend part à la chasse et attelé à la file tire le traîneau, mais il n'est pas employé à garder les troupeaux de rennes. On découvre chez ces peuples des traces de clans exogamiques (particulièrement nettes chez les Guiliaks et chez les Kets). L'animisme, le culte des ancêtres et des animaux, surtout de l'ours, et le rôle important des chamans (sans professionalisme prononcé), tels sont les traits caractéristiques des croyances dans tout le domaine paléosibérien.

Les recherches des anthropologues (Anučin, Hrdlička, Levin, Montandon, etc.) font voir chez les peuples paléosibériens, même chez les Kets, une prédominance du type physique mongol dans sa variante americanoïde. Les Guiliaks, très nettement distincts des Aïnous malgré leur voisinage, présentent d'autre part une ressemblance frappante avec les Aléoutes (v. G. Montandon, *Craniologie paléosibérienne*. L'Anthropologie XXXVI).

On ne sait rien de l'histoire des peuples paléosibériens avant la conquête russe. Peut-être faut-il reconnaître la famille des Kets dans les Kien-Kuen, qui, d'après les anciens monuments chinois, occupaient la région du Yénisséï et dominaient une grande partie de la Sibérie. Le titre de leurs souverains *kiekin* rappelle le ket *kīkn* « souverains ». On peut confronter *kien-kuen* avec le nom *kan-keän* que se donnent les ostiaks du Yénisséï, tandis que le nom de la tribu *u-ssun*, apparentée aux kien-kuen selon les écrits chinois, paraît correspondre au nom *asan* porté par un autre peuple de la famille yénisséïenne.

ÉCRITURES ; LANGUES ÉCRITES

La pictographie a parmi les Paléosibériens de l'Est une tradition assez solide (le développement avancé de l'art graphique est caractéristique de tous les peuples paléosibériens). Les images très schématiques de chasse et les énumérations du butin ont (surtout chez les Guiliaks) un caractère rituel ou servent à la comptabilité ; ainsi les soviets ruraux des Koriaks employaient naguère la pictographie dans leurs rapports. Un système pictographique stable et riche est à la disposition des jeunes filles youkaguires pour découper sur l'écorce de bouleau leurs lettres d'amour selon l'usage de cette tribu ; c'était également la pictographie qui permettait aux clans nomades de s'entretenir mutuellement sur la direction et maints autres détails de leur campement. Les « cartes géographiques » avec des nombreux éléments pictographiques sont usitées aussi chez les Kets.

Mais sauf un essai avorté d'alphabet commun pour le guiliak et pour le golde dû à un missionnaire (1884) et une tentative curieuse d'un berger tchouktche de rendre (vers 1930) en idéogrammes son idiome natal, les langues paléosibériennes n'ont pas connu d'écriture jusqu'à 1932-34, quand l'Institut des peuples du Nord ayant adapté l'alphabet latin à l'usage du tchouktche, du koriak, du guiliak, du kamtchadal et du ket a fait paraître dans ces langues des abécédaires et des livres d'enseignement primaire pour combattre l'analphabétisme dont souffrait presque cent pour cent de la population indigène. On a abandonné ces essais pour les langues peu répandues : actuellement les Kets et les Kamtchadals recourent au russe. Mais on a continué à employer à l'école primaire le tchouktche (servant également aux Youkaguirs), le koriak et le guiliak, tout en substituant l'alphabet cyrillique aux caractères latins, depuis 1937 pour le tchouktche et le koriak et depuis 1940 pour le guiliak. On a fait paraître dans ces langues des journaux, des plaquettes de propagande, des contes populaires (p. ex. 12), des traductions de nouvelles de Pouchkine et de J. London et en koriak même quelques récits de débutants indigènes. On a pris comme base pour ces langues écrites les parlers les plus répandus (ceux des nomades pour le tchouktche et le koriak et celui de l'Amour pour le guiliak), mais on a dû élargir beaucoup leur lexique en forgeant de nouveaux termes au moyen de la composition et de la dérivation, et en faisant des emprunts au russe dont la connaissance s'étend rapidement avec l'influence de l'école et où à présent les peuples paléosibériens puisent les mots de civilisation, comme autrefois ils avaient puisé au fond toungouze-mandjou.

ÉTUDE INTERNE

PHONÈMES ET ALTERNANCES

Le vocalisme du guiliak, du tchouktche et du koriak nomade comprend e, a, o et les voyelles étroites correspondantes ; le kamtchadal ajoute à ces trois couples celui des palatales labialisées (ö, ü) ; c'est la correspondante étroite (mid-back ou mid-mixed) du phonème a qui est la moins stable et elle manque aux parlers des Koriaks sédentaires et au youkaguir. Les langues luorawetlan possèdent de plus une voyelle neutre et une voyelle furtive (svarabhakti). Le ket distingue à côté des voyelles larges et étroites une série moyenne.

Dans les langues luorawetlan toutes les voyelles étroites d'un « complexe » (voir p. 415) se changent en phonèmes larges correspondants, si l'un de ses composants contient des voyelles larges (p. ex., koriak : utt « bois », kamak « idole » — ott-kamak « idole en bois »). On découvre en guiliak de nombreuses traces de la même harmonie vocalique « horizontale » (répandue aussi dans une partie des langues toungouzes) : ć'i « toi » — ć'izgəf « ton ours », ć'esga « ton argent », mi- « deux » — mim<mi-mu « deux

bateaux », *mevor* « deux filets » ; *xuvi* « portion de nourriture pour les chiens » — *ñxuvi*<*ñi-* « une portion, *ćxovi*<*će-*
« trois portions » ; les correspondances que Jochelson croit
découvrir en youkaguir sont moins nettes.

L'alternance des voyelles de différent degré d'ouverture
sert à la flexion interne qui ne joue d'ailleurs dans les
langues paléosibériennes qu'un rôle secondaire et restreint.
Ainsi : ket : *delget* « saulaie » — *delgät* « saulaies », *at* « moi »
— *ət* « nous », *bis'ebdanə* « vers le frère » — *bis'ebd'inə*
« vers la sœur », *kan'il* « par là » — *k'in'il* « par ici » ;
youkaguir : *met* « moi » — *mit* « nous », *taň* « celui-là » —
tiň « celui-ci » ; kamtchadal : *sönk* « dans le bois » — *sünk*
« vers le bois ».

Les langues paléosibériennes ne possèdent que des
diphtongues biphonématiques et se terminant pour la
plupart par *i* et *u*.

L'opposition des voyelles brèves et longues, revêtue,
à ce qu'il semble, d'une faible valeur significative, a lieu
en ket et en youkaguir. Le tchouktche et le ket distinguent
les voyelles munies ou dépourvues d'un coup de glotte
(tchouktche *ya'rat* « vraiment » — *yarat* « maisons »).

Dans les langues paléosibériennes l'accent est d'ordinaire
lié au commencement du mot et oscille entre ses deux
premières syllabes, mais dans les complexes (p. ex. dans
tout complexe commençant par un thème verbal en
guiliak) c'est l'accent de l'élément postposé qui prend
souvent le dessus ; on observe de même une tendance à
reporter l'accent vers la fin du mot dans les formes exclamatives (guiliak *ətək* « père » — voc. *ətəká !*). Selon une
observation de Castrén, l'accent final du mot en kot est
dû à une forte influence turque.

Le consonantisme oral et nasal des langues paléosibériennes de l'Est distingue quatre classes buccales : les
postpalatales, les prépalatales (y compris les alvéolaires),
les dentales et les labiales (p. ex., *k, ć, t, p*). Les prépalatales
occlusives sont souvent plus ou moins assibilées. Chaque
occlusive orale a d'ordinaire une constrictive correspondante. Dans toutes ces langues, sauf le kamtchadal qui
possède deux séries de sibilantes (les chuintantes et les

sifflantes), les constrictives palatales et dentales s'opposent
les unes aux autres comme sibilantes d'un côté et apicales
vibrantes de l'autre. Le tchouktche, le koriak et probablement le youkaguir ne possèdent qu'un seul couple
« occlusive-constrictive » dans chaque classe de consonnes,
tandis que le guiliak et le kamtchadal distinguent les
consonnes orales fortes et faibles : les constrictives fortes
sont sourdes et les faibles sont voisées ; les occlusives
fortes sont opposées aux faibles comme des aspirées aux
non-aspirées ; celles-ci sont probablement éjectives (glottalisées) en kamtchadal.

C'est la prépalatale *ñ* qui est la moins stable parmi les
consonnes nasales. On observe de même des flottements
entre dentales et prépalatales dans le consonantisme oral
des langues paléosibériennes de l'Est. Dans des parlers
du koriak et dans la prononciation féminine du tchouktche
et aussi à ce qu'il paraît du youkaguir, les dentales se sont
substituées aux prépalatales. Également en ket, le système
des consonnes nasales et orales ne comprend que trois
classes buccales — celles des postpalatales, des dentales
et des labiales ; le consonantisme oral du ket renferme un
seul phonème labial (aux variantes combinatoires et facul-
tatives *p*, *b*, *w*), et trois phonèmes de chaque autre classe —
un fort, un faible et un strident (selon notre terminologie : voir Proceedings of the Third Intern. Congress of
Phonetic Sciences, p. 30) : dans la classe des postpalatales
le phonème fort est représenté par une occlusive, le faible
par une constrictive (leur caractère sourd ou voisé dépend
uniquement de l'entourage) et le strident par une uvulaire
qui est selon l'entourage ou bien une affriquée ou bien une
constrictive voisée ; dans la classe dentale le phonème fort
est représenté par une occlusive sourde, le faible par la
voisée correspondante et le strident par une sifflante.
Seul le consonantisme ket connaît l'opposition des phonèmes mouillés et non-mouillés, tandis que les langues
paléosibériennes de l'Est restent en dehors de la vaste
zone des langues mouillantes (Voir Travaux du Cercle
Linguistique de Prague, IV, p. 234 ss.).

Le consonantisme vélaire de toutes les langues paléosibériennes contient à côté de l'occlusive postpalatale une
affriquée uvulaire $k̲$ (le guiliak distingue de plus les constrictives correspondantes : *nax* « six » — *nax̲* « laite »).
Cette opposition des vélaires « stridentes » (uvulaires) et
« non stridentes » est neutralisée dans la plupart des positions et parfois (par ex. dans quelques parlers du tchouktche) elle disparaît tout à fait.

Toutes les langues paléosibériennes qui n'ont pas de
voyelles à coup de glotte possèdent une consonne laryngale : c'est *ɔ* dans la plupart des parlers koriaks et kamtchadals, *h* dans tous les autres cas.

Sauf le kamtchadal fortement influencé par le russe,
toutes les langues paléosibériennes (comme en général la
plupart des langues autour du Pacifique) possèdent dans
leur système phonologique une seule sonante liquide. Ce
phonème est latéral (sorte d'*l*) ; par contre *r* manque
complètement au ket, à une partie du koriak et à la variété
féminine du tchouktche et même là où il existe, il ne
présente dans les langues en question qu'une contrepartie
constrictive du phonème occlusif dental, tandis que son
caractère vibrant reste sans valeur. D'ailleurs en tchouktche
et en koriak le caractère latéral de *l* paraît être lui aussi
presque sans valeur phonologique, et cette consonne tend
nettement à se réduire à une simple variante combinatoire
ou facultative du phonème prépalatal occlusif (par ex.
koriak *vetatilɔan — vetatićɔan* « ouvrier »), variante scrupuleusement évitée dans la prononciation féminine du koriak.
Cette tendance à éliminer les liquides est contagieuse. Les
parlers russes du Yénisséï superposés à un substrat ket et
kot et ceux de la basse Kolyma enclavés dans le domaine
tchouktche comportent une variété féminine particulière
qui n'admet ni *r*, ni *l* et les remplace par la semi-voyelle *y*.

Au commencement du mot les langues yénisséïennes de
même que le youkaguir n'admettent pas de groupes
consonantiques (par ex., le mot russe *stakan* « verre »
devient *takan* en ket ; russe *starik* « vieillard »>youkaguir
terike, sto « cent »>*ićtox*) et ne tolèrent que les groupes les
plus simples dans les autres positions, tandis qu'en guiliak

le mot peut commencer par certains groupes de deux consonnes et contenir dans d'autres positions des groupes de trois (ou à la soudure de deux morphèmes) même de quatre consonnes (*p'rok-fəvʀk-ć* « déplumer une sarcelle », *tətṅ-t'xə* « sur le toit », *imṅ-nə* « le leur »), groupes dus pour la plupart à la composition et surtout à la chute de la voyelle dans les composants atones (voir par ex., *ćxos*<*ćexo-so* « trente poissons », *megs*<*me-xo-so* « vingt poissons », *minʀ*<*mi-nəʀ* « huit », *ifkʀ*<*i-vuk-ro* « en attelant »). Le tchouktche et le koriak éliminent tous les groupes de trois consonnes et à l'initiale du mot la plupart des groupes de deux consonnes, en y intercalant la voyelle furtive ou bien en les simplifiant. Ainsi en tchouktche la racine du verbe « avoir une odeur, sentir », apparaît comme *-tke-* après la voyelle du préfixe *(ga-tkelen)* mais comme *tịke-* au commencement du mot *(tịke-rkịn)*, et la racine « donner » est *-lpịnrị-* dans le premier cas *(ga-lpịnrị-len)* et *pịnrị-* dans le second *(pịnrịkịn)*. Le russe *sto* « cent » donne *əsto* en koriak. Le kamtchadal fait aussi emploi de cette voyelle furtive pour éviter certaines combinaisons consonantiques inadmises, mais admet d'une manière générale des groupes très complexes sans séparation obligatoire et fixe (voir des mots comme *txćž-nin* « il le bat », *an-txćž-ćxịn* « ils le battent », *k-txlị-mịṅk-ćx* « battez moi », *x-kež-xkmịṅk-ćx* « accueillez moi », *ktxž-xol* « le long du chemin »). C'est une innovation du kamtchadal inconnue aux autres langues luorawetlan. Les Kamtchadals qui ont passé au russe y gardent cette prédisposition pour les longs groupes consonantiques sans voyelle obligatoire, fixe et nette.

L'alternance des consonnes initiales et en particulier la mutation de l'initiale après un élément antéposé est caractéristique des langues luorawetlan et surtout du guiliak. Ainsi en tchouktche les racines verbales *ru-* « manger », *pnʋ-* « aiguiser, repasser » acquièrent après un préfixe la forme *nu-*, *mnʋ-*. En guiliak à l'intérieur des complexes (v. ci-dessous) tout élément précédé d'un thème nominal choisit entre l'occlusive et la constrictive initiale d'après les lois suivantes : si l'antéposé se termine par une voyelle ou par une occlusive, le postposé commence par une constrictive (*e-gu* « les peignes », *kip-gu* « les manches » ; *e-vəks-* « perdre le peigne », *kip-vəks-* « perdre la manche » ; *e-sñay* « image du peigne », *kip-sñay* « image de la manche ») ; si l'antéposé se termine par une consonne non-occlusive, le postposé commence par une occlusive, sauf le cas où c'est une racine substantive : dans ce cas-là le postposé a la même initiale que dans l'emploi absolu (voir d'une part *təf-ku* « les maisons », *təf-pəks-* « perdre la maison » et de l'autre *ćʻñay* « image » — *təf-ćʻñay* « image de la maison », *Rə* « porte » — *təf-Rə* « porte de la maison »). Dans l'emploi absolu des mots le choix entre l'occlusive et la constrictive initiale est soumis aux lois suivantes : les verbes transitifs commencent par une constrictive, les verbes intransitifs et, pour la plupart, les substantifs leur opposent une occlusive (*safḳ-* « manger à l'aide des baguettes » — *ćʻafḳ* « baguettes à l'aide desquelles on mange », *vəks-* « perdre » — *pəks-* « se perdre ») ; les pronoms interrogatifs opposent une constrictive à l'occlusive initiale des pronoms démonstratifs, etc. A l'origine l'occlusive et la constrictive correspondante n'ont été que deux variantes combinatoires du même phonème : la constrictive initiale des verbes transitifs et des pronoms interrogatifs est due à l'élément antéposé, le pronom indéfini *i-* ; ensuite cet *i* initial fut perdu si la syllabe était ouverte.

Structure grammaticale

Dans les langues paléosibériennes certains déterminants exprimés par des thèmes sans désinence s'antéposent au déterminé, fusionnent avec lui et forment un *complexe* dont les composants subissent des modifications phonologiques jouant un grand rôle surtout en tchouktche, en koriak et en guiliak. Cette incorporation tend à se restreindre en kamtchadal sous l'influence du russe, et elle n'est attestée que par quelques faibles traces dans le youkaguir. Ce sont l'épithète, l'apposition, le complément

EURASIE ET ASIE SEPTENTRIONALE

déterminatif et souvent le complément direct qui peuvent se souder avec le déterminé. Les phénomènes de sandhi reliant ces composants distinguent nettement la composition de toute simple juxtaposition des mots et ils se rapprochent plus ou moins des lois qui valent à l'intérieur du mot. Ainsi, en ket telles consonnes sonorisées en position intervocalique à l'intérieur du mot subissent le même changement à la soudure d'un complexe (*tuk* « hache » — instrumental *togas ; ket* « homme » — *keä-get* « grand homme, chef ») ; dans les langues luorawetlan l'harmonie vocalique et l'alternance consonantique (voir p. 410 et 413-414) s'étendent aux complexes (tchouktche *pnv-* « aiguiser, repasser » — *vala-mna-lịn* « rémouleur de couteaux ») ; en guiliak la soudure des complexes à l'antéposé nominal est soumise aux mêmes lois que la combinaison des morphèmes nominaux (voir p. 415). Souvent un thème figure à l'intérieur d'un complexe sous une forme sensiblement réduite (koriak *mamella* « pou » > -*ml*-, *lewut* « tête » > -*lot*-, *muk* « peu » > -*mk*-). Si le déterminé est muni d'un préfixe, celui-ci se place au commencement du complexe, (tchouktche *g-aća-kaa-nmị-len* « le gras renne on a tué » : *g* < *ga* < *gv* préfixe de l'aspect effectif du verbe substantivé, *aća* < *vćvn* « graisse », *kaa* < *kora* « renne », *nmị-* < *tịm-* « tuer », -*len* < -*lin* suffixe de la 3ᵉ pers. du singulier de la forme verbale mentionnée) ; dans les langues yénisséïennes on découvre quelques restes de constructions analogues.

A côté des complexes sentis comme tels, toutes les langues paléosibériennes possèdent un grand nombre de complexes pétrifiés et indissociables au point de vue de la langue actuelle. (Pour les exemples, voir ci-dessous l'analyse du texte guiliak). L'analyse de ces complexes justifie l'hypothèse qu'à une époque antérieure les langues paléosibériennes se composaient de monosyllabes grammaticalement peu différenciés et relativement autonomes, comme l'ont déjà entrevu les investigateurs du ket et du kot, du guiliak et des langues luorawetlan.

Au point de vue morphologique, les langues paléosibériennes distinguent très nettement deux catégories de mots — les substantifs et les attributifs (englobant nos verbes et nos adjectifs). Les marques de ces deux classes diffèrent suivant les langues ; par exemple, en guiliak les thèmes des attributifs, contrairement aux thèmes des substantifs, exigent un postposé (suffixe ou substantif déterminé). Les racines nominales et verbales sont pour la plupart communes et d'autre part la formation des verbes dénominatifs et des substantifs verbaux est un procédé aisé. Ainsi en youkaguir : *ećie* « père » — *ećie-ňo* « être père », *ećie-ñ* « avoir un père » ; le suffixe -*bon* ajouté aux thèmes verbaux de divers aspects, modes et voix en fait des substantifs. En koriak le cas absolu du nom fonctionne comme prédicat en s'appropriant des désinences personnelles — *kayňị-gum* « je suis un ours »; de même le verbe peut acquérir la forme et la signification casuelle — locatif *vetatị-k* « dans le travail ».

A côté de ces procédés, la plupart des langues paléosibériennes vivantes (le tchouktche, le koriak, le youkaguir et le guiliak) possèdent et emploient dans des fonctions diverses une catégorie complexe, forme verbale substantivée, synthétisant certains traits caractéristiques pour chacune des deux classes (tchouktche *nị-ćvywị-kin* « il est celui qui marche », youkaguir *tetek kudede-me* « c'est toi qui as tué »).

Le guiliak ne se sert actuellement que des suffixes ; dans les autres langues paléosibériennes, la déclinaison a recours aux suffixes et la conjugaison aux suffixes et aux préfixes (et dans les langues yénisséïennes et luorawetlan aussi aux affixes dits inclusifs qui combinent les deux variétés mentionnées). D'ailleurs en guiliak certains pronoms qui ne s'emploient actuellement qu'au commencement des complexes et qui se lient étroitement aux verbes postposés peuvent être considérés comme une sorte de préfixes improductifs signalant la voix.

Les langues paléosibériennes opposent à la forme casuelle zéro dite « cas absolu » (thème dépourvu de désinences casuelles) une série de cas exprimés à l'aide de désinences spéciales : l'allatif, l'ablatif, le locatif, l'instrumental, de plus le médiatif (koriak, youkaguir, ket), le destinatif (tchouktche), le couple du comparatif et de l'équatif (youkaguir) ou le couple « cas comparatif » et « cas du sujet accessoire » régi par le verbe causatif (guiliak). A l'exception du youkaguir, toutes ces langues possèdent une forme vocative.

La forme possessive du nom et du pronom est toujours antéposée ; le ket et les langues luorawetlan la munissent d'un suffixe spécial ; en guiliak, elle est exprimée comme tout autre complément nominal par le cas absolu, de même en youkaguir, mais si dans cette langue le déterminant et le déterminé énoncent la 3ᵉ personne, ils tendent à être différenciés : ou bien le déterminé peut prendre un suffixe particulier ou bien le déterminant, si c'est un pronom, peut acquérir une forme spéciale (*tudel* « lui », *numo* « maison » — *tudel-numo-gi* ou *tude-numo* « sa maison »).

Les langues paléosibériennes distinguent les désinences casuelles (et en général les suffixes flexionnels) d'une part et les suffixes thématiques, en partie traduisibles par nos prépositions, de l'autre ; si les deux catégories de morphèmes se combinent, c'est la désinence qui occupe la dernière place et qui en général n'admet pas de postposé.

L'opposition nominatif-accusatif est inconnue aux langues paléosibériennes. Pour spécifier le sujet et l'objet elles ont recours à plusieurs procédés.

a) Toutes ces langues font une distinction morphologique très nette entre les verbes transitifs et intransitifs.

b) Dans toutes les langues paléosibériennes à l'exception du guiliak et du youkaguir, les affixes du verbe transitif signalent la personne, le nombre et de plus en ket (en partie aussi en kamtchadal) le genre de l'objet.

c) Par contre précisément le guiliak et dans une certaine mesure le youkaguir sont les seules langues paléosibériennes où l'ordre des mots et en particulier la place du sujet et de l'objet reste fixe.

d) Les langues luorawetlan opposent le participant « intransitif » (sujet d'une action intransitive ou objet d'une action transitive) au « transitif » (sujet d'une action transitive) : le premier est exprimé par le « cas absolu » et le second en tchouktche par l'instrumental, en koriak par l'instrumental ou par un cas transitif (ergatif) spécial et en kamtchadal par le cas transitif qui a une forme spéciale dans les pronoms personnels et coïncide ailleurs avec le locatif ; on a découvert quelques vestiges d'une distinction entre un cas intransitif et transitif dans le youkaguir de la toundra (voir **3**).

e) A côté de cette « construction transitive » les langues luorawetlan emploient un autre procédé d'expression qui est le seul possible en guiliak et dont on observe des résidus nets dans les complexes verbaux du ket et du kot : l'objet antéposé s'amalgame avec le verbe.

f) Le youkaguir peut signaler l'opposition de chaque sujet et objet à l'aide des suffixes adjoints à l'objet et exprimant la personne du sujet : *tudel met-kele* « il me », *tet met-ul* « tu me », *met met* « je me » (*met* « moi », *tet* « toi », *tudel* « lui ›, *-kele* « par rapport à lui », *-ul* « par rapport à toi »).

Toutes les langues paléosibériennes rendent le pluriel nominal par un suffixe spécial adjoint immédiatement au thème. On exprime de la même manière dans la plupart des parlers koriaks le duel, surtout le duel naturel, en tchouktche le couple déparié (*lela-lgịn* « un œil ») et en ket l'opposition des genres. Il n'y a que quelques noms kets et kamtchadals qui marquent le pluriel uniquement par la flexion interne (ket *s'es* « fleuve » — pl. *s'as*, kamtchadal *lul* « œil » — pl. *lu'l*).

L'opposition des nombres est subordonnée en toute langue paléosibérienne à celle des cas et l'opposition des genres (là où elle existe) à celle des nombres. Chaque suffixe nominal des langues paléosibériennes signale une seule catégorie grammaticale. Dans les langues luorawetlan et dans le guiliak aucun substantif ne possède plus d'un suffixe flexionnel ; par conséquent seul le cas absolu, thème pur, admet un suffixe du pluriel (et du duel), tandis que les cas à désinence ne distinguent pas le nombre. En youkaguir le suffixe du pluriel peut figurer devant toute désinence casuelle, mais il est souvent omis dans cette position. Le ket admet devant certaines désinences casuelles un suffixe signalant le nombre ou bien le genre : l'allatif, l'ablatif et le locatif ont devant la désinence un suffixe exprimant ou bien le genre masculin ou non-masculin (qui englobe le féminin et l'inanimé) ou bien le pluriel, tandis que l'instrumental et le médiatif ne distinguent ni genres ni nombres (*bis'ep* « frère ou sœur », *bis'eb-da-ṅə* « vers le frère », *bis'eb-di-ṅə* « vers la sœur » ; *bis'eb-na-ṅə* « vers les frères ou sœurs » — *bis'eb-as* « avec frère, sœur, frères ou sœurs »). Les cas indirects du pronom démonstratif dans les langues luorawetlan signalent le genre animé et l'inanimé. Le cas absolu ne marque le genre en aucune des langues paléosibériennes vivantes. Indirectement le genre du nom est indiqué avec plus de précision ; ainsi dans le degré comparatif du ket on trouve distingués à côté du genre masculin le féminin et l'inanimé du sujet ; en kamtchadal le verbe auxiliaire transitif distingue le genre personnel et le non-personnel ; en guiliak les numéraux ont une forme différente pour les hommes, pour les animaux, pour les poissons et pour une vingtaine de classes sémantiques des choses inanimées, par exemple, pour les objets longs, petits, plats, appariés, etc.

Le verbe possède et distingue rigoureusement deux voix fondamentales — la transitive et l'intransitive et à l'intérieur de la voix transitive les langues paléosibériennes de l'Est usent d'une forme factitive (youkaguir *kudede* « tuer » — *kudede-s* « faire tuer », guiliak *za-* « battre » — *za-gu-* « faire battre », tchouktche *ḵami̧-tva-* « manger » — *ri-ḵami̧-tva-u-* « faire manger »). Le verbe réfléchi présente un complexe dont l'objet est un pronom réfléchi (guiliak, langues luorawetlan) ou celui de la première personne (youkaguir de la Kolyma : *tet met-kudede-yek* « tu te tues ») ou enfin le pronom de la personne donnée soit intact (youkaguir de la toundra : *tet tet-bun-ƒek* « tu te tues ») soit modifié (ket).

Les temps absolus ne sont pas directement exprimés.

La distinction essentielle pour les langues luorawetlan et yénisséïennes et pour le youkaguir c'est l'opposition des aspects perfectif et duratif. Ainsi en tchouktche ces deux aspects sont différenciés dans tous les modes verbaux. A côté de cette distinction dédoublant toute la conjugaison, les langues luorawetlan et le youkaguir expriment par l'adjonction des suffixes thématiques spéciaux divers aspects secondaires, par exemple, l'intensif, l'itératif, le momentané, etc. Par le même procédé le guiliak signale que l'action est présentée comme : 1° immédiatement perçue (*vi-if-* « être vu aller »), 2° prête à être entamée (*vi-nə-* « être prêt à aller) ; 3° évaluée selon son résultat (*vi-gət-* « aller jusqu'au bout », cp. *vi-gət-nə-* « être prêt à aller jusqu'au bout »).

Les langues paléosibériennes de l'Est sont riches en modes verbaux. Ainsi le tchouktche exprime par des préfixes différents l'indicatif, l'optatif, le conditionnel et le prospectif. La possibilité, la probabilité, l'évidence et la nécessité de l'action trouvent une expression dans les modes variés du youkaguir. Ces langues possèdent aussi des formes énonçant le rapport d'une action subordonnée par opposition à la principale. Mais c'est en guiliak qu'elles sont le plus développées ; il distingue les formes qui n'admettent pas qu'un autre verbe leur soit surordonné (formes cardinales), celles qui l'exigent (formes subordonnées) et celles qui l'admettent sans l'exiger (formes neutres). Les diverses formes subordonnées énoncent les différentes relations par rapport à l'action principale, la simultanéité, l'antériorité, l'interruption, la concession, etc.

La plupart des formes verbales du guiliak ne distinguent ni nombres ni personnes ; par contre le nombre et la personne du sujet et de l'objet trouvent leur expression dans la conjugaison des langues luorawetlan et dans celles du kot et du ket ; toutefois certains verbes de cette dernière langue sont entièrement dépourvus d'affixes personnels. De même en youkaguir, à côté d'une « conjugaison subjective » très développée, on a le verbe intransitif substantivé qui n'énonce par un affixe particulier que la troisième

personne du pluriel. En guiliak, seules les formes neutres (v. ci-dessus) comportent un élément personnel et
numérique en opposant la première à la « non-première »
personne du singulier ; une forme commune pour la
deuxième et troisième personne est un phénomène fréquent
dans la conjugaison de toutes les langues luorawetlan ;
aussi les autres langues paléosibériennes ne distinguent
souvent que deux formes personnelles, mais en youkaguir
la première personne tend à fusionner avec la deuxième et
en ket avec la troisième.

Les langues paléosibériennes sont presque entièrement
privées de conjonctions de coordination et de subordination et font un large emploi de l'asyndète, des formes
verbales subordonnées et des particules modales, dont
quelques-unes ont pénétré dans l'eskimo du littoral sibérien
de la mer de Béring. Le kamtchadal et le ket, qui en
général recourent largement au lexique du russe, lui
empruntent aussi leurs conjonctions.

Noms de nombre

Dans toutes les langues paléosibériennes, les cinq
premiers noms de nombre se distinguent nettement de
ceux qui les suivent. Ainsi en tchouktche, en koriak et en
kot le nom de six additionne cinq et un, le nom de sept,
cinq et deux, etc. ; de même en guiliak les numéraux à
partir de six sont des composés, par exemple, minʀ « huit »
<mi-nəʀ « deux (fois) quatre » ; en ket, les cardinaux
jusqu'à cinq se détachent des autres par leur suffixe, en
youkaguir par le suffixe du substantif qu'ils accompagnent
et en guiliak par l'antéposition de ce substantif. Les traces
du système vicésimal sont très nettes dans les langues
luorawetlan. Le kamtchadal emprunte au russe la plupart
des numéraux et le koriak et le youkaguir les noms « cent »
et « mille » que le guiliak de son côté doit au mandjou.

	Tchouktche	Koriak
1.	ǝnnṽn	ə́nnɒn
2.	ńirṿ̃k	ńíyɒ̣k
3.	ńi̦rók	ńi̦yók
4.	ńi̦rák	ńi̦yák
5.	mi̦tli̦ńen (main)	mi̦lli̦ńen
6.	ǝnnan-mi̦tli̦ńen (un-cinq)	ǝnnán-mi̦lli̦ńen
7.	ńera-mi̦tli̦ńen (deux cinq)	ńi̦yák-mi̦lli̦ńen
8.	am-ńi̦róotken (comportant trois de plus)	ńi̦yók-mi̦lli̦ńen
9.	kon-áći̦ńken (un seul de derrière)	kon-ɔáyći̦ńken
10.	mi̦ngítken (comportant deux mains)	mi̦ngítken
20.	klíkkin (comportant l'homme entier = mains et pieds).	ńi̦yok-mi̦ngítte ou klik.

TEXTE

Commencement d'un conte en guiliak de l'Amour (v. 1. p. 220).

rál[1]-ge[2]   ñágʀ[3]-ke[2]. — ñagʀ[3] vi[4]-róʀ[5] p'rǝ[6]-ʀ[7]
Grenouille ensemble, rat ensemble.-   Rat   après avoir navigué venant

ral- k'éz[8]-ʃ[9] : « ńafk[10]-á[11]. ńafk-á !   ñ[12]-at[13]   kǝp-
(à la) grenouille dit : « Camarade ! Camarade !   Moi donc (des) merises

ram[14]-la[15]-v[16]- nʀǝ[17]- ʃ'-rá[18]. pǝt[19] úgr[20]-u[21]-t[7] vi-nǝ-té[22] ! »
abondant endroit je vois. Lendemain ensemble faisant naviguons ! ».

hoga[23]-t[7]   k'o-tót[5]   oz[24]-ńán[25]   mú-giʀ[26] vi-ʃ'.
Ainsi étant après avoir dormi venant de se lever par bateau vont.

ral   mge[27]-rá[28], ñagʀ meñ[29]- vo[30]-rá[28] ; ral   ǝvñ-
Grenouille rame,   rat gouvernail tient ; grenouille (la) rame

tlǝ[31]-ńán[26] kélgel[32]   ha[33]-ʀ[7] pag[34]-la[15]-   góx[35]   paʀk
venant de tirer à dos se trouvant rouge   ventre   seul

hélkelk[36]-ć[9]...
brille-brille...

« La grenouille et le rat. — Après avoir fait un voyage en bateau, le rat est venu dire à la grenouille : « Mon camarade, j'ai aperçu un endroit plein de merises. Allons y ensemble demain ». Les voilà le lendemain partis de bonne heure (littéralement selon la formule épique usuelle : à peine levés après le sommeil) en bateau. La grenouille ramait, le rat maniait le gouvernail ; soudain la grenouille qui a tiré la rame tombe sur le dos et on ne voit que son ventre rouge qui brille... »

1. *r* est la constrictive correspondant à *t* (voir p. 413) ; les substantifs autochtones commencent d'ordinaire par une occlusive et non par une constrictive, mais *ral* « grenouille (cp. lat. *rana*) est une onomatopée.

2. Suffixe énonçant la participation simultanée de quelques sujets ou objets à la même action ; après voyelle ou occlusive les suffixes des substantifs commencent par une constrictive, après constrictive par une occlusive sourde et après sonante (latérale ou nasale) par une occlusive voisée.

3. *ñaɡʀ* « rat », probablement substitut du nom tabou — « voyant » (cp. *ñax* « œil »). La consonne *r* comme toutes les constrictives dans les syllabes non-initiales est sourde (*ʀ*) en position finale ou devant les occlusives sourdes, voisée dans toutes les autres positions.

4. *vi-* « aller (surtout en bateau ou en traîneau) » ; *v* (remontant probablement à *w*) est l'unique constrictive qui peut figurer à l'initiale des verbes intransitifs.

5. L'une des trois « formes neutres » du verbe (v. p. 421) — forme exprimée pour la deuxième et troisième personne du singulier par la désinence redoublée *-roʀ* (<*ro-ro* <*-yto-yto*, voir note 7), pour la première personne ainsi que pour le pluriel par *-tot* (<*-to-to*), et dénotant l'idée d'antériorité.

6. *p'rə-* « venir », « arriver », probablement <*p'i-rə-* « s'établir », cp. *ra-* « établir-installer », et *tə-f/ta-f* « maison » dont l'occlusive initiale correspond à la constrictive de la même série dans le verbe transitif (voir p. 415 et pour *-f* note 16).

7. L'une des trois formes « neutres » du verbe (voir note 5) exprimée pour la deuxième et troisième personne du singulier par la désinence *-ʀ*(<*ro*<*yto*, *y*<*i-*, voir note 17) et

pour la première personne ainsi que pour le pluriel par la désinence correspondante -*t*(<*to*, cp. *ro-/-to-* « aider ») ; cette forme relègue au second plan l'action énoncée et étant suivie d'une forme verbale cardinale (voir p. 421) elle ne signale que le simple fait de la subordination.

8. *xes-* « dire à quelqu'un », verbe transitif concevant l'interpellé comme un complément direct et commençant comme à peu près tous les verbes transitifs simples dans l'emploi absolu par une constrictive (par contre le substantif de la même racine *k'es* « communication, nouvelle » commence par l'occlusive correspondante) ; au lieu de la constrictive on trouve l'occlusive correspondante après la constrictive et généralement après la sonante finale d'un complément direct ; l'occlusive sourde aspirée correspond à la constrictive sourde, et l'occlusive non-aspirée (voisée après les sonantes) à la constrictive voisée. Dans l'emploi absolu des verbes transitifs la consonne initiale a été précédée de *i-* (v. note 17) qui s'amuit devant toute consonne prévocalique après avoir changé l'occlusive originaire en constrictive (v. note 14).

9. *j* (ou *ć* après occlusive) — suffixe de la forme verbale substantivée (v. p. 417) signalant que le mot attributif n'est ni épithète ni prédicat subordonné ; la forme en question peut fonctionner comme forme prédicative cardinale (v. p. 421), comme sujet ou comme complément ; -*j*<-*n*-*ć* (cp. -*nd* dans le dialecte du Sud-Est), -*n*- — suffixe thématique verbal, -*ć* — suffixe substantivant qu'on retrouve sous la forme -*s* dans les déverbatifs.

10. *ṅafḳ* « beau-frère », par généralisation « compagnon, camarade ».

11. -*á*- désinence du vocatif.

12. *ñi* « moi » perd sa voyelle devant un postposé possédant tout au plus une consonne prévocalique (v. note 8).

13. -*at* — suffixe emphatique.

14. A l'intérieur d'un complexe l'occlusive initiale se change en constrictive après l'occlusive ou la voyelle

finale de tout thème nominal antéposé (v. note 2), ici *tam*
« grand, nombreux »> *ram* après le complément nominal
kəp « merisier ».

15. -*la*- — suffixe signalant que le thème attributif
caractérise un objet et non une action.

16. -*f* (ici sonorisé devant la sonante *n*) — suffixe de lieu
issu probablement du verbe transitif -*fi*- « se trouver,
résider » ; *tamlaf* « lieu où il y a quelque chose d'abondant ».

17. -*nRə*- « voir, apercevoir » — après un complément
direct, autrement *ində*-. La voyelle *i*- dans cette dernière
forme est originellement un pronom signifiant « quelqu'un
d'autre » ; mais ce pronom n'est plus senti comme composant autonome et à l'intérieur du mot la constrictive
sourde prévocalique est intolérable : étant précédée d'une
autre constrictive sourde ou d'une nasale elle se change
en une occlusive non-aspirée ; celle-ci se sonorise ensuite
dans *ində*- sous l'influence de la nasale précédente (voir
note 2).

18. -*ta* — désinence d'une des formes verbales neutres
(v. note 28) ; étant adjointe à un thème nominal (y compris
le thème verbal substantivé comme dans le cas donné)
elle obéit aux lois d'alternances régissant les suffixes nominaux (ici la constrictive *r* après une occlusive ; v. note 2)
et signale que le nom fonctionne comme prédicat.

19. Étant extraposé, détaché du reste de la phrase, le
cas absolu fonctionne comme complément circonstanciel ;
là où l'extraposition n'est pas évidente on recourt aux
suffixes des cas indirects, par ex., loc. *pət-ux* « demain ».

20. Au lieu de nos adverbes modaux le guiliak emploie
des verbes ; ainsi -*xrə*-/-*k'rə*- « être ensemble avec
quelqu'un » — après un complément direct, autrement
igrə- (sur *i*- v. note 17) ; la même racine fusionnée avec *u*-
(ancien pronom réciproque) veut dire « être l'un et l'autre
ensemble » ; à l'intérieur du mot *x* se sonorise devant une
constrictive (v. note 3).

21. -*u*- — suffixe thématique signalant le verbe transitif.

22. *-nə-te* — suffixe complexe de l'optatif (*-nə-* suffixe thématique de l'aspect ingressif : « être prêt à »).

23. *ho-ga-* « être ainsi » (v. note 20) : racine pronominale *hu-/ho-* suivie du suffixe résultatif *-ga-*.

24. *os-* « se lever », cp. *os* « racine, base » et *-oz-u-/yoz-u-* « lever, élever », où *y<i-* devant voyelle (v. note 17).

25. Forme verbale subordonnée exprimée par la désinence *-ṅan* (*<ṅa-na; ṅa-* « ensuite », *na-* « à l'instant », v. note 22 sur le suffixe *-nə-*) et signalant que l'action donnée a été immédiatement suivie d'une autre.

26. *-giʀ* (v. note 2) suffixe de l'instrumental remontant au thème verbal *-giʀ-/igʀ-* (*<i-giʀ-*, v. note 18) « posséder, user ».

27. *mge-* « ramer » peut-être *<mu-ge-* « bateau prendre ».

28. L'une des trois « formes neutres » du verbe (v. p. 421) : forme exprimée par la désinence *-ra* (*<yta*, v. note 7) pour la deuxième-troisième personne du singulier et par *-ta* pour la première personne et pour le pluriel et énonçant une série d'actions accessoires.

29. *meñ* « rame courte servant de gouvernail » ; la sonante finale de certains noms a été probablement suivie autrefois d'une voyelle et dans ces cas-là contrairement à la règle (v. notes 2 et 8) on trouve à l'initiale alternante du postposé une constrictive, par ex. *meñ* « rame-gouvernail » (*<meñi?*) — pluriel *meñ-gu*, *meñ-vo-* « rame-gouvernail tenir ».

30. *-vo-/-po-* « tenir » après le complément direct, autrement *ef-<e-vo-* : devant *o*, *a*, *e*, les préfixes pronominaux *i-*, *u-* (v. notes 17, 20) se changent en *e-*, *o-* (v. p. 410).

31. *-rlə-/-tlə-* (v. note 8) « tirer » après un complément direct, autrement *irlə* (v. note 17).

32. *kel* « dos », *kel-gel* « à dos » — réduplication de la racine avec dissimilation des consonnes ; le guiliak ainsi que les langues luorawetlan fait un large usage de la réduplication ; v. Bouda (Ung. Jahrb. XV, p. 404 sqq.) sur un phénomène analogue dans les langues yénisséïennes.

33. Racine anaphorique (v. note 23).

34. Thème prédicatif *pax-* « être rouge » ; autre variante vocalique de la même racine — *pəx* « couleur » ; le verbe transitif correspondant — *vəgvəx-* « embellir, améliorer, guérir » (v. note 8).

35. *ḵox* « ventre » vraisemblablement <*ḵo-ḡo* — réduplication de la racine *ḵo*, cp. *ḵo-* « faire mal » ; la sonorisation de l'occlusive est due à la consonne nasale actuellement amuie — suffixe thématique qui terminait l'épithète préposée (v. note 9).

36. Aspect intensif exprimé par la réduplication de la racine *helḵ-* ; le phonème *h* ainsi que l'aspiration des occlusives n'est admis qu'à l'initiale.

Roman JAKOBSON.

BIBLIOGRAPHIE

Exception faite de quelques listes de noms propres et de quelques indications sommaires contenues dans les documents russes du xviiᵉ siècle, les premiers renseignements sur les langues paléosibériennes sont donnés par les voyageurs du xviiiᵉ siècle : le hollandais Witsen (1705) qui cite le youkaguir (voir ci-dessous **21**, p. 14) ; le suédois Strahlenberg (1730) qui cite plusieurs langues paléosibériennes, surtout le kot, l'arin et le koriak ; Kracheninnikov (voir les études de Korsakov et Stebnickij dans Sovetskij Sever II, 1939) et Steller, qui recueillent des spécimens du kamtchadal et du koriak ; Billings, dont l'expédition rapporte des textes de kamtchadal, tchouktche et youkaguir. Les bibliothèques de Léningrad et de Moscou possèdent une quantité de manuscrits du xviiiᵉ siècle (en particulier les archives de Messerschmidt, de G. F. Müller et de Pallas), contenant d'importantes données sur le lexique de toutes les langues paléosibériennes à l'exception du guiliak (qui est resté en dehors de l'empire russe jusqu'à la moitié du xixᵉ siècle et n'a été porté à la connaissance du monde savant qu'en 1857, par le Père L. Furet) ; ces données sont particulièrement précieuses pour l'étude des idiomes depuis disparus, comme l'assan et l'arin, mais pour la plupart ces sources ne sont encore ni publiées ni même étudiées.

L'étude moderne des langues paléosibériennes est dominée par les travaux de Bogoraz, Sternberg et Jochelson. Les matériaux lexicographiques de Bogoraz sur le kamtchadal, ceux de Jochelson sur le youkaguir, ceux de Sternberg sur le guiliak et les chansons guiliakes notées par B. Pilsudski reposent dans les archives russes et attendent leur publication ainsi que la belle collection kamtchadale de Jochelson déposée dans la New-York Public Library (dictionnaire, textes, notes grammaticales). En U. R. S. S. le plus gros travail a été fait par l'Association des Recherches scientifiques adjointe depuis 1930 à l'Institut des Peuples du Nord (Léningrad), qui a mené une étude systématique des langues paléosibériennes et qui a fait paraître plusieurs publications importantes (**1, 8, 9, 13, 23, 24**) et la revue *Sovetskij Sever*. Pour le ket et aussi le kamtchadal on est néanmoins encore à peu près dépourvu de textes imprimés.

GÉNÉRALITÉS

1. *Jazyki i pis'mennost' paleoaziatskich narodov* = Trudy po lingvistike Naučno-issledovatel'skoj Associacii Instituta Narodov Severa, Leningrad III/1934 (aperçu fondamental sur toutes les langues paléosibériennes vivantes, rédigé par E. Krejnovič, avec bibliographie et textes).

2. R. JAKOBSON, *The Paleosiberian Languages*. American Anthropologist XLIV/1942 (revue concise avec bibliographie).

3. J. MEŠČANINOV, *Novoe učenie o jazyke*, Leningrad 1936 (les chap. IV et V discutent la structure grammaticale des langues paléosibériennes, surtout du youkaguir et du tchouktche).

3a. TAKAHASHI MORITAKA, *Hoppo sho-gengo gaisetu*, Tokyo 1943 (sommaire des langues paléosibériennes et de leur entourage).

TCHOUKTCHE, KORIAK, KAMTCHADAL

4. L. RADLOFF, *Über die Sprache der Tschuktschen und ihr Verhältniss zum Korjakischen*. Mémoires de l'Académie des Sciences, série VI, vol. III, n° 10, Pétersbourg 1861.

5. W. BOGORAS (= V. BOGORAZ), *Chukchee*. Handbook of American Indian Languages II, Washington 1922 (essai de description comparée du tchouktche, du koriak et du kamtchadal).

6. V. BOGORAZ, *Obrazcy materialov po izučeniju čukotskago jazyka i fol'klora*. Bulletin de l'Académie des Sciences, Pétersbourg, X/1899 (texte tchouktche analysé).

7. V. BOGORAZ, *Materialy po izučeniju čukotskago jazyka i fol'klora*, Pétersbourg 1900 (textes tchouktches).

8. V. BOGORAZ, *Luoravetlansko-russkij (čukotsko-russkij) slovar'* = Trudy... Leningrad VI/1937 (dictionnaire tchouktche-russe ; premier dictionnaire scientifique d'une langue paléosibérienne).

8a. K. BOUDA, *Das Tschuktschische*. Abhandlungen für die Kunde des Morgenlandes, 1941.

8b. P. SKORIK, *Inkorporacija v čukotskom jazyke*. Izvestija Akademii Nauk SSSR, Otd. lit. i jaz., VI/1947.

8c. S. STEBNICKIJ, *Iz istorii padežnych suffiksov v korjakskom i čukotskom jazykach*, Leningrad 1941.

8d. P. SKORIK, *Russko-čukotskij slovar'*, Leningrad 1941.

9. S. STEBNICKIJ, *Osnovnye fonetičeskie različija dialektov nymylanskogo jazyka*. Pamjati Bogoraza, Leningrad 1937.

10. S. STEBNICKIJ, *Aljutorskij dialekt nymylanskogo (korjakskogo) jazyka*. Sov. Sever I/1938 (ainsi que **9** — contributions à la dialectologie du koriak).

430 EURASIE ET ASIE SEPTENTRIONALE

11. W. BOGORAS, *Koryak Texts* = Publications of American Ethnological Society V/1917 (avec vocabulaires koriak-anglais et anglais-koriak).

12. S. STEBNICKIJ, *Cawcịvenaw to nịmịlⁱⁿinew lịmṅịlu*, Leningrad 1936 (Contes des Koriaks nomades et sédentaires).

13. G. KORSAKOV, *Nymylansko-russkij slovar'*, Moscou 1939 (dictionnaire koriak-russe, avec une brève grammaire du koriak).

14. I. RADLINSKI, *Słowniki narzeczy ludów kamczackich*. Rozprawy Akademii Umiejętnośći, Wydział filolog., XVI-XVIII, 1891-1894 (vocabulaire des trois dialectes du kamtchadal dont deux, ceux du Nord et de l'Est, sont aujourd'hui disparus).

15. J. A. DECOURDEMANCHE, *Sur la probabilité d'une communication entre l'Asie et l'Amérique d'après les noms de nombre des peuplades hyperboréennes*. Comptes rendus des séances de la Société Philologique, Paris 1908 (notes sur les numéraux du kamtchadal).

15a. R. JAKOBSON, *A List of Works Relating to the Kamchadal Language and to the Language of Russianized Kamchadals*. Bulletin of the New York Public Library, 1947 (November).

YOUKAGUIR

16. W. (= V.) JOCHELSON, *Essay on the Grammar of the Yukaghir Language*. Annals of the New York Acad. of Sciences XV, 2/1905.

17. V. JOCHELSON, *Obrazcy materialov po izučeniju jukagirskago jazyka i fol'klora*. Bulletin... IX, 1898 (textes youkaguirs analysés).

18. V. JOCHELSON, *Materialy po izučeniju jukagirskago jazyka i fol'klora*, Pétersbourg 1900 (textes youkaguirs).

19. V. JOCHELSON, *The Yukaghir and the Yukaghirized Tungus* = Memoirs of The American Museum of Natural History XII/1926 (avec un vocabulaire youkaguir-anglais et anglais-youkaguir et quelques textes).

20. K. BOUDA, *Die finnisch-ugrisch-samojedische Schicht des Jukagirischen*. Ung. Jahrbücher XX/1940.

21. B. COLLINDER, *Yukagirisch und Uralisch* = Uppsala Universitets årsskrift, 1940.

GUILIAK

22. NAKANOME AKIRA, *Grammatik der Nikbun Sprache (des Giljakischen)* = Research Review of the Osaka Asiatic Society V/1927 (étude sur un dialecte du guiliak).

23. E. KREJNOVIČ, *Fonetika nivchskogo (giljackogo) jazyka* = Trudy... V/ 1937 (description phonologique et phonétique du guiliak).

24. E. KREJNOVIČ, *Giljackie čislitel'nye* = Trudy... I, N° 3/1932 (étude sur les numéraux du guiliak).

25. L. STERNBERG, *Obrazcy materialov po izučeniju giljackago jazyka i fol'klora*, Bulletin... Pétersbourg XIII/1900 (texte guiliak analysé).

26. L. STERNBERG, *Materialy po izučeniju giljackago jazyka i fol'klora*, Pétersbourg 1908 (textes guiliaks).

27. W. GRUBE, *Giljakisches Wörterverzeichnis* = L. V. SCHRENCK, *Reisen und Forschungen im Amur-Lande*, Pétersbourg, Anhang zum III Bande, 1, 1892 (vocabulaire très insuffisant, mais toujours presque unique).

28. L. STERNBERG, *Bemerkungen über Beziehungen zwischen der Morphologie der giljakischen und amerikanischen Sprachen.* XIV Internat. Amerikanisten-Kongress, Stuttgardt 1906.

28a. TAKAHASHI MORITAKA, *Giriyaku bumpō,* Tokyo 1941 (description du guiliak avec textes et glossaire).

KET, KOT

29. A. CASTRÉN, *Versuch einer jenissei-ostjakischen und kottischen Sprachlehre nebst Wörterverzeichnissen aus den genannten Sprachen,* Pétersbourg 1858 (ouvrage capital sur le ket et sur les dernières survivances du kot).

30. G. RAMSTEDT, *Über den Ursprung der sogenannten Jenissei-Ostjaken.* Journal de la Société Finno-Ougrienne XXXIV/1907.

31. K. DONNER, *Beiträge zur Frage nach dem Ursprung der Jenissei-Ostjaken.* Journal de la Société Finno-Ougrienne XXXVII/1916-1920.

32. K. DONNER, *Über die Jenissei-Ostjaken und ihre Sprache.* Journal de la Société Finno-Ougrienne XLII/1930.

La Société Finno-Ougrienne est en train de préparer la publication des matériaux lexicographiques et phonétiques recueillis par K. Donner.

33. E. LEWY, *Zum Jenissei-Ostjakischen. Ungarische Jahrbücher,* XIII/1933.

34. K. BOUDA, *Jenisseisch-tibetische Wortgleichungen.* Zeitschrift der Deutschen Morgenländischen Gesellschaft, XC/1936 (cette étude ainsi que la précédente offre des observations précieuses sur la structure du verbe ket).

35. K. BOUDA, *Das kottische Verbum.* Abhandlungen für die Kunde des Morgenlandes XXII/1937.

36. K. KLAPROTH, *Asia Polyglotta,* Paris 1823 (extraits des matériaux inédits de Messerschmidt sur toutes les langues yénisséïennes).

LE CORÉEN[1]

INDICATIONS EXTERNES

Le coréen (*Čo.sǫn-mal*, langue [de] *Čo.sǫn*, ce dernier terme constitue l'appellation sino-coréenne de la Corée ; la dénomination européenne vient, elle, du nom d'un état dit de *Ko.ṙyǫ* <*gau.liəg*) a pour domaine propre la péninsule coréenne et l'île de Quelpaert. Mais des colonies coréennes se sont établies à l'époque contemporaine en Mandchourie, en Sibérie et jusqu'aux Hawaï, pour des raisons d'ordre politique et économique. Le total des individus qui parlent cette langue ne serait pas inférieur à 30 millions (1949).

La population de la péninsule se laisse rattacher aux Toungouzes ; elle compte toutefois un nombre élevé de descendants de métis de Chinois, de Mongols et de Japonais. Il persiste dans la masse un fonds caractéristique de croyances chamanistes.

Les peuplades qui occupaient la péninsule vers le IIIe siècle ap. J.-C. ne parlaient pas une seule et même langue, mais il existait de fortes analogies entre certains parlers péninsulaires. La colonisation de la région de *Lǎk-laṅ (P'yǫṅ-yaṅ)*, par les Chinois et à partir de la fin du IIe siècle av. J.-C., puis l'introduction du bouddhisme qui se répandit dans la péninsule entre la fin du IVe siècle ap. J.-C. et le début du VIIe, et l'unification de la péninsule par la dynastie de *Silla* mais sous le contrôle des T'ang sont autant de facteurs qui ont agi sur l'évolution de la langue, en particulier pour ce qui est de la formation de son vocabulaire. L'influence chinoise a persisté au cours des siècles ultérieurs, sous les dynasties de *Ko.ṙyǫ* et des *Yi*>'*I* (<*Li*).

1. Carte X.

Les scribes indigènes ont eu recours pour transcrire leur langue d'abord à des caractères (idéophones) chinois qu'ils employèrent les uns pour leur sens et les autres pour leur son ; grâce à un système qui est connu sous le nom de *li-tu*, il devint possible de noter, à l'aide d'idéophones utilisés pour leur son, les enclitiques et les suffixes que la syntaxe coréenne exige.

Toutefois, un alphabet, l'*ŏn-mun*, fut introduit dans l'usage postérieurement à 1444. L'origine des signes qui composent cet alphabet reste obscure ; on a tout lieu de croire cependant qu'un certain nombre dérivent de cursives chinoises et d'écritures qui ont été utilisées en Asie. Les signes en question s'écrivent en colonnes verticales, de droite à gauche. On procède par syllabes : toute consonne initiale est affectée à sa droite de la voyelle ou de la diphtongue avec laquelle elle forme syllabe ; toute finale consonantique est tracée, au contraire, en dessous. Tout élément vocalique est précédé d'un signe spécial (o) s'il apparaît à l'initiale. Il n'y a pas de signes distincts pour les sonores. Le *-t* final, implosif, qui peut être transcrit à l'aide du signe *s-*, s'assimile couramment $(-t + p -> -pp-$, etc.) chaque fois qu'il intervient avant un *s-*, une occlusive, une nasale bilabiale ou dentale.

Le matériel graphique comporte vingt-cinq signes fondamentaux qui sont très faciles à tracer. L'orthographe a fait récemment l'objet de simplifications qui ne vont pas sans présenter des inconvénients pour le philologue. Qui plus est, les nouveaux manuels scolaires sont imprimés à l'européenne (lignes horizontales, à lire de gauche à droite), et presque uniquement en signes *ŏn-mun*.

Les premiers monuments intéressants sont des poésies sino-coréennes qui ont été transcrites en partie à l'aide d'idéogrammes ; elles datent en gros des VIIe et VIIIe siècles. Une littérature d'inspiration sino-bouddhique a vu le jour au cours des siècles suivants. On retiendra aussi l'existence d'annales officielles rédigées en chinois, auxquelles sont venus s'ajouter des « romans » dont beaucoup sont des versions coréennes d'originaux écrits en chinois par des

Coréens. Un mouvement culturel qui s'écarte des traditions confucéenne et bouddhique s'est développé à partir du xxᵉ siècle, en grande partie sous l'influence de l'Occident ainsi que sous l'impulsion des missions religieuses, catholiques et protestantes. La production littéraire qui a connu un renouveau depuis une vingtaine d'années et a pris un caractère très moderne, se ressent des conditions politiques et économiques actuelles. Quelques spécialistes, coréens, japonais et occidentaux, ont contribué récemment à faire mieux connaître le coréen moderne ; la documentation reste néanmoins insuffisante.

On doit distinguer les dialectes du Nord de ceux du Sud, mais les différences qui les séparent seraient principalement d'ordre phonétique. Le parler poli de Séoul *Soŭl* a été adopté comme langue commune, celle qui est enseignée à l'école. Cette langue écrite utilise un vocabulaire dans lequel le sino-coréen domine et auquel se sont mêlés, au cours des siècles, des emprunts faits aux parlers mongols, au sanskrit, au japonais ainsi qu'au sino-japonais, puis à l'anglais et aux langues européennes.

PHONÉTIQUE

a) *Matériel phonétique.* — On distingue actuellement et dans le parler de Séoul : 1º sept voyelles fondamentales : *a* (>*ă* ∽ *ā*), *å* (>*ă* ; *å*, qui représentait un son intermédiaire entre *ă* et *ŏ*, a été remplacé par *a* dans l'orthographe moderne) — quatre voyelles postérieures : *o* (non arrondi, *ɔ* intermédiaire entre *ö* et *ŏ*), *ə̃* (non arrondi, haut, intermédiaire entre *ö* et *ŭ*), *o* (faiblement arrondi > *ō*), *u* (fermé, non arrondi >*ū*) — une antérieure : *i* (>*ī*) ; — aux six voyelles vivantes s'ajoutent quatre yodisées simples *ya*, *yu*, *yo*, *yo* et deux complexes *yä* (<*ya.i*), *ye* (<*yo.i*) ainsi que des quasi-diphtongues (*ə̃i*, *ŏa*, *ui*, *uä* [<*oai*], *ue* [<*oi* ou *uoi*], *uo*) dont certaines sont devenues des diphtongues : *ä* ∽ *è* (<*ai*, *åi*), *e* (<*oi*), *ö* (<*oi*), *ü* (<*üï* < *ui) ; 2º vingt-cinq consonnes qui se classent comme suit :

	Bilabiales	Dentales	Dento-alvéolaire	Linguo-palatales	Vélaires
Occlusives faibles	p (b)	t (d)			k (g)
Nasales	m	n			ṅ
Affriquée				č (ǰ)	
Fricatives		s	ř ʋ l	š	
«Forcées»	pp	ᵗt, ˢs		ᵗč	ᵏk
Aspirées	pʿ	tʿ		čʿ	kʿ, h

b) *Observations concernant la phonétique.* — Le signe qui sert à transcrire *s* peut noter un *-t* implosif lorsqu'il intervient en fin de syllabe (v. ci-dessus, p. 434, l. 20-21). Le son *h* constitue une soufflée, rarement une gutturale. Les phénomènes d'accommodation (insertion d'un glide vocalique ou consonantique) sont fréquents (ex. : *sal-*, être vivant, radical verbal> *sař.ȧ-m*, l'être vivant, homme ; *mit-*croire> *mid.ə̈-m*, croyance ; *sořä*, son, voix> *sořä.ř-əl*, accus.). On observe à ce propos des traces d'« harmonisation vocalique ». Le coréen connaît les sonores, mais ne tolère qu'à titre exceptionnel la présence d'une occlusive sonore à l'initiale. Même intolérance dans le cas de la dento-alvéolaire *ř*, peu vibrée, qui passe à *-l* en certaines positions : en effet, ce son *ř* qui n'est attesté à l'initiale que dans les emprunts au chinois, passe à *n-* devant une voyelle autre que *i* ou une yodisée ; car, dans ces deux derniers cas, *ř-* tombe ou bien passe à *y* ; ex. *řyoṅ*, dragon> *yoṅ ; řak.koa*, échec aux examens> *nak.koa*. De son côté, *n-* tombe devant *i-* ; ex. : *nip-ta*, porter un habit> *ip-ta*. Les finales *-p, -m, -t, -k* sont prononcées comme des implosives ; mais la plosive réapparaît devant une voyelle (ex. : *i tařg-i u-o*, ce coq chante). L'occlusive *k* tombe parfois en position intervocalique (*taᵐbä* < **tamaki*, tabac) ; même remarque pour *-h-* (*kal.la ha-o*, je vais m'en aller> *kallā-o*). La finale *-ṅ* peut avoir disparu (*nařa*, pays

$<$*naṙaṅ?*). Les assimilations sont fréquentes (*-t+s*$>$*ss;* *-p+m-*$>$*-mm-; -k+m-*$>$*-ṅm-; -l+n*$>$*ll;* etc.). La langue ignore les tons. L'accent de phrase joue un rôle important : il varie selon que l'on affirme, propose, émet un doute ou interroge.

MORPHOLOGIE[1]

Le mot isolé se présente comme un monosyllabe ou un polysyllabe à finale vocalique ou consonantique. On voit au seul aspect d'un mot si l'on a affaire à un mot invariable ou à un radical variable susceptible, lui, d'admettre un suffixe autre qu'une enclitique ou qu'un suffixe formatif.

a) *Catégorie des mots invariables.* — On comprend sous la dénomination de mots invariables des substantifs (mots nominaux), des déterminatifs (démonstratifs, personnels, etc.), des postpositions, des adverbes, des noms de nombre, des interrogatifs et des indéfinis qui offrent tous ce caractère commun d'être indifférents au nombre comme au genre et de ne pouvoir être suivis que d'un suffixe formatif (ex. : *namu,* bois$>$ *namu-ᵏkun,* bûcheron ; *i,* celui-ci$>$ *i-ṙi,* ici ; *abi,* père$>$ *apǫ.m-, abǫ-ǰi*) ou d'une enclitique (*mal,* cheval$>$ *mal-dǝ́ṙ-,* indice de la pluralité = chevaux ; *ppal.li-dǝl o-nǝ̈-ṙa,* vite-tous vienne ! $>$ venez [l'indice de la pluralité, un ancien mot nominal, est senti actuellement comme affectant l'adverbe mais comme s'appliquant au prédicat] ! ; *ǫdä,* où ?$>$ *ǫdä-da,* où ?, au translatif ; *muǫt,* quoi ?$>$ *muǫs-ǝ̄l,* quoi? à l'accusatif ; *ʼu,* le dessus$>$ *u-e,* sur, locatif-translatif ; *kǝ̄ saṙam-i,* cet homme-là, nominatif = il).

Le coréen moderne utilise couramment trois « pronoms personnels » : *na,* je ; *nǫ,* toi ; *uṙi,* nous [inclusif] ; mais il les remplace volontiers par des quasi-pronoms (*taṅ-sin,*

---

(1) Pour éviter des répétitions, il ne sera pas fait état ici des faits de morphologie qui valent pour tout le domaine altaïque (structure générale de la phrase ; absence de pronoms relatifs ; tour comparatif syntaxique ; absence de discours indirect ; etc.).

vous) ou par des déterminatifs démonstratifs (*i*, ce... -ci *;*
kȫ, ce... -là ; *čǫ*, ce... -là [là-bas], ce... dont on vient de
parler ; ex : *kȫ pu.in*, cette dame=elle ; cf. plus loin,
p. 440, l. 2).

Le numération est décimale. Précisons qu'on utilise en
coréen deux séries de noms de nombres, à savoir : *a)* une
série coréenne qui ne comporte pratiquement que les dix
premiers noms de nombres (1, *han.a*; 2, *tūl*; 3, *sēt*; 4, *nēt;*
5, *tasȧt* > *tasǫt*; 6, *yǫsȧt* > *yǫsǫt*; 7, *nilgop* > *ilgop*; 8, *yǫdȧlp*
> *yǫdȧlᵖ* ∾ *yǫdǫl*; 9, *ahop* > *a'op*; 10, *yǫl*) et apparaît tantôt
sous la forme courte (proclitique, ex. : *han saŕam*, un homme)
et tantôt sous une forme élargie (celle-ci accepte l'enclitique, ex. : *yǫn.pʻil han.a-ŕ.ȫl*, un crayon, acc.) ; *b)* une série
sino-coréenne complète (proclitique) : 1, *il*; 2, *i*; 3, *sam;*
etc.

On a recours également à des spécifiques numéraux
(ex. : *kä tū maŕi*, chien deux têtes = deux chiens).

b) Les suffixes formatifs. — Ils servent à former des mots
nominaux, principalement à partir de radicaux variables *;*
ex. : *tȫl-*, soulever > *tȫl-ⁱči*, poids ; *nal-*, voler > *nal-gä*,
aile ; *tol-* tourner > *tol-gä*, tourbillon ; *ka-* s'en aller > *ka-gi,*
l'acte de se déplacer ; etc. Mais il en est d'autres qui s'ajoutent à un radical invariable ; ex. : *māl*, parole > *māl-si,*
vocable, manière de parler ; cf. p. 437, l. 19-20.

c) Les enclitiques. — Par enclitiques on entend ici des
morphèmes qui remplissent des fonctions syntaxiques
variées.

Contrairement à ce qu'affirment les grammaires, les
enclitiques *-i* et *-ka* (> *-ga*) ne constituent nullement de
simples indices du nominatif. Le rôle effectif de la première,
qui est attestée également comme déterminatif démonstratif (*i saŕam*, cet homme-ci, ou : il), était probablement celui d'un «indice de rappel» (*kȫ ai tä.dab-i*, cet-
enfant-là [sa-] réponse) et d'un connectif, indice attributif
(ex : *ton-i kui ha-m-ȫ.ŕo*, argent [son]-fait d'être cher+enclit.
= étant donné la cherté [la rareté] de l'argent). La fonction de *-ga* devait être avant tout attributive-connective

(ex. : *nä-ga o.a-s-so*, [c'est] moi [qui] suis venu ; *pi-ga o-n.ǝn nal*, pluie [son] être tombant jour = un jour de pluie). L'enclitique *-ǝn* ne constitue, elle, qu'une simple emphatique à valeur limitative (*i-gos-ǝn ču.min-i ǫp-ta*, ce lieu-ci, habitants manquent = ce lieu-ci, il est inhabité) ; indifférente au cas, elle peut suivre tout enclitique autre que *-ga*, *-i*, ou *-ǝl*, l'indice du rég. direct. (ex. : *kǝ.i-n.ǝn*, celui-là... ; *čǫ čib-e-n.ǝn*, dans cette maison-là ; *čib-e.sǫ-n. ǝn*, à la maison, locatif) et remplit une fonction à la fois isolante et limitative.

D'autres enclitiques, simples ou déjà complexes, ont une valeur casuelle très nette (ex. : *-e*<*ǫi*, locatif ; *-r̊o*, instrumental ; *-ǝ̆*, attributif, quasi-génitif ; *e-ge*, attributif, quasi-datif).

d) *Le mot variable*. — On désigne ici par ce terme des radicaux qui sont susceptibles de varier, en ce sens qu'ils acceptent des suffixes fonctionnels et des terminaisons. On comprend dans cette catégorie des verbes qui désignent une action ou un état (ex. : *ha-da*, faire ; *sok-ta*, être trompé ; *pulk-ta* > *pu'k-ta*, être rouge). C'est dire que l'« adjectif » est traité dans une large mesure comme un verbe en coréen. Certains verbes dérivent de mots nominaux (ex. : *sin*, chaussure > *sin-ta*, se chausser). Les verbes *ha-*, faire, et *tö-*, devenir, être en puissance, sont utilisés couramment pour faire passer un mot invariable à la fonction verbale ; ex. : *koṅ.pu ha-da*, étudier. Mais un radical verbal peut passer à la fonction nominale ; ex. : *nol-da*, jouer > *nor̊-ǝ̆-m*, jeu, — la nature verbale persiste dans *nor̊-ǝ̆-m-ᵏkun*, un individu qui joue.

Deux faits capitaux sont l'indifférence du verbe à la notion de nombre et, surtout, son caractère strictement impersonnel (il n'existe aucun suffixe déterminatif de la personne en coréen). Le second de ces faits n'implique pas toutefois que le sujet parlant ignore la notion de la personne ; on en déduira seulement que le mot verbal coréen est morphologiquement indifférent à la notion de la personne. Pour référer à une personne de façon précise force

est donc au sujet parlant, soit de nommer celle-ci ou bien
d'avoir recours à des quasi-pronoms, ou à des démonstratifs, soit de faire allusion à cette personne au moyen
de formes verbales plus ou moins polies (voir ci-après,
p. 442, § g). Il ressort de ce même caractère du mot
verbal qu'une forme verbale peut constituer, à elle seule,
une phrase complète (ex. : *ka-da*, aller = je vais, tu vas, il
va, elle va, nous allons, vous allez, ils vont, etc. — *ka-get-ta*,
aspect intentionnel, quasi-futur = j'irai, tu iras, il ira, etc.
— *nǫlp-ta* > *nǫ'p-ta*, [il ou elle ou c']est large). Bien
entendu, une telle phrase n'est comprise que parce que
le sujet inexprimé est déjà présent à l'esprit de l'interlocuteur, c'est-à-dire connu de ce dernier ou logiquement
saisissable ou physiquement perceptible par lui. Cette
indifférence du verbe à la notion de la personne a pour
résultat l'imprécision du langage chaque fois que ces conditions ne sont pas réunies. Ex. : *ᵖpal-li ka-myǫn tö-r̃i-da*,
s'il y a aller vite, [ça] deviendra ∽ réussira = nous arrive-
rons [à temps], à condition d'aller vite ; il arrivera [à
temps], s'il se hâte ; j'arriverai [à temps], si je m'en vais
vite ; etc. ; *kə̃ yag-i tə̃r̃-ə̃n mo.yan̊ i-yo*, ce remède avoir
eu effet apparence est = il semble que ce remède ait amé-
lioré mon [ou : ton, son, etc.] état. Il convient même
d'observer à ce propos que ce qui nous paraît constituer
un sujet grammatical exprimé peut ne pas en être un en
réalité ; ainsi, dans la phrase *na-n.ə̃n či̇b-e.sǫ nor̃.a.t-ta*
(moi-pour ce qui est de, maison-dans amusa), on peut
soutenir que *na* n'est pas un sujet véritable : en effet, la
phrase coréenne exprime simplement qu'« en ce qui (me)
concerne moi, l'action de jouer a eu lieu dans (ma)
maison » = je me suis amusé, je m'amusai chez moi. Il
suffit pour s'en rendre compte de prendre en considération
les autres exemples suivants : *o.nar̃-ə̃n mäu č'a-n nal i-o*,
aujourd'hui - pour ce qui est de, très [qui est] froid
jour être ; *o.nar̃.ə̃n hanar̃-i hə̃ri-m-ni-da*, le ciel est trouble
(= nuageux), aujourd'hui. La vérité semble bien être que
le verbe exprime telle action ou tel état de façon a-person-
nelle et que cette action (ou cet état) est attribuée ensuite

à une personne donnée par le moyen d'une enclitique. Mais, répétons-le, cette précision peut manquer (ex. : *č'äk sa-ṙ.* *yǫₒka-da*, aller [pour] acheter [un] livre = je vais [ou : tu vas, il va, etc.] acheter un livre).

La morphologie du mot verbal coréen offre une grande variété grâce à la suffixation : en effet, le radical verbal qui n'apparaît guère sous la forme nue (impératif direct) ou déjà élargie, s'emploie normalement suivi d'un suffixe fonctionnel (ou d'une terminaison ; voir p. 442, § f), souvent même de plusieurs, et l'ordre dans lequel lesdits suffixes se succèdent est tel que l'indice de la « voix » précède l'indice « temporel », les autres suffixes n'apparaissant, eux, qu'à la suite de ces premiers.

e) *Les suffixes fonctionnels.* — On peut distinguer en gros et de façon empirique :

1º Des suffixes à valeur temporelle qui n'apparaissent ni en fonction suspensive, ni en fonction conclusive (ex., pour le présent et le prétérit : *ha-da*, faire > *ha-n-da*, il fait [présentement] > *ha-y.ǫ.t-ta*, a fait ; *o-da*, venir > *o-a.t-so* > *o-a.s-so*, est venu ; sur le rôle respectif de *-ta* et de *-so*, cf. ci-après § f). D'autres ont un rôle déterminant à côté de leur valeur temporelle (ex. : *ka-da*, aller > *ka-n saṙam*, l'homme qui alla[it], *ka-n.ǝn saṙam*, l'homme qui va [maintenant] ; *kī-n kil*, le long chemin).

2º Des suffixes qui expriment un aspect et dont certains sont susceptibles d'exercer la fonction déterminante. Ainsi, *-ṙ(-l)* sert d'indice de l'intentionnel, de l'aspect virtuel (ex. : *ha-ṙ il*, le travail *il* qu'on doit [ou : va ou veut] faire, qu'on fera) et d'indice de la finalité (ex. : *čib-e ka-l kil*, le chemin qu'on aura à aller [= à faire pour aller] à la maison).

3º Des suffixes qui interviennent en fonction converbale (auquel cas, une forme verbale en précède une autre) ou en fonction suspensive et sont indifférents à toute notion de temps ou d'aspect. Une telle notion ne ressort que du prédicat ou du contexte.

Par exemple, un suffixe *-ko > -go* annonce une séquence

d'actions complémentaires (ex. : *či-go ka-da*, porter une charge - et marcher = se déplacer en portant une charge ; *po-go al-da*, voir - et connaître = savoir *de visu ; ïṙ-ᴈl pǫṙi-go*, ... *ku-ha-yǫₒču-ṙ.ya-go*, *ᵗčoᵗč'aₒka-t-ta*, travail laissant, ... dans l'intention de secourir, étaient accourus = [ils] avaient laissé là [leur] travail et étaient accourus pour [lui] porter secours).

De son côté, le suffixe attributif *-ke* ($>$*-ge*), qui est nettement jonctif, sert d'indice de la finalité (ex. : *nop-ke ha-n-da*, faire que soit haut ; *mǫk-ke tö-da*, être [préparé] pour [être] mangé).

Un autre suffixe jonctif *-ka* ($>$*ga* (voir p. 438, l. 29) sert d'indice de la simultanéité ; ex. : *namu-ṙ-ᴈl ᵏkak-ta-ga hoṙaṅi-ṙ.ᴈl po-a.s-so*, [j'étais en train de] couper du bois quand (= et voilà que), [je] vis [un] tigre.

4⁰ Des suffixes qui servent à former des « voix » : quasi-passif-potentiel-factitif, etc. (ex : *po-*, voir$>$ *po-i-da*, être visible ∽ faire voir$>$ montrer) ou qui introduisent une notion secondaire (mode propositif, dubitatif-conjectural, etc.) ou bien encore une nuance de politesse (ex. : suff. *-si-*).

f) *Les terminaisons verbales.* — On doit distinguer de ces suffixes les terminaisons verbales : ces dernières ont surtout une valeur conclusive-déclarative (ex. : *-ta*, sorte de *tempus indefinitum*) ou exhortative, mais il peut s'y ajouter une nuance polie (c'est le cas pour *-o*, après voyelle, et *-so*, après consonne, qui sont indifférents au temps) qui sera déclarative, propositive ou interrogative.

g) *Verbes de politesse et formes verbales polies.* — La conception que le Coréen se fait de la politesse est encore fonction de l'organisation très hiérarchisée de l'ancienne société coréenne ; il en résulte que le sujet parlant s'exprime conformément à la fois à sa condition sociale et à la position sociale de son interlocuteur, ou à celle de l'homme dont il parle. L'opposition la plus nette était de supérieur à inférieur ou *vice versa*.

Le recours à des verbes de politesse (verbes de politesse

ou mots verbaux affectés d'un suffixe de politesse ; ex. :
ču-da, donner > *ču-si-da* > *ču-si.o*, accordez-[moi, ou : lui,
etc.] ; *tǝř.i-da*, je [∽ il] vous [∽ Lui] offre ; ces deux
verbes rendent l'idée de « donner »), à des terminaisons
polies plus ou moins honorifiques (*ha-si-o*, veuillez faire ;
ha-si-m[<*p]-*ni-da*, veuillez faire, je vous en prie ;
ha-si-p-si-o ; etc.) et à des sémantèmes de politesse (mots
nominaux et quasi-pronoms personnels, honorifiques ou
humbles) ou, au contraire, l'absence de tels indices traduisent l'attitude du sujet parlant non seulement à
l'égard de son interlocuteur (deuxième personne) ou à
l'égard d'un tiers dont il est question (troisième personne), mais encore sa propre attitude (autoritaire ou con-
descendante, déférente ou humble, amicale ou familière,
etc.) dans ses rapports sociaux. A ce propos, on doit préciser toutefois que les verbes de politesse et les formes verbales honorifiques sont déjà démonétisés ; en effet, ils
n'impliquent plus forcément des relations d'inférieur à
supérieur, mais simplement le respect, la courtoisie, la
simple politesse. Ce changement est dû à la démocratisa-
tion des mœurs.

Ainsi, quand on dit *mǫk-ta*, on ne peut que faire allusion à soi ou à un tiers dont on peut (ou désire) parler
sans égards spéciaux, par exemple à un familier = je
mange, il mange, tu manges ; les formes *mǫg.ǟ-o*, *mǫg-s.ǟ.m-*
ni-da, indiqueront qu'on s'exprime déjà avec une certaine
déférence ; le recours à *čapsu-da* (verbe de politesse), *čap-*
su-si-da impliquera, par contre, qu'on réfère à autrui avec
une déférence croissante (deuxième personne ou troisième)
= vous mangez, Monsieur ; ou : cette personne, Elle mange.
L'existence de formes verbales et de sémantèmes polis
explique que la langue puisse se passer de pronoms personnels véritables : le mode d'expression plus ou moins poli
en tient lieu, en effet, dans le cas des personnes. Ainsi,
hä-řa, impératif direct, ne peut signifier que « fais » !
(on s'adresse à un cadet, à un inférieur) ; même remarque
pour *ha-yǫ-řa ;* à un ami on pourra dire *ha-o ;* mais on aura
recours à *ha-si-o*, *ha-si-p-si-o*, etc. chaque fois que les

convenances exigeront qu'on s'exprime avec politesse (=
veuillez faire).

Voici quelques exemples : *čal ča-s-s.ə̃.m-ni-da. Taṅ.sin-to
an.nyǫṅ-hi* [>-'*i*] *čumu-sǫ-s.ə̃.m-ni-ᵏka,* bien (je) dormis [on
s'exprime avec politesse, mais le radical verbal *ča-* indique
qu'on parle de soi]. Concernée-personne [quasi-pronom =
vous, à qui je m'adresse de façon quasi-indirecte] -aussi
paisiblement reposâtes ? = j'ai bien dormi. Et vous, Monsieur, avez-vous passé une bonne nuit ? — La forme
čumu-sǫ-s.ə̃.m-ni-da < *čumu-si-* ne saurait signifier que «vous
avez dormi», ou : « Monsieur (cette personne) a bien
dormi ». De son côté, *ča-t-ta* signifiera : « j'ai dormi », ou :
« tu as dormi », ou : « il (elle) a dormi » (on s'exprime alors
sans déférence particulière, ni à l'égard de celui auquel on
attribue l'action, ni à l'égard de l'interlocuteur à qui on la
signale). Avec *čumu-sǫ-t-ta,* (ce monsieur) a dormi, il ne peut
être question que d'un tiers respecté à la fois du sujet
parlant et d'un auditeur auquel le sujet parlant s'adresse
sur le mode familier (...-*ta*). De même *čib i.o* signifiera
«c'est ma (ta, sa) maison»; mais *täg i-m-ni-da* devra être
traduit, selon le cas, par « c'est votre demeure » ou par
« c'est Sa demeure », « c'est Leur demeure ». Les remarques
précédentes valent encore en partie pour les verbes d'état ;
ex. : *kip-ta,* est profond, >*kip-so,* même sens, mais poli
>*kipʿ.ə̃.m-ni-da,* même sens, mais très poli.

h) *Verbes auxiliaires.* — Le coréen ne possède pas de
verbe « avoir ». Le verbe *i-da* rend notre verbe « être » ; ex. :
saɼam i-yo, [c'] est [un] homme. Le verbe *it-ta* marque
l'existence (*saɼam-i it-ta,* il y a des hommes ; *nä-ge čʿäg-i
it-ta;* à-moi livre il y a = j'ai un livre) et sert d'auxiliaire
pour marquer l'aspect duratif (*mul-go it-ta,* être tenant en
bouche). L'inexistence s'exprime au moyen du verbe
ǫp-ta. La négation est indiquée au moyen de *an-,* proclitique, et l'impossibilité, à l'aide de *mot-* également proclitique (ex. : *pi-ga an-o,* pluie n'est pas = il ne pleut pas ;
an-ga-s-so, il n'est pas allé ; *mot-po.a-s-so,* je n'ai pas
pu voir).

D'autres verbes sont susceptibles d'un emploi auxiliaire à côté de leur rôle normal ; ex : *pǫři-*, rejeter, abandonner > *Ppařǫₒpǫři-da*, tomber complètement > se détacher en tombant ; *pǫři-* sert ici d'indice de l'aspect accompli intégral. Sur le rôle de *ha-* et *tö-*, cf. ci-dessus, p. 439, l. 24-26.

TEXTE

D'après le *Yumoṅ-kǟidam*, The Child's Wonder Book, I, Séoul, 1924, pp. 35-36.

yǫ	*bo-si.p-si-o* *<po-*	*noṅ.bu*	*-nim*	*kǟ pyǫˡ.čipʻ-*
Ici regarder+suffˢ. polis+term. (formule pr. attirer l'attention)		paysan+terme honor., (<sino-cor.)		cette paille de riz

ǝl	*čǫ-ř.ǝl*	*ču-si -myǫn*	*čib-ǝl*	*han.a yamřǫn-*
+encl. (accus.),	cela+encl. >moi (acc.) >datif	donner+suff. poli. +suff. supposit.,	maison +encl.	un(e) gentil(le)

ha -	*ge*	*čit - go*	*sař.a* ₒ	*po-*	*l-*
faire=verb. aux.+ (passage du mot inv. à la fonct. verbale)	-suff. indice finalité (fonct. quasi-adverb.)	bâtir+suff. (fonct. converb.)	vivre (base verb. en composit.)	+voir (v. aux.= essayer)	suff. intent. (action qu'on est sur le point de réaliser)

tʻǫ	*i-*	*ni*	*kǟ*	*gǫs - ǝl*	*če -*	*ge*	*ta*
(indice de la virtua- lité ; quasi- futur)	être	+ suff., (étant donné que)	cette	chose+encl., (=moi)	ce... là (dat.),	+ encl.	tout

ču - si -myǫn	*ǫttǫ*	*ha*	*-ge.s*	*-s.ǝ.m - ni - kka*
accor- +suff., der (suppos.)	comment	faire + (=dire)	suff. + (intent. prob.)	suff. polis+term. interr.,

-řa-go	*ha - yǫ - t*	*-ta.*	*Noṅ.bu -n.ǝn*	*töyaři*	*- ǝi*
+suff. limit. d'une citatⁿ (discours dir.)	dire + suff. (prétér.)	+ term. concl.	+encl. limitat.,	porc (*ʊtŭeři*)	+encl. (gén.)

mař-i	*ki.lʻǝk-*	*hä-*	*sǫ*	*či-*	*go*	*ka-*
parole +encl.	rare[té]	verb. + (fonct. aux.)	suff. conn. -susp.,	porter (une charge)	+suff. conn.	aller

dǫ-n		*čipʻ-ǝl*	*ču-ǫ . t - ta.*
+suff. (asp. duratif accomp.)	+suff. (en fonct. déterm.)		suff. + (prét.) termin. concl.

Traduction

(Le porc) dit : « Holà, monsieur le paysan, si vous vouliez me donner cette paille de riz, mon intention serait de m'en faire une gentille maison et d'essayer d'y vivre ; ne consentiriez-vous à me la céder toute, qu'en dites-vous ? » — Trouvant méritoires les paroles du porc, le paysan voulut bien lui donner la paille qu'il était en train de transporter.

Ch. HAGUENAUER.

BIBLIOGRAPHIE

H. G. UNDERWOOD, *An introduction to the Korean Spoken Language*, London-New York, 1890.

A. ECKARDT, *Koreanische Konversations-Grammatik*, Heidelberg, 1923.

OGURA Š., *Nambu-Čōsen-no hōgen* (en japonais), Séoul, 1924.

OGURA Š., *Čōsen.go hōgen-no kenkyū*, 2 vol., Tōkyō, 1944.

G. J. RAMSTEDT, *A Korean Grammar*, Helsinki, 1939.

G. J. RAMSTEDT, *Studies in Korean Etymology*, Helsinki, 1949.

Ch. HAGUENAUER, *Système de transcription de l'alphabet coréen*, dans Journal Asiatique, janvier-mars 1933, pp. 145-161.

Ch. HAGUENAUER, *L'écriture coréenne*, dans *Notices sur les caractères étrangers*, pp. 391-395, Imprimerie Nationale, Paris, 1948.

G. M. MCCUNE et E. O. REISCHAUER, *Romanization of the Korean Language*, dans Transactions of the Korea Branch Royal Asiatic Society, Séoul, s. d.

E. M. PAI, *Conversational Korean*, Korean Affairs Institute, Washington, 1944.

F. LUKOFF, *Spoken Korean*, 2 vol., Linguistic Society of America, 1945 et 1947.

E. M. CLARK, *Introduction to Spoken Korean*, I et II, Institute of Far Eastern Languages, Yale Univ., New Haven, 1948-1949.

Dictionnaire Coréen-français, par les Missionnaires de Corée, Yokohama, 1880. On doit à ces mêmes missionnaires une *Grammaire* coréenne (1881).

J. S. GALE, *A Korean-English Dictionary*, 3e édition rev. p. A. A. Pieters, Séoul, 1931.

H. G. et H. H. UNDERWOOD, *An English-Korean Dictionary*, Séoul, 1925.

LE JAPONAIS[1]

INDICATIONS EXTERNES

Des groupements hétérogènes, altaïques (toungouzes ?),
coréens, aïnoïdes, peut-être aussi indonésiens, mais qu'on
est dans l'impossibilité de déterminer, ont dû contribuer à la
formation de la population qui occupe l'archipel. Toujours
est-il que celle-ci était en place vers le début de l'ère
chrétienne. L'État embryonnaire qui fut constitué au
Yamato entre le viie siècle et le viiie n'a étendu son
autorité que progressivement et par personnes interposées
(chefs régionaux) sur ledit archipel. Et l'on sait que le
royaume des *Ryū.kyū* est resté indépendant du Japon
jusqu'en 1872. D'autre part, et pour des raisons qui sont
à la fois d'ordre historique, géographique et social, des
cultures régionales se sont maintenues dans l'archipel
jusqu'à l'époque contemporaine. Aussi le linguiste peut-il
distinguer le groupe des dialectes du Nord-Est *(Tō.hoku)*,
de ceux du *Kan.tō (Tōkyō)*, du *Kan.sai (Kyōto)*, de
Ši.koku et de *Kyū.šū*. Ceux de *Kagošima (Saḷuma)* et de
Nagasaki sont les plus différenciés, et la même remarque
s'applique encore mieux aux parlers des *Ryū.kyū* qui ont
évolué à part le plus longtemps.

A la langue des courtisans de *Kyōto*, celle-ci stabilisée
depuis le xe siècle (langue écrite ou *bun.go*), et aux parlers
qui sont restés en usage dans les différentes classes sociales
des grandes villes (Ōsaka, Edo) jusqu'à la Restauration
de *Mei.ži* (1867), a été superposée ensuite, grâce aux
efforts des réformateurs scolaires et des instituteurs, une
langue standard *hyō.žun.go* ou langue parlée *kō.go* qui
constitue, elle, un compromis, parfois artificiel, établi entre,
d'une part, la langue écrite classique et, d'autre part, les

1. Carte X.

parlers en question. Cette langue parlée a supplanté
finalement la langue classique *bun.go ;* elle s'écrit couramment et c'est elle encore qu'on désigne sous les noms
de *koku.go* (langue nationale) ou de *ni.hon.go* (langue
nipponne ; *ni.hon* est l'équivalent sino-japonais du chinois
žə.pen qui est à l'origine du Zi.pan-gu [pays Zi.pan]
de Marco Polo et du fr. Japon). Plus de quatre-vingts
millions d'habitants parlent cette langue dont l'emploi
a été introduit (enseignement scolaire) également en Corée,
à Formose, à Sakhaline, aux Hawaï et dans quelques
autres îles du Pacifique au cours des quatre premières
décades du xxᵉ siècle.

L'absence d'écriture indigène avait conduit les premiers
scribes, qui étaient, en grande majorité, des Chinois et des
Coréens, ou des métis de Chinois ou de Coréens immigrés au
Japon, à transcrire les sons japonais à l'aide de caractères
chinois employés avec une valeur phonique approchée.
L'usage de ce système de transcription se développa à
partir du viiᵉ siècle. Plus tard, des docteurs ès sons
chinois *(on₀haka.se)* et des étudiants bouddhistes du
siddhaṃ (écriture indienne) composèrent des tables des
idéogrammes retenus à des fins de transcription. Mais
l'éloignement des insulaires par rapport aux foyers de
culture continentaux et l'existence de divergences linguistiques profondes entre les langues japonaise et chinoise
ont fait que les lettrés ont renoncé à ce mode de transcription et créé, au ixᵉ siècle, deux catégories de signes
syllabiques *ka.na* qui s'écrivent l'un au-dessous de l'autre
et en colonnes verticales, à l'instar des caractères chinois.
En gros, les uns (système *kata-ka.na)* constituent des
fragments d'idéogrammes et les autres *(hiřa-ga.na),* des
abrégés d'idéogrammes tracés en cursive. On classa ces
signes en tableaux et en se conformant dans la mesure du
possible *(a, i, u, e, o ; ka, ki, ku, ke, ko ; sa, ši,* etc. ; *ta, či,*
ţu, etc. ; *na,* etc. ; *ha,* etc. ; *ma, etc.* ; *ya, yu, yo ; řa,* etc. ;
uₐ, wi, we, wo) à l'ordre des sons du *siddhaṃ.* A ces
ka.na syllabiques on ajouta par la suite un signe spécial
pour transcrire le *-n* final des mots empruntés au chinois.

'lus tard, le nombre des *ka.na* en usage fut réduit et
'résenté en un tableau dit des « cinquante sons ». Tout
'écemment enfin, un *ka.na* unique a été affecté à la
ranscription de chacun des sons fondamentaux (48 sons
et syllabes au total dont 46 vivants), si bien que les
variantes graphiques sont tombées en désuétude.
Le japonais s'écrit en colonnes verticales, de droite à
gauche : d'ordinaire, tout sémantème invariable ou radical
variable (voir plus loin, p. 455, l. 24 et suiv.) est noté à
'aide d'un idéogramme chinois ; si bien que l'enclitique
(ou le suffixe fonctionnel), qui suit est seule à être transli-
érée en *ka.na*. La graphie traditionnelle ne tenait compte
que des sourdes, mais les sonores ont été distinguées
ensuite au moyen d'un signe diacritique spécial (″, le
nigoř.i₀ten) et la série des sourdes bilabiales *(pa, pi, pu, pe,
po)* par un autre signe (°) qu'on place, l'un comme l'autre,
à la droite et en haut du *ka.na* correspondant. Le parler
de Šū.i, l'ancienne capitale d'Okinawa (Řyūkyū), a été
transcrit à l'aide de *ka.na* au moins depuis le xvi° siècle.
Le total des idéogrammes qui sont réputés absolument
indispensables s'élève à deux mille environ.
A côté d'avantages certains, le recours à l'écriture
syllabique a entraîné des inconvénients graves ; celui-ci,
entre autres, d'obscurcir chez le sujet parlant la conscience
du radical réel (par ex. : *yuk-*, aller, est senti comme *yuku*,
yuka-, etc., ou, fait encore plus grave, comme *yu+-ku* ou
+ *-ka-*, etc.). D'autre part, l'entrée dans la langue d'un
nombre élevé de caractères et, partant, de mots chinois
(empruntés ou créés au Japon) y a multiplié les doublets
sémantiques et introduit une foule d'homophones que
l'absence de tons ne permet pas de distinguer les uns des
autres à l'oreille. Plus gênant encore est l'embarras qui
résulte de ce que des « lectures » sino-japonaises, ou
on, différentes correspondent à chaque caractère emprunté,
selon que celui-ci est lu en *go.on*, c'est-à-dire en « lecture »
ancienne, ou en *kan.on*, c'est-à-dire en « lecture » révisée,
pour ne pas parler ici d'autres « lectures » possibles, ni de
la traduction du sens du caractère en japonais que représente le *kun* ou *yom.i*.

En dehors d'inscriptions dont les plus anciennes datent de 596 et sont, bien entendu, rédigées, elles, en caractères chinois employés pour leur sens *(ma.na)* mais déjà mélangés à des idéogrammes qui sont utilisés, eux, pour leur son approché, le plus ancien monument est le *Ko.ži.ki* (712), une compilation semi-historique translitérée selon cette même méthode. Toutefois, l'engouement des lettrés pour le chinois a été tel à cette époque que la littérature indigène ne s'est développée que beaucoup plus tard et, surtout, à partir des ixe et des xe siècles. Mais il a subsisté en regard de cette littérature japonaise classique toute une littérature d'inspiration sino-bouddhique qui est rédigée, elle, à peu près entièrement en style chinois *(kam.bun)*. La lecture de ce dernier style nécessite une gymnastique spéciale de l'esprit, car elle consiste à transposer chaque phrase chinoise de l'original en une phrase japonaise qui est d'une structure radicalement différente. L'opération en question est facilitée à l'occasion par un jeu de signes diacritiques spéciaux.

Une certaine confusion a régné en matière d'orthographe, plus exactement dans l'emploi des *ka.na (ka.na-ḍuka.i)*, dès le début de l'époque de Hei.an. Elle est due à ce que certains changements phonétiques étaient intervenus dans la prononciation (amuissement de certains sons en position initiale ou intervocalique ; passage médiat de *$^*p$ à *h-* ou à *-w-;* délabialisation de *wi>i* et de *we>e;* confusion des sons *bo, mo, ho, wo* et *o*, etc., en certaines positions).

Les changements morphologiques essentiels étaient acquis dès le xvie siècle et la langue moderne les a ratifiés. Celle-ci est du reste en pleine évolution, — en partie sous l'influence des langues occidentales qui s'est exercée de façon particulièrement regrettable, notamment en ce qui concerne l'interprétation des faits linguistiques japonais.

Les simplifications orthographiques qui ont été introduites au début du xxe siècle et à des fins pratiques, puis appliquées de façon plus stricte à partir de 1946, constituent autant d'embûches pour le comparatiste ; celui-ci ne devra donc jamais prendre l'orthographe moderne comme base de comparaison.

Plusieurs systèmes de transcription en caractères latins (*Roma.ži*) ont été employés depuis la fin du XVIe siècle D. Collado, *Ars Grammaticae Iaponicae Linguae*, Rome, 1632). Le plus connu est celui de Hepburn (1867) qui, révisé, reste en usage bien qu'on ait voulu lui substituer un système de « *ṙoma.ži* national » (système Tanakadate). Aucun de ces systèmes ne convient à des recherches de linguistique.

PHONÉTIQUE

a) *Matériel phonétique.* — La langue *standard* ne dispose que d'un matériel pauvre pour ce qui est des voyelles. Il est vraisemblable que ladite pauvreté résulte de la disparition de certaines voyelles intermédiaires.

Les sons vocaliques fondamentaux sont :

1º Cinq voyelles brèves : *i, e* (très faibles ; ces sons alternent facilement), *u* non-arrondi (passe souvent à une sorte d'*i̯* fermé, d'où une alternance avec *i*), *a* et *o*. 2º Cinq longues qui résultent le plus souvent d'une contraction : *ō (<a+u, o+u), ū (<u+u), ā (a+a), ī (<i+), ē (<a+e, a+i, e+i)*. Précisons que la voyelle longue ne paraît pas être originelle : elle proviendrait en général l'une contraction consécutive à la chute d'une consonne. Au reste, le japonais écrit a une tendance marquée à éliminer la voyelle longue qui résulte d'une contraction ex. : *kawa+haṙa> kawaṙa*, mais> ṙyūkyū *kāṙa ∽ hāṙa*). On notera également que le parler de Šū.i actuel ignore *o* mais a retenu *ē*. 3º Une série yodisée incomplète : *ya, yo, i̯ō, yu, yū, ye* (ce dernier son est rare et en voie d'extinction) ; 4º une série semi-vocalique incomplète, faiblement labialisée (*wa<*pa ∽ ba> ʷa; *wo>ʷo>o*) dont *ʷa* sera bientôt le seul témoin ; 5º des quasi-diphtongues : *ii̯ (>ī), au̯, aĕ, eĭ (>ē), oŭ, oĕ, oĭ, ŭi, ŭe*, etc.

Les yodisées et les diphtonguées apparaissent surtout dans les emprunts de provenance chinoise.

Le système consonantique, qui est pauvre lui aussi, se présente comme suit (quelques sons particuliers à certains dialectes et, aux parlers des *Ryū.kyū* sont indiqués entre crochets) :

	Bilabiales	Post-dentales	Dento-alvéolaires	Linguo-palatales	Vélair
Occlusives (faibles)	p (b)	t (d)			k ($\!$
Nasales	m	n			$-\dot{g}^1-$;
Affriquées	$^*t$ devant u $>\!\!t(d\!>\!z)^3$			$^*t$ devant i $>\!\!\check{c}(^*d\!>\!\check{\jmath}\!>\!\check{z})^3$	$[k+i$
Fricatives		$s(z)$	$\dot{r}$ $[d]$	s devant i, y $>\!\check{s}$ $(z\!>\!\check{z})$	e^2
Soufflée	h				

b) *Observations concernant la phonétique.* — La qualité particulière, en apparence, de *h* (une soufflée faible) devant *u*, qualité qui explique qu'on la transcrive par *f* dans certains systèmes, tient en, fait à la nature très spéciale de *u* en japonais. A l'intervocalique, *-h->-w-* ou s'amuit fréquemment. La faiblesse de certains sons est à l'origine des modifications phonétiques les plus courantes : la disparition d'un son entraîne, en effet, une contraction et même une assimilation, ex. : *kik-*, entendre >*kik.i-ta*> *kiĭ-ta; taka-*, haut> *taka-ku gozaru*> *takō gozaru; isog.u*, se hâter> *isog.i-te*> *isoi-de; *kap.*> *kah.u*, acheter> *kah.i-ta*> *kat-ta* ou *ka'u-ta*> *kō-ta* (dialectal) ; *toh.u*, demander> *toh.i-te* ou *to'u-te*> *tō-te* (dialect.), — on notera, dans ces deux derniers cas, que l'assimilation progressive fait passer *i* à *u* après une voyelle postérieure *a*, *o* ; *yom. u*, lire> *yom.i-te*> *yon-de*, cf. ṙyūkyū *yum.i-ti*> *yun-di*>*yū-di ;* jap. *kamu + be*> *kōbe*, nom de lieu, etc. Le cas de *ṙ* est des

(1) La graphie en *ka.na* ne tient aucun compte de ce son.

(2) On note ici par *e* une prononciation de *h* devant *i*, fréquente surtout à Tōkyō (*hito*, homme >*eito*), qui entraîne la confusion avec *ši*.

(3) L'orthographe moderne réformée confond *zu* et *dụ*, *ži* et *ji* ; elle ne connaît plus que *zu* et *ži*. Les combinaisons *či-ya*, etc., *ši-ya*, etc., passent respectivement à *ča*, etc., *ša*, etc.

plus intéressants : peu vibré, quoique souvent roulé dans le parler populaire de Tōkyō, ce son n'apparaît à l'initiale que dans des emprunts, — encore certains parlers des Ryūkyū répondent-ils par une sorte de *d* (noté *ḍ*) et point par *ṙ* (ex : sino-jap. *ṙai.nen*, an prochain > *ḍē.neṅ ; ṙampu*, lampe > *ḍampo*). A l'intervocalique *-ṙ-* peut tomber ou passer à *-y-* (jap. *moṙi*, bosquet > *ṙyūk. muyi ; haṙi*, aiguille > *payi, hāi*) ou bien être assimilé (*kiṙ.u*, couper > *kiṙ.i-te* > *kit-te*). Le passage de *p à *h-*, sauf dans certains dialectes où il est conservé, explique que les *ka.na* de la série *ha* servent à translitérer la sourde et la sonore bilabiales (voir ci-dessus, p. 449, l. 14-16). L'orthographe réformée fait transcrire *wa* par le *ka.na* qui sert à noter *wa*, l'enclitique *-wa* continuant seule à être translitérée par *-ha*. La position de l'apex pour *s* explique la disparition occasionnelle de ce son (*hašiṙa*, colonne > *ṙyūk. ha'iya ; ṙyūk. kaṙa-saṅ*, être noir > *kāṙ'aṅ*).

Deux caractéristiques essentielles du japonais de l'époque historique sont les suivantes : 1° le mot indigène n'y apparaît que terminé en syllabe ouverte ; c'est même seulement sous cet aspect qu'un emprunt est « naturalisé » (ex. : chinois *ḍʻien > *zeni*, sapèque ; angl. *ground* > *gu.ṙa.u.n.do*, terrain de sport). Cette particularité est importante car elle rend inutile l'insertion d'un glide euphonique entre un mot et le suffixe qui suit ce mot puisque ce suffixe (suffixe fonctionnel, ou suffixe formatif, ou enclitique) débute, lui, par un élément qui est consonantique, semi-vocalique ou yodisé ; 2° le mot indigène offre rarement une occlusive sonore (exception faite pour *d-*) à l'initiale. Par contre, l'union de deux mots est fréquemment assurée par le passage à la sonore de l'initiale sourde du second élément composant (ex. : *kawa*, rivière + *hata*, bord > *kawa.bata*, bord de rivière ; *hito*, homme > *hito.bito*, hommes, pluriel par redoublement). L'unité du composé est renforcée dans certains cas par le passage à *-a* de la finale vocalique *-e* du premier élément (ex. : *sake*, alcool de riz + *ḍuk.i*, tasse > *saka₀ḍuk.i* > *saka₀zuk.i*).

Le débit correct donne parfois une impression de monotonie (ex. : *Yamada-san-kaṙa kat-ta hakama-wa taka-k¹.at-ta,*
[le] hakama [pièce vestimentaire] [que j'] acheta[i] de
M. Yamada était-cher). Le plus souvent la phrase est
néanmoins comme hachée par certaines enclitiques (celles-
ci peuvent être suivies d'une pause orale) et par des
interjections (ex. : *ne*) qui y jouent le rôle d'une sorte de
ponctuation. Les parlers méridionaux, celui de Šū.i par
exemple, sont à la fois plus doux et plus sourds à l'oreille
que celui de la région de Tōkyō, surtout lorsqu'on considère
le parler populaire de cette ville auquel des contractions
qui peuvent constituer de véritables « télescopages »
(ex. : *it-te šimat-ta*, il [s'en] est allé > *ičat-ta*) confèrent une
rudesse relative.

L'accent de mot a été étudié (accent musical); mais
il varie d'une région à l'autre et est tenu comme pratiquement négligeable, sauf quand il sert à distinguer des
homophones (ex. *hana*, nez ∽ *haná* fleur). L'accent de
phrase est plus important.

Une particularité oratoire est celle qui consiste à inspirer
son souffle avant de parler ou au cours d'une pause orale,
par exemple après une enclitique ou un suffixe suspensif.
Le sujet parlant manifeste ainsi du respect envers l'auditeur (il retient son souffle au lieu de le projeter sur lui).

MORPHOLOGIE[1]

Le japonais établit une distinction morphologique entre
le mot nominal, le mot de qualité et le mot verbal. Certes,
l'écart entre ces trois catégories de mots est parfois minime
(ex. : *me*, >ryūkyū *mī*, œil ∽ *mi*, le-voir, la vision, la vue,
forme nominale de *mi-ṙ.u.* voir) et la différenciation n'est
pas toujours absolument nette entre elles (ex. : *kasu*, la
lie ∽ *kas.u*, prêter ; *kuṙai*, rang ∽ *kuṙa-i*, obscur) ; il n'en

_____

(1) Cf. la note 1, p. 437.

reste pas moins cependant qu'il est pratiquement très aisé
de discerner si on a affaire à un mot nominal, à un mot de
qualité ou à un verbe : en effet, en dehors de différences
d'ordre morphologique (ex. : *kaŕa*, ancien nom de la Corée ;
kaŕa-i, âcre, fort au goût ; *kaŕa-m.u*, s'enrouler autour de
<*kaŕ-* ∽ *kuŕ.*), en dehors aussi du secours qu'apportent et le
sens du mot et le contexte, le sujet parlant a nettement
conscience que tel radical est attesté constamment sous sa
forme nue (radical invariable, irréductible ou considéré
comme tel) et qu'il s'emploie toujours sous cette forme sans
être suivi d'un suffixe fonctionnel proprement dit, alors que
tel autre radical apparaît, lui, au contraire, sous une forme
qui varie. Le linguiste dira dans ce dernier cas (celui du
mot dit variable) que le radical n'apparaît jamais sous sa
forme nue à l'état isolé. Par exemple, *kuŕa*, siège, selle, est
un radical nu et s'emploie tel quel ; c'est un mot invariable.
Au contraire, *kuŕa-*, sombre, ou *kuŕas-*, vivre, ne sont jamais
attestés sous cette forme à l'état isolé ; ce sont des mots
variables.

Ainsi, et malgré les passages qui peuvent s'effectuer
d'une série à l'autre grâce aux suffixes formatifs (ex. :
kuŕa-sa, [le degré d']obscurité ; mot nominal), il devient
possible de classer le vocabulaire japonais en deux grandes
catégories, à savoir : celle des mots invariables, c'est-à-dire
des sémantèmes qui n'admettent après eux qu'une enclitique ou un suffixe formatif (dérivation sémantique), et celle
des mots variables qui ne sauraient être utilisés, eux, sans
le secours d'au moins un suffixe fonctionnel. On classera
dans la première de ces deux catégories tout ce qui est,
pour nous, substantif, déterminatif démonstratif ou déterminatif du lieu ou de la personne, préposition [postposition],
nom de nombre, adverbe, mot indéfini, mot interrogatif,
etc. Tout mot emprunté au chinois est considéré, en principe, comme un mot invariable. On admettra, par contre,
dans la seconde catégorie tout ce qui est, dans notre
langue, adjectif ou verbe. A ce sujet, on se rappellera
qu'à la différence de ce qui existe en coréen, l'adjectif
subit, en japonais proprement dit, un traitement morphologique différent de celui qui caractérise le verbe.

On notera à l'appui de cet exposé sommaire que les spécialistes japonais étaient arrivés à distinguer deux grandes catégories de mots, à savoir les « mots-substance » *tai.gen* qui forment l'élément stable de la phrase (nos « mots invariables »), et les mots qui fonctionnent, eux, au titre d'éléments « actifs » *yō.gen* et réclament un suffixe (nos « mots variables »).

a) *Catégorie des mots invariables.* — Comme c'est le cas en altaïque, en coréen et en ainu, le mot nominal est morphologiquement indifférent à toute notion de genre ou de nombre. La pluralité peut être précisée toutefois soit au moyen de suffixes *(-tači* <*tař/t; -nado* <*nař/t; -řa; -domo)*, soit par la combinaison du mot nominal avec un sémantème antéposé (*mořo*, tous ; ex. : *mořo.bito*, tous les hommes).

Le système des déterminatifs démonstratifs se ramène à trois radicaux usuels *(ko* <*ku ; so* <*su ∽ sa ; ka ∽ a)* qui indiquent chacun une position plus éloignée à partir de l'endroit ou du moment où le sujet parlant se place. La langue archaïque a probablement connu un *i* (voir plus loin, p. 459, l. 33). Ces radicaux acceptent des suffixes formatifs *(ko-ře,* ceci ; *ko-ko,* ici ; *ko-či* > *ko.t-či,* par ici, translatif ; *ka-ku* >*kō,* ainsi) ou l'enclitique (*ko-no inu,* ce chien, fonct. déterminante ; *i.ma+da,* un ancien locatif = en ce lieu, présentement ; *so-wo mi-ř.e-ba,* quand on voit cela ; *sa-ni sōřō,* il en est ainsi).

Un phénomène très important est le passage du démonstratif à la fonction personnelle (*ko-ře, ko-či* > moi ; *so-či* > toi ; *a.nata,* ce côté là-bas > vous). En fait, la langue a utilisé anciennement des déterminatifs démonstratifs et personnels pour indiquer la personne (*i-, ši-, na- ; mi-, mař- ∽ wař-,* etc.) ; mais le bon usage a conduit à considérer leur emploi comme irrespectueux (sauf quand on s'adresse à un inférieur ou qu'on se désigne soi-même) parce qu'il est fait ainsi trop directement allusion à l'individu, et la langue a recours de plus en plus à des quasi-pronoms (ex. : *watakuši,* privé = je ; *o-mae, kimi,* vous, ceux-ci dépréciés et

ramenés au sens de : toi) et, surtout, à des tournures polies :
une tournure polie usuelle résulte, par exemple, de la
combinaison d'un sémantème de respect *o-*, qui s'appli-
quait anciennement à des objets taboués (ex. : *o-mi.ya*, le
palais, le temple, puis *o-kuči*, votre bouche) avec la forme
nominale d'un verbe qu'on fait suivre d'un verbe de
politesse (ex. : *o-kak.i nas.a-¹.i*, le-Écrire [veuillez] faire) ;
celui-ci peut être suivi, lui-même, d'un auxiliaire verbal
poli *(-mas.u)*. Dans le cas où l'on interpelle une personne ou bien lorsqu'on s'informe de quelqu'un avec
respect, on a recours à *-sama* ($<$*sa*$+ma$)$>$*-san* ; ex. :
ware-sama, vous ; *nē-san*, sœur aînée ! ; *o-nii-san*, votre
frère aîné.

La numération est décimale. Toutefois, la série indigène
n'est plus utilisée que jusqu'à dix (1, *hi.to-ļu* ; 2, *hu.ta-ļu* ;
3, *mi-ļu* $>$ *mi.t-ļu* ; 4, *yo-ļu* ; 5, *iļu-ļu* ; 6, *mu-ļu* ; 7, *nana-ļu* ;
8, *ya-ļu* ; 9, *kokono-ļu* ; 10, *tō* ; on remarquera à ce propos
que la dérivation des nombres pairs 2, 6 et 8 s'opère au
moyen d'un changement de qualité de la voyelle du radical
des noms de nombre 1, 3 et 4) ; car elle a été supplantée
par une série sino-japonaise qui est, elle, complète (1, *iči* ;
2, *ni* ; 3, *san*, etc.). La série indigène s'emploie sous une
forme courte (ex. : *hi.to₀yo*, une nuit) ou sous la forme élargie (ex. : *hi.to-ļu-no ayamar.i*, une erreur ; *hi.to-ļu go.sen*,
cinq *sen* l'un). Pour dénombrer, la langue a recours également à des spécifiques numéraux, mais ceux qui sont
d'origine indigène constituent en réalité de simples noms
affectés à cet usage particulier (ex. : *ma*, lieu $>$ *hito.ma*,
une chambre, dans *tama.ļuk.i-no hito.ma*, une salle du-
frapper boules = une salle de billard ; *hu-tar.i*, deux
hommes).

b) *Suffixes formatifs*. — On en repère un assez grand
nombre ; ex. : *kara-* fort au goût $>$ *kara-ši*, mou-
tarde ; *nur-*, enduire, $>$*uru-ši*, laque, vernis ; *hototogi-su*,
le coucou, *ugui-su*, le rossignol, *kara-su*, le corbeau ;
kata, côté $>$ *kata-wa* [$<$*pa*] un estropié ; *kawar-*, changer $>$ *kawar.i-me*, changement, etc. ; *dara-dara*, goutte à

goutte <*taṙe*, goutte> *daṙa-ke*, taché, parsemé d'un liquide ; *ame*, pluie> *ame-gači*, pluvieux, etc.

c) *Les enclitiques.* — Pour mettre en relief un mot ou un groupe de mots importants la langue dispose de *-wa* <*pa*> *ba*, chose, ce qui, celui qui. Cette enclitique suit simplement le mot invariable en japonais classique et moderne (on notera toutefois *ko-ṙe-wa*> *ko-ṙiʷa*> *ko-ṙya*, ceci, dans le parler familier) ; mais, dans les parlers méridionaux, elle s'unit étroitement au *tai.gen* si celui-ci se termine par telle voyelle brève (ex. : *-a+wa*>*-ā ; -u+wa* >*-ō*). La valeur exacte, nullement casuelle mais, avant tout, isolante et limitative (force isolante régressive), parfois emphatique, de *-wa* ressort bien de certains emplois qu'on en fait ; ex. : *šiba.ṙa-ku-wa*, *mono-mo iw.a-zu*, un moment+*wa*, chose-même dire-pas = [il resta] un moment sans rien dire ; *kusuṙi-wa*, *Moṙibe-ya*, [pour les] médicaments, [une seule] maison *ya* [la pharmacie] *Moṙibe! ; a.sŏ-ko-ni-wa*..., là-bas+enclitique du locatif+*wa*.... Le rôle usuel de cette enclitique *-wa* est au plus de marquer qu'à propos de quelqu'un ou de quelque chose, on va préciser un état ou une qualité (*a-ṙe-wa aka-i*, celui-là, [est] rouge = ça, c'est rouge ; *kane-wa naṙ.u*, une cloche, [ça] sonne). Son indifférence casuelle ressort encore de ce qu'elle est susceptible de suivre une enclitique « casuelle » (*-ni*, etc.).

L'enclitique *-wo* n'avait sans doute qu'une valeur assez indéterminée avant d'être retenue comme indice du complément direct ; qu'un mot invariable fût placé immédiatement avant un verbe suffisait, en effet, à désigner le régime direct. On remarque au surplus que *-wo* se révèle comme très près à la fois de l'emphatique *-mo* et de *-ba* (le parler de Nagasaki répond par *-ba* à *-wo*, indice de l'« accusatif »). De là, vraisemblablement, la valeur adversative qu'il avait également dans la langue classique (ex. : *mono taka-ki-wo*, *hiḷu-mo yo-k.aṙ.a-zu*, chose le-être-cher et [pourtant] qualité même bonne-être-pas = c'est cher et pas même de bonne qualité). On notera aussi, à ce propos, que la présence de *-mo* exclut celle de *-wa*.

Bien qu'ils soient considérés couramment comme des indices du « génitif » interchangeables, -ga ($<$*ka ∽ -ġa, parler de Tōkyō) et -no ($<$*nu) constituent, en fait, des connectifs qui étaient indifférents, à l'origine, à toute notion casuelle précise. Le rapport de déterminant à déterminé étant marqué normalement en japonais par la simple antécédence du premier sur le second *(yama.miči*, chemin *miči* de montagne ; *yama.bito*, montagnard), il semble exact de dire que -*no* a pour rôle de préciser l'existence d'un tel rapport entre deux mots (*yama-no ue*, le dessus, le haut de la montagne) ou deux groupes logiques (*yama-e-no miči*, le chemin de- vers *e* la montagne ; …..*šō.gun-no hik.i.i-ŕu hei.soṭu*, les soldats que le général *šō.gun*….. mène). L'enclitique -*ga* possède, elle, une valeur beaucoup plus nette : elle exerçait, en effet, une force annective et attributive (ex. : *ani-ga musume*, frère aîné [-sa]- fille = la fille à [∽ de mon] frère aîné ; *ka-ŕe-ga tabe-ŕ.u*, lui [son] le-manger = il mange, lui = c'est lui qui mange ; *kane-ga naŕ.u*, cloche [son-]résonner = la cloche [celle de l'école] elle sonne) caractéristique. C'est même cette valeur qui expliquerait la possibilité qu'a -*ga* d'être employé comme particule de coordination (ex. : *yuki-wa huŕ.i-ši-ga, …samu-k.aŕ.a-z.aŕ.i-ki*, la neige tombait et [pourtant]… il ne faisait pas froid) ; la nuance adversative qu'on note ici par « pourtant » provient, non point de -*ga*, mais seulement de l'opposition qui ressort entre le sens de chacune des deux propositions : il neigeait, [pourtant ∽ mais] il ne faisait pas froid. Cette même valeur rendrait compte du rôle d'indice d'un prétendu nominatif qu'a pris -*ga* alors que cette enclitique n'avait pas pour rôle d'indiquer le sujet en langue classique.

On notera l'existence dans la langue ancienne d'une enclitique -*i*, à valeur démonstrative (indice de rappel ?), qui est tombée très vite dans l'oubli (ex. : *ko-ŕe-wo suṭu-ŕ.u-i-wa…*, ceux -*i* qui rejettent ceci *ko-ŕe..*).

A côté de ces enclitiques fonctionnelles il en est d'autres qui remplissent des fonctions casuelles ; mais on ne saurait oublier que certaines de celles-ci jouent également un rôle fonctionnel (ex. : -*ni*, datif, locatif, allatif, indice de l'état, de la finalité, etc. ; -*kařa*, élatif, indice de l'antériorité [-*te-kařa*], du rapport de causalité ; -*te*, loc. >*de* ∾ *ni-le*>*de*, indices de l'état acquis, de la fonct. suspensive [cf. plus loin p. 468, l. 22 et suiv.], etc., cf. -*to*, connectif, indice du comitatif, de la simultanéité, indice limitatif d'une citation).

Nul ne saurait comprendre le mécanisme de la langue japonaise sans avoir saisi au préalable le rôle et la valeur des enclitiques.

d) *Le mot de qualité.* — Mot variable, il se rapproche du verbe en ce qu'il peut fonctionner, comme lui, soit comme déterminant, soit comme prédicat ; mais il s'en distingue d'abord, en ce qu'il n'admet pas des suffixes fonctionnels identiques à ceux que le verbe accepte en de pareils cas ; ensuite, en ce que tout suffixe fonctionnel est adjoint directement au radical nu du mot de qualité alors qu'il ne s'ajoute au radical verbal que par l'intermédiaire d'une voyelle thématique variable. Les exemples suivants illustrent les modifications principales qu'un mot de qualité peut subir :

Kuřo- (radical nu), noir> **kuřo-ki inu* (fonction déterminante, en langue classique), [un] chien noir ; *ko-no inu* **kuřo-ši* (fonct. prédicative, en lang. class.), ce chien [est] noir ; *a-no inu kuřo-k.u* **ļuyo-ši*, ce chien-là [est] noir [-et, fonct. connect.] fort ; *sumi kuřo-k.u, kami *šiřo-ši*, encre-de-Chine [étant] noire (fonction suspensive), papier est blanc = l'encre est noire et (∾ mais) le papier est blanc ; *ko-no inu kuřo-k.ŭ-te ļuyo-i*, ce chien [est] noir-et fort (langue mod.). Dans la langue standard, un suffixe -*i* (<*ki*) répond aux suffixes -*ki* et -*ši* de la langue classique et le suffixe -*k.u* y est réservé surtout à une forme qu'on peut appeler converbale (mot de qualité déterminant un verbe ; ex. : *kuřo-k.u som.e-ř.u*, teindre [en] noir). Le mot de qualité passe à la fonction nominale par l'adjonction du suffixe -*sa* (ex. : *kuřo-sa*, [degré de] noirceur). Il arrive aussi qu'il prenne la fonction verbale par l'intermédiaire d'un suffixe -*m*- suivi de .*u* ou de toute voyelle autre que .*i* ; car cette dernière est caractéristique, en principe, du verbe utilisé en fonction nominale (ex. : *kuṙa*>*kuṙa-m.u*, devenir obscur ; *taka-*, haut> *taka-m.a-ṙ.u*, devenir [plus] haut ; *ita-*, douloureux> *ita-m.u*, être douloureux >*ita-m.i*, le fait d'être douloureux ou l'état douloureux, la douleur). La forme en -*ki* du mot de qualité était susceptible également d'une valeur nominale en japonais classique.

Le mot de qualité accepte aussi le suffixe -*k.eṙ*- d'où l'on tire -*k.eṙ.e-ba* et *k.eṙ.e-do*[-*mo*] qui servent désormais surtout d'indice du suppositif et du concessif respectivement.

La forme converbale du mot de qualité se contracte avec le verbe d'existence *aṙ.u* ; ex. : *taka-k.at-ta*, était haut.

On notera que plusieurs aspects (négatif, désidératif, etc.) s'expriment en japonais à l'aide de sémantèmes qui sont traités exactement comme des mots de qualité (ex. : *kami na-ši* > *kami-ga-na-i*, il n'y a pas de papier ; *kami-de* [<*ni-te*]-*wa na-i*, ce n'est pas du papier ; *kami-ga na-k.ŭ-te kak.e-mas.e-n'*, papier [son] pas-être [fonction suspensive = alors], l'écrire ne se réalise pas = il est impossible d'écrire, faute de papier ; *kak.i-ta-ki hito*, un homme désireux d'écrire ; *sake-ga* *nom.i-ta-ši*, le saké est ce qu'on désire boire = je voudrais boire du saké. Dans les deux derniers cas, la langue moderne répond par -*ta-i*, indice du désidératif.

e) *Le mot verbal.* — En japonais, le verbe est morphologiquement indifférent à la personne (il en résulte que le sujet peut ne pas être exprimé ; voir ci-dessus, p. 440, l. 5 et suiv.) comme au nombre et, dans une certaine mesure, même au temps. Il exprime une manière d'être, un état (*ita-m.u*, être douloureux) ou une action (*yuk.u*, aller). Le radical verbal n'apparaît jamais sous la forme nue (voir p. 462, l. 7 et suiv.). Il peut être intransitif ou transitif (le passage peut s'opérer par l'intermédiaire d'un suffixe ; ex. : *mi-ṙ.u*, voir, tr. >*mi-yu-ṙ.u* >*mi-'e-ṙ.u*, être vu, visible, se voir, intr. ; *wata-ṙ.u*, traverser, tr. >*wata-s.u*, faire traverser, traverser qq'un, tr. ; **haži-m.u*, commencer >*haži-m.a-ṙ.u*, intr. >*haži-m.e-ṙ.u*, réaliser que qqch. commence, tr.).

Une autre caractéristique essentielle du verbe japonais est qu'il accepte des suffixes spéciaux. Mais un suffixe verbal ne s'ajoute à un radical verbal que par l'intermédiaire d'une voyelle thématique, ce qui revient à dire qu'il est ajouté à une BASE (radical+voyelle thématique). Et, quand plusieurs suffixes se suivent, chacun d'eux intervient à son tour, dans un ordre parfaitement déterminé par l'usage (suffixe de modalité + suffixe d'aspect + suffixe fonctionnel, si nécessaire).

Le tableau ci-après (p. 463) concerne les différentes classes de bases ainsi que la forme et la valeur fonctionnelle respectives de ces bases.

Conformément à ce tableau, on distinguera trois grandes classes de bases verbales (A, B, C), à savoir :

1º Une classe A comprenant des verbes dont le radical se termine par une consonne (*-k*, *-g* ; *-s* ; *-t* ; *-h* ; *-b* ; *-m* ; *-ṙ*). On notera, à ce propos, le passage de *m, *h au degré zéro dans certains cas (ex. : *kuh.u*, manger> *ku.u* ; *kum.u*, assembler > *ku.u*, dans le sens de fabriquer [son nid]). Cette première classe est de beaucoup la plus importante des trois. Des formes verbales qui y rentrent, les unes apparaissent comme étant irréductibles, une fois enlevée la voyelle thématique de la base (ex. : *kaṙ-u* <*kaṙ-*, faucher) ; d'autres, au contraire, représentent déjà des verbes dérivés (verbes dénominaux : *yado*, abri, séjour> *yado-ṙ.u*, loger, intr. ; *ḷuna*, lien> *ḷuna-g.u*, lier ; *haṙa*, ventre> *haṙa-m.u*, enfanter ; etc. — verbes déverbaux, c'est-à-dire des formes verbales élargies : *n.e-ṙ.u*, s'étendre, dormir> *n.e-m.u-ṙ.u*, dormir ; **sug.u*, passer >*sug.o-s.u*, faire passer ; etc. — verbes tirés de mots de qualité : *ita->ita-m.u*, être douloureux ; *kuṙa-*, sombre> *kuṙa-m.u*, assombrir). On constate ainsi que les plus usuels des suffixes formatifs des verbes sont *-ṙ.*, *-m.* et *-k. (-g.)*.

No	Valeur fonctionnelle	Terminologie japonaise	Classe A	Classe B	Classe C
			ex. **kak-**, écrire	(Catégorie a) (Catégorie b) **ik-**, vivre ↘ ↙ **uk-**, recevoir	**ki-**, porter (un habit) *fondue dans la classe B, a (voy.) thém. i) en lang. mod.*
1	conclusive *(confondues dans la langue standard moderne)*	*šū.ši-*[kei]	.u	*.u >*ik.i-ŕ.u* (lang. mod.) >*uk.e-ŕ.u* (mod.)	-ŕ.u
2	déterminante	*ŕen.tai*	.u	*.u-ŕ-u >*ik.i-ŕ.u* (lang. mod.) >*uk.e-ŕ.u* (mod.)	-ŕ.u
3	suspensive - formative	*ŕen.yō*	.i	(Catégorie a) .i].e (Catégorie b)	ki-
4	formative	*mi.zen*	.a	.i].e	ki-
5	formative	*i.zen* (*ka.tei*, en langue moderne)	.e	*.u-ŕ.e >*ik.i.ŕ.e* (lang. mod.) >*uk.e-ŕ.e* (mod.)	-ŕ.e

2º Une classe B dans laquelle rentraient, à côté de quelques rares verbes dont le radical était constitué par une voyelle isolée, des radicaux verbaux terminés par une consonne *(-k, -g; -t, -d; -h; -b; -m; -ṙ; -y; -s., -z.; -n.)* et qui offraient tous des bases élargies en *.u-ṙ.u* (base nº 2) et *.u-ṙ.e* (base nº 5). Il s'agit, dans ce dernier cas, principalement de verbes qui ont été employés sous une forme simple avant d'être utilisés sous une forme élargie qui sert à la fois de base conclusive et de base déterminante (ex. : **uk.u > uk.e-ṙu; *ik.u > ik.i-ṙ.u*) et qui est restée seule en usage. On notera l'existence de l'alternance *i ∽ e* à l'intérieur de cette classe B. Rentre également dans cette classe tout verbe de la classe A dès qu'il est élargi au moyen d'un suffixe du quasi-passif-potentiel (ex. : *kak-*, écrire *> kak.a-ṙ.e-ṙ.u > kak.a-ṙ.e ; kak.e-ṙ.u>kak.e*) ou du factitif (ex. : *kak.a-s.e-ṙ.u > kak.a-s.e)*.

3º Une classe C qui n'est représentée, elle, que par une dizaine de radicaux qui offrent tous cette double particularité d'être monosyllabiques et, sous leur forme historique, d'être constitués par une voyelle *i-* ou de se terminer par la voyelle *-i* (*i-ṙ.u*, tirer à l'arc ; *ni-ṙ.u*, cuire), ce qui fait qu'ils présentent des bases élargies à l'aide du suffixe *-ṙ*. Tous ces verbes sont confondus désormais avec les radicaux de la catégorie *a* de la classe B.

En ce qui concerne la valeur et l'emploi respectifs des bases verbales en question, on retiendra que la base nº 1, qui peut s'employer nue et accepte l'enclitique (fonct. nominale), n'a par elle-même aucune valeur temporelle déterminée : en effet, elle fonctionne surtout comme *tempus indefinitum* (*hito-wa aṙuk.u*, l'homme marche ; *hito-ga aṙuk.u* l'homme [son]-marcher = [un] homme marche) et prend la valeur temporelle qui ressort du contexte (*asu Yoko.hama-e yuk.u*, demain [j']ira[i] à Yokohama ; *te-wo huṙ.e-ṙ.u na*, main le-toucher + *na*, vétatif = n'[y] porte pas la main ! ; *tep.pō-no oto-ga s.u-ṙ.u-to...*, fusil bruit [son-]se-faire-et [= quand]... = au bruit du [coup] de fusil, ... [le chien stoppa]). Un autre exemple fera ressortir davantage l'indifférence au temps de cette base :

koši-wo nuk.a-š.i-ta koto-ga aṙ.u, hanche fait *(koto)* qu'elle fut arrachée il-y-a = je m'étais démis la hanche [dans mon enfance].

Vu sa fonction, la base n⁰ 2 s'emploie nue et est absolument indifférente au temps ; on a par exemple : *aṙuk.u* (fonct. déterminante) *hito*, l'homme [qui] marche ; *kak.u* (fonct. déterm.) *te.gami*, la lettre qu'on écrit ; *toki-no *uḷu-ṙ.u* (fonct. nominale) *-wo šiṙ.a-z.aṙ.i-ki*, (du) temps le-passer [s'écouler] savoir-sans être+suff. prétérit = je n'avais pas conscience de la fuite du temps (on notera l'emploi de l'enclitique après *uḷu-ṙ-u ;* lang. class.) ; *kom.a.ṙ.u-ni-wa kom.a.ṙ.u*, [pour ce qui est du] être ennuyé [tour nominal], [on] est ennuyé ; *tadaši-i koto-wo ai-s.u-ṙ.u hito-de aṙ.i-maš.i-ta*, c'était un homme qui aim[ait] *ai-s.u-ṙ.u* les choses justes.

La langue moderne confond la base conclusive et la base déterminante des verbes de la classe B : ex. : **ik.u--ṙ.u hito*, homme qui vit> lang. mod. *ik.i-ṙ.u hito ; hito *ik.u*, l'homme vit> mod. *hito-wa ik.i-ṙ.u.* Ainsi, la langue a simplifié dans le cas du verbe comme dans celui du mot de qualité (cf. ci-dessus p. 460, l. 30 et suiv.).

La base n⁰ 3 remplit trois fonctions essentielles : elle s'emploie en composition (ex. : *tob.u > tob.i + ag.a-ṙ.u*, sauter + s'élever = sauter en l'air), en fonction suspensive-formative et en fonction nominale. La fonction suspensive ne constitue du reste qu'une extension du premier de ces emplois ; on aura par ex. : *uk.e+toṙ.u*, recevoir [et] prendre = accepter ∽ *hon-wo uk.e so-ṙe-wo aṙigata-k.u toṙ.u*, recevoir un livre *hon* [et] le prendre avec reconnaissance). En fonction nominale, ladite base est suivie généralement d'une enclitique (ex. : *kaeṙ.i-ga oso-i*, le-rentrer est tard = il rentre tard) et, bien entendu, reste indifférente au temps. Mais la fonction essentielle de la base n⁰ 3 était et reste d'accepter des suffixes fonctionnels, à l'exclusion de ceux qui sont ajoutés aux bases n⁰ 4 et n⁰ 5 et, exceptionnellement, à la base n⁰ 2.

A la différence des trois bases précédentes, la base n⁰ 4 n'est jamais employée sans suffixe, ni en combinaison avec un autre mot. Elle ne peut être suivie que de suffixes du type de ceux qui introduisent l'aspect virtuel-intentionnel, la probabilité, le négatif, le quasi-passif-potentiel ou le factitif.

La dernière des bases (n° 5) n'admet plus, elle, qu'un nombre très limité de suffixes (*kak.e-ba*, étant donné qu'on écrit, comme on écrit, si on écrit ; -*ba* sert alors d'indice de la situation ou de l'action supposées réalisées). Employée seule, elle a une valeur impérative (*kak.e*, écris, qu'on écrive !) lorsqu'il s'agit d'un verbe de la classe A.

Le nombre des verbes qui présentent des bases anormales se ramène à quatre en langue classique et pratiquement à deux en langue moderne ; ce sont : $*k.u > k.u.\dot{r}.u >$ venir (bases 1, 2)$> k.i$ (3)$> k.o$ (4)$> k.u\text{-}\dot{r}.e$ (5), impér. dir. $k.o^{l}i$ et $*s.u > s.u\text{-}\dot{r}.u$ (1, 2), faire $> \check{s}.i$ (3)$> s.e$ (4)$> s.u\text{-}\dot{r}.e$ (5), impér. dir. $s.e\text{-}\dot{r}o \backsim s.e\text{-}yo$.

f) *Les suffixes verbaux.* — Le mécanisme de la suffixation n'exige pas seulement que tel suffixe verbal soit ajouté à telle base à l'exclusion de toute autre base. En effet, chaque fois qu'un suffixe en suit un autre, le premier étant seul au contact de la base par conséquent, le deuxième suffixe ne saurait être adjoint au précédent que si celui-ci présente telle voyelle finale requise. C'est dire que tout suffixe qui est susceptible d'intervenir devant un autre et de faire corps avec lui doit présenter en principe une terminaison vocalique variable. Enfin, tout suffixe terminal offrait, en général et en langue classique, une finale vocalique ou même une forme différentes selon qu'il était employé en fonction déterminante, suspensive ou bien conclusive. Soit, par exemple, le radical *kak*- écrire ; on peut en tirer un prétérit conclusif *kak.i* (base n° 3) + $*n.u$ (indice de l'action qui vient de se réaliser) ; mais on aura $*kak.i\text{-}n.u\text{-}\dot{r}.u$ en fonction déterminante. De la même base on tirera aussi, par exemple, un négatif *kak. a* (base n° 4)+ *n.u* (suffixe négatif ; f. déterminante), ou + *z.u* (suff. nég. ; f. conclusive). Supposons maintenant que *kak*- passe à l'aspect factitif ; on partira cette fois de *kak.a* (base

n° 4)+*s. u* (le verbe **s.u*, faire, joue le rôle d'un suffixe du factitif ; f. conclusive) pour former **kak.a-ṡ.i-n.u* (on a fait écrire ; f. conclusive) à l'aspect accompli ou **kak.a--s.a-n.u* (ne pas faire écrire ; f. déterm.) à l'aspect négatif. Parmi les suffixes verbaux on peut distinguer d'abord des suffixes qui constituent des « indices d'aspect ». A cette première catégorie de suffixes appartiennent, par exemple, **-ki* (langue classique), qui indique que l'action est considérée comme accomplie, et **-m.u*>*-n* qui marque, lui, l'aspect virtuel ou bien exprime l'intentionnel (ex. *so-no toki zoku-no sugata-wa sude-ni *mi.e-z.aṙ.i-ki*, [à]
1   2   3   4   5   6

ce moment-là [les] silhouettes des rebelles [en fuite],
1 2   4   3

[elles] n'étaient déjà plus visibles ; *kak-*, écrire> **kak*.
5   6

a-m.u > *kak.a-n*, voulant écrire, sur le point d'écrire (la langue moderne répond par *kak.ō* < **kak.a-m.u* > *kak.a-ᶦ.u*, dans le cas des verbes de la classe A, et, par exemple, par une forme *uk.e-yō*, à **uk.e-m.u* = dans l'intention de recevoir, avec l'idée de recevoir, dans le cas des verbes de la classe B).

D'autres suffixes introduisent, eux, une notion de modalité ; ainsi dans **kak.a-ṙ.u*, se réalise ou s'exerce l'action « écrire », **uk.e-ṙ.a-ṙ.u*, se réalise le fait « recevoir », le suffixe *-ṙ.* introduit la notion du « quasi-passif-potentiel ». La langue moderne répond par *-ṙ.e.-ṙ.u* dans le cas des verbes de la classe A (ceux-ci y connaissent une forme potentielle contracte ; ex. *kak.e-ṙ.u*, s'écrire, être suscep- tible d'être écrit ou d'écrire), et par *-ṙ.a-ṙ.e-ṙ.u* dans celui des autres. La valeur très particulière du véritable quasi-pas- sif japonais ressort d'exemples comme les suivants : *nom.a- -ṙ.e-ta*, est réalisée action de boire [sur tel liquide] = [ça] été bu ; **haha ko-ni nak-a-ṙ.u* (dans le cas de cette) mère enfant- à (= par) action de pleurer se réalise = la mère a son enfant qui pleure ; *haha-ni šin.a-ṙ.e-ta* (dans mon cas) mère -à (= par) action de mourir s'exerça (sur moi) = ma mère est morte ; [*ka-ṙe-wa*] *ina.ka₀ben-wo waṙaw.a-ṙ.e-ta*, [lui-pour ce qui est de], [son]-campagnard-parler +*wo* (indice du

régime) le-rire a été *(-ta)* exercé = on a ri de son patois ;
son patois provoqua les rires ; etc. De tels exemples mettent
fort bien en lumière la façon nettement impersonnelle
dont on s'exprime en japonais (voir ci-dessus, p. 461, § e) :
il peut ne pas être fait mention de la personne, ou de la
chose, qui fait l'action ou qui supporte l'effet de l'action
indiquée par la forme « passive ».

Les suffixes du quasi-passif-potentiel et du factitif sont
employés également en fonction honorifique ; ex. : *nas.u*,
faire >*nas.a-ṙ.u*, faire (honor.) ; *asob.u*, avoir du loisir>
asob.a-s.u, faire qu'on ait du loisir = faire qqch. à sa
guise (honor.) >*asob.a-s.a-ṙ.e-ṙ.u* (factitif+quasi-passif),
même sens (super-honor.) ; *kak.u*, écrire >*kak.a-ṙ.e-ṙ.u*,
être écrit >écrire (honor.) ; etc.

La présence du suffixe -*ṙ*. (indice de l'action virtuelle)
explique parfaitement le passage de la fonction quasi-
passive à la fonction potentielle (ex. : *⋆kak.a-ṙ.u*, le-
s'écrire, être écrit > pouvoir (s')écrire ; *⋆wak.a ṙ.u*, le-se-
distinguer> être discernable, compréhensible).

D'autres suffixes, qui sont en réalité des enclitiques,
ont une valeur purement fonctionnelle ; c'est le cas,
par exemple, du « suffixe » -*te*, qui, indifférent à toute
notion de temps, possède, lui, la valeur d'un indice de
l'état réalisé (état de fait) et joue tantôt en fonction converbale et tantôt en fonction suspensive ; ex. : *ka.i-te
i.ṙu*, écrire+être = être en train d'écrire <mot à mot :
être dans-le écrire (aspect duratif) ; *ka.i-te aṙu* (verbe
d'existence) = c'est écrit ; *ka.i-te šima.u*, écrire-et+finir =
on a fini d'écrire (aspect accompli intégral) ; *kat-te k.i-ta*,
acheter-et+venir+*ta* = on a acheté et on est [re]venu>
[on]est allé acheter ; *yama-ni it-te momiži-wo mi-ṙ.u*, aller
à la montagne-et voir les érables ; *haži-m.e-ṙ.u*, commencer > *haži-m.e-te*, en début (fonct. quasi-adverb.).

Des tournures adversatives-concessives peuvent être formées à l'aide des particules -*to* (>-*do*), -*mo*; ex. : *ka.i-te-mo*,
même si on écrit ∽ on a beau écrire ; *kat-ta-k.eṙ.e-do-[mo]*,
bien qu'on ait acheté.

g) *Auxiliaires verbaux*. — On rangera sous cette dénomination des formes comme -*t.aṙ.*, être + .*i* (fonct. conclusive, en langue classique) ou .*u* (f. déterminante ; lang.
class.) qui sont susceptibles de plusieurs emplois (aspect
accompli ; ...-*t.aṙ.i*.....-*t.aṙ.i s.u.ṙ.u*, aspect itératif). La langue moderne répond par -*ta* ($>$-*da*) pour ce qui est de rendre l'aspect accompli (ex. : *yom.i-ta*$>$ *yon-da*, a lu). On
classera également, au nombre de ces auxiliaires, les formes *n.aṙ-* (être, devenir ; indice actuel de l'aspect progressif)
et *k.eṙ-* ($<$*k*^{1}+*aṙ* ?) qui offraient, elles aussi, cette particularité (langue classique) de renfermer le verbe d'existence
aṙ- et de présenter comme lui une finale vocalique .*i*
en fonction conclusive. Le rôle principal de ces formes était
d'indiquer qu'on envisage comme « réalisée » (présent,
passé) l'action (ou la situation) qui est exprimée par le
verbe principal. En pareil cas, la tournure est souvent
pléonastique (asp. accompli renforcé) ; ex. : **ṙei us.e-n.i-*
-*k.eṙ.i*, le fantôme disparut ; **Uda-no in-ni maḷuṙ.i-ḷ.aṙ.i-*
-*k.eṙ.u n.aṙ.i*, [il l']avait offert à l'empereur Uda. On
notera la tournure conclusive : **-ni-te aṙ-*$>$ lang. mod.
-*de aṙ-*, est..., c'est...

Les verbes d'existence *i-ṙ.u* ($<$*wi*$<$ **bi*^{1}) et *oṙ.u* ($<$*woṙ-*
$<$**boṙ-*), être en vie, s'emploient chaque fois qu'il est
question d'êtres animés, mais ils servent aussi, comme le
verbe *aṙ.u*, pour rendre l'aspect duratif ; ex : *ka.i-te i-ta*,
il était [en train] d'écrire ; *ka.i-te at-ta* c'était (mis par)
écrit ; *ot.o-š.i-te i-ta*, était tombé, gisait.

Le verbe *s.u* ($>$*s.u-ṙ.u*), faire, se-faire, permet à un mot
invariable de passer à la fonction verbale (ex. : sino-jap.
sen.taku, lavage $>$*sen.taku-s.u*[-*ṙ.u*], laver, faire la
lessive) ; il apparaît même après un radical verbal employé
en fonction nominale (ex. : **ḷuk.u*, arriver à terme, à épuise-
ment$>$ **ḷuk.i-s.u*, prendre fin, être ruiné). Précédé de -*ḷo*,
s.u-ṙ.u prend les sens de « se préparer à, être sur le point
de » quand le verbe principal exprime l'aspect virtuel ;
mais il peut rendre ceux de « faire de ... un ..., se décider
pour, considérer comme, choisir » après l'enclitique -*ni*.

Un certain nombre d'autres verbes ($k.u$-$\dot{r}.u$, venir, $mo\dot{r}a.u$, recevoir, etc.) interviennent également en fonction d'auxiliaires (ex. : $ka.i$-$te\ mo\dot{r}at$-ta, je me suis fait écrire, on a écrit à ma place, j'ai demandé qu'on m'écrive).

Un autre auxiliaire à valeur verbale, $d.a$ ($<^*d^l.a\dot{r}^l$), est d'un emploi fréquent dans la langue moderne ; il y joue un rôle assez analogue à celui qui était dévolu aux formes -$t.a\dot{r}.i$, -$n.a\dot{r}.i$ en langue classique (ex. : $hon\ da$, c'est un livre ; aka-i-$no\ da$, c'est le rouge ; $man.zoku$-na [$< n.a\dot{r}.u$] -no-da, c'est satisfaction = est satisfait ; $k.u.\dot{r}.u$-$no\ da$, [il] doit venir ; etc.) et assure souvent l'expression du tour catégorique (affirmation péremptoire).

h) *Verbes de politesse ; l'auxiliaire verbal* -$mas.u$ (indice du discours poli) ; *termes de politesse*. Ce qui a été dit ci-dessus (voir p. 442, § g, aussi pp. 443-444) à propos de l'expression polie de la pensée en coréen vaut également dans le cas du japonais. Ex. : pen-$wo\ kuda$-$s.a$-i, donnez-moi [votre] plume, [je vous en prie] ; pen-$wo\ ka\check{s}.i$-te $ag.e$-$ma\check{s}.\bar{o}$, [je] vais vous [$ag.$, offrir] prêter [ma] plume, ou : [je] vais [Lui] prêter [ma] plume ; pen-$wo\ ka\check{s}.i$-te $kuda$-$s.a$-t-ta, vous (ou : Il) avez (ou : a) bien voulu [me, ou : lui] prêter une plume — $tab.e$-$\dot{r}.u$, je mange, tu manges, etc... ; $tab.e$-$mas.u$, je mange, tu manges, etc... ; mais $me\check{s}.i_oag.a$-$\dot{r}.u$, vous mangez, ou : cette personne [Elle] mange, Il mange > $me\check{s}.i_oag.a$-$\dot{r}.i$-$mas.u$ — yo-$k.u$ ne-$ma\check{s}.i$-ta. $A.nata$-$mo\ o$-$yasu$-$m.i$-$ni\ n.a\dot{r}.i$-$ma\check{s}.i$-$ta\ ka$, j'ai bien dormi. Et vous, Monsieur, avez-vous bien reposé ? — $yasu$-$m.e$, repose-toi ; o-$yasu$-$m.i\ nas.a.i$ reposez-vous ; o-$yasu$-$m.i\ nas.a.i$-$mas.e$, reposez-vous, Monsieur, je vous en prie — ne-ta (ou : $yasu$-n-da, $yasu$-$m.i$-$ma\check{s}.i$-ta) = j'ai dormi, tu as dormi, il a dormi, etc... (ou : je me suis reposé, tu t'es reposé, etc.) ; mais o-$yas.u$-$m.i\ nas.a$-t-ta, vous vous êtes reposé (ou : Il [mon père, le ministre] s'est reposé) > o-$yas.u$-$m.i\ \check{s}.i$-$te\ i\dot{r}a\check{s}\check{s}a\dot{r}.u$, vous êtes en train de vous reposer, Monsieur (ou : ce Monsieur est en train de se reposer) — $u\check{c}i\ des.u$ = « c'est ma (ta, sa) maison » ; mais o-$u\check{c}i$ (ou : o-$taku$) $des.u\ ka$, est[-ce] votre (ou : Sa) maison ?

(poli) > *o- taku de go-za.i-mas.u ka*, même sens (très poli) ;
huka-i, est profond > *huka-i des.u*, même sens (poli) >
huk.ō go-za.i-mas.u, même sens (très poli).

L'auxiliaire *-mas.u* (b. 1, 2) assure un ton poli à l'expression de la pensée ; il est traité comme un verbe : *maš.i* (base 3), *-mas.e* (b. 4). Les formes *go-zaṙ.u*, il y a, *-des.u* < *de aṙ.i-mas-u* et *-de go.zaṙ.u*, [c']est..., sont les équivalents polis de *aṙ.u*, de *-da* et de *-de aṙ.u* respectivement.

TEXTES

I. Extrait du *Hō.žō-ki*, ouvrage du début du XIIIe siècle :

Tama.šik.i-	no	*miyako-no*	*naka*	*-ni*	*mune-wo*
joyau étaler	+ enclit.	capitale	intérieur+enclit.	faîte+enclit.	
(fonction nominale)			(locatif)	(accus.)	

naṙab.e	*iṙaka-wo*	*aṙasoh.e - ṙ.u*	*taka - ki*	*iyaši-ki*
disposer en rangs,	tuile[s]	rivaliser	haut (noble)	humble
(fonct. susp.)	+enclit.	(fonct. déterm.)	(fonct. déterm.)	

hito - no	*sum.a-h.i - wa*	*yo.yo - wo*
homme[s]+enclit.	demeure + enclit.,	génération[s] + enclit.
	(fonction nominale)	(plur. par redoublement)

he-te	*ḷuk.i*	*-s.e-*	*n.u*	*mono*	*n.aṙ.e- do*
traverser,	finir	faire +	suff.	chose[s]	être + suffixe
(fonct. susp.)	(fonct. nom.)	(Base n° 4)	négat.		(tour adversatif)

ko - ṙe	*-wo*	*ma.koto*	*ka - to*	*tazun - e-ṙ.e - ba*
ceci +	enclit.	réalité	interrog.+suff.	deman- (base+suffixe
(fonct. pronom.)			ind. limit.	der n° 5) (asp.
			disc. direct	condi-tionné)

mukaši	*aṙ.i - ši*	*ihe - wa*	*maṙe*	*n.aṙ.i.*
le passé	exister+suff.	maison[s] + encl.	rare[s]	être
>jadis	(asp. accomp.)			(fonct. conclus.).

Traduction : « Bien que les demeures des nobles et des humbles qui alignent leurs faîtes à l'intérieur de la magnifique capitale et y rivalisent en tuiles, paraissent avoir duré des générations et sans fin, si l'on (< lorsqu'on) s'informe de la réalité, [on constate que] rares sont les maisons qui ont existé dans le passé. ».

II. Extrait du conte *Kobu₀toṙ.i* (langue moderne, Tōkyō) :

Oya   nan¹   daṙ.ō   .   Tai.sō   omo.te - ga   nigiyaka - ǰa
Hé,   <*nani*   <**d¹+aṙ.a-m.u*   Très   aspect   +enclit.   animé   + encl.
    quoi ?   être   .   (sino-jap.)   extérieur   <*de-wa*
         (asp. dubitatif)

na-i   ka.   Nani-wo   š.i - te   i-ṙ.u   -n¹   da   ka.
négatif   interr.   faire+suff.   être   -*no*   être   interr.
               (fonct. converb.)   (on parle
                       d'un être
                       vivant)
                 asp. duratif

Čoł.ło   nozo.i-   te   mi-yō   - to   it-te   ......   dan.dan
Un peu   <*nozok.i*   +suff.   voir   suff.   <**iʰ.i,*+suff.   progressi-
        regarder   (f. con-   =tenter de   (indice   dire,...........   vement
              verb.)   (aux. ; asp.   limit.   (fonct. susp.)   (sino-jap.)
                    intent.)   discours
                      direct)

noṙ.i₀   d.a-š.i   -te   kem.butu -   š.i -łe
verbe composé   +suff.,   (sino-jap.)   <*s.u* + suff.
<*noṙ.*   +   *d.a-s-*   (f. susp.)   voir+chose   faire
monter   factitif (aux.)   (auxil.)
        <*d.e-ṙ.u*
      apparaître, sortir

oṙ.i -   maš.i   - ta.
   être   auxil.   suffixe
(aux. ; asp. durat.)   poli   (asp. accompli)

Traduction : « Hé, qu'est-ce que ça peut [bien] êt,re ? Ça [m']a l'air fort animé, n'est-ce pas ? Qu'est-ce qu'[on] est en train de faire ? [Je] vais essayer de [le] voir un peu », [se] dit-[il], et..., [s']étant peu à peu engagé, voilà qu'[il se] trouva en train de regarder.

                              Ch. HAGUENAUER.

BIBLIOGRAPHIE

Mori M. G., *The pronunciation of Japanese*, Tōkyō, 1929 (langue parlée mod.).

Yoshitake S., *The Phonetic System of Ancient Japanese*, Royal Asiatic Soc., Londres 1934.

M. G. Aston, *A Grammar of the Japanese Written Language*, London-Yokohama, 1877.

B. H. Chamberlain, *Handbook of Colloquial Japanese*, Kelly and Walsh, 1898 (3ᵉ éd.), et *A Simplified Grammar of the Japanese* (modern written) *Language*, revue par J. G. McIlroy, Université de Chicago, 1924.

B. H. Chamberlain, *Essay in aid of a Grammar and Dictionary of the Luchuan Language*, Tōkyō, 1895.

M. Eder a publié un résumé de l'Introduction au *Yaeyama.go sō.seṭu* de M. Miyara, sous le titre *Neue Studien über die Sprache der R̄yūkyū-Inseln*, dans *Monumenta Serica*, IV, 1, pp. 218-304.

Balet, *Grammaire japonaise de la langue parlée*, Tōkyō, 1908 (3ᵉ éd.).

G. B. Sansom, *An Historical Grammar of Japanese*, Oxford (1928). Cet ouvrage représente un effort sérieux pour présenter les explications des grammairiens japonais, en particulier celles de M. Yamada.

Yoshitake S., *An Analytical Study of the Conjugations of Japanese Verbs and Adjectives*, *in* Bulletin School Oriental Languages, London, VI, pp. 641-666.

E. D. Polivanov, *Vvedenie v iazykoznanie dlia vostokovednych vuzov*, Leningrad, 1928.

O. V. Pletner et E. D. Polivanov, *Grammatika Iaponskovo razgobornovo iazyka*, dans T. M. I. V., v. xiv, Moscou, 1930.

N. I. Konrad, *Sintaksis Iaponskovo iazyka*, I. V., Ak. N. SSSR, Moscou, 1937.

H. Maspero, *Les Langues d'Extrême-Orient, Le Japonais*, dans L'Encyclopédie Française, I, 2ᵉ p., chap. III, 1° 42-6 à 1° 41-15.

H. G. Henderson, *Handbook of Japanese Grammar*, Londres, 1945; Boston, 1948.

Hattori Shiro, *The Relationship of Japanese to the Ryukyu, Korean and Altaic Languages*, *in* Transactions of the Asiatic Soc. of Japan, 3¹ Ser., I, déc. 1948.

B. Bloch, *Studies in Colloquial Japanese*, I, II, III, respect. dans J. Amer. Or. Soc. (66-2 ; 1946), Language (22-3 ; 1946), J. Amer. Or. Soc. (66-4 ; 1946).

G. Cesselin, *Dictionnaire Japonais-français*, Tōkyō, 1939.

Takenobu Y., *New Japanese-English Dictionary*, Ken.kyū-ša, Tōkyō.

Ch. HAGUENAUER, *Études de linguistique japonaise* et *Origines de la civilisation japonaise* (chap. III), thèses, Paris, 1947 (à l'impression).

Ch. HAGUENAUER, *Cours de langue japonaise moderne* (en cours de publication).

Ch. HAGUENAUER, *L'écriture japonaise*, dans *Notices sur les caractères étrangers*, Paris, Imprimerie Nationale, 1948.

Ch. HAGUENAUER, *Le Japonais*, dans *Cent-Cinquantenaire de l'Ecole des Langues Orientales*, pp. 177-193; Paris, 1948.

Mlle YOKOHAMA Masako, *The Inflections of 8th Century Japanese, in* Language; XXVI, 3, suppl., Language Dissertation n° 45 (juillet-septembre 1950).

Elisabeth GARDNER, *Inflections of Modern Literary Japanese, in* Language, Language Dissertation n° 46 (déc. 1950).

LES PARLERS AÏNOUS[1]

INDICATIONS EXTERNES

Les tribus de chasseurs et de pêcheurs semi-nomades aïnoues ayant fini par se dissocier, les Aïnous (<*ainu*, homme) vivent maintenant à l'état sédentaire. Ils habitent des bourgades où ils ont été parqués au Hokkaidō ainsi que sur le pourtour de Sakhaline et leur nombre ne dépasserait pas là celui très approximatif de 18.000 (1940). On manque d'informations précises sur ceux des Aïnous qui vivent au nord du 50e degré de latitude nord.

Il convient de rejeter l'hypothèse de Batchelor, qui voyait dans ces Aïnous les descendants de « populations autochtones » établies dans l'archipel japonais et jusqu'aux *Ryū.kyū* à l'époque préhistorique. On sait seulement que des Ainoïdes (japonais : Emiši = barbares) ont occupé certaines parties du Japon septentrional antérieurement au viiie siècle, époque à partir de laquelle la documentation atteste que les Japonais ont réussi à les refouler peu à peu vers le Nord. Des métissages se sont produits par la suite et les Aïnous ont emprunté à la culture de leurs voisins du Sud. De leur côté, les tribus aïnoues de Sakhaline et des Kouriles ont dû être soumises de bonne heure à des influences paléo-sibériennes, puis sino-mongoles. L'influence russe est venue se superposer à celles-ci et à celles-là à partir du xviiie siècle. Plus récemment, le Japon a affirmé sa mainmise sur le Hokkaidō, les Kouriles et la moitié méridionale de Sakhaline. Ces deux dernières régions sont sous le contrôle de l'administration soviétique depuis 1945.

Les ethnographes ont d'abord attribué aux Aïnous une origine « caucasique » ; cette première thèse reposait toute-

---

1. Carte X.

fois sur des arguments aussi vagues que faibles. Depuis,
Sternberg a soutenu que les Aïnous seraient venus du
Pacifique méridional ; mais c'est là également une théorie
fort peu convaincante. En résumé, si, d'une part, certains
caractères somatologiques (en particulier, le système pileux
relativement développé) parlent contre un rapprochement avec les Toungouzes et les Japonais, on constate,
d'autre part, que c'est encore avec les coutumes des Paléosibériens que celles des Aïnous présentent actuellement le
maximum d'analogie (culte de l'ours ; chamanisme). Il
sera malheureusement très difficile de faire le départ entre
ce qui, dans ces coutumes, est proprement aïnou et ce qui
a pu être emprunté par les Aïnous.

En l'absence d'écriture on ne connaît que des traditions,
des légendes et des chants dont un certain nombre ont été
recueillis par des observateurs. Il n'en est que plus regrettable que les systèmes de transcription qui ont été employés
à cette fin manquent de précision ; c'est le cas notamment
pour celui qu'ont utilisé Batchelor et ses émules japonais.
Les différences qu'on observe actuellement entre les
parlers aïnous porteraient beaucoup moins sur la structure que sur la phonétique ou le vocabulaire.

Phonétique

a) *Matériel phonétique.* — Le système comporterait six
voyelles fondamentales : *a, o* $(>\varrho)$, $u(>\mathring{u})$ — *i, į, e,* mais
j'ai pu distinguer également un *ə.* La série yodisée est
attestée surtout par *ya, yu, ye* $(>{}^{i}e)$, car *yo* est rare. Les
diphtongues sont les unes, bien conservées *(ai ∽ ae, au,
ou, ei)* et les autres, déjà en voie de délabialisation *(ua>
wa> ᵛa, ue>we>ᵛe, uo>wo>ᵛo).* Les voyelles longues
sont exceptionnelles.

Le tableau des consonnes s'établirait comme suit :

	Bilabiales	Dentales	Dento-alvéolaires	Linguo-palatales	Vélaires
Occlusives	p ($>$ -b-)	t ($>$-d-)	$\dot{r}$		k ($>$ -g-) k passe parfois à k devant i
Nasales	m	n			$\dot{n}$
Affriquées		$\underline{t}$ (rare)		$č$ ($>$-$\check{j}$-)	
Fricatives		s		$š$	-x
Aspirée					h

b) *Observations concernant la phonétique.* — On observe des alternances fréquentes entre *o* et *u*, *i* et *e* ou *u* et *i*.

A l'initiale, la langue ne tolère qu'une voyelle ou une consonne sourde, mais on rencontre aussi, en pareille position, une sorte de « $\dot{r}$ » mal étudié (voir ci-après, l. 10 et suiv.).

A la finale, les occlusives sont nettement implosives ; il s'ensuit qu'elles s'assimilent généralement à l'occlusive qui suit, ou bien qu'elles se transforment en fricatives et, le plus souvent, en une vélaire douce *(-x)*. La semi-occlusive $\dot{r}$, qui est une dento-alvéolaire très légèrement vibrée, donne souvent, à l'initiale, l'impression d'une sorte de *d ;* à la finale, elle se transforme, elle aussi, en une fricative vélaire douce ou bien elle tombe chaque fois qu'elle ne subit pas une assimilation. Quand un de ces phénomènes ne se produit point c'est parce qu'une voyelle d'appui est apparue après la semi-occlusive (ex. : *kuṙ*, individu, un être$>$ *kuṙᵘ*). L'aspirée *h-* représenterait le plus souvent un ancien *p-*. L'alternance *s* ∽ *h* s'observe surtout à l'initiale (ex. : *sapo* ∽ *saha* ∽ *habo*, sœur aînée). L'apparition d'un glide vocalique ou nasal est fréquente entre un radical et une enclitique ou un suffixe (ex. : *tek*, main$>$*tek.ᵃ-ni*, avec la main).

La tendance à terminer le mot en syllabe ouverte *(mat*, femme$>$ *mat'i* ∽ *mači)* est très nette dans tous ces parlers. Elle a été renforcée du fait que beaucoup d'indigènes ont appris à se servir des signes d'écriture japonais qui sont syllabiques.

On observerait des traces d'« harmonisation vocalique » (ex. : *nep ainu-hu*, quel homme ? *nep kamui-he*, quelle divinité ?).

MORPHOLOGIE[1]

Le mot isolé se présente comme un monosyllabe ou comme un polysyllabe. La différenciation morphologique n'ayant pas été poussée très avant en aïnou, la distinction entre les mots nominaux, les mots de qualité et les mots verbaux y est fondée plutôt sur le sens qui est propre au radical nu. Il en résulte que la suffixation remplit surtout un rôle fonctionnel et beaucoup moins déjà un rôle formatif. Dans certains cas, la distinction entre le verbe et le substantif dépend uniquement du contexte (ex. : *ṙam* ∾ *ṙamᵘ*, penser, le-penser, l'esprit), de la position que tel sémantème occupe dans la phrase ou du suffixe qui le suit (ex. : *ṙai*, mourir> *ṙai-i*, le fait de mourir = la mort> *ṙai-u.taṙᵃ* [indice de la pluralité] = ceux qui sont morts, les morts). Il n'en reste pas moins que certains verbes dérivent de mots nominaux ; ex : *kap-*, peau, écorce > *kapᵘ-ṙ.i*, dépouiller, écorcer ; *huṙā*, odeur> *huṙā-n.u*, sentir, etc.

Ici encore on distinguera, du point de vue morphologique, des mots invariables et des mots variables (mots de qualité et mots verbaux).

a) *Le mot invariable.* — On range dans cette catégorie tout ce qui est, pour nous, substantif, démonstratif, possessif, pronom personnel, nom de nombre, préposition [postposition], adverbe, mot interrogatif ou indéfini. Tous ces mots ont, en effet, comme caractère commun celui d'être invariables et de n'accepter en fait de suffixe qu'un suffixe formatif (voir ci-après, p. 479, § b) ou une enclitique (ex. : *čikap*, oiseau> *čikap-po tuk*, oiseau+encl. accus.? + percer = atteindre un oiseau avec une flèche).

(1) Cf. la note 1, p. 437.

Les quatre premiers noms de nombres sont simples : *šine* (∽*š'ne*), 1 ; *tu*, 2 ; *ře* (∽*u.ře)*, 3 ; *i.ne*, 4. *Ašik*, 5, rappellerait *tek*, le nom de la main ? Les noms suivants semblent dérivés ; on a : *ī.wan*, 6 (4-10) ; *ařu-wan*, 7 (3-10 ?) ; *tu-pe. san*, 8 (2-10) ; *šine-pe-san*, 9 (1-10) ; dix se dit *wan (-van* ∽ *wa)* ; *hot* ∽ *ho^x* ∽ *ho* = 20. La numération n'est décimale (*šine ikašma wan*, 1+10 = 11 ; etc.) que jusqu'à vingt-neuf inclus, du moins dans les parlers du Hokkaidō ; au delà de ce nombre, les dizaines y sont obtenues, en effet, par multiplication (*tu hot*, 2.20 = 40 ; *inde hot*, 4.20 = 80) ou par soustraction (*wan-e tu hot*, 10+enclit. 2.20, soit 10 -ôté de 40 = 30 ; *wan-e ine.hot*, soit 10 -ôté de 80 = 70). On dit : *ašik-n.e* (indice de la fonct. déterm.) *ainu*, cinq personnes ; *šine-a.n to*, un jour ; *tu-p*, deux choses ; *hot-n.e-p*, vingt objets). Le mot *tanku*, 100, constitue un emprunt (<toungouze *taṅgu*).

Certaines numérales ont été empruntées ; ex. : *piš* dans *seta ře-p piš* (<sino-jap. *hitsu* <*piď*), en face de *seta ře-p*, trois *ře* chiens *seta*.

b) *Les suffixes formatifs.* — Ils n'ont pas été étudiés, pour ainsi dire ; on repère pourtant : *kuř* ∽ *kun*, noir, obscur> *kuř^u-m-an*, une ombre ; *kut*, gorge > *kut-čam*, gorge ; *nišpa*, homme riche, influent, chef> *nispa-ke*, maître, monsieur ; *pana-* inférieur> *pana-ge*, le bas ; *čup*, éclat, source lumineuse> *čup-ki*, clarté, beauté ; etc.

c) *Les enclitiques.* — La fonction déterminante qui est indiquée normalement par simple antécédence du déterminant sur le déterminé (ex. : *Čita unařpe*, la tante de Čita) peut être précisée au moyen de l'enclitique connective -*n* (ex. : *řep*, mer>*řep-u.n kamui*, dieu de la mer ; *ta*, ce> *ta-n kotan*, ce village-là ; *kan*, le dessus> *kan-n.a pabuš*, la lèvre d'en haut, la lèvre supérieure ; *hot*, vingt> *hot-n.e to*, vingt jours). Une enclitique casuelle intervient surtout lorsqu'il s'agit de situer par rapport à un lieu (*kotan-ta*, village+encl. locatif ; *čise-ta tuřeš*, maison+ loc. sœur cadette = [ma] sœur cadette [qui est] à la maison ; *pet*, rivière> *pet-ořu.n*, à l'intérieur de la rivière, ingressif). L'enclitique *-i* sert d'«indice de rappel» (*aki*, frère cadet> *Čita aki.h-i*, le frère cadet de Čita) et ferme souvent un groupe logique dont il assure l'unité (ex. : *ta-n.e nišpa po-u.tař-i...* paye = les enfants *po+u.tař* de ce chef *nišpa* vont...) ;

d) *Le mot de qualité.* — Il se distinguerait du mot nominal employé en fonction déterminante (ex. : *po*, enfant, le petit> *po-n*, qui est petit) en ce qu'il serait susceptible d'être employé sans qu'il soit suivi de l'enclitique *-n* (ex. : *pořo guřu*, un homme grand ; *wen guřu*, un homme mauvais, méchant, pauvre). Qui plus est, il passe à la fonction adverbiale (*wen-no*, méchamment, mal). Le mot de qualité se distingue davantage encore du mot nominal en ce qu'il fonctionne normalement comme prédicat alors que le «substantif» ne joue ce rôle que de façon exceptionnelle en aïnou (*ta-n šuma, puře šuma*, cette fleur, belle fleur = cette fleur est belle).

D'autre part, le mot de qualité se rapproche du mot verbal en ce qu'il peut passer, comme lui, à la fonction nominale par l'intermédiaire du suffixe *-p ;* (*pořo*, grand> *pořo-p*, une chose grande = ce qui est grand ; cf. *nu*, entendre> *nu-p*, ce qu'on entend) et recevoir, comme le verbe, un suffixe fonctionnel (ex. : *piřka*, beau, bien> *piřka-ř.e*, réaliser que soit bien = réparer, guérir ; cf. *mina*, rire>*mina-ř.e*, faire rire) ou être suivi d'une particule déclarative comme *-řuwe*.

Un mot de qualité peut donc passer à la fonction verbale ; ex. : *usak*, sec> *usak-ka*[1], sécher ; *tak*, dur> *tak--kařa*, faire (> rendre) dur.

e) *Le mot verbal.* — Bien que le mot verbal soit employé fréquemment à l'état nu (radical nu), il se différencie des catégories de mots précédentes en ce qu'il est rarement suivi d'une enclitique (c'est le cas, par exemple, lorsqu'il est employé en fonction nominale) et, surtout, en ce qu'il est seul à admettre certains suffixes qui méritent, eux, la dénomination de suffixes verbaux. Strictement imper-

sonnel, le mot verbal est également indifférent à la notion
de nombre, si l'on fait exception pour un très petit nombre
de verbes (*oman*, aller ; mais *paye*, aller, — chaque fois que
le sujet est au pluriel). Le radical nu a la valeur d'un *tempus
indefinitum ;* il fait figure selon le contexte de présent, de
passé ou de futur. Il termine la proposition lorsqu'il fonctionne comme prédicat (*po-n čise šine án*, petite maison
une il-y-a) ; est-il employé, au contraire, comme déterminant qu'il précède obligatoirement le déterminé (tour
subordinatif-relatif ; ex. *ainu ŕai-ge kuŕ^u*, l'individu qui
a fait mourir l'homme *(ainu) ; čikap ŕes-ke hekač.i*, oiseau
élever+suff. [aspect factitif ; intr.] enfant = un enfant que
des oiseaux ont élevé). Mais il peut être employé en
fonction suspensive, à condition d'être suivi du suffixe
requis, et, dans ce dernier cas, il n'exprime, bien entendu,
aucune notion temporelle (ex. : *šiŕi wen án-te, kiŕa.oman*,
temps mauvais être+suff. suspensif *-te*, fuir +s'en aller
= le temps est mauvais [actuellement], je m'enfuis, ou :
le temps étant mauvais, [alors] il s'enfuit).

On notera que le verbe aïnou n'admet pas de suffixes
déterminatifs de la personne ; c'est dire que le sujet
parlant doit avoir recours à des quasi-pronoms lorsqu'il
veut préciser l'auteur d'une action : *ku oiŕa*, j'oublie.
On rencontre cependant des formes comme *ahu-p*, entrons,
entrent < *ahu.n*, entrer, où un suffixe *-p* pourrait (?)
caractériser le pluriel.

f) *Verbes auxiliaires.* Le verbe *kaŕa* < *kaŕ* > *ka'*, faire,
fait passer un mot nominal à la fonction verbale ; ex. :
čisei, maison > *čisei-kaŕa*, bâtir (une maison) ; *hum*,
bruit > *hum-kan* (< *kaŕ*), faire du bruit ; etc.

Le verbe d'existence *án*, être, sert également d'auxiliaire ;
ex. : *ku kik koŕ án*, moi frapper moment être = je suis en
train de frapper (*koŕ* > *koŕ⁰*, synonyme de *šiŕi*, rappelle
beaucoup le japonais *koŕo*, « moment » ; cf. *čup ahu.n koŕ....*
le soleil entre [= se couche] alors..., où *koŕ* joue le rôle
d'indice de la simultanéité = pendant que le soleil se couche). *Išam* exprime l'inexistence et le négatif. Le verbe

17

hemaka (ɷ šimaka), finir, cesser (< *hem-?) est utilisé aussi comme indice de l'aspect accompli intégral.

g) *Les suffixes verbaux*. — De ceux-ci, les uns servent à introduire un ordre logique dans une phrase complexe : ils interviennent, par exemple, en fonction suspensive-connective pour préciser que le verbe qui termine telle proposition (proposition secondaire) exprime une action qui est en relation avec celle qu'indique le prédicat principal qui n'apparaît, lui, qu'en position conclusive, c'est-à-dire à la fin de la phrase complète. Le suffixe suggère alors qu'il existe une séquence chronologique ou une relation de cause à effet entre les deux actions ; ex. : *koi.ki-go, ...kik*, il capture, [alors] il frappe... ; *kaiᵃ-wa i.n'gaïa* faire-et voir [< *nukaï* < *nu-kaï?* ; fonct. auxil.] = tenter de faire. D'autres suffixes ont, eux, une fonction modale ou temporelle (aspect, temps), ou bien servent à faire passer un mot verbal de la fonction transitive à la fonction intransitive ou *vice versa*. D'autres encore précisent que telle action est réalisée par un agent externe (quasi-passif) ou qu'on la fait exécuter par un tiers, qu'on la provoque (factitif) ; ex. : *ibe*, manger > *ibe-ï.e*, faire manger ; *ïai*, mourir > *rai-g.e*, faire mourir, tuer ; *ïai-g.e-ï.e*, faire faire mourir, faire tuer ; *ki*, faire > *ki-ï.e*, faire faire.

Le caractère douteux sinon erroné de bon nombre des renseignements que les grammaires fournissent en ce qui concerne la morphologie du verbe aïnou empêchent d'étudier celui-ci avec précision. Cette lacune mériterait d'être comblée.

h) *Les particules*. Un certain nombre de ces particules interviennent après le prédicat ; elles marquent que le sujet parlant s'exprime avec netteté, qu'il affirme ou rapporte un fait acquis. Ces particules déclaratives se distingueraient pour cette raison des simples particules inter-jectives qui servent, elles, à découper la phrase en groupes logiques (ponctuation orale). Les plus fréquentes de ces particules sont -*ïūwe* et -*na*.

TEXTE

D'après Pilsudski, *Materials...*, p. 59 (parler de
Sakhaline).

Tokeš -u.łaʳᵃ   etok.o - ła   ainu   pořo-n[1] án . Šine
om de+indice du avant, +enclit. homme(s) grand il-y-a. Un
lieu   pluriel origine (locatif)   +enclit.
                                   [nombreux]

ainu   mač.i - h.i   piše . Ta - n   ainu   niven . Etašpe
femme+indice grosse. Ce+enclit.   mécontent. Phoque
de rappel

ořařa   -ani   mač.i š'łaigi   hemaka . Pořo - no
ourroie + enclit. femme frapper   finir.   Grand+enclit.
(instr.)   (aspect accompli)   (fonct.
                                                adv.)

řuška   išam .   Po.ⁿ- no   po.ⁿ - no iřuška . Mač.i-
tre en auxil. négatif. Petit+enclit. (redoublement)   Femme
colère   = pas être

łuřa   mokořo . Ramᵘ   piřka . Ta - ni   po   kořo .
omitatif dormir.   Esprit   bon.   Ce + enclit. enfant avoir
                                    (alors, ensuite)

Tu-pu   maˣ-ne   ku   hekač.i   án .
Deux   <mat+enclit. enfant   enfant   il-y-a.
femme   (<jap. ko?)

Traduction : « A l'origine (= jadis), les gens de Tokéš
étaient nombreux. La femme de l'un d'eux [devint] grosse.
Cet homme-là en fut mécontent. Il battit sa femme avec
une lanière en peau de phoque. [Mais] il n'était pas très
en colère. [Il n'était que] très peu en colère. Il coucha avec
elle. Son esprit s'apaisa. Ensuite elle enfanta. Il y eut deux
fillettes. »

Ch. HAGUENAUER.

BIBLIOGRAPHIE

I. Dobrotvorskii, *Ainsko-russkiĭ slovar'*, Kazan, 1875.

J. Batchelor, *A Grammar of the Ainu Language*, Yokohama, 190 (ouvrage médiocre) ; Tōkyō, 1938.

— *An Ainu-English-Japanese Dictionary*, Tōkyō, 1905 (Insuffisant).

B. Pilsudski, *Materials for the study of the Ainu Language and Folklor* Cracovie, 1912.

H. Titel, *Die Sprache der Ainus von Sachalin*, in Mitteil. der Deutsch Gesellsch. f. N. u. Völkerkunde Ostasiens, Tōkyō, 1922, pp. 70-89 ; comp lation faite d'après le *Karahuto Ainu.go tai.yō* de Konada.

Kindaiči K., *Grammatical Sketch of the Ainu Epic Language* (en japonais Forme la première partie (pp. 1-233) du t. II du *Yukara-no ken.kyū* d même auteur, Tōkyō, 1931. Cette partie de l'ouvrage aurait besoin d'êtr révisée en tenant compte au moins des langues altaïques. L'auteur a publi ensuite, en collaboration avec un Aïnou, un *Ainu.go.hō gai.seţu*, Tōkyō Iwanami, 1936.

B. Laufer, *The vigesimal and decimal systems in the Ainu numeral* in Journal of the American Oriental Society, XXXVII, pp. 192 sqq., 191 Cf. J. Rahder, *Zahlwörter im Japanischen, Koreanischen und Ainu*, i Monumenta Nipponica, IV, 2 (Tōkyō, 1941), pp. 634-644.

LE DRAVIDIEN

NOTE LIMINAIRE

La tentative la plus sérieuse pour rattacher le dravidien à d'autres familles est celle de Otto Schrader[1]. Ce savant admet d'ailleurs non une parenté d'origine,mais des rapports préhistoriques de voisinage entre dravidien et finno-ougrien. Dans les listes qu'il présente il y a des coïncidences tentantes, rien de décisif. T. Burrow a essayé de préciser l'hypothèse par l'étude des noms des parties du corps[2].

Le même rapprochement, mais avec l'idée d'une parenté réelle, avait été fait par Rask et ensuite par Caldwell[3]. Ce dernier non seulement y ajoutait l'élamite, mais signalait des analogies en australien et en kanouri.

L'hypothèse élamite a été reprise par Bork[4] et par Hüsing[5], qui font état de rapprochements, du reste trompeurs, avec le brahoui, précisément celle des langues dravidiennes qui est isolée des autres langues du groupe et se parle en domaine iranien. G. W. Brown repousse l'hypothèse[6].

Cependant Schoener cherche à reconnaitre du dravidien dans des noms géographiques jusqu'en Europe[7], tentative dont Figula a fait justice[8].

Le dravidien a été également rapproché du nubien par Tuttle[9] et du coréen par Hulbert[10]. Rien de tout cela ne vaut.

1. *Drawidisch und Uralisch*, Zeitschrift für Indologie und Iranistik, III, 1925, pp. 81-112.
2. *Dravidian Studies*, IV, BSOS, XI-2, 1944, pp. 328-356.
3. Voir la bibliographie du chapitre.
4. EBERT, *Reallexikon der Vorgeschichte*, III, 1925, sous le mot *Elam*.
5. *Memnon*, IV, 1910, p .40.
6. *The possibility of a connexion between Mitanni and the Dravidian Languages*, Journal of the American Oriental Society, L, 1930, pp. 173-205.
7. *Altdrawidisches, eine namenkundliche Untersuchung*, 1927. *Armalurisches in früheuropäischen Namen*, 1928.
8. *Orientalistische Literaturzeitung*, 1928, p. 989 et 1930, p. 225.
9. *Dravidian and Nubian*, Journal of the American Oriental Society, LII, 1932, p. 133. Voir *Note liminaire* des Langues de l'Afrique noire.
10. *Comparative Grammar of the Korean Language and the Dravidian Dialects of India*, Séoul, 1906.

DIVISIONS[1]

Des trois groupes de langues actuellement parlées dans l'Inde, l'un, l'indo-aryen, qui est une forme de l'indo-européen, est certainement d'origine étrangère, l'autre, le mounda, s'apparente à un groupe indochinois ; seul le dravidien, confiné sauf une exception dans l'Inde péninsulaire, n'a pu jusqu'à présent être rattaché par des preuves décisives à aucun autre groupe.

L'aspect de la carte et les vraisemblances historiques permettent d'imaginer que le dravidien occupait jadis un territoire plus vaste. Le brahoui, isolé au Belouchistan, s'apparente plus particulièrement aux parlers dravidiens du Nord du Dekhan : mais a-t-il été transporté là par des émigrants de l'Inde centrale ? ou ne faut-il pas plutôt combler par la pensée l'intervalle entre Dekhan et Belouchistan, et admettre que jadis le dravidien occupait toute l'Inde occidentale, sinon davantage encore ? Question impossible à résoudre actuellement. Ce qui est sûr, c'est que le dravidien recule devant l'indo-européen. La limite entre le marathe, indo-aryen, et le canara dravidien était jadis plus septentrionale qu'aujourd'hui ; une moitié seulement des Gond, celle qui occupe les plateaux, parle encore le gond : ceux des plaines et des vallées ont adopté des parlers aryens en même temps qu'ils se civilisaient. Mais le pouvoir de résistance du dravidien reste fort : les grandes langues méridionales sont pleines de vitalité ; le télougou, qui mord sur le gond, ne paraît pas entamé par l'oriya ; le brahoui lui-même, dont le vocabulaire est en majorité iranien, ne semble pas en voie d'extinction.

Les langues dravidiennes sont parlées par environ

1. Voir carte XI, B.

72 millions d'individus, c'est-à-dire à peu près le cinquième de la population totale de l'Inde. Parmi ces langues, le groupe de l'Inde centrale et le brahoui sont des parlers dispersés, appartenant à des populations relativement peu civilisées et sans écriture ; au contraire, les grandes langues de la péninsule, télougou, canara, tamoul et malayalam, occupent une aire cohérente et ont un passé de culture ; elles emploient des alphabets apparentés à ceux qui ont servi à transcrire les langues indo-aryennes.

Le TAMOUL ou TAMIL, qui est la plus connue, est parlé par quelque 25 millions d'hommes au Sud-Est de la péninsule (Pondichéry et Karikal sont inclus dans ce territoire), — la limite terrestre allant de Madras, ville bilingue, aux monts Nilgiri et de là à Trivandrum (Cochin) — et dans la plaine septentrionale de Ceylan ; les émigrants le transportent dans les usines de Birmanie, les bazars d'Indochine et jusque dans les plantations des îles Fidji ou de l'Afrique centrale ; ils sont nombreux à la Réunion et à l'île Maurice. Le MALAYALAM, langue d'environ 9 millions d'hommes sur la côte du Malabar (Mahé est sur cette côte), est un dialecte détaché du tamoul, attesté épigraphiquement dès le xe siècle.

La littérature tamoule est la plus riche et la plus ancienne des littératures dravidiennes, et même de toutes les littératures indiennes sauf la sanskrite. On y distingue au moins trois états de langue ; le plus ancien est attesté dans une littérature déjà raffinée, comprenant des poèmes courtois et chevaleresques de type original, où pourtant l'influence brahmanique et sanskrite est sensible. On date cette littérature des environs de l'ère chrétienne.

Le tamoul est la langue dravidienne la plus anciennement connue en Europe. On avait d'abord donné à la famille entière le nom de « tamilien, tamoulien » ; le nom de « dravidien », choisi par Caldwell comme plus général, n'est en fin de compte qu'une forme plus ancienne du même nom, connue par le sanskrit.

Le CANARA *(kannaḍa)* est la langue d'environ 11 millions d'individus établis au Maïssour (Mysore) et dans la partie

S. O. des états du Nizam jusqu'à Bidar (120 kilomètres
N. O. de Haiderabad) ; de Bidar à Karwar (sur la côte au
Sud de Goa) il a une limite commune avec le marathe et le
konkani, langues aryennes, tandis qu'à l'Est il a pour
voisins le télougou et le tamoul, tous deux dravidiens.
Enfin le canara occupe la côte entre Karwar et Mangalore.
Mais ce n'est pas une langue de navigateurs ; le canara
reste confiné, sinon absolument dans un domaine propre,
au moins dans l'Inde, où il compte quelques colonies
isolées, dont une seule importante (plus de 100.000 h.)
à Madoura.

Le canara est la langue dravidienne dont on possède le
document le plus anciennement daté, une inscription
d'environ 450 ap. J.-C., où le canara voisine avec le sanskrit.
On a cherché à reconnaître du canara dans les répliques
de personnages « indiens » d'une comédie grecque conservée
sur un papyrus du iie siècle ; mais l'identification est
inacceptable. La littérature commence par un Art poétique
du ixe siècle, où sont nommés des écrivains antérieurs, dont
les noms sont sanskrits. On distingue d'après l'état de la
langue trois périodes dans la littérature ; ces périodes
correspondent aussi à la floraison des sectes religieuses
qui ont tour à tour inspiré cette littérature.

Au Sud du domaine canara sur la côte occidentale se
trouve le territoire du toulou *(tuḷu)*, parlé par 650.000
hommes autour de Mangalore ; ce parler a des rapports
évidents avec le canara, mais le rattachement direct est
contesté. De même on est incomplètement au clair sur les
parlers des montagnes au Nord de la trouée de Palghat :
ceux des Courg ou Coorg, *koḍagu*, 40.000 h.), ceux de la
société composite formée des agriculteurs *Baḍaga* (30.000),
des artisans *Kōta* (1.150) et des pasteurs *Toda* qui ne sont
plus que 600 et sont voués à une disparition prochaine.

Le télougou *(telugu, tenugu, telinga)* occupe la côte
orientale, de Madras, partagé avec le tamoul, jusqu'au Sud
de Ganjam (Yanaon est sur cette côte) ; là son domaine
confine à celui de l'oriya, langue aryenne maîtresse du
delta de la Mahanadi. Plus à l'Ouest il rencontre encore

une langue aryenne, le marathe. Entre les deux il a comme
voisin le gond dravidien, dont certaines enclaves se
trouvent sur son propre territoire. A l'Ouest et au Sud ce
territoire est borné par le canara et le tamoul. Le télougou
est la langue dravidienne parlée par le plus grand nombre
d'individus, plus de 26 millions ; il essaime hors de son
domaine propre et même hors de l'Inde, mais à un degré
moindre que le tamoul.

La plus ancienne inscription datée en télougou remonte
à 633 ap. J.-C. Le premier écrivain date du XIe siècle ; il est
l'auteur d'une grammaire et d'une traduction du Mahâbhâ-
rata, le grand poème sanskrit, qui avait déjà été traduit
au siècle précédent en canara.

L'influence sanskrite, perceptible dans les anciens monuments de la littérature tamoule, domine donc les débuts
des littératures canara et télougou. La métrique de ces
deux dernières est également sanskrite pour la plus grande
part ; mais elles ont en commun avec le tamoul un système
original, consistant à faire rimer la première consonne
intérieure de chaque vers (on lui donne cependant un nom
sanskrit, *prāsa*).

Parent du télougou, mais ne confinant pas avec lui, est
le KOUI parlé par les Ku ou Kandh ou Khond établis au
nombre d'environ 585.000 sur les plateaux dominant la
trouée de la Mahanadi ; c'est un parler sans culture,
menacé par l'oriya qui l'encercle.

La plus célèbre et la plus nombreuse (1.865.000) des
populations formant le groupe septentrional du dravidien
est celle des GOND, qui ont donné leur nom au Gondwana
où ils résident en îlots séparés. C'est une nation déchue,
dont la langue cède de plus en plus devant les langues
civilisées, le marathe, l'hindi, l'oriya, même le télougou.
Proches du gond sont les dialectes des KOLAM (29.000 h.)
et des BHIL, parlés dans les mêmes régions, et menacés
eux aussi de disparition.

Plus au Nord encore, c'est toujours dans les montagnes
qu'on rencontre les populations parlant dravidien. Elles
voisinent avec des groupes mounda : comme le gond

confine au kourkou sur les monts Mahadeo, comme le koui
voisine avec le savara dans les Ghât orientaux, au Chota
Nagpur le KOUROUKH *(kurux)* ou ORAON urãw (1.037.000)
et au Rajmahal le MALTO (70.000) partagent le pays avec
le groupe principal (dit «kherwari») du mounda : moundari,
kharia, korva, santal. Ils sont du reste ici de nouveaux
arrivés : Kouroukh et Maler sont originaires du Carnatic,
et certains de leurs villages ont des noms mounda.Ce groupe
de parlers a subi à la fois des influences mounda et une
forte empreinte de l'indo-aryen.

Reste le brahoui, parlé dans les montagnes du Belouchistan oriental et dans le Sind ; sur 225.000 Braho recensés,
207.000 seulement se servent de leur langue, et un tiers
de ceux-ci est bilingue ; la langue a subi, surtout dans le
vocabulaire, de profondes influences iraniennes et indo-
aryennes.

Si variés qu'ils soient, la parenté de tous ces parlers
est reconnaissable ; établie depuis longtemps pour les
grandes langues du Sud, elle a été démontrée définitivement en dernier pour le brahoui. Mais le passé même des
langues qui ont un passé ne remonte pas très haut, et les
témoignages extérieurs qu'on a voulu invoquer, comme le
nom du riz en grec ou celui du paon en hébreu, sont
trompeurs. La grammaire comparée du dravidien n'en
est qu'à ses débuts, et certaines des caractéristiques notées
ci-dessous sont plus le résultat d'inductions et de choix
que de démonstration.

PHONÉTIQUE

Le système vocalique comprend *a, e, i, o, u* brefs et
longs (ĕ et ŏ brefs caractérisent le dravidien par rapport
à l'indo-aryen, qui n'a qu'un *e* et qu'un *o,* en principe longs,
et abrégeables devant consonne double — ce qui arrive
également dans certains parlers dravidiens) ; il faut
ajouter les diphtongues *ai* et *au.* L'hiatus est évité dans
les langues écrites par l'insertion de *v* et *y* (comme en indo-

aryen moyen), de *g* en brahoui dans certains cas. En position initiale *e* et *o* se fracturent en *ye-*, *wo-*, ce qu'on retrouve en marathe, langue aryenne limitrophe.

On note en télougou, en kouroukh, en brahoui des alternances de timbre vocalique à l'intérieur de thèmes fléchis, suivant le timbre des désinences : rien cependant qui soit généralisé au point de mériter l'appellation d'harmonie vocalique.

Le ton et l'accent ne jouent aucun rôle dans le système.

Les occlusives comportent les mêmes catégories que l'indo-aryen : vélaires, prépalatales affriquées, cérébrales ou rétroflexes, dentales, labiales. Il y a en outre, attestée dans les trois langues méridionales, mais vivante en tamoul seulement, une série spéciale de dentales, susceptible de mouillure, dont la sourde est actuellement prononcée *t* ou *tr* et la sonore confondue avec *d* ou *dr* quand elle suit une nasale, avec *r* entre voyelles. Ces phonèmes (transcrits ici *r*, *ʀ*), ne sont pas admis à l'initiale, non plus que la nasale correspondante (transcrite ici *ɴ*), qui supplée la nasale dentale en position intervocalique ou finale.

Les occlusives finales ne sont pas admises dans le groupe Sud ; les cérébrales initiales sont exceptionnelles.

Les occlusives sont sourdes ou sonores. En tamoul la sonorité dépend de la place de l'occlusive : celle-ci est sourde à l'initiale, géminée ou en groupe *(kai, nakku, vaṭku)* ; sonore entre voyelles ou après nasale *(nagei, angu, kāṇḍu)*. L'indo-aryen a passé par une phase comparable quoique non entièrement pareille.

Le dravidien n'ignore pas les groupes d'occlusives ; mais comme l'indo-aryen il tend à les disloquer ou les assimiler.

Il y a des spirantes autres que *v*, mais elles ne forment pas une catégorie spéciale ; en tamoul une occlusive sonore est souvent prononcée spirante entre voyelles. En kouroukh *ẖ* est une forme de *kʿ* ; en brahoui c'est le résultat de *k-* initial ancien.

Le tamoul littéraire et une partie des parlers tamouls conservent la prononciation ancienne d'une spirante sonore rétroflexe palatalisée (transcrite ici *ʟ*), qui ailleurs s'est confondue avec *l̥*, *d̥*, *r* ou même *y* ; c'est le dernier phonème du nom indigène du *tamiʟ*. Comme en indo-aryen il n'y a de sifflantes que sourdes. Toutefois en télougou, où (comme en marathe indo-aryen) *č* et *ǰ* se dépalatalisent devant voyelles postérieures, en outre *z* est devenu le substitut normal de *ǰ*) en cette position.

MORPHOLOGIE

Les racines dravidiennes ont une forme quelconque ; et rien n'y caractérise la valeur verbale ou nominale. Il n'y a pas de préfixes ni d'infixes. Le rôle des mots est indiqué par les suffixes et les désinences ; ainsi la détermination est progressive ; c'est le contraire pour la composition où le déterminant précède le déterminé, et pour la phrase entière, où le sujet se plaçant en principe en tête, le prédicat vient en dernier, après les formes régies.

Le nom

La flexion nominale est dominée par les catégories de genre et de nombre.

Genre. — Les pronoms démonstratifs et les verbes aux 3es personnes, qui s'accordent avec le substantif sujet, portent dans les désinences l'indication du genre.

Les grammaires du canara ont emprunté au sanskrit la classification tripartite des genres en masculin, féminin et neutre. Mais le système indigène est différent, et a été noté par les grammairiens tamouls, qui distinguent les noms « de haute classe » et « sans classe » ; les grammairiens du télougou disent (en se servant de termes sanskrits) « supérieurs » et « inférieurs ». Les noms « supérieurs » sont ceux des dieux, des démons et des hommes ; les « inférieurs », ceux des animaux et des êtres inanimés. Le traitement des femelles de « haute classe » varie. Il faut d'abord mettre à part, sur ce point comme sur pas mal d'autres, le brahoui, qui ne connaît plus le genre. Les autres langues se répartissent en plusieurs groupes. Le gond et le koui rangent les femmes et les déesses dans la catégorie inférieure ; le télougou, le kolami et le kouroukh-malto font de même au singulier, mais au pluriel les assimilent aux mâles correspondants. Seuls le tamoul-malayalam et le canara assimilent mâles et femelles de « haute classe » au pluriel, et au singulier les distinguent à la fois des mâles correspondants et des êtres inférieurs.

On signale en kouroukh un fait curieux et important : le pluriel des noms désignant des hommes ou des femmes est du type « supérieur » dans une conversation entre hommes, ou entre hommes et femmes ; si la conversation se tient entre femmes seulement, les noms en question reçoivent une désinence spéciale.

Cette classification est caractéristique du dravidien ; en effet l'indo-aryen distingue ou a distingué trois genres, et le mounda classe les noms en animés et inanimés, ce qui est tout autre chose.

Nombre. — Il y a deux nombres, le singulier et le pluriel. Au contraire du mounda et de l'indo-aryen, il n'y a pas de duel.

Comme on vient de voir, la forme du pluriel des noms dépend de leur classe. Sauf en gond et en koui, il existe une désinence commune aux noms des êtres supérieurs des deux sexes (généralement en *r :* tamoul *magaN* « fils », pl. *magar*, *lāy* « mère », pl. *lāyar ; nī* « toi », *nīr* « vous » (noter « vous » pluriel de « toi ») ; kouroukh *āl* « homme », pl. *ālar ; mūkkā* « femme », pl. *mukkar*, *as es'as* « il a brisé », *ar es'ar* « ils ont brisé »).Les noms « inférieurs » n'ont souvent pas et n'avaient sans doute pas à l'origine de forme spéciale pour le pluriel ; aujourd'hui encore en tamoul courant on dira *nālu māḍu meygiRadu* « quatre bœuf paît ». On trouve du reste partout quelques désinences s'appliquant aux noms de tous genres, et parfois ajoutées à celles susmentionnées.

Le pronom personnel de première personne peut avoir deux sortes de pluriel. Le tamoul moderne, le télougou, le koui, le gond et le kouroukh y distinguent une forme dite

« inclusive » (nous = moi et vous à qui je parle) et une « exclusive » (nous autres, pas vous). Le canara a connu cette distinction ; le brahoui l'ignore.

Flexion. — Les « désinences » des noms, qu'on appellerait mieux postpositions, sont les mêmes aux deux nombres : kouroukh *āl-ge* « à l'homme » ; *ālar-ge* « aux hommes » ; tamoul *maɴidaɴ* « homme », acc. *maɴidaɴei ; maɴidargal̤* « hommes », acc. *ma-ɴidargal̤-ei*. Elles s'ajoutent tantôt à la forme de cas sujet, tantôt à une forme spéciale dans les pronoms (tamoul *yāɴ*, *nāɴ* « je », obl. *eɴ-*), dérivée dans les noms ; c'est la forme dite d'oblique : tamoul *ūr* « ville », *ūr-il* « dans la ville », mais *vīḍu* « maison » *vīṭṭ-il* « dans la maison ».

L'oblique à lui seul est susceptible de signification ; il vaut un génitif (et donc un adjectif) dans tamoul *eɴ talei* « ma tête », *taleiy-iɴ mayir* « cheveu de la tête », mais l'ablatif dans *taleiy-iɴ iʟinda mayir* « cheveu tombé de la tête », et dans la comparaison : *adaɴiᴛ perid idu* « à-partir-de-cela grand ceci, ceci est plus grand que cela ».

Dans le groupe méridional il n'y a d'oblique qu'au singulier, ce qui distingue le dravidien de l'indo-aryen moderne, où il y a aux deux nombres un oblique issu de l'ancien génitif.

Il n'y a pas d'adjectif.

Le verbe

Le verbe n'a qu'une série de désinences, qui s'ajoutent à la racine nue ou pourvue de suffixes.

Certains suffixes expriment le temps : prétérit, futur, éventuellement présent ; d'autres servent à former des causatifs ou factitifs (notamment *p* ou *v*, *t* ou *d*, *k*, *č* ou *s*). Le « moyen » à -*r*- du kouroukh, le passif à -*ing*- du brahoui sont des exceptions. Le suffixe le plus remarquable du dravidien est celui des verbes négatifs -*a*- (peut-être primitivement précédé de consonne), lequel en tamoul et canara s'est contracté avec la voyelle de la désinence, le résultat étant un suffixe zéro, la négation n'étant signalée que par l'absence de suffixe temporel : par exemple en face de tamoul *kāṇ-b-ēN* « je verrai », *kaṇ-ḍ-ēN* « j'ai vu », *kāṇ-ēN* signifie « je ne vois, verrai, vis pas ». Ce suffixe est probablement le résidu d'un verbe indépendant ; en tout cas la négation peut s'exprimer aussi par un verbe « ne pas exister » *(h)al-* ou *(h)il-*. Les suffixes n'ont d'ailleurs rien de spécifiquement verbal. Outre qu'il y a des coïncidences de fait entre suffixes verbaux et nominaux, les suffixes temporels combinés avec les formes pronominales servent à former des noms d'agent ou d'action susceptibles des mêmes fonctions syntaxiques que les verbes. Soit en tamoul *śey* « action » ; le dérivé *śey-d-(u)* est l'absolutif « ayant fait, en faisant » ; on peut en dériver *śey-d-al* comme on dérive du premier *śey-al* « action » ; avec la désinence d'ablatif, *śey-d-āl* « par l'action faite » et par suite « si on a fait, si j'ai fait, etc. » (de même avec l'oblique-ablatif tiré du simple, *śey-iN*). Ajoutant au même le démonstratif on obtient *śey-d-avaN* « celui qui a fait », *śey-d-avaḷ* « celle qui a fait », *śey-d-adu* « ce qui a fait » et « l'action d'avoir fait ». De même *eN-b-avaN* « celui qui dit » ou « celui dont on dit », etc. La formation est la même que sur *vil* « arc » *villaN* ou *villavaN* « archer ».

Or, les formes des 3es personnes des verbes sont très parentes des noms qu'on vient d'analyser. On s'explique dès lors que sauf en brahoui où il n'y a pas de genre, les 3es personnes portent la marque du genre. Il n'en est de même aux autres personnes qu'en kouroukh ; et en effet on entrevoit que les formes verbales des 1re et 2e personnes ont des désinences pronominales. Ceci est conforme à une règle générale qui est la possibilité de dériver un « nom pronominal », c'est-à-dire ce que nous traduisons par un verbe, de n'importe quel nom. Le tamoul forme *kōN-ēN* « roi-moi » c'est-à-dire « moi qui suis roi » ou « je suis roi », *kōl-ēN* « j'(ai) le sceptre », comme le kurukh *ēn kuṟuxa-n* « je suis kouroukh », *ēm āl-abo-m* « nous (sommes, faisons) de nombreux hommes, une grande famille » ; or tamoul *śey-d-ēN* « j'ai fait », *śey-v-ēN* « je ferai » sont faits de même.

La possibilité de rection ne caractérise pas ces formes: tamoul *adei śey-b-avaḷ evaḷ* « id factura quae ? quelle est celle qui fera cela ?» comme *adei śeydameiy-āl* «par le fait d'avoir fait cela ». Même le fait d'avoir un sujet est commun aux deux séries : *nāN śeyd-āl* « ego facto, parce que j'ai fait » ; *nī varugiRadu nalladu* « ta (tu) venue (est) bonne », comme *nāN, nī śeyal* « mon, ton (je, tu) acte », *nī adei śeydameiyāl* «par le fait que tu (as) fait cela ».

D'autre part ces noms pronominaux à valeur verbale sont comme tous les noms susceptibles de déclinaison : *śeydēN-ukku* «à moi qui ai fait », *pōNēN-ei adittāN* « euntem-me contudit, il a frappé moi-qui-allais » sont faits comme *perum-pūṇ-ēN-ukku* « à moi (qui ai) un grand ornement » ou *lēvar-īr-ei pugaLndu* « ayant loué Votre Majesté (dieux-vous + désinence d'accusatif) ».

Puisque les noms d'action admettent des sujets pronominaux, les désinences pronominales n'y sont pas théoriquement nécessaires. En fait on trouve dans les formes archaïques des langues méridionales, et même dans les périodes récentes (en malayalam c'est devenu la règle) des formes participiales neutres à valeur personnelle multiple ; le vieux tamoul admet le type *śeydu* pour « j'ai, tu as, il a fait ».

De ces noms d'action et d'agent à thèmes temporels dérivent des formes indéclinables (sans doute parce que leur finale est une désinence) qui se composent avec les substantifs et prennent une valeur circonstancielle ou adjective, étant entendu qu'elles sont susceptibles d'avoir leur sujet et leurs compléments : c'est ce qu'on appelle les « participes relatifs », parce qu'ils remplissent le rôle des propositions relatives de nos langues. Exemples canara : *ā grāmadall iruva ǰanaru* « dans-ce-village se-trouvant gens, gens qui sont dans ce village » ; avec un sujet : *tande banda mane* « père venant maison : « la maison où » et aussi « la maison d'où le père est venu » ; avec sujet et complément, et d'autre part le substantif final étant à un cas oblique : *nāvu āḷaṇṇu kaḷuhisida angadiyalli* « nous homme (acc.) envoyé dans-la-boutique, dans la boutique où nous avons envoyé l'homme » ; *nānu kāgadavannu baredida pakšadalli* « je lettre ayant-écrit dans-le-cas, au cas où j'aurais écrit une lettre ». Exemples tamouls : *nilaɴ ēndiya viśumbu* « terre ayant couvert ciel, le ciel qui couvre la terre » ; *vaḷi ṭaleiya lī* « vent croissant feu, feu que le vent grandit, qui est grandi par le vent ». On remarquera, dans ces derniers exemples pris à un vieux poème, qu'en l'absence de désinence c'est l'ordre qui détermine la fonction des noms ; et en outre que cette construction permet de suppléer à l'absence de passif.

Cette construction ne manque qu'au brahoui ; elle a pénétré dans les langues aryennes limitrophes, marathe, oriya, singhalais.

Un autre aspect de ces noms d'action a sans doute agi déjà sur le sanskrit le plus ancien, en lui fournissant le type de son absolutif, type tamoul *śeydu* « ayant fait » ; le sujet de cette forme est en principe celui de la phrase principale : gond *sāṛi* (pain) *ṭinǰī* (ayant mangé) *waīkiṭ* (vous viendrez) « venez après avoir mangé le pain » ; kouroukh *ḏ'iban gamč'ānū hē'arki barā* « l'argent dans-l'écharpe ayant attaché viens ». Vieux tamoul *anuga vandu vīśiyōy* « approchant (la désinence de cet « infinitif » est la même que celle du « participe relatif ») étant-venu tu as éventé, t'étant approché tu as éventé, tu es venu éventer » ; moderne *a-ppoʟudu* (à ce moment) *avaɴ* (lui, sujet) *kōbam* (colère) *adeindu* (ayant pris) *uḷḷē* (dedans) *pōga* (aller) *maɴad* (idée) *illād* (n'étant ou n'ayant pas) *irumdāɴ* (il était) « alors s'étant mis en colère, il ne voulait pas entrer » ; *maram* (arbre) *und* (existe) *eɴru* (disant) *kāɳgiʀeɴ* « je vois qu'il y a un arbre ». On remarquera l'usage de l'absolutif « ayant dit » pour rendre notre « que » après un verbe « dire » ou « penser » ; cet usage est fréquent dans l'indoaryen moderne.

LA PHRASE

La phrase dravidienne ne comporte pas d'autres mots en accord que les noms, les pronoms et les verbes, qui sont de nature pronominale. D'autre part elle ne comporte aucune subordination. Mais elle est capable, dans ses formes littéraires, de grande complexité, grâce à la faculté de composition, ou pour mieux dire de groupement de ses éléments, et à l'usage des participes relatifs ; le seul arrêt, qui n'est pas une subordination, à peine une articulation, est l'absolutif.

La vieille poésie utilise à plein ces possibilités et le fait que les désinences y sont relativement rares et que les mots se présentent sous leur aspect nu, où le cas échéant valeur verbale et valeur nominale restent indistinctes, donne à la phrase l'aspect d'un long ensemble statique, qui a peut-être été le modèle des longs composés qui caractérisent le sanskrit de la période classique.

TEXTE de vieux tamoul :

mella vand eN (n)alla aḍi porundi
« ī » eNa irakkuvar āyiN, śīr uḍei
muraśu keLu lāyall araś ō lañjam.
iNN uyir āyiN um koḍukkuveN innilall.
āTTal uḍeiyōr āTTal pōTTād, eN
ullam elliya maḍavoN lellid-il
luñju puli iḍariya śiḍadaN pōla
uyndaNaN peyardal ō aridē...

PuRanāNūRu 73, début.

« S'ils viennent quémander, prosternés à mes beaux pieds, en disant « donne ! », même le royaume au brillant héritage du tambour glorieux, [je le compte pour] peu de chose ; je donnerai ma douce vie à l'instant. [Mais pour] le stupide, irrespectueux de la puissance des puissants, contempteur de mon ouvrage, tel un aveugle trébuchant en pleine clarté sur un tigre endormi, s'en retourner sain et sauf sera bien difficile. »

mella « doucement » de *mel-* « doux », et comme verbe « mollir » ou « mâcher », cp. *melgu* « s'adoucir ».
vandu absolutif de *var-* « venir ».
eN oblique de *nāN, yāN* « moi ». De même au vers 5.
nalla fait comme *mella*, racine *nal-* « être bon ».

porundi absolutif de *porundu* « être au contact ».

eNa infinitif à valeur d'absolutif de *eN-* « dire ».

ira-kkuv-ar plur. de *ira-kkuv-aN* masculin, nom d'action futur, racine *ira-* « quémander ».

āyiN oblique tiré directement de la racine *āy-* ou *āg-* « devenir », donc « du fait de l'existence de ... », « s'il y a, si c'est ». De même au vers 4.

śīr-uḍei-muraśu « gloire-possession-tambour »; le tambour, sanskrit *muraǰa-*, est le symbole du roi guerrier.

tāyaṭṭu oblique de *tāyam*, sanskrit *dāya-* (masc.) « héritage ».

ō particule emphatique ; de même au v. 8.

iNN, avec *N* redoublé pour raisons de phonétique syntactique, « (être) doux ».

um enclitique « même » ; représente « et », toujours enclitique.

koḍu-kku(v)-eN, 1re sing. du futur de *koḍu* « donner ».

i- démonstratif rapproché ; *a-* éloigné ; *u-* (archaïque) intermédiaire.

nilaṭṭu oblique de *nilam* « endroit », comme *tāyaṭṭu*.

āTTal substantif de la racine *āTT(u)* « être fort » ; la première fois il dépend du mot suivant, *uḍeiy-ōr* m. pl. du nom d'agent de *uḍei* « posséder » (qui fournit par ailleurs le participe relatif *uḍeiya* « possédant » couramment employé pour marquer la relation de génitif) ; le groupe *āTTal-uḍeiyōr* à son tour dépend de *āTTal;* donc « force des possesseurs de force ».

pōTTād(u) nom verbal négatif (ceci marqué par *ā-;* cf. *śeyyā, śeyyādu, śeyyāmal*, etc. « ne faisant pas, sans faire ») de *pōTTu* « tenir compte, respecter ».

uḷḷam « cœur, pensée, » proprement « intérieur », de *uḷ* « dedans » (usuel comme postposition), et, comme verbe, « exister ».

eḷḷiya participe relatif de *eḷḷu* « mépriser », racine *eḷ*, cf. *elgu* de même sens.

maḍavōR « celui qui a *maḍam* » « ignorance, folie ».

teḷḷidil locatif (désinence *il* signifiant proprement « maison, place ») du participe *teḷḷidu* de *teḷ* « être clair ».

tuñju « dormir », *puli* « tigre » ; *iḍariya* participe relatif de *iḍar* « cogner du pied » (et comme nom, « obstacle »).

pōla, infinitif ou gérondif présent de *pol-* « ressembler », traduit généralement notre « comme ».

uy-nd-aN-aN- : entre la racine *uy-* « vivre », d'où dérive *uyir* du vers 4, et la désinence masculine *-aN*, il y a deux suffixes à valeur de passé.

peyardal nom verbal de *peyar* « revenir ».

ō comme au vers 3, et *ē* sont des particules emphatiques.

arid(u) « chose difficile », de *ari-* « être difficile », dont le participe relatif *ariya* vaut l'adjectif « difficile ».

Noms de nombre

Système décimal.

Tamoul 1 *or-* (brahoui *asi*), 2 *ir-* (brahoui *irā*), 3 *mu-* (brahoui *musi;* au delà de 3 le brahoui se sert des mots iraniens), 4 *nāl-*, 5 *ai-* (gond *sai-*), 6 *ār* (gond *sār-*), 7 *ēL*, 8 *eṇ-*, *eṭṭu;* 9 *toṇḍu* ou *oN-badu* (« un. dix »), 10 *pattu*, 11 *padiN-oNRu* (« de dizaine, un »)... ; 20 *iru-badu* (« deux. dix »),... ; 100 *nūRu*.

Jules Bloch.

BIBLIOGRAPHIE

I. Sur l'ensemble de la famille :

R. CALDWELL, *A Comparative Grammar of the Dravidian or South-Indian Family of Languages*, London, 1856 ; 2ᵉ édition refondue 1875 ; la 3ᵉ édition publiée longtemps après la mort de l'auteur, en 1913, est une réimpression abrégée de la 2ᵉ. Livre qui devrait être refait, mais reste fondamental.

G. A. GRIERSON, *Linguistic Survey of India*, vol. IV : *Muṇḍā and Dravidian Languages*, Calcutta, 1906 (rédigé par Sten Konow). Résumé d'ensemble et description des langues particulières, avec textes ; le tout excellent. Carte. Bibliographie complète pour l'époque. — Dans le vol. I, 1 *Introductory* (paru en 1927), abrégé p. 81 s. ; statistiques nouvelles, p. 397 s. ; on trouvera là, ainsi que dans la liste générale p. 426 s. les noms des dialectes moins importants qui n'ont pas été mentionnés ici.

Jules BLOCH, *Structure grammaticale des langues dravidiennes*, Paris, Bibliothèque d'études du musée Guimet, LVI, 1946.

K. V. SUBBAYA, *A Primer of Dravidian Philology* et *A Comparative Grammar of Dravidian languages :* articles dans l'*Indian Antiquary* des années 1909 à 1911 ; la série est malheureusement restée interrompue.

E. H. TUTTLE, *Dravidian Developments*, Linguistic Society of America, 1930. Observations utiles parmi beaucoup d'hypothèses qui ont trouvé peu de crédit.

L. V. RAMASWAMI AIYAR, *Dravidic Problems*, Indian Antiquary, 1933, p. 46-56 ; *Initial Fricatives and Affricates of Dravidian*, Ind. Ant. 1933, p. 141-148 ; *Tamil L*, Madras Journal of Oriental Research IX 1935, p. 140-147, 195-210 ; *Some dravidic plant-names*, même recueil V, 1931, p. 156-166 ; *Dravidic « eating »* and *« drinking »*. Ind. Histor. Quarterly XII 1936, p. 258-269 ; d'autres articles encore, parus en diverses revues indiennes. Ensemble inégal, mais qui mérite considération.

T. BURROW, *Dravidic Studies* (sur la phonétique), BSOS, IX, 1938, p. 711-722 ; X, 1940, p. 289-297 ; XI, 1943, p. 122-139 ; XI, 1945, p. 595-616.

F. B. J. KUIPER, *Zur chronologie des Stimmtonverlust im dravidischen Anlaut*, BSOS, IX, 1939, p. 987-1001.

Note on dravidian morphology, Acta Orientalia XX (1948), p. 238-252.

K. RAMAKRISHNAIAH, *Studies in Dravidian Philology*, Madras, 1935.

Jules BLOCH, *La forme négative du verbe dravidien*, BSL, XXXVI, 1935, p. 155-162.

D. BRAY, *Brahui Language* II-III, *Vocabulary*. Étymologies de valeur inégale.

Rapports avec l'indo-aryen :

KITTEL, *A Kannaḍa-English Dictionary*, Mangalore, 1894. Préface, VI : *Dravida Elements in Sanskrit Dictionaries*, p. XIV-XLV. Liste abondante, précieuse quoique en grande partie critiquable.

O. Schrader, *Sanskrit anala*, KZ, 1928, p. 125-127 ; *A Curious Case of Idiomatic Sanskrit*, BSOS, VI, 1931, p. 481-482.

Jules Bloch, *Sanskrit et dravidien*, BSL, XXV, 1924, p. 1-21 ; *Le nom du riz*, Études asiatiques... de l'École d'Extrême-Orient, Hanoï, 1925, I, p. 37-47 ; *Some Problems of Indo-Aryan Philology* II, BSOS, V, 1930, p. 730-744 ; *Une tournure dravidienne en marathe*, BSL, XXXIII, 1932, p. 299-306 ; *L'Indo-Aryen*, Paris, 1934, aux pages 322-328.

A. Master, *Indo-Aryan and Dravidian*, BSOS, XI, 1944, p. 297-307 (étymologies).

T. Burrow, *Some Dravidian words in Sanskrit*, Transactions of the Philological Society, 1945, p. 79-120.

II. Langues particulières :

Aux descriptions mentionnées dans le volume IV du *Linguistic Survey of India*, il convient d'ajouter :

Denys Bray, *The Brahui Language*, Delhi, I, 1909, II-III, 1934.

A. Grignard, *A Grammar of the Oraon Language* et *An Oraon-English Dictionary*, Calcutta, 1924.

Chenevix Trench, *Grammar of Gondi as spoken in the Betul district*, Madras, 1919-1921.

A. N. Mitchell, *A Grammar of Maria Gondi*, Jagdalpur, 1942.

W. W. Winfield, *A Grammar of the Kui Language*, Calcutta, 1928. *A Vocabulary of the Kui Language*, Calcutta, 1929.

F. Kittel, *A grammar of the Kannada language*, Mangalore, 1903. A. N. Narasimhia, *A Grammar of the Oldest Kanarese Inscriptions*, Mysore, 1941. G. S. Gai, *Historical grammar of Old Kannada*, Poona, 1946.

L. V. Ramaswami Aiyar, *Tulu prose-texts in Two dialects*, BSOS, VI, 1932, p. 897-930. *Materials for a Sketch of Tulu Phonology*, Bull. Linguistic Soc. of India, VI, 1936, p. 385-439.

L. V. Ramaswami Aiyar, *The Evolution of Malayalam Morphology*, Ernakulam, 1936. *A Primer of Malayalam Phonology* en cours depuis 1937 dans Bull. of the Rama Varma Institute. *The History of the Tamil-Malayalam Alveolar Plosive*, extrait de J. of the Madras University, VIII, 1937, *The Morphology of the Old Tamil Verb*, Anthropos, 1938, p. 747-781.

Subrahmanya Sastri, *History of Grammatical Theories in Tamil*, Madras, 1934.

Tamil Lexicon, published under the authority of the University of Madras, 1926-1936. Insuffisant au point de vue de l'histoire des mots comme à celui de leur étymologie.

P. Meile, *Quelques particularités du sandhi en tamoul*, BSL, XLV, 1949, fasc. 1, pp. 135-145.

C. Narayana Rao, *History of the Telugu language*. Waltair, 1937. Important ; malheureusement écrit en télougou.

W. H. Rivers, *The Todas*, London, 1926. Contient d'assez nombreux textes. M. Emeneau a commencé de publier des documents sur le toda et les parlers voisins : *Personal Names of the Todas*, American Anthropologist 40, 1938, p. 205-223 ; *Echo-words in Toda*, New Indian Antiquary I, 1938, p. 109-117. *A Sketch of Kota Grammar*, dans *Kota Texts*, University of California, I, 1944, p. 15-35.

LE BOUROUCHASKI

NOTE LIMINAIRE

Dans sa Préface à la grammaire de Lorimer[1], *G. Morgenstierne a rappelé les tentatives faites pour trouver des parentés au bourouchaski. Il examine avec quelque détail la moins invraisemblable, à savoir le rattachement au caucasique, proposé en 1930 par R. Blechsteiner ; il montre que les preuves fournies jusqu'ici sont insuffisantes.*

1. I, p. xii-xix. Voir la bibliographie du chapitre.

Le *burušaski*, qu'on a appelé aussi *buriški, k'ajuna, kanjuti* est la langue des *Burušo* qui habitent au nombre de 20.000 les états de Hunza et Nagir dans les montagnes du Karakoram[1] ; c'est une région où se rencontrent l'indo-aryen, l'iranien, le turc et le tibétain. Le dialecte *werčikwar* (le premier élément des deux noms est le même) se parle plus à l'ouest, à Yasin. Ni l'un ni l'autre ne s'écrivent.

Phonétique. — L'aspect général du phonétisme rappelle l'indo-aryen, surtout celui des parlers limitrophes. Cependant il n'y a d'occlusives aspirées que les sourdes. En outre, la série gutturale comprend à côté d'un *k* un *q* postvélaire (mais pas de sonore correspondante). La série rétroflexe comprend, outre les dentales, des gutturales, des palatales et même *y*.

Il existe une curieuse alternance de sonorité entre initiale et intervocalique, l'initiale étant sonore, la médiale sourde : *dīmi* « il vint », *atīmi* « il ne vint pas » ; *gārstas* « courir », *nukārts* « ayant couru » ; l'hindoustani *tēl* « huile » est devenu *del*.

Morphologie et syntaxe. — La déclinaison, et conjointement la numération et la conjugaison, distinguent quatre classes : hommes ; femmes ; autres êtres animés ou choses pourvues d'individualité ; choses mal individualisées. Dans cette 4e classe se rangent les liquides, les poudres, les métaux, les arbres sauf la vigne, les divisions du temps, les abstractions. Les fruits, les objets fabriqués sont de la 3e catégorie ; de même le ventre des êtres humains ; mais le ventre des bêtes est de la 4e.

Dans le fonctionnement grammatical, qui est compliqué, et dans la phraséologie, on entrevoit des analogies avec les langues de l'Inde : dans les noms et pronoms, opposition

1. Voir carte XI, B.

d'un nominatif et d'un oblique-génitif suivi de post-position ; dans les verbes, conjugaison à deux thèmes, l'un présent-futur, l'autre prétérit ; équivalence des rapports de transitif à causatif et d'intransitif à transitif ; emploi de formes périphrastiques et d'auxiliaires ; usage de l'absolutif ; possibilité pour un infinitif ou un « participe statique » (« l'arbre tombé ; l'homme (qui a) vu ») d'avoir son sujet au nominatif : ce dernier trait rappelle plus particulièrement le dravidien.

Noms de nombre

1 *hi-*.   2 *ālt-*.   3 *īsk-*.   4 *wālt*.   5 *ḷundo, ḷindi*.
6 *mišīn*.   7 *tal-*.   8 *āltam-*.   9 *hunt-*.   10 *tōrm-*.
11 *turma hin*.   20 *āltər*.   30 *āltər tōrumo*.   40 *āltuwāltər*.
100 *t'a*.

Texte

hʋn	*gunḷ-ʋn*[1]*-ulo*	*huyḗs*	*hʋnumʋn*	*mūn*	*y*[2]*-*	*ʋkʋl-*
un	jour - un	dans	troupeau		de lui	direction

ʋḷę	*u-*	*yər-č-*[3]	*ər*	*ḷū-mi*[4].	*huyḗs*	*rūṅ-*	*ulo*
à	les	faire paître	pour	il emmena	troupeau	pâturage	dans

fʋl	*no*[5]	*guč-ʋmi*[4].	*Gučaiʋns-*	*ər*	*ēyęn-um-ḷę*[6]
en lâchant	ayant fait	il se coucha	le coucher	pour	s'étant endormi

qau	*mʋn-imi*	*Dərbḗšo !*	*Dərbḗšo !*	*nu-sęn*[7]	*d-ī-tʋl-imi*[8].
un cri	se produisit			ayant dit	il s'éveilla

1. Suffixe facultatif d'unité, le même mot que *hən* « un », *hin* « une ».
2. *i* préfixe, le cas échéant infixe pronominal de 3ᵉ sg., se rapporte ici à H. Mūn, nom d'une montagne.
3. *-č-* suffixe caractérisant le présent.
4. *-mi, -əmi, -imi*, désinence de 3ᵉ sg. prétérit masculin ; au féminin *-mo*.
5. Pour *n-* (préfixe de participe actif) *-u-* (morphème de 3ᵉ pl. « eux ») *-a* « ayant fait ».
6. Pour *i-* « lui » (note 2) *-əyęn-* (« endormi ») *-um* (« par » ; suffixe d'absolutif), *ḷę* « sur ».
7. *nu-* préfixe, note 5. « Ayant dit » suivant et signalant une citation est une tournure fréquente dans plusieurs familles linguistiques de l'Inde.
8. *d-* (préfixe, généralement d'intransitifs) *-ī-* (infixe de 3ᵉ sg., v. notes 2 et 6) *-tal-* « dormir », *-imi* note 4.

Dīɪʋl	*beṛēimi-*	*ke̦*	*hin*	*būι*	*pākīza*	*dʋsīn-ən*	*ē̦ški-*
s'étant éveillé	il regarde-	quand	une	très	belle	fille -une	oreiller

ṭeṛ[1]	*d-u-mo*	*bo*[2]	
au-dessus	(est) venue	est.	

(D'après Lorimer, *A Burushaski text from Hunza*, BSOS, IV, p. 510 s.).

« Un jour il emmena son troupeau paître dans la direction de Hanouman Moûn. Laissant paître son troupeau il se coucha. Comme couché il s'était endormi un cri s'éleva : Derbêcho ! Derbêcho ! Il s'éveilla et regardant (s'aperçut qu')une très belle fille était venue au-dessus de sa tête ».

Jules BLOCH.

1. *ṭeṛ* de *ṭe* « sur » note 6 et *-ər* « à, pour » comme dans *uyərčər, guċaiyəsər*.
2. Périphrase avec un verbe « être » emprunté à l'indo-aryen ; *būt* est également indo-aryen ; *pākīza* est persan. *d-* (préfixe, v. note 8) *-u-* (de *jū-venir* ») *-mo* désinence de 3ᵉ sg. fém., v. note 4.

BIBLIOGRAPHIE

L. D. R. LORIMER, *The Burushaski language*, Oslo, Institut pour l'étude comparative des civilisations, 3 vol., 1935-1936. Description approfondie, tout entière d'observation directe. Du même : *Nugae buruskhaskicae*, BSOS, VIII, 1936, p. 632-636 ; *Burushaski and its alien Neighbours: problems in linguistic contagion*, Philological Society's Transactions, 1937, p. 63-98.

Siddheshwar VARMA, *Burushaski Texts*, Indian Linguistics, I v-vi, 1931, p. 6-32.

G. MORGENSTIERNE, H. VOGT, C. Hj. BORGSTRÖM, *A triplet of Burushaski studies*, Norsk Tidsskrift for Sprogvidenskap, XIII, 1945, p. 59-147.

Sur le *Werčikwar*, un grand article de ZARUBIN dans les Zapiski de l'Académie de Leningrad, 1927, utilisé par les auteurs précités.

E. BENVENISTE : *Remarques sur la classification nominale en burušaski*. BSL XLIV (1947-1948), p. 64-71.

L'ANDAMAN

NOTE LIMINAIRE

Les parlers des îles Andaman forment un groupe tout à fait isolé. Trombetti[1] a essayé quelques rapprochements de vocabulaire avec le semang, en nombre infime et sans valeur probante.

1. *Elementi di glottologia*, 1923, p. 64.

Situation[1]

Les indigènes des îles Andaman, que l'on désignait
ʌtrefois sous le nom de Mincopie (sans doute d'après
ᴉe réponse au premier enquêteur dont le sens était « je
ᴉis un homme» ou «je bois») sont des Negrito qui
mblent anthropologiquement apparentés aux Semang
ᴉ la péninsule malaise. Ils sont en voie de disparition
.pide : on en comptait 4.800 en 1858, 1.880 en 1901 ;
ᴉ 1931 on n'en a plus recensé que 460. Ils se répartissent
ᴉ douze tribus dont on trouvera les noms sur le carton ;
ᴉs tribus vivaient très isolées encore au XIXᵉ siècle.

Description

Au point de vue linguistique comme au point de vue
ᴉlturel, elles se répartissent en trois groupes : Nord, Centre
outh Andaman), Sud ; ce dernier groupe *(ǰarawa* et *öñe)*
t le plus archaïque et aberrant.

Le matériel linguistique varie, mais le système est
ᴉrtout le même ; l'analyse qui suit repose presque
ᴉtièrement sur la description du Bea donnée par Man.

Phonétique. — La description du vocalisme n'est pas
re ; il semble qu'on distingue *a* ouvert et fermé, *o* ouvert
fermé, *u, e, i,* tous brefs ou longs ; en outre, *ä,* assez rare.
ᴉs consonnes comprennent les sourdes *k, č* (localement
ᴉsibilé), *t, p* et les sonores *g, ǰ, d, b,* plus l'aspirée dentale
rare ; les sonantes *y, r* (deux variétés d'inégale intensité),
w, les nasales *ṅ, ñ, n, m.* Pas d'aspirées (sauf *tʻ*), de
ᴉflantes, ni d'autres spirantes ; *h,* sonore, exceptionnel.

1. Voir planche XI, A (carton).

18

Morphologie. — La morphologie ne comporte aucune flexion ; la fonction des mots s'exprime par des préfixes et des suffixes. Même le radical des pronoms personnels ne distingue pas complètement le pluriel du singulier : 1re personne sg. *d-*, pl. *m-* ; 3e personne sg. *a-*, *ō-*, pl. *ed-*, *od-* ; mais 2e personne sg. et pl. *ṅ-* ; la confusion s'évite grâce à l'affixation, admise à la 1re personne aussi, du pronom de 3e personne :

ō d-en kārama lōyu-re « il[1] m'[2] a apporté[4] un arc[3] » ; *lain ṅ-ō wīj-ke* « quand[1] rentres[3] tu[2] ? » ; *ōl-ārdūru* « eux tous », *m-eda ṅ-ōl ārdūru lek larlīl bēriṅa igāri-ke* « nous aspirons à[7] de bonnes[6] nouvelles[5] de[4] vous[2] tous[3] » ; *eda rāmil l-iji-lūlpi-re* » ils[1] cessèrent[3] de chanter[2] », *ṅ-ed ārdūru d-en ilāpa-ke* « vous[1] tous[2], pagayez[4] pour moi[3] » ; *m-eda reg lāij-re* « nous[1] avons tué[3] le cochon[2] ».

Certaines particules postposées caractérisent l'action et ses circonstances ; les plus fréquentes sont : *-ṅa* signalant l'action ou l'agent, *-ke* le présent-futur, *-re* le passé, *-ba* le futur :

meda lidan-ṅa ba « nous savoir pas » ; *māmi* « dors ! », *māmi-ṅa bēdig* « pendant le sommeil », *dōl māmiṅabo* « je dormirai », *dōl māmire* « j'ai dormi », *meda bōdo dōga māmi-re* « nous[1] avons dormi[4] toute la journée[2-3] ; *līpa-la kārama kōp-ṅa l-ilān* « laisse(z)[4] l'arc[2] être façonné par L. » ; *kārama ōl-la kopṅa-la* « l'arc[1] a été façonné[3] par lui[2] ».

D'autres postpositions fonctionnent comme les prépositions françaises : *-īa*, *-bīa* « de (possession) », *len* « dans » (marque aussi le « régime direct »), *lal* « vers », *la* « au moyen de », *ūl*, *leb* « pour », *le* « de (extraction) » : *bīra ērem len āja kāraij-ṅa leb kālik-re* « Bira est parti[7] dans la jungle[2] pour[6] collecter[5] le miel[4] (ou : la collecte du miel) ; *wōloga lek bīr ab-kēlia* « Par rapport à Wologa, Bi est petit » (*ab-* est le préfixe des humains, voir plus bas) Avec les pronoms : *ṅ-ōl mūgu* « ton front », *ṅ-al wējile* « tes enfants », *m-ar-al dilu* « le reste de nous », *ōnlal bo* « leurs filles » (*-at* indice de pluriel).

On remarquera *l-* initial de plusieurs de ces postpositions ; *l-* isolé se présente souvent seul devant des mots, avec un rôle que les auteurs donnent comme purement euphonique, p. ex. *čāpa l īdal* « feu[3] de bois[1] », *ārla l ikpǫr* « quelques[3] jours[1] », *ōl l ākačī-ke yābada* « il[1] (ne le) manque[3] pas[4] », *lekariča n̄ō l īrke* « où[1] vas[4]-tu[2] ? », *yūm ledāre* « à cause[3] de la pluie[1] » (*edā-re* « il y a eu »). On peut se demander si ce n'est pas le reste d'un mot indépendant conservé dans les dialectes du Nord : *čup* (Bea *job*) *il* « dans[2] le panier[1] » ; ou plutôt n'est-ce pas le même que *-l* final des pronoms au cas direct *ōl* « lui », *d-ōl* « je », etc., donc une sorte d'anaphorique introduisant une apposition ?

Les auteurs donnent comme normale à la fin des substantifs une postposition *da* sans sens spécial. En fait, sur le spécimen d'une cinquantaine de lignes donné par Man, il n'y en a pas un exemple ; et sur 54 phrases on le trouve 12 fois, dont cinq pour le même mot (*yābada* « n'être pas ») ; tous sont en fin de phrase, ce qui donne à *da* l'aspect d'un verbe substantif (peut-être le même que *edā*, *dā* donné dans le lexique sous « to be » ; cp. peut-être aussi *mōda* « si, au cas où ». P. ex. *malai līa čārigma ōl-lobi-n̄a len j̄ābag-da* « le bateau à balancier[3] de[2] Nicobar[1] est mauvais[6] pour[5] la chasse à la tortue[4] » (sur *ōl-* v. plus bas).

Venons-en aux préfixes. Leur fonction principale est de dénoter les classes. Le système suppose en effet, d'abord une répartition des êtres en inanimés (plantes incluses) et animés, ceux-ci divisés en humains et non humains. Dans un exemple cité plus haut *lārlīl bēri-n̄a* veut dire « excellence de nouvelles, nouvelles bonnes » ; mais « nous allons bien » se dira *med ār-dūru ad-bēri-n̄a* « nous tous bien-être », ce dernier mot précédé de *ad-* indicatif des hommes. Le mot *lū* signifiant « regarder » se présentera donc de trois façons : *ō d-īa rōko gōi len lū-ke* « il[1] regarde[6] vers[5] mon[2] canot[3] neuf[4] » ; *med ab-lū-n̄a ba* « nous[1] ne (le) regardions[2] pas[3] » ; *dō n̄ākā reg l ār-lū-n̄a ba* « je[1] n'ai pas[5] encore[2] regardé[4] le cochon[3] ».

De plus certains mots ne peuvent se présenter sans

préfixe ; ce sont en particulier les noms de parties du corps : « tête » ne se dit pas *čēla*, mais *ōl-čēla* ; on dira aussi *ōl-kūg* « cœur », *ṅ ōl-paiča-len* « dans[3] ton[1] giron[2], en ta possession ». On distingue notamment *ab* appliqué aux êtres humains, et aussi au buste, au dos, au mollet, au genou, etc. ; *ar*, au ventre, aux hanches, à la jambe ; *āka* à la bouche, la langue, la salive, la poitrine ; *ig*, à l'épaule, aux bras, à la poitrine, à la figure, aux dents, aux yeux, aux larmes ; *ōṅ* est pour les mains, les poignets, les doigts, les ongles, les pieds, les reins ; *ōl*, pour la tête, la nuque, la poitrine, le cœur, l'âme ; *ōlo*, pour la ceinture (on remarquera la possibilité de chevauchements).

On distingue ainsi : *ṅ-īa būd* « ta hutte » et aussi *ṅ-īa maiola* « ton père », d'autre part *ṅ ab pail* « ta femme », *ṅ āka baṅ* « ta bouche », *ṅ ig mūgu* « ta bouche », *ṅ ōl kūg* « ton cœur ». De même *pedi* « gifler » ou « gifle » sera précédé de l'exposant signalant la partie du corps qui a reçu le coup. On ne dira pas seulement *ṅ ar čāg* « ta jambe », mais par voie de conséquence *ṅ ar lī* « le sang de ta jambe ». Puisque *ōl* rappelle la tête et l'âme on dira *mičima ṅ ōl-liṅ* « quel (est) ton nom ? », *ōl-beriṅa* « vertueux », *ōl-ǰābag* « méchant (*ǰābag* seul s'il s'agit d'un animal). Le système s'étend en dehors de l'homme : *ōl mūgu* en même temps que le front humain désigne l'avant d'un bateau ; *kārama l-ōl-čāma* est l'entaille du dessus de l'arc, *kārama l-ar-čāma* celle du dessous ; *ig* allant avec les dents, *wōlo l-ig-yōd* est « le tranchant de l'herminette » ; *tā* « os » appliqué à l'homme sera précédé de la particule désignant la partie du corps où est l'os ; mais en outre *ǰēder l-ōl-tā* est la noix de coco, *ǰēder* étant le cocotier, et *ōl* l'indice de la tête, donc du fruit ; *ōla lā* est un coquillage marin, mais *āka-lā* est un coquillage comestible (cp. *āka-baṅ* « bouche »).

Man suppose que dans ces derniers cas on sous-entend le nom impliqué par la particule, front, tête, bouche, etc. Peut-être faut-il au contraire imaginer que les particules sont les restes de mots perdus ayant désigné des notions dont tête, bouche, etc., sont des cas particuliers à l'homme ;

il y a peut être un préfixe en formation dans le mot *êr*
qui signifie « terre, sol » et qui en se groupant avec d'autres
mots prend une valeur plus abstraite. Dans ce cas il
faudrait considérer les groupes préfixe-nom comme des
mots composés. La composition est en effet courante :
ērem tāga « habitant² de la jungle¹ », *birma-čelewa*
« bateau² à cheminée¹, steamer », *mōro bēriṅa* « clarté du
ciel, ciel clair » (le mot qui traduit notre adjectif est donc
ici le second : *rōko gōi* « canot neuf »).

Ainsi s'expliquerait directement la relation entre *ūn-
bēriṅa* « bon de main, habile », *ig-bēriṅa* « bon de l'œil,
au regard perçant », *ūn-l-ig-bēriṅa* « bon de main et œil,
tout à fait bon », *āka-bēriṅa* « bon à la bouche, succulent »,
ōl-bēriṅa « vertueux » ; ou, s'agissant d'actions : *ūn-lāma*
« manquer, de la main ou du pied », *ig-lāma* « ne pas
trouver ce qu'on cherche », *ōl-lāma* « idiot », *āka-lāma*
« bafouiller ».

Le domaine des références signalées par les particules
dépasse de beaucoup le corps et les actions humaines.
On conçoit aisément que *āka-lā* « os de bouche » désigne
un coquillage comestible, que *āka-lāla* vaille « fruit »,
et à la rigueur *āka-laṅ* « arbre » ; à côté de *āka-bāka* « morceau de nourriture », *āka-pāǰ* « tesson » peut noter, avec un
autre mot désignant le fragment, une connexion entre
l'idée de poterie et celle de manger. Mais pourquoi *āka-wēr*
s'applique-t-il au transport d'animaux ou d'objets par
bateau, le mot de sens général étant *īk* (*ab-īk* « emmener »,
dans le cas des humains) ? pourquoi *āka-pāra* veut-il
dire « semblable » ?

Nous avons vu des exemples de *ōl* appliqué à la tête,
à l'âme ; mais il paraît aussi dans *ōl-yēregṅa* « sanglier »
(*yêre* « rapide »), *ōl-rōgi* « renverser un cochon pour le
saigner », *ōl-welaiǰi* « détacher », *ōl-kobal* « diviser » ; *ōl-
yob* « mou » s'applique au coton, à l'éponge, à la cire,
tandis que *ab-yob* désigne la chair, et que selon Temple
un roseau est *ōlo-yōb* « flexible », un bâton ou un crayon
aka-yōb « pointu », un arbre tombé *ar-yōb* « pourri », une
herminette *ig-yōb* « émoussée ».

La répartition des préfixes ressortit donc à des catégories
générales qu'il appartient au sociologue d'analyser ;
opération difficile du reste dans l'état actuel de l'information.

La défense s'exprime par *dā-ke : ṅo lāpke dāke* « toi ne
vole pas ».

La négation positive s'exprime par *ba* (*meda idan-ṅa*
ba « nous ne savons pas ») ou par *yāba : ūča rōko dīa*
yāba(da) « ce canot mien (n'est) pas », *ōl ñāka on-re*
yāba(da) « il[1] n'est pas venu[3-4] encore[2] » ; *ūba yāba ba*
« vrai-non-non, oui bien sûr » ; *ōl kārama yāba leṅ on-re*
« il[1] est venu[5] sans[3-4] (en n'y-avoir-pas) arc[2] ». — La
coexistence de *ba* et *yāba* engage à se demander si le
premier est un abrégé du second, ou si au contraire *yā*
n'est pas un mot non employé isolément par ailleurs,
nom-verbe d'existence, soit pronom démonstratif à
reconnaître dans *yāle* « qui » (v. plus bas), dans *ya* non
traduit dans l'exemple terminal du paragraphe qui suit
et dans deux exemples du paragraphe qui vient après
enfin dans *-īa*, suffixe possessif des pronoms au singulier
des trois personnes.

La phrase interrogative s'introduit par *an* (qui peut
aussi signifier « ou bien » ; un exemple dans le spécimen)
ou par un pronom interrogatif : *miǰa* « qui ? », *mičima*
« quoi ? », *miča-len* « pourquoi ? » Deux mots à initiale
pareille fournissent des antécédents. L'un est *mōda* « si »,
l'autre *mīn : mīn-len* « où que », *mīn lek* « d'où que » (à
côté de *mičima ēr lek* « de[3] quel[1] endroit[2], d'où ? » ; *mīn-ya*
ōl dele-ke ōl bēdig ōl-yāb-ya « où qu'[1] il[2] chasse[3] à lui[4-5] la
chance[5] (vient ; *ya* = ?) ».

La phrase. — Les phrases sont généralement courtes
et sans lien. Mais la liaison est possible : par exemple
bedare « à cause de » peut se postposer à un groupe et
valoir « puisque ».

Surtout il y a un mot qui semble avoir fonction d'anaphorique, et qui se traduit bien par notre relatif : c'est *yāle*.
bīrma-čēlewa kāgal yāte ñā mīn met ākawēr-ke « le steamer
(arrive[2], lui[3]) qui[3] arrive[2] nous[6] apporte[7] quelque chose

(noter *mīn* indéfini) en plus[4] » ; *pādri-čāb rūč-ya poli yāle būd-len l-īr-n̊a* « aller[6] à la maison[5] que[4] habite[3] le pasteur (hindoustani *pādri sāheb*)[1] à Ross[2] » ; *an n̊o tārčī yāle (an) ūba(da)* « est-ce que[1] ce que[4] tu[2] dis[3] (est-ce que c') est vrai[5] ? » ; dans ce dernier exemple, la particule interrogative placée en tête de l'ensemble marque nettement la liaison des deux propositions.

Noter encore *aña*, mot non identifié par ailleurs, dans les phrases suivantes : *maiola mel rōko mānaktāg-re aña mōlol lōbi-ke* « le chef[1] nous[2] a fourni[4] un canot[3] pour que[5] nous[6] le poussions à la perche (pour la pêche)[7] » ; *meda tārbīk īdai-re aña ōl...* « nous[1] avons entendu[3] la nouvelle[2] que[4] lui[5]... ». Il faut peut-être comparer *ñā* « en outre, continuer ; alors » qu'on verra dans le premier exemple du paragraphe suivant et dans la première ligne du texte.

NUMÉRATION

La numération proprement dite manque. « Un » se dit *ūba-tūl* ou *ūba-dōga : idal-ār-ūbadōga* « à un œil, borgne ». Noter que *ūba* veut dire « réel, vrai » ; *ūča ūba* « celui-ci précisément » ; d'autre part *dōga* vaut « beaucoup » ; *bōdo-dōga* « tout le jour », *gūrug-dōga* « toute la nuit ». « Deux » se dit *īkpōr ;* mais *īkpōr* signifie aussi « plusieurs ». Dans les ordinaux, après *otolā* « 1er » vient *lārōlo* qui suivant les cas désigne le 2e, le 3e, etc., donc « le dernier » (ou mieux encore, « ensuite », puisque ce mot veut aussi dire « une fois » dans le futur) ; s'il s'agit de plus de deux, on insérera « l'intermédiaire » et si besoin est « le suivant » ; de toute façon on ne peut monter haut.

On se sert de gestes. Soit à exprimer 9 ; voici ce que feront les plus intelligents : on dit *ūbatūl* en se tapant le nez du bout du doigt ; puis avec le même geste du doigt suivant, *īkpōr*, puis successivement avec chaque doigt en disant *an ka* « et ceci » (exactement « ou ceci ») jusqu'à l'index de la deuxième main, ensuite on lève les deux mains, un pouce replié, en disant *ārdūru* « tout ».

TEXTE

ōna mēla bāraiǰ len   ūčin-ōl oko-lī-ke ñā mar ārdūr
quand notre-village-dans celui-ci-celui-là meurt alors nous tous

ēr l-ārlūa len ǰāla-ke.   kālo čāṅ-lōrṅa   an   daraṅa
endroit-désert-à émigrer. là hutte couverte de ou hutte couverte
                              feuilles attachées   de feuilles lâche

len ekāra naikan   ōgar l īkpōr   pli-ke. lār-ōloo-ler
dans la coutume d'après mois-deux (ou quelques) restons.   Ensuite

lā ōrok-ṅa bēdig l'ī lōlal-ṅa l-eb   lōloboičo lal wīǰ-k
les os prendre-après pleurs verser pour (nom propre) à reveni

« Quand quelqu'un meurt dans notre village nou
émigrons dans un endroit désert, là nous restons quelque
mois selon la coutume dans des huttes temporaires (d
deux espèces) ; ensuite nous recueillons les ossements e
retournons à Toloboitcho pour danser la danse de
larmes ».

(*Indian Antiquary*, 1922, p. 166.)

Jules BLOCH.

BIBLIOGRAPHIE

Le premier vocabulaire a été recueilli par le Lieut. Colebrooke en 1789, chez les Jarawa. L'étude scientifique date d'environ 1888 et a été à peu près exclusivement l'œuvre de Man, Richard Temple et Portman. Bibliographie jusqu'à 1918 chez :

E. H. MAN, *Dictionary of the South Andaman Language, Indian Antiquary*, suppléments aux vol. XLVIII à L (1919-1923), 203 p. in-4. Le dictionnaire anglais-bea occupe les p. 20-154 ; il y a en outre une introduction comprenant des phrases analysées, un spécimen et divers appendices.

B. P. KURTZ, *Twelve Andamanese Songs* dans *The Charles Mills Gayley Anniversary Papers, University of California Publications in Modern Philology* vol. XI, 1922, p. 79-128. Tentative d'analyse de textes notés par M. V. PORTMAN dans *Notes on the languages of the South-Andaman group of tribes*, Calcuta 1898, chapitre VIII.

Jules BLOCH. *Préfixes et suffixes en Andaman, BSL*, XLV (1949), fasc. 1, pp. 1-46.

Nouvelles indications sur les *Őñe* de l'extrême-sud et sur le groupe Nord, fruits d'une exploration en 1906-8, chez :

A. R. Radcliffe BROWN, *The Andaman Islanders*, Cambridge, 2ᵉ éd. 1933, in-8, p. 495-504. Critique de la 1ʳᵉ édition, portant principalement en ce qui concerne le langage sur la notation phonétique, par R. TEMPLE, *Indian Antiquary*, LIV (1925), p. 21-29.

LANGUES DE L'ASIE DU SUD-EST

NOTE LIMINAIRE

De toutes les langues étudiées dans la suite de chapitres qui commence ici (tibéto-birman, thai, chinois, mon-khmer, mounda), seul le chinois est connu en Europe depuis plusieurs siècles. Le caractère singulier de sa constitution monosyllabique a frappé les imaginations ; le chinois a été présenté comme la langue primitive de l'humanité avant la confusion des langues[1] ; on l'a mis en rapports avec la langue de la Bible[2] ; à la fin du XIXe siècle, il s'est trouvé un auteur pour donner l'annamite, monosyllabique aussi, comme « la mère des langues »[3].

A cause de son écriture, le chinois a été rapproché sans raison valable de l'égyptien, de l'akkadien, du sumérien. D'autres rapprochements sans valeur ont été faits, pour des considérations diverses, avec des langues indo-européennes — le gotique, le gaélique, tout récemment encore l'anglais —, ouralo-altaïques, négro-africaines, américaines[4].

L'étude méthodique accompagnant la collecte des documents à partir du milieu du XIXe siècle s'est efforcée de reconnaître des groupements parmi les langues de l'Asie du Sud-Est et des régions voisines. Il est établi que le tibétain et le birman font partie d'une même famille, qu'il

---

1. John WEBB OF BUTLEIGH, *The antiquity of China, or an historical essay, endeavouring a probability that the language of China was the primitive language spoken through the whole world before the confusion of Babel*, Londres, 1678.

2. Philippe MASSON, *Dissertation critique sur la langue chinoise où l'on fait voir autant qu'il est possible les divers rapports de cette langue avec l'hébraïque*, Amsterdam, 1713.

3. Général FREY, *L'annamite mère des langues*, Paris, 1892.

4. Un rapprochement avec le groupe américain des langues na-dene aurait été fait récemment par le bon linguiste E. SAPIR, mais il semble n'avoir rien écrit à ce sujet ; voir *Note Liminaire*, des Langues de l'Amérique.

existe une famille thai formée de langues très proches entre elles, que le mon et le khmer sont membres d'une autre famille, enfin que les langues mounda sont un groupe cohérent. Mais il reste bien des questions douteuses ou au moins discutées concernant l'appartenance de certaines langues des mêmes régions à certaines de ces familles, et les relations de ces familles entre elles, avec le chinois, et avec d'autres familles de langues.

On a pris l'habitude, suivie encore dans le présent ouvrage, de rattacher au tibéto-birman un groupe himalayen[1]. Mais les rapports remarqués ne semblent pas indiquer une parenté proche; on les a expliqués par l'influence d'un substrat qui aurait assez fortement modifié des parlers tibétains[2]: on peut se demander si au contraire il ne s'agit pas de parlers non tibétains qui auraient emprunté différents traits au tibétain.

L'annamite a été classé par plusieurs auteurs du *XIX*e *siècle avec les langues mon-khmer; c'est la position reprise par Przyluski dans la première édition des* Langues du monde[3]. H. *Maspero a proposé au contraire de rattacher l'annamite aux langues thai, tout en admettant d'importants emprunts à un substrat mon-khmer[4].*

Le cham a été souvent inclus dans l'ensemble mon-khmer[5]; mais H. Maspero admet, en suivant les démonstrations de divers auteurs[6], qu'il s'agit d'une branche malayo-polynésienne située en certains points de l'Indochine.

---

1. Brian Houghton HODGSON, *On the Aborigenes of N. E. India,* 1849-1850 (Journal Asiatic Soc. Bengal, XVII). *On the Indo-Chinese Borderers and their connexion with the Himalayans and Tibetans,* 1853 (*ibidem,* XXII); J. R. LOGAN, *The Western Himalaic or Tibetan Tribes of Aram, Burmea and Pegu,* 1858 (Journal of Indian Archipelago, N. S. II); GRIERSON, *Linguistic Survey of India,* t. III, pt. I, Calcutta, 1909.

2. Sten KONOW, *Linguistic Survey of India,* t. III, pt. I, p. 179, Calcutta, 1927.

3. FORBES, *Comparative grammar of India,* Londres, 1881 ; Fr. MÜLLER, *Grundriss der Sprachwissenschaft,* t. IV (1888), p. 122; J. PRZYLUSKI, *Les langues du monde,* Paris, 1924, pp. 395-398.

4. H. MASPERO, *Études sur la phonétique historique de la langue annamite. Les initiales,* 1912 (*B. E. Fr. Extr.-Or.,* XII).

5. Ainsi J. PRZYLUSKI, dans *Les langues du monde,* Paris, 1924, pp. 390-394.

6. H. KERN, *Het Stamland der Maleisch-Polynesisch Völker,* 1889 (Tijdschrift voor Nederlandsch. Ind., XVIII) ; E. KUHN, *Beiträge zur Sprachen-*

La première construction réunissant plusieurs groupes des langues de l'Asie du Sud-Est fut celle de Logan[1] qui parlait d'une énorme famille himalayo-polynésienne réunissant toutes les langues en question ici, sauf le chinois, et l'ensemble du malayo-polynésien, avec des connexions allant jusqu'au Sud de l'Inde et en Australie. Cette vaste construction n'est plus admise; les linguistes se sont orientés vers des groupements moins étendus, bien que vastes encore. Conrady a proposé en 1896 de réunir chinois, tibéto-birman et thai[2]. Il a été suivi par divers auteurs, qui constituent de manières diverses l'aménagement interne de la famille en groupes. Le chinois sera traité ici à part du groupe tibéto-birman et du groupe thai.

La difficulté de la comparaison est très grande sur ce domaine, par suite de l'absence presque générale d'éléments formatifs qui puissent être rapprochés les uns des autres; la comparaison porte sur le vocabulaire, c'est-à-dire sur des radicaux généralement monosyllabiques, ayant des contextures différentes suivant les langues : groupements de consonnes, peu de variété vocalique en tibétain; consonnes simples, diphtongues, triphtongues en chinois; il faut jouer de malchance pour ne pas retrouver quelqu'une des consonnes tibétaines en chinois ou des voyelles chinoises en tibétain; et on n'aboutit pas à des preuves décisives. Une certaine vraisemblance générale invite à ne pas écarter l'idée de l'unité génétique; on ne peut pas non plus exclure celle de nombreux emprunts anciens.

W. Schmidt a tenté la constitution d'une famille « aus-

kunde Hinterindiens, Munich, 1889 (Sitzungsber. Ak. Wiss., Phil. hist. Kl., 2) ; K. HIMLY, *Sprachvergl. Untersuchung des Wörterschatzes der Tscham-Sprache,* Munich, 1898 (Sitzungsber. Ak. Wiss., Phil. hist. Kl, 3).

1. J. R. LOGAN, *Ethnology of the Indo-Pacific Islands. The Affiliation of the Tibeto-Burman, Mon-Annam, Papuanasian and Malayo-Polynesian Pronouns and Definitives, as varieties of the ancient Himalayo-Polynesian System; and the Relation of that System to the Dravido-Australian,* 1859 (J. of the Indian Archipelago, N. S. III, pt. 1).

2. A. CONRADY, *Eine indochinesische Causativ-Denominativ Bildung und ihr Zusammenhang mit den Tonaccenten : ein Beitrag zur vergleichenden Grammatik der indochinesischen Sprachen, insonderheit des Tibetischen, Barmanischen und Chinesischen,* Leipzig, 1896.

trique », comprenant d'un côté les langues mon-khmer, le cham, le javanais, le malais et, plus loin, d'une part vers l'Est les langues mélanésiennes et polynésiennes, de l'autre vers l'Ouest le petit groupe khan-wa-palaung de Birmanie et d'Assam et jusque dans l'Inde la petite famille des langues mounda (reconnue d'abord par Max Müller)[1]. *Sans que cette conception soit niée formellement, et tout en admettant des connexions qui ne sont peut-être pas précisément de parenté au sens strict, des auteurs postérieurs se sont efforcés de n'admettre que les groupements les mieux établis. Tout en évitant de poser une grammaire commune, J. Przyluski a réuni sous le titre commun d'« austro-asiatiques » les langues mon-khmer (y compris le cham), l'annamite et les langues mounda*[2]. *Dans l'exposé qui suit, langues mon-khmer et langues mounda sont placées, séparément, en fin du tableau des langues de l'Asie du Sud-Est, sans que la possibilité d'une parenté entre elles soit formellement écartée, non plus que les relations, quelle que soit la manière dont on doive les définir, avec les langues malayo-polynésiennes rangées ailleurs*[3].

1. W. Schmidt, *Grundzüge einer Lautlehre der Mon-Khmer Sprachen*, Vienne, 1905. *Grundzüge einer Lautlehre der Khasisprache in ihren Beziehungen zu derjenigen der Mon-Khmer Sprachen*, Munich, 1904 ; *Die Sprachen der Sakei und Semang auf Malakka und ihr Verhältnis zu den Mon-Khmer Sprachen*, 1905 ; *Die Mon-Khmer Völker, ein Bindeglied zwischen Völkern Centralasiens und Austronesiens*, Brunswick, 1906 (trad. *B. E. Fr. Extr.-Or.*, VII, 1907).

2. J. Przyluski, *Langues austroasiatiques*, dans *Les Langues du Monde*, Paris, 1924, pp. 385 ss.

3. Les manuscrits laissés pour ce chapitre par H. Maspero, mort en 1945, ont été mis au point et complétés (notamment pour la numérotation, les textes, les bibliographies) par P. Demiéville, qui a également établi la carte, celle-ci conçue comme un simple index cartographique de toutes les langues mentionnées dans le texte. Les tons qui existent dans la plupart des langues de l'Asie du Sud-Est sont indiqués, dans la transcription, par des numéros placés à droite en haut pour la série haute, à droite en bas pour la série basse. Les bibliographies ne tiennent compte, en principe, que des publications en langues européennes. — Un certain nombre de développements qui débordaient le cadre du présent ouvrage ont été détachés pour être publiés dans le *Bulletin de la Société de Linguistique de Paris*, tome 44 (1947-1948), p. 155-185, sous le titre de *Notes sur la morphologie du tibéto-birman et du munda*.

LES LANGUES TIBÉTO-BIRMANES[1]

Extension et répartition. — Les langues tibéto-birmanes
sont parlées par des populations clairsemées sur une aire
très vaste entre l'Inde et la Chine : deux langues littéraires, le tibétain et le birman, et autour d'elles de nombreux parlers de petites tribus sauvages qu'il est fort
difficile de classer. Le nombre des sujets parlant ces
langues est inconnu. On l'évalue approximativement à
quelque 20.000.000, dont une moitié (9.960.000) parlant
birman, et un quart parlant tibétain. L'état actuel des
diverses langues montre qu'elles ont subi dans leur développement moderne deux tendances divergentes : les unes,
comme le tibétain, le birman, le lolo, le moso, etc., ont
conservé aux mots leur forme monosyllabique originelle
aux dépens des préfixes et suffixes asyllabiques qui n'ont
laissé que des traces insignifiantes ; les autres, au contraire,
comme le kachin ou singpho, les dialectes nāgā et bodo
(boḍo) de l'Assam, et la plupart des parlers himalayens,
ont tendu à conserver les préfixes et les suffixes aux dépens
de la forme monosyllabique des mots, en leur donnant une
voyelle, et en en faisant des syllabes distinctes. Mais cette
différence peut être un fait d'évolution relativement récent
qui n'est pas nécessairement en rapport avec la filiation
réelle des diverses langues. D'un autre côté, il existe des
langues qui semblent se rattacher à cette famille, mais
présentent des divergences considérables qui les mettent
à part du cadre général, les parlers himalayens pronominalisés, le karen, et le miao-tseu. Rien de tout cela n'apporte
des notions bien nettes : si le karen et le miao-tseu sont
bien de la famille tibéto-birmane, leur divergence paraît

1. Voir carte XII.

tenir à ce que ces langues se sont séparées plus anciennement du fonds commun ; celle des dialectes himalayens est
attribuée à l'influence du substrat (on parle ordinairement
d'un substrat mounda).

Écritures. — La plupart des langues n'ont jamais été
écrites et ne sont connues que par des descriptions contem-
poraines. Celle dont il existe les documents les plus anciens
est le tibétain, connu depuis le viie siècle par des inscriptions et des livres ; le birman l'est seulement depuis le
xie siècle ; les deux langues s'écrivent avec des alphabets
d'origine indienne. Une tribu tibétaine, les Tou-yu-houen,
qui, entre le xie et le xiiie siècles, forma l'empire Si-hia
au Kan-sou et sur le haut Fleuve Jaune, a laissé des fragments d'une abondante littérature en une écriture imitée
des caractères chinois qui fut inventée au début du xie siècle.
Enfin, les Lolo se donnèrent, probablement vers le xive siècle, une écriture idéographique qui s'inspirait dans son
principe de l'écriture chinoise, mais sans l'imiter ; une
écriture analogue existe chez les Moso ; ce sont là des
écritures de sorciers plutôt que d'usage courant.

Littératures. — La plus ancienne est la littérature
tibétaine, œuvres traduites du sanskrit (ou du chinois)
et textes originaux, remontant aux viiie-ixe siècles. La
littérature de langue birmane est peu ancienne, en dehors
de l'épigraphie. Celle des Si-hia, éteinte au xiiie siècle,
reste mal connue.

Histoire. — L'habitat primitif des populations parlant
les langues de cette famille paraît avoir été dans l'Ouest
de la Chine, d'où les Tibétains progressant vers l'Ouest
allèrent occuper les hautes vallées de l'Indus et du Brahma-
poutre, les Lolo essaimant vers l'Est s'installèrent au Sseu-
tch'ouan et au Yun-nan, les Birmans, descendant le cours
de la Salouen, arrivèrent jusqu'au golfe du Bengale.
Quelques États se constituèrent, les uns de civilisation
indienne et bouddhiste, le Tibet au viie siècle, l'empire
birman vers le xie siècle, les autres de civilisation chinoise,

le royaume de Nan-tchao au Yun-nan vers le viie siècle et celui des Si-hia sur le haut Fleuve Jaune au xie siècle ; aucun d'eux n'a survécu jusqu'à nos jours sauf le Tibet.

LE TIBÉTO-BIRMAN COMMUN

Système phonique. — L'étude comparée des langues tibéto-birmanes est trop peu avancée pour qu'on puisse avoir une idée exacte de la phonétique du tibéto-birman commun. L'existence de séries régulières (postpalatales, prépalatales, dentales et labiales, mais pas de cacuminales) d'occlusives sourdes, sourdes aspirées, sonores et nasales est certaine, celle de sonores aspirées est discutée ; l'occlusive laryngale ɔ paraît avoir joué un rôle important surtout comme préfixe, la spirante *h* qu'on trouve dans la plupart des langues modernes n'en est peut-être qu'un dérivé ; parmi les fricatives la seule sûre est *s*, peut-être avec une sonore *z*; l'existence de *š/ž* est douteuse, et il n'y avait pas de labiales ; enfin *l* et *r* existaient séparément ainsi que *y* et *w*.

Le vocalisme, encore plus difficile à déterminer, paraît avoir comporté des voyelles de timbre varié comme dans toutes les langues monosyllabiques qui compensent le petit nombre d'éléments constitutifs du mot par leur variété. Les groupements de voyelles semblent avoir été relativement rares : les diphtongues des langues modernes sont dues surtout à la chute de consonnes finales. Les groupements de consonnes, soit à l'initiale soit à la finale, étaient au contraire nombreux et l'emploi de préfixes asyllabiques avait rendu fréquentes même les rencontres de deux occlusives qui ne sont plus tolérées aujourd'hui dans aucun parler et dont l'écriture tibétaine conserve seule le souvenir.

Le système des tons comportait, comme dans toutes les langues à tons d'Extrême-Orient, une série d'inflexions qui s'énonçaient à des hauteurs différentes. Il y avait au moins trois inflexions (montante, descendante, égale) et deux hauteurs (aiguë et grave). Certains faits tibétains donneraient à penser que l'inflexion a pu être dans une certaine mesure en rapport avec la finale du mot, mais ce n'est pas sûr. La hauteur dépendait toujours de l'initiale : les mots à initiale (ou préfixe) sourde et sourde aspirée étaient aux tons hauts ; les mots à initiale (ou préfixe) sonore, sonore aspirée et nasale étaient aux tons bas. Aucune des écritures indigènes n'a noté les tons, sauf la birmane. Les grammairiens tibétains connaissent encore quelque chose de ce système, mais comme tous les préfixes sauf *s-* étaient devenus sonores dans leur langue, leurs explications sont peu claires. Les diverses inflexions à différentes hauteurs sont assez bien conservées en lolo, lisu, ainsi qu'en miao-tseu et en karen ; mais la disparition des préfixes et la confusion des sourdes et sonores anciennes a ruiné le système. En tibétain, en birman, le nombre des tons s'est réduit. Les tons ont entièrement disparu dans la plupart des dialectes himalayens et leur disparition y a facilité la formation de mots polysyllabiques.

Procédés de dérivation. — Un des traits les plus remarquables du tibéto-birman commun est le développement d'un véritable procédé de dérivation, tant nominale que verbale, au moyen d'un jeu de préfixes et de suffixes. Le tibétain les a utilisés presque tous pour former les voix et les aspects du verbe, mais il n'est pas sûr que le tibéto-birman commun leur ait déjà donné ce rôle et les ait constitués en un système cohérent : il est probable qu'il ne s'en servait qu'à former des verbes dérivés, des noms verbaux et des adjectifs, exactement comme la plupart des langues indo-européennes n'emploient les préverbes qu'à former des dérivés sans leur donner un rôle dans la formation de la conjugaison, alors que dans les langues slaves ils servent à la conjugaison où ils expriment l'aspect.

Préfixes. — Les comparaisons permettent de reconnaître au moins six préfixes *ˣɔ-*, *ˣk-*, *ˣl-*, *ˣs-*, *ˣp-*, *ˣm-;* il est possible que *ˣk-* et *ˣl-* n'aient été originairement que des variantes phonétiques destinées à empêcher la rencontre d'un préfixe et d'une initiale de même classe (*t-k-* à la place de *k-k-* par exemple). Tous servaient également à former à la fois des noms et des verbes ; d'ailleurs il est clair que dans des langues où les classes de mots sont indistinctes, la différence entre nom, adjectif, et verbe d'état ou d'action sans agent, est légère. Le préfixe nominal par excellence était *ᴐ-*, qui forme partout des noms de parenté, des adjectifs, etc.; *m-* comme préfixe nominal s'attache en tibétain aux mots désignant les parties du corps : *m-go*, « tête », *m-č'u*, « livre », *m-č'in*, « foie », *m-grin*, « cou » (on cite 15 mots de cette sorte). Comme préfixe verbal, *m-* formait plutôt des verbes d'état et d'action sans agent : TIB. *m-nam*, KACHIN *mă-nam*, AO-NAGA *me-nem*, LHOTA-NAGA *ę-n'u*, MIKIR *iṅ-nim*, TANGKHUL *(k'a)-ṅa-nam*, « sentir, avoir l'odeur de » ; TIB. *m-ḍa*, KACHIN *n-ǰa*, « aimer » ; KACHIN *mă-ni*, AO-NAGA *me-ni*, MIKIR *iṅ-nek*, TANGKHUL *(k'a)-ma-ma*, « rire » ; TIB. *ma*, « dessous », *d-ma*, « être bas ». Les préfixes *k-*, *l-* formaient des adjectifs et des verbes d'état : KACHIN *gă-lu*, DIMASA *ga-lao*, BARA *ga-lau*, « long » ; KACHIN *kă-šuṅ*, DIMASA *ga-saiṅ*, BARA *ga-zaṅ*, « froid » ; MIKIR *kĭ-diṅ*, AO-NAGA *kĕ-l'e*, « long ». Par contre *p-* était le préfixe factitif et causatif par excellence, et *s-* avait une valeur analogue : préfixe -*p*, KACHIN *le*, MIKIR *ą-rlo : pa-le, p-ą-rlo*, « retourner » (cf. TIB. *r-log*) ; KACHIN *ran*, « séparé », *pa-ran*, « séparer » ; MIKIR *l'ek*, « voir », *pě-l'ek*, « faire voir », *diṅ*, « long », *pě-diṅ*, « allonger » ; BARA *sīnu*, « être mouillé », *fĭ-sīnu*, « mouiller » ; DIMASA *nū*, « voir », *p'ŭ-nū*, « faire voir », *raiṅ*, « desséché », *p'ă-raiṅ*, « dessécher » ; — préfixe *s-* : TIB. *riṅ*, « long », KACHIN *ren*, « être séparé » : *s-riṅ*, *šă-ren*, « allonger » ; TIB. *ᴐ-pro*, « émaner de », KACHIN *bra*, « être dispersé » : *s-pro*, *šă-bra*, « disperser » ; TIB. *ᴐ-byoṅ*, « être nettoyé », KACHIN *ă-wan*, « être propre » : *s-byoṅ*, *šă-wan*, « nettoyer ».

L'origine de ces préfixes, dont les diverses langues ont utilisé le jeu plus ou moins complètement de façon fort différente, n'est pas facile à reconnaître. On a cherché à y voir soit d'anciens pronoms (2), soit d'anciens verbes auxiliaires : ces hypothèses font difficulté. Il n'est pas nécessaire que les préfixes aient été à l'origine des mots pourvus de sens : les langues mon-khmer et les langues mounda emploient des préfixes qui n'ont certainement jamais été des mots séparés ; il en a probablement été de même dans les langues tibéto-birmanes.

Suffixes. — Les suffixes ont laissé des traces moins nettes que les préfixes, sans doute parce que leur emploi était moins étendu et est resté vivant moins longtemps. Autant qu'on peut les reconnaître, ils servaient à former des noms verbaux et des adjectifs. Le rong du Sikkim en connaît deux parfaitement vivants : -*m* (devenant -*n* dans certaines conditions), qui forme des adjectifs, et -*l* qui forme des substantifs ; le tibétain en a eu trois qui, morts aujourd'hui, sont largement représentés dans le vocabulaire : -*n* qui forme surtout des adjectifs ; -*d* et -*s* qui, suffixés à des verbes, forment surtout des noms verbaux ou moins souvent, suffixés à des noms, forment des verbes transitifs. Ex. : RONG *šū* « être gras », *a-šū-m* « gras », *a-šu-l* « graisse » ; TIBÉTAIN *ɔgro* « aller », *ɔgro-n* « voyageur », *ɔgro-d* « démarche », *ɔgro-s* « marche » ; *nu-ma* « sein », *nu-d* « téter ».

La dérivation par suffixes, ayant cessé depuis longtemps d'être vivante dans presque toutes les langues tibéto-birmanes, n'y a laissé que des traces dans le vocabulaire, soit des mots couplés par opposition, soit le plus souvent des mots isolés les uns sans suffixe, les autres avec un des suffixes ; il n'est donc pas étonnant que ces parlers soient tantôt d'accord les uns avec les autres sur ce point : LH.-N. *n-ḷo-n*, TIB. *m-l'o-n*, « haut », tantôt en désaccord : LH.-N. *n-l'o-n* (cf. AO-NAGA *a-le-n*), TIB. *ɔ-l'u*, « assembler ». Le suffixe -*n* apparaît dans BIRMAN *p'ran²*, *p'yan²*, en face de TIB. *bra*, « se disperser » ; en birman aussi il n'y a que de rares faits de vocabulaire.

Nom et verbe. — Toutes les langues de la famille tibéto-birmane ont tendance à traiter le verbe comme un nom. Il s'en distingue d'ailleurs à peine, et presque toujours il suffit de placer les affixes nominaux derrière une forme verbale pour en faire un nom. Certaines des langues modernes décomposent l'expression du procès en deux parties, des auxiliaires qui portent la notion verbale et jouent le rôle de morphèmes, et des noms verbaux qui donnent le sens et jouent le rôle de sémantèmes : le fait est rendu très clair en tibétain par la « déclinaison » des verbes significatifs devant le verbe « être », qui caractérise les aspects duratif et accompli.

La phrase. — La phrase se construit suivant un ordre invariable qui place les déterminants avant le déterminé, et le verbe à la fin de la phrase, précédé de tous ses compléments. Il n'y a pas de sujet, puisque le verbe est toujours impersonnel ; quand l'action comporte un agent, celui-ci est le moyen par lequel l'action impersonnelle se produit, et le mot qui l'exprime est suivi de l'affixe de l'instrumental.

TIBÉTAIN

La langue ancienne. — Le tibétain, qui est connu par des documents depuis le viiie siècle de notre ère, est un bon exemple de l'évolution d'une langue tibéto-birmane ; en effet, l'écriture empruntée à l'Inde du Nord au viie siècle a conservé bien des traits caractéristiques de la prononciation de ce temps, et des textes anciens nombreux et étendus permettent de saisir la langue à un état antique, et de la suivre à travers ses transformations.

Système phonique. — Le tibétain ancien possédait, en plus des occlusives et des sonantes tibéto-birmanes, une série d'affriquées dentales *ṭ ṭʻ ḍ* avec des fricatives dentales *s z* et palatales *š ž*. L'un des traits les plus curieux est que le vocalisme très étroit n'admettait guère de diphtongues, tandis que les groupements de consonnes au début et à la fin des mots étaient usuels, en particulier les groupements de consonnes à l'initiale : *dkrugs*, « il troubla », *brgyad*, « huit », *ɔgegs*, « il empêche ». Tous les anciens préfixes, sauf *s-* et *ɔ-*, étaient devenus sonores : $^{*}p->b$-, *t->d-, *k->g-; de même les occlusives finales, *k *t *p, étaient passées à g d b, en sorte que les anciennes occlusives sourdes n'avaient subsisté que lorsqu'elles étaient initiales sans être des préfixes, ou à l'intérieur de la syllabe derrière un préfixe.

Nom et verbe. — Dans la langue ancienne, nom et verbe ne se distinguent guère que par leur emploi : l'adjonction des affixes nominaux fait un nom de toute forme verbale, et à l'inverse l'adjonction des préfixes ou suffixes verbaux fait un verbe d'un nom. L'affixe nominal est une sorte d'affixe postposé *pa, po* pour les êtres animés de sexe masculin, et *ma, mo* pour les êtres de sexe féminin (mais cette distinction ne va pas sans exception, puisque c'est *ma* qu'on trouve dans le mot *bla-ma* « moine »), les êtres inanimés ne prennent pas d'affixe ; la distinction d'animé et d'inanimé est d'ailleurs comme partout assez vague, ou du moins répond à d'autres conceptions que les nôtres.

Postpositions. — Quelques relations concrètes étaient marquées par des postpositions. Les postpositions simples marquent la position « dans » : *na*, le rapprochement : *la*, et la détermination en général : *kyi* (qui se réduit à *-i* quand il est affixé à un mot se terminant par une voyelle) ; les mêmes postpositions avec le suffixe *-s*, généralement appelé « instrumental », marquent la position « hors » : *na-s*, l'éloignement : *la-s*, et l'instrumental : *kyi-s* (qui se réduit à *-s* dans les mêmes cas que *kyi* à *-i*). On a fait rendre à certaines d'entre elles des relations abstraites dans la phrase : complément de nom *kyi*, agent (correspondant souvent à notre sujet du verbe) *kyis*, application du procès et objet du verbe (équivalant souvent à notre complément direct) *la*.

Le démonstratif-copule. — Le verbe tenait assez du nom pour qu'il y eût besoin de marquer nettement que le procès qu'il exprime s'accomplit effectivement : on le faisait au moyen d'un démonstratif *ɔo* « ceci », placé immédiatement après lui et terminant la phrase en servant de copule « c'est ». Comme souvent dans les langues où le verbe, peu distinct du nom et fréquemment accompagné des mêmes particules que celui-ci, se place tout à la fin de la phrase, précédé de tous les termes qui le conditionnent (équivalents approximatifs de notre sujet et de nos divers compléments), ceux-ci étant distingués eux-mêmes par des affixes peu variés, il était nécessaire d'attirer l'attention sur lui et de le lier à tous les mots précédents : c'est à quoi servait la copule *ɔo*. Les grammairiens indigènes l'appellent simplement « mot final » *rḍogs-ṭ'igs*, ou « mot conclusif » *zla-sdud*, parce qu'elle ne s'emploie qu'après le dernier verbe de la phrase dont elle marque toujours la fin. Ce démonstratif est une véritable copule : bien que la langue moderne le trouve trop faible et lui préfère des copules plus fortes comme *yin* « être » (*ñed klu sʄog-po-ɔi bu-mo yin* « nous sommes les filles du nāga Takṣaka »), dans les textes anciens il joue ce rôle normalement entre deux noms : *k'a-čig ni rkañ-pa-med -pa-dag go* « quelques-uns sont sans pieds », litt. *k'a-čig* quelques-uns, *ni* démonstratif emphatique, *rkañ-pa* le pied, *med* il n'y a pas, *-pa* affixe nominal, faisant de tout ce qui précède un nom composé « celui qui n'a pas de pieds », *-dag* suffixe collectif, s'appliquant à l'expression précédente, *ɔo* (*ɔ* s'assimile au *g* final de *dag*) c'est : « quelques-uns ce sont des qui-n'ont-pas-de-pieds » ; et entre un nom et un adjectif : *skye-po dge-ba yañ legs so* « une personne vertueuse est bonne aussi », litt. *skye-po* personne *dge-ba* vertueuse, épithète du nom précédent, *yañ* aussi, *legs* bonne, *ɔo* (*ɔ* assimilé à *s* de *legs*) c'est : « la personne vertueuse, c'est bonne aussi ». C'est exactement le même rôle qu'il joue après le verbe dont il fait en quelque sorte l'attribut de tout l'ensemble de termes qui le précèdent (c'est pourquoi Thonmi Sambhota, **11**, p. 14, cite pêle-mêle des exemples de *ɔo* copule après un nom, après un adjectif et après un verbe) : *bzo-mk'an Lha-sa-la ɔbyor-lo* « l'artisan arrive à Lhasa » (*ɔ* assimilé à un ancien suffixe non écrit de *ɔbyor*) ; *rgyal-po ɔk'rig-pa-ɔi-č'os-la rlen-lo* « le roi s'adonne à la sensualité » ; *brḍañs-nas myir glañ-ño* « après avoir envoyé un rapport on mit l'homme dehors » (Edit de Lhasa 758 A. D.,

l. 35), litt. *myi-r* pour l'homme, *gtaṅ* être mis dehors, *ɔo* démonstratif-copule : « pour l'homme c'est être mis dehors ». Le démonstratif-copule montre qu'il s'agit de l'accomplissement de l'action envisagé dans son mouvement même, en train ou achevé, et non comme une simple désignation. Aussi ne paraît-il pas quand le verbe qualifie un nom (dans l'équivalent de nos propositions relatives par exemple) et est traité comme un adjectif : *gser ñag-ťag gyu brgyus-pa* « une chaîne d'or sur laquelle sont enfilées des turquoises », litt. une chaîne d'or *gser ñag-ťag*, celle *-pa*, il a été enfilé *brgyus*, des turquoises *gyu; ɔgro-pa-i ťoṅ-pa-rnams* « les marchands qui s'en vont (avec lui) », litt. les marchands du s'en aller ; mais *ťoṅ-pa-rnams ɔgro-ɔo* « les marchands s'en vont ».

Cet emploi du démonstratif-copule est important pour comprendre la structure de la phrase : il semble que les relations exprimées par les affixes soient conçues d'abord pour elles-mêmes et indépendamment du verbe, puis que le procès exprimé par le verbe leur soit rattaché par l'intermédiaire de la copule. Un tel intermédiaire était rendu nécessaire par le fait que le procès exprimé par le verbe était lui aussi envisagé en lui-même impersonnellement. Entre les deux éléments fondamentaux de la phrase (les noms et les relations d'une part, et le verbe et ses aspects de l'autre) énoncés indépendamment, chacun pour soi, le démonstratif copule était la liaison obligatoire. Ce procédé de construction semble remonter au tibéto-birman commun, car on le retrouve en birman ; il est fréquent dans les langues d'Extrême-Orient : le chinois ancien avait des particules finales servant de copules *yi*, *ye*, qui étaient sans doute d'anciens démonstratifs (v. p. 596) ; mais les constructions différentes de la phrase, en mettant le verbe entre le sujet et l'objet, leur enlevait beaucoup de leur importance, et elles ne gardèrent leur pleine valeur que dans la phrase nominale. Certains parlers mounda actuels (les dialectes kherwārī) ont eux aussi besoin d'introduire un démonstratif-copule pour lier les deux

éléments constitutifs de la phrase, les termes désignant
les êtres et les choses, et le terme d'action (v. p. 632-633).

Le sujet et l'objet, l'« agissant » et l'« agi ». — Le verbe
(qui restait assez proche de ce que nous pouvons supposer
de l'état tibéto-birman commun) présentait toujours le
procès envisagé en lui-même impersonnellement. Il n'avait
donc pas de sujet. On n'opposait pas de façon abstraite
le sujet à l'objet ; on distinguait surtout de façon concrète
entre « l'agent » ou « agissant » *byed-po-pa*, par qui s'accomplit l'action, et « l'agi » *bya-ba*, sur qui s'accomplit l'action.
Notre classification des verbes en transitifs, intransitifs,
réfléchis, ne s'applique aucunement au tibétain. Les verbes
que nous appellerions intransitifs ont un objet direct qui est
ce que nous appellerions leur sujet ; c'est en effet ce sur quoi
s'accomplit l'action : dans *kʻo ɔgum-mo* « il meurt », *kʻo*
« il » n'est pas l'agent mais l'objet du procès ; *tʻil-rib*
čʻus ɔgeňs-so « la théière s'emplit d'eau » signifie littéralement : « c'est ɔo, se remplir ɔgeňs, d'eau čʻus, (quant à)
la théière *tʻil-rib* », *tʻil-rib* étant l'objet et non le sujet,
comme on le voit bien quand, voulant insister sur la
relation, on emploie une postposition : *tʻil-rib-du čʻus*
ɔgeňs so, litt. « c'est se remplir d'eau vers la théière ».

Les « voix » : translatif et intranslatif. — Ce caractère
toujours impersonnel du verbe fait qu'il ne peut avoir
de voix active ni passive ni moyenne ou médio-passive.
Les grammairiens indigènes distinguent les cas où, par
l'agent, l'action s'accomplit pour « soi-même » *bdag*, et
ceux où elle porte sur « autrui » *gžan ;* mais ce n'est là
que la traduction littérale des termes grammaticaux
sanskrits désignant la voix moyenne *ālmane padam* « mot
pour soi-même » et la voix active *parasmai padam* « mot
pour autrui » (**11**, 212-216) ; s'ils n'ont pas découvert de
voix passive, c'est que le sanskrit n'en a pas. Ces catégories
indo-européennes n'ont rien à faire en tibétain. Il est vrai
qu'on peut distinguer en tibétain plusieurs espèces de
verbes suivant les relations qu'ils établissent avec leurs
divers conditionnements, et qu'on peut les répartir en

sortes de classes qui rappellent dans une certaine mesure celles que nous désignons par les mots transitif et intransitif, actif et médiopassif, etc. Mais il y a cette différence que le procès n'est jamais conçu comme une dépendance du sujet qui l'applique directement à l'objet, puisque le verbe, impersonnel, n'a pas de sujet : le procès, envisagé pour lui-même, est simplement conditionné par un agent, et son effet s'applique de lui-même à un objet ; le verbe, au lieu de n'être que le lieu de passage, de « transit », entre sujet et objet, est au contraire une sorte de relai, de poste d'aiguillage si j'ose dire, entre ses divers conditionnements (compléments d'objet, de manière, d'agent, de lieu, de temps, etc.) ; le procès reste plus indépendant de l'agent, et le verbe qui l'exprime joue un rôle actif de transport, de « translation », de l'agent à l'objet, en sorte qu'il dépend de lui que la relation s'établisse de façon étroite ou de façon lâche, ou même ne s'établisse pas du tout. Il n'est d'ailleurs pas nécessaire que l'agent soit exprimé, ni l'objet : il suffit que le sens implique cette « translation » de « l'agent » à « l'agi » par l'accomplissement spontané de « l'action ». Pour marquer ce rôle des verbes en évitant la confusion avec nos termes grammaticaux, j'emploierai les termes « translatif » et « intranslatif » pour désigner, le premier les verbes ou formes verbales qui transfèrent le résultat du procès de l'agent à l'objet (analogues à nos transitifs dans la mesure où le caractère impersonnel du verbe permet cette ressemblance), le second pour désigner ceux où aucun transfert de cette sorte n'a lieu (impersonnels analogues à nos intransitifs et médiopassifs).

Les « cas ». — Les divers conditionnements du verbe avaient chacun leur procédé d'expression, qu'à l'imitation de la grammaire sanskrite, les grammairiens indigènes appellent des « cas » : instrumental *(-kyis, -s)* pour les moyens par lesquels s'accomplit l'action (parmi lesquels l'agent), accusatif (aucun affixe, ou postposition *-la* « vers ») pour les directions que prend l'accomplissement, et l'application de l'action (parmi lesquelles l'objet), etc. Ainsi

agent et objet n'étaient chacun que des faits particuliers
des relations générales de moyen et de direction, et quoique
les grammairiens tibétains n'en méconnaissent pas le
caractère propre, ce n'est pas eux, c'est l'ensemble des mots
à l'instrumental et à l'accusatif, c'est-à-dire des mots
exprimant en général le moyen et la direction, qui consti-
tuaient pour eux deux classes homogènes de relations.
Or, à l'intérieur de ces classes grammaticales, le sens
établit tout naturellement deux subdivisions suivant qu'il
s'agit de la relation concrète de direction spatiale (« aller
à Lhasa ») ou de moyen matériel (« frapper avec un sabre »)
d'une part, ou des relations abstraites de direction exprimant l'application du procès (« tuer un homme ») ou
d'agent (« il mange ») d'autre part. Ces deux subdivisions,
grammaticalement identiques, n'ont pas sémantiquement
la même importance dans la phrase : dans l'une, le rôle
capital du verbe est de transférer le résultat du procès de
l'agent à l'objet ; dans l'autre, ce transfert n'a pas lieu
puisque l'agent ou l'objet n'existent pas ou bien sont
identiques, malgré la présence possible de mots aux cas
d'agent (instrumental) ou d'objet (accusatif). Cette différence d'importance se marque ordinairement (mais non
obligatoirement) par une différence de position des mots
à l'instrumental et à l'accusatif : on mettait ces mots en
tête quand, très importants, ils exprimaient les relations
abstraites, le premier, d'agent du procès : *ṅas kʻo bkum-mo*
« je l'ai tué » (*ṅa-s* « par moi », instrumental de *ṅa* « je »),
le second, d'application du procès quand il n'y a pas
d'agent distinct de l'objet : *kʻo ɔgum-mo* « il meurt ».
Au contraire, l'instrumental se plaçait à l'intérieur de la
proposition, au milieu de tous les conditionnants du verbe,
quand, moins important, il n'exprimait que la relation
concrète de moyen matériel : *tʻil-rib čʻus ɔgeṅs-so* « la
théière s'emplit d'eau » (*čʻu-s* « d'eau », instrumental de
čʻu). On voit que le tibétain ancien en venait de lui-même,
en dépit des obstacles que lui imposait sa grammaire, à
se rapprocher des notions abstraites de sujet et d'objet et
à reconnaître sinon par sa morphologie, au moins par sa

syntaxe, le lien ténu qui relie l'objet du procès intransitif à l'agent du procès transitif, lien qui, dans les langues indo-européennes, sémitiques, etc., a donné naissance à la notion de sujet du verbe, plus abstraite et plus compréhensive que celle d'agent.

Les aspects. — Outre l'opposition du translatif et de l'intranslatif (que les grammairiens indigènes appellent des « voix »), le verbe marquait une opposition d'un autre genre, difficile à séparer de la première parce que les formes, sans se confondre, s'entremêlaient. C'était une opposition d'aspects : d'une part un aspect duratif (action en voie d'accomplissement), de l'autre un aspect accompli ou parfait (action achevée, parvenue à son terme et à son résultat). Il n'y avait pas de temps ; mais les grammairiens indigènes ayant appris la notion de temps à l'école des grammairiens hindous voulurent trouver un présent, un passé et un futur dans leur langue comme en sanskrit, et ils y parvinrent par une analyse fort ingénieuse. L'action ayant deux termes, un point de départ (l'agent) et un point d'arrivée (l'objet), ils décomposèrent le temps en l'envisageant du point de vue de ces deux termes, et conclurent qu'il est différent pour chacun puisque l'acte de l'agent précède nécessairement le résultat subi par l'objet : le parfait exprime le présent de l'action et le passé pour l'agent, car, si l'action est déjà achevée dans le présent, c'est que l'agent l'a accomplie dans le passé ; le duratif exprime le présent pour l'agent et le futur de l'action, car, si l'agent est présentement en train d'accomplir l'action, elle ne sera achevée que dans le futur. Ils réussirent ainsi à utiliser, pour le classement des formes, des termes de temps traduits du sanskrit, sans trop faire violence à leur langue qui ne possédait pas de temps.

Morphologie verbale. — Pour marquer les oppositions de voix et d'aspect, le tibétain ancien avait utilisé tous les procédés que lui fournissait le tibéto-birman commun : alternance des initiales sonores et sourdes, alternances vocaliques, préfixes et suffixes. L'opposition du translatif

et de l'intranslatif reposait sur la vieille alternance des
initiales : l'intranslatif était caractérisé par les initiales
sonores et le translatif par les initiales sourdes ; mais,
dès l'époque la plus ancienne connue, les formes à initiale
sourde étaient improductives : elles semblent n'avoir été
dès lors que des résidus mourants, sinon morts, conservés
seulement dans certains verbes ; on ne les trouve qu'au
parfait translatif, et le sens propre de l'alternance, en voie
de se perdre, y était renforcé par l'addition du préfixe
causatif *p-, devenu b- quand tous les préfixes devinrent
sonores. L'intranslatif avait les initiales sonores, sans
préfixe au parfait, avec le préfixe ɔ- au duratif. Enfin
l'impératif renforçait l'initiale en l'aspirant, ce qui assour-
dissait les sonores, puisque le tibétain n'a que des aspirées
sourdes et n'a pas d'aspirées sonores. Les oppositions
d'aspect étaient plus complexes. L'opposition fondamentale
du procès en voie d'accomplissement et du procès accompli
était marquée par une vieille alternance vocalique (duratif
parfait : e/a, o/a, i/u) ; mais cette alternance était elle
aussi en train de se perdre dès le tibétain ancien, et ne
subsistait que dans un petit nombre de verbes (comme
les verbes forts dans les langues germaniques) ; on l'avait
renforcée à l'intranslatif en ajoutant au duratif le préfixe
nominal ɔ- dont la présence est souvent la seule différence
entre les deux aspects de l'intranslatif, sans aucune alternance vocalique : DURATIF ɔ-ḷ'ar PARFAIT ḷ'ar « s'achever »,
DUR. ɔ-ḷig PARF. ḷig « brûler », DUR. ɔ-drud PARF. drud
« frotter », DUR. ɔ-ded PARF. ded « aller derrière ». L'opposition similaire du translatif est moins nette. Les translatifs
à initiale sourde étant devenus très tôt improductifs,
c'est, formation curieuse, un dérivé du parfait intranslatif,
la forme la plus vivace du tibétain, qui s'était trouvé
employé comme translatif duratif : cette forme, appelée
« futur » par les grammairiens indigènes, est caractérisée
par les préfixes d-, g-. Il en résulte qu'à la différence de
l'intranslatif, le translatif présente une conjugaison sans
homogénéité, où l'opposition des deux aspects apparaît
assez gauche par suite de leur origine et de leur forme

disparates (duratif : préf. *d*-, *g*-, init. sonore ; parfait :
préf. *b*-, init. sourde ; vocalisme du parfait intranslatif
aux deux aspects).

Cet ensemble de quatre formes distinctes (deux intrans-
latives et deux translatives) avec une cinquième pour
l'impératif, qui était le radical verbal sans préfixe, le plus
souvent avec un renforcement de l'initiale (passage à la
sourde aspirée) marquant l'intensité caractéristique de
l'impératif, constituait une sorte de conjugaison où le
tibétain ancien avait réussi à utiliser les ressources du
tibéto-birman en en réglant et en en normalisant l'emploi.

A côté de ces formes régulières et normales, les formes
secondaires foisonnent : sur chacune de celles-là, en
effet, on avait refait des verbes complets chaque fois que
la chose était possible. Et bien souvent des formes secondaires ont pris dans l'usage la place des formes primaires,
et, devenues courantes, dès une époque ancienne, les ont
fait disparaître.

Un verbe dérivé dont les formes sont plus simples et
plus régulières que celles du translatif normal a pris souvent
la place de celui-ci : c'est le verbe objectif qui est fait à
l'aide du préfixe *s*- (*r*- devant les affriquées) et qu'on
appelle ordinairement « factitif » ou « causatif ». Comme
tous les dérivés anciens, il est habituellement formé sur le
parfait intranslatif. Ce préfixe, dont la valeur est à peu
près le même que celle de *b*-, indique que le procès a un
objet, ainsi qu'on le voit dans quelques verbes dont la
signification rend la valeur de dérivation particulièrement
claire : *mnam* « répandre une odeur », *s-nam* « sentir une
odeur ». Le verbe en *s*- est naturellement toujours translatif.

Il exclut normalement le translatif régulier ; quand
ils existent tous deux, c'est le plus souvent parce qu'il a
pris un sens abstrait, ou figuré, ou spécialisé : INTRANSLATIF
ɔ-byun « sortir de », TRANSLATIF *ɔ-byin* « enlever », OBJECTIF
s-byin « donner ».

Tous les verbes ne sont pas aussi complexes : il y en a
beaucoup qui ne font aucun transfert du procès de l'agent
à l'objet et par suite n'ont pas de translatif. C'est le cas

le ceux que les grammairiens tibétains rangent dans la
lasse qu'ils appellent « de l'action pour soi-même » *bdag*
voir ci-dessus, p. 539), c'est-à-dire où l'objet est le même
que l'agent. Ils n'ont que les deux formes de l'intranslatif :
devenir » DURATIF *ɔ-gyur* PARFAIT *gyur;* « (le soleil) se
ève » DUR. *ɔ-č'ar* PARF. *šar* ; « mourir » DUR. *ɔ-č'i*, PARF. *ši.*

De plus, certains verbes expriment un procès qu'on ne
peut se figurer qu'en voie d'accomplissement, par exemple
es verbes d'état, parce que l'achèvement du procès a
pour résultat un état différent ; ils n'ont pas de parfait,
mais seulement un duratif intranslatif : « être malade »
ɩa, « avoir peur » *skrag;* c'est le cas des verbes exprimant
une qualité, par conséquent des adjectifs employés verba-
ement : « être vivant » *gson,* « être insensé » *smyon.* Les
verbes exprimant une sensation : « sentir » *mnam,* « voir »
nt'on, « entendre » *t'os,* etc., se rangent normalement dans
cette classe puisque, le verbe exprimant l'aspect et non le
emps, la sensation de voir ou d'entendre entièrement
achevée n'est pas, comme pour nous, la sensation de voir
ou d'entendre envisagée dans le passé, mais a conduit à
un autre état, celui de quelqu'un qui a cessé de voir ou
d'entendre et qui connaît la chose vue ou entendue. La
plupart de ces verbes n'ont eux aussi qu'un duratif.

Souvent aussi des raisons phonétiques imposent une
conjugaison réduite.

Auxiliaires verbaux. — Les inscriptions du VIIIe siècle
montrent une langue où ces formes du verbe sont d'un
usage normal ; mais la littérature des siècles suivants ne
es emploie guère seules, hors de la poésie, et d'ordinaire
on les renforce en les faisant suivre d'auxiliaires qui
marquent avec plus de force les nuances d'aspect ou même
en expriment de nouvelles que le verbe simple ne pouvait
exprimer. Pour l'action accomplie, le parfait se renforce
de verbes signifiant « finir », *zin,* et plus tard *t'ar.* L'action
en voie d'accomplissement se marque en reliant l'un des
verbes signifiant « être » au duratif (ordinairement non
agentif), soit par la particule de relation *kyi (ki, gi, i*

19

suivant les finales des mots précédents), soit par la postpo
sition *nas* « venant de, après » : *ɔoṅ-gi red* « il est en train
de venir », *ṅa sñam-nas yod* « je suis en train de réfléchir »
le même ancien duratif avec l'un des verbes « être » donne
un aspect ponctuel, quand on en fait un nom verbal pa
l'adjonction de l'affixe nominal *pa*, ou qu'on le fait suivre
de la particule *te* qui ne s'emploie qu'avec le verbe don
elle fait une sorte de gérondif : *k'yod za-ba yin* « vou
mangez » ; pour mettre ce même aspect ponctuel dans l
passé, on remplace la forme du duratif par celle du parfait
ɔgums-te ɔdug « il mourut » ; *č'us gyed-ba yin* « il fut emport
par l'eau ». On arriva même à former une sorte de futur
soit sans auxiliaire en déclinant la forme durative ou cell
du parfait par l'adjonction des affixes du « génitif » *ky*
ou de l'« instrumental » *kyis*, soit en les faisant suivre d
verbes signifiant « venir » *ɔoṅ*, « devenir » *ɔgyur*, ou encor
de *bya*, duratif agentif de *byed-pa* « faire ». Rien ne montr
mieux à quel point les notions qu'expriment les forme
anciennes étaient loin de notre notion de temps que l
fait que pour former le futur, on partit indifféremmen
de l'ancien « présent » (duratif) ou de l'ancien « parfait
(accompli).

Le verbe dans la langue moderne. — La langue modern
a simplifié la conjugaison en laissant tomber la plupar
des formes verbales. D'ailleurs la chute des préfixes e
confondait un bon nombre. Seul s'est conservé le parfait
par exemple l'ancien *sdod-pa* « rester », parf. *bsdad*, es
aujourd'hui *dad-pa* uniformément dans toute sa conjugaison. Les auxiliaires et les particules doivent don
marquer à eux seuls toutes les nuances. On oppose comm
toujours l'action en voie d'accomplissement à l'action
accomplie. Celle-ci s'exprime par le verbe *soṅ* « finir »
ši-soṅ « il est mort », ou par une forme composée du verb
« être » précédé du nom verbal au « nominatif » : *ṅa lep-pɔ
yin* « je suis arrivé ». Pour exprimer le procès en voi
d'accomplissement, le verbe significatif, mis au « génitif
par la particule *kyi* soit directement, soit sous la forme d

nom verbal, c'est-à-dire suffixé de la particule nominale *pa*,
forme un duratif : *sa-gi reɔ* « il est en train de manger » ;
l'adjonction de *găṅ* (anc. *bskaṅ*) à la particule *kyi* prête
à ce duratif un aspect ponctuel : *sa-gi-găṅ reɔ* « il est juste
en train de manger ». Enfin on forme un futur avec *yoṅ*
« venir » ou *gyu* « devenir ». Ce sont bien, on le voit, les
mêmes formations que celles de la littérature classique ;
la langue parlée moderne en a simplement réduit le nombre
en choisissant quelques-unes des plus simples. Mais, au
cours de cette évolution, la distinction de translatif et
d'instranslatif qui était la base de toute la conjugaison
ancienne a disparu entièrement ; en revanche, l'opposition
des aspects a été marquée plus fortement.

Emprunts. — Malgré l'influence énorme que la littérature
bouddhique en sanskrit a exercée sur lui, le tibétain contient peu de mots d'emprunt : c'est que les pandits qui
ont exécuté les traductions de livres bouddhiques ont
toujours rendu par des expressions composées purement
tibétaines les mots sanskrits dont ils n'avaient pas l'équivalent dans leur langue. Par exemple, le nom du saint
bouddhique, en sanskrit *arhat*, a été rendu par l'expression
dgra-bčom-pa litt. « celui qui a extirpé les ennemis »
(c'est-à-dire les passions), parce que les exégètes décom-
posaient le mot sanskrit en *ari* « ennemi » (tib. *dga*) et
han « extirper » (tib. *ɔǰoms*, pf. *bčom*). Même les noms
propres ont été ainsi traités.

NUMÉRATION TIBÉTAINE

1	*gčigs*	9	*dgu*
2	*gñis*	10	*bču*
3	*gsum*	15	*bču-lṅa*
4	*bži*	25	*ñi-šu-ḷa-lṅa*
5	*lṅa*	50	*lṅa-bču*
6	*drug*	100	*brgya*
7	*bdun*	1.000	*stoṅ*
8	*brgyad*	10.000	*k'ri*

TEXTE TIBÉTAIN *(langue parlée moderne)*
(dialecte de Lhasa)

tę-riṅ-la　　saga-da-wa　　di　　　čuṅ : kyę - wǫ　kün
Aujourd'hui de mars-avril lune cette (= la) s'élève : les gens tous

čǫ - k'aṅ - la　　ḍo - nai,　　čǫ - wǫ　rimpǫč'ę-(y)i
(de l') Excellent (la) maison-à allant, Excellent Très-Précieux-du

šap - la　ku - rim　deɔ - yǫṅ.　ṅa-sar　ḍo - gyu - yin,　ṭ'om
pieds-aux hommage faire viennent. Tôt aller-devant-sommes, foule
(futur)

č'ęm-pǫ 'čiɔ ḷ'ǫ　yǫṅ.　tanda　　čǫ - k'aṅ - gi
grande une troupe vient. Maintenant (de l')Excellent- (la) maison-de

ḷanai lęp - sǫṅ ; ha-gi šǫp-pǫ riṅ-ṅǫ di　ṭ'ǫn-čǫk-ka?
près sommes arrivés ; là-bas peuplier haut ce voir-pouvez-est-ce que ?
(accompli)

tę wǫk-la　čǫ-wǫ - i　ṭa - ḷǫ - kęr　kur ḷaṅ šu-pai šǫp-pǫ
Ceci près-à l'Excellent de cheveux-chignon à côté avec gisant peuplier
part. possess.

di ṭ'uṅ-čuṅ.　　čǫ - k'aṅ - gi　　　k'a - c'ęn - kyi
ce a poussé. (De l')Excellent- (la) maison de ouverture-large de
(accompli)　　　　　　　　　　　　　　　　(part. possessive).

gya - gǫ　di　ḷǫi-šiɔ!　naṅ - la　do - gyu - yin.
principale-porte cette regarde ! Dedans-au aller devant sommes.
(impératif)　　　　　　　　(futur)

tanda　ku - ñer　　　di yǫṅ-gi-reɔ ; k'ǫraṅ kün
Maintenant (des) statues (le) gardien ce venir-de-est ; il tout
(duratif)

seɔ - yǫṅ.　di - ka　čǫ-wǫ　rimpǫč'ę-(y)ī ku-ḷęn rak-čęn di
expliquer-va. Cette-ci Excellent Très-précieux-du statue-fameuse ce
(futur)

yöɔ ; di　ku-ḷęn di saṅ-gyę-kyi　yip ma ręɔ :　di
est ; cette statue ce Bouddha-de apparence ne-pas est : cette

yip-la　k'ǫṅ lǫ ču-ñi ḷiṅ-la męmpę mi　yǫṅ ; ñi-raṅ
apparence-dans il années 12 derrière-à peu ne-pas vient ; vous
(k'ǫ-ran)

sī-šiɔ!　sęr-sel di ñam-ḷar-wa ręɔ. yinna-yam　ḷǫi
voyez ! (D')or-(la) face ce beau est. Étant-quoique, regardez
(impératif)

ḷaṅ　ḷi-ki　　du-du kǫr-kǫr gyus!　k'ǫr - la　gę-ḷǫn-
et (des) souris combien partout courent ! Tournant-en moines-

ḷ'ǫ ni ḷęru gyur-sǫṅ.
troupe ici sont devenus.
(collectif)　　　(accompli)
(emphatique)

Traduction

Aujourd'hui commence le mois de mars-avril : tout le monde va au temple Cho-khang rendre hommage au Bouddha. Allons-y tôt, car il y aura une grande foule ! Maintenant, nous sommes près du Cho-khang. Voyez-vous ce grand peuplier ? Ce peuplier est sorti de la chevelure du Bouddha qui est au-dessous. Voilà le portail du Cho-khang : nous allons entrer. Le gardien des statues vient, il va tout nous expliquer. Voici la fameuse statue du Bouddha, cette statue ne le représente pas sous l'aspect du Bouddha : sous cet aspect il n'a que douze ans. Regardez, le visage est très beau. Mais voyez ! Que de souris trottant partout ! Ce sont des moines qui par la transmigration sont devenus des souris ici.

BIRMAN

Système phonique. — Dès les plus anciennes inscriptions, le birman était déjà dans un état de transformation plus avancé que le tibétain actuel. Au point de vue phonétique, les séries occlusives initiales s'étaient bien conservées, y compris les sonores, et en partie au moins les sonores aspirées *(a-b'a* « père » = TIB. *p'a).* En revanche, la langue ne supportait plus les groupes de consonnes, ni à l'initiale (sauf les occlusives et la nasale *m* devant *r, y, w;* et *h* devant *l, r,* et les nasales), ni à la finale où seules les occlusives sourdes, les nasales et *y* étaient admises : en sorte que préfixes et suffixes asyllabiques avaient disparu, les premiers étant tombés ou, plus rarement, s'étant conservés en faisant tomber l'initiale, ou enfin s'étant fondus dans l'initiale en l'altérant ; et les seconds étant tombés soit sans laisser de trace, soit en modifiant le timbre de la voyelle précédente. La langue moderne a encore accru la décadence phonétique : les occlusives palatales ont disparu, remplacées d'abord par des affriquées dentales et aujourd'hui par la sifflante : *ć>ṭ >s, ć'>ṭ'>s', j>ḍ>z;*

l'ancienne fricative dentale est devenue interdentale $s>t$. La plupart des consonnes finales sont en voie de disparition et ne se font plus guère sentir que par la modification de la voyelle ; par ex. : $sañ_2$ « celui-ci » se prononce $t\bar{\imath}_2$.

Morphologie verbale. — Pour la morphologie, les oppositions vocaliques marquant l'aspect avaient disparu dès les plus anciennes inscriptions, la forme du parfait s'étant seule conservée comme base de la conjugaison. Il n'y a aucune raison de croire que le birman se soit jamais, comme le tibétain ancien, donné un système de conjugaison à l'aide des préfixes hérités du tibéto-birman commun ; mais il se servait d'eux pour la dérivation : il a sûrement formé à une époque ancienne des verbes translatifs au moyen du préfixe s- qui est devenu h- devant l, r et les nasales (par ex. : lun_2 « être chaud », h-lun_2 « réchauffer », et en transformant les occlusives initiales en sourdes aspirées ($prañ_4$ $[py\bar{\imath}_4]$ « être plein », $p'rañ_4$ $[p'y\bar{\imath}_4]$ «remplir » ; il ne semble être resté aucune trace du procédé de formation translative par transformation en sourde de l'initiale sonore des verbes intranslatifs. D'autre part, il forme aujourd'hui encore des noms verbaux par le préfixe a- (tib. ϑ-), exemple : $\acute{c}a_2$ $[sa]$ manger, a-$\acute{c}a$ $[a$-$sa_2]$ nourriture. Mais aucune autre formation par préfixes n'est restée vivante, et n'a laissé plus que des survivances dans le vocabulaire.

Les aspects et leurs auxiliaires. — Le birman distingue non pas l'action en voie d'accomplissement de l'action accomplie, mais l'action considérée dans sa durée et prise à divers stades de cette durée, de l'action considérée comme un tout, comme un ensemble unique, sans faire intervenir la notion de durée, c'est-à-dire qu'on l'envisage soit en dehors du temps comme un fait habituel ou comme un fait général, soit comme accomplie mais en ne tenant compte que de l'accomplissement même et sans s'occuper du résultat, durable ou non, auquel a conduit l'accomplissement. Ce sont des auxiliaires qui sont chargés d'exprimer les aspects du verbe : $n\bar{e}_1$ « rester » marque l'action envisagée

lans sa durée ; $prē_1$ [$byī_1$] « être exact » marque le début
le cette action durable (comparez français « juste » dans
il est juste à table ») ; $prī^3$ « finir » indique la fin de la
lurée de l'action.

L'agent et l'objet; postpositions. — L'objet de l'action
complément direct du verbe transitif) s'exprime simple-
nent par la position entre le sujet et le verbe : $sū_1$ re_3
sok_3-$săñ_1$ [$tū_1$ ye_3 $tɔɔ_4$-$īī_1$] « il boit de l'eau » (litt. $sū_1$ il re_3
le l'eau sok_3-$săñ_1$ boit); on marque plus fortement le lien
entre l'action (verbe) et son objet (complément) au moyen
de la postposition $kō_1$ surtout lorsqu'on place l'objet en
vedette avant le sujet : re-$_3kō_1$ $sū_1$ sok_4-$săñ_1$ [ye_3-$gō_1$ $tū_1$
$ɔɔ_4$-$īī_1$] « il boit de l'eau ».

L'agent (sujet du verbe transitif) est suivi de la postposition ka^3 « par » qui en fait une sorte d'instrumental
(comme en tibétain $kyis$), tandis que le « sujet » du verbe
intransitif ne prend pas de postposition, étant considéré
comme l'objet du procès. La construction sans postposition s'étend d'ailleurs souvent à l'agent du verbe transitif ; même dans ce cas il ne s'agit pas d'un vrai sujet du
verbe, celui-ci étant impersonnel : l'agent est en réalité
mis en vedette au début de la phrase, sans relation directe
avec le verbe ; pour le joindre à lui, on le fait suivre du
démonstratif $săñ_1$ ($īī_1$), qui établit la liaison en servant
en quelque sorte de copule : $moṅ_1$-$b'a^4$-$săñ_1$ $sū_1$ $pę^3$-$sǫ_1$
mun_1-$kō_1$ $ća^3$-$săñ_1$ [$moṅ_1$-ba^4-$īī_1$ $tū_1$ $pę_1$-$tǫ_1$ mun_1-$kō$ sa^3-$īī$]
« Maung Ba mangeait le gâteau qu'il lui avait donné »
(litt. $moṅ_1$-$b'a^4$ Maung Ba $săñ_1$ lui $sū_1$ celui-ci $pę^3$ donne
$sǫ_1$ particule épithétique, rapportant les mots précédents
(su_1-$pę^3$) comme épithète à celui qui suit, mun_1 gâteau
$kō$ particule, marquant l'objet du procès, $ća^3$-$săñ$ mange).
On marque quelquefois plus nettement cette mise en
vedette en employant des particules emphatiques hma_1,
ka_1.

Le démonstratif-copule. — Le verbe, qui se met à la fin
de la phrase, comme dans toutes les langues tibéto-
birmanes, est par lui-même si peu distinct du nom qu'il

est nécessaire de le faire suivre d'un démonstratif servant
de copule, afin de marquer que l'action n'est pas seulement
désignée, mais qu'elle a réellement lieu. C'était ancienne-
ment $\bar{e}_4$ (inscription de Myazedi), aujourd'hui $\bar{\iota}_4$ (écrit $\bar{e}\tilde{n}_4$),
apparenté sans doute au démonstratif $\bar{\iota}_1$ (ancien $\bar{\iota}y$) et
peut-être aussi au démonstratif tibétain $\jmath i$, $\jmath u$, $\jmath o$, copule
lui aussi sous cette dernière forme (cf. ci-dessus, p. 536) ;
il ne s'emploie plus qu'en langue littéraire. Dans la langue
courante, écrite ou parlée, on lui préfère le démonstratif
$\bar{t}\bar{\iota}_1$ (écrit $s\breve{a}\tilde{n}_1$) qui devient $d\bar{\iota}_1$ après une voyelle, populai-
rement dai_1 (écrit lay_1) : $s\bar{u}_1\ la_1\ s\breve{a}\tilde{n}_1\ [t\bar{u}_1\ la_1\ d\bar{\iota}_1]$ « il est
venu » ; construction pareille au tibétain, mais avec un
démonstratif différent. Ce démonstratif disparaît dans la
phrase négative, puisque l'action n'a pas lieu : $su_1\ ma_1\ la_1$
$[t\bar{u}_1\ ma_1\ la_1]$ « il n'est pas venu » ; et à l'éventuel puisque
l'action n'a pas encore eu lieu : $s\bar{u}_1\ la_1\ m\breve{a}\tilde{n}_1\ [t\bar{u}_1\ la_1\ my\bar{\iota}_1]$
« il va peut-être venir » ; il n'est pas non plus nécessaire
à l'inchoatif, où $pr\bar{\iota}_1\ [by\bar{\iota}_1]$ suffit à marquer que l'action a
lieu puisqu'il indique qu'elle est commencée.

Emprunts. — L'influence de la littérature bouddhique
s'est fait sentir fortement sur le birman, comme sur le
tibétain ; mais elle y a produit d'autres effets. C'est le
pāli et non le sanskrit qui en a été le véhicule, et elle s'est
marquée dans le vocabulaire par des emprunts importants,
non seulement de termes religieux et philosophiques,
mais aussi de termes d'administration et, en général, de
mots de civilisation. La langue écrite a laissé à beaucoup
de ces mots d'emprunt leur forme originale ; ceux qui ont
été assimilés et ont pénétré dans la langue parlée, se sont
souvent raccourcis par la perte de voyelles et de syllabes
brèves pour prendre des formes qui les rapprochent du
birman ; mais il n'en reste pas moins un certain nombre
de dissyllabes et même de polysyllabes usuels d'origine
pāli.

NUMÉRATION BIRMANE

1	*ŧać*	8	*hrać*
2	*hnać*	9	*ko*
3	*sum*	10	*ć'ay*
4	*le*	15	*ć'ay-ṅa*
5	*ṅa*	25	*hnać-ć'ay-ṅa*
6	*k'rok*	50	*ṅa-ć'ay*
7	*k'uhnać*	100	*ra*

TEXTE BIRMAN

ə-p'ă¹ ga¹ ŧā³ gō̧₁ yaiɔ₁-hnɛɔ₁ pyī³ hlyī₁: « *i₁*
(Le) père (son) fils avoir battu après : « (de) ceci
(sujet) (objet) (accompli)

-mə-ŧā₁ ćiɔ₁ ćau₃ pyă¹-you(n)₁ đā₁ ṅā₁
en-dehors (que je) d'aimer ai de l'excès montre seulement je

yaiɔ¹-hnɛɔ¹ s'ou³-ma¹ ya₁ đī₁ » *hu₁ pyo̧³ đī₁. ŧā³*
battre corriger dois » ainsi dit. (Le) fils
(copule) (démonst. copule).

ṅȩ̄₁ ga₁ caiɔ₁-ćī³-ṅī₁-ʃī₃ hnĭ₄ « *kau(m)³ bā₁ yḝ₄*
jeune (des) soupirs avec « C'est bon, s'il vous plaît,
(sujet) (particule de politesse)

k'i(m)₁-byā₃; ću(n)₁-đo ga₁ lɛ₁, p'a¹-gi(n)₁ gō̧₁ p'a¹-gī₁
Monsieur ; moi aussi, père père
(sujet) (objet)

lō̧₁ ćiɔ¹-k'i(m)₁ bā₁ yḝ₄; đŏ̧⁴-bɛ̧₁-mḝ⁴ ćun₁-đō̧₁ ga₁ ćiɔ₁
comme aime s'il vous plaît ; mais je (d')aimer
(particule de politesse) (sujet)

ćau₃ gō̧₁ pyă¹ nai₁ yā₁ ə-ywḝ₁
où de l'excès (de) montrer être capable pour, (mon) âge
(objet)

mə-ćī³ đɛ̧₃ đī₁ ə-ŧwɛɔ¹ wu(n)³-nī₃ ywḝ₄
n'est pas vieux encore en conséquence de ce que, (je) suis triste et
(copule)

ṅō̧₁ bā₁ đī₁ » *hu₁ pyŏ̧³ lɛ̧₁ đī₁.*
(je) pleure » ainsi (il) dit
(copule) (parfait) (copule)
(politesse)

Traduction

Le père ayant battu son fils lui dit : « C'est seulement pour te montrer que je t'aime beaucoup que j'ai à te battre et à te corriger ! » Le jeune fils dit en soupirant : « C'est très bien, Monsieur. Moi aussi j'aime mon père comme un père. Mais j'ai du chagrin et je pleure parce que je ne suis pas assez âgé pour être capable de vous montrer que je vous aime. »

LOLO

Système phonique. — Le lolo est curieux à cause de l'extrême décadence phonétique qu'il présente, surtout dans ses finales où il ne tolère aucune consonne ; à l'initiale, il a perdu tous les groupes consonantiques, mais gardé la distinction des sourdes, sourdes aspirées, sonores et nasales ; une nouvelle fricative *f* s'est formée. Les tons se sont d'autant mieux conservés que l'uniformisation des mots ne s'accompagnait que dans une mesure relativement restreinte de la création d'expressions composées : il y a cinq tons en lolo (dialectes ahi et agni), six en lisu.

Particules nominales. — Les mots sont monosyllabiques ; les diverses relations s'établissent à l'aide de particules. Pour les noms, les affixes nominaux (LOLO *po* et *mo*, LISU *pa*, *p'a* et *ma*) ont la même valeur qu'en tibétain, mais ils ne sont employés que lorsqu'il est nécessaire de distinguer entre le mâle et la femelle. De même la particule collective n'est ajoutée au mot qu'en cas de nécessité, sauf pourtant en ahi où son usage est constant. On marque le complément de nom par une particule qui semble apparentée au tibétain *kyi :* LOLO *ǰi⁴*, *vi³*, LISU *yi¹* (cette dernière se confond avec le démonstratif), ou par l'insertion du démonstratif : LOLO *kǫ̈¹*, LISU *ya* entre le déterminant et le déterminé.

Le verbe. — Le verbe distingue l'action en voie d'accomplissement, marquée par l'un des verbes signifiant « être » (AGNI *čo,* LISU *ča¹;* mais AHI *ša³* paraît avoir perdu son sens et n'être plus qu'une particule), de l'action accomplie (AHI *ho, hwa,* AGNI LISU *ō, kō<kǝɔ-ō; kǝɔ* auxiliaire = « fini ») ; le lisu donne à l'accompli une valeur ponctuelle par l'addition de la particule *ñi* entre le verbe et *ō,* et l'agni par la particule *no,* qui a sans doute la même origine que le lisu *ñi-ō.* On indique également l'intentionnel ou l'obligation (AHI *ća³,* AGNI *zo,* LISU *ṅu*). Enfin la simple affirmation d'un fait, qui s'exprime en ahi et agni par le verbe sans aucune particule, se marque en lisu par la particule *lō,* probablement formée d'un auxiliaire qui n'est plus usité séparément et de *ō.*

La phrase. — La construction de la phrase place en tête le sujet sans particule, puis l'objet, et finalement le verbe. AHI : *Mi¹-lǭ⁴ ḍǫ̈⁴-mu⁴ yi⁴-mo³ ṭʻö³-lu⁴ Šǫ̈-do kǫ̈¹ ba⁴ fa² hwa³* « le mandarin de Mi-le a puni le père de Cheu-do d'une amende de 10 ligatures », litt. *Mi¹-lǭ⁴* (de) Mi-le *ḍǫ̈⁴-mu⁴* (le) mandarin *yi⁴-mo³* sapèques *ṭʻö³ lu⁴* dix ligatures *Sǫ̈-do* Cheu-do *kǫ̈¹* (de) lui *ba⁴* père *fa²* punir *hwa³* marque de l'aspect accompli ; LISU : *ṅwa Lyę⁴ a-mu₁ go₃-ma₃ ḍǝ₁-lō* Ngwa Lye monte *(ḍǝ₁-lō)* ce *(go₃-ma₃)* cheval *(a-mu₁).* Mais le désir d'insister sur le sujet ou l'objet les fait intervertir : on met l'objet en tête de la phrase *a-mu₁ go₃-ma₃ ṅwa₃ ḍǝ₁-lō* « c'est ce cheval-ci que je monte » ; s'il y a amphibologie, le sujet placé en second est suivi d'une particule qui paraît n'être qu'un emphatique, AHI *lę₃,* LISU *ña.* D'autre part, le lisu distingue encore l'agent par une postposition marquant l'instrumental, *lyę* « au moyen de » « par » (cf. AGNI *li,* dont l'emploi paraît différent), et l'objet par une postposition marquant la direction, *la* « vers » : *yi¹-lyę a¹-ṅa⁴ ṭʻi₁ kʻa⁴ sye₄ kō* « il a tué un buffle » ; *ṅwa₃ ña yi¹-la¹ mǫ₃ lō* « je le vois » ; l'ahi et l'agni semblent avoir perdu ces procédés d'expression.

LES LANGUES TIBÉTO-BIRMANES A TENDANCE
POLYSYLLABIQUE
(Kachin, Bodo, Nāgā, Kuki-chin)

Affixes syllabiques. — Restés strictement monosyllabiques, le tibétain, le birman, le lolo ont perdu leurs
suffixes et leurs préfixes, qui, trop brefs dans leur asylla-
bisme, se sont fondus dans l'initiale quand ils ne sont
pas complètement tombés ou n'ont pas fait tomber l'initiale elle-même. Toute une série de parlers tibéto-birmans
ont, au contraire, renoncé au monosyllabisme pour garder
préfixes et parfois même suffixes, qui se sont adjoint des
voyelles brèves. L'histoire de toutes les populations
parlant ces dialectes étant inconnue, nous ne savons pas
dans quelles conditions la transformation s'est faite, ni
s'il faut y voir le résultat d'une évolution interne régulière
ou l'influence de langues non tibéto-birmanes qu'elles
auraient remplacées.

Traitement divers des préfixes anciens. — L'une des
caractéristiques les plus intéressantes de ces parlers tient
aux diverses manières dont ils ont traité le système de
préfixes du tibéto-birman commun. En général, le nombre
des préfixes s'est réduit dans chacun d'eux, et ils ne sont
nulle part restés complètement distincts.

Le kachin a donné aux préfixes une place presque aussi
importante que le tibétain classique, mais de façon toute
différente. Il présente actuellement un système à deux
couches superposées. D'une part, on trouve un système
ancien se rapprochant de celui du tibéto-birman commun,
qui a laissé des traces sous forme des préfixes suivants,
aujourd'hui morts et qui ne semblent plus formatifs de
mots nouveaux : $*ɔ->a-$ (noms, adjectifs), $*m->ma$, $n-$
(verbes d'état et d'action sans agent), $*g->ga-$, $ka-$
(adjectifs). Il y a d'autre part un système moderne, simplifié et régularisé, où les verbes sans préfixe ont la valeur

intransitive, passive, réfléchie, et reçoivent une valeur active, causative, transitive quand ils sont pourvus de préfixes, quels que soient d'ailleurs ces préfixes dont le choix semble, dans chaque cas, être dû à l'usage seul. Chacune de ces deux couches de préfixes représente un développement propre au kachin ; cependant quelques correspondances avec d'autres langues semblent indiquer qu'ils remontent parfois au tibéto-birman commun.

Les dialectes nāgā ont, chacun à sa manière, réduit le nombre des préfixes à deux ou trois. Dans chaque dialecte, les préfixes subsistants ont pris à eux seuls les fonctions de tous et servent indifféremment à former des noms et des verbes (transitifs et intransitifs).

Enfin les parlers bodo ont presque tous perdu les préfixes ; le seul véritablement vivant est le préfixe verbal *ʃ ou *p devenu préfixe causatif ou transitif dans quelques dialectes : BARA ʃă-, ʃĭ-, DIMASA pʻa-, pʻu- (ʃa-, ʃu-).

Affixes nouveaux. — La diminution et la perte de l'emploi des préfixes ont amené le développement de nombreux affixes destinés à jouer le rôle des préfixes, et en général à marquer toutes les relations des mots dans la phrase : affixes « casuels » marquant les diverses relations du nom, suffixes formant des adjectifs -ba, suffixes et auxiliaires d'aspect pour le verbe. Tous varient considérablement d'une langue à l'autre.

Traits particuliers. — Le résultat de cette double évolution (perte des préfixes et suffixes anciens, développement d'affixes et suffixes modernes) est que ces langues se sont éloignées du tibétain, du birman, et des autres langues de la famille, tandis qu'elles restaient relativement assez proches les unes des autres. La plupart sont d'ailleurs des langues de sauvages, peu développées ; les plus civilisées comme le meithei ou manipurī (pourvu d'une écriture depuis le xviiie siècle) ont subi fortement l'influence du bengali, langue indo-européenne.

LES LANGUES BORDIÈRES

Définition. — Les langues que j'appelle bordières, à cause de leur situation géographique en bordure du domaine tibéto-birman, n'ont entre elles qu'un seul lien, c'est de présenter à côté d'un fond qui est bien tibéto-birman des traits particuliers qui les mettent à part de l'ensemble de la famille.

1. *Langues himalayennes dites pronominalisées*

Répartition et traits particuliers. — Les parlers himalayens dits « pronominalisés » forment deux groupes : celui d'Almora entre le Cachemire et le Népal (kanaurī, kanāchī, manchātī, chamba-lāhulī, bunan, etc.) parlées par environ 100.000 personnes ; et celui des langues kirāntī du Népal Oriental autour de Darjeeling (dhīmāl, limbu, khambu, bāhing, vāyu, etc.), comptant à peu près 200.000 personnes. Tous sont fort mal connus, sauf le kanaurī.

Leur aspect phonétique ne diffère pas de celui des autres parlers himalayens : préfixes et suffixes sont syllabiques, et les mots sont souvent longs ; les groupes de consonnes très variés, produits par la rencontre des radicaux avec les préfixes et les suffixes, sont généralement bien acceptés, même à la fin des mots. De la morphologie ancienne du tibéto-birman, avec ses alternances vocaliques et son procédé d'assourdissement de la consonne initiale, il ne subsiste rien. La construction de la phrase est régulière : le verbe se met bien à la fin de la phrase, précédé de son « sujet » et de son objet, le premier en tête, généralement à l'instrumental quand il y a une forme ou un enclitique distincts.

Affixation des pronoms personnels. — Le trait distinctif de ces langues est d'inclure les pronoms personnels dans le verbe, sous des formes diverses de préfixes et de suffixes. Aucune ne marque le pronom de la 3e personne sujet ; en

dehors de ce fait, chaque parler a ses règles propres, et ils
ne pratiquent pas tous cette inclusion au même degré.
Les parlers d'Almora sont ceux où l'usage en est le moins
étendu : ils se contentent pour la plupart de suffixer le
pronom personnel sujet ; il reste peut-être toutefois une
trace de la suffixation du pronom objet dans certains
d'entre eux (kanaurī, kanāchī, etc.) qui ont un affixe du
réciproque. Parmi les parlers kirāntī, quelques-uns ont
perdu toute suffixation de pronoms, comme le dhīmāl
que d'autres considérations font néanmoins ranger dans
ce groupe (1, 275). Mais la plupart d'entre eux attachent
au verbe non seulement le pronom sujet, mais encore le
pronom objet, et, pour distinguer les cas divers qui se
présentent, ont tout un jeu de préfixes et de suffixes
d'autant plus varié que ces pronoms ont des formes
différentes pour le singulier, le duel et le pluriel.

Il semble que la construction originelle différenciait
le sujet de l'objet : le pronom désignant le sujet (plus
exactement l'agent) était considéré comme un déterminant
du verbe et, prenant la même forme et la même place que
le déterminant du nom (possessif), était préfixé (LIMBU
k'enē k-pē « tu vas », litt. « toi ton aller », de même que k'enē
k-sā « ton fils », litt. « toi ton fils » ; le pronom désignant
l'objet était considéré comme un complément du verbe et
était suffixé ; un verbe ayant à la fois agent et objet se
trouvait inséré entre le sujet préfixé et l'objet suffixé.
La série du singulier se reconstitue sans difficulté :

	1ʳᵉ personne	2ᵉ personne	3ᵉ personne
Pronom isolé	*ṅā	*ka	-
Préfixe (agent)	*ā-	*k-	-
Suffixe (objet)	*-ṅ	*-n	*-ū

Le duel et le pluriel avec leurs affixes de nombre se
reconstruisent moins bien. Ce système régulier n'existe
plus nulle part : la plupart des dialectes ont perdu les
préfixes et n'incluent plus le pronom objet dans le verbe.

Le limbu présente un entremêlement extrême, surtout
avec les verbes transitifs, qui peuvent avoir sujet et

objet ; on le verra par quelques exemples du verbe *hip*
« frapper » : « je te frappe » *hip-nē* (>*hip-nē-ā :* le *-ā*
final, 1ʳᵉ personne sujet, s'est fondu dans le *ē* de *-nē*) ;
« je le frappe » *hip-ū* (le pronom sujet de la 1ʳᵉ personne
n'est pas exprimé) ; « tu me frappes » *ā-k-hip ;* « tu le
frappes » *k-hip-ū ;* « il me frappe » *hip-ā ;* « il te frappe »
k-hip ; accompli *(-la-) :* « tu m'as frappé » *k-hip-lā-ṅ ;*
« il m'a frappé » *hip-lā-ṅ ;* « ils m'ont frappé » *me-hip-l-ī-ṅ.*
Avec le duel et le pluriel, l'inclusif et l'exclusif de la
1ʳᵉ personne duel et pluriel, il n'y a pas moins de 72 formes
pour le duratif et autant pour l'accompli avec tous les
pronoms sujet et objet inclus.

La plupart des autres parlers n'ont que les pronoms
suffixes.

Cet emploi des pronoms affixés au verbe diffère de celui
des langues mounda en ce que les pronoms sont toujours
employés pour leur valeur propre, et non pour rappeler
des notions précédemment exprimées dans la phrase par
des noms. Plutôt qu'à l'influence d'un problématique
substrat mounda, c'est probablement à celle des parlers
aryens environnants et de leur conjugaison qu'il faut
attribuer ces faits qui éloignent fort ces dialectes de la
norme des langues tibéto-birmanes.

2. *Le Karen*

Situation et histoire. — Les Karen (ou comme ils
s'appellent eux-mêmes K'yō) habitent la Basse Birmanie
où ils forment des groupements importants autour de
Tennasserim et dans le delta de l'Iraouaddy ; leur centre
actuel, le Karenni, est un peu au Nord, sur la moyenne
Salouen, entre le district birman de Toungoo et la frontière
siamoise ; les Karen Rouges (ainsi nommés à cause de la
couleur de leur turban) occupent le Centre et l'Est de la
région, tandis que les collines occidentales sont habitées
par les Brä, les Newā et les Padaung. Ils représentent la
première vague de tribus tibéto-birmanes qui descendit
le long de l'Iraouaddy jusqu'à la mer, s'enfonçant au

milieu des populations mon-khmer ; on place ordinairement leur arrivée en Karenni vers le ve siècle de notre ère.

Rapports avec le birman. — Des nombreux parlers karen, le pwo et le sgà sont seuls bien connus ; actuellement ils sont l'un et l'autre remplis de mots birmans, d'emprunt récent, comme le montre leur prononciation. Le karen rouge *(k'yō-wī)*, qui paraît en avoir absorbé un moins grand nombre, est moins bien connu. Mais en dehors de ces mots d'emprunt récent, on peut reconnaître la présence de mots tibéto-birmans sous des formes tout à fait différentes du birman, par ex. : « langue » PWO *ă-p'lę*, SGA *p'lę*, K. R. *pli*, en face de BIRMAN *hlya;* « cœur » PWO *ăta*, SGA *ta* (cf. TIB. *sems*), mais BIRM. *hnać-lum;* de même le mot « serpent » PWO *hu-ka*, SGA *hü*, K. R. *ru* est un mot tibéto-birman apparenté à TIB. *ɔbrul*, BIRM. *mrwę*, mais n'est pas un emprunt au birman, car *r* birman a toujours en karen sa valeur moderne *y* (cf. « 100 », K. *taya*, BIRM. *ta-ya* écrit *ta-ra*). Les noms de nombre appartiennent à cette couche ancienne : le nombre « 2 » se rencontre sous une double forme, suivant que le préfixe *g-* est tombé (PWO *ni*, KARENNI *nö*, *ni*), ou a fait tomber le *ñ* initial (SGA *k'i* BWE *ki* BRÄ *gi* MOPWA *či*, *ši*) ; le parler de Manö paraît même avoir conservé le préfixe : *kini*. « 8 » a réduit le groupe consonantique initial d'une autre façon que le birman : TIB. *brgyad*, BIRM. *hrać*, PWO et SGA *kọ̄*, WEWAW *hwọ*. Un certain nombre de dialectes n'ont conservé que les cinq premiers nombres anciens et se sont forgé une numération particulière pour les nombres « 6 » à « 9 » : sur « 3 » YINTALÄ *sun*, MANÖ *so*, BWE *tö*, BRÄ *tü*, KARENNI *tö*, et sur « 4 » YINTALÄ, BWE, KARENNI *lwi*, BRÄ *li*, MANÖ *li*, ils ont fabriqué « 6 » et « 8 » : YINTALÄ *sun-sö*, *lwi-sö*, MANÖ *su-sö*, *li-sö*, BRÄ *tü-tọ*, *li-tọ*, KARENNI, BWE *tö-tọ*, *lwi-tọ* (évidemment « couple de 3, de 4 », mais je n'ai pas trouvé le mot *sọ*, *sö* isolément), et ont formé « 7 » et « 9 » en ajoutant le nombre « 1 » : YINTALÄ *sun-sọ-ta*, *lwi-sọ-ta*, MANÖ *su-sö-ta*, *li-sö-ta*, KARENNI, BWE *tö-tọ-lę*, *lwi-tọ-lę*, etc.

Phonologie. — Le karen ne supporte actuellement comme groupes consonantiques initiaux que ceux qui sont formés d'une occlusive sourde ou sourde aspirée avec *l, r, y* et *w* ; les nasales n'acceptent que *y* et *w* et peuvent être précédées de *h* ; le sgå (mais non le pwo) admet le groupe initial *tr* ; tous les autres groupes ont disparu. Le karen rouge a des *t* et *ɔ* finaux (ce dernier représentant un ancien *k* final), que n'ont plus ni le pwo ni le sgå ; en revanche, les nasales finales, tombées en karen rouge sans laisser de trace, se marquent encore en pwo par la nasalisation de la voyelle précédente : on le voit bien par le mot « 3 » (TIB. *gsum*, BIRMAN *tum*) qui est devenu *sǫ* en karen rouge, et *ta* en sgå, mais *tõ₃* en pwo. L'aspect phonétique du karen est donc dans son ensemble plus détérioré encore que celui du birman ; il n'y a guère que le lolo où la réduction des initiales et des finales soit plus avancée. Par contre, il a gardé un système tonique varié, alors que la plupart des langues tibéto-birmanes ont vu le leur s'effriter : le pwo a six tons, deux tons montants, deux tons descendants (haut et bas), un ton égal moyen, et un ton haut rompant ; le sgå en a cinq, deux tons égaux, l'un moyen, l'autre bas, un ton montant, un ton descendant et un ton rompant. Leur importance est assez grande pour que les missionnaires qui, au XIXᵉ siècle, ont doté le sgå et le pwo d'une écriture imitée de la birmane les aient soigneusement marqués par des signes spéciaux qui s'intercalent dans la ligne à la fin des syllabes.

Préfixes et suffixes. — Les préfixes et les suffixes jouent un rôle important dans la formation des mots et leur dérivation ; mais *ma-* est le seul préfixe ancien. Il a pris une valeur de transitif : PWO *k'a₂* SGA *ka₁* « se briser », *ma-k'a₂ ma-ka₁* « briser » ; PWO *ki³* SGA *hi₃* « maison » (cf. BIRM. *im*), *ma-ki³, ma-hi₃* « bâtir une maison » ; PWO *ni₂* SGA *ni* « rire », *ma-ni₂, ma-ni* « faire rire » ; et il tient souvent la place des anciennes alternances de sonore à sourde et des anciens préfixes transitifs et factitifs : en face de PWO *k'a₂* « se briser » *ma-ka₂* « briser », le birman a *kyö* « se briser », *k'yö* « briser » (le mot *k'a₂* est apparenté, mais non emprunté, au birman). Les autres préfixes causatifs du pwo, *du₄-*, *p'ę³-*, *t'ǫ³-* paraissent s'être formés de verbes auxiliaires qui ont perdu leur sens et ont disparu comme mots indépendants, mais qu'on retrouve dans d'autres langues.

La phrase. — Le trait le plus caractéristique du karen est la construction de la phrase : c'est avec le miao-tseu la seule langue tibéto-birmane où le verbe se place entre le sujet et l'objet et ne soit pas rejeté en queue : PWO *ya² da³-kǒ-yu₄ na₃-p'a₂ lǫ₃* « j'ai vu ton père » (*ya²* je *da³* voir *kǒ-yu₄* marque de l'aspect accompli *na₂* toi, de toi *(a-)p'a₂* père *lǫ₃* particule finale). Le complément du nom précède le nom qu'il détermine et auquel il est lié par le démonstratif *a₂-* : PWO *sa₂-bwa a₂-kĩ³*, « la maison de Sbwa » litt. Sbwa, sa maison. L'adjectif épithète, qui se place après le nom qu'il qualifie (sur ce point le karen rentre dans l'usage normal des langues tibéto-birmanes), est lié à lui par la même construction, en sorte que c'est le nom qui est le déterminant et l'adjectif le déterminé : PWO *fa₂ a₂-kę* « un homme bon », litt. (un) homme, sa bonté ; la construction sans démonstratif *fa₂ kę* signifie « l'homme est bon ».D'autre part, en pwo,une construction particulière aux phrases subordonnées paraît conserver une trace de la suffixation au verbe du pronom sujet et objet qu'on trouve dans les dialectes himalayens pronominalisés,par ex. : *kĩ³-lǝ₂ sǎ-mya₄ tũ³-vę₃-nǫ³ na₂ da³-ḥa²* « as-tu vu la maison que Smya a bâtie ? », litt. *kĩ³-lǝ₂* maison *sǎ-mya₄* Smya *tũ³* bâtir *vę₃* il, pronom 3ᵉ personne sujet *nǫ³* cela, pron. 3ᵉ personne objet, *na₂* tu *da³* voir *ḥa²* particule interrogative.

3. *Le Miao-tseu*

Répartition. — Les Miao-tseu forment un groupement important de tribus à demi indépendantes dans la province chinoise de Kouei-tcheou ; très morcelés, ils comptent 82 tribus dans cette province, se répartissant en Miao

Blancs, Miao Noirs, Miao Bleus et Houa-miao. De petits groupes sont descendus depuis un siècle environ jusqu'au Tonkin, probablement déracinés par l'ébranlement causé par la révolte des Tai-pʻing. De plus, les populations qu'on appelle généralement Man au Tonkin, Yao en Chine, leur sont apparentées ; mais, descendues depuis des siècles au milieu des Thai et à proximité des Chinois, elles ont subi fortement leur influence, et leurs parlers sont farcis d'emprunts au point d'être méconnaissables.

Affinités. — Les dialectes miao-tseu, qui sont mal connus, contiennent un grand nombre de mots empruntés au chinois ; mais la forme de ces mots montre que l'emprunt en est récent. Une partie importante du vocabulaire est certainement tibéto-birmane ; elle appartient à un rameau autre que le lolo (géographiquement moins éloigné), mais qui est comme le lolo linguistiquement plus proche du birman que du tibétain ; par ex. : « poulet » kra_3 BIRM. *krak*, TIB. *bya;* « tigre » $č\varrho^2$, BIRM. *kya*, TIB. *stag;* « bouc » *či*, BIRM. *čʻit*, TIB. *ra;* « eau » $d\varrho_3$, BIRM. *r\varrho* [*y\varrho*], TIB. *čʻu;* mais, par contre, « arbre » ^ndon, TIB. *sdoṅ-po*, BIRM. *ă-paṅ*. Quelquefois il arrive au miao-tseu d'avoir conservé des formes dont les dialectes nāgā et le karen sont seuls à avoir des équivalents, par ex. : « langue » $^mblai^3$, KAREN *ă-pʻle*, *pli*, SHANDU *pal\varrho*, NAHA *məlü*, CHIN *ă-ml\varrho*, mais BIRM. *hlya*, LOLO ^sla, *ˡla*, TIB. *lče*. Il a perdu une partie des noms de nombre, empruntant au chinois les nombres élevés *pwa* « 100 », *ča* « 1000 », et probablement aussi *i* « 1 » : le mot indigène était peut-être *a* que l'on trouve dans quelques dialectes man ; de plus « 2 », « 3 » et « 5 » $ā\varrho$, $p\varrho$, *tsi* (ce dernier connu en miao-blanc de Tsing-yai, prov. de Koueï-tcheou, sous une forme moins détériorée *pla*, qui ne permet pas davantage de rapprochement) sont d'origine inconnue ; les autres sont tibéto-birmans, « 4 » *plu*, *plŏu* (cf. TIB. *bži*, BIRM. le_3, KHAMI *plü*, LUSHEI *pali*, DIFLA *ā-pli*, VAYU *blī(-niṅ)*) ; « 6 » *ču*, *čiu* pour lequel un dialecte man donne une forme *klu*, cf. BIRM. *kʻrok* (pour le traitement du groupe initial, cf. $ćwa^3$, BIRM. *krwak* « souris »,

ćę BIRM. *k're* « pied ») ; « 7 » *šiaṅ* est à rapprocher des
formes *snet, sñil,* etc., avec chute de l'implosive finale,
normale en miao-tseu, et transformation en nasale gutturale, également normale, de la nasale dentale devenue
finale : « 8 » MIAO-BLANC *ſi,* MIAO-NOIR *ya,* répond à
BIRM. *hrać,* TIB. *brgyad;* etc. Il est difficile d'expliquer par
des emprunts des formes aussi variées qui ne peuvent
être rapprochées que de langues aussi diverses de la
famille tibéto-birmane, et l'hypothèse d'une parenté est
plus vraisemblable. Le délabrement phonétique actuel
de toutes ces langues rend la comparaison malaisée en
limitant le nombre des exemples.

Système phonique et lexical. — Les procédés de dérivation
par préfixes et suffixes du tibéto-birman s'est entièrement
perdu en miao-tseu ; tous les groupes initiaux ont disparu
sauf l'occlusive devant *l* et *r,* ainsi que *h* devant nasale
et *l* ; récemment les initiales sonores ont développé une
nasale qui a produit de nouveaux groupes : ᵐ*bwa* « porc »
(BIRM. *wak,* TIB. *p'ag),* ᵑ*ſę* « oreille » (BIRM. *na,* TIB. *rna),*
ᵐ*blĕi* « riz » (TIB. *ɔbras) ;* et toutes les consonnes finales
ont disparu sauf *ṅ* qui a absorbé toutes les nasales. Les mots
invariables sont monosyllabiques, mais de nombreuses
expressions composées, nominales et verbales, suppléent
au petit nombre des syllabes utilisables.

Particules et auxiliaires. — On distingue normalement
pour le nom un genre animé et un genre inanimé, qui se
marquent par les particules *tǫ* et *lǫ* : « le père » *tǫ či,* « le
cheval » *tǫ neṅ₃,* « le couteau » *tǫ tra,* « la houe » *tǫ hlŏu;*
« la maison » *lǫ ćę₃,* « le ventre » *lǫ plaṅ₃.* Ils ont l'air de
former un couple, et il n'est pas vraisemblable que *tǫ* seul
ait été emprunté aux langues thai où il marque l'animé :
ce n'est qu'une coïncidence. Le verbe distingue l'action
en voie d'accomplissement de l'action accomplie, mais la
particule de l'accompli *lăö* est empruntée au chinois, et
se place comme la particule chinoise après le verbe : *wa
lăö₂* « il a travaillé ». Le duratif s'exprime par un auxiliaire
ćęṅ : ćęṅ wa « il est en train de travailler ».

La phrase. — La construction de la phrase diffère de la construction tibéto-birmane normale : le complément du nom précède bien le nom qu'il détermine : *tǫ P'ęṅ² tǫ žǎö³* « le mari de P'eng » ; mais le verbe, au lieu de se mettre à la fin de la phrase, se place entre le sujet et l'objet : *tǫ hmǫṅ₃ mǫ ka₃ i šyǫṅ i ža₃ sö* « les Miao-tseu *(tǫ hmǫṅ₃)* vont *(mǫ)* au marché *(ka₃)* une fois *(i ža₃ sö)* par an *(i šyǫṅ)* ». On serait tenté d'y voir une innovation due à l'influence du chinois si le karen ne présentait le même caractère ; il est permis de se demander si ces deux rameaux, karen et miao-tseu, ne conservent pas la trace d'un état du tibéto-birman antérieur à celui des autres langues de la famille, état où la construction de la phrase, plus libre, n'imposait pas le rejet du verbe en queue.

Henri MASPERO.

BIBLIOGRAPHIE

TRAVAUX GÉNÉRAUX

1. Sir George A. GRIERSON, *Linguistic Survey of India*, vol. III, *Tibeto-Burman Family*, Part I, General Introduction, Specimens of the Tibetan Dialects, the Himalayan Dialects and the North-Assam Group, Calcutta, 1909.

—, Pt. II, Specimens of the Bodo, Nāgā, and Kachin Groups, Calcutta, 1903.

—, Pt. III, Specimens of the Kuki-Chin and Burma Groups, Calcutta, 1904.

2. Stuart N. WOLFENDEN, *Outlines of Tibeto-Burman Linguistic Morphology, with special reference to the Prefixes, Infixes and Suffixes of Classical Tibetan, and the Languages of the Kachin, Bodo, Nāgā, Kuki-Chin and Burma Groups*, Royal Asiatic Society, Prize Publication Fund, vol. XII, Londres, 1929 [Bibliographie, p. 203-214.]

3. August CONRADY, *Eine indochinesische Causativ-Denominativ Bildung und ihr Zusammenhang mit den Tonaccenten, ein Beitrag zur vergleichenden Grammatik der indochinesischen Sprachen, insonderheit des Tibetischen, Barmanischen und Siamesischen*, Leipzig, 1896.

4. Walter SIMON, *Tibetisch-Chinesische Wortgleichungen, ein Versuch*, Mitt. des Seminars für Orient. Spr., XXXII, 1, Berlin, 1930.

5. Bernhard KARLGREN, *Tibetan and Chinese*, T'oung Pao, XXVIII 1931, p. 25-70.

6. Berthold LAUFER, *The Si-hia Language, a study in Indo-Chinese Philology*, ib., XVII, 1916, p. 1-128.

7. Stuart N. WOLFENDEN, *Concerning the Origins of Tibetan* brgiad *and Chinese* pwât « *eight* », J. R. As. Soc., 1934, p. 165-173.

8. —, *On certain Alternations between Dental Finals in Tibetan and Chinese*, ib., 1936, p. 402-421.

9. —, *Concerning the Variation of Final Consonants in Word Families of Tibetan, Kachin, and Chinese*, ib., 1937, p. 625-655.

10. Robert SHAFER, *Sino-Tibetica*, Berkeley, 1938 ; *The Vocalism of Sino-Tibetan*, J. Am. Or. Soc., LX, 1940, p. 302-337, LI, 1941, p. 18-31 ; *Problems in Sino-Tibetan Phonetics*, ib., LXIV, 1944, p. 137-143 ; *The Initials of Sino-Tibetan*, ib., LXX, 1950 ; *L'annamite et le tibéto-birman*, B. E. Fr. E.-Or., XL, II, 1941, p. 439-442 ; *Annamese and Tibeto-Burmic*, Harvard J. As. St., VI, 1942, p. 399-402 ; *Further Analysis of the Pyu Inscriptions*, ib., VII, 1943, p. 313-366 ; *Prefixes in Tibeto-Burmic*, ib., IX, 1945, p. 45-50 ; *Khimi Grammar and Vocabulary*, Bull. School Or. and Afr. Studies, XI, 1944, p. 386-434 ; *Hruso*, ib., XII, 1947, p. 184-196 ; *Studies in the Morphology of Bodic Verbs*, ib., XIII, 1950 ; *Phonétique comparée de quelques préfixes simples en sino-tibétain*, B. Soc. L. Paris, XLVI, I, 1950, p. 144-171.

10 *bis*. Paul K. BENEDICT, *Studies in Indo-Chinese Philology*, Harvard J. As. St., V, 1940, p. 101-127.

10 *ter*. *Sino-Tibetan Linguistics* [collection de matériaux, compilée par Robert SHAFER et Paul K. BENEDICT, sous la direction de A. L. KROEBER, environ 16 vol. dactylographiés, en dépôt à la Library of Congress et dans d'autres institutions américaines ; cf. Bull. Soc. L. Paris, XLVI, I, 1950, p. 147, n. 1].

LANGUES PARTICULIÈRES

11. J. BACOT, *Une grammaire tibétaine du tibétain classique. Les ślokas grammaticaux de Thonmi Sambhota, avec leurs commentaires*, Annales du Musée Guimet, Bibl. d'Études, XXXVII, Paris, 1928.

11 *bis*. —, *Grammaire du tibétain littéraire*, 2 vol., Paris, 1946-1948.

11 *ter*. M. LALOU, *Manuel élémentaire de tibétain classique (méthode empirique)*, Paris, 1950.

12. J. SCHUBERT, *Tibetische Nationalgrammatik, Das Sum-cu-pa und Rtags-kyi-'ajug-pa des Lama Dbyaṅs-can-grub-pai-rdo-rje*, Mitt. des Seminars für Orient. Spr., XXXI (1928), I, p. 1-59, XXXII (1929), p. 1-54, Berlin, 1928-1929, et Artibus Asiae, 1st Supplement, Leipzig, 1937.

13. Sarat Chandra DAS, *An Introduction to the Grammar of the Tibetan Language*, Darjeeling, 1915.

14. —, *A Tibetan-English Dictionary*, Calcutta, 1902.

15. P. CORDIER, *Cours de tibétain classique*, Hanoi, 1907.

16. H. A. JÄSCHKE, *Tibetan Grammar*, 3rd ed., Addenda by A. H. FRANCKE, assisted by W. SIMON, Berlin-Leipzig, 1929.

17. —, *A Tibetan-English Dictionary*, Londres, 1881.

17 *bis*. G. DE ROERICH, *Modern Tibetan Phonetics*, J. R. As. Soc. of Bengal, 1931.

18. Berthold LAUFER, *Bird Divination among the Tibetans*, T'oung Pao, XV, 1914 : Phonology of Document Pelliot, p. 95-110 ; *Loan-words in Tibetan*, T'oung Pao, XVII (1916), p. 403-552.

18 *bis*. R. SHAFER, *The Prefix* m- *with certain Substantives in Tibetan*, Language, IV, 4, 1928, p. 277 sq.

19. R. STEIN, *Notes d'étymologie tibétaine*, B. E. Fr. E.-Or., XLI, II, 1942, p. 202-232.

20. LI Fang-kuei, *Certain phonetic Influences of the Tibetan Prefixes upon the Root Initials*, Academia Sinica, Bull. of the Nat. Res. Inst. of Hist. and Philology, IV, 2, 1933, p. 135-157.

21. Walter SIMON, *Certain Tibetan Suffixes and their Combinations*, Harvard J. As. St., V, 1941, p. 372-391 ; *Tibetan* dañ, ciñ, kyin, yin *and* ẖam, Bull. School Or. and Afr. Studies, X, 1942, p. 954-975 ; *The Range of Sound Alternations in Tibetan Word Families*, Asia Major, New. Ser., I, 1949, p. 3-15.

21 *bis*. H. N. von KÖRBER, *Morphology of the Tibetan Language, a Contribution to comparative Indosinology*, San Francisco, 1930.

21 *ter*. C. REGAMEY, *Considérations sur le système morphologique du tibétain littéraire*, Cahiers Ferdinand de Saussure, VI, Genève, 1947, p. 26-46.

21⁴. URAY Géza, *The Classification of the Dialects of Eastern Tibet* (en hongrois, rés. en anglais), Dissertationes Sod. Inst. As. Interioris, IV, Budapest, 1949.

21⁵. Stuart N. WOLFENDEN, *Notes on the Jyarung Dialect of Eastern Tibet*, T'oung Pao, XXXII (1936), p. 167-204 ; *The Prefix* -m *with certan Substantives in Tibetan*, Language, IV, 1928, p. 277-280 ; *On certain Alternations between Dental Finals in Tibetan and Chinese*, J. R. As. Soc., 1936, p. 401-416 ; *Concerning the Variation of Final Consonants in the Word Families of Tibetan, Kachin and Chinese*, ib., 1937, p. 625-655.

21⁶. WEN YU, *A tentative Classification of the Ch'iang Languages in Northwestern Szechuan*, Studia Serica, II, Chengtu, 1941, p. 38-70 (en chinois). Nombreux articles du même auteur sur les langues K'iang, Jyarung et Lolo, dans les volumes suivants du même périodique (en chinois) et dans Bull. of Chin. St., III, Chengtu, 1943 et suivants (rés. en anglais).

21⁷. KIN P'eng, *Étude sur le Jyarung*, Han-hiue, III, 3-4, p. 210-310, Pékin, 1949.

21⁸. F. W. THOMAS, *Nam, an ancient language of the Sino-Tibetan Borderland*, Londres, 1948.

22. A. JUDSON, *A Grammar of the Burmese Language*, Rangoon, 1888.

23. JUDSON'S *Burmese-English Dictionary*, revised and enlarged by Robert C. STEVENSON, revised and edited by F. H. EVELETH, Rangoon, 1921.

23 *bis*. J. A. STEWART et C. W. DUNN, *Burmese-English Dictionary*, Part I, Hertford, 1941 ; J. A. STEWART, *An introduction to colloquial Burmese*, Rangoon, 1936.

24. L. VOSSION, *Grammaire franco-birmane d'après A. Judson*, Paris, 1889.

25. A. W. LONSDALE, *Burmese Grammar and Grammatical Analysis*, Rangoon, 1899.

25 *bis*. W. CORNYN, *Outline of Burmese Grammar*, Suppl. to Language, vol. 20, n° 4, Baltimore, 1944.

26. P. M. Tin, *Burmese Archaic Words and Expressions*, J. of the Burma Research Society, V, 1915, p. 59-90.

26 *bis*. Paul K. Benedict, *On the Restitution of Final Consonants in certain words of Burmese*, Acta Or., XVII, 1939.

27. Paul Vial, *Dictionnaire français-lolo, dialecte gni*, Hongkong, 1909.

28. Alfred Liétard, *Notions de grammaire lo-lo (dialecte A-hi)*, Bull. E. F. d'E.-Or., IX, 1909, p. 285-314, et T'oung Pao, XII, 1911, p. 627-662.

29. —, *Notes sur les dialectes lo-lo*, Bull. E. F. d'E.-Or., IX, 1909, p. 549-572.

30. —, *Essai de dictionnaire lo-lo-français, dialecte A-hi*, T'oung Pao, XII, 1911, p. 1-37, 123-156, 316-346, 544-558.

31. —, *Vocabulaire français-lolo, dialecte A-hi*, *ib.*, XIII, 1912, p. 1-42.

32. —, *Au Yun-nan. Les Lo-lo-p'o*. Bibliothèque Anthropos, I, 5, Münster, 1913.

33. S. M. Shirokogoroff, *Phonetic Notes on a Lolo Dialect and Consonant L*, Ac. Sinica, Bull. Nat. Res. Inst. H. Ph., I, 2, 1930, p. 183-225.

34. Yang Ch'êng-chih, *A Lolo Transliteration of T'ai-shang-ch'ing-ching-hsiao-tsai-ching*, *ib.*, IV, 2, 1933, p. 175-198 (en chinois).

35. Ting Wen-kiang, *Ts'ouan-wen-ts'ong-k'an* (Recueil de textes lolo), *ib.*, Monograph XI, 1936 (en chinois).

36. Ching-chi Young, *L'écriture et les manuscrits lolos*, Publ. de la Bibliothèque Sino-Internationale, n° 4, Genève, 1935 (préface d'Henri Maspero).

37. A. Bonifacy, *Étude sur les langues parlées par les populations de la haute Rivière Claire*, note additionnelle d'Édouard Huber, B. E. Fr. E.-Or., V, 1905, p. 311-327.

38. —, *Étude sur les coutumes et la langue des Lo-lo et des La-qua du Haut Tonkin*, *ib.*, VIII, p. 531-558.

39. J. Bacot, *Les Mo-so. Ethnographie des Mo-so, leurs religions, leur langue, leur écriture*, Leiden, 1913.

40. J. F. Rock, *Studies in Na-khi Literature*, B. E. Fr. E.-Or., XXXVII, 1937, p. 1-119 ; *The Romance of K'a-mä-gyu-mi-gkyi, a Na-khi Tribal Love Story, translated from Na-khi Pictographic Manuscripts, transcribed and annotated*, *ib.*, XXXIX, 1939, p. 1-152 ; *The Muan Bpö Ceremony...*, Mon. Serica, XIII, Pékin, 1948, p. 1-160.

40 *bis*. Fu Mao-chi, *A Study of the Moso Language (Wei-hsi Dialect)*, Studia Serica, I, Chengtu, 1940, p. 416-434, II, 1941, p. 72-134 (rés. en anglais) ; *A Moso Vocabulary (Wei-hsi Dialect)*, Bull. of Ch. Studies, VIII, Chengtu, 1949, p. 245-292 (rés. en anglais).

41. Hanson, *A Grammar of the Kachin Language*, Rangoon, 1896.

42. —, *A Dictionary of the Kachin Language*, Rangoon, 1906.

43. H. F. Hertz, *A practical Handbook of the Kachin or Singpho Language*, Rangoon, 1911.

44. Biren Bonnerjea, *Contribution to Garo Linguistics and Ethnology*, Anthropos, XXX, 1935, p. 509 sqq., 837 sqq., XXXI, 1936, p. 141 sqq., 456 sqq.

45. T. Grahame Bailey, *The Languages of the Northern Himalayas, being Studies in the Grammar of twenty-six Himalayan Dialects*, R. As. Soc. Monographs, XII, Londres, 1908.

46. —, *English-Kanauri and Kanauri-English*, ib., XIII, 1911.

47. —, *Linguistic Studies from the Himalayas*, ib., XVII, 1920.

48. —, *Grammar of the Shinā (Şiṇā) Language*, R. As. Soc., Prize Publ. Fund, VIII, 1924.

48. Biren BONNERJEA, *Phonology of some Tibeto-Burman Dialects of the Himalayan Region*, T'oung Pao, XXXII, 1936, p. 238-258.

49. —, *Morphology of some Tibeto-Burman Dialects of the Himalayan Region*, ib., XXXIII, 1937, p. 301-360.

50. J. WADE, *A Dictionary of the Sgau Karen Language*, Rangoon, 1896.

51. R. J. R. BROWN, *Elementary Hand-book of the Red Karen Language*, Rangoon, 1900.

52. W. C. B. PURSER, etc., *A Comparative Dictionary of the Pwo-Karen Dialects*, Rangoon, 1920-1922.

53. A.-G. HAUDRICOURT, *Restitution du karen commun*, Bull. Soc. Ling. de Paris, XLII, 1, 1946, p. 103-111.

54. F. M. SAVINA, *Dictionnaire miao-tseu-français*, B. E. Fr. E.-Or., XVI, 2, 1916, p. i-xxii, 1-246.

55. TORII Ryūzō, *Byōzoku-chōsa-hōkoku* (Rapport de recherches sur les peuplades Miao), Tōkyō, 1907 (en japonais).

56. Alexander HOSIE, *Three Years in Western China*, 2ᵉ éd., Londres, 1897.

57. JOUEI Yi-fou, *Les termes de parenté en miao-tseu*, Ac. Sinica, Bull. Hist. Phil., XIV, 1949, p. 307-340 (en chinois).

58. LI Fang-kuei, *Language*, dans *Chinese Year-Book*, Chungking, 1943 (sur l'ensemble des langues non chinoises du Sud-Ouest de la Chine).

LES LANGUES THAI[1]

Extension et répartition. — Les langues thai sont parlées en Indochine et dans le Sud de la Chine par une douzaine de millions de personnes, environ quatre millions de Siamois, autant de Laotiens divisés entre le Siam et l'Indochine française, et le dernier tiers partagé presque également entre les populations de l'Indochine française, de la Haute Birmanie et des provinces chinoises frontalières. Elles occupent une large bande de territoire dirigée de l'Ouest à l'Est, en Assam, dans le Nord de la Birmanie, au Tonkin ainsi que dans les provinces chinoises du Yun-nan, du Kouei-tcheou, du Kouang-si et du Kouang-tong, avec une pointe vers le Sud le long du Mékhong et de la Ménam, au Laos et au Siam. Les principales langues sont : en Assam, le khāmtī et l'āhom (ce dernier mort depuis le XVIIIᵉ siècle n'est plus qu'une langue religieuse) ; en Birmanie et au Yun-nan, le *tăi-ñai* qu'on appelle ordinairement chan, du nom que lui donnent les Birmans ; aux confins du Laos, du Tonkin et de l'Annam, le tai-noir ; au Tonkin, sur les deux rives du Fleuve Rouge et jusqu'à Lang-son, le tai-blanc, qu'on appelle souvent thô parce que les Annamites qualifient les populations de la région montagneuse de ¡thô-nhân, « les indigènes » ; à Cao-bang et au Kouang-si, le nung ; au Kouei-tcheou et au Kouang-si, le dioi ; enfin au Laos et au Siam, le laotien et le siamois, ce dernier étant la seule langue de la famille qui se soit élevé à la vie littéraire. Toutes ces langues sont très proches les unes des autres et diffèrent très peu. Mais, en bordure du domaine thai, quelques langues séparées depuis longtemps du tronc commun, et imprégnées de mots des

1. Voir carte XII.

parlers auxquels elles se sont substituées, présentent un aspect si aberrant que certains linguistes hésitent à les classer dans la famille thai ; les mieux connues sont l'annamite, parlé au Tonkin, sur la côte d'Annam, et en Cochinchine, dont le vocabulaire présente un mélange de mots thai et de mots mon-khmer, et le lai parlé à l'intérieur de l'île de Hai-nan dans le golfe du Tonkin, où le mélange s'est fait entre mots thai et mots d'une langue malayo-polynésienne.

Emprunts. — Toutes ces langues ont subi fortement l'influence de grandes civilisations voisines, celle de l'Inde et celle de la Chine : celles du Kouang-si ont emprunté beaucoup de mots chinois, celles du Tonkin beaucoup de mots annamites, les Khāmtī de l'Assam des mots bengali ; les Chan ont été longtemps soumis aux Birmans, les Siamois et les Laotiens l'ont été aux Cambodgiens, et leurs langues en portent la trace ; de plus, Chan, Siamois et Laotiens se sont convertis au bouddhisme et ont admis nombre de mots pāli : cette intrusion de dissyllabes d'origine .cambodgienne et de ʿpolysyllabes d'origine pāli a donné au siamois un aspect particulier.

Écritures. — Les langues thai sont toutes pourvues d'écritures, à l'exception de celles du Tonkin septentrional, du Kouei-tcheou et du Kouang-si. Une seule de ces écritures est imitée de l'écriture chinoise, ou plutôt de celle que les Annamites avaient imaginée pour noter leur propre langue; c'est celle des Tai-blancs de la région de Lang-son, dans le Nord-Est du Tonkin. Toutes les autres sont d'origine indienne : les Chan ont emprunté en la simplifiant l'écriture birmane, les Siamois et les Laotiens ont adapté à leurs besoins l'écriture cambodgienne, les Tai-noirs et les Tai-blancs de Phu-qui ont, à leur tour, pris et simplifié l'écriture laotienne ; mais, chez ces derniers, l'influence du chinois (venue par l'intermédiaire de l'administration annamite, dont le chinois était la langue officielle) a fait disposer les lettres en lignes verticales, fait unique parmi les écritures d'origine indienne.

Littératures. — Il existe en siamois et en laotien des littératures relativement peu anciennes, la langue proprement littéraire des Thai de civilisation indienne ayant été le pāli. Chez les Annamites, dont la langue littéraire était le chinois, la littérature en « langue nationale » a pris à l'époque moderne un développement considérable.

Système phonique. — Le système phonique est simple : un vocalisme varié où les *a*, *e*, *o*, et *ö* présentent des différences d'ouverture sensibles, mais non les *i* et *u* ; des diphtongues à premier élément *i*, *u*, et au moins deux diphtongues *ăi*, *ŏu*, où ils sont second élément (les diphtongues dérivées de *ö* semblent être partout de formation récente). Quant aux consonnes, le thai commun avait des occlusives et des fricatives, mais peu d'affriquées. Les occlusives présentaient cinq classes distinctes, sourde, sourde aspirée, sonore, nasale et de plus une mi-sourde, au moins pour les dentales et les labiales, *D l t' d n*, *B p p' b m*, mais non pour les gutturales et palatales, *k k' g ṅ, t' t'‘ d' ñ ;* pas de cacuminales ; le ton des mots à initiales vocaliques dans les langues actuelles montre qu'aucune voyelle n'était originairement initiale et qu'en thai-commun leur articulation était précédée d'une occlusive laryngale sourde. Toutes les fricatives étaient sourdes, sauf peut-être *g* à côté de *k*. Les seuls groupements de consonnes tolérés étaient ceux d'une occlusive avec *l* ou *r*, ou de *h* avec une nasale ou une sonante ; pas de groupements d'occlusives : les correspondances de vocabulaire entre tibéto-birman et thai montrent qu'ils ont toujours été réduits, sans qu'on puisse reconnaître dans quels cas les préfixes ont été éliminés ou conservés : AHOM *pel*, CHAN *pel*, SIAMOIS *pe* = TIBÉTAIN *brgyad*, « 8 » ; mais : AHOM *kau*, CHAN *kau*, SIAM. *kao* = TIB. *dgu*, « 9 ». Les occlusives sourdes (sauf la palatale) et les nasales étaient les seules consonnes supportées à la finale. Le système des tons était en partie sous la dépendance de l'initiale : les inflexions (égale, montante, descendante) avaient trois hauteurs, haute avec les initiales aspirées, moyenne avec les initiales ou préfixes sourds, basse avec les initiales ou préfixes sonores.

Toutes les langues thai ont perdu récemment leurs sonores, qui sont devenues des sourdes aspirées en siamois ou en laotien, des sourdes non aspirées partout ailleurs ; c'est la raison pour laquelle le nom que ces populations se donnent à elles-mêmes, anciennement *dăi*, est prononcé *t'ăi* en siamois et laotien, *lăi* en chan, en tai-blanc, en tai-noir, etc. Les mi-sourdes sont devenues, en chan, en tai-noir et en dioi : B>*m*, D>*n* ou *l*. Dans les groupes de consonnes, *h* initiale devant liquide ou nasale est tombée régulièrement dans toutes les langues, bien que l'écriture l'ait presque toujours maintenue. Au contraire, derrière les occlusives, c'est la liquide qui est presque toujours tombée : l'écriture de l'āhom et du siamois l'ont souvent conservée, mais la lecture traditionnelle du premier ne la prononce jamais, et dans le second, l'influence conservatrice de l'orthographe non seulement l'a protégée dans beaucoup de mots, mais encore la maintient dans une prononciation distinguée en certains mots où la langue populaire l'a souvent perdue : d'où de nombreux doublets avec ou sans liquide. En tai-blanc et en dioi, la liquide tombée est quelquefois représentée par un *ĭ* ou un *ĕ*.

Le mot. — Les mots sont tous monosyllabiques. Toutefois, en siamois (et en laotien) les emprunts au cambodgien et au pāli, en chan les emprunts au pāli, ont été si considérables que, malgré la tendance des mots empruntés à s'abréger, les dissyllabes et même les polysyllabes sont aujourd'hui nombreux. Les mots sont toujours invariables : si la dérivation par préfixes asyllabiques existait peut-être en thai commun, elle n'a laissé que de faibles traces dans le vocabulaire des langues modernes ; au reste l'intolérance de la langue commune pour presque tous les groupes consonantiques en réduisait la portée. L'alternance des initiales sourdes et sonores n'a laissé dans le vocabulaire siamois que des traces à peine sensibles ; dans les autres langues, la confusion des sourdes et des sonores n'en a rien laissé subsister.

Nom et verbe. — La distinction des classes de mots est à peu près inexistante. Beaucoup de mots sont employés indifféremment comme noms et comme verbes ; toutefois l'emploi généralisé des particules de classe pour les noms, des affixes d'aspect pour les verbes, tend à établir une distinction que l'influence du pāli contribue à marquer encore davantage en siamois et en chan. Les noms distinguent deux genres, animé et inanimé, à l'aide de sortes d'articles, dont l'emploi est plus ou moins étendu dans chaque langue, **tu* pour l'animé (SIAM. *tua*, AHOM *tu*, CHAN *lo*, TAI-NOIR TAI-BLANC *lo*) et **ăn* pour l'inanimé (SIAM, T.-N., T.-BL. *ăn*).

Les aspects. — Le verbe exprime le procès de façon impersonnelle ; il oppose l'action en voie d'accomplissement à l'action accomplie, et cette dernière est envisagée tantôt simplement dans le fait même de l'achèvement, tantôt dans le résultat auquel conduit l'achèvement. La manière d'exprimer ces divers aspects paraît remonter au thai-commun, car elle est la même dans presque toutes les langues modernes : l'action en voie d'accomplissement se marquait par le verbe **yu* « être dans » postposé (SIAM. yu_1, SHAN $y\bar{u}_1$, AHOM, KHAMTI $\bar{u}$), l'action accomplie envisagée dans son résultat par le verbe **leọ* postposé (SIAM. LAOT. $leọ^3$, TAI-BLANC *leo*, TAI-NOIR *leo*, DIOI *lẹu*, CHAN, KHAMTI *yău*, AHOM *jău*, ANNAMITE $rọ̆i_3$), l'action accomplie envisagée simplement comme un fait, sans notion de durée ni de résultat, par le verbe **Dai* « obtenir » antéposé (SIAM. LAOT. $Dăi_3$, DIOI Dai_3, TAI-BLANC $Dăi$, TAI-NOIR *lăi*, CHAN *lăi*). Celles des langues modernes qui ont perdu ces anciens procédés les ont remplacés par d'autres analogues.

La phrase. — L'ordre des mots dans la phrase est fixe : toute relation s'exprime par position. Le déterminant se place après le déterminé : SIAM. luk_1 ban_3 ni^3; DIOI ho^3 ban_3 un_3, « les gens de ce village », litt. « gens village ce » ; SIAM. *roẹṅ* $kuaṅ_3$, DIOI ran_1 $kuaṅ_1$, « (une) grande maison », litt. « maison grande ». Le mot désignant ce à quoi est appliqué le procès se met après le mot exprimant le procès : SIAM. *păi Ƀan₃*, DIOI *pai Ƀan₃*, CHAN *păi man₃*, « aller au village » ; SIAM. *kĭn k'ăo yĕn*, DIOI *ken₂ hau₃ šau*, CHAN *kĭn² k'au₃*, *k'ăm₃*, « dîner » (litt. manger le riz du soir). Un seul procédé de relation entre les mots rend la syntaxe d'autant plus pauvre que les langues thai n'ont pas, comme les langues tibéto-birmanes, multiplié les particules de relation. Elles y ont remédié en opposant à leur unique procédé de relation un procédé de non-relation.

Ce procédé consiste plutôt dans la façon d'envisager les éléments de la phrase que dans la construction elle-même : les mots en non-relation, bien que nécessairement placés l'un après l'autre, sont présentés comme deux termes indépendants. C'est ce procédé qu'on emploie pour attribuer une qualité à une chose : le premier mot ou groupe de mots désigne la chose qualifiée, et le second la qualité attribuée ; si les mots étaient en relation, le second déterminerait le premier et serait ce que nous appelons une épithète ; quand ils sont en non-relation, c'est une proposition prédicative : SIAM. *k'ǫn-ni³ ćăi-ɒi* « cet homme est bon » (litt. *k'ǫn-ni³* cet homme *ćăi-ɒi* cœur bon) ; DIOI *pǫ rau₁ kię²* « notre père est vieux » (*pǫ* le père *rau₁* (de) nous *kię²* vieux) ; CHAN *kǫn-nai₄ lī²* « cet homme est bon » (*kǫn-nai₄* cet homme *lī²* bon); KHAMTI *mā kau lin-han* « mon cheval est boiteux » (*mā* le cheval *kau* (de) moi *lin-han* pied-boiteux). Malgré l'identité de forme des constructions en relation et en non-relation, il n'y aucune confusion possible : quand les deux termes sont en relation, ils ne peuvent constituer une phrase complète et il y a ailleurs un verbe ; quand ils sont en non-relation, les deux termes suffisent à constituer une phrase complète ; en parlant, la voix marque bien la différence. Quand on veut insister, on relie plus étroitement les termes en relation (par ex. en shan par l'article du genre inanimé *ăn: kǫn ăn li²* « un homme qui est bon » ; en siamois par l'apposition du mot *t'i₃* « lieu » : *k'on t'i₃ k'ai₂* « l'homme qui a vendu »). Il arrive aussi qu'on introduise un verbe servant de copule, ce qui ne change en rien la construction, puisque le terme

rédicatif, copule comprise, peut aussi bien être en relation
qu'en non-relation avec le mot précédent : c'est le fait
qu'il est ou non une phrase indépendante qui donne à
IAM. $k'\rho n\text{-}ni^3$ $p\breve{e}n$ $\acute{c}\breve{a}i\text{-}Di$ le sens de « cet homme est bon »
ou de « cet homme qui est bon... » Ce procédé de non-
relation permet de faire entrer dans la phrase des termes
qui ne sont pas liés aussi étroitement à un nom ou un verbe
que l'exige le procédé de relation : on les laisse en dehors
des syntagmes que constituent les mots mis en relation,
et on les place ordinairement avant eux, quelquefois après.
C'est le cas de l'expression du temps : SIAM. $v\breve{a}n\text{-}ni^3$ $c'a\dot{n}_2$
$\breve{a}i_3$ $p\breve{a}i$ $n\breve{a}i$ pa « je suis allé hier $(v\breve{a}n\text{-}ni^3)$ dans la forêt » ;
HAN $l\bar{\rho}_3\text{-}li\bar{\rho}^2\text{-}n\breve{a}i_4$ $k\breve{a}u^2$ $\bar{a}m_1$ $k\rho_1\text{-}l\breve{a}i_3$ « je ne peux m'en aller
maintenant » (litt. $l\bar{\rho}_3$ moment $li\bar{\rho}^2$ unique $n\breve{a}i_4$ celui-ci
$\breve{a}u^2$ moi $\bar{a}m_1$ il n'y a pas $k\rho_1\text{-}l\breve{a}i_3$ pouvoir aller) ; mais
IAM. $c\breve{a}\text{-}kl\breve{a}B_1$, ma $m\ddot{\rho}\breve{a}_3$ $r\breve{a}i$ « quand $(m\ddot{\rho}\breve{a}_3\text{-}r\breve{a}i)$ reviendrez-
vous? » ; DIOI ku_2 pai_2 gon_1 ni_3 « je pars aujourd'hui »
$g\rho n_1\text{-}ni_3)$.

Le sujet. — C'est surtout le cas du complément marquant
l'origine de l'action, qui correspond à ce que nous appelons
le sujet du verbe : le mot qui l'exprime est placé en tête
de la phrase, en non-relation, et le mot exprimant le procès
est mis à sa suite, comme le terme prédicatif est mis après
le terme dont il est prédiqué quelque chose : SIAM. $k'\breve{a}\rho$
$\breve{a}i$ $l\breve{e}\ddot{\rho}^3$ « ils sont morts » ; $t'a\dot{n}\text{-}ni^3$ $p\breve{a}i$ $t'\ddot{o}\dot{n}_2$ $m\ddot{\rho}\breve{a}\dot{n}$ « ce chemin
mène à la ville » (litt. $t'a\dot{n}\text{-}ni^3$ ce chemin $p\breve{a}i$ on va $t'\ddot{o}\dot{n}_2$
jusqu'à $m\ddot{\rho}\breve{a}\dot{n}$ la ville) ; DIOI ron_2 ni_3 lai^2 pan_1 mi_1 pan_1
« ce chemin est-il praticable ? » (litt. ron_2 ni_3 ce chemin
$\breve{a}i_2$ marcher pan_1 y a-t-il mi_1 pan_1 n'y a-t-il pas ?). Le
procès étant exprimé impersonnellement, son origine,
loin d'être considérée comme étant avec lui en une relation
privilégiée, est au contraire conçue comme un fait circonstanciel ne s'y rattachant qu'indirectement ; ce que nous
appelons sujet n'est que l'une des modalités de l'action
impersonnelle, comme le lieu, le temps ou la manière ;
et il n'existe rien de la distinction, essentielle en tibétain,
de l'origine de l'action (sujet), agente ou patiente de cette

20

action, suivant que l'action est appliquée ou n'est pas
appliquée à un objet.

Auxiliaires verbaux. — Les procès complexes ne peuvent
s'exprimer qu'en se décomposant en leurs éléments simples
de façon qu'il y ait toujours un verbe particulier pour
chacun des procès élémentaires analysés. Par exemple
en siamois, « donner un objet à quelqu'un » devient « lever
un objet donner quelqu'un » ; « enfoncer dans » devient
« pousser quelque chose pénétrer dans... » ; « envoyer
quelqu'un à un endroit », c'est « envoyer quelqu'un aller
à... » ; en dioi, « frapper quelqu'un avec un bâton », c'est
« prendre un bâton frapper quelqu'un » ; en chan « doubler
sa veste avec du coton » c'est « prendre du coton doubler... »
etc. Il en est résulté dès le thai-commun l'emploi généralisé
de verbes auxiliaires exprimant des notions simples qui
tendent à devenir des outils grammaticaux : les mots
« prendre » *$ɔ\breve{o}u$ (siam. $\breve{a}ọ$, T.-N., T.-BL. $\breve{a}u$, DIOI au_2
CHAN $\breve{a}u$, AHOM $a\ddot{u}$) et « donner » *$h\breve{a}\ddot{o}$ (SIAM. $h\breve{a}i$, LAOT. $h\ddot{o}$
T.-N., T.-BL. $h\breve{a}\ddot{o}$) servent régulièrement à introduire le
complément direct et le complément indirect par de petites
propositions préparatoires qui se placent avant la proposition conclusive. D'autre part, on fait suivre le verbe
exprimant l'action principale de verbes exprimant le
résultat dernier de l'action : en siamois « mourir » ou
« payer de l'argent » sont souvent suivis du verbe *$si\breve{a}$*
« se perdre » ; après avoir analysé les actions préliminaires
on analyse les résultats découlant de l'action. Si le discours
ainsi conduit met un peu trop tous les détails sur le même
plan, et par suite a peine à dégager les notions d'ensemble
cette analyse impose à l'expression de la pensée un caractère
concret qui l'oblige à la précision et à l'exactitude.

La phrase khāmtī. — Les langues thai, on l'a déjà dit,
sont très proches les unes des autres. Cependant une des
langues du Nord-Ouest, le khāmtī (Assam), se distingue
de l'ensemble de la famille par sa construction toute
particulière de la phrase : complément direct, complément
indirect, verbe. La construction normale y existe : *mü-nă*

ău-kọi an-laṅ păi k'ün lọn-măi ka « alors Chau-koi de suite *(an-laṅ)* s'enfuit *(păi)* et monta *(k'ün....ka)* dans un arbre *(lọn-măi)* » ; mais d'ordinaire on préfère mettre les compléments directs ou indirects avant le verbe, en les faisant suivre de la particule *mai : maü sü-mai yü-ka kẹ* « as-tu abattu le tigre *(sü)*? » Cette construction s'explique sans peine : *mai* est un démonstratif emphatique désignant l'objet proche *(pa-mai* « de ce côté-ci »), apposé à *man* désignant l'objet éloigné *(pa-man* « de ce côté-là ») ; il met en vedette le mot sur lequel on veut attirer l'attention, complément direct, indirect, de lieu. Une construction comme *maü sü-mai yü-ka kẹ* a commencé par vouloir dire : « Toi, ce tigre que voici, l'as-tu abattu ? » ou encore *năm-mai pa yaṅ-ū* a signifié : « La rivière *(năm)* que voici, il y a des poissons ! » avant que , la valeur s'en affaiblissant, elle devienne un simple procédé grammatical. Il est plus difficile d'expliquer l'antéposition du complément sans particule : *kau ṅū sǎṅ-lọ han-ka* « j'ai vu deux serpents », litt. *kau* je *ṅū* serpents *sǎṅ-lọ* deux *han-ka* ai vu ; les documents peu nombreux ne montrent cette construction qu'avec un verbe accompagné d'un auxiliaire d'aspect : il semble que cet auxiliaire, qui se place normalement à la fin de la phrase, ait attiré à lui le verbe principal dont les compléments le séparaient, peut-être sous l'influence du bengali, langue indo-européenne où le temps est exprimé par la forme même du verbe : presque tous les Khāmtī sont en effet bilingues.

NUMÉRATION THAI

Thai commun			Siamois
1	*ĕl	15	*sĭp-ha*
2	*ñi	25	*yi-sĭp-ha*
3	*sam	50	*ha-sĭp*
4	*si	100	*roi*
5	*rṅa	1.000	*phăn*
6	*hrŏk	10.000	*mön*
7	*čĕl		
8	*pĕl		
9	*kĕu		
10	*sĭp		

TEXTE SIAMOIS

la   *ǫn₁ pĕn*   *k'ǫn ćön;*   Ban₃
Grand-père [= Monsieur] On était (un) homme pauvre ; (son) domicil∙

yu₁   *klăi₃-klăi₃*   *pa₁;*   *păi*   *pa₁*   *ha₂*   *fön*
était tout près de (la) forêt ; il allait (à la) forêt chercher (du) bois

ma   *k'a³*   *sămö₂;*   *ke*   Dăi₃   *ňön*
venait   faire   commerce   continuellement ;   il   obtenait   l'argen∙

  k'a₃   *fön*   *ni³*   *ma*   *liěň³*   *luă.*   *wăn nöň*
(du) commerce (de) bois ce (il) venait nourrir (son) corps. Jour   un

ke   *t'ö₂*   *k'wan₂ k'ǫň₂*   *ke*   *k'ăo₃*   *păi făn*   *măi³*
il   portait (sa) hache chose (de) lui, (il) entrait allait frapper (du) boi∙
(marque d'appartenance)

năi   *pa₁,*   *söň₁*   *yu,*   Bǫn   *făň₁*   *me₃*   *năm³;*
dans la forêt, ce qui était dans-sur (le) bord (de la) Mère (des) Eaux
               (Ménam)

  möă₃   *ke kămlăň făn yu₁ năn³*   *k'wan₂ k'ǫň₂*   k∙
(au) moment (où) il juste frappait dans cela = là (la) hache chose de lu∙

kră Dĕn   *lǫň*   *păi*   *siă₂*   *năi năm³;*   *ke lǫň*   *năm³*
rebondit descendit alla se perdre dans l'eau ; il descendit (dans) l'eau∙

  Dăm   *ha₂*   *yu₁*   *pĕn*   *nan*   *kǫ₃ măi₃ Dăi₃;*   *ćöň năň*
plongea chercher fut-dans c'est longtemps aussi ne pas put ; alors il s'assi∙
      (duratif)

rǫň³ *hăi₃*   *yu₁*   Bǫn   *făň₁*   *me₃ năm³.*
pleura donna étant - dans sur (le) bord (de la) Ménam.

Traduction

   Monsieur On était un pauvre homme, qui demeurai∙
tout près de la forêt et allait y chercher du bois pour l∙
vendre ; c'est ainsi qu'il gagnait sa vie. Un jour que
portant sa hache, il était allé abattre du bois dans l∙
forêt au bord de la Ménam, juste au moment où il frappa
sa hache rebondit et tomba dans l'eau. Il plongea et l∙
chercha longtemps sans pouvoir la trouver ; alors il s'assi∙
et se mit à pleurer au bord de la Ménam.

LES LANGUES BORDIÈRES

Origines et extension. — Aux points extrêmes du domaine
thǎi du côté de l'Est, au Tonkin et dans l'île de Hai-nan,
des langues thai imposées à des populations parlant des
langues d'autres familles ont pris une forme aberrante, et
l'écart se marque d'autant mieux que les autres langues
thai sont très homogènes. On ne sait comment le lai s'est
imposé à des populations malayo-polynésiennes dans l'île
de Hai-nan. Au Tonkin, lors de la conquête chinoise à la
fin du IIᵉ siècle av. J.-C., une aristocratie héréditaire gou-
vernait une population paysanne ; d'après les légendes
recueillies par les historiens chinois, le dernier souverain
indépendant avait été le fils d'un roi des pays de Chou et de
Pa, dans le Sud-Ouest de la Chine actuelle : il n'est pas
impossible que cette tradition légendaire conserve le souvenir de la descente des seigneurs thai qui, venus le long du
Fleuve Rouge, auraient soumis les populations mon-khmer
du delta tonkinois et leur auraient imposé leur langue en
même temps que l'organisation féodale qui était la leur.
C'est cette langue qui, après bien des vicissitudes, aurait
donné naissance à l'annamite actuel. Du delta du Tonkin,
son domaine s'est étendu vers le Sud, absorbant tout le
Champa et une partie du Cambodge (delta du Mékhong) :
avec ses trois dialectes, tonkinois, annamite, cochinchinois
(dialectes de formation récente et peu différents les uns
des autres), l'annamite est parlé aujourd'hui par 16 millions
et demi de personnes environ. En outre, à la lisière des
Tai-noirs et des Tai-blancs, de la Rivière Noire au mont
Hoang-son, une bande étroite de villages parle les dialectes
dits mu'o'ng, proches parents de l'annamite.

1. *L'Annamite*

Écriture. — L'annamite n'a jamais été une langue de
culture : littérature, administration, justice, tout s'écrivait
en chinois, jusqu'à une époque toute récente ; la littérature
en langue indigène se réduit à quelques poèmes peu anciens.

Aussi le besoin d'une écriture pour noter la langue indigène n'a-t-il jamais été très vivement ressenti. Celle que créèrent les lettrés annamites, imitée de la chinoise, rend chaque mot par un signe particulier ; les caractères en sont presque tous des signes chinois pris en valeur phonétique, soit tels quels, soit pourvus d'éléments diacritiques et formant des combinaisons nouvelles ; c'est ce qu'on appelle les « caractères méridionaux », *chū'-nôm*, ou caractères vulgaires, c'est-à-dire annamites, par opposition aux « caractères des lettrés », *chū'-nho*, qui sont les caractères chinois. Le document le plus ancien qui en soit connu consiste en quelques caractères dans une inscription rupestre du XIVe siècle rédigée en chinois. Cette écriture ne se répandit jamais beaucoup ; l'administration annamite la voyait d'un mauvais œil ; elle était en pleine décadence à la fin du XIXe siècle. Les missionnaires chrétiens du XVIIe siècle adaptèrent l'alphabet latin à la notation de l'annamite : c'est cette romanisation qui est aujourd'hui l'écriture courante en pays d'Annam, sous le nom assez maladroit de *quô'c-ngū'*, qui veut dire au propre « langue nationale ».

Le substrat mon-khmer. — Langue d'un petit groupe de vainqueurs imposée à une population paysanne de serfs eux aussi peu nombreux, le   dialecte thai dont l'annamite est sorti n'a pu se faire accepter sans subir fortement l'influence du substrat mon-khmer. Les mots mon-khmer sont nombreux et importants : noms de nombre, beaucoup de mots usuels ; la répartition des mots provenant des deux langues, sous les emprunts massifs au chinois qui ont tout   submergé, apparaît quelque peu incohérente ; mais on peut dire qu'en général les mots de civilisation qui n'ont pas été remplacés ultérieurement par des mots chinois sont thai. Pour en donner quelques exemples, les mots *rú* « montagne, forêt », *sông* « fleuve » sont mon-khmer, mais *đông* « champ » est thai ; le mot *áo* « vêtement » est mon-khmer, mais « coudre » *nhíp* est thai ; le nom générique des oiseaux *chim* est mon-khmer, mais celui des deux oiseaux domestiques, le poulet *gà* et le canard *vịt* est thai ;

des deux noms du riz, celui du riz sur pied *lúa* est mon-khmer, celui du riz décortiqué *gạo* est thai, etc.

Phonologie. — Le dialecte thai a imposé rigoureusement sa phonétique. Les préfixes sont tombés (M.-KHM. **p-Dăm*, ANN. *năm*, « 5 » ; M.-KHM. **l-ṅi*, ANN. *ṅăi* [écrit *ngày*], « jour »), sauf devant les liquides (M.-KHM. **p-le*, ANN. MOYEN (XVIIe s.) *blaĭ²* [*blái*], « fruit » ; M.-KHM. **b-lu*, ANN. MOY. *blŏu₃* [*blâu*], « bétel ») ; *h, s, l, r* finaux sont tombés en annamite, mais les deux derniers ont subsisté dans quelques dialectes mu'o'ng (M.-KHM. **Bar*, ann. *haĭ* [*hai*], MNG DE UY-LÔ *har*, M. DE THAI-THINH *hal* « 2 »). Tous les mots empruntés ont été pourvus d'un ton, haut ou bas suivant que l'initiale était sourde ou sonore, non sans quelque influence de la chute des finales sur l'inflexion (M.-KHM. **röh*>TONKINOIS *rẹ⁴* [écrit *rẽ*], « racine »).

L'évolution ultérieure a été celle de toutes les langues thai, mais avec des traits particuliers : la perte de la distinction des sourdes et sonores initiales, régulière dans les dialectes mu'o'ng où toutes les sonores sont devenues sourdes non aspirées, l'est moins en annamite où les gutturales sonores sont devenues sourdes (des sonores nouvelles se sont formées par la suite), tandis que dans les palatales, dentales et labiales, ce sont les sourdes qui sont devenues sonores. Comme en chan et en tai-noir, les mi-sourdes sont devenues sonores (en mu'o'ng elles se sont conservées). Les préfixes se sont fondus anciennement avec les liquides initiales en produisant des cacuminales, sauf dans quelques dialectes mu'o'ng qui conservent les préfixes devant *l* (celui de Uy-lộ seul les a conservés devant *r*). Les sifflantes et chuintantes sont devenues occlusives *s*>*ṭ*, *š*>*ṭʿ*. A travers tant de transformations, il n'est pas facile de suivre les monosyllabes originels.

Traits grammaticaux. — L'adaptation de la grammaire ne présentait aucune difficulté, puisque l'ordre des mots est le même dans les deux familles, thai et mon-khmer ; mais il n'y a naturellement aucune formation de dérivés verbaux ou nominaux par préfixation et infixation.

L'habitude thai de marquer régulièrement les genres animé et inanimé s'est imposée, mais non les particules thai qui ont été remplacées par un terme mon-khmer, *kǫn*[1] [écrit *con*] « enfant », pour l'animé, et *kaĭ*[2] [*cai*], d'origine inconnue, pour l'inanimé. Le verbe comporte les aspects ordinaires du verbe thai, mais il ne subsiste des anciens auxiliaires du thai-commun que celui de l'action accomplie *lǫ*[3] > *rǫĭ*₃ ; pour l'action en voie d'accomplissement, on emploie le mot *đǫvṅ* [*đu'o'ng*] emprunté au chinois, mais qui n'y a pas cette valeur ; pour l'action envisagée en dehors de la durée, on emploie un mot *đa*[4] [*đã*], d'origine inconnue, qu'il faut peut-être rapprocher de l'« auxiliaire du temps passé » *ɔdah* du besisi, dialecte sakai méridional, lui-même probablement en rapport avec le malais *tĕlah* [< *t-l-ah*?] qui a la même valeur, et qui par conséquent appartiendrait au fond mon-khmer et non au fond thai de la langue.

Texte annamite (dialecte tonkinois)
en orthographe officielle

Thành *Hà-nội* *thu'ở-xu'a* *gọi* *là* *thành*
(La) ville (de) Hanoi autrefois s'appelle c'est (la) ville (de)

Thăng-long, *nghĩa* *là* *thành* *con rồng* *nổi* *lên;*
Thang-long, (le) sens est ville (où) (le) dragon flotte monte ;

nhũ'ng *đồ'i* *vua* *tru'ó'c* *đóng* *đô*
les dynasties (de) rois (d')avant établirent (la) capitale
(collectif) (chin.)

lại *chỗ* *thành* *â'y.* *Dế'n sau* *không* *biết* *là*
à l'endroit (de) ville cette. Arrivé après, (on) ne sait c'est

đồ'i *vua* *nào* *thờ'i* *mó'i* *đồ'i* *tên* *gọi*
époque de roi quel, alors nouvellement (on) change le nom, l'appellation
(chin.) (chin.)

là *thành* *Hà-nội.* *Phố'* *Hà-nội* *có ba mu'ò'i sáu phô,*
est ville (de) Hanoi. Les rues (de) Hanoi, il y a 3 - 10 - 6 rues

ló'n, *cho* *nên* *ngu'ò'i - ta*
grandes, (ce qui) donne (qu')il est possible (que) les gens nous [= on]

có *đặt* *câu* *hát* *rằng :*
il y a composer des phrases chantant que :

Hà-nội ba m[u'o'i][1]   *sáu   phô phu'ò'ng:*
(A) Hanoi,   trente-six   rues-quartiers :

Hàng mật, hàng đu'ò'ng, hàng mu'ó'i trắng tinh,
Rue du Miel,   Rue du Sucre,   Rue du Sel blanc pur

Tù' ngày ta phải lòng mình
Depuis le jour (où) je[2] suis pris d'affection pour vous[2]

Bác   mẹ   đi rình đã mấy mu'o'i phen!
L'oncle [=père] et la mère vont guetter déjà combien de dizaine de fois?

Làm   quen   chã   đu'ọ'c   nên   quen
Ayant fait intimes (il) n' est possible (de) devenir intimes

Làm bạn   mất bạn ai đê'n công   cho?
Ayant fait amis, nous perdons amis qui paie (le) salaire (en) me donnant[3]?

Các phô ây thò'i thấ'y nhũ'ng ngu'ò'i đi qua   đi lại,
Toutes rues ces alors (on) voit tous les gens aller passer aller venir,

kẻ   đi   cho'i,   ngu'ò'i đi mua   đô,
quelques-uns vont se promener, des gens vont acheter des choses,

không có   lúc nào mà văng ngu'ò'i.
il) n'y a (pas) moment quel que (il) manque des gens.

2. Le Lai

Le substrat malayo-polynésien; traits généraux. — Le lai, parlé par 200.000 personnes environ dans les montagnes du centre de Hai-nan, présente des traits absolument pareils à ceux de l'annamite, mais chez lui le substrat est malayo-polynésien. Les noms de nombre et bien des mots usuels qui sont tirés de ce substrat ont été soumis à la phonétique thăi : les préfixes sont tombés et les mots sont devenus monosyllabiques (*$^*lima > ma^2$* « 5 ») ; de plus, ils ont été pourvus de tons. Il n'y a aucun procédé de dérivation par préfixes ou par infixes. Le seul aspect du verbe

---

1. Pour le rythme on ne prononce que *ba-m-sáu* 36 de façon à n'avoir que six pieds.

2. *ta* littéralement « nous » désigne le jeune homme ; *mình* littéralement « le corps », employé comme pronom de la 2e personne avec un égal ou un inférieur, désigne la jeune fille.

3. *đê'n... cho* « payer » n'est pas exactement un verbe composé qui s'ouvre pour faire place au complément entre les deux termes ; les deux verbes sont distincts, le second *cho* étant le résultat du procès du premier *đê'n*.

qui ait été noté est l'aspect accompli, marqué par la particule *baĭ₃* postposée. En lai comme en annamite, les mots chinois ont envahi le vocabulaire.

Henri MASPERO.

BIBLIOGRAPHIE

TRAVAUX GÉNÉRAUX

1. Henri MASPERO. *Contribution à l'étude du système phonétique des langues thai*, Bull. E. Fr. E.-Or., XI, 1911, p. 153-169 [bibliographie, p. 153, n. 2, et *passim*].

2. —, *Langues (et Carte linguistique de l'Indochine)*, dans *Un empire colonial français, l'Indochine*, ouvrage publié sous la direction de Georges MASPERO, t. I, Paris-Bruxelles, 1929, p. 63-80.

3. K. WULFF, *Chinesisch und Tai, Sprachvergleichende Untersuchungen*, Det Kgl. Danske Videnskabernes Selskab., Hist.-fil. Meddelelser, XX, 3, Copenhague, 1934 ; *Ueber das Verhältnis des Malayo-Polynesischen zum Indochinesischen, ib.*, XXVII, 2, 1942.

3 *bis*. LI Fang-kuei, *Some Old Chinese Loan-words in the Tai Languages*, Harvard J. As. St., VIII, 1945, p. 333-342 ; *The Hypothesis of a pre-glottalized series of Consonants in Primitive Tai*, Ac. Sin., Bull., XI, 1947, p. 177-187 ; *The Influence of Primitive Tai Glottal Stop and preglottalized Consonants on the Tone-System of Po-ai*, Bull. of Ch. Studies, Chengtu, IV, 1944, p. 59-67.

3 *ter*. Paul K. BENEDICT, *Thai, Kadai and Indonesian, a new alignment in Southeastern Asia*, Am. Anthropologist, 1942, p. 576-601 ; *Chinese and Thai Kin Numeratives*, J. Amer. Or. Soc. 1945, I, p. 33-37.

3⁴. A. G. HAUDRICOURT, *Les phonèmes et le vocabulaire du thai commun*, J. As., CCXXXVI, 1948, p. 197-238 ; *Les consonnes préglottalisées en Indochine*, Bull. Soc. L. Paris, XLVI, I, 1950, p. 172-182.

4. Sir George A. GRIERSON, *Linguistic Survey of India*, vol. II, *Mon, Khmer and Siamese-Chinese Families (including Khassi and Tai)*, Calcutta-1904.

4 *bis*. G. CŒDÈS, *Les langues de l'Indochine*, Conf. Inst. Ling. Un. P., VIII, 1949, p. 63-81.

4 *ter*. F. MARTINI, *L'opposition nom et verbe en vietnamien et en siamois*, B. Soc. L. Paris, XLVI, I, 1950, p. 183-196.

LANGUES PARTICULIÈRES

5. J. PALLEGOIX, *Grammatica linguæ thai*, Bangkok, 1850.

6. —, *Dictionnaire siamois-français-anglais*, revu par J. C. VEY, Bangkok, 1896.

7. George Bradley MACFARLANE, *Thai-English Dictionary*, Bangkok, 1941 ; réimpr., Tôkyô, vers 1942, et Stanford University, 1944.

8. Ed. LORGEOU, *Grammaire siamoise*, Paris, 1902.

8 *bis*. B. A. CARTWRIGHT, *The Student's Manual of the Siamese Language*, éd. rév., Bangkok, 1930.

8 *ter*. C. B. BRADLEY, *Graphic Analysis of the Tones in the Siamese Language*, J. Amer. Or. Soc., XXXI, 1911, p. 282-289.

8⁴. J. DRANS, *Contribution à l'étude de la phonétique siamoise, Les consonnes nasales initiales*, Publ. Maison Franco-Japonaise, B, I, Tôkyô, 1942.

8⁵. E. J. A. HENDERSON, *Prosodies in Siamese, a Study in Synthesis*, Asia Major, New Ser., I, 1949, p. 189-215.

8⁶. Mary R. HAAS, *The use of numeral classifiers in Thai*, Language, XVIII, 1942, p. 201 et suiv.

9. M.-J. CUAZ, *Lexique franco-laotien*, Hongkong, 1904.

10. Th. GUIGNARD, *Dictionnaire laotien-français*, Hongkong, 1912.

11. J.-J. HOSPITALIER, *Grammaire laotienne*, Paris, 1937.

11 *bis*. E. ROFFE, *The Phonemic Structure of Lao*, Language, LXVI (1946), 4, p. 289-295.

12. J.-N. CUSHING, *A Shan and English Dictionary*, Rangoon, 1881.

13. —, *Grammar of the Shan Language*, Rangoon, 1887.

14. J. ESQUIROL et G. WILLIATTE, *Essai de dictionnaire dioi-français*, Hongkong, 1908.

15. F.-M. SAVINA, *Dictionnaire tây-annamite-français*, Hanoi-Haiphong, 1910 ; *Dict. étym. français-nung-chinois*, Hongkong, 1924.

15 *bis*. G. MINOT, *Dictionnaire Tăy Blanc-Français*, B. E. Fr. E.-Or., XL, I, 1940, p. 1-237.

15 *ter*. LI Fang-kuei, *The Tai Dialect of Lungchow*, Academia Sinica, Inst. of Hist. and Philology, Monograph, Series A, n° 16, 1940 ; *Notes on the Mak Language*, *ib.*, n° 20, 1943 ; *The Tai Dialect of Wu-ming*, *id.*, Bull., XII, 1947, p. 293-303 ; *The Distribution of Initials and Tones in the Sui Language*, Language, XXIV, 1948, p. 160-167 ; *Tones in the Riming System of the Sui Language*, Word, V, 3, 1949, p. 262-267.

16. Henri MASPERO, *Études sur la phonétique historique de la langue annamite. Les initiales*, B. E. Fr. E.-Or., XII, 1, 1912, p. 1-127.

17. —, *Quelques mots annamites d'origine chinoise*, *ib.*, XVI, 3, 1916, p. 35-49.

18. L. CADIÈRE, *Phonétique annamite (dialecte du Haut-Annam)*. Publications de l'E. Fr. E.-Or., III, Paris, 1902.

19. —, *Le dialecte du Bas-Annam*, B. E. Fr. E.-Or., XI, 1911, p. 67-110.

20. —, *Monographie de la semi-voyelle labiale en annamite et en sino-annamite*, *ib.*, VIII, 1908, p. 93-148, 381-485, IX, 1909, p. 681-786, X, 1910, p. 61-93, 287-337.

21. Jean PRZYLUSKI, *Les formes pronominales de l'annamite*, *ib.*, XII, 8, 1912, p. 5-10.

22. R. DELOUSTAL, *Des déterminatifs en annamite*, *ib.*, XIV, 5, 1914, p. 29-40.

23. J. F. M. GÉNIBREL, *Dictionnaire annamite-français*, 2ᵉ éd., Saigon, 1898.

24. A. CHÉON, *Cours de langue annamite*, 2ᵉ éd., Hanoi, 1904.

25. G. Cordier, *Dictionnaire français-annamite*, Hanoi, 1934.

26. —, *Cours de langue annamite*, Hanoi, 1932-1934.

27. Nicolas Truong-vinh-Tông, *Grammaire de la langue annamite*, Saigon, 1932.

28. A. Chéon, *Notes sur les Muong de la province de Son-tây*, B. E. Fr. E.-Or., V, 1905, p. 328-348.

29. —, *Note sur les dialectes nguôn, săc et muong, ib.*, VII, 1907, p. 87-100.

29 *bis*. E. Gaspardone, *L'annamite*, Cent-cinquantenaire de l'École des Langues Orientales, Paris, 1948, p. 195-204 ; *Les langues de l'annamite littéraire*, T'oung Pao, XXXIX, 1949, p. 213-227.

29 *ter*. F. Martini, *L'opposition nom et verbe en vietnamien et en siamois*, Bull. Soc. L. Paris, XLVI, I, 1950, p. 183-196.

29[4]. M. B. Emeneau, *Studies in vietnamese (Annamese) Grammar*, University of California Press, Berkeley and Los Angeles, 1951.

30. F.-M. Savina, *Lexique đày-français...*, B. E. Fr. E.-Or., XXXI, 1931, p. 103-199.

31. Henri Maspero, Compte rendu du précédent, J. As., 1933, I, fasc. annexe, p. 228-236.

32. H. Stübel, *Die Li-Stämme der Insel Hainan...*, unter Mitwirkung von P. Meriggi, Berlin, 1937.

LE CHINOIS[1]

Extension et propagation. — Le chinois est parlé par un groupe compact de quelque 300 millions d'hommes atteignant vers le Nord les tribus nomades de Mongolie et de Mandchourie qui, depuis vingt siècles, reculent lentement devant eux, limité à l'Est par la Mer Jaune, à l'Ouest et au Sud par les montagnes qui bordent le Tibet et le Nord de l'Indochine, montagnes dans lesquelles les populations indigènes ont réussi à se maintenir malgré la pression que les Chinois exercent sur elles. Le domaine propre de la langue chinoise était dans la grande plaine du bas Fleuve Jaune, entre le plateau du Chan-si et la mer, d'où les colons ont remonté peu à peu le fleuve et ses affluents : dès le début de l'époque historique, à la fin du IIe millénaire, ils avaient pénétré vers l'Ouest jusqu'au Chen-si et attaquaient à revers le Chan-si ; quelques siècles avant notre ère, il y avait encore des barbares un peu partout dans les montagnes. Nous ne savons pas à quelle époque la langue chinoise conquit le bassin du Fleuve Bleu où elle trouva peut-être un dialecte apparenté. Les pays de l'Ouest et du Sud furent colonisés peu à peu au cours des vingt derniers siècles, les populations indigènes très clairsemées se fondant dans la masse chinoise et ne subsistant que dans les montagnes : il en reste encore des îlots dans les provinces méridionales et occidentales, Miao-tseu au Kouei-tcheou, Lolo au Sseu-tch'ouan et au Yun-nan, Thai au Yun-nan, au Kouei-tcheou et au Kouang-si.

Écriture. — Le chinois a une écriture très ancienne : ses premiers documents, des inscriptions relatives à la divination, gravées sur des os et sur des écailles de tortue pour les

1. Voir carte XII.

rois du XIIIe au XIe siècle avant notre ère, la montrent entièrement constituée ; elle n'a varié que superficiellement depuis cette époque.

Chaque mot est représenté par un signe. Un petit nombre de signes sont des figurations graphiques d'êtres, de choses, ou même d'actions : par exemple le soleil, la lune, les animaux, une main tenant un style à écrire pour représenter un scribe, etc. Ces signes figuratifs ont été employés à noter des mots de même prononciation que le mot désique le mot désignant l'objet qu'ils représentent, mais de sens différent, et dans ce cas on leur a ajouté, quelquefois peut-être dès l'origine, mais le plus souvent à une époque ultérieure, un signe classificateur, ou « clef », destiné à éviter les confusions : par exemple à un signe prononcé *ḷe'i*, et qui isolé veut dire « épouse », on ajoute les signes figurant le bois, ou le cœur, ou le riz, pour désigner les mots de même prononciation signifiant « perchoir », « affliction », « fleur de farine ». Un lettré du début du IIe siècle de notre ère, Hiu Chen [*eü šön*], dans la préface du premier dictionnaire des caractères chinois, le *Chouo-wen* [*šuo wẹn*], a réparti les caractères en six classes d'après leur mode de formation ; mais ce ne sont que des cas particuliers de ces deux principes généraux. L'écriture moderne ne diffère guère de l'écriture archaïque que par les changements de forme qu'a imposés, dans la seconde moitié du IIIe siècle avant notre ère, le remplacement du style rigide en bois par le pinceau souple.

Littérature. — La littérature chinoise est, par son volume, la plus importante de l'Asie. Les premiers monuments en remontent aux premiers siècles du Ier millénaire avant notre ère. Vers le VIIIe siècle de notre ère on voit apparaître, à côté de la tradition littéraire en langue écrite, des œuvres en langue parlée, et la littérature en langue parlée a pris depuis lors un développement considérable.

Système phonique de l'époque archaïque. — Sous la forme la plus ancienne que l'on en puisse saisir, le matériel phonique du chinois comportait une grande variété de

consonnes : occlusives (postpalatales, dentales, prépalatales, labiales) et affriquées (dentales, peut-être prépalatales
et cacuminales), en trois ou quatre séries, sourdes, sourdes
aspirées, sonores (aspirées suivant B. Karlgren, **20,**
p. 356-360), avec les nasales correspondantes ; occlusive
et fricative laryngales, toutes deux sourdes ; sifflantes et
chuintantes sourdes et sonores ; liquides *l* et *r*, cette dernière
ayant disparu bientôt ; enfin *y* et *w*. Aucun groupe consonantique, sauf ceux qu'admettent également les langues
thai. A la finale, les sourdes non aspirées et les nasales
étaient seules acceptées ; B. Karlgren (**5,** p. 28-30 ; **24** ;
27) a supposé des finales occlusives sonores, liquides et
sifflantes, et W. Simon (**30**) des spirantes sonores au
lieu d'occlusives ; mais leurs reconstructions sont peu
convaincantes.

Le vocalisme était certainement très varié avec de
nombreuses diphtongues, peut-être même des triphtongues
comme plus tard en chinois moyen.

Enfin le système de tons comportait les trois inflexions
les plus répandues dans les langues à tons, montante,
descendante et égale, posées à deux hauteurs différentes
suivant que l'initiale ou le préfixe étaient une sourde ou
sourde aspirée (série haute) ou étaient une sonore ou une
nasale (série basse). Les mots à occlusive finale étaient
tous réunis en deux inflexions, une haute et une basse,
qui étaient peut-être le ton descendant bas pour les
mots à initiale sonore et une autre, difficile à déterminer,
pour les mots à initiale sourde, à moins qu'ils ne fussent
simplement deux hauteurs différentes d'une quatrième
inflexion, comme on l'admet d'ordinaire (**20,** p. 254-256,
581-597) à la suite des phonéticiens chinois anciens.

Procédés de dérivation. — Le chinois archaïque avait
deux séries de procédés de dérivation : d'une part, des
alternances entre initiales sourdes et sonores, et des
additions de préfixes ; d'autre part, des alternances vocaliques et des changements de finales. La dérivation s'accompagnait de changements de ton, le mot dérivé passant

presque toujours au ton descendant, quel que fût le ton
du mot originel ; et ce changement de ton est devenu à lui
seul un troisième procédé de dérivation.

Alternances d'initiales et préfixes. — Les alternances
d'initiales sourdes et sonores et l'addition de préfixes sont
deux procédés qui se complètent mutuellement pour former
des couples opposés de verbes transitifs et de verbes intransitifs, ou encore de verbes et de noms verbaux ; les mots
ayant pour initiales des occlusives procédaient par assourdissement de la sonore, ceux qui avaient pour initiale
une liquide ou une nasale prenaient un préfixe. La formation par assourdissement des sonores initiales (le ton
montre que le mot à initiale sourde est le dérivé) est fort
simple ; le dérivé est un verbe transitif tiré d'un verbe
intransitif ou d'un nom :

	ARCHAIQUE	MOYEN	MODERNE
« être visible »	$*gen_3$	$*gien_3$	$eięn_3$
« être coupé »	$*duan_2$	$*duan_2$	$tuan_2$
« long »	$*d'iaṅ_1$	$*d'iaṅ_1$	$č'aṅ_1$

	ARCHAIQUE	MOYEN	MODERNE
« voir »	$*ken^3$	$*kien^3$	$teięn_3$
« couper »	$*tuan^3$	$*tuan^3$	$tuan_3$
« grandir »	$*t'iaṅ^3$	$*t'iaṅ^3$	$čaṅ_2$

La préfixation était plus complexe à cause du nombre
et de la variété des préfixes. Ils semblent s'être répartis
en deux groupes d'emploi différent : 1º les fricatives s-, h-
et l'occlusive p- qui donnaient aux noms une valeur
verbale et faisaient des verbes intransitifs des transitifs
ou des causatifs :

	ARCHAIQUE	MOYEN	MODERNE
« jade »	$ṅiok_4$	$ṅiok_4$	$yü_3$
« fonctionnaire »	li_3	$l'i_3$	li_3
« épuisé »	$maŏ_1$	$maŏ_1$	$maŏ^3$
« froid »	$löm_1$	$l'iŏm_1$	lin^3
« grenier »	$löm_2$	$l'iŏm_2$	lin_2
« glace »	$löṅ_1$	$l'iŏṅ_1$	$liṅ^3$

	ARCHAIQUE	MOYEN	MODERNE
Préf. *s-* : « tailler le jade »	$s\text{-}\dot{n}iok^4$	$siok^4$	$e\ddot{u}^3$
« employer comme fonctionnaire »	$s\text{-}ri^3$	$\underset{.}{s}i^3$	$\underset{.}{s}\partial_3$
Préf. *h-* : « épuiser »	$h\text{-}ma\breve{o}^3$	$\underline{k}a\breve{o}^3$	$\underline{k}a\breve{o}_3$
« rafraîchir »	$h\text{-}l\ddot{o}m^3$	$k'i\partial m^3$	ein_3
Préf. *p-* : « faire sortir du grenier »	$p\text{-}l\ddot{o}m^2$	$p'i\breve{o}m^2$	pin_2
« congeler »	$p\text{-}l\ddot{o}\dot{n}^3$	$p'i\breve{o}\dot{n}^3$	$pi\dot{n}_3$

2º des occlusives *k-*, *l-*, *m-*, qui formaient des noms verbaux ou transformaient les verbes transitifs en intransitifs ou réfléchis :

	ARCHAIQUE	MOYEN	MODERNE
« regarder »	$^*lam_2$	$^*l\underset{.}{a}m_2$	lan_2
« ordonner »	$^*l\ddot{o}\dot{n}_2$	$^*l'i\breve{o}\dot{n}_2$	$li\dot{n}_2$

	ARCHAIQUE	MOYEN	MODERNE
Préf. *k-* : « miroir »	$^*k\text{-}lam^3$	$^*k\underset{.}{a}m^3$	$\underline{t}ei\underset{.}{e}n_3$
Préf. *m-* : « mandat, charge »	$^*m\text{-}l\ddot{o}\dot{n}_2$	$^*m'i\breve{o}\dot{n}_3$	$mi\dot{n}_3$

Mais cette répartition est loin d'être sûre et on trouverait sans trop de peine des mots qui fourniraient des valeurs inverses pour les préfixes : après des siècles d'indifférenciation du nom et du verbe, on ne peut espérer retrouver intactes les traces d'un procédé destiné, autant qu'il semble, à former des noms verbaux ou des verbes d'origine nominale.

Alternances vocaliques et alternances de finales. — Les alternances vocaliques et les alternances des finales étaient, elles aussi, deux procédés qui se complétaient : le second étant pour les mots à implosive finale, qui alternent avec des mots à voyelle finale. Ces formations sont nombreuses ; on en trouve dans les noms, ex. $^*ku^2$ « marchand »/ $^*k\mathring{a}^3$ « prix » ; $^*p\partial k^4$ « Nord »/$^*puai^3$ « dos », $^*buai_3$ « tourner le dos », comme dans les verbes, ex. $^*k'an^1$ « regarder »/ $^*ken^3$ « voir », $^*gen_2$ « être visible » ; $^*p'i\breve{a}^2$ ($>$moy. $^*p''i^2$) « se casser »/$^*p'a^3$ « casser » ; $^*pa^2$ « boiter /$pi\breve{a}^3$ ($>$moy. $p'i^3$) « pencher le corps sur une jambe » ; $^*piu\ddot{o}n^3$ ($>$moy. $^*p'\ddot{u}i\breve{o}n^3>$ mod. *fön*$_3$) « partager »/$^*pan^3$ « moitié ».

Les pronoms personnels de la 1re et de la 2e personne en offrent un exemple remarquable : B. Karlgren (**22**) a montré qu'on avait utilisé cette alternance pour des emplois grammaticaux, une forme marquant le déterminant (sujet du verbe et complément du nom) et l'autre l'objet :

	1re personne	2e personne
Déterminant	$^*\dot{n}o_2$	$^*\tilde{n}io_1$
Objet	$^*\dot{n}a_2$	$^*\tilde{n}ia_2$

Des alternances et des changements de finales marquent des nuances de sens dans les négations : $^*mu\ddot{o}_3$ (>moy. $m'\ddot{u}i_3$>mod. wei_3) « pas encore »/$^*mia_1$ (>moy. $^*m'i_1$> mod. mi_1) « ne pas » ; $^*mu\ddot{o}t_4$ (>moy. $^*m'\ddot{u}i\breve{s}t$>mod. u_3) « ne pas » (prohibitif)/$^*miat$ (>moy. $^*m'iet_4$> mod. mie_3) « ne pas ».

Malgré le fait si curieux des pronoms personnels, et l'analogie du tibétain ancien où les alternances vocaliques marquent les aspects du verbe, les faits dans leur ensemble sont trop disparates pour qu'on puisse leur attribuer une origine morphologique.

Système phonique de l'époque ancienne. — On ne sait quand ces procédés de dérivation, si vivants à l'époque archaïque, sont sortis de l'usage. Ils étaient certainement morts aux alentours de notre ère, au temps des Han 206 av. J.-C. 1-220 ap. J.-C.), et il n'en restait, comme aujourd'hui, que des survivances dans le vocabulaire, sous forme de caractères à prononciations multiples et de mots changeant de ton en changeant de sens. Au point de vue phonétique, dès cette époque, tous les groupes consonantiques s'étaient réduits, comme le montrent les transcriptions de mots étrangers, surtout de sanskrit bouddhique : les nasales précédées d'un préfixe étaient tombées sans laisser de traces ; de même l ; r s'était fondu avec le préfixe, donnant naissance à des cacuminales, affriquées quand le préfixe était une occlusive, fricatives quand c'était s : ces cacuminales, que le chinois moyen ne conserva que devant quelques voyelles postérieures, ont souvent à leur tour donné naissance à des prépalatales et à des dentales.

Traits généraux de la langue écrite. — La langue littéraire des Han et la moderne, qui n'en diffère qu'à peine, présentent un aspect caractéristique.

Il n'y a pas de classes de mots : même en réduisant celles-ci aux deux types élémentaires de termes de désignation et de termes d'action, il n'y a ni mots particuliers ni formes particulières pour les distinguer ; tout mot sert également à désigner une chose et à exprimer le procès relatif à cette chose.

Faute de mots ayant soit une forme soit une signification spéciales pour établir les relations, c'est l'ordre des mots qui établit celles-ci ; et comme on ne peut envisager l'ordre des mots que de deux façons, antéposition ou postposition, les relations se réduisent nécessairement à deux. Le chinois établit une relation de détermination (complément de nom, adjectif épithète, sujet de verbe) par antéposition du déterminant par rapport au déterminé, et une relation de direction (objet du verbe) par postposition du mot exprimant ce sur quoi est dirigé le procès par rapport au mot exprimant le procès lui-même. Le mot exprimant le procès (jouant le rôle de notre verbe) est en relation de détermination avec le mot exprimant la chose que nous considérons comme le sujet, et en relation de direction avec la chose à laquelle s'applique le procès et que nous considérons comme l'objet.

Nom et verbe. — Toutes les langues d'Extrême-Orient ont tendance à ne pas distinguer le nom du verbe ; mais le chinois littéraire est celle qui pousse le plus loin cette indifférence : il emploie comme verbes des noms de nombre, des noms propres, des pronoms personnels. Il le peut parce qu'il est la seule de ces langues qui admette une double construction par antéposition et postposition : les langues tibéto-birmanes n'admettent guère que l'antéposition, les langues thai que la postposition, en sorte qu'il n'y a dans chacune de ces familles qu'un seul procédé pour établir toutes les relations. Le chinois doit à son double procédé d'antéposition et de postposition une souplesse et une clarté qui manquent à toutes ces langues, et c'est probablement une des raisons qui ont contribué à faire de lui la grande langue de civilisation de l'Extrême-Orient.

Particules et auxiliaires. — La simple position des mots suffit à établir les relations et à construire la phrase : aucune particule n'est jamais nécessaire. Mais le désir d'insister ou le besoin de clarté amènent quelquefois à préciser. Le déterminant (complément de nom ou sujet de verbe) peut être joint au déterminé par le démonstratif $^*\check{c}i > \check{c}\partial$: $\underset{\cdot}{s}\partial\dot{n}_3$ $\underset{\cdot\cdot}{z}en_1$ $\check{c}\partial^1$ cin^1 « le cœur du Saint », litt. l'homme saint, ce cœur. L'objet et les différents conditionnements du procès peuvent être introduits par des verbes sous forme de propositions particulières préparant le procès principal qui se trouve présenté en quelque sorte comme le résultat de tous les procès secondaires exprimés précédemment : par exemple, le verbe i_2, « se servir de », introduit ainsi l'objet : $^*i_2$ $^*k'i^1$ $^*\underset{\cdot}{t}i^2$ $^*\underset{\cdot}{t}'i^1$ $^*\check{c}i^1$ (pron. mod. i_2 $\underset{\cdot}{t}c'i^1$ $\underset{\cdot}{d}\partial_2$ $\underset{\cdot}{t}e'i^1$ $\check{c}\partial^1$) « il lui fit épouser sa fille », litt. « se servant de sa fille fit épouser lui». Des particules finales, qui doivent être d'anciens démonstratifs (les plus fréquentes sont $^*i_2$, $^*ia_2 > yi_2$, ye_2), se placent après le procès principal pour marquer qu'il s'accomplit réellement : le tibétain (voir p. 538) présente une construction analogue. D'autres particules $^*\tilde{n}i_1$, $^*yien_1$ (mod. $öl_1$, yen_1) semblent simplement servir à marquer que la série de procès énoncés n'est pas achevée et qu'elle continue : une variante de la particule $^*\tilde{n}i_1$ *(öl₁)* a fini par être une sorte de conjonction tantôt adversative, tantôt de liaison, signifiant « mais, cependant, et », et par être considérée comme appartenant à la seconde de deux propositions qu'elle lie ; malgré le caractère particulier par lequel on l'écrit, sa dérivation des particules finales est évidente.

L'un des traits les plus caractéristiques du chinois littéraire est de ne marquer presque jamais l'aspect : cette nuance du procès est jugée trop subjective et trop

personnelle pour qu'il vaille la peine de la noter par écrit ;
tout au plus marque-t-on que l'action est accomplie,
quand c'est nécessaire, à l'aide de mots signifiant « être
achevé », $^*i_2$, $^*ki_3$ $(yi_2,\ lei_3)$, antéposés au verbe.

Système phonique de l'époque moyenne. — Les trois
siècles des dynasties Souei (589-617) et T'ang (618-906)
furent importants pour l'histoire de la langue : l'unification
de la Chine, divisée depuis plus de trois cents ans en États
rivaux, et la forte impulsion donnée aux études classiques,
amenèrent l'unification de la prononciation utilisée dans
l'enseignement ; celle-ci, qui paraît avoir été celle des
lettrés de la capitale dégagée de certains maniérismes
locaux, se répandit par tout l'Empire.

C'est le chinois moyen, caractérisé au point de vue
vocalique par des diphtongues et des triphtongues nombreuses et variées, qui s'étaient formées surtout par la
rupture des anciennes voyelles ouvertes *e* et *ö*, longues et
brèves, de l'époque archaïque et des Han : $^*t^\prime en^1 > ^*t^\prime i\rho n^1$
« ciel » ; $^*ts^\prime en^1 >$ $^*ts^\prime i\rho n^1$ « mille » ; $^*\breve{e}l_4 > ^*yi\breve{e}l_4$ « un » ;
$^*ts^\prime \breve{e}l^4 > ^*ts^\prime i\breve{e}l^4$ « sept » ; $^*\breve{j}\rho n_1 > ^*\breve{j}i\breve{e}n_1$ « dieu » ; $^*k\ddot{o}m^3 >$
$^*k^\prime i\breve{o}m^3$ « interdit » ; $^*piu\ddot{o}n^1 >$ $^*p^\prime \ddot{u}i\breve{o}n^1$ « partager ».
D'autre part on y constate la disparition des diphtongues
ia, etc., dont le second élément avait disparu en syllabe
ouverte : $^*\dot{n}uia > ^*n^\prime ui$ « faux », ou s'était infléchi en ρ $(\ddot{a})$
en syllabe fermée : $^*lian > ^*li\rho n$.

Quant au consonantisme, les initiales avaient peu varié
depuis la réduction des groupes initiaux, réduction déjà
achevée au temps des Han ; le changement le plus général
est un phénomène de palatalisation qui avait atteint toutes
les consonnes occlusives et affriquées, sourdes, sonores, aspirées et nasales, se trouvant devant un *i* archaïque (mais
non devant *i* récent provenant de la rupture d'une voyelle
ouverte) : $^*li_3 > ^*l^\prime i_3 > li_3$ « fonctionnaire » ; ceci s'était
produit même à travers un *u* qui était lui aussi palatalisé
en *ü* ; ce dernier fait amena dans certaines conditions, au
cours de l'époque moyenne, la formation des fricatives
dentilabiales *f f' v*, provenant d'anciennes occlusives labiales

suivies de *ui* archaïque : $*puiön^3 > *p'üiŏn^3 > *fuən_3 > fön_3$
« partager ». D'autre part, les sonores étaient devenues
aspirées peu après le début des T'ang, prélude de leur prochaine confusion avec les sourdes ou les sourdes aspirées
suivant le ton (moy. $*d'an_1 >$ mod. $t'an_1$ « frapper »,
$*d'an_3 > tan_3$ « seulement »). A la finale, pas de changement
depuis les Han, les trois occlusives sourdes et les nasales
correspondantes *k*, *t*, *p*, *ṅ*, *n*, *m*, étant seules acceptées
outre les voyelles.

Les dialectes. — C'est ce chinois moyen qui est à la base
des lectures des caractères chinois particulières à la Corée
(sino-coréen), au Tonkin (sino-annamite) et au Japon
(*kan-on :* mais celui-ci semble suivre plutôt la prononciation de la cour que celle des écoles). C'est à lui aussi que
remontent les dialectes modernes, peu nombreux. Le plus
important d'entre eux, par le nombre des gens qui le
parlent et l'étendue du territoire où il est parlé, est le
kouan-houa *(kuan kua)* ou, comme on l'appelle d'ordinaire,
la « langue mandarine » ; il s'emploie dans toute la Chine
du Nord, c'est-à-dire dans toute l'ancienne Chine, et de
plus dans les provinces du Centre, de l'Ouest et du Sud-
Ouest. Les régions côtières du Sud-Est sont les seules qui lui
échappent : c'est là seulement, dans des régions comparti-
mentées par des chaînes de montagnes peu élevées, mais
d'accès difficile, qu'ont pu se constituer trois petites
familles de dialectes locaux : dialectes de Wou (Sud du
Kiang-sou et Tchö-kiang), de Min ou du Fou-kien (Fou-
tcheou, Amoy, Swatow, Tie-chiu), de Yue ou du Kouang-
tong (Cantonais), Hakka (arrière-pays de Canton).

Systèmes phoniques de l'époque moderne. — L'évolution
de la langue moderne a suivi les mêmes lignes générales
dans tous les dialectes. D'une part, il y a une tendance à
l'affaiblissement de toutes les finales : les diphtongues et
triphtongues se réduisent et deviennent soit des diphtongues, soit des voyelles simples *ieu* > *aŏ*, *iei* > *i* ; les occlusives
tendent à disparaître et les nasales à se confondre. D'autre
part, les sonores initiales tendent à perdre leur détente

sonore et à devenir sourdes ou sourdes aspirées, et leur disparition entraîne souvent de graves modifications dans le système des tons. Mais les changements phonétiques sont effectués à une cadence différente dans chaque dialecte, si bien qu'aujourd'hui ils se présentent dans des états très différents. Le plus avancé est le kouan-houa, où, à la finale, toutes les occlusives sont tombées sans laisser de traces, et *m* s'est fondu avec *n* (sauf cependant dans quelques parlers du Centre, comme celui du Hou-nan), et où les sonores initiales ont entièrement disparu, devenant sourdes aspirées au ton égal et sourdes sans aspiration aux autres tons. Le dialecte de Wou n'est guère moins altéré : il a même poussé plus loin l'usure des finales, et a perdu non seulement les occlusives, mais même *n* (avec lequel *m* s'est confondu) qui tantôt tombe, tantôt se transforme en *ñ* suivant la voyelle qui précède, et qui ne subsiste que dans quelques positions ; en revanche, l'assourdissement des sonores initiales n'est complet, dans ce dialecte, que pour les mots isolés, et dans les expressions composées la sonorité reparaît ; c'est sans doute à cette conservation partielle qu'est due celle des deux séries de tons (haute et basse) dans les parlers de Wou. Les dialectes du Fou-kien et du Kouang-tong, qui ont, comme le kouan-houa, perdu les sonores initiales, ont mieux conservé leurs finales : les premiers ont altéré les occlusives finales sans les perdre complètement. Le cantonais les a en général bien conservées, ainsi que le *m* final ; il est aussi le seul à avoir bien conservé la double série de tons hauts et bas, que le kouan-houa ne distingue plus sauf au ton égal. Ces indications générales suffisent à montrer les principales différences entre les dialectes : il serait impossible de les décrire tous ici, et c'est seulement du plus important, le kouan-houa, qu'il sera question sous le nom de langue parlée moderne.

La langue parlée moderne. — La langue parlée moderne paraît à première vue très éloignée de la langue écrite : le vocabulaire, en particulier, présente des différences importantes. En effet, l'usure phonétique des mots a été telle que le nombre des homophones s'est beaucoup accru : des

mots composés ont souvent remplacé les mots simples
devenus difficiles à comprendre.

Procédés de composition. — Ces mots composés sont de
plusieurs sortes. Quelquefois il y a simple redoublement ;
le cas est fréquent pour les noms de parenté (ko^1-ko^1
« frère aîné », mei_3-mei_3 « sœur aînée », lao_2-lao_2 « tante
maternelle »), les noms exprimant l'intensité *(man_3-man_3.*
« lent »), etc. Le plus souvent on met côte à côte deux
mots : un terme général qu'on fait précéder d'un mot
particulier qui le détermine, le rapport du général au
particulier étant naturellement variable suivant les cas :
fu_3- $le'in^1$ « père » = « parent » $le'in^1$ de l'espèce particulière « père » fu_3; $t'ao^3$-su_3 « pêcher » = « arbre » su_3 de
l'espèce « pêcher » $t'ao^3$; oai_3-$le'in^3$ « amour » = « affection »
$le'in^3$ d'« aimer » oai_3; $k'an_3$-$leien_3$ « voir » = « percevoir »
$leien_3$ en « regardant » $k'an_3$; $t'in^1$-$leien_3$ « entendre » =
« percevoir » $leien_3$ en « écoutant » $t'in^1$, etc. Enfin il y a
quelques expressions faites de mots simplement coor-
donnés : fu_3-mu_2 « parents », litt. père-mère ; mai_2-mai_3
« commerce », litt. acheter-vendre ; $c'an_1$-$luan_2$ « taille »,
litt. long-court ; etc. L'expression totale n'est pas absolument la somme ou la moyenne des deux termes composants : ceux-ci sont deux termes choisis pour représenter
des groupes de notions souvent plus larges.

Nom et verbe. — Ces composés, comme ceux de la
langue écrite, ne sont à proprement parler ni nominaux
ni verbaux, et servent soit à désigner, soit à exprimer
l'action, suivant les cas ; mais, comme pour les mots
simples, les notions qu'ils expriment tendent à donner à
l'une des deux valeurs une certaine prépondérance usuelle,
sans leur enlever la faculté de prendre l'autre valeur en
cas de besoin. La langue parlée, comme la langue écrite,
n'a pas de classes de mots. Elle s'en est toutefois rapprochée
davantage en créant des affixes qui précisent nettement,
dans certains cas particuliers, si le mot a la valeur d'une
désignation ou exprime une action. Par exemple, les mots
$t'ou_1$ « tête », fa_2 « enfant », $ör_1$ « enfant », indiquent que le

mot auquel ils sont affixés a une valeur désignative : $eian_2$
« penser », $eian_2\text{-}l'ou_1$ « pensée » (ce à quoi l'on pense) ;
pao^1 « envelopper », $pao^1\text{-}le_2$ « gâteau fourré » ; ien_1 « suivre
le bord », $ko_1\text{-}ien_1\text{-}\ddot{o}r_1$ « bord de rivière ». Au contraire, les
particules marquant l'aspect montrent par leur présence
que le mot est pris en valeur verbale : $le'i^1$ $swei_3$ « sept ans »,
$le'i^1$ $swei_3$ lo « il a sept ans » (lo, particule de l'aspect
accompli).

Traits généraux de la langue parlée. — La langue parlée
est connue par des textes écrits depuis le VIIIe siècle de
notre ère : dès cette époque, elle était presque exactement
ce qu'elle est aujourd'hui. Elle indique les relations avec
plus de précision que la langue écrite, et d'autant mieux
qu'elle s'est créé quelques outils particuliers qui n'ont pas
d'autre valeur. On marque la relation de détermination
par la particule li : $na_3\text{-}ko$ zen_1 li $fu_3\text{-}le'in$, « le père de cet
homme », litt. cet homme li père. Ce li paraît bien être la
forme moderne de l'ancien démonstratif $*\check{c}i^1$: mais
l'emploi s'en est généralisé tout en se précisant : on le
met à la suite non seulement des compléments de nom,
mais aussi des adjectifs, et il en est venu à indiquer que
le mot ou les mots auxquels il est postposé sont en relation
de détermination même si le mot déterminé n'est pas
exprimé : $tsa_3\text{-}ko$ zen_1 $\check{s}a_3$ $i^3\text{-}ko$ $kao_2\text{-}li$ « cet homme est bon »,
litt. $tsa_3\text{-}ko$ ce zen_1 homme $\check{s}a_3$ lui (démonstratif-copule)
$i^3\text{-}ko$ un kao_2 bon li particule de détermination.

D'autre part, l'aspect du verbe est presque toujours
exprimé, et les moyens d'expression en sont nombreux et
variés. On oppose l'action en voie d'accomplissement à
l'action accomplie, et à l'action envisagée en dehors du
temps et de la durée comme un simple fait qu'on énonce ;
outre ces aspects fondamentaux, on marque aussi l'aspect
déterminé, diverses nuances d'aspect résultatif. Les
aspects se marquent tous au moyen de verbes auxiliaires :
tso pour le duratif, $leao$ (prononcé couramment lo, la)
pour l'accompli, kuo pour l'aoristique, etc., placés à la
suite du verbe principal. Cette manière de marquer l'aspect

du verbe par des auxiliaires postposés apparaît comme une innovation de la langue parlée moderne. Il est vrai que la correspondance exacte, à la fois phonétique et morphologique, de CHINOIS *lẹaŏ* et THAI *lẹŏ pour l'aspect accompli, pourrait donner à penser qu'il n'en est rien et que ce procédé a existé de tout temps en langue parlée, mais sans que la langue écrite le notât puisqu'elle ne note jamais l'aspect. Ce n'est pas une hypothèse inadmissible ; mais ce fait isolé est une base un peu exiguë pour y asseoir une hypothèse d'aussi vaste envergure.

Diffusion extérieure du chinois. — La langue parlée n'a jamais eu en Chine qu'un rôle secondaire. C'est la langue écrite qui a toujours tenu le rôle principal. C'est elle qui est, à l'intérieur de ce monde disparate, aux communications difficiles, aux parlers variés, le principal agent de cohésion ; à l'extérieur, elle fut le principal véhicule de la civilisation chinoise : elle a été la langue de culture et d'administration de l'Annam jusqu'à la conquête française, de la Corée jusqu'à l'annexion japonaise, du Japon même aux premiers siècles de l'introduction de la civilisation chinoise, et elle a fortement influencé le vocabulaire de toutes ces langues, qui lui ont emprunté et lui empruntent encore constamment des termes de culture, forgeant des expressions nouvelles à l'aide des mots chinois de langue écrite, comme nous en créons nous-mêmes à l'aide de mots grecs anciens.

NUMÉRATION CHINOISE

Prononciation de l'époque moyenne (d'après **5**)	Prononciation du kouan-houa moderne
1 $^*\text{ɔyĕl}_4$	yi^1
2 $^*\tilde{n}\acute{z}i_3$	$\ddot{o}l_3$
3 $^*sam^1$	san^1
4 $^*si^3$	$s\partial_3$
5 $^*\dot{n}uo_2$	$^wu_2$
6 $^*lyuk_4$	$liou_3$

7	$*l'y\breve{e}l$	$te'i^1$
8	$*pal^4$	pa^1
9	$*ky\breve{s}u^2$	$teiou_2$
10	$*\acute{z}y\breve{s}p_4$	$\breve{s}\partial_1$
15	$*\acute{z}y\breve{s}p_4\text{-}\dot{n}uo_2$	$\breve{s}\partial_1\text{-}^wu_2$
25	$*\tilde{n}\acute{z}i_3\text{-}\acute{z}y\breve{s}p_4\text{-}\dot{n}uo_2$	$\ddot{o}l_3\text{-}\breve{s}\partial_1\text{-}^wu_2$
50	$*\dot{n}uo_2\text{-}zy\breve{s}p_4$	$^wu_2\text{-}\breve{s}\partial_1$
100	$*p\upsilon k^4$	$pa\ddot{\imath}_2$
1.000	$*l'i\underset{\,}{e}n^1$	$te'i\underset{\,}{e}n^1$
10.000	$*my^w\upsilon n_3$	$^wuan_3$

Textes chinois

Langue écrite

(Prononciation de l'époque moyenne, restituée d'après **5**)

$\dot{n}iuo_1$ $\tilde{n}\acute{z}i\breve{e}n_1$ $\acute{z}iem_3$ i_3 $\check{c}i_1$ $b'iuk_4$
Pêcher homme très étonnant cela, de nouveau
(trouver étonnant) (pron. dém.
régime)

$d'ien_1$ $g\underset{\,}{a}\dot{n}_1$ $iuok_4$ $g'iu\dot{n}_1$ $g''i$ $li\partial m_1$ $li\partial m_1$
avant marcher, vouloir bout cette forêt ; forêt
(aller au bout de) (anaphorique)

$d'i\breve{e}n_1$ $\check{s}ui^2$ $\dot{n}iu\underset{\,}{a}n_1$ $b'i\underset{\,}{e}n_3$ $t\partial k^4$ $\partial i\breve{e}l_4$ $\underset{\,}{s}an^1$
épuiser eau source, alors trouver une montagne.
(finir) (part. apodose)

$\underset{\,}{s}an^1$ $yi\breve{e}u_2$ $si\underset{\,}{e}u^2$ $k'\partial u^2$ $p'iua\dot{n}^2$ $p'iu\partial l^4$
Montagne (y) avoir petite bouche, comme
(ouverture) (doublet impressif allitérant)

$\tilde{n}\acute{z}iak_4$ $yi\breve{e}u_2$ $ku\underset{\,}{a}\dot{n}^1$ $b'i\underset{\,}{e}n_3$ $\check{s}ia^2$ $d\acute{z}iu\underset{\,}{e}n_1$ $d'iuo\dot{n}_1$
si (y) avoir lumière ; alors quitter bateau, suivre
(part. apodose) (passer par)

$k'\partial u^2$ $\tilde{n}z'i\partial p_4$ $\check{c}'iuo^1$ $g'i\partial k_4$ gap_4 $d'\underset{\,}{a}i_1$ $t'u\dot{n}^1$
bouche entrer. Commencement faîte étroit, tout juste passer
(extrême) (laisser
passer)

$\tilde{n}\acute{z}i\breve{e}n_1$ $b'iuk_4$ $g\underset{\,}{a}\dot{n}_1$ $\underset{\,}{s}iu^3$ $\acute{z}i\partial p_4$ $b'uo_3$ $\breve{k}u\underset{\,}{a}l^4$
homme ; de nouveau marcher nombre dix pas, défilé, espace
(quelques)

$\tilde{n}\acute{z}i\underset{\,}{e}n_1$ $k\underset{\,}{a}i^1$ $l\underset{\,}{a}\dot{n}_2.$
ainsi ouvrir clair.
(encl. des termes
impressifs)

(Extrait de *La Source aux fleurs de pêcher*,
de T'ao Yuan-ming, 365-427 A. D.)

Traduction

Le pêcheur trouva cela très étonnant. Il alla encore de l'avant, désirant atteindre le bout de la forêt. La forêt finie, à la source du cours d'eau, il trouva une montagne. Sous cette montagne, il y avait une petite ouverture ; c'était comme s'il y avait eu de la lumière. Il abandonna alors son bateau et entra par l'ouverture. Elle était d'abord très étroite, laissant tout juste passer un homme. Lorsqu'il eut fait encore quelques dizaines de pas, tout s'ouvrit et s'éclaira spacieusement.

Langue parlée

(Adaptation du précédent, tirée d'un manuel scolaire ; prononciation du kouan-houa moderne)

$y\ddot{u}_1$	$\underset{.}{z}en_1$	$k\raisebox{0.3ex}{'}an_3$	$l\underset{.}{e}a\breve{o}_2,$	cin^1	$\check{c}o\dot{n}^1$	$k\underset{.}{e}n_2$
Pêcher	homme	regarder	finir,	cœur	dans	très
			(auxil. aspect accompli)			

$le\raisebox{0.3ex}{'}i_1$	$kuai_3;$	$\underset{.}{l}ai_3$	$eia\dot{n}_3$
étrange	bizarre ;	de nouveau	se diriger vers
(composé hendiaduoin)			(vers)
(trouver étrange, s'étonner)			(auxil. prépositionnel)

$le\raisebox{0.3ex}{'}i\underset{.}{e}n_1$	$le\raisebox{0.3ex}{'}i\ddot{u}_3,$	$ia\breve{o}_3$	$\underset{.}{l}o\breve{u}_2$	$lein_3$	$t\underset{.}{s}\ddot{o}_3$	$\underset{.}{l}o_3$
avant	aller,	vouloir	marcher	épuiser, finir	ce	siège
			(v. principal)	(v. auxiliaire résultatif)		(part. numérale des lieux)

lin_1	$\underset{.}{l}e_2.$	yi^1	$ts\partial_1$	$ei\dot{n}_1$	$la\breve{o}_3$	$t\underset{.}{s}\ddot{o}_3$
forêt	enfant.	Un	droit	marcher	arriver (à)	cette
	(encl. nom.)	(tout)			(auxil. prépositionnel)	

$t\raisebox{0.3ex}{'}ia\breve{o}_1$	$cia\breve{o}_2$	$\hbar o_1$	li	$y\ddot{u}an_1$	$t\raisebox{0.3ex}{'}ou_1,$
baguette	petite	rivière	(part. encl.	source	tête
(part. num.			du déterminatif)		(encl. nom.)
des choses allongées)					

$\underset{.}{t}\raisebox{0.3ex}{'}ai_3$	$\underset{.}{s}\partial_3$	lin_1	$\underset{.}{l}\partial_2$	li	$tein_3$	$\check{c}\raisebox{0.3ex}{'}u_3;$
alors seulement	être	forêt	enfant	(part.	épuiser	endroit ;
(apodose)			(encl. nom.)	dét.)	(fin)	(encl. nom.)

$le\raisebox{0.3ex}{'}i\underset{.}{e}n_1$	$mi\underset{.}{e}n_3$	$leiou\breve{}_3$	lu_3	$\check{c}\raisebox{0.3ex}{'}u^1$	yi^1	$\underset{.}{l}o_3$
devant	face, côté	alors	exposer	sortir	un	siège
	(encl. situatif)	(apodose)	(v. principal)	(1er v. auxil.)		(part. num.)

san^1 lai_1. san^1 eia_3 you_2 yi^1 ko_3
montagne   venir.   Montagne   sous   (y) avoir   une   (part. num.
        (2ᵉ v. auxil.)   commune)

$eia\breve{o}_2$ lun_3, li_2 $pi\underset{.}{e}n^1$ $\underset{.}{s}\partial_3$ $\hbar u^1$ you_2
petite   caverne,   intérieur   côté   ressembler   à   (y) avoir
                    (encl. situatif)

yi^1 $li\underset{.}{e}n_2$ $kuan^1$. $t'a^1$ $leiou_3$ pa_2 $\check{c}'uan_1$
un   point   lumière.   Lui   alors   prendre   bateau
   (un peu)   (apodose)   (auxil. introductif
                          du régime)

$t'in_1$ $\check{c}u_3$ $lea\breve{o}$, $\underset{.}{l}ou_2$ $tein_3$ san^1
arrêter   fixer   finir,   marcher   entrer   montagne
(v. princ.)   (v. auxil.   (auxil. aspect   (v. princ.)   (1ᵉʳ v. auxil.)
        résultatif)   accompli)

lon_3 $le'i\ddot{u}_3$. $\check{c}'u^1$ $tein_3$ $le'i\ddot{u}_3$ $\underset{.}{s}\partial_1$,
caverne   aller.   Commencement   entrer   aller   moment,
   (2ᵉ v. auxil.)   (v. princ.)   (v. auxil.)

$\check{c}ai_2$ eia^3 $l\ddot{o}_1$ $\hbar en_2$, $le'ia^3$ $le'ia^3$
étroit   resserré   obtenir   très,   juste   juste
(composé hendiaduoin)   (auxil. introductif   (doublet intensif)
                  du qualificatif)

$\underset{.}{z}on_1$ $l\ddot{o}_1$ yi^1 ko_3 $\underset{.}{z}en_1$ ti $\underset{.}{s}en_1$
contenir   obtenir   un   (part.   homme   (part. encl. du   corps
      (v. auxil.   num.   déterminatif)
      potentiel)   commune)

$\underset{.}{l}\partial_3$; $\underset{.}{l}ai_3$ $tein_3$ $lea\breve{o}_2$ tei_2 $\underset{.}{s}\partial^3$ pu_3,
enfant ;   de nouveau   entrer,   finir   quelques   dix   pas,
(encl. nominal)   avancer   (auxil. aspect
                     accompli)

lun_3 $\underset{.}{s}\partial_1$ $k'uan_1$ $\check{c}'an_2$ $lea\breve{o}_2$.
subit   moment   large   plaine, vaste   (auxil. aspect
               (composé hendiaduoin)   accompli)

Traduction

Ayant regardé, le pêcheur, en son for intérieur, trouva
cela fort bizarre ; il alla encore de l'avant, voulant
marcher jusqu'au bout de cette forêt. Ce ne fut la fin de
la forêt que lorsqu'il fut allé jusqu'à la source de cette
petite rivière ; alors apparut devant lui une montagne.
Sous la montagne se trouvait une petite caverne, à l'intérieur de laquelle il semblait qu'il y eût un peu de lumière.
Ayant arrêté son bateau, il entra dans la caverne. Lorsqu'il

y pénétra tout d'abord, elle était très étroite, tout juste capable de contenir le corps d'un homme ; quand il eut encore avancé de quelques dizaines de pas, soudain tout s'élargit.

Henri MASPERO.

___

BIBLIOGRAPHIE

1. F. S. COUVREUR, *Dictionnaire classique de la langue chinoise*, 3e éd., Ho-kien-fou, 1911 (langue écrite).

2. —, *Dictionnaire français-chinois*, Ho-kien-fou, 1928 (langue parlée).

3. H. A. GILES, *Chinese-English Dictionary*, 2e éd., Shanghai, 1912 (langue écrite et langue parlée).

4. R. H. MATHEWS, *A Chinese-English Dictionary, with English Index*, Shanghai, 1931 ; Revised American Edition, Harvard University Press, 1945 (langue moderne).

5. B. KARLGREN, *Analytic Dictionary of Chinese and Sino-Japanese*, Paris, 1923 (prononciations de l'époque moyenne).

6. —, *Grammata Serica*, Stockholm, 1940 (prononciations des époques archaïque et moyenne, sans les tons ; paléogrammes).

7. G. VON DER GABELENTZ, *Chinesische Grammatik mit Ausschluss des niederen Stiles und der heutigen Umgangssprache*, Leipzig, 1881.

8. J. J. BRANDT, *Introduction to Literary Chinese*, 2e éd., Pékin, 1936.

9. L. WIEGER, *Rudiments de parler chinois, dialecte du Ho-kien-fou*, 1re partie, 2e éd., Ho-kien-fou, 1899 (description d'un dialecte mandarin).

10. M. COURANT, *La langue chinoise parlée. Grammaire du Kwan-hwa septentrional*, Paris-Lyon, 1914 (essai d'interprétation).

11. H. R. MATHEWS, *Kuo-yü Primer*, Shanghai, 1938 (kouan-houa actuel, norme officielle).

11 *bis*. Denzel CARR, *A Characterization of the Chinese National Language*, Bull. Soc. Polonaise de Ling., III, Cracovie, 1932, p. 38-99 ; *The Polysyllabicity of the modern Chinese « National Language »*, Rocznik Orjentalistyczny, X, Lwow, 1934, p. 51-76.

11 *ter*. E. HAENISCH, *Grammatische Bemerkungen zur chinesischen Literatursprache*, Asia Major, IX, 1933.

12. F. LESSING, *Vergleich der wichtigsten Formwörter der chinesischen Umgangssprache und der Schriftsprache*, Mitt. Sem. Or. Spr., XXVII, 1925, p. 58-138.

13. Joseph MULLIE, *Le mot-particule Tchĕ*, T'oung Pao, XXXVI, 1942, p. 181-400.

14. Henri MASPERO, *Études sur la phonétique historique de la langue annamite. Les initiales*, B. E. Fr. E.-Or., XII, i, 1912, p. 1-123.

15. —, *Sur quelques textes anciens du chinois parlé*, ib., XIV, iv, 1914, p. 1-36.

16. —, *Le dialecte de Tch'ang-ngan sous les T'ang*, ib., XX, ii, 1920, p. 1-122.

17. —, *Préfixes et dérivation en chinois archaïque*, Mém. Soc. Ling. Paris, XXIII, 1930, p. 313-327.

18. —, *La langue chinoise*, Conf. de l'Inst. de Ling. de l'Univ. de Paris, année 1933, Paris, 1934, p. 33-70.

19. —, *Les langues d'Extrême-Orient*, dans Encyclopédie Française, I (L'outillage mental), p. 1. 40. 1 — 1. 42. 5.

20. Bernhard KARLGREN, *Études sur la phonologie chinoise*, Upsala, 1915-1924 (compte rendu de H. MASPERO, B. E. Fr. E.-Or., XVI, v, 1916, p. 61-73).

21. —, *A Mandarin Phonetic Reader in the Pekinese Dialect, with an Introductory Essay on the Pronunciation*, Upsala, 1917.

22. —, *Le proto-chinois, langue flexionnelle*, J. As., 1920, I, p. 205-232.

23. —, *The Reconstruction of Ancient Chinese*, T'oung Pao, XXI, 1922, p. 1-42.

23 bis. —, *Sound and Symbol in Chinese*, Londres, 1923.

23 ter. —, *Philology and Ancient China*, Oslo, 1926.

24. —, *Problems in Archaic Chinese*, J. R. As. Soc., 1928, p. 769-813.

25. —, *Tibetan and Chinese*, T'oung Pao, XXVIII, 1931, p. 1-46.

26. — —, *The Poetical Parts in Lao-tsï*, Goteborgs Hogskolas Arsskrift, XXXVIII, 1932, p. 3-45.

27. —, *Shï king Researches*, Bull. Mus. of F. Eastern Antiquities, 4, Stockholm, 1932, p. 117-185.

28. —, *Word Families in Chinese, ib.*, 5, 1934, p. 9-120 (compte rendu de H. MASPERO, Bull. Soc. Ling. Paris, XXXVI, 3, 1935, p. 175-183).

29. —, *On the Script of the Chou Dynasty, ib.*, 8, 1936, p. 157-178.

29 bis. —, *The Chinese Language*, New York, 1949.

30. Walter SIMON, *Zur Rekonstruction der altchinesischen Endkonsonanten*, Mitt. des Sem. f. Or. Spr., XXX, I, p. 147-167, XXXI, I, p. 175-204, Berlin, 1927-1928.

31. —, *Tibetisch-chinesische Wortgleichungen, ein Versuch, ib.*, XXXII, I, 1929, p. 157-228 (compte rendu de H. MASPERO, J. As., 1933, 1 fasc. annexe, p. 74-79).

32. —, *Has the Chinese Language Parts of Speech?* Philological Society Transactions, Londres, 1937, p. 99-119.

32 bis. P. A. BOODBERG, *Remarks on the Evolution of Archaic Chinese*, Harv. J. As. St., II, 1937, p. 329-372.

32 ter. Paul K. BENEDICT, *Archaic Chinese *g and *d*, Harv. J. As. St., XI, 1948, p. 197-206.

33. R. A. D. FORREST, *The Chinese Language*, Londres, 1948.

33 bis. P. DEMIÉVILLE, *Initiation à la langue chinoise*, Cent-cinquantenaire de l'École des Langues Orientales, Paris, 1948, p. 129-152.

33 ter. —, *Archaïsmes de prononciation en chinois vulgaire*, T'oung Pao, XL, 1950, p. 1-59.

33⁴. J. CHMIELEWSKI, *The Typological Evolution of the Chinese Language*, Rocznik Orientalistyczny, XV, 1949, p. 371-429.

34. W. A. GROOTAERS, *La géographie linguistique en Chine*, Monumenta Serica, VIII, Pékin, 1943, p. 103-166 ; *Différences phonétiques dans les dialectes chinois, ib.*, XI, 1946, p. 207-231 ; *Uue courte exploration linguistique dans le Chahar (Chine du Nord)...*, Bull. Soc. L. Paris, XLVI, ı, 1950, p. 123-143.

35. J. Prušek, *La fonction de la particule* ti *dans le chinois médiéval*, Archiv Orientalni, XV, Prague, 1946, p. 303-340.

36. Fu Liu, *Étude expérimentale sur les tons du chinois*, Paris-Pékin, 1925 ; *Les mouvements de la langue nationale en Chine*, ib., 1925.

36 *bis*. Lientseng Wang, *Recherches expérimentales sur les tons du pékinois*, Arch. néerland. de phonétique expérimentale, t. XIII-XIV, Amsterdam, 1937-1938.

37. Y. R. Chao, *Tone and Intonation in Chinese*, Ac. Sinica, Bull. Nat. Res. Inst. Hist. Philol., IV, 2, Shanghai, 1933, p. 121-134 ; *Cantonese Primer*, Harvard University Press, 1947 ; *Mandarin Primer*, ib., 1948.

38. Ting-ming Tchen, *Étude phonétique des particules de la langue chinoise*, Paris, 1938 ; *Les phonèmes de la langue chinoise*, B. S. Ling. Paris, nᵒ 119, 1939, p. 107-118.

39. Kao Ming-k'ai, *Essai sur la valeur réelle des particules prépositionnelles en chinois*, Paris, 1940.

39 *bis*. L. M. Hartman 3d, *The Segmental Phonemes of the Peiping Dialect*, Language, XX, 1944, p. 28-42.

39 *ter*. C. F. Hockett, *Peiping Phonology*, J. Am. Or. S., LXVII, 1947, p. 253-267.

40. J. R. Firth et B. B. Rogers, *The Structure of the Chinese Monosyllable in a Hunanese Dialect (Changsha)*, B. School Or. St., VIII, 1937, p. 1055-1074.

41. N. C. Scott, *The Monosyllable in Szechuanese*, B. School Or. Afr. St., XII, 1947, p. 197-213.

42. A. Obrebska-Jablonska, *Secondary Voicing of Consonants in the Pekinese Dialect*, Bull. Soc. Pol. de Ling., VIII, Cracovie, 1948, p. 41-56.

43. Wang Li, *Une prononciation chinoise de Po-pei (province de Kouang-si)*, *étudiée à l'aide de la phonétique expérimentale*, Paris, 1932.

44. Lo Ch'ang-p'ei, *Phonetics and Phonology of the Amoy Dialect*, Ac. Sinica, Nat. Res. Inst. Philol., Monograph A, nᵒ 4, Pékin, 1930 (résumé en anglais) ; *The Phonetics and Phonology of Lin-ch'uan Dialect*, id., nᵒ 17, Changhai, 1940 (en chinois).

45. Chiu Bien-ming, *The Phonetic Structure and Tone Behaviour in Hagu (commonly known as the Amoy Dialect) and their relation to certain questions in Chinese Linguistics*, T'oung Pao, XXVIII, 1932, p. 245-342.

46. Chao Yuen-ren, etc., *Report on a Survey of the Dialects of Hupei*, Ac. Sinica, Inst. Hist. Philog., 2 vol., 1948 (résumé en anglais).

47. F. Giet, *Phonetics of North-China Dialects*, Monumenta Serica, XI, Pékin, 1946, p. 233-267.

48. —,   *Zur Tonität nordchinesischer Mundarten*, Vienne, 1950.

49. Paul K. Benedict, *Tonal Systems in Southeast Asia*, J. Am. Or. Soc., LXVIII, 1948, p. 184-191.

50. J. de Francis, *Nationalism and Language Reform in China*, Princeton University Press, Princeton, 1950.

LES LANGUES MON-KHMER[1]

Extension et affinités. — A l'origine, les langues mon-khmer ont eu pour domaine les plaines basses de l'Indo-chine et les montagnes peu élevées qui les séparent ; elles semblent y avoir remplacé très anciennement des parlers négritos, dont celui des Sakai de la péninsule malaise et l'andaman sont peut-être des débris ; l'invasion des Thai dans l'Est, celle des Karen, puis des Birmans dans l'Ouest, les ont coupées en plusieurs tronçons séparés, ne laissant souvent subsister que des îlots témoins. On compte aujourd'hui environ 4 millions de personnes parlant des langues mon-khmer, dont 2.500.000 parlant cambodgien, 300.000 parlant talaing, 235.000 parlant khasi, 175.000 parlant les divers dialectes palaung, riang, wa, etc., de Birmanie, 10.000 parlant nicobarais, et le reste parlant les dialectes lawa du Siam, moi et kha de la chaîne anna-mitique, bahnar en Annam, stieng aux confins du Cam-bodge et de la Cochinchine, pheng à ceux du Laos, du Tonkin et de l'Annam entre le Mékhong et le Nghê-an, etc. D'autre part, elles présentent des traits communs du côté méridional avec les parlers semang de la péninsule malaise, et plus loin avec les langues malayo-polynésiennes dont une branche, le cham avec les dialectes apparentés, churu, radeh, jarai, est parlée autour de Phan-rang et de Phan-ri, sur la côte de l'Annam, et dans l'arrière-pays, de Dalat à Kontum ; mais les affinités sont plus lointaines. Il est difficile de reconnaître exactement quelle est leur relation avec les langues mounda de l'Inde : cette relation est assez étroite pour qu'on ait pensé à une parenté éloignée. Enfin l'annamite dans l'Est, le sakai au Sud, bien qu'ils n'appar-

---

1. Voir carte XII.

tiennent pas à la famille mon-khmer, lui ont emprunté très
anciennement un grand nombre de mots (en particulier les
noms de nombre), modifiant ainsi fortement l'aspect de
leur vocabulaire.

Écritures. — La plupart de ces langues ne sont connues
que par des relevés modernes. Deux d'entre elles seulement sont dotées d'une écriture, le cambodgien ou khmer,
et le talaing ou mon, et l'on possède sur elles des documents
anciens : des inscriptions cambodgiennes remontant au
VIIIᵉ siècle, et des inscriptions talaing à peu près à la
même époque. Les écritures sont indépendantes l'une de
l'autre, mais dérivent toutes deux de celles de l'Inde du
Sud ; elles ont eu l'une et l'autre la fortune d'être adoptées
ultérieurement par des populations voisines : l'alphabet
talaing a donné naissance aux alphabets birman et chan ;
l'alphabet cambodgien aux alphabets siamois et laotien,
et par leur intermédiaire à ceux des Taï-noirs et des Taï-
blancs.

Littérature. — En dehors de l'épigraphie, la seule littérature mon-khmer digne de mention est la littérature de
langue cambodgienne, au reste peu ancienne et peu importante, la tradition littéraire ayant eu pour véhicules, au
Cambodge, le sanskrit puis le pāli.

Système phonique. — Le mon-khmer commun présentait
des séries régulières complètes d'occlusives sourdes,
sourdes aspirées, sonores, et nasales, avec des mi-sourdes,
au moins pour les dentales et les labiales *(D, t, t', d, n;
B, p, p', b, m)* ; pas de sonores aspirées : celles qu'on trouve
écrites en cambodgien moderne n'ont probablement jamais
eu de réalité phonétique, ou, si elles ont vraiment existé,
n'ont été qu'un accident sans lendemain dans l'histoire de
cette langue. Comme occlusives, des postpalatales, prépalatales, dentales et labiales, mais pas de cacuminales : ici
encore les écritures cambodgiennes et talaing ont donné
un aspect étrange à leurs langues respectives en employant
la cacuminale sourde de l'alphabet indien pour rendre la

mi-sourde dentale de ces langues, pour laquelle il n'y avait
pas de signe ; pour la mi-sourde labiale, il a fallu se résigner
à inventer un signe spécial. Une occlusive glottale sourde
précédait l'émission de toutes les voyelles initiales. Pas
d'affriquées ; pas de chuintantes ; une seule sifflante sourde.
Les groupes consonantiques initiaux ou médians formés
de deux occlusives étaient admis, comme ceux d'occlusive
avec nasale ou liquide. A la finale, les occlusives sourdes,
les nasales, les liquides *l*, *r*, l'occlusive glottale, l'aspiration
ou la sifflante étaient seules acceptées : le *b* final cambodgien
(prononcé *p*) est purement orthographique. Quant au
vocalisme, il présentait ce trait curieux que le timbre de
toutes les voyelles était soumis à l'influence du caractère
sourd ou sonore de la consonne initiale. Ce n'est pas que
certaines voyelles fussent réservées aux mots à initiales
sourdes et d'autres aux mots à initiales sonores, comme
certaines langues modernes ont tendance à s'organiser ;
mais les sonores semblent avoir introduit des résonances
arrière-buccales qui dans certaines langues ont abouti à
des diphtongues ou ont modifié le timbre originel, et dans
d'autres ne se sont pas développées ; le cambodgien et le
talaing paraissent être celles qui leur ont donné le plus
d'importance. Aujourd'hui, le khasi, ainsi que le bahnar
et les parlers moi, conservent encore toutes les occlusives
anciennes, sourdes, sourdes aspirées, sonores, mi-sourdes
et nasales. Le cambodgien et le talaing ont perdu les
sonores qui sont devenues sourdes, mais ont conservé les
mi-sourdes (leur articulation exacte actuelle n'est pas
connue), qui y ont pris un grand développement ; des fricatives se sont parfois formées comme *f* talaing, trop récent
pour être noté dans l'écriture.

Procédés de dérivation. — Pour la formation des mots,
on ne rencontre que des traces de la suffixation, qui joue
un grand rôle dans les langues malayo-polynésiennes
(KHMER *lö* « sur »/*lö-k* « lever »/*lö-ṅ* « monter »/*lö-s* « plus » ;
Bę « s'écarter »/Bę-k « se séparer »/Bę-ṅ « diviser »/Bę-s
« cueillir un à un ») ; ces cas sont si rares qu'ils appa-

raissent comme des survivances d'un procédé disparu dès le mon-khmer commun. Les procédés réguliers de dérivation sont la préfixation et l'infixation. Ils apparaissent sous deux formes appartenant chacune à une époque différente. La plus ancienne, qui remonte au mon-khmer commun, mais a continué plus ou moins longtemps dans chaque langue séparée, consistait à placer le préfixe ou à insérer l'infixe directement, l'un avant, l'autre après l'initiale, sans voyelle ou avec une voyelle très brève, le mot restant ainsi monosyllabique. Le second procédé, plus récent et particulier à certains langues (il ne se rencontre ni en mon, ni en bahnar), consiste à renforcer les préfixes par une nasalisation ou par un infixe nasal : KHMER *dăl* [pron. *tol*] « s'appuyer »/*p'-dăl* [pron. *p'-țǫl*] « appuyer » ; *hęl* « nager »/*B-ań-hęl* « faire nager » ; KHASI *ruṅ* « entrer »/ *p-ruṅ* « pénétrer »/*p-ən-ruṅ* « introduire ». Le cambodgien renforce ainsi même l'infixe : *Dö* «marcher »/*l'-m-ö* «voyageur »/*D-ămn-ö* « marche, affaire » ; *ſuǫñ* [pron. *ćuǫñ*] « commercer »/*ſ'-m-uoñ* [pron. *ć'-m-uoñ*] « commerce »/ *ſ-ămn-uǫñ* [pron. *ć-ŏmn-uǫñ*] « commerce ».

Préfixes. — Les préfixes se plaçaient aussi bien devant les noms que devant les verbes, et cela en complique l'étude, car noms et verbes ne sont pas toujours bien distincts. Le préfixe labial était essentiellement verbal : *p-* transformait des noms ou des verbes intransitifs en transitifs ou en causatifs : MON *yǫ* « être malade »/ *pă-yǫ* « rendre malade » ; KHMER *găṅ* [pron. *kŏṅ*] « placé sur »/*p'-găṅ* [pron. *p-kŏṅ*] « placer sur » ; BAHNAR *dǫ* « éclater »/ *pə-dǫ* « faire éclater » ; KHASI *suh* « être greffé »/*bə-suh* « insérer » ; PALAUNG *yb̄m* « mourir »/*p-yb̄m* « tuer ». *m-* formait des sortes de participes : MON *tit* « sortir »/*mă-tit* « sorti » ; mais ce préfixe n'a pas pris dans les langues mon-khmer le développement qu'il a dans les langues malayo-polynésiennes (cp. CHAM *mə-*). Les préfixes postpalataux et dentaux étaient à la fois nominaux et verbaux. D'une part ils formaient des verbes intransitifs ou réfléchis : MON *k-ña* « aller », BAHNAR *dep*

« couvrir »/*kə-dəp* « être caché » ; de l'autre des noms
d'agent ou d'instrument : KHMER *Bę* « tourner »/*k-Bę*
« lisière » ; *kiep* « saisir avec une pince »/*ľ-kiep* « pince » ;
BAHNAR *pūəl* « couper »/*kə-puəl* « morceau » ; KHASI *sộl*
« faire des libations »/*k-sộd* « esprit », *dail* « démanger »/
dă-dail « démangeaison ». Et aussi sans dérivation verbale,
k- forme des noms de parenté, des noms d'animaux, des
noms de plantes : MON *k-ni*, *g-ni* « souris », *k'ă-mol*
« fourmi », *k-la* « tigre », *kă-wa* « chauve-souris », *k-mim*
« ours », *gă-ćem* « oiseau », *k-lam* « sangsue terrestre »,
gă-mil « moustique » ; KHMER *k'mọm* (écrit *g'-măm*) « ours »
(le bahnar et le stieng n'ont pas le préfixe : *mon*), *kra-
moć* « fourmi », *k'-la* « tigre » ; BAHNAR *k-ram* « bambou »,
kə-loñ « fougère », *kə-lier* « fourmi blanche », *k-rai* « écureuil », *kə-löp* « tourterelle », *k-la* « tigre » ; KHASI *iau*
« vieux », *k-iau* « grand-mère », *k-mie* « mère », *k-pa* « père »,
k-ni « oncle maternel », *k'-la* « tigre », *k'-nại* « souris »,
k-liar « centipède », *k-sạr* « renard », *k-sah* « pin » (en khasi,
k- est devenu le préfixe ordinaire des noms) ; *l-* forme des
adjectifs : MON *lă-mi* « neuf », *lă-mlă* « libre », *lă-rem*
« ancien » ; KHASI *ľə-mai*, *ľ-əm-mai* « neuf », *l-lem* « sans
tache », *l-lol* « faible », *lă-nia* « frugal », *l-bil* « adroit »,
l-ñil « sale » ; enfin le préfixe *s-* avec des variantes *h-* et *ć-*
formait plutôt des noms et des adjectifs (c'est encore une
de ses fonctions capitales en khasi) : KHM. *s-ñuọl* « sec »,
s-ruọl « agréable », *s-ręk* « assoiffé », *s-ral* « léger », *s-Dŭk*
(pron. *s-Dauk*) « rigide », *să-ăk* « rauque », *s-Dać* « roi ».
Tous ces préfixes (en dehors de *p-*) prennent souvent la
place les uns des autres pour des raisons purement phonétiques : il y a une tendance, plus ou moins marquée suivant
les cas dans les langues actuelles, à éviter l'effet de redoublement de l'initiale que produirait un préfixe de même
classe que l'initiale (*k-* devant gutturale, *l-* devant dentale) ; aussi leur valeur propre est-elle difficile à saisir.

Infixes. — Quant aux infixes, les liquides ne sont guère
que des survivances ; insérés à la suite de l'initiale, *-l-*,
-r- n'ont plus qu'un intérêt étymologique et n'ont de

valeur formative dans aucune langue actuelle ; les inscriptions mon du XIᵉ siècle montrent un infixe -ĭr- qui formait des noms abstraits de qualité dérivés d'adjectifs. Attachés aux préfixes formés d'une occlusive, ils leur font aujourd'hui former des verbes réciproques : KHM. pr-, kr-, sr-, BAHNAR *tr->tə- ; ex. : KHM. kʿăm « mordre »/pră-kʿăm « s'entre-mordre » ; BAHNAR hŭl « se mettre en colère »/ tə̆-hŭl « se mettre en colère l'un contre l'autre » ; PALAUNG e insulter, k-ɒr-e «s'insulter mutuellement». Les infixes nasaux sont au contraire très vivants ; ils forment surtout des noms verbaux : MON gă-ćöt « tuer »/gă-m-ćöt « la mort », k-lot « voler »/k-ăm-lot « voleur » ; KHMER pʿdăl [pron. pʿ-tğl] « appuyer »/B-ăn̊-dăl [pron. B-ăn̊-tğl] « appui », luoć « voler »/l-ăm-uoć (pron. l-ŏm-uoć) « voleur » ; BAHNAR gap « enserrer »/g-ŏn-ap « bandes molletières », k-rɒl « rouler de haut en bas »/*k-ŏn-rɒl>k-ŏD-rɒl « cascade » ; KHASI sad « peigner »/s-n-ad « peigne », šon̊ « habiter »/š-n-on̊ « village » ; NICOBARAIS păniap « mourir »/p-ŏm-ăniap « cadavre », kăle « voler »/k-ăm-ale « voleur ».

Préfixes modernes. — Les langues modernes n'ont plus guère que des débris du système primitif : chacune d'elle a perdu quelques-uns des préfixes, ce qui, en obligeant les autres à se partager leur emploi ou en amenant la création de procédés nouveaux pour les remplacer, a causé de nombreuses perturbations. Le préfixe pr- n'est plus vivant qu'en cambodgien, et m- qu'en talaing, à l'inverse des langues malayo-polynésiennes (cf. le développement que reçoit en malais bĕr- écrit pră dans les anciennes inscriptions). En khasi, k- est devenu un préfixe nominal. En nicobarais, l- a disparu, et ta-, te-, ten- tirent leur origine de prépositions signifiant « vers » (ta, te usuels aujourd'hui, ten perdu depuis le XVIIIᵉ siècle) ; p- a disparu aussi, et a été remplacé par ha qui doit avoir d'abord été lui aussi un verbe indépendant, car il se place tantôt avant tantôt après le verbe avec la même valeur causative ; k- et ɒm- (<*m-?) sont devenus les préfixes formateurs de verbes.

Le chrau a perdu les préfixes p- et k- et n'a gardé vivant

que *ǔ*- qu'il emploie surtout comme causatif *čĕl* « mourir »
lǎ-čĕl « tuer », *lap* « entrer » *lǎ-lap* « faire entrer », et qu'il
joint à l'infixe -*m*- pour former un réciproque : *rāɔ* « injurier » *l-ăm-rāɔ* « s'injurier mutuellement », *sai* « épouser »,
l-ăm-sai « se marier l'un à l'autre » ; *č*- (et *c* qui en dérive)
ne sont vivants actuellement en cette langue qu'en tant
que variantes de *l*-.

Collectifs. — Ces procédés de composition donnent
naissance à des mots distincts et non à des formes diverses
d'un même mot : le mot une fois formé est invariable et
les nuances de pensée que l'on peut désirer rendre s'expriment au moyen de mots auxiliaires, pour les noms et les
verbes. Le nom n'a ni genre, ni nombre ; mais des termes
collectifs s'adjoignent souvent au nom pour le préciser et
constituent une sorte d'équivalent de notre pluriel. Pour
les pronoms, la fréquence de combinaisons de ce genre et
les contractions qui en résultent ont amené sporadiquement la création de formes qui apparaissent comme des
pluriels et plus rarement comme des duels : le khasi forme
ainsi régulièrement le pluriel des pronoms personnels en
changeant en *i* l'*a* final du féminin : « je » (fém.) *ṅā*, « nous »
ṅi ; « tu (fém.) » *p'ā*, « vous » *p'i* ; « elle » *ka*, « ils » *ki ;* le
masculin a des mots différents sauf pour la 1re personne
ṅā, mē, u. Le nicobarais, le bahnar ont un duel : BAHNAR
« je » *iṅ ;* « nous 2 » (inclusif) *ba*, (exclusif) *ṅi ;* « nous »
(inclus.) *bŏn*, (exclus.) *ñọn ;* — « tu » *ẹ*, « vous deux » *mih*,
« vous » *iĕm*. La plupart de ces formes ne sont pas analy-
sables ; toutefois le duel exclusif *ñi* est visiblement formé
du pronom singulier *iñ* et du démonstratif *ẹi* « moi et lui »
(ou « eux ») ; et le duel *ba, ni* est évidemment en relation
avec le pluriel *bŏn, ñọn*. Tout cela apparaît comme des
formations locales spéciales à certaines langues.

Les collectifs, termes imprécis, ne s'emploient pas avec
les noms de nombre, termes précis de numération. D'autre
part, le nom nombré ne se joint pas directement au nom
de nombre : il faut l'intermédiaire d'une numérale : KHM.
čọr BUọN *năk*, « quatre voleurs », litt. « voleurs quatre

hommes » ; BAHNAR *bar gɛr ka* « deux poissoɴs », litt
« deux grains (de) poisson », *fəraṅ pęṅ fənǫi* « trois
colonnes », litt. « colonnes trois longueurs ». Cette construction normale est délaissée quand on veut insister suʀ
le nom de nombre : chaque langue a des procédés particuliers pour çela ; par exemple le cambodgien commencᴇ
par exprimer le nom de façon imprécise avec un collectif
puis le fait suivre du nom de nombre sans numérale : celui-
ci apparaît ainsi comme une sorte de précision ajoutéᴇ
après coup, en apposition, et cette situation anormale lᴇ
met en relief : *ăs ćǫr doṅ pram rǫy* [pron. *ăɔ ćǫr tęaṅ pram
rǫy*] « les 500 voleurs », litt. « tous les voleurs, cinɋ
cents, ... ».

Les aspecls. — Le verbe oppose régulièrement l'actioɴ
en voie d'accomplissement à l'action accomplie ; oɴ
exprime aussi l'intentionnel par une sorte de futur proche.
On se sert pour indiquer l'aspect soit de verbes auxiliaires
qui se placent avant le verbe, exprimant l'idée principale,
soit de particules qui se placent après le verbe ; mais les
mots employés sont complètement différents selon les
langues (et même selon les époques dans les langues dont
on peut suivre l'histoire) : par exemple, l'accompli résultatif se marque par les particule suivantes : KHM. *ruoć*
(ou *sraé* qui paraît en être une autre forme) ou *hey* (pron.
höy), MON *lue* (pron. *loe*), BAHN. *boih*, KHASI *la*, qui paraissent bien être sans rapport entre eux.

La phrase. — La construction courante de la phrasᴇ
place le verbe entre le sujet et l'objet ; mais elle n'est pas
très rigoureuse, et l'intention d'insister sur l'objet le fait
mettre en tête de la phrase, avant le sujet : cet arrange-
ment est normal en mon quand l'objet est multiple ; dans
ce cas on le fait suivre du démonstratif *gah* (pron. *kauh*)
qui le résume. Il n'y a nulle part aucune trace du procédé
mounda de rappeler sujet et objet par des pronoms suffixés
au verbe, à moins qu'on ne puisse en rapprocher la curieuse
construction de la forme possessive du démonstratif
bahnar *dö* qui, contrairement à la construction normale,

se place avant le nom qu'il détermine et non après, et qui de plus doit suivre immédiatement le verbe, par exemple : *bu pöm me̦' ji bal dö ko̦n* « toute mère aime son enfant ». Les compléments du nom se placent derrière le nom, ainsi que les adjectifs ; aucun pluriel, mais souvent des termes collectifs s'ajoutent au nom pour préciser ; enfin, fait général dans toutes les langues d'Extrême-Orient, le nom de nombre ne se joint pas directement au mot nombré, mais exige l'intermédiaire d'une numérale.

Emprunts. — Les langues diverses diffèrent beaucoup par leur aspect phonétique, leur emploi des préfixes, et surtout leur vocabulaire. En particulier, le cambodgien et le talaing, langues de civilisation ancienne, ont emprunté de nombreux mots, le premier au sanskrit, le second au pāli ; ceux qui sont vraiment entrés dans la langue ont généralement été réduits à une ou deux syllabes, et présentent souvent l'aspect d'un mot à préfixe ou à infixe peu différent des mots indigènes ; le khasi, de son côté, a emprunté des mots bengali auxquels il a fait subir un traitement analogue.

Numération. — Le mon-khmer commun avait un système de numération par quaternes et par vingtaines, lourd et incommode, qui a été remplacé presque partout par le système décimal. Le nicobarais a conservé le système vigésimal en entier (avec des mots complexes de formation nouvelle), et compte indéfiniment par vingtaines : *he̦aṅ umdiǫme̦* « une vingtaine », *ā umdiǫme̦*, « 2 vingtaines », puis par quatre-centaines *he̦aṅ ine̦in umdiǫme̦* « une quatre-centaine », *lūe̦ ine̦in umdiǫme̦* « 3 quatre-centaines », etc. Le cambodgien en a gardé des traces et compte « une quaterne » *muy ᴅămʙar* (mot certainement formé par dérivation de *bir*, pron. *pir*, « 2 ») et « une vingtaine » *muy p'e* (pron. *p'ei*) ; les inscriptions anciennes comptent par vingtaines et donnent un nom désignant 20 vingtaines, *muy slik* « une quatre-centaine » ; la langue moderne a abandonné ces computs compliqués et a purement et simplement emprunté la numération décimale

siamoise au-dessus du nombre 20. Le khasi a dans quelques
comptes spéciaux (bambous, oranges, comme chez nous
les œufs se comptent à la douzaine) un système par quaternes *gənda* et vingtaines *bədī;* le mot *gənda* est un
emprunt au bengali, il y désigne une pièce de monnaie,
l'anna, et c'est par l'intermédiaire de la monnaie
qu'il s'est introduit en khasi et s'est substitué au mot
indigène. Ce procédé se compliquait encore de soustractions
pour les nombres élevés de chaque vingtaine. Le nicobarais compte *hẹaṅ-haŧa* « 9 », expression qui n'est pas
entièrement analysable mais qui contient le mot *hẹaṅ* et
la négation *haŧ* et signifie certainement « 10 moins 1 ».
Le khasi dit de même *ār-pʻew-n-ar* « deux dizaines moins
deux » (où -*n*- représente le mot *dūna* « diminué »), à côté
de *kʻad-pʻrā* « dix-huit » (*kʻad* est le mot « dix » qui n'a
subsisté qu'en composition, remplacé ailleurs par *pʻew*
« dizaine »). Le cambodgien et le nicobarais ont, de plus,
perdu les nombres de 6 à 9 qu'ils ont remplacés, le premier
par des dérivés de 5 : *prăm-muy* « cinq-un » = « 6 », *prăm-
bĭl* (pron. *prămpĭl*) « cinq-deux » = « 7 », etc., le second
par des mots d'origine diverse : *ǫnfǫan*, « 8 », probablement
« une paire de 4 » (*fuan* « 4 »), *ŧafūẹ̆l* « 6 » qui n'est pas un
nom de nombre, mais un mot désignant un couple et qui
a pris le sens de « 6 » par une allusion que nous ne connaissons pas. Les noms de nombre de « 4 » à « 5 » marquent
une distinction nette entre les langues mon-khmer du
Sud-Est (mon, khmer, bahnar et parlers moi) et celles du
Nord-Ouest (khasi, palaung, wa, riang, nicobarais) : les
premières leur donnent un préfixe labial qui manque
régulièrement aux secondes (le riang le remplace par un
préfixe *k-*) ; les langues mounda et certains dialectes sakai
s'accordent avec les parlers du Sud-Est. Le nombre « 2 »,
KHM. *bir* (pron. *pir*), MON Bā (les inscriptions anciennes
donnent Bar), BAHNAR *bar* (cf. SANTALI *bar-ẹa*), est en
KHASI *ār,* PALAUNG *ā,* NICOBARAIS *ã* ; « 3 », KHMER Bi (pron.
bei), MON *pi,* BAHNAR *peṅ* (cf. SANTALI *pe-a*), mais KHASI
lāi, WA *loi,* PALAUNG *we,* RIANG *kwai,* NICOBARAIS *lūe:*
dans ces langues, *l* n'est probablement pas un préfixe

(malgré un dialecte wa qui a *lă-oi* « 3 » à côté de *lă-al* « 2 »,
renforcement d'un mot devenu trop court) comme le
pensait le P. Schmidt (2, p. 759), mais fait partie du mot
même, car il en reste une trace au moins en cambodgien
où dans les nombres composés 3 est *pĭl*. Le khasi seul du
reste a laissé tomber le préfixe dans toute la série : les
dialectes palaung, wa, etc., ainsi que le nicobarais l'admettent aux nombres « 4 » et « 5 ». D'autre part, quelques langues du Sud-Est gardent des traces des formes sans préfixe
labial : BAHNAR *k-ǝm-ar* « jumeaux » à côté de Bar
« deux ».

NUMÉRATION DU KHMER MODERNE

1	*muy*	9	*Prăm-Buon*
2	*pir*	10	*DăP*
3	*Bei*	15	*Prăm-lŏn-DăP*
4	*Buon*	25	*muy-p'ei-Prăm*
5	*Prăm*	50	*ha-sĕP* (<siamois *ha-sĭb*)
6	*Prăm-muy*	100	*roy* (<siam. *roi*)
7	*Prăm-pĭl*	1.000	*pan* (<siam. *phăn*)
8	*Prăm-Bei*	10.000	*meun* (<siam. *mŏn*)

TEXTE KHMER[1]

neḥ	*gī*	*cpāp*	*kram* /	*prasœr*	*uttam* /	*dūnmān*
Ce	à savoir	code	conduite	célèbre	éminent	éduquer
	(particule		(sk. krama)	(sk. pra-sr̥	(sk. uttama)	
	explicative)			« se répandre »)		

anak	*phaṅ* /	*pra* -	*on*	*lumdon* /	*kum*
homme	(pl.)	(préf. de	incliner	courber l'échine	ne pas
		réciprocité)		par politesse	(prohib.)
		plier l'un devant l'autre			

1. [Henri MASPERO n'ayant pas laissé de spécimen des langues mon-
khmer, ce texte (versifié) a été choisi par M. AU CHHIENG qui, faute d'informations suffisantes pour en adapter la transcription au système suivi par
MASPERO dans son exposé des langues mon-khmer, l'a transcrit selon le
système dit des indianistes, les voyelles qui n'existent pas en sanscrit étant
notées par des signes qui sont ici soulignés. Ce texte comprend 3 strophes,
dont chacune est formée de 7 vers de 4 syllabes.]

pī	*mān*	*chgaṅ* /	*prājñā*	*puṇy*	*phaṅ* /
pour	avoir	inconvenance	intelligence	mérite	(pl., encl.
(part. but)			(sk. prajñā)	(sk. puṇya)	d'un groupe)

kœl	*ḷoy*	*pnipāl* //	*āsū*	*me*	*pā* /
naître	suivant,	prosternation	entendre	chef	enfant
	selon	(pāli panipāta)	(sk. ā-śru)	(ici : mère	
				ou parents)	

ceñcem	*raksā* /	*buṃ*	*oy*	*antarāy*	/ *āc*
nourrir	garde,	ne pas	donner ;	obstacle, ruine	se donner
	protection	(prohib.)	pour	(sk. antarāya)	la peine de
	(sk. rakṣā)				

yak	*mok*	*phñœ* /	*nau*	*grūpādhyāy* /	*hel*
prendre	venir	confier	demeurer	maître - précepteur	cause
amener			chez	(sk. guru+upādhyāya)	(sk. hetu)

caṅ	*banrāy* /	*prayojan*	*dāṃṅ*	*pī* //
vouloir	(pāli baṇṇa, vaṇṇa	but	tous	trois
	« couleur, espèce »+khmer rāy	(sk. prayojana)	(collectif)	
	« détailler, compter un à un »)			

muoy	*caṅ*	*klī*	*cpāp* /	*oy*	*pān*	*khluon*	*gāp* /
un	vouloir	esprit	code	donner ;	avoir	corps	convenable
				pour			

nau	*nā*	*lokī* /	*muoy*	*caṅ*	*prājñā*
demeurer ;	durant	habitant	un	vouloir	intelligence
chez		du monde			(sk. prajñā)
		(sk. lokin)			

kuṃ	*oy*	*apriy* /	*muoy*	*caṅ*	*pāramī* /	*nām*
ne pas	donner ;	désagréable	un	vouloir	perfection	guider
(prohib.)	pour	(sk. apriya)			(pāli pāramī)	

ñāt	*dāṃṅ*	*hlāy* //
parents	tous	(pl.)
(pāli ñāti)	(coll.)	

TRADUCTION

C'est le « code de conduite », éminemment célèbre, qui forme les hommes, les plie les uns devant les autres, les courbe, pour les empêcher d'être inconvenants. L'intelligence et le mérite viennent de la révérence [à l'égard de ce code]. Écoutez ! La mère nourrit et soigne son enfant pour qu'il soit en bonne santé ; elle se donne la peine de le confier à un précepteur, parce qu'elle vise trois sortes de buts, à savoir : premièrement, elle veut [qu'il comprenne] l'esprit du code, pour qu'il soit convenable dans le monde ; deuxièmement, elle veut [qu'il soit] intelligent, pour ne pas être détestable ; troisièmement, elle veut [qu'il possède] les [dix] Perfections, pour qu'il guide ses semblables.

Henri MASPERO.

BIBLIOGRAPHIE

TRAVAUX GÉNÉRAUX

1. Sir George A. GRIERSON, *Linguistic Survey of India*, vol. II, *Mon-Khmer and Siamese-Chinese Families*, Calcutta, 1904.

2. P. W. SCHMIDT, *Grundzüge einer Lautlehre der Mon-Khmer Sprachen*, Vienne, 1905.

3. —, *Grundzüge einer Lautlehre der Khasi-Sprachen in ihren Beziehungen zu derjenigen der Mon-Khmer Sprachen*, Munich, 1905.

4. —, *Die Mon-Khmer Völker, ein Bindeglied zwischen Völkern Zentralasiens und Austronesiens*, Brunswick, 1906 ; trad. franç., *B. E. Fr. E.- Or.*, VII, 1907, p. 213-263, VIII, p. 1-35.

5. H. W. DE HEVESY, *On W. Schmidt's Munda-Mon-Khmer comparisons (does an « Austric » Family of Languages exist?)*, Bull. of the School of Or. Studies, VI, Londres, 1930, p. 186-200.

5 *bis.* Thomas A. SEABOK, *An Examination of the Austroasiatic Language Family*, Language, XVIII, 1942, p. 206-217.

LANGUES PARTICULIÈRES

6. Georges MASPERO, *Grammaire de la langue khmère (cambodgien)*, Paris, 1915 [bibliographie des langues mon-khmer, p. 16 sqq.].

7. E. MÉNÉTRIER et Ch. PANNETIER, *Éléments de grammaire cambodgienne appliquée*, Phnôm-penh, 1925.

8. E. AYMONIER, *Dictionnaire khmèr-français*, Saigon, 1878.

9. —, *Dictionnaire français-cambodgien*, Saigon, 1874.

10. J. B. BERNARD, *Dictionnaire cambodgien-français*, précédé d'*Éléments d'écriture cambodgienne* et de *Notions de grammaire cambodgienne*, Hongkong, 1902.

11. J. GUESDON, *Dictionnaire cambodgien-français*, Paris, 1930.

12. S. TANDART, *Dictionnaire cambodgien-français*, Phnôm-penh, 1935.

13. E. MÉNÉTRIER, *Le vocabulaire cambodgien dans ses rapports avec le sanscrit et le pâli*, Phnôm-penh, 1933.

14. F. MARTINI, *Aperçu phonologique du cambodgien*, Bull. Soc. Ling. Paris, XLII, 1, 1946, p. 112-131.

15. R. HALLIDAY, *A Mon-English Dictionary*, Bangkok, 1922.

16. —, *Les inscriptions môn du Siam*, B. E. Fr. E.-Or., XXX, 1930, p. 82-105.

17. C. O. BLAGDEN, *Quelques notes sur la phonétique du talain et son évolution historique*, J. As., 1910, I, p. 477-505.

18. —, *The Inscriptions of the Kalyānīsīmā, Pegu*, Arch. Surv. Burma, Môn Inscriptions, II, 12, Rangoon, 1928.

19. —, *Môn Inscriptions*, Rangoon, 1934.

20. P. DOURISBOURE, *Dictionnaire bahnar-français*, Hongkong, 1889.

21. H. AZÉMAR, *Dictionnaire stieng*, Excursions et Reconnaissances, XII, Saigon, 1886.

22. Mrs. Leslie MILNE, *An Elementary Palaung Grammar*, Oxford, 1921.

LES LANGUES MOUNDA[1]

Extension. — Les langues mounda *(muṇḍa)* sont parlées aujourd'hui par 4.700.000 individus formant de nombreux petits groupements dispersés le long du rebord septentrional du plateau de l'Inde Centrale, du Gange à la Narbada. A l'extrémité Est, le groupe de l'Orissa parle les divers dialectes kherwārī, dont les plus considérables sont parlés par les Santālī ou Santhal (2.200.000 environ), les Moundarī *(muṇḍārī)* (600.000 env.) et les Hō (400.000 env.) ; à l'extrémité Ouest, dans le district de Betul des Provinces Centrales, sont les Koᵘrkou (170.000 env.) ; au Sud des Kherwārī, dans le N.-E. de la province de Madras, les Sōrā (185.000) et les Gadabā (45.000), dont les noms étaient déjà cités l'un par Pline et l'autre par Ptolémée. Ces langues en voie de disparition étaient parlées autrefois sur une aire plus vaste : elles ont été remplacées par des parlers aryens au Nord et des parlers dravidiens au Sud de leur domaine actuel ; d'autre part, on a trouvé des traces mounda dans le vocabulaire sanskrit ; enfin on a même cru (à tort, à mon avis) reconnaître leur influence dans la grammaire de certaines langues himalayennes entre le Népal et le Cachemire (cf. ci-dessus, p. 560). Elles n'ont subsisté que dans des régions montagneuses difficiles, à l'écart des grandes voies de civilisation.

Évolution. — Ces langues sont en pleine décadence. Certains dialectes comme le nahālī semblent n'avoir conservé que le cadre grammatical mounda, avec un vocabulaire presque entièrement dravidien. D'autres comme le khariā *(kʻaṛiā)*, le djouāng *(ʄuāṅ)*, le gadabā ont perdu pres-

1. Voir carte XI, B.

que entièrement l'ancienne grammaire et s'en sont reconstitué une nouvelle à l'aide de particules et d'auxiliaires.

Les dialectes kherwārī forment l'ensemble le plus caractéristique, à la fois par le nombre des sujets qui les parlent et par les traits particuliers qu'ils présentent ; ce sont eux qui sont décrits ici.

Système phonique. — Le système phonique est simple : pas de diphtongues ni de groupements de consonnes sauf en composition ; les voyelles ont quelque tendance à influer les unes sur les autres à distance, soit que celles du mot s'imposent, soit que celles des suffixes modifient le timbre de celles du mot, fait qui a été rapproché de l'harmonie vocalique des langues finno-ougriennes. Le consonantisme présente une grande variété d'occlusives formant des séries régulières, postpalatales, cacuminales, prépalatales, dentales, labiales, et comportant des sourdes et des sonores, les unes et les autres avec et sans aspiration et des nasales ; les fricatives et les affriquées sont moins bien représentées. En général, ce système des consonnes montre une curieuse analogie avec celui du sanskrit ; et cependant un des dialectes mounda, le sōrā, présente cette singularité d'être la seule des langues de l'Inde qui ne possède pas de cacuminales. Les occlusives finales sont implosives (*checked consonants* des missionnaires), comme dans les langues mon-khmer et aussi comme en chinois et dans les langues thai ; le fait qu'elles restent implosives quand elles sont suivies de certaines terminaisons commençant apparemment par une voyelle laisse supposer l'existence d'un coup de glotte initial qui n'a pas été relevé.

Nom, verbe, adjectif. — Les classes de mots sont peu distinctes : tout mot peut recevoir des affixes verbaux ou nominaux et être employé comme nom ou comme verbe, par exemple : MOUNDARI *sim* « poulet », *sim-ked-ko-a-le* « nous avons accompli l'action qui se rapporte à la notion de poulet, c'est-à-dire élevé, ou acheté, ou mangé des poulets » : *sim* reçoit le suffixe de l'aspect accompli *ked*, les suffixes pronominaux objet *-ko* et sujet *-le*, et cela en fait un verbe. Un groupe de mots formé par exemple d'un nom et d'une postposition peut ainsi prendre une valeur verbale : MOUNDARI *oꝛaɔ-le-ko-a* « ils vont à la maison », litt. *oꝛaɔ* « maison » *-le* « vers » *-ko* « eux » (objet) *-a* copule ; SANTALI *oꝛak-ṭʻ en-ak-kel-a-e* « il a mis (cet objet) à sa place près de la maison », litt. *oꝛak* « maison » *ṭʻen* « près » *-ak* affixe de l'inanimé, *oꝛak-ṭʻen-ak* « la chose près de la maison », groupe de mots pris verbalement avec le sens d'accomplir une action se rapportant au fait d'être la chose près de la maison, « mettre (ou remettre) un objet à la place qui est la sienne près de la maison », *-kel* suffixe de l'aspect accompli, *-a* copule, *-e* pronom sujet. Et cependant, il existe une sorte de sentiment indistinct que les mots n'ont pas tous le même poids dans l'élaboration de la phrase, qui produit des résultats analogues à certains de ceux que produit dans nos langues notre répartition des mots en classes : des différences de construction par exemple. Ainsi l'adjectif ne se distingue pas du nom, et tout nom, même tout verbe et toute proposition, peut être employé comme épithète : SANTALI *boge* (nom) « bonté » : *uni hoꝛ-re-n boge* « la bonté de cet homme » ; (adjectif épithète) « bon » : *boge hoꝛ* « un homme bon » ; (verbe transitif) : *boge-ked-e-a-ko* « ils l'ont guéri », litt. « ils l'ont bonifié » ; (verbe intransitif) : *boge-(y)en-a-e* « il est guéri ». Mais quand il est attribut et non épithète, le mot désignatif (nom) et le mot qualificatif (adjectif) se lient par des constructions différentes au mot auquel on les rapporte. Pour le premier, cette liaison du sujet à l'attribut se fait par le verbe « être », SANTALI *kan*, MOUNDARI *lan :* SANTALI *ɒpu-m kan-a-e* « il est ton père » ; MOUNDARI *ne daṅgra-kiṅ aiñ-aɔ dasi-kiṅ lan-kiṅ* « ces deux jeunes gens sont mes serviteurs ». Pour le second, on emploie une particule *a* qui paraît bien être d'origine démonstrative et devoir être rapprochée de *a* préfixé aux pronoms personnels isolés (**10**, p. 6), et qui sert de copule (cp. la copule chinoise *che* qui est aussi d'origine démonstrative) : MOUNDARI *ne hoꝛo-e salaṅi-a* « cet homme est grand », litt. cet homme il, c'est grand ; *taꝛa-ko bugi-ge-a-ko, taꝛa-ko elka-ge-a-ko* « les

uns sont bons, les autres sont méchants », litt. *tara-ko*
quelques-uns (*ko* suffixe   collectif) *bugi* bon *ge* certes
(particule emphatique) *-a* c'est (copule) *ko* ils (sujet),
etc. ; SANTALI *niu-rę-n kaḍa dǫ iñ-rę-n k'ǫn-ę maraṅ-a*
« le buffle de cet homme est plus grand que le mien »,
litt. *nui* ce *rę* à *-n* affixe de détermination *kaḍa* « buffle »
dǫ « alors » *iñ* « moi » *rę* « à » *-n* affixe de détermination
k'ǫn de (comparaison) *maraṅ* « grand » *-a* c'est (démonstratif copule). L'opposition des deux constructions, encore
très vivante en moundārī, tend à se perdre en santālī où
kan s'emploie souvent même avec les adjectifs.

Genres et nombres. — Dans les mots désignatifs (noms),
on distingue deux « genres », animé et inanimé, non dans
le mot lui-même, mais 1° par le fait que les suffixes du duel
et du pluriel ne s'attachent qu'aux mots du genre animé ;
2° par l'existence des formes différentes des démonstratifs
(SANTALI *uni* « celui-ci, » « celle-ci », *ona* « cela », inanimé ;
MOUNDARI, animé singulier *i*, duel *kiṅ*, plur. *ko*, inanimé sg.
d. pl. *aɔ* ; KOURKOU animé *dī*, inanimé *dīć*) ; 3° par l'emploi
de suffixes distincts (SANTALI animé *-ić*, inanimé *-ak ;*
MOUNDARI animé *-iɔ*, inanimé *-aɔ*) utilisés soit pour former
des noms verbaux (SANTALI *goć-ić* « la personne morte »,
goć-ak « la chose morte »), soit comme pronoms objets
affixés au verbe (SANTALI animé *-ǫ*, inanimé *-ak*). On parle
de trois nombres, singulier, duel et collectif : en réalité
ils n'existent que pour les pronoms (c'est un fait de vocabulaire et non de morphologie, chaque nombre a un mot
différent), et c'est la suffixation du pronom suffixe duel ou
collectif au mot qui donne l'illusion d'une distinction du
nombre pour le nom et le verbe ; les noms du genre inanimé
auxquels ne s'affixe aucun pronom duel ou pluriel ne
marquent pas la distinction du nombre : SANTALI *pęrā*
« l'ami », *pęrā-kiñ* « les deux amis », *pęrā-ko* « les amis » ;
mais *nahęl* « la charrue » et « les charrues » ; KOURKOU *dōbā*
« le bœuf », *dōbā-kiñ* « les 2 bœufs », *dōbā-ku* « les bœufs » ;
mais *ākē* « la hache » ou « les haches » : s'il fallait absolument distinguer, on dirait *bārī ākē* « 2 haches », *pūlā-kā*
ākē « beaucoup de haches ». Ces pronoms suffixés tendent

d'ailleurs à devenir de véritables signes du nombre : ils
le sont, en dehors du kherwārī, dans des dialectes comme
le sōrā et le khariā où les pronoms suffixes ont disparu :
SORA *mandrā* « l'homme », *mandrā-ži* « les hommes » : ce
ži (KHARIA, *juāṅ ki*) est en relation étymologique avec le
pronom suffixe du duel *kiñ* du santālī, du moundārī et du
kourkou, mais ce pronom (ainsi que le pluriel *ko̦*) n'est plus
représenté en sōrā que par le démonstratif *kan* (animé),
kun (inanimé), qui est trop différent de *ži* pour que la relation soit perçue.

Infixes. — Il existe des procédés de dérivation par infixation, mais non par préfixation. L'infixe *-n-* forme des
noms verbaux, en alternance avec *-r-*, *-l-*, en sōrā, avec
-t- en santālī. SANTALI *haso̦* « faire mal », *h-an-as* « douleur »;
MOUNDARI *maraṅ* « grand », *m-an-araṅ* « grandeur ». En
santālī et en moundārī, l'infixe *-p-* forme des noms désignant
des groupes étroitement liés : SANTALI *raí* « le roi » (emprunt
aryen), *r-ap-aí* « la famille royale, la dynastie » ; *haram*
« ancien », *h-ap-aram* « les ancêtres » ; cette valeur portée
dans les verbes en fait des verbes réciproques : SANTALI
dal « frapper », *d-ap-al* « se frapper mutuellement » ; MOUN-
DARI *lel* « voir », *l-ep-el* « se voir mutuellement ». Le sōrā
montre un curieux passage de l'infixation à la préfixation.
Dans ce dialecte, c'est *-al-* qui forme les verbes réciproques,
tandis que l'infixe labial *-ab-* est causatif : *bato̦ñ* « craindre »,
b-ab-to̦ñ « effrayer » ; *kayed* « mourir », *⋆k-ab-yed>k-ay-yed*
« faire mourir ». Mais l'un et l'autre infixe ont tendance à
être employés comme préfixes : Ramamurti (**12**, p. 47,
§ 157) considère *-al-* infixé comme un archaïsme poétique
particulier aux chansons et aux légendes ; dans le langage
courant, il est ordinairement préfixe ; de même *-ab-* n'est
resté infixe que dans les verbes polysyllabiques ayant *a*, *ə*,
dans la première syllabe, et dans les autres cas est devenu
préfixe : *ber* « parler », *b-ən-'ēr* « paroles, racontars, nouvelles », *al-b-ən-'ēr-en* « conversation » ; *yer* « s'en aller »,
ab-yer « renvoyer ». L'infixe nasal reste seul usuel, comme
dans les langues mon-khmer.

Suffixes. — Les suffixes ne forment pas à proprement parler de dérivés ; ils servent surtout à établir des relations simples entre les mots. Dans les noms, le plus fréquent est -*n* qui fait du nom une sorte d'adjectif ou du verbe un nom verbal ou une sorte de participe. Un groupe nombreux sert à donner au verbe une sorte de conjugaison : plusieurs suffixes peuvent se mettre bout à bout, ajoutant chacun sa nuance propre à l'expression du procès. Il faut ajouter que les pronoms personnels deviennent dans certains cas enclitiques et se suffixent au mot qui les précède.

Morphologie verbale. — Ce sont les suffixes qui fournissent toutes les marques de la conjugaison ; c'est par eux que se distinguent les formes qu'on a appelées, de noms assez impropres, les voix, les modes et les temps, et qui introduisent à trois degrés différents des nuances dans l'expression du procès.

Les « voix » : transitif et intransitif. — Le verbe distingue l'action appliquée à un objet, de l'action sans objet ou avec un objet qui est identique au sujet ; c'est ce qu'on a appelé « voix » active et passive. La première est marquée par un suffixe -*t* dont la valeur propre n'est pas connue, la seconde par un suffixe -*n* qui fait « du mot auquel il est ajouté un adjectif, un nom verbal ou un verbe neutre » (**7**, p. 354), en sorte qu'on peut considérer cette « voix » comme une conjugaison participiale analogue à celle des langues dravidiennes. Ce ne sont à proprement parler ni un actif ni un passif, mais plutôt un transitif et un intransitif : le suffixe -*t*, faisant du mot un verbe, applique le procès à l'objet ; le suffixe -*n*, faisant de lui un nom verbal, arrête toute application du procès.

Aux aspects dont la forme ne comporte pas de suffixe, l'intransitif s'oppose au transitif par l'adjonction au verbe de l'auxiliaire SANTALI *ǫk* MOUNDARI *oɔ*, qui paraît être un verbe signifiant « être » ou « devenir » : SANTALI *kiriñ-ak-a-ę* « il achète cela », *kiriñ-ǫk-a̐* « cela s'achète ».

Les « modes » ou bases. — L'expression du procès comporte diverses modalités, soit de son accomplissement

même (normal, continuatif, intentionnel), soit de son
application (directionnel) ; pour éviter le terme *mode* qui
a un sens trop nettement défini dans nos grammaires,
j'emploierai pour désigner ces formes le mot *base*. On ne
marque par aucun suffixe particulier que le procès s'accomplit normalement, sans autre connotation (base normale) :
les suffixes d'aspect s'ajoutent directement au radical
verbal. On marque qu'il s'accomplit pour quelqu'un ou
quelque chose (base directionnelle) par le suffixe *-a ;* qu'il
s'accomplit dans l'intention que son résultat soit durable,
et souvent malgré quelqu'un ou quelque chose (base
intentionnelle) par le suffixe *-ka* (SANTALI) ou *-la* (MOUNDARI);
qu'il s'accomplit continûment ou que son résultat
dure réellement de façon continue (base continuative)
par le suffixe *-aka*, qui n'a pas de rapport avec le suffixe
intentionnel *-ka* puisqu'il est le même en moundārī où
l'intentionnel est en *-la*, et qui se comporte comme un
ancien verbe formant avec le radical verbal un mot
composé (**6**, I, 114).

Les aspects. — Chacune de ces bases peut exprimer des
nuances de l'achèvement du procès au moyen d'un jeu de
suffixes qui se placent à la suite du suffixe marquant la base,
mais devant les suffixes marquant la « voix ». Le procès
en voie d'accomplissement, inachevé (infectum), s'y
oppose au procès accompli (perfectum) et envisagé dans
son résultat obtenu (résultatif) ou non obtenu (non-
résultatif), et à la simple énonciation du procès envisagé
à la fois en dehors de la durée et du résultat (aoriste).
Ces divers aspects, à toutes les bases, constituent un
ensemble de conjugaison complexe qui, grâce à la combinaison des valeurs propres des bases, des aspects et des
temps, exprime par des formes particulières des nuances
très variées de l'aspect du procès exprimé par le verbe.

Le procès inaccompli peut être en voie d'accomplissement (duratif sans caractéristique morphologique particulière), ou bien l'accomplissement n'est pas encore
commencé et il est simplement dans l'intention du sujet

parlant (intentionnel, voir ci-dessus ; on l'appelle aussi futur).

Un suffixe -*k* marque l'aoriste : SANTALI *ñęl-k-eł*, MOUNDARI *lel-k-ed* « avoir vu » ; SANTALI *ǫka-rę-m ñam-k-eł-a* « où l'as-tu trouvé ? » Le parfait a deux aspects, suivant qu'on considère le résultat comme obtenu de façon durable (résultatif) ou comme non obtenu (non-résultatif) : le résultatif se marque par un suffixe -*aka*, le non-résultatif par un suffixe -*l*. La différence de ces trois formes est assez nette : *ñęl-k-ed-ę-a-ñ* « je le vis » (je constate le fait tout simplement), *ñęl-l-ed-ę-a-ñ* « je l'ai vu » (mais je ne le vois plus), *ñęl-aka-d-ę-a-ñ* « je l'ai vu » (et je le vois encore), ou bien « je le connais » (autre résultat du fait d'avoir vu quelqu'un).

Cette simple revue montre que si les valeurs s'opposent bien par couples, les oppositions de forme sont moins régulières : le suffixe -*ka* du futur est le suffixe de la base intentionnelle, et c'est pourquoi cette forme ne s'emploie que pour exprimer une intention définie, le suffixe -*aka* du parfait résultatif est le suffixe de la base continuative, et c'est bien en effet à cette base que cette forme appartient : pour marquer que le résultat de l'action accomplie est durable, on a emprunté la forme de l'aspect accompli de la base continuative : cela va de soi, car un aoriste continu serait un non-sens. En fait toutes les formes ne se retrouvent pas à toutes les bases, et de plus la valeur de certaines d'entre elles change en passant d'une base à l'autre.

Les auxiliaires de temps. — L'influence des langues aryennes et dravidiennes qui enveloppent et pénètrent tous ces parlers y a introduit la notion de temps, qui est venue se superposer à celle d'aspect pour la compléter. Il y a seulement deux temps, un présent et un passé ; ils sont exprimés par deux auxiliaires : SANTALI *kan*, BIRHAR *kan*, MAHLE *ken*, MOUNDARI *łan*, DHANGAR, HŌ *łen* pour le présent, SANTALI *łahękan*, MAHLE, DHANGAR *łahĕken*, MOUNDARI *łaeken*, HŌ *łaiken* pour le passé. *Kan*, *łan* est le verbe « être » : SANTALI *ṿpu-m kan-a-ę* « il est ton père ».

Quant à *tahẽkan, taeken* ce sont des aoristes du verbe intransitif *tahẹn, taen* « rester ». L'auxiliaire *kan* ne s'ajoute qu'aux aspects de l'infectum ; *tahẽkan* s'ajoute aussi aux parfaits, mettant au passé l'action accomplie et son résultat : duratif présent *bọgẹlẹ kọ rak-et kan-a* « ils sont maintenant en train de crier très fort » ; *din kalọm nọa gọḍarẹ ʃanhẹ-kọ ćaset tahẽkan-a* « l'an dernier, ils cultivaient du millet dans ce champ » ; parfait non résultatif : *umkọ-iñ sẹnlen tahẽkan-a, adọ dak bọḍẹ ivtẹ ba-ñ umlen-a,* « j'étais allé prendre un bain, mais l'eau étant sale je ne me suis pas baigné » ; parfait résultatif : *teṅgọakan tahẽkan-a-ẹ* « il se tenait debout » (il s'était levé et restait debout). On ajoute quelquefois l'auxiliaire *tahẽkan* au duratif présent qui est déjà pourvu de l'auxiliaire *kan :* MOUNDARI *enad-do musiṅ hulaṅ hasu-e bain tantaiken-a orọɔ buɽiae kajiaɔ-i-a* « alors un jour, comme il allait faire semblant d'être malade, il dit à la vieille... ». On précise ainsi qu'il s'agit non pas du passé de façon vague, mais d'un moment déterminé en relation avec un autre événement; il ne semble pas qu'on emploie ce double auxiliaire [quand on [indique une date. En moundārī, Hoffmann (9) donne un « imparfait » formé au moyen de l'auxiliaire *taeken* à tous les aspects du verbe, sauf naturellement à l'aoriste, avec des valeurs d'imparfaits et de plus-que-parfaits se rapportant aux sens des formes simples. Ces auxiliaires se placent après le verbe et tous ses suffixes, mais avant le démonstratif-copule *a*, et par conséquent avant le sujet qui se suffixe à lui. Ils ne sont donc ni des suffixes comme ceux de mode ou d'aspect, ni des verbes formant avec le verbe principal un composé comme paraissent être *-ọk, -aka;* ils restent indépendants. L'expression du temps, d'origine étrangère et récente dans les parlers kherwārī, n'a pas réussi à faire réellement corps avec le verbe et lui reste en quelque mesure extérieure, tout en constituant avec lui un syntagme.

La phrase. — Le trait le plus original des dialectes kherwārī est leur construction de la phrase, qui a fait

créer pour les désigner le terme de « langues pronomi-
nalisées ».

La « pronominalisation ». — Dans les phrases à verbe
transitif, sujets et compléments, énoncés explicitement
ou non à leur rang dans la phrase, doivent être rappelés,
chacun à un rang déterminé grammaticalement, par un
pronom affixé au verbe. Les pronoms objets, s'attachant à
lui, se placent juste à la suite des marques de voix, base
et aspect (mais généralement avant les auxiliaires de
temps), sous forme de suffixes enclitiques; le pronom sujet,
également enclitique, se place au contraire en dehors du
verbe, quoique tout près, immédiatement avant ou après.
Cette suffixation de pronoms est obligatoire, car c'est elle
qui applique le procès à l'objet (complément) et marque
le point de départ du procès (sujet) ; elle doit se faire même
quand il n'y a pas de nom significatif sujet ou objet
exprimé dans la première partie de la phrase. Le verbe
devient ainsi une sorte de raccourci de la phrase entière ;
et la phrase elle-même se trouve construite en deux parties
distinctes, d'abord les mots significatifs, sans lien, et
ensuite le verbe avec ses suffixes qui établit les liens qui
manquent dans la première partie. Comme ces deux
segments ne doivent pas être sentis comme deux propositions indépendantes, on les joint l'un à l'autre au moyen
du démonstratif-copule *a* « c'est », qui se place derrière
le verbe et tous ses affixes pour l'unir au groupe des mots
significatifs énoncés isolément au début de la phrase,
exactement comme il se place derrière l'adjectif attribut
pour l'unir au nom sujet (voir ci-dessus p. 625). Il indique
ainsi que le procès s'accomplit (ou s'est accompli) réellement et qu'il ne s'agit pas d'une simple désignation du
procès. Aussi ne l'emploie-t-on pas quand l'expresssion
du procès apparaît comme une désignation déterminant
un nom (de même qu'il ne s'emploie pas à la suite de
l'adjectif épithète), dans ce qui correspond à nos propositions relatives : *daṅgra-ẹ kiriñked-ẹ haṛam* « le vieillard
qui a acheté un buffle » (litt. buffle, il, a acheté lui, le
vieillard), sans -*a* parce que le verbe avec son sujet et son

complément servent de déterminant à *haram* « le vieillard » ;
mais *haṛam daṅgra-ẹ kiriñked-ẹ-a* « le vieillard a acheté
un buffle » (litt. le vieillard, un buffle, il, c'est avoir acheté
lui). C'est à la fin du verbe un démonstratif-copule analogue
au démonstratif *ɔo* dans la même position en tibétain
classique.

Suffixes pronominaux du sujet et de l'objet. — Le pronom
sujet se place en dehors du verbe, soit immédiatement
avant, suffixé au mot précédent, soit immédiatement
après, suffixé au démonstratif-copule. Au duel et au
pluriel, les formes des pronoms sujet et objet sont les
mêmes ; mais au singulier il a existé des formes différentes
dont il reste encore des traces très nettes à la 2ᵉ personne
en santālī et en moundārī, et à la 3ᵉ personne en moundārī :

	SANTALI		MOUNDARI	
	Sujet	Objet	Sujet	Objet
1ʳᵉ personne	*-iñ*	*-iñ*	*-iṅ*	*-iṅ*
2ᵉ personne	*-em*	*-mẹ, -m*	*-m*	*-me*
3ᵉ personne	*-ẹ*	*-ẹ*	*-iɔ*	*-i, -e*

La 3ᵉ personne de l'animé moundārī pour le sujet, *-iɔ*,
répond exactement au suffixe de l'animé santālī *-ić*, mais
celui-ci n'est plus employé comme pronom personnel en
santālī sauf dans le pronom isolé *ać* (< *aić) lui-même (le
préfixe *a-* se place devant tous les pronoms personnels
singulier, duel et pluriel aux formes isolées) ; il a été
remplacé par la forme du pronom objet *-ẹ* (MOUNDARI *-i*).
Le sujet de genre animé est seul représenté par un pronom
suffixe ; le sujet de genre inanimé ne l'est jamais.

Suffixes pronominaux possessifs. — On suffixe au verbe
non seulement des pronoms représentant des compléments
du verbe — ces pronoms étant différents suivant qu'ils
représentent un objet animé *(-ẹ, -i)* ou inanimé (SANTALI
-ak, -k, MAHLE *-ek, -k*, MOUNDARI *-aɔ*) —, mais encore des
pronoms possessifs représentant des compléments de noms,
déterminants du sujet ou d'un des compléments du verbe.

Place des suffixes pronominaux. — Il peut donc y avoir
deux suffixes pronominaux avant la copule, complément
du verbe et possessif. La copule forme un troisième
suffixe, et quelquefois vient, encore après elle comme un
quatrième suffixe, le pronom sujet ; mais celui-ci est le
plus souvent suffixé au mot précédant le verbe ; à l'impératif, où manque la copule mais où le sujet est obligatoire,
il peut y avoir trois suffixes pronominaux, objet, possessif,
et sujet. Ex. : MOUNDARI *hai-ko sabled-ko-le taeken-a* « nous
prenions des poissons », litt. *hai* poissons, *-ko* eux, suffixé
à *hai* comme « marque du pluriel », *sabled* prenions, *-ko*
eux, pronom objet direct, *-le* nous, pronom 1ʳᵉ personne
pluriel sujet, *taeken* auxiliaire duratif de l'accompli, *-a*
démonstratif-copule ; SANTALI *kandna iñrẹn barẹa gai-
(y)ẹ gupi (y)et-kin-tiñ-a* « Kandna fait paître mes deux
vaches », litt. Kandna, *iñrẹn* de moi, *barẹa* les deux, *gai*
vaches, *(y)ẹ* il, sujet, pronom 3ᵉ pers. sg. suffixé au mot
précédent immédiatement le verbe, *gupi(y)et* fait paître,
-kin elles deux, pronom duel, objet direct, *-tiñ* miennes,
pronom 1ʳᵉ personne, possessif, *-a* démonstratif-copule ;
ñẹl-ked-ẹ-am « vous l'avez vu », litt. *ñẹl* voir, *-ket* suffixe
de l'aoriste, *-ẹ* pronom suffixe, objet direct, *-a* démonstratif-copule, *-m* pronom suffixe 2ᵉ personne, sujet ;
mẹrọm idi-kọ-taẹ-pẹ « emportez ses chèvres », litt. *mẹrọm*
chèvre, *idi* emportez (impératif), *-kọ* elles (objet coll. =
mẹrọm), *-taẹ* siennes (se rapporte à *mẹrọm*), *pẹ* vous
(sujet).

Impersonnalité du verbe ; valeur du sujet. — L'importance
des pronoms personnels dans la conjugaison, et le fait que
le pronom sujet a une place toute différente des pronoms
objets, ne doivent pas faire illusion : le verbe n'est pas
personnel. La construction même de ce qu'on appelle
pronom « sujet » le montre ; ce pronom se place en dehors
du verbe, soit avant lui, affixé au dernier des compléments,
soit après lui, affixé au démonstratif-copule *a*. La phrase
présente dans l'ordre d'importance, sans les lier entre eux
ni au procès, les divers conditionnements du procès,

origine, objet, lieu, adverbes, etc., et rassemble ensuite,
autour du verbe, des pronoms rappelant les plus importants d'entre eux. Ce que nous appelons sujet n'est, quand
il est exprimé, qu'un de ces conditionnements du procès,
mais comme le procès n'est pas dirigé sur lui comme sur
l'objet, il est lié au verbe moins étroitement que celui-ci,
et il est mis en dehors du complexe verbal, comprenant
action et objet de l'action ; il en reste cependant tout
proche, étant un conditionnement important puisqu'il
est le point de départ de l'action.

Vestiges du mot-phrase. — L'état actuel du sōrā semble
montrer que ce type de construction de la phrase dérive
d'un type plus archaïque, celui du mot-phrase, dont on
retrouve des traces dans ce dialecte. Il a en effet deux
constructions complètement différentes l'une de l'autre,
tous deux également différentes de celle des dialectes
kherwārī. L'une, la plus courante, peut s'employer à peu
près dans tous les cas ; la seconde, au contraire, est réservée
à des phrases courtes et simples, ou à des sortes de propositions subordonnées à l'intérieur d'une phrase du premier
type. Aucune des deux ne comporte de suffixation de
pronoms au verbe pour rappeler les mots significatifs
énoncés précédemment, à la manière des dialectes kherwārī.

La construction courante laisse le sujet et l'objet en
dehors du verbe et les place avant lui, le sujet en tête,
l'objet entre le sujet et le verbe. Elle n'est pas spéciale
au sōrā ; on la rencontre aussi en santālī et en moundārī
dans des phrases courtes, les noms qui servent de sujet
et d'objet, placés en tête de la phrase, restant sans marque
de relation avec le verbe. La particularité du sōrā est
qu'il ne les laisse pas indépendants du verbe, mais les
traite l'un et l'autre comme des déterminants du verbe
et leur suffixe la marque de détermination -*n*, qui sert à
marquer le complément de nom, l'adjectif, le sujet, l'objet
direct et l'objet indirect : *ani-n yō-n ñam-t-e* « il est en train
de prendre des poissons », litt. *ani-n* forme isolée et de
détermination du pronom de la 3ᵉ personne (ce pronom

n'a pas de forme simple, **12**, § 112, p. 39 ; *anin* est probablement la forme isolée du démonstratif *ne*), *yō-n* forme isolée
de *yō* « poisson » avec le suffixe de détermination *-n*,
ñam prendre, *-l-* affixe de l'infectum, *-e* suffixe transitif ;
dᵃɔa-n ɔlendābe-n dankilen-ɔn pantai « j'apporte dans la
cruche l'eau à faire bouillir », litt. *dᵃɔā-* l'eau, *-n* suffixe de
détermination, *lendā-* verbe composé : *len* lever, *dā* eau,
-be- particule marquant l'intention, *-n* suffixe de détermination, *dankilēn* nom composé : *danki* cruche, *lēn*
dans, *-ɔn* suffixe de détermination, *pan-* porter, *-l-* affixe
de l'infectum, *-ai* suffixe marquant mouvement vers
(« apporter »). Cette relation imprécise de détermination
suffit d'ordinaire. S'il est nécessaire de la préciser, on la
complète par des « postpositions ». Celles-ci peuvent être
des noms, qui forment avec le nom principal un nom
composé construit en détermination avec le verbe : *ɔbᵒɔob-
len-ɔn ludud-ɔn lenle-panēlēn*, « il portait la corbeille sur la
tête », où *len* « dans » forme avec *bᵒɔob* « tête » un nom
composé « sur la tête » mis à la forme déterminée par le
suffixe *-n :* c'est si bien un mot composé que le possessif
s'affixe à l'ensemble : *sᵘɔūn-lēn-ñen* « dans ma maison ».
Ou bien la « postposition » peut être un verbe que l'on
introduit en coupant la phrase : *ñam-e* « avec », litt.
« ayant pris » (perfectum de *ñam*), *ludule* « avec », litt.
« accompagnant » (perfectum de *ludu*). Ces verbes ont
parfois perdu toute valeur pleine en dehors de leur valeur
réduite de relation, comme *silɔle* « hors de » (probablement
en relation avec *sid* « rejeter ») : *gorzān-lēn-be-n pon-sɔtɔle
ani-n-ji kun billin jumburre panleji* « est-ce de votre village
qu'ils ont volé ces objets ? » litt. *gozān-lēn-be* nom composé,
suffixé du possessif, dans votre village, *-n* suffixe de détermination marquant que le composé dépend de *sɔtɔle*,
pon particule interrogative (noter que *sɔtɔle* garde encore
assez de sa valeur verbale pour qu'on lui adjoigne une
particule interrogative), *sɔtɔle* partant de, *-anin* ils, *-ji*
suffixe du pluriel, *kun* ce, *billin* objet, *jumburre* ayant volé,
pan prendre, *-le* suffixe du perfectum, *-ji* suffixe du pluriel.
Quel que soit le procédé, la relation reste toujours simple

détermination. Il n'y a d'exception que pour les pronoms personnels de la 1re et de la 2e personne objet qui se suffixent au verbe : la suffixation suffit à marquer la détermination sans -n : kinā-n ñam-t-am « le tigre va te prendre ». A la différence du santālī et du moundārī, les pronoms suffixés ont leur valeur propre et ne servent pas à établir des relations entre les noms qui précèdent le verbe ; il en est de même en parēṅ, un parler proche du sōrā, qui non seulement suffixe le pronom objet, mais encore préfixe le pronom sujet : ne-tāy-t-ōm-āi, « je te donne », litt. ne- je, pronom préfixe sujet, tāy donner, -t- suffixe de l'infectum, -ōm toi, pronom objet suffixé, -āi auxiliaire marquant la direction vers.

A côté de cette construction qui tente d'établir, en rapport avec le verbe, mais en dehors de lui, les relations des divers éléments de la phrase, il subsiste quelques traces d'un système tout différent et, d'apparence au moins, plus archaïque. C'est une sorte de mot-phrase, où tous les noms, sujet et objets, sont infixés au verbe, ou plutôt forment avec lui un verbe composé à la fin duquel viennent se suffixer les désinences d'aspect : anin ñam-yō-le-n « il est en train de prendre des poissons », litt. anin il, pronom 3e personne sg. forme isolée, ñam prendre, yō (forme isolée ə-yō-n) poisson, -le- suffixe de l'infectum, -n suffixe de l'intransitif ; ñam-kit-t-am « le tigre va te prendre », litt. ñam prendre, kid (forme isolée kinā-n) tigre, -t suffixe de l'infectum, -am pronom 2e personne suffixe objet. Il peut entrer plusieurs termes nominaux dans ce verbe composé : aṅ-gan-sūṅ-boi-na-bā « faisons entrer la femme à la maison », litt. ab- préfixe causatif, gan entrer, sūṅ (forme isolée sŭɔūṅ-ən) maison, boi (forme isolée boʃ-ən) femme, -n-a(nə) suffixe de l'intransitif, bā suffixe impératif pluriel ; ʃi-lō-ʃeñ-t-am « tu as de la terre sur les jambes », ʃi forme de composition de ʃid coller, lō (forme isolée ləbō-n) terre, ʃeñ (forme isolée ʃɔɔēñ-ən) jambe, -t suffixe de l'infectum, -am pronom 2e personne objet ; ñen aʃ-ʃā-dar-sī-am « je ne veux pas recevoir de ta main du riz cuit », ñen je, pronom 1re personne isolé sujet, *ad-* préfixe négatif, *ǰā* recevoir, *dar* (forme isolée *dareǐ-an*) riz cuit, *sī* (forme isolée *sǐɔī-n*) main, *-am* toi, pron. 2ᵉ pers. sg. objet suffixe ; *po-puṅ-kun-ł-am* « je te donnerai un coup de couteau dans le ventre », *pō* frapper, *puṅ* (forme isolée *kɔmpuṅ-ən*) ventre, *kun* (forme isolée *kundī*) couteau, *-ł(e)* suffixe de l'infectum, *-am* toi. Il peut y entrer aussi plusieurs termes verbaux : *paṅ-łi-dar-iñ-le* « il apporta et me donna du riz cuit », *paṅ* apporter, *łi* donner, *dar* riz cuit, *iñ* moi, pron. 1ʳᵉ personne sg. forme de composition, *-le* suffixe du perfectum. La preuve qu'il s'agit bien là d'un mot unique, et non de mots gardant leur indépendance bien qu'accolés les uns aux autres, c'est que ce verbe prend la forme intransitive (suffixe *-eṅ*), c'est-à-dire exprime le procès sans application parce qu'il inclut l'objet du procès. Le mot-phrase n'est à proprement parler ni un nom ni un verbe : il prend les affixes verbaux, mais d'autre part, quand ce que nous appellerions l'objet du verbe est le pronom de la 2ᵉ personne du singulier, celui-ci se place à la fin du composé exactement comme après les noms : *bǒɔōb-n-am* « ta tête » (*bǒɔōb-ən* « la tête »), *ñam-kił-ł-am* « le tigre va te prendre ». A l'intérieur du composé, la place des mots n'implique aucune relation : le verbe se met en tête, les noms derrière qu'ils soient sujet ou objet : à côté de *ñam-kił-ł-am* « le tigre va te prendre » où le mot *kid* est pour nous le sujet, on dit *amen ñam-kił-ł-en* « tu prendras un tigre » où *kid* est pour nous l'objet ; mais il serait faux de considérer que dans ces verbes composés le nom est tantôt sujet, tantôt objet : en réalité le verbe composé exprime un procès complexe dans le sens duquel les deux éléments entrent également, et qui est aussi indifférent à la distinction entre voix active et passive que notre construction nominale « la prise du tigre » : le procès pris comme un ensemble peut être conçu comme s'appliquant extérieurement, ce qui se marque en mettant le verbe à la forme transitive, ou bien il est conçu comme ne s'appliquant pas extérieurement, ce qui se marque en mettant le verbe à l'intransitif. Le composé est un mot-phrase où les relations

entre les éléments composants ne sont aucunement
exprimées, mais sont réduites à une (la seule que puisse
exprimer un mot composé), la détermination: les mots
suffixés déterminent le premier mot et limitent ainsi la
notion générale du procès que le premier mot exprime.

Ce type de construction, lourd et difficile à manier, est
en régression : lorsque le mot-phrase est trop long, il fait
un effet ridicule et prend un sens péjoratif. On l'emploie
surtout aujourd'hui pour lier étroitement un groupe de
mots au milieu d'une phrase de construction courante, et
lui faire jouer le rôle de nos propositions subordonnées,
sans qu'il y ait subordination en sōrā : *ə-dimmad-dā-
lēṅ-nē-l-en*, *əboi ənāgājād dakule* « dans l'endroit où il
dormait, il y avait un cobra », où *dimmad* « il dort » forme
avec *dā* « endroit » et avec *lēṅ* « dans » un nom composé
auquel se suffixe le démonstratif *nē*, puis le tout, nom
composé et démonstratif, est pris verbalement et affecté
du suffixe de l'infectum -*l*- et de l'intransitif -*en*, formant
un mot-phrase qui signifie « là où il dort », tandis que le
reste de la phrase suit la construction courante où les
mots sont indépendants : *əboi* un, *ə-nāgā-jād* serpent
(jād)- cobra *(nāgā)*, *daku-le* « il y a », perfectum de *daku*.

Mot-phrase et pronominalisation. — Le mot-phrase
sōrā me paraît bien plus proche du type fondamental de
la phrase mounda que la phrase à verbe pronominalisé du
kherwārī. C'est du mot-phrase (mais moins étriqué qu'en
sōrā actuel) que les autres types de phrase mounda sont
issus péniblement. Le type kherwārī en garde l'habitude
d'inclure toutes les notions complémentaires dans le verbe,
mais il allège celui-ci en représentant ces notions par des
pronoms au lieu d'y introduire les mots mêmes qui les
expriment ; le verbe reste un mot-phrase, mais un mot-
phrase symbolique en quelque sorte. Il a dû le rester,
parce qu'après avoir extrait du verbe les mots exprimant
les notions complémentaires de l'action et les avoir mises
à part au commencement de la phrase, la langue n'a pas
su créer de procédés de relation pour lier ces mots entre

eux et avec le verbe, si bien que le « verbe-phrase » est
demeuré le seul lien des éléments de la phrase. Le parēṅ,
par ailleurs si proche du sōrā, a éliminé le mot-phrase
grâce à une série d'affixes de relation dont l'emploi est
bien plus fréquent qu'en sōrā. Le type courant du sōrā
n'a pas eu besoin de laisser ce rôle au verbe, parce qu'en
étendant l'emploi de la relation de détermination, il a créé
un procédé général de relation, mais de relation si vague
que lorsqu'il veut lier étroitement les termes d'un syntagme, il revient au mot-phrase.

Le trait caractéristique des langues mounda paraît être
une extrême difficulté à exprimer les relations entre les
notions concrètes qui sont le fond même de la pensée.
Le mot-phrase sōrā ne les exprime pas du tout ; la phrase
construite avec des mots indépendants dans le même
dialecte n'en connaît qu'une seule, la relation de détermination, ce qui revient à peu près au même que de n'en
avoir pas du tout, puisque les relations ne peuvent se
distinguer que par opposition. Les dialectes kherwārī
sont arrivés à distinguer les relations des mots dans la
phrase, mais ceux qui les parlent n'ont pas réussi à faire
à la fois le double effort d'énoncer les mots connotant les
pensées qu'ils veulent exprimer, et d'établir entre ces
mots les rapports nécessaires : ils ont séparé ces deux
opérations qui, dans la plupart des langues, sont faites
ensemble ; ils énoncent d'abord successivement les mots
significatifs par petits groupes, sans mettre ces petits
groupes en relation les uns avec les autres, et ce n'est qu'en
énonçant le verbe, terme de relation par excellence, qu'ils
expriment les diverses relations de ces groupes de mots
avec le verbe et les uns avec les autres, en rappelant les plus
importants d'entre eux par des pronoms affixés au verbe.

D'autres dialectes ont réussi à éliminer presque entièrement ces procédés compliqués de relation par le verbe.
Tel est le cas du kourkou, un des dialectes kherwārī, qui n'a
conservé qu'une trace de la suffixation du pronom objet
et établit les relations nécessaires par les mots significatifs eux-mêmes. C'est qu'il s'est donné toute une série

le suffixes et de postpositions de relation : -*a* pour la
relation de détermination, -*en* pour la relation de lieu,
-*k-en* pour la relation de direction vers, qui comprend
l'objet direct et indirect, -*l-en* pour la relation d'origine,
etc. Le kourkou est arrivé ainsi à une construction de phrase
qui rappelle plus celle des parlers âryens que celle des
langues mounda. L'influence du hindī et du marathe, que
presque tous les Kourkou parlent à côté de leur langue,
a certainement contribué à ce résultat ; mais elle n'a
fait qu'aider au développement d'une tendance commune
à toutes les langues de la famille, la tendance à exprimer
analytiquement au moyen de mots indépendants, et par
des procédés de relation distincts, toutes les notions que
les constructions archaïques rassemblaient synthétique-
ment en un seul mot-phrase où agent, action, et objet,
étaient confondus et où aucune relation n'était distinguée.

Numération santali

1	*miļ*	9	*are*
2	*bar*	10	*gel*
3	*pe*	15	*gel-more*
4	*pon*	25	*miļ-isi-more*
5	*more*	50	*bar-isi-gel*
6	*lurui*	100	*more-isi*
7	*eae*	1.000	*hajar*
8	*iral*	10.000	*ojul*

Texte santali

sędaę jǫkʻęn,   kalʻa-ę,   mil-lań   bir-rę   lʊrup   ʋdi-(y)ę
Autrefois-temps,   dit-il   une   forêt-dans   léopard   beaucoup
(dit-on),

ćańkęlen   lahĕkan-a   męl-ak-mę,   gʋi   kaḍa   męrǫm
ayant sauté était   (copule)   dites-cela-vous,   vaches   buffles   béliers
(auxil. prétérit)

bʻiḍi sę   hǫr   hõ-   ę   jǫmel-kǫ   lahĕkan-a.   kʻan-gę adǫ
brebis mais   hommes   aussi   il   mangeant-eux   était (cop.)   Donc   alors
(duratif) (obj.) (auxil. prétér.)

22

inʋ d'ara-d'ʋri-rẹ-n   hǫr   *farwaka - lẹ - kǫ*
ce voisinage dans (adjectif)   les hommes rassemblés comme, eu**x**
                              (continuatif actif)   (suj.**)**

rǫr- l'ikkeḷ - a   «*ma*   *arhõ*   hǫr - bǫ
parlant-réglèrent (cop.) «S'il vous plaît de nouveau hommes-nou**s**
(aoriste actif)   (sujet**)**

laiʋ - kǫ - a: *nui lʋrup dǫ-bǫn sẹndra - gǫf - ẹ-a:*
disons-pour eux (cop.) : Ce léopard aussi nous à la chasse tirons lui.
(intention- (obj.)   (inclusif.   (cop.
nel impér.)   suj.)

adǫ sʋri inʋ nẹṇḍa-din hilǫk dǫ   uḍi - ulʋr
Alors vraiment ce fixé jour temps aussi extrêmement nombreus**e**
        (inanimé) (mot composé)

p'ad-kǫ farwa(y)en - a. ar aẹma   lʋmak - kǫ farwakel -
foule ils se rassemblèrent Et beaucoup de tambours ils rassemblèren**t**
(sujet) (aor. moy.) (cop.)   (suj.) (aor. actif)

a, ar-kǫ ruyel - a, ćẹl bañ sẹ ǫna rẹ - ak saḍẹ - lẹ
et ils frappent, quoi ne pas ou cela - dans - celui bruit - pa**r**
(cop.) (suj.) (duratif) (cop.)   par le bruit de cela

ǫl ullʋuk lẹka   ʋikouen-   a. k'an-gẹ ǫna saḍẹ
le sol se renverse comme (si) il semble (cop.). Donc ce bruit
    (duratif moy.)   (aor. moy.)   (inanimé)

añfǫm - lẹ uni lʋrup dǫ - ẹ bǫlǫren - lẹ   ǫna bir k'ǫn
entendre à cause de, ce léopard aussi il eut peur parce que, cette forêt hors
          (animé)   (aor. moy.)   (inan.)

ñir - oḍǫken - lẹ   ẹtak bir - lẹ - (y)ẹ ućʋrǫk
de fuyant — sortit parce que (une) autre forêt vers il se transporte
(aor. moy.)   (suj.) (duratif moy.)

kan-lahẹ̃kan-a. nǫn-ka   ać mǫn-rẹ - (y)ẹ hudisan - a:
était.   Ainsi lui-même esprit-dans il réfléchit :
          (cop.)   (suj.) (aor. direct.
(auxil. prétérit   moy.) (cop.)
composé)

«tẹhẹñ - din   dǫ fãhã dǫsra   birl - ẹ - ñ
«Aujourd'hui jour aussi quelconque autre forêt - vers j**e**
                                              (suj.**)**

sa-halarlen   -   gẹ adǫ ǫka - rẹ - kǫ ñam-ẹñ-
suis parti aussi longtemps[1] entre, alors comment ils pressent moi,
(aor. non résultatif mpy.)   (suj.)   (obj.)

1. Verbe composé : *sa* «s'en aller», *halar* «aussi longtemps que... »;
sa-halarlen «aussi longtemps que je suis parti». Parfait non résultatif
parce qu'il part, mais ne restera pas longtemps absent.

kǫ goʄ-ęñ-a? arhõ gapa dǫ - ñ hęćken - gę. »
Ils tuent moi ? De nouveau demain aussi-je suis revenu. »
(suj.) (obj.) (aor. moy.)
(cop.)

(**8**, I, p. 8-9.)

Traduction

Autrefois, dit-on, un léopard hantait une forêt, c'est-à-dire qu'il dévorait les vaches, les buffles, les béliers, les brebis, mais aussi les hommes. Alors les hommes du voisinage s'assemblèrent et prirent cette décision : disons aux gens que nous allons tuer ce léopard. Le jour fixé, en effet, les gens s'assemblèrent en une foule immense, réunirent beaucoup de tambours et les frappèrent ; et, le croiriez-vous ? à leur bruit, il semblait que le sol se retournât. Ayant entendu ce bruit, le léopard prit peur et s'enfuit hors de la forêt pour passer dans une autre forêt. Il fit en lui-même cette réflexion : « Aujourd'hui, tant que je serai parti dans quelque autre forêt, comment me pourchasseront-ils et me tueront-ils ? Demain je serai revenu. »

Henri MASPERO.

BIBLIOGRAPHIE

TRAVAUX GÉNÉRAUX

1. Sir George A. GRIERSON, *Linguistic Survey of India*, vol. IV, *Munda and Dravidian Languages*, Calcutta, 1906.

2. P. W. SCHMIDT, *Die Mon-Khmer Völker, ein Bindeglied zwischen Völkern Zentralasiens und Austronesiens*, Brunswick, 1906 ; trad. franç. *B. E. Fr. E.-Or.*, VII, 1907, p. 213-263, VIII, 1908, p. 1-35.

3. W. von HEVESY, *Finnisch-Ugrisches aus Indien*, Vienne, 1932.

4. Sylvain LÉVI, Jean PRZYLUSKI, Jules BLOCH, *Pre-Aryan and Pre-Dravidian in India*, Calcutta, 1929 (recueil d'articles trad. par Prabodh Chandra BAGCHI).

5. J. PRZYLUSKI, *Les langues muṇḍa*, dans *Les langues du monde*, 1ʳᵉ éd., Paris, 1924.

5 *bis*. G. T. BOWLES, *Linguistic and Racial Aspects of the Munda Problem*, Papers of the Peabody Mus. of Am. Archœology and Ethnology, Harvard University, XX, p. 81-101, Cambridge, Mass., 1943.

5 *ter*. F. B. J. KUIPER, *Proto-Munda words in Sanskrit*, Verhandel. der Kong. Nederl. Ak. v. W., afd. Letterkunde, nieuwe reeks, deel LI, n° 3, 1948.

LANGUES PARTICULIÈRES

On trouvera pour chaque parler une bibliographie détaillée dans **1**
il y est renvoyé pour les livres antérieurs à cette publication.

6. P. O. Bodding, *Materials for a Santali Grammar*, Dumka, 1922-1929

7. —, *A Santali Dictionary*, Oslo, 1929-1936.

8. —, *Santali Folk Tales*, Oslo, 1925.

8 *bis*. T. A. Sebeok, *Phonemic System of Santali*, J. Am. Or. Soc.
LXIII (1943), p. 66-67.

9. Hoffmann, *Mundari Grammar*, Calcutta, 1903.

10. *Encyclopaedia Mundarica*, Patna, 1933-1938 (en cours de publication).

11. J. Drake, *A Grammar of the Kurku Language*, Calcutta, 1903.

12. Rao Sahib G. V. Ramamurti, *A Manual of the Soɛrɛa (or Savara)
Language*, Madras, 1931.

13. —, *Sora-English Dictionary*, Madras, 1938.

14. —, *English-Sora Dictionary*, Madras, 1933.

15. G. V. Sitapati, *Parĕn*, dans *A Miscellany of papers presented to
Rao Sahib Mahopadhyaya Gidugu Venkata Ramamurti Pantulu Guru
on his* 70 *th Birthday*, p. 145-165, Madras, 1933.

LANGUES DE L'OCÉANIE

NOTE LIMINAIRE

Le vaste domaine de l'Océanie est encore mal exploré, et l'étude comparative des langues est insuffisante[1].

L'unité des langues indonésiennes et polynésiennes est reconnue depuis W. von Humboldt. Les langues du Nord de l'île de Halmahera sont souvent considérées comme non-indonésiennes et rangées avec le papou. On n'a pas suivi ici l'opinion de H. van der Veen[2], qui y voit de l'indonésien aberrant.

Au groupe mélanésien appartiennent les langues micronésiennes et austromélanésiennes, quoique ces dernières forment, à l'intérieur du mélanésien, un ensemble particulier. Les langues mélanésiennes ont été rattachées au malayo-polynésien par H. C. von der Gabelentz, Fr. Müller, Kern, Codrington, S. H. Ray. Selon M. Leenhardt elles constitueraient une famille particulière seulement influencée fortement par l'indonésien. Mais l'hypothèse d'une parenté génétique n'est pas exclue.

On ne sait où ranger les langues papoues. On a tenté de les rapprocher de l'australien, de l'andaman[3]. En fait toute l'étude est à faire et on ne peut même affirmer que les langues papoues forment un ensemble cohérent.

Il en va de même des langues australiennes, qu'on a rapprochées du papou, du malayo-polynésien, de l'andaman,

---

1. Bibliographie dans W. Schmidt, *Die Sprachenfamilien und Sprachenkreise der Erde*, Heidelberg, 1926, p. 141 et suiv.

2. *De Noord'Halmahera Taalgroep tegenover de Austronesische Taalen*, Leyde, 1915.

3. A. Trombetti, *Elementi di Glottologia*, Bologne, 1923 ; R. Gatti, *Studi sul gruppo linguistico Andamanese-Papua-Australiano*, Bologne, 1907, 1908, 1909.

du dravidien, de certaines langues africaines[1], et même de l'indo-européen. L'étude des langues australiennes est encore trop peu avancée pour que de telles tentatives puissent donner des résultats satisfaisants. Toutefois, pour des raisons ethnographiques, il ne semble pas absurde aujourd'hui d'espérer trouver des rapports avec des langues de l'Inde[2].

Le tasmanien, auquel on a cherché des parentés en Australie, aux îles Andaman, en Papouasie, et même en Afrique[3], semble à part.

La cohérence de toutes les langues de l'Océanie est admise par P. Rivet[4], qui joint à l'« austro-asiatique » de W. Schmidt (voir p. 527) l'australien affirmativement, le tasmanien avec des réserves, le papou avec doute. D'autres auteurs construisent des ensembles plus ou moins vastes qu'ils rattachent à des ensembles extra-océaniens. En ce qui concerne les comparaisons tentées avec les langues indo-européennes, voir la Note *liminaire relative à celles-ci. Des comparaisons avec les langues sémitiques ont été avancées dans des ouvrages où il faudrait trier des emprunts possibles de vocabulaire[5]. Pour la réunion à l'ensemble océanien de certaines langues du Sud de l'Asie, voir la* Note *liminaire des langues de l'Asie du Sud-Est, pour le japonais celle des langues eurasiatiques et d'Asie septentrionale, pour le sumérien celle des langues asianiques et méditerranéennes. P. Rivet a fondé sur des rapprochements nombreux de vocabulaire l'idée que certaines langues de l'Amérique du Sud proviennent de l'Océanie, voir à la partie américaine.*

---

1. Bibliographie dans W. Schmidt, *Die Sprachfamilien...*, p. 155 et suiv. ; voir aussi S. H. Ray, *Report of the Cambridge Expedition to Torres Straits*, vol. III, Cambridge, 1907, p. 512-516.

2. A. Capell, *Oceania*, t. VIII (1937-8), p. 56-59.

3. Bibliographie dans W. Schmidt, *Die Sprachfamilien...*, p. 161.

4. P. Rivet, *Le groupe océanien*, BSL, XXVII, 1927.

5. D. Macdonald, *Oceania, Linguistic and Anthropological*, Melbourne, Londres, 1889 ; *The Oceanic Languages, Their grammatical Structure, Vocabulary and Origin*, Londres, Édimbourg, 1907. Engulbertus E. W. G. Schröder, *Uber die semitischen und nicht indischen Grundlagen der Malaiisch-polynesischen Kultur*, Göttingen, Buch, I, 1927, *Der Ursprung der ältesten Elementes der austronesischen Alphabete*, Buch II, 1929, *Das Verhältnis des austronesischen zu den semitischen Sprachen*.

Dans l'état actuel de la question il a paru préférable de faire des chapîtres séparés : ensemble malayo-polynésien divisé en indonésien et polynésien, ensemble des langues de Mélanésie et de Micronésie qui s'insèrent géographiquement entre l'indonésien et le polynésien, langues de l'Australie, tasmanien, langages papous.

———

LANGUES MALAYO-POLYNÉSIENNES[1]

Les langues malayo-polynésiennes sont parlées de Madagascar à l'Ouest jusqu'à l'île de Pâques à l'Est, de Formose et du Sud de l'Indo-Chine à la Nouvelle Zélande au Sud. La phonologie, la morphologie — et les lieux d'emploi — distinguent deux groupes dans la famille malayo-polynésienne : l'indonésien et le polynésien, dérivé d'une langue disparue proche du premier groupe.

INDONÉSIEN

INDICATIONS EXTERNES

Extension des langues indonésiennes. Elles sont parlées par 115 millions d'hommes. — Les langues de l'intérieur des terres indonésiennes seraient « archaïques », celles des zônes côtières « évoluées ». Le classement généalogique étant actuellement impossible, les langues seront mentionnées selon leur répartition géographique. Seul le malais sera mis à part : langue de marins et de commerçants, sa répartition géographique postérieure à celle des autres langues du groupe compliquerait l'exposé.

Au Nord, en domaine maritime :

Formose (135.000 hommes). Les populations les plus anciennes y parlent des langues indonésiennes :

tayal, saisat, šeǰik, čou, bunum, amiš, ḷarisen, puyuma, paiwan; niitaka, sau, rukai.

Ile *Kotošo* ou Botel-Tobago : langue *yami* proche des langues du Nord des Philippines.

1. Planche XIII.

Philippines (10.320.000 habitants).

Au Nord, les îles *Batan* sont peuplées de négritos parlant une langue indonésienne, probablement adoptée (?).

Iles *Babuyan* et Ouest de Luçon : *iloko*.

Intérieur de Luçon : *kasiguran*, langue empruntée (?) par des négritos, d'aspect archaïque, *apayao*, *kaliňa*, *ifugao*, *igorot*, *ibanag*, *tiňguian*, *bondoč*, *gaddaň*, *isinai*, *iloňot*, *pampaňan*, *paňasinan*.

Côtes de Luçon : Nord-Ouest : langue *iloko* (1 million d'hommes). Ouest : langue *sambali*. Sud et Est, îles Mindoro et Marinduque, côtes de l'île Panay : langue *tagal* (2 millions d'hommes). Langue de *Sulu* parlée par les *Moro* musulmans. Extrême Sud de Luçon : langue *bikol*. Intérieur de Mindoro : *buɔid*, *hanunɔɔ*, *ratagnon*, *pula*, *bataňan*, *baňon*.

Intérieur de *Palawan* : *Tagbanuwa*.

Dans les îles Panay, Negros, Cebu, Bohol, Leyte, Samar et menues îles de leur groupe, les langues *bisaya* (2.750.000 hommes) se divisent en quatre groupes : *bisaya* de *Samar* et de *Leyte*. *bisaya* de Cebu qui s'étend sur les îles voisines, *bisaya* de Panay employé aussi à l'Ouest de Negros. *bisaya aklan* parlé dans le Nord de Panay. Le *bisaya* Cebu s'étend dans le Nord de Mindanao.

Intérieur de l'île Mindanao : *manobo*, *bukidnon*, *lanao*, *subanon*, *magindanao*, *bilaan*, *tiruray*, *tagaka-olo*, *kulaman*, *mandaya*, *ata*, *maňguangan*, *bagobo*. Sur les côtes s'ajoutent le *yakan*, et surtout le *sulu samal* des îles *Sulu*.

Les langues de l'intérieur sont en général mieux conservées et plus archaïques que les langues des côtes.

Le *minahasa* est une langue de Célèbes appartenant au groupe des langues des Philippines.

L'intérieur de Bornéo *(Kalimantan)* est le domaine des *Dayak* (1.125.000) à la langue variée en dialectes : *busaň*, *tidoň*, lui-même subdivisé en *boloňan* et *tarakan*, d'aspect archaïque, et encore partagé en sous-dialectes : *simbakoň*, *nonukan*. — *dusun*, *murut*, *pulopetak*, *maãnǰãn*, *baǰan*. Un dialecte religieux est spécial en parler *dayak:*

le *basa sañyan* (littéralement « langue des esprits »). Le *banjar* serait à part de ce groupe.

Les langues de Célèbes — *Sulawesi* (3.120.000 hab.) sont variées : des langues proches de celles du groupe des Philippines : celles des îles *Sañir* (dialectes *manañitu, tugulandañ, siau*) et du Nord groupées sous le nom de *minahasa*. Plus au Sud le groupe *Gorontalo*, le groupe *tomini*, le groupe *toraja* — le dialecte le plus important est le *bareʾe* — le groupe *loinañ* à l'Est. Au Sud-Est, le groupe *buñku*. Au Sud-Ouest le groupe très important du Sud de Célèbes : *makasar, bugi* (1.250.000 personnes), etc.

Un groupe réunit la langue du Sud de Halmahera à celle parlée sur les côtes extrême-occidentales de la Nouvelle Guinée *(Irian)*.

On réunit en un groupe les langues parlées depuis *Serañ* au Nord, *Aru* à l'Est jusqu'à l'Ouest de Timor et l'Est de Florès.

Un autre groupe réunit les langues de *Sumba*, de l'Ouest de Florès, de l'Est de Sumbawa. Un autre groupe est celui de Bali, Sasak, Sumbawa. Le sasak est parlé à Lombok. La langue de Bali a des styles différenciés selon la personne qui parle, celle à laquelle on parle, celle dont on parle.

Groupe des langues de Java (50 millions d'hommes) : Madourais, Javanais proprement dit, Soundanais. Le Javanais est utilisé en dehors de Java, à Sumatra, dans l'ancien royaume de Palembang. Selon la classe sociale le langage diffère sensiblement de vocabulaire et de morphologie. On connaît par des inscriptions le *Kawi* ou vieux javanais et le moyen-javanais.

Le groupe des langues de Sumatra (12 millions d'hommes) est plus complexe : le *Batak* (1.250.000 hommes) est divisé en deux groupes : *toba-batak* d'une part, *dairi* ou sub-*toba* d'autre part. Ces deux groupes sont divisés en dialectes : *sinkel, pak-pak, dairi, karo, toba, mandelin*. Les *Batak* emploient une langue spéciale dans les rites funéraires. Le *lubu* est proche du batak. Les langues *ačeh, gayo*, de Minangkabao, Redjang, Lempoung, diffèrent de la langue des côtes : le Malais.

Le Malais est la langue des côtes de presque toutes les îles indonésiennes, comme de celles de la péninsule malaise. Langue de marins et de commerçants, il est la langue commerciale du Sud-Est asiatique.

En domaine continental, à l'intérieur de la péninsule malaise trois groupes de langues : *jakun*, qui, débordé par l'expansion du Malais, reste la langue religieuse des chercheurs de camphre ; le *sakai* ou *senoi*, le *seman* ou *panam*.

Les *Č'am* (120.000) du Sud de l'Indochine parlent une langue indonésienne ainsi que les *R'ade*, les *Čuru*, les *Jarai*, les *Sedan* du Sud de la chaîne annamitique.

A l'Ouest du domaine géographique des langues indonésiennes les 4 millions de Malgaches de Madagascar parlent une langue indonésienne. Elle est variée en dialectes plus archaïques comme le *sakalava*, le *bara*, le *temuru*, le *tesaka*, et en un dialecte plus évolué devenu langue officielle : le *merina*.

Les hommes parlant les langues indonésiennes. — Les langues indonésiennes sont parlées par des hommes de divers types physiques. Les négritos de l'intérieur de la péninsule malaise et des Philippines sont foncés, de petite taille, avec un crâne arrondi vu d'au-dessus. Les Sakai sont foncés et l'on a proposé de les rattacher à un groupe hypothétique dravido-australien. Il y a des noirs parmi les Malgaches : plutôt qu'aux Africains, ils se rattachent aux noirs qui étaient mêlés avant notre ère à ceux qui sont devenus les Indonésiens. Les proto-malais (rattachés tantôt aux jaunes, tantôt aux blancs) sont généralement les cultivateurs de l'intérieur des terres, tandis que les Deutero-Malais, jaunes ou métissés de jaunes, sont les populations maritimes.

Les civilisations indonésiennes. — Trois groupes de civilisations se partagent le groupe indonésien : celles des négritos vivant de chasse et de cueillette — ainsi que des Sakai physiquement différents, — celles des cultivateurs de l'intérieur ; les civilisations maritimes des côtes et du

domaine insulaire. Peu après le IIe siècle de notre ère le
Tchampa — pays des Tcham — était hindouisé. L'emprise
annamite n'éliminera pratiquement les *Č'am* qu'au
XIVe siècle. Par l'intermédiaire des civilisations maritimes,
des influences occidentales pénétrèrent presque partout.
Java fut indouisée dès le début de notre ère. Au Ve siècle
elle relevait de l'empire de Crividjaya. L'empire de Madja-
pahit fondé en 1294 fut aussi un foyer d'hindouisation.
Des mots indo-européens d'origine hindoue pénétrèrent
dans toutes les langues indonésiennes. Le cérémonial
hindou traditionnel est vivant chez le million de brahma-
nistes sivaites de Bali.

L'islamisation commença en 1272 dans le Nord de Sumatra, en 1419 dans le Sud de Java. L'islam fut propagé par
les marins et commerçants malais. Il y a plus de
65 millions de musulmans de langue indonésienne.

Le malais langue de relation. — En Indonésie le malais
est la langue des commerçants hindous, chinois, européens.
Le malais parlé et commercial diffère sensiblement du
style écrit par l'emploi du mot racine et non des dérivés,
par la suppression de particules de liaison.

Le malais, langue de l'expansion islamique, fut, hors
de son propre domaine, langue littéraire, légale, liturgique ;
ce prestige le fit utiliser pour la christianisation d'Amboine.

La langue indonésienne bahasa : voir aux *Additions.*

Les écritures des langues indonésiennes. — Les plus
anciennes graphies indonésiennes sont parentes des écritures de l'Inde du Sud. L'écriture du *č'am* diffère au
Cambodge et en Annam, avec des formes épigraphiques et
cursives. Les notations du tobabatak et du dairi diffèrent.
Dans son apprentissage traditionnel, l'alphabet batak ne
suit pas l'ordre hindou des lettres. Les manuscrits de
Bali, d'Amboine, Soundanais, du Madourais sont nombreux, ainsi que les manuscrits bougi. Redjan, Lampou,
Makasar, Tagal, Bisaya ont des alphabets de même inspiration. De telles écritures sont gravées sur bambou chez
les *Hanunoɔo* et les *Buɔid* de l'île Mindoro (aux Philip-

pines), et les *Tagbanuwa* de l'île Palawan. (Au total 15.500 individus.)

Il existe deux graphies javanaises : les caractères de l'une imitent des signes épigraphiques, ceux de l'autre sont cursifs. Des écritures analogues ont servi à noter les deux anciennes langues de Java : le kawi ou vieux javanais et le moyen javanais. En dehors de Java, l'alphabet traditionnel javanais est utilisé par les Malais de Lombok, en quelques endroits de Sumatra et de Bornéo.

La notation du malais en caractères arabes est attestée dès le XVIᵉ siècle. Le javanais pegon est aussi transcrit en caractères arabes, ainsi que le tcham. A l'Extrême-Occident du monde indonésien, les *Temuru* de la côte sud-orientale de Madagascar utilisent l'écriture arabe — venue probablement par un intermédiaire swahili avant le XVIᵉ siècle — pour leur dialecte. Ils furent les magiciens de tout Madagascar et les scribes de l'Empire du Centre, l'Empire Merina.

Les Européens transcrivirent en caractères latins les langues indonésiennes les plus importantes. Selon des traditions d'anciennes colonies, le Malais a deux transcriptions en caractères latins : anglaise et hollandaise. Ces transcriptions marquent les voyelles négligées dans la notation en caractères arabes. Des livres paraissent, de plus en plus exclusivement, en caractères latin. Les journaux n'emploient guère que ceux-ci. Des journaux paraissent en malais, javanais, soundanais, batak, bougi (cette langue également langue commerciale), malgache, indonésien.

Les littératures indonésiennes. — Chez les Malgaches, les Batak, les Dayak, les Toradja par exemple, le folklore a été noté par des étrangers européens. Par contre le folklore des langues de civilisation comme le Malais et le Javanais a été mal étudié, l'intérêt portant sur la littérature écrite, savante, officielle, religieuse. Les littératures de ce second groupe ont été écrites, d'abord, dans les alphabets locaux, par ceux qui les employaient. Leur littérature a souvent des inspirations étrangères. Le *kawi* ou vieux javanais

(disparu au XIIIᵉ siècle) avait une morphologie indonésienne, un vocabulaire presque uniquement sanskrit. Le
moyen-javanais (XIIIᵉ-XVᵉ siècles), puis le javanais
subirent, avant tout, l'influence de la littérature hindoue,
brodant sur les thèmes du Ramayana, du Mahabharata.
Les versions javanaises des épopées hindoues sont réalisées
sous forme de poèmes et non en prose. Les *pãnǰi* sont des
récits chevaleresques en partie d'inspiration locale. Java
étant un centre intellectuel, les Malais eurent aussi en leur
langue leurs versions du Ramayana. Venu probablement
par les influences musulmanes, le roman d'Alexandre
paraît dans les thèmes de chroniques à intentions historiques, tel le *seǰarah malayu*. Tandis que les auteurs
javanais sont avant tout poètes, les Malais sont surtout
prosateurs. Ce qui n'empêche qu'il faille noter parmi les
poésies les *pantun* javanais, malais, soundanais. Ces poésies
à thème souvent érotique sont comparables aux *hain-teni*
malgaches, poésies sur un thème de discussion amoureuse.
    L'activité intellectuelle intense du monde indonésien
de maintenant prendra une importance ultérieure.

ÉTUDE INTERNE

Système phonologique. — Premier exemple : structure
phonique du malgache, dialecte merina : voyelles : i   u

e

a

consonnes :

et   m   n

I, u en contact avec une autre voyelle sont semi-voyelles :
y, w : lay « voile », *hwi* « dire », *vahwaka*   « sujets ».
Les seuls groupes de consonnes admis sont une occlusive

précédée de la nasale correspondante : *mp, mb, nt, nd, nt*ʳ,
*nd*ʳ, *nḷ*, etc.

En dehors de l'apparition de ces groupes à nasales, la
syllabe comprend une consonne et une voyelle subsé-
quente. Le mot simple comprend en général deux ou
trois syllabes. Il se termine toujours par une voyelle.

Second exemple : structure phonique du tagal :
Voyelles :   *i*   *u*   (avec réalisation éventuelle *y w*).
        e
         a

Diphtongues : *ai ao oi.*

Consonnes :

```
p————t————k
 \      \    |\
  b————d————g
            |
           s-h

         r
         l
```
et   *m*   *n*   *ṅ*

Troisième exemple : structure phonique du toba-batak :
Voyelles :   *i*   *u*
       e   *o*
        a

Consonnes :

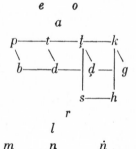

et   *m*   *n*   *ṅ*

Les consonnes géminées sont relativement fréquentes.

Dans certaines langues indonésiennes comme le malgache,
le javanais, le mot significatif, par opposition aux mots-
outils, est souligné par une longueur vocalique. En
malgache cette longueur est sur l'avant-dernière syllabe
du mot, sauf dans les cas de mots de trois syllabes ou plus
terminés en *-ka, -t*ʳ*a, -na* où cette longueur porte sur la

voyelle de la syllabe antépénultième. La transcription du malais en caractères arabes, établie au XVIᵉ siècle, montre que cette longueur vocalique existait alors.

Un suffixe déplace la longueur vocalique d'une syllabe vers la fin du mot :

Malgache : *vūnu* « tuer » *vunūina* « on tue ».

Batak *āṅgi* « frère cadet », *aṅgī-m* « votre frère cadet ».

En malgache, la longueur vocalique est significative en des cas plus rares ; son déplacement différencie deux mots par ailleurs homophones :

> *milāza* « dire », *milazā* « dites ».
>
> *ṭāra* « bon, être bon », *ṭarā* « sois, soyez bon(s) ».

Il existe dans les langues indonésiennes un préfixe *m* plus voyelle plus consonne nasale ; celle-ci dépend du son initial de la racine. Dans les langues indonésiennes ayant le système complet des consonnes nasales, la consonne nasale est *ṅ* devant une racine commençant par une voyelle ou une consonne palatale, à laquelle elle se substitue parfois ; *ñ* devant l'alvéolaire *s*, *n* devant une dentale, *m* devant une labiale : malais *āmbil* « prenant » donne *mənambil* « prendre », batak *sapa* « demande » donne *məñāmpai* « demander, questionner », malais *dəṅar* « écoutant » donne *mənəṅar* « entendre », batak *pastap* — inusité sous forme de racine simple — donne *mamastap* « frapper avec le plat de la main ». Une spirante suivant une nasale passe à l'occlusive correspondante : malgache *hataka* « demande », *māṅgataka*, demander.

Le vocabulaire révèle la ressemblance des systèmes phoniques des diverses langues indonésiennes :

	os	corde	doux
malgache	*taola* ou *taolana*	*tali* (sud) *tadi* (centre)	*mami*
tcham	*tulaṅ, talaṅ*	*talei*	*manis, manih*
batak		*tali*	*manis*
bisaya			*tamis*

	os	corde	doux
tagal			*tamis*
dayak	*tulaṅ*	*tali*	*anis*
makasar		*tali*	*manisaṅ*
javanais	*tulaṅ*	*tali*	*manis*
soundanais	*tulaṅ*	*tali*	*manis*
malais	*tulaṅ*	*tali*	*manis*

Les pronoms. — Ils sont sujets à une flexion.

Malgache, dialecte merina :

	pronom indépendant	complément ou possessif indépendant	suffixe indiquant le possesseur, ou l'auteur de l'action
1re pers. sing.	*ahu*	*ahi*	-*ku*
2e pers. sing.	*hyanau*	*anau*	-*au*
3e pers. sing. et pl.	*izi*	*azi*	-*ni*, -*i*
1re pers. pl. exclusive	*izahay*	*anay*	-*ay*
2e pers. plur.	*hyanareu*	*anareu*	-*areu*
pluriel inclusif	*isika*	*anṭika*	-*sika*

Le pluriel inclusif comprend celui ou ceux qui parlent et celui ou ceux auquel on s'adresse.

Malais :	*aku*	-*ku*
	aṅkau	-*au*
	ia	-*ña*
	kami	
	kamu	
	kita	

Le malais représente une langue usée par rapport au malgache plus proche de l'ancien indonésien. Le malais emploie le substantif de préférence au pronom.

Les mots simples. — La signification du mot simple indécomposable varie selon le contexte et la place dans la phrase. L'élément en vedette est en tête de la phrase :

Malais : *sakit itu tərok* «cette (2) maladie (1) (est) grave (3) ».

       oraṅ sakit « (des) hommes (1) malades (2) ».

       ia sakit « il (1) (est) malade (2) ».

Le même pronom postposé exprime l'auteur de l'action ou le possesseur :

Malgache : *vita-ni* « il (2) termine (1) ».

       ṅi traṅu-ni « (la) (1) sa (3) maison (2) ».

La particule *ṅi* précède verbe comme substantif :

Malgache : *ṅi vita-ni* « ce qu' (1) il (3) termine (2) ».

Le qualificatif précède ou suit le mot qualifié selon qu'on veut insister sur la qualité ou sur la chose ayant cette qualité :

Malgache : *traṅu avu* « maison (1) haute (2) ».

       ṅi traṅu avu « les (1) maisons (2) hautes (3) ».

       avu ṅi traṅu « les (2) maisons (3) (sont) hautes (1) ».

Le qualificatif peut être un groupe de mots. En ce cas le qualifié mis en tête est suivi du groupe de mots. L'indonésien ne nombrant pas sans employer un terme classificatoire (« numéral ») on a un groupe qualificatif, le nombre suit le qualifié et précède le « numéral ».

Malgache : *ṅi avu traṅu* « celui (1) (à la) maison (3) haute (2) »

Malais : *budak-budak baik rupa-ña* « (des) enfants (1-2) (de) bel (3) (leur) (5) aspect (4) ».

Malgache : *ulu telu lahi* « personnes (1) trois (2) mâles (3) » exprime « trois hommes ».

Malais : *anak-ku tiga oraṅ* « mes (2) enfants (1) trois (3) personnes (4) » exprime : « mes trois enfants ».

Les dérivés. — Tandis que le rôle des mots racines est déterminé par la place dans la phrase, des affixes donnent des formes variées, à usage précis. Les phrases comportant des dérivés comme celles formées de mots simples mettent en tête le terme en vedette, mais la forme du dérivé diffère en même temps que sa place dans la phrase selon son emploi.

On a vu le rôle du mot simple malgache *avu*, tandis que son dérivé, de dialecte merina, *havuana* « hauteur » est uniquement substantif abstrait. Le javanais *temen*

« juste, équitable » mot simple, est verbe, substantif, adjectif selon sa place. Il donne un substantif abstrait dérivé : *katemana* « justice ». Les affixes *ka---an (a)* du javanais correspondent phonétiquement à *ha---na* du malgache, dialecte merina.

L'infixe *-in-* donne un sens passif :

Malgache : *sini vaki* « cruche (1) cassée (2) » (Emploi qualificatif de *vaki*).

      vaki-ku ṅi sini « je (2) casse (1) la (3) cruche (4) ».

      v-in-aki ṅi sini « la (2) cruche (3) est cassée (1) ».

Javanais : *rayah* « piller » *r-in-ayah* « être pillé »

Dayak : *kan* « manger » *k-in-an* « mangé ».

Tcham : *dak* « superposer » *d-an-ak* « pile ».

En javanais comme en malgache l'infixe *-um-* donne un sens verbal à des racines substantives :

Javanais : *kukus* « fumée » *k-um-ukus* « fumer ».

Malgache : *taṅi* « larmes » *t-um-aṅi* « pleurer ».

Le sens diffère en Tcham, et cet infixe survit dans quelques mots malais :

Tcham : *karaṅ* « moins » *ka-mo-raṅ* « déficit ».

Malais : *kuniṅ* « jaune » *k-əm-uniṅ* « nom d'un arbre à bois jaune ».

Les dérivés indiquant l'état ou l'action s'opposent en deux groupes. L'un comporte un préfixe à initiale *m-* ; il admet seulement des pronoms indépendants (Des racines se rattachent à ce type). Cette forme met en valeur celui qui fait l'action, ou son intention, ou celui qui est en tel état. L'autre groupe comprend les verbes à affixes variés. Si l'on emploie un pronom, celui-ci est suffixé et exprime l'auteur de l'action, ainsi que le substantif suivant directement la forme verbale dérivée. Selon la forme employée, les dérivés de ce groupe mettent en valeur l'action elle-même, ses circonstances, ou celui qui la subit :

Exemples malgaches :

Groupe à préfixe *m-* :

      mahita anau ahu « je (3) te (2) vois (1) ».

      izahu mahita anau « je (1) te (3) vois (2) ».

Les deux exemples indiquent une action volontaire, le second plaçant en tête une forme emphatique de pronom met particulièrement en valeur l'auteur de l'action.

mah-azu harena « gagner (1-2) (des) richesses (3) » ; de même, indique un acte volontaire.

Autres affixes : préfixe *a-* :

> *a-hita-ku anau* « je (3) te (4) vois (1-2) »

met en valeur l'acte lui-même qui peut être accidentel et involontaire.

Préfixe et affixe :

izi nu ah-azu-ana valisua « (on) obtient (3-4-5) par lui (1-2) (une) récompense (6) ».

Izi indique l'origine qui est le fait important.

Le préfixe javanais et malgache *a-* forme des verbes à partir de mots simples substantifs :

Javanais : *paben* « dispute », *apaben* « disputer ».

Différences principales entre les langues du groupe indonésien. — Préfixes, infixes, suffixes et leurs combinaisons sont analogues, à quelques variantes phonétiques près, dans toutes les langues indonésiennes. Les langues indonésiennes archaïques sont les plus riches en formes. La plus appauvrie est le malais devenu langue commerciale parlée par des étrangers. Remplacés par l'usage répété du substantif, les pronoms malais ont perdu des formes. En malais les procédés lexicographiques se développent aux dépens des formes grammaticales et de l'ordre des mots. Des mots employés en fonction de suffixes, tel *-lah* (qui n'a plus de signification propre), expriment en malais l'impératif, tandis qu'un suffixe marquant l'impératif existe en malgache comme en javanais.

Javanais :

> *āna* « être » *anāha* « sois, soyez »
> *gānti* « changer » *gantīa* « change, changez ».

Malgache :

> *ṭāra* « bon » *ṭarā* « sois, soyez bons »
> *fūṭi* « blanc » *fuṭīa* « devenez blanc ».

Dans la plupart des langues indonésiennes, un préfixe *p-* marque l'habitude. En malgache l'ancien *p* indonésien est souvent devenu *f*. Le *p-* indonésien a donné deux préfixes malgaches de sens différent :

Mot simple *vūnu* « tuer ».

famūnu « celui qu'on tue » *pamūnu* « le meurtrier ».

famunūana « l'acte de tuer ».

Le malgache s'isole parmi les langues indonésiennes par la présence de temps, marqués dans les autres langues par des procédés lexicographiques :

mamūnu ahu « je (2) tue (1) », *amunūana* « on tue »,

namūnu ahu « je (2) tuais (1), j'ai tué », *namunūana* « on tua »,

hamūnu ahu « je (2) tuerai (1) », *hamunūana* « on tuera ».

Syntaxe. — Dans les langues à morphologie bien conservée, la phrase normale — par opposition au style littéraire ou de proclamations royales — est une suite de propositions courtes. Les formes à pronom joint ou indépendant alternent. Les dérivés du même mot simple reviennent sous des formes différentes.

Textes. — Voici un exemple malgache de dialecte bara :

telulahi	*ńi raiki*	*pãmbuli*	*ńi raiki*	*pańarivu*
trois hommes	l'un	cultivateur	l'un	riche

ńi raiki	*pamãndrikakãnga.*	*leheo*	*amãndrĭani*
l'un	piégeur de pintades.	Là où	il tend ses pièges

ńi raiki	*pamãndrikakãnga*	*asaini*	*ńi*	*pãmbuli.*
l'un	piégeur de pintades	il bêche	le	cultivateur.

leheo	*isiyani*	*ńi pãmbuli*	*vuli*	*yarakãndruva*
Là où	il met	le cultivateur	des cultures	fait paître les bœufs

ńi pańarivu.
le riche.

Le mot simple *vuli* a donné *pãmbuli* « cultivateur ». Le mot simple *fãndriki* « piège » donne *pamãndriki* « celui qui pose des pièges » et *amãndria* « on piège » avec le pronom joint de la troisième personne *-ni*. Ce texte signifie : « Il y avait trois hommes, l'un cultivateur, l'autre riche, l'autre

piégeur de pintades. Là où le piégeur de pintades tend ses
pièges, le cultivateur bêche. Là où le cultivateur installe ses
cultures, le riche fait paître les bœufs ».

Les *pantun*, sortes de quatrains malais, donnent un bon
exemple de style poétique indonésien :

kərəṅga	di-dalam	buluh	
grosses fourmis	dans	bambou	
sərahi	ber-isi	ayər	mawar
bassin	où il y a	eau	parfumée
sãmpey	məsərrat	di-dalam	tubuh
passion	s'installer	dans	corps
tuan	sa-oraṅ	jadi	pənawar
vous	seule	devenir	guéri

« De grosses fourmis dans un bambou,
un bassin rempli d'eau parfumée
Si la passion s'installe en moi,
vous seule pourrez me guérir ».

On a une forme de quatre vers aux finales assonancées
deux à deux. Les répétitions de mots *(di-dalam)*
complètent le rythme équilibré des vers.

Vocabulaire. — Le vocabulaire est abondant. Le malgache garde un vocabulaire indonésien peu modifié,
tandis que le malais a emprunté aux langues de l'Inde
(y compris au tamoul), à l'arabe, au persan. Les textes
écrits savants malais comprennent plus de mots arabes
que de mots vraiment indonésiens ; les lettrés tiennent à
leur garder l'orthographe et la prononciation d'origine. Le
tcham a nombre de mots d'origine khmère ou annamite.

Numération. — A des variantes phonétiques près la
numération est uniforme dans tout le domaine indonésien :

Malgache	Malais	Javanais	Tagal	
isa	sa	sa	isa	un
rua	dua	ru	dalawa	deux
telu	tiga	telu	tatlo	trois
efatra	ãmpat	pat	apat	quatre

Malgache	Malais	Javanais	Tagal	
limi	*lima*	*lima*	*lima*	cin
eni(na)	*anam*	*nem, nenem*	*anim*	six
fitu	*tuǰuh*	*pitu*	*pito*	sept
valu	*dulapan*	*wolu*	*walo*	huit
sivi	*sãmbilan*	*sono*	*siyam*	neuf
fulu	*puluh*	*puluh*	*polo*	dix.

L'homogénéité est encore plus frappante en composition où, par exemple, en malgache, on a *-pitu* et *-pulu*, pour « sept » et « dix ».

POLYNÉSIEN

INDICATIONS EXTERNES

Extension des langues polynésiennes. Les Polynésiens sont au nombre de 350.000. — Les hommes parlant polynésien ont quitté vers le ve siècle de notre ère une zone du domaine indonésien probablement de la région de Célèbes ou d'Halmahera. Ils auraient été vers l'Est, soit à travers les îles déjà peuplées de mélanésiens, soit par les îles de la Micronésie. En Polynésie le centre de dispersion aurait été l'ancien *Hawaiki* ou *Hawai'i* qu'on appelle actuellement *Raiatea*, dans l'archipel des îles de la Société. De là les anciens polynésiens auraient poursuivi leurs migrations maritimes dans toutes les directions jusqu'au xve siècle, peuplant la plupart des îles comprises dans un triangle allant de l'archipel des *Hawai'i* au Nord, à l'île de Pâques à l'Est, aux îles au Sud de la Nouvelle Zélande au Sud-Ouest.

L'ancienne langue *moriori* des îles Chatam a disparu avec les Moriori, éliminés par l'expansion européenne. En Nouvelle Zélande les maori de pure race existent surtout dans le Nord de l'île Nord. La langue des îles Tonga est parlée par plus de 30.000 indigènes, 65.000 Samoans utilisent parfois encore leur langue. Les langues des îles Hawai (particulièrement pauvres en consonnes) parlées en principe par près de 70.000 hommes sont concurrencées et submergées par l'anglo-américain. Les Marquisiens maintiennent assez bien l'usage de leurs langues. Au cours du XIXᵉ siècle les habitants de l'île de Pâques, décimés par des épidémies, par des razzias de main-d'œuvre pour les mines chiliennes, adoptèrent l'espagnol ou ne parlèrent plus qu'un pascuan très mêlé de tahitien. Le dialecte de *Mañareva* domine aux îles Gambier. A Rapa vivent seulement quelques centaines d'hommes. Les langues de Rarotonga et de Mangaia dominent aux îles Cook. Les langues des îles de la Société sont connues sous le nom de tahitien, bien que la langue polynésienne se conserve surtout dans les petites îles isolées du centre administratif.

En dehors de ce territoire qu'on appelle le triangle polynésien les habitants d'îles dispersées à travers les archipels mélanésiens parlent des langues polynésiennes. Elles seraient, soit la trace de l'arrivée des polynésiens à travers la Mélanésie, soit le résultat d'une expansion polynésienne vers l'Ouest, au-delà des Samoa et des Tonga. Ces îles sont : au Sud de la chaîne des Carolines *Nukuoro* et *Kapiñamarañi*. Longeant la chaîne des Salomon *Taku*, *Kilinailau*, *Nukumanu*, *Oñtoñ Java*, *Sikaiana Moiki* (Bellona), *Moava* (Rennell). Plus à l'Est les îles Duff, *Anuta*, *Tikopia*. Les habitants d'*Aniwa* et de *Futuna*, îles méridionales de l'archipel des Nouvelles Hébrides, parlent des langues polynésiennes. Il en est de même de la langue *Walis*, parlée dans le Nord de l'île Ouvea, île Nord des Loyalty.

Un bloc important des langues polynésiennes, parlées par des hommes que leur type physique rattache aux mélanésiens, est celui de l'archipel *Viti* (Fidji).

Les hommes parlant polynésien. — Pour certains anthropologues les polynésiens sont des mongoloïdes à caractères atténués, d'autres les rattachent à une race blanche méditerranéenne. Ces analogies ne prouvent pas une filiation réelle. Des éléments noirs paraissent parmi les polynésiens, des « noirs » océaniens parlent des langues polynésiennes à l'occident du domaine strictement polynésien. Il n'y a pas forcément substrat mélanésien. Les migrations polynésiennes devaient entraîner des hommes de types physiques divers.

La civilisation polynésienne. — La civilisation polynésienne est homogène. Les ancêtres des polynésiens quittèrent les régions indonésiennes quand les hommes y travaillaient le métal depuis longtemps, quand la poterie était connue depuis encore plus longtemps. Passant à travers des îles sans minerai, parfois presque sans combustible, sans terre à poterie, les polynésiens perdirent une partie de leur technique. Ils sculptaient la pierre, y creusant des pétroglyphes, y taillant des statues (Iles de Pâques, Marquises, Tahiti), en polissant des statuettes (Nouvelle-Zélande). Si les anciens Pascuans taillaient la pierre par éclats, les polynésiens sont avant tout des hommes à outillage de pierre polie ou de coquillages affûtés. L'utilisation de la plume (Nouvelle Zélande, *Hawai'i* du Nord) y atteignit un maximum. La civilisation polynésienne est essentiellement marine et insulaire. Leur société était hiérarchisée, et il est surtout à noter l'existence d'une classe sacerdotale qui développa une mythologie considérable.

Écritures et textes. — Les voyageurs du xviiie siècle (par exemple Forster compagnon de Cook) entreprirent les premières notations de langues polynésiennes, en caractères latins, selon une transcription approximativement phonétique. Les missionnaires chrétiens du xixe siècle précisèrent et normalisèrent les notations, traduisirent la Bible dans un dialecte de chaque archipel, publièrent un certain nombre de livres d'enseignement élémentaire. Certains (tel Laval) firent écrire par des polynésiens, en leur langue, les traditions et les mythologies qu'ils connaissaient. Ces enquêtes furent ensuite poursuivies par des ethnographes professionnels, parmi lesquels un néo-zélandais : Te Rañi Hiroa (P. H. Buck), directeur de l'institut d'Hawai. Les textes polynésiens furent recueillis pour l'instruction des Européens, non pour garder leurs traditions aux polynésiens.

Le folklore. — Une classe de dignitaires, proches des rois, récitait les traditions maintenant le souvenir des migrations des héros fondateurs des divers royaumes. La classe sacerdotale transmit et développa une mythologie évoluée qui est en même temps une cosmogonie.

Les orateurs néo-zélandais ponctuaient les parties de leurs discours par le jeu d'une massue gravée. Les généalogistes avaient une tige de bois où des encoches nombraient les générations ancestrales. A Tahiti, aux Touamotou, des objets de bois ou de paille tressée symbolisaient les récits liturgiques. Après leurs récits, les prêtres les déposaient sur l'autel. Aux Marquises des nœuds marquaient les générations des généalogies. Les tablettes gravées de l'île de Pâques avaient un rôle analogue. Tous ces objets étaient des outils mnémotechniques, et non une écriture.

A l'île de Pâques, les jeux de ficelle s'accompagnaient de récits. Partout des poésies étaient dites dans tous les rites sociaux : présentation de nourriture, deuil, etc. Il existait aussi des chants satiriques.

ÉTUDE INTERNE

Caractères généraux des langues polynésiennes. — Bien que descendant d'une ou plusieurs langues anciennes indonésiennes, les langues polynésiennes diffèrent des premières par leur phonologie, leur morphologie, leur syntaxe.

Bon nombre de consonnes indonésiennes ont disparu, remplacées par une occlusion glottale séparant deux voyelles, ou par zéro : malgache (selon les dialectes) *tañi*, *tani*, « larmes » tahitien *taɔi*.

Le système de mots simples modifiés par des affixes a disparu, tout en laissant des traces dans le vocabulaire, les dérivés survivant plutôt que les mots simples.

En malgache le mot simple *tau* correspond à une forme verbale à préfixe *ma* plus nasale, active, *manau* « faire, dire, penser » ; *manao* a le dernier de ces sens en hawaïen, mais le mot simple *tau* n'existe plus en polynésien et ne donne pas de dérivés.

Les particules grammaticales, d'importance secondaire en indonésien, prennent un rôle dominant en polynésien où un système de dérivés ne précise pas le rôle des mots dans la phrase.

Homogènes, les langues polynésiennes diffèrent surtout par des détails phonétiques.

Système phonologique. — Exemple : tahitien.

$$i \; (y) \qquad u \; (w)$$
$$e \quad o$$
$$a$$

Consonnes : $p \longrightarrow t \longrightarrow ɔ$
$$h$$
$$v \qquad r$$
$$m \qquad n$$

Le tahitien est une langue particulièrement pauvre en consonnes parmi le groupe polynésien.

Comme dans toutes les langues polynésiennes les longueurs vocaliques distinguent des mots de sens différents, par ailleurs homophones :

pūpū « coquillage » *pŭpŭ* « groupe, section »
mārō « discuter » *mărŏ* « ceinture ».

De même en samoan :

tīna « coin à fendre le bois » *tinā* « mère ».

Tableaux des correspondances de consonnes entre les langues polynésiennes.

maori	hawaien	samoan	tuamotu	tuńa	marquisien	mańareva	raro	tahitien
k		ɔ	*k*	*k*	*k, ɔ*	*k*	*k*	ɔ
ṅ	*n*	*ṅ*	*ṅ*	*ṅ*	*ṅ*	*ṅ*	*ṅ*	ɔ
h, wh	*h*	*s, f*	*h, f*	*h*	*h*	*h*		*h*
m	*m*	*m*	*m*	*m*	*m*	*m*	*m*	*m*
n	*n*	*n*	*n*	*n*	*n, ɔ*	*n*	*n*	*n*
p	*p*	*p*	*p*	*p*	*p*	*p*	*p*	*p*
r	*l*	*l*	*r*	*l*	*ɔ*	*r*	*r*	*r*
t	*k*	*t*	*t*	*t*	*t, ɔ*	*t*	*t*	*t*
w	*w*	*v*	*v*	*v*	*v*	*v*	*v*	*v*
wh, h	*h*	*f*	*h, f*	*f*	*h, f*	*h*		*f*

Exemple : maori : *hine* « jeune fille », hawaien : *hine,
wahine ;* samoan *teine, fafine ;* tuamotu : *vahine, mohine ;*
tonga : *fine, taahine ;* marquisien : *vehine ;* mañareva : *ahine,
veine ;* tahitien : *mahine, vahine.*

maori : *ñahehe, ñaehe, ñaeke* « bruire, claquer » ; hawaien :
ñakeke « bruire », *nehe, nahe* « se dit d'une musique douce »,
nae « panteler, asthme » ; samoan : *ñase* « bruire » ; tuña :
ñaeke « mouvement du vent » *ñaehe* « se mouvoir doucement » ; marquisien : *naenae* « respiration gênée » ; mañareva : *ñehe* « bruire », *ñahae, ñaeñae* « voix faible » ; tahitien :
ahehe.

Pronoms.

	1re pers. sing.	duel exclus.	duel incl.	plur. exclus.	plur. inclus
tahitien	*au, -u*	*maua*	*taua*	*matou*	*tatou*
samoan	*au, ita*	*maua*	*taua*	*matou*	*tatou*
	2e				
tahitien	*oe*		*orua*		*outou*
samoan	*ɔoe*		*oulua, lua*		*outou*
	3e				
tahitien	*oia, -na*		*raua*		*ratou*
samoan	*ɔoia, -na*		*la, laua*		*latou*

Particules et affixes. — Des particules précisent l'aspect
du verbe.

Tahitien : *te tapu nei au* « je (4) coupe (2) » ; le présent
est en ce cas exprimé par *te-nei* encadrant le verbe. Dans,
te tapu ra vau « je (4) coupais (1-2-3), *te-ra* indiquent
l'accompli ainsi que *ua---* dans *ua tapu vau* « j'ai coupé ».

Les exemples suivants du marquisien montrent le rôle
des particules situant les substantifs dans la phrase :
ɔua ona te manu « l' (3) oiseau (4) s'est (1) envolé (2) ;
te ika a te hakaiki « le (1) poisson (2) du (3-4) chef (5) ».
a tuɔu atuɔi te tama « donne (*a* marque l'impératif *tuɔu*
donner, *atu* exprime l'éloignement) à (4) l'(5) enfant (6) »
ɔa pa ɔi te puta « ferme (1-2) la (3-4) porte (5) ».

Ma- est à la fois particule indépendante et préfixe de verbes actifs en tahitien comme en samoan. Dans tous les dictionnaires polynésiens le nombre des mots commençant par *m-* montre la disparition de ce préfixe comme élément indépendant alors qu'il est conservé dans les mots dérivés. En polynésien *manao* existe encore comme le dérivé indonésien, mais rien à part ce mot n'évoque la racine indonésienne *tao* (voir p. 667).

faɔa et *haɔa* sont des préfixes causatifs : tahitien *ɔamu* « manger » *faɔaɔamu* « faire manger, nourrir ».

Il y a également quelques suffixes en polynésien : tahitien : *-hia : ɔamu* « manger » *ɔamuhia* « mangé ». *raɔa* se joint à la fin d'un mot : tahitien : *haɔava* « juge », *haɔavaraɔa* « jugement ». Il en est de même de *-a : ite* « connaître » *iteɔa* « connaissance ».

En samoan *tapu* « interdit » donne le dérivé *tapui* « le signe de l'interdit ».

Vocabulaire. — Entre le moment des migrations à partir du monde indonésien et l'arrivée des navigateurs européens, le polynésien vécut sur son vieux fond de vocabulaire. Il a d'ailleurs moins évolué par contact que d'autres langues. D'une part les langues polynésiennes ont été fixées par leur forme écrite, celle des Bibles ; d'autre part elles restent les langues employées dans la vie privée. D'après les dictionnaires on compte à peu près 12.000 mots samoans, 8.000 mots tahitiens (le dictionnaire est, il est vrai, moins bien fait), 18 000 mots marquisiens.

Texte. — Texte *tuamotu*, récit du déluge :

ua	*rave*	*te*	*taṅata*	*te*	*kiro*	*i*	*te*	*kaiṅa*	*nei*
ont	fait	les	hommes	le	mal	sur	la	terre	ici
ua	*riri*	*o*	*vatea.*	*ua*	*reko*	*ona*	*kia*		*rata*
Fut	fâché	(lui)	Dieu.	A	dit	lui	à		Rata
e	*haṅa*	*te*	*vaka*	*ei*	*punaṅa*	*no*	*na*		*teie*
de	faire	une	pirogue	pour	refuge	pour	lui		Voici
te	*iṅoa*	*o*	*tau*	*vaka*	*ra*	*papapapa*	*i*	*henua*	*ei*
le	nom	de	cette	pirogue	là (à la)	plate	(à)	terre.	Pour

punaṅa   *ia*   *no*   *Rata*   *e*   *tana*   *vahine*   *teie*   *te*   *inoa*
refuge   cela   pour   Rata   et   sa   femme.   Voici   le   nom

o   *tana*   *vahine*   *Tepupura*
de   sa   femme   Tepupura.

« Les hommes firent le mal sur cette terre. Dieu fut fâché. Il dit à Rata de faire une pirogue pour s'y réfugier. Voici le nom de cette pirogue : à la terre plate. Elle serait le refuge de Rata et de sa femme. Voici le nom de la femme : Tepupura. »

Noms de nombre

tahitien usuel	tahitien archaïque	marquisien	samoan	maori	
tahi	*hoē*	*tahi*	*tasi*	*tahi*	un
piti	*rua*	*ɔua*	*lua*	*rua*	deux
toru	*toru*	*toɔu*	*tolu*	*toru*	trois
maha	*ha, fa*	*fa, ha*	*fa*	*wha*	quatre
pae	*rima*	*ima*	*lima*	*rima*	cinq
ono	*fene*	*ono*	*ono*	*ono*	six
hitu	*fitu*	*fitu*	*fitu*	*whitu*	sept
vaɔu	*varu*	*vaɔu*	*valu*	*waru*	huit
iva	*iva*	*iva*	*iva*	*iwa, iwha*	neuf
ahuru	*ahuru*	*ɔoṅohuɔu*	*sefulu*	*tekau, nahuru*	dix

J. Faublée.

BIBLIOGRAPHIE

INDONÉSIEN

Travaux généraux

1. *Encyclopaedie van nederlandsch-Indië*. Leide, 1917-1936 (Bibliographie des diverses langues de l'ancien domaine hollandais).

2. R. Kennedy, *Bibliography of indonesian peoples and cultures (Yale anthropological studies)*, Londres 1945.

3. R. Haaksma, *Inlieding tot der studie der vervoegde vormen in de Indonesische talen*. Leide, 1933.

672 LANGUES DE L'OCÉANIE

4. Otto DEMPWOLFF, *Vergleichende Lautlehre des Austronesische Wort-schatzes.* 3 vol. Berlin, 1934-1938, ds. *Zeitschrift für eingeborenen sprachen,* nᵒˢ 15, 17, 19.

5. J. GONDA, *Indonesian linguistics and general linguistics,* I, dans *Lingua,* II, 3, 1950, p. 308-339.

LANGUES PARTICULIÈRES

6. ERIN ASAI, *A study of Yami Language, an Indonesian Language spoken on Botel Tobago Island.* Leide, 1935.

7. Carlos Everett CONANT, *The pepet law in Philippine languages,* dans *Anthropos,* V, 1912, p. 920-947.

8. Harold C. CONKLIN, Preliminary report on field work on the islands of Mindoro and Palawan, Philippines, dans *American anthropologist,* avril-juin 1949, p. 268-273.

9. Leonard BLOOMFIELD, *Outline of Ilocano syntax,* dans *Language,* 1942, p. 193-200.

10. N. ADRIANI, *Spraakkunst der Bare'e Taal.* Bandoeng, 1931.

11. P. P. ARNDT, *Grammatik der Ngad'a Sprache.* Bandoeng, 1933.

12. H. VAN DER VEEN, *De Noord'Halmahera Taalgroep tegenover de Austronesische talen.* Leide, 1915.

13. J. H. NEUMANN, *Schets der Karo-Bataksche spraak-kunst,* Vijhoff, 1922.

14. R. O. WINDSTEDT, *Malay grammar.* Oxford, 1927, (2ᵉ édit.).

15. Charles Otto BLADGEN et Walter William SKEAT. *Pagan races of the malay peninsula,* vol. II, Londres, 1906. (Important pour les langues de l'intérieur de la péninsule malaise, vocabulaires comparatifs).

16. Étienne AYMONIER et Antoine CABATON, *Dictionnaire cam-français.* E. F. E. O. Paris, 1906 (Dictionnaire avec éléments comparatifs, longue et importante introduction grammaticale avec bibliographie sur l'ensemble des langues malayo-polynésiennes jusqu'à cette date).

17. D. ANTOMARCHI et L. SABATIER, *Recueil des coutumes Rhadées du Darlac.* Hanoï. E. F. E. O. 1940. (Textes avec traduction, important en attendant la publication d'une étude grammaticale et lexicographique).

18. B. Y. JOUIN, *La mort et la tombe.* T. M. I. E., Paris, 1949 (Contient des textes rhadés avec traduction).

19. Otto Ch. DAHL, *Le système phonologique du protomalgache,* dans *Norsk Tidsskrift for sprogvidenskap.* Oslo, 1938, p. 189-235.

20. ROUSSELOT, *Phonétique malgache.* Paris, *Revue de Phonétique,* 1913.

21. J. FAUBLÉE, *Récits bara.* Paris, Institut d'Ethnologie, 1947 (Textes sans commentaire linguistique).

22. A. A. FOKKER, *Beknopte grammatica van de Bahasa Indonesia* (4ᵉ édit.), Groningen-Djakarta, 1950.

23. D. W. N. DE BOER, *Beknopte Indonesische grammatica. Van klassiek naar modern Maleis,* 1951.

POLYNÉSIEN

TRAVAUX GÉNÉRAUX

24. André HAUDRICOURT, *La géographie des consonnes dans l'océan Pacifique.* Dans *C. R. sommaires des séances de la Sociélé de bio-géographie.* Parsi, 1946, p. 68-69.

25. Hans JENSEN, *Sprachwissenschaftliche Abhandlungen im Studien zur Morphologie der polynesischen Sprachen insbesondere des Samoanischen*. Kiel, 1923.

26. Arnold BURGMANN, *Syntaktische probleme im Polynesischen*, tirage à part de la *Zeitschrift für eingeborenen Sprachen*, Band XXXII, Hamburg, 1942.

27. W. K. MATTHEWS, *The polynesian articles*, dans *Lingua*, II, 1949, p. 14-31.

LANGUES PARTICULIÈRES

28. E. TREAGER, *The maori-polynesian comparative dictionary*. Wellington, 1891.

29. A. C. E. CAILLOT, *Mythes, légendes et traditions des Polynésiens*. Paris, 1914. (Textes et traductions, textes de diverses langues polynésiennes).

30. ANDREWS, *A comparative dictionary of the tahitian language*. Chicago, 1944 (Le seul dictionnaire tahitien actuellement trouvable en librairie, ce qui oblige à le citer malgré sa médiocrité).

31. Teuira HENRY, *Ancient Tahiti*. Honolulu, 1928 (Textes nombreux).

32. A. SAUVAGEOT, *Structure d'une langue polynésienne : le tahitien*, dans *Conf. de l'Institut de Linguistique*, X, Paris, 1951, p. 83-99.

33. Marguerite DURAND, *Le système tonal du tahitien*, BSL, XLVII, 1951.

34. DORDILLON, *Grammaire et dictionnaire de la langue des îles Marquises*. Réédition de Paris, Institut d'Ethnologie, 1931.

35. Craighill HANDY, *Marquesan legends*. Honolulu, 1930 (Texte et traduction).

36. VIOLETTE, *Dictionnaire samoa*, Paris, 1879.

37. KEPELINO's, *Traditions of Hawai*, édition Martha Warren Beckwith. Honolulu, 1932. Ber. P. B. Museum, bull. 95. (Textes et traduction).

38. Alfred MÉTRAUX, *Ethnology of Easter Island*. Hawaï ; Bernice P. B. Museum, bull. 160.

39. Alfred MÉTRAUX, *L'Ile de Pâques*. Paris, 1941. (Ce second ouvrage de Métraux est un travail de vulgarisation, important pour les indications qu'il donne sur les tablettes de l'île de Pâques).

LANGUES MÉLANÉSIENNES[1]

INDICATIONS EXTERNES

Extension. — Les langues mélanésiennes, parlées par environ un million d'hommes, occupent une aire qui comprend la Micronésie, la Mélanésie et le littoral de la Nouvelle-Guinée orientale. Il était d'usage autrefois de séparer la Micronésie de la Mélanésie, parce que ses habitants ressemblent physiquement les uns aux Indonésiens, les autres aux Polynésiens. Mais à mesure que l'on nota leurs langues, il fallut reconnaître leur proche parenté avec les langues de Mélanésie. Et on peut se demander au contraire si les Mélanésiens ne sont point descendus vers le Sud, venant de Micronésie. On voit très nettement ces langues, remarquables par certaines formes de possessifs, égrener des aspects originaux vers le Sud, jusque dans l'île d'Ouvéa. Plus au Sud les langues de l'archipel calédonien constituent le groupe austro-mélanésien, qui se distingue nettement du reste des langues mélanésiennes, et qui résulte apparemment d'une rencontre du mélanésien proprement dit avec d'autres apports, peut-être plus anciens.

Vers l'Est le mélanésien s'étend jusque sur les côtes Nord et Sud de la Nouvelle-Guinée orientale, mêlé à d'autres langues. Toute la région du golfe papou constitue un grand damier de langues diverses : le mélanésien et le papou alternent au long du rivage, l'australien occupe les îles du détroit du Torrès et le polynésien se rencontre dans quelques îlots isolés. Ce tableau de la distribution des langues doit toujours être dominé par la pensée de quelque pirogue errante, touchant jadis quelque terre minuscule, sur laquelle des passagers ont fait souche.

1. Planche XIII.

Liste des principales langues mélanésiennes. — On évalue à plusieurs centaines le nombre des langues et dialectes mélanésiens. — Cette masse importante de parlers n'a pas encore été l'objet de recherches méthodiques, et l'étude reste à faire à peu près tout entière. Un certain nombre seulement d'entre eux ont été décrits sommairement, les autres sont encore très mal connus et souvent même mal identifiés. Aussi ne saurait-il être question de donner une liste complète des langues mélanésiennes : les listes, même pour une région restreinte, varient d'un auteur à l'autre. On se contente donc ici d'une liste sommaire, nécessairement provisoire. Les noms de certaines langues, mieux connues par des traductions de la Bible ou parce qu'elles sont assez souvent citées, sont en petites capitales. Le nom de la langue est suivi, lorsqu'il y a lieu et dans la mesure du possible, des variantes, du nom de la région, de la localité ou de l'île où est parlée la langue en question, du nombre des sujets parlants. Lorsqu'un nom d'île n'est suivi d'aucun nom de langue, c'est que cette île a une langue ou un dialecte propre, sans qu'il y ait lieu de mentionner aucun nom de parler différent du nom de l'île.

Austro-Mélanésie (29.000). — Groupe du Sud de la Nouvelle-Calédonie : ANDIEU (*aⁿd'o*, *aĭ'ŏ :* Houaïlou ; 4.000) ; *boewe* (Bourail ; 400) ; *anesü* (Canala ; 1.500) ; *ⁿduᵐbea* (Doumbea, Noumea; Païta ; 700) ; *kapone* (Yaté, île Ouen, île des Pins ; 1.100) ; — groupe du Nord de la Nouvelle-Calédonie : *pali* (Ponérihouen ; 2.000) ; *ć'amuki* (Tchiamouki ; Touho Wagap ; 1.200) ; *poai* (Hienghène ; 1.000) ; — groupe des îles Loyalty : à Maré, NENGONE *(neñone)* et *iwatenu* (3.000) ; à LIFOU, *dehu et miñ* (6.000) ; à Ouvéa, le IAI (*iai*, 1.000) voisine avec une langue polynésienne.

Nouvelles-Hébrides : Aneitioum ; — Tanna : *kwamera, lenakel, weasisi* ; — Eromango : *yoku, ura, sie, utahe* (presque éteint), *novul-amleg* (éteint) ; — Vate ou Efate : *erakor, ñguna,* SESAKE, *toñgoa, makura.* — Épi : *tasiko, maluba, lamenu, mari, bieri, baki, bierebo, paama.* — Ambrim : *embululi, limbol,* LONWOLWOL — Malikolo : Port-

Sandwich, *aulua, pannkumu, lamannkau;* — (Esperitu)
Santo : *malo, savann, mavia, tangoa, marino,* TASIRIKI, *era-
lado, wulua,* NOGOUGOU, *valpay.* HOG HARBOUR. — Oba ou
Leepers Island (île des Lépreux) ; — Raga ou Pentecôte :
vunmarama, loltavola, HOUATVÉNOUA ; — Maewo ou
Aurora : *tanoriki.* — Des parlers polynésiens sont en usage
en plusieurs points, et notamment dans les îles Vao au
Nord, Aniwa et Foutouna au Sud de l'archipel.

Iles Banks : Star : *merlav;* — Sainte-Claire : *merig;* —
Santa-Maria : *gog* ou *gaua, lakon* ; — Sougarloaf : MOTA ;
— Vanoua Lava : *pak, sasar, leon, vatrat, vuras, (vureas,
avreas), mosina, alo tehwel* ; — Saddle Island : MOTLAV,
volow (valuwa, valuga), rowa ; — Oureparapara.

Iles Torres : Hiw ; — Tegua ; — Loh ; — Toga.

Iles Santa-Cruz : Deni ou Ndeni ou Santa-Cruz ; —
Reef : *nifiloli (nufiloli)* ; — Vanikolo.

Iles Salomon : San Cristoval : *arosi;* — Oulawa ; —
îles Mouala (Mouara, Malaita, Malanta) : SAHA, LAOU,
FIOU, MALOU *(malu'u);* — Guadalcanar : MAROU *(gera),*
VATOURANGA ; — Florida ; — Ysabel (Isabelle) : *bugotu,*
« bush dialect » ; — archipel de la Nouvelle-Géorgie :
roviana (rubiana), marovo, Vella Lavella ; — îles Choiseul :
bambatana (bumbatana) ; — Bougainville : *bunone
(panuni, panone),* PETA (PETATS). — On parle polynésien
à Rennell et Bellona (au Sud de l'archipel des Salomon), et
papou à Savo et Russell (au Nord-Ouest de Guadalcanar)
et dans une partie de Bougainville.

Archipel Bismarck : île Duke of York (anciennement
Neu-Lauenburg) ; — New-Britain (anciennement Neu-
Pommern) : dialectes de la péninsule des Gazelles ; New-
Ireland (anciennement Neu-Mecklemburg) : PATPATAR
(PALA). — Iles de l'Amirauté.

Nouvelle-Guinée : côte Est du golfe papou : MOTOU,
KEAPARA ; — pointe Sud-Est et archipels voisins : DAOUI
(SOUAOU), TOUBETOUBE, PANAIETI, KIRIWINA (îles Tro-
briand), BOUAIDOGA (î. Goodenough et Ferguson), DOBOU
(î. Normanby), TAVARA, OUEDAOU, MOUKAOA (KAPIKAPI) ;
— côte Nord-Est : DJABEM (DJABIM).

Micronésie : Tobi ; — Palaou (Palaos) ; — Naouru ; — îles Gilbert ; — îles Marshall ; — îles Carolines : Ponapé, Kousaie, Mortlock, Rouk, Yap, Uloutni. — Il existe en outre en Micronésie un parler dit chamorro, qui est probablement un mélange d'espagnol et de micronésien.

Particularités locales. — Des listes de langues ne peuvent donner la physionomie linguistique réelle d'une région. On n'y peut glisser les particularités locales, soit que les femmes aient un langage différent de celui des hommes, soit que le vocabulaire soit modifié par l'abandon des mots taboués (deuils de chefs, etc.), soit encore qu'il y ait une langue noble à côté de la langue commune. La langue noble comporte un vocabulaire parfois très différent dont l'origine reste à trouver. Mais beaucoup de mots de la langue commune restent employés aussi : on les ennoblit à l'aide de quelques suffixes inlassablement répétés, comme dans certains argots. La grammaire est à peu près la même, mais les formules de respect nuancent à l'infini les pronoms.

Langues véhiculaires. — Certaines langues doivent à leur adoption et leur fixation par des missionnaires non seulement leur survie, mais même un certain rayonnement : ainsi le mota aux îles Banks. Mais il dut y avoir autrefois des langues dominantes ou tout au moins plus connues que les autres, si l'on en juge par les formules qui étaient utilisées par les voyageurs : ainsi du houailou, dont des phrases se retrouvent dans des chants, du Nord au Sud de la Nouvelle-Calédonie.

Mais dans tout le Pacifique non français, la langue véhiculaire actuelle est le bichelamar, fait de termes anglais, espagnols, français, indigènes. Il a aujourd'hui un dictionnaire et une littérature : *me no save you tok pikinini belong me*, « je ne savais pas que vous parliez de mon enfant ».

Types physiques. — Les types des gens parlant des langues mélanésiennes sont divers, mais il semble que dans chaque archipel ou grande île un ou plusieurs types particuliers se soient constitués. Le type tasmanien se retrouve chez les Banings du Sud de la Nouvelle-Irlande et chez quelques habitants des îles du Sud. Le type néocalédonien (austro-mélanésien), très archaïque, rappelle l'homme de Néanderthal. Le type mélanésien proprement dit se caractérise par un aspect trapu, des cheveux crépus, des mollets, peu de prognathisme, mais un nez large et puissant dont on voit bouger un muscle, durant le discours, à l'émission d'un phonème nasalisé. En Micronésie, le type indonésien a dû absorber l'ancien type, car les habitants actuels, suivant qu'ils sont insulaires de Palaos à l'Ouest ou des Gilbert à l'Est participent au type indonésien ou sont nettement d'aspect polynésien.

Civilisation. — La civilisation de ces divers groupes répartis dans les archipels, procède, en son fond, du néolithique. Par endroits, on commence à trouver du paléolithique (Nouvelle-Calédonie) et beaucoup de traces d'autres civilisations parfois plus avancées que l'actuelle. Si certaines îles n'étaient pas peuplées, d'autres semblent avoir connu un certain brassage de civilisations.

Textes. — Aucune des langues parlées par ces divers peuples n'est écrite. Les textes que l'on possède sont des transcriptions de missionnaires. Généralement anglais, ils se sont inspirés d'un mode de notation donné par Max Müller, lui-même influencé par Lepsius. Il y a actuellement en langues mélanésiennes vingt-cinq traductions de la Bible ou du Nouveau-Testament, de valeur inégale, mais documents intéressants. Le souci ethnologique est venu plus tard et a incité à ramasser nombre de chants et de récits. Cette collecte continue de se faire.

Caractéristiques générales de structure

Phonétique. — Tons. La connaissance de ces langues est trop imparfaite pour qu'on puisse faire un classement de celles qui sont à tons et de celles qui ne le sont pas. Un grand nombre d'entre elles ont trois ou quatre tons, comme le houaïlou ; et plusieurs, en Nouvelle-Calédonie, offrent cette

particularité de désigner la première et la troisième
personnes du pluriel par une même forme différenciée
seulement pas la hauteur : *xere*, haut et sonore, « nous »,
xere, bas et sourd, « eux ».

Aspect des mots. — La plupart des mots sont dissyllabiques. En certaines langues ils se terminent par une
voyelle, en d'autres, moins usées peut-être, par une
consonne, *r, p, g, l, t, k*, quand cette consonne ne représente
pas un pronom suffixe. Les mots monosyllabiques sont
généralement des verbes servant de racine à de nombreux
termes d'action ou d'état ou à des particules : ainsi en
andieu *to, ta, tö*, sont des morphèmes divers pour signifier
« être là, rester, ici, ci, là », etc. Bien que les mots soient
invariables, les finales se modifient parfois pour éviter la
rencontre d'une consonne finale et d'une initiale : ainsi en
nengone *ruat'* « fort », *ruat'e ni bone* « sa force ». Il arrive
aussi que la voyelle finale se modifie suivant la place des
mots dans la phrase : ainsi en mota *mata* « œil » est *matai*
lorsqu'il est tout seul et *mate* quand il est déterminé,
mate tanun « l'œil de l'homme ».

Système phonologique. — Les langues mélanésiennes
sont phonétiquement très diverses. Mais d'une façon
générale on voit les consonnes diminuer en nombre quand
on observe les langues du Sud au Nord. Ainsi dans la
plupart des langues néo-calédoniennes la corrélation entre
sonores et sourdes joue un grand rôle ; dans la langue de
Lifou même elle englobe à peu près tous les phonèmes
consonantiques de la langue.

Système phonologique du Lifou

Consonnes						Voyelles	
p		*f*		m	*m*	u	*i*
t	*d*	*t*	*d*	n	*n*		*ö*
ļ	*ḍ*	*s*	*z*			*o*	*e*
t'		*s'*		ñ	*ñ*	*a ä*	
k	*g*	*x*		ṅ	*ṅ*		
*q*ʷ[1]		w	*w*				
		l	*l*				

1. On trouve, pour ce phonème, les notations *q, kp, ᶜw*.

Système phonologique du Mota

Consonnes			Voyelles	
p	*v*	*m*	*u*	*i*
t		*n*	*o*	*e*
k	*g*	*ṅ*	*a*	
*q*ʷ	*w*	*ṁ*		
	s *r* *l*			

Système phonologique du Ponape

p	*m*	*ū*	*ī* *u*	*i*
*p*ʷ	*m*ʷ	*ō*	*ǭ* *o*	*e*
t	*n*	*ǭ*	*ē̜* *ə*	
t′	*ñ*	*ā*	*ǫ* *ę*	
k	*ṅ*		*a*	
	w *r* *l*			

Variations dialectales. — Il y a souvent entre les diverses langues ou dialectes des correspondances phonétiques régulières. Tel groupe prononce *p*, son voisin *v*, le troisième *f*. L'un dit *k*, un autre *t*, un autre se contente d'un léger coup de glotte, ainsi andieu *orokau ka kau* est en boewe, 50 kilomètres plus loin, *orohau 'a 'au*. Au nengoné *pule* correspond ailleurs *pune* et *fune*. Les indigènes sont des phonéticiens nés : leur oreille ne se trompe jamais pour reconnaître les correspondances. Il serait intéressant de noter ces correspondances comme on l'a fait en Polynésie. On verrait des phonèmes qui disparaissent, comme le *tⁿ* qu'on trouve encore en Australie et qui existait encore il y a quarante ans en Nouvelle-Calédonie, où il est devenu actuellement un *t′* prononcé avec intensité.

Dans les archipels mélanésiens, maintes consonnes sont parfois fortement labialisées, *mʷ*, *bʷ*, *pʷ*, etc. De la contamination de ces langues aux consonnes labialisées avec d'autres langues, il résulte un grand désordre dans la prononciation : ainsi *mua* « maison » peut être prononcé *mʷa* par les uns et *ma* par les autres. Cette influence de la labialisation est, en Nouvelle-Calédonie, caractéristique de la contamination des langues du Sud par les langues du Nord.

La nasalisation joue un grand rôle dans nombre de langues mélanésiennes. Le *p* et le *b* sont presque partout *mp* *mb*. Dans l'archipel calédonien, sur trente-six langues ou dialectes, une seule, le nengoné, n'a pas cette nasalisation.

Morphologie. — Prédicat. — Il est malaisé de nommer les catégories grammaticales essentielles qui correspondraient au nom et au verbe : les limites ne sont pas nettes. On a vu qu'un même phonème peut être verbe ou particule. De même aucune qualité ne peut être retenue comme telle, la qualité est conçue comme un état : « la feuille rouge » = « la feuille rouge de son état » = « la feuille est rouge », andieu *na mii*. De ce fait l'adjectif n'existe pas, il n'y a que des verbes d'état. Encore est-il malaisé de déterminer ce que l'indigène conçoit comme état : « je m'abrite » se rend par un verbe d'état, « je suis en état de couvert ». En outre le verbe peut être employé substantivement, mais en andieu cet emploi doit être archaïque, car il devient désuet. Ainsi la plupart des termes génériques peuvent se traduire au moyen d'une locution substantive verbale : « sa verdure » = « l'être vert de lui ». Mais la locution peut se conjuguer : « la verdure qu'il aura » = « le sera vert de lui », « tu vas me faire battre » = « tu fais le battra moi ». On voit combien nos catégories s'appliquent mal à la grammaire mélanésienne. Ce que nous appelons verbe, adjectif, et quelquefois nom, n'est que prédicats aidant à fixer une pensée qui ne connaît pas encore l'analyse.

Sujet. — Dans la phrase, la part de l'objet et du sujet n'est pas marquée avec la même logique que dans nos langues : le sujet se cherche et s'assure. Il est souvent le seul terme qui soit proprement précédé d'un déterminatif spécial qui le rattache au verbe préposé. Ex. : andieu *na pei na ozari*, « il est malade l'enfant », le second *na* n'est pas la répétition du premier, mais une particule propre au sujet. Cette particule se retrouve dans la langue des Fidji, mais devant le nom propre sujet seulement. Quand le sujet est un pronom, il arrive qu'il soit représenté par une locution « enveloppant le verbe » : en andieu, *go wa na*

geña « je fais », litt. « je fais le moi ». A Lifou, si l'action est
à venir, on place le verbe « aller » en tête de la formule
d'action, et il joue le rôle de particule rejetant l'action dans
l'avenir : « aller... je fais » = « je ferai ». Le sujet se sent
moins assuré quand l'action est écoulée : on use dans ce cas
d'une manière de passif « par moi a été fait » = « j'ai fait ».
On trouverait d'autres formules aussi intéressantes en
examinant chacune des langues du groupe mélanésien.

Pronom. — La catégorie des pronoms est très complexe.
C'est elle qui donne à la morphologie du mélanésien sa
physionomie propre. On en a vu l'emploi comme sujet
d'un verbe. Au sujet de l'emploi des pronoms avec les noms
pour marquer la possession, il faut distinguer deux classes
parmi les noms. Les noms dits de deuxième classe sont
suivis du pronom et séparés de lui par une particule : en
andieu, *go meari pöva xi ña*, « j'aime mon père », litt.
« j'aime père de moi ». Les noms de première classe sont
ceux qui donnent lieu à un rapport d'appartenance particulièrement étroit, le pronom se suffixe au nom sans particule : andieu *gwa ña* « tête moi », et non *gwa xi ña* « tête
de moi ». Encore la distinction n'est-elle pas toujours
claire : les intestins sont de la deuxième classe, le foie de
la première. Enfin certains sont susceptibles des deux
constructions : le nom de la maison est de première classe
quand il s'agit de la coquille ou du fourreau, de la deuxième
quand il s'agit de la demeure.

Une autre forme possessive remarquable est celle où
le pronom suffixe est ajouté au nom, mais où celui-ci doit
être répété ensuite : en iai, *umak uma*, « ma maison », litt.
« maison moi maison ». Les substantifs sont groupés alors
en catégories pour lesquelles servent des termes génériques : en iai, *halek pin* = *hale* « animal familier », *k*
« moi », *pin* « pigeon » = mon pigeon, *utek ert* = *ut* « morceau », *k* « moi », *ert* « filet » = « mon filet ». On pourrait
conclure à des catégories possessives constantes. Dans
l'évolution de la langue on voit celles-ci devenir incertaines,
et un mot l'emporter sur les autres : *ani* « bien propre »
est utilisé chaque fois que la catégorie n'est pas évidente,

et tend à devenir la forme possessive générale. Aux Choiseul (Salomon), en Micronésie, on retrouve des formes analogues.

Enfin le pronom suffixe s'ajoute de même, selon les langues, à tous les verbes ou aux verbes d'état seulement, etc., sans que ces verbes prennent une valeur substantive : « aimer moi » = « j'aime » et non « mon amour ».

A travers toutes ces modalités, ce pronom-suffixe reste à peu près le même dans toute la Mélanésie et la Micronésie, du moins au singulier ; au pluriel on trouve plus de variété. Ce pronom singulier n'est pas sans rapport avec l'indonésien, il se peut qu'il constitue un témoignage de l'envahissement du commerce indonésien, qui aurait introduit des formes indonésiennes dans le dialogue, où le singulier suffit. Voici les formes de ce pronom-suffixe :

	« je »	« tu »	« il »	« nous » exclusif	inclusif	« vous »	
Micronésie :							
Gilbert.............	-u	-m	-na	-ra		-mi	
Marshall............	-e, -u	-m	-n	-r		-mi	
Kousaie (Carolines)...	-k	-m	-l	-s	-mem	-mwos	
Ponape.............	-i	-m	-a	-i̇		-m	
Rouk..............	i-	-m	-n	-i̇	-m	-mi	
Mélanésie :							
Florida (Salomon)....	-ṅgu	-mu	-na	-ⁿda	-mami	-miu	-n
Ambrim (N.-Héb.)....	ṅ -	-m	-n	-ṅken	-ma	-mi	
Austro-Mélanésie :							
Nouvelle-Calédonie...	oṅ, -go, o	-m	-n				
en une quinzaine de langues							
iai.................	-k	-m	-n				

Outre ces pronoms-suffixes remarquables, les pronoms en général gardent beaucoup de ressemblances dans toutes les langues dont les vocabulaires cependant diffèrent. Voici les formes de quelques pronoms indépendants :

	« je »	« tu »	« il »	« nous » exclusif	« nous » inclusif	« vous »	« ils »
Micronésie :							
...rt.............	ñai	ṅkol	ñaia	ti		ṅkami	naia
..hall............	ña	kue	e	iei	kim	kom	
..saie (Carolines)...	ña	kom	el	kut	kem	komwos	elos
..pe (Carolines).....	ñai	kowa	i	kït		komail	ir
..к (Carolines).....	ñaṅ	en	i		kit	ami	
..lock (Carolines)..	ñaṅ	en	i	kit	amam	ami	
Mélanésie :							
..da (Salomon)....	inau	iɡol	aṅgaia	iɡita	iɡmai	iɡamu	aṅyaṅa
..rim (N.-Héb.).....	na	neṅ	ɡe	ken, yi	ɡema	ɡimi	niera
..ι (Banks)........	inau	iniko	ineia	inina	ikamam	ikamiu	ineira

Le verbe et le temps. — En certaines langues, le verbe d'état peut être transformé en verbe transitif au moyen d'un préfixe et d'un suffixe qui viennent encadrer le radical. Ainsi en nengoné *mid'ot'* « sacré », *amid'ot'eni* « consacre », *tat'e* « dur », *eṅetat'eni* « fortifier ». Dans les langues qui disposent de cette formation de transitifs, le verbe est toujours accompagné d'une copule ; en nengoné, *inu t'i ie* « je dis ». Dans toutes les autres langues, le verbe est invariable. Le temps est toujours indifférencié comme si l'on s'exprimait en une manière d'aoriste. Si par hasard on veut spécifier que l'action est présente, on accompagne le verbe d'une particule d'actualisation, « en train de », etc. Des particules situent ainsi l'action dans le présent, dans le passé, dans l'avenir. Ainsi en andieu *ma* indique une distance : si *ma* est placé entre le sujet et l'action, il exprime l'avenir, si *ma* est placé après le verbe, il marque le passé. Grâce à ce jeu de particules qui jalonnent la durée, on peut situer l'action, quoique le temps ne soit pas spécifié.

Redoublement. — Le redoublement des mots simples joue un rôle important : lifou ; *kut'akut'a* « fatigue », en nengoné, *doño-doño* « calme ». Ce procédé, très rare dans le groupe austro-mélanésien, est très fréquent dans les langues de Mélanésie et apparaît même comme une de leurs caractéristiques.

Nombre. Duel et triel. — On trouve dans toutes ces langues une numération quinaire ou décimale, clairement originaire de l'Indonésie. Cependant, à l'examen, on peut trouver des traces d'une ancienne numération où le nombre, si paradoxal que cela paraisse, ne figurait pas. Ainsi à Maré les pronoms **ad, ta,* à Lifou, **o, ite* signifiaient primitivement « ces trois », « ces cinq ». Ils indiquaient nettement que le nombre paraissait un état ou une qualité du groupe.

Cela aide à comprendre le jeu des duels et des triels si important dans ces langues. Tous les termes de parenté qui comportent quelque réciprocité de position sont exprimés par des substantifs au duel. Mais tandis que dans certaines langues, ce duel ou triel est, selon la formule qu'on retrouve en Indonésie, renforcé par un préfixe numérique *du, mu, li, lo,* dans d'autres langues, il n'y a aucune formule numérale. Ainsi en nengoné l'expression « mère et enfant » ne se traduira pas comme ailleurs « les deux mère enfant », mais se dira *at'e tenen* « chose enfant », ce qui signifie « l'ensemble femme enfant ». De même on s'adresse au duel à toute femme, car on n'imagine pas la femme sans un enfant dans son appartenance.

Noms de nombre

Système quinaire. Sesake : 1 *sikai*, 2 *dua*, 3 *dolu*, 4 *pati*, 5 *lima*, 6 *la tesa*, 7 *la dua*, 8 *la dolu*, 9 *lo veti*, 10 *dua lima*.

Système décimal imparfait (avec vestiges du système quinaire). Mota : 1 *tuwale*, 2 *nima*, 3 *nitol*, 4 *nivat*, 5 *tavelima*, 6 *laveatea* (probablement : « l'autre un »), 7 *laveama* (« l'autre deux »), 8 *laveatol*, 9 *laveavat*, 10 *sañavul*. Au-dessus on compte par dizaines. 12 Leepers Island *sañavulu domagi gairue* (« dix au-dessus deux »).

Système vigésimal (avec vestiges du système quinaire). Nengoné : 1 *sa*, 2 *rewe*, 3 *tini*, 4 *été*, 5 *sedoño* (« un ensemble de doigts »), 6 *doño ne sa*, 7 *doño ne rewe*, 8 *doño ne teni*, 9 *doño ne été*, 10 *rewe tubenine* (« 2 ensembles de doigts »),

20 *re ṅome* (« un homme ») ; 40 *rewe re ṅome*, 30 *sa re ṅome ne rewe tuberine.*

Système décimal. Florida : 1 *sakai*, 2 *rua*, 3 *tolu*, 4 *vati*, 5 *lima*, 6 *ono*, 7 *vitu*, 8 *alu*, 9 *hiue*, 10 *haṅavulu*. Au-dessus on compte par dizaines, 22 *ma haṅavulu me sara rua* (avec un verbe : « deux dix [et] on a atteint deux »).

Discours. Mimique. — L'éloquence varie selon les peuples. Elle est grande en général dans le Nord et aux Loyalty. En Calédonie elle consiste à dire le plus de choses possible sans reprendre son souffle. Discours, chants sont rythmés par le balancement des mots, quitte à obtenir cet effet en recourant à un synonyme ou à un mot étranger, comme « je dors, je sommeille » ou « je dors, I sleep ». Dans le chant on ajoute à chaque proposition un son *o* ou *ro* sur lequel s'appuie la voix, il en résulte un rythme très prenant.

Toutefois dans la vie ordinaire, l'indigène est sobre de paroles. Il ne faut pas oublier qu'il ne parle pas en mangeant. Aussi le langage mimique joue-t-il un rôle considérable, et il mériterait étude.

Texte andieu (M. Leenhardt, Documents Néocalédoniens, pages 115-116)[1].

na ^m*bori toř̌u e na beař̌i a, ma   viř̌i   xiə ma əřəwa*
le alors voir lui le vieux ci et sans reconnaître de lui et demander

e eř̌e a   vana xewe na vana? Na ^m*bori ačei eř̌e geña*
lui dire Ah marcher d'où la marche? Le alors répondre dire : Moi

pa ^ñ*di i ka to   kone na* ^m*bori eř̌e yę eř̌e: we gę pwa eř̌e*
cadet de qui reste à Koné Le alors dire à lui dire : Eh toi arriver dire

ñd'iə? na ^m*bori eř̌e: go mi na ka eř̌evea* ⁿ*dexa wi ka*
quoi ? Le alors dire : Je venir vers qui annoncer autre homme qui

z'ə   tovea   ro   mwa. na ^m*bori eř̌e na ə   ae mi.*
en évidence apparaître dans maison. Le alors dire Le bon mais venir.

t'uru ^m*bori víru na mwa, na* ^m*bori toxara məu ma* ^ñ*d'ə*
Eux deux alors entrer vers maison le alors prendre igname et sagaie

---

1. ř̌ note une chuintante sonore roulée comme en tchèque, r̃ note un *r* nasal, souvent entendu *r* ou *n* et stabilisé dans certains parlers tantôt à *r* tantôt à *n*.

a ma mwawe ma nə ma miə ma mɛpɛma ma eře
ci et banderole et doigtier et monnaie et bout-de-tige-pèma et dire :

ⁿd'ə xi i a ma mwawe...
Sagaie de toi ci et banderole...

« Le vieux l'aperçut et le regarda sans le reconnaître :
— D'où vient-on ?
— C'est moi le jeune frère de celui qui habite Koné.
— Que veux-tu dire ?
— Je viens pour t'annoncer qu'un homme est né à la maison.
— Ah c'est bien. Viens.

Ils entrèrent dans la case. Le messager présenta l'offrande annonciatrice de la naissance :
— Voici ta sagaie, dit-il, ta banderole... ».

Texte dehu (M. Leenhardt, Langues et Dialectes de l'Austro-Mélanésie, page 229).

ke	*ame*	*ñǫne*	*ke hete*	*sinelapa*	*i*	*ñǫne,*	*ṅe*	*hete*
car	alors	lui	(avait)	serviteur	de	lui	et	avait

ite	*Lue*	*i*	*ñǫne*	*maine*	*ñǫne*	*alapa*	*ṅǫne*	*la*	*uma*
des	esclaves	de	lui	si	lui	reste	dans	la	maison

i	*ñǫne*	*e*	*Keǐǫ*	*ke hete*	*Lue*	*i*	*ñǫne*	*kö*	*aṅete*
de	lui	à	Kedhé	il y a	esclave	de	lui	donc	ceux qui

đupöne	*pe*	*la*	*uma*	*e*	*helepu*
gardent		la	maison	à	la brousse.

« Il avait ses serviteurs et ses esclaves. S'il restait dans sa maison de Kedhe, il y avait ses esclaves qui gardaient la maison de la brousse » (Trad. LENORMAND).

M. LEENHARDT.

BIBLIOGRAPHIE

ÉTUDES D'ENSEMBLE

H. C. von der GABELENTZ, *Die Melanesischen Sprachen*, 2ᵉ éd., Leipzig, 1873.

R. H. CODRINGTON, *The Melanesian Languages*, Oxford, 1885.

S. H. RAY, *A Comparative Study of the Melanesian Island Languages*, Cambridge, 1926 (Fondamental, Introduction générale. Description des langues des îles Loyalty, des Nouvelles-Hébrides, des îles Banks, Torres, Santa-Cruz, Salomon. Bibliographie générale et de chaque langue).

A. L. Kroeber, *Some relations of linguistics and ethnology*, Language, 1941, pp. 287-291 (essentiellement pp. 290-291).

W. G. Ivens, *Melanesian modes of speech*, Journ. of the Polyn-Society, 49 (1940), p. 579-594 et 50 (1941), p. 10-40. Nouvelle-Calédonie et îles Loyalty

M. Leenhardt, *Langues et dialectes de l'Austro-Mélanésie*, Paris, 1946 (contient une bibliographie des publications en langues locales).

M. Leenhardt, *Documents néo-calédoniens*, Paris, 1932 (textes traduits sans commentaire grammatical).

C. E. Fox, *Phonetic laws in Melanesian languages*, Journ. of the Polyn. Society, 56 (1947), p. 58-118.

W. Izui, *Hi.kaku gen.go.gaku ken.kyu*, Tokyo, 1949 (compte-rendu détaillé dans *BSL*, XLV (1949), fasc. 2, p. 284-296).

A. Capell, Nombreuses études sur diverses langues mélanésiennes dans la Revue Oceania de Sydney ; du même auteur : *Études sur les recherches linguistiques*, rapport très complet à la commission du Pacifique Sud (projet S 6, rapport n° 1, vol. I en anglais et en français).

ILES SALOMON

(Ouvrages postérieurs à S. H. Ray, *A Comparative Study...*).

W. G. Ivens, *Grammar of Lau (N. E. of Big Mala)*, School of Oriental Studies, Bull. V, 1929, p. 323-343.

W. G. Ivens, *Study of the language of Marau Sound, Guadalcanar, ibid.*, p. 343-358.

W. G. Ivens, *A grammar of the language of Vaturanga, Guadalcanal*, B. S. O. S. 1934, p. 349-375.

W. G. Ivens, *A dictionary of the language of Bugotu, Santa Isabel Island, Salomon Islands*, Londres, 1941.

NOUVELLE GUINÉE

S. H. Ray, vol. III, *Linguistics*, dans *Reports of the Cambridge Anthropological Expedition to Torres Straits*, Cambridge, 1907 (nomenclature, descriptions et cartes ; n'est pas borné au détroit de Torrès).

Th. Kluge, *Völker und Sprachen von Neu-Guinea*, Petermanns Mitteilungen, 88 (1942), p. 241-253 (Tableau complet, comprenant également les langues papoues, avec indications bibliograpgiques et cartes).

O. Dempwolff, *Grammatik der Jabêm Sprache auf Neuguinea*, Hambourg, 1939 (Abhandl. ans dem gebiet der Auslandskunde, 50).

M. P. Drabbe, *Beitrag zur Sprachgruppierung in Hollandische New Guinea*, Anthropos, 1940-41, p. 355 et suiv.

A. Capell, *The linguistic position of South Eastern Papua*, Sydney, 1943.

NOUVELLE-BRETAGNE, NOUVELLE-IRLANDE, ILES DE L'AMIRAUTÉ

S. H. Ray, *Texts in the languages of the Bismarck Archipelago (Neu-Lauenburg und Neu-Pommern)*, Zeitschr. für Afrik. und Ocean. Sprachen, I, fasc. 4.

P. O. Bley, *Praktisches Handbuch zur Erlernung der Nordgazellen-sprache (Neu-Pommern)*, Münster i. w., 1912.

G. Peekel, *Grammatik der Neu. Mecklenburgischen Sprache, speziell der Pala-Sprache*, Berlin, 1909.

R. F. Fortune, *Arapesh*, New York, 1942.

NOUVELLES-HÉBRIDES

W. G. Ivens, *A grammar of the language of Lorota, Maewo, New-Hebrides*, Londres, 1940.

MICRONÉSIE

H. Bingham, *A Gilbertese-English dictionary*, Boston, 1908.

H. Bingham, *Outlines of a grammar of the Gilbert Islands*, Beru, Gilbert, 1922.

A. Erdland, *Wörterbuch und Grammatik der Marshall Sprache*, Berlin, 1906.

L. H. Gulick, *A vocabulary of the Ponape dialect with a grammatical sketch*, Journal of the American Orient-Society, W, pp. 1-109, 1880.

H. Costenoble, *Die Chamorro Sprache*, Gravenhage, Nijhoff, 1940.

W. K. Matthews, *Characteristics of Micronesian*, Lingua, II, 4, Haarlem, 1950.

D. Carr, *Notes on Marshallese consonant phonemes*, Language, vol. 21, 1945, p. 267-270.

LANGUES AUSTRALIENNES[1]

INDICATIONS EXTERNES

Classification des langues. — Selon le classement de
A. Capell, fondé sur une base surtout grammaticale, les
langues australiennes se divisent en cinq groupes :

1. Australie du Sud-Est, depuis les Narinnyeri à l'Ouest,
c'est-à-dire la plus grande partie du Victoria et certaines
régions de la Nouvelle Galles du Sud : système phonétique
difficile ; usage énorme de suffixes pronominaux, avec souvent des formes spéciales pour chaque élément du language ; rudiments d'incorporation du pronom objet ;
verbe variant en personne et en nombre.

2. Australie du Centre, de Mount Margaret à l'Ouest
du Queensland Sud-Ouest : déclinaison régulière du
pronom sur le radical du génitif ; dans la phrase, combinaison nom+adjectif où ce dernier seulement subit la flexion ;
verbe variable en temps, sans distinction de personne,
mais connaissant parfois des distinctions de nombre ;
système phonétique particulier, avec certains *r* et des
groupes de consonnes inhabituels.

3. Nouvelle Galles du Sud : groupe peu homogène ; on
y trouve tous les types ; cette région a certainement été,
le point de rencontre de plusieurs groupes.

4. Queensland Centre et Nord : groupe peu homogène ;
le Nord ne peut en tout cas se rapprocher du Kimberley
comme le voulait Schmidt ; l'ergatif n'est souvent pas
présent ; parfois pas de variation de nombre ; verbe invariable en ce qui concerne la personne, mais ce n'est pas

1. Planche XIII.

toujours le cas : le Wik Munkan (Péninsule du Cap d'York)
conjugue au moyen de suffixes pronominaux ; le Pitta-
Pitta (Queensland Nord-Ouest) fait varier le nominatif
du pronom pour indiquer le temps ; les possessifs sont
différents des pronoms personnels.

5. Kimberley (surtout Nord), et la plus grande partie de
la Terre d'Arnhem : grande complication du verbe, avec
incorporation du pronom objet ; plusieurs classes de
substantifs, déterminant l'accord des adjectifs, pronoms,
adverbes, numéraux et verbes ; le tout suivant quatre
nombres : singulier, duel, triel, pluriel ; absence d'ergatif
en tout cas, et quasi-inexistence d'un système de cas ;
formes régionales particulières de la troisième personne
du pronom.

Type physique. — « De couleur brun foncé, avec un
système pileux abondant sur le visage et le corps, les
australiens sont de taille largement au-dessus de la
moyenne (1 m. 67). Les cheveux noirs sont bouclés, ou
seulement ondulés, ils peuvent même être droits ; le crâne
est allongé ; mais, ce qui frappe le plus, c'est leur front
fuyant, leurs arcades sourcillières extrêmement fortes, leur
nez large et enfoncé à la racine. Leur prognathisme est
plus faible que celui du noir africain ou mélanésien. D'une
façon générale, ils présentent un aspect des plus primitifs,
qui les a fait rapprocher de la vieille race fossile de Néanderthal » (Lester et Millot : Les races humaines, p. 86).

Civilisation. — L'australien vit de cueillette et de chasse.
Son système religieux, dit « totémique », est tout entier
tourné vers la multiplication des espèces animales et
végétales nécessaires à la perpétuation de la vie sous
toutes ses formes. L'efficacité des rites qui contribuent à
ce résultat est garantie par la puissance d'êtres mythiques
responsables de la formation de l'environnement de
l'indigène. L'eau paraît être le véhicule ordinaire de la force
de fécondité, importante dans la philosophie indigène.

L'histoire de la culture indigène est mal connue. La

conjonction d'éléments anthropologiques et ethnologiques permet de supposer aux Australiens un passé reculé en Asie du Sud-Est.

ÉTUDE INTERNE

Généralités

La thèse de A. Sommerfelt qui fait dériver la plupart des termes Aranda d'éléments formatifs à sens concret est extrêmement intéressante et prometteuse pour les recherches futures. Malheureusement les documents qu'il a dû utiliser étaient d'une très médiocre qualité linguistique, et ses déductions, de valeurs diverses, s'en sont ressenties.

Phonétique

On donne ici à titre d'exemple le système phonologique de l'Aranda. Il n'y a pas encore d'étude phonétique générale sur l'Australie, faite de façon utilisable. Dans leur transcription « large », les spécialistes ne conservent qu'une série d'occlusives, soit les sourdes, soit les sonores. T. G. H. Strehlow a publié récemment une étude sur la phonétique Aranda, étude où il préconise cet usage ; mais l'analyse phonologique de ses données amène à penser qu'il s'agit d'une erreur malheureuse.

Système des consonnes

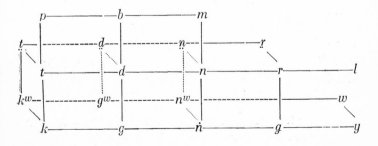

Système des voyelles

Les langues australiennes sont des langues où les groupes de consonnes (deux, trois ou même quatre) sont fréquents ; certaines consonnes peuvent alors prendre une valeur vocalique.

L'accent, en Aranda par exemple, peut porter sur la première ou la deuxième syllabe du mot selon la longueur de celui-ci et suivant qu'il présente à l'initiale une voyelle ou une consonne. Cet accent a une valeur démarcative, non pas seulement pour différencier les mots à l'intérieur de la phrase, mais aussi pour isoler les éléments signifiants à l'intérieur des mots composés.

En Aranda aussi, il y a disparition fréquente à l'initiale des mots des voyelles non-accentuées (aphérèse). L'élision joue peu entre les mots ; l'hiatus est fréquent, mais la voyelle finale peut disparaître devant la voyelle initiale du mot suivant.

Morphologie

Substantif. — Déclinaison. Au contraire du mélanésien au substantif invariable, il existe en Australien des systèmes de cas, des déclinaisons bien ordonnées.

Yualayi (Queensland Sud).

cas	singulier	duel	pluriel
nominatif	*ure* (homme)	*uregali*	*ureburala*
ergatif	*urēu*	*uregaliu*	*ureburalau*
génitif	*uregu*	*uregaligu*	*ureburalagu*
datif	*uremo*	*uregalimo*	*ureburalamo*
ablatif	*uremi*	*uregalimi*	*ureburalami*

Les terminaisons sont les mêmes aux trois nombres. Dans le Sud-Est, on trouve des déclinaisons plus typiques, aux désinences différentes pour chaque nombre, avec aussi des cas plus nombreux :

Narrinyeri (Victoria, Bas Murray).

	Singulier	duel	pluriel
nominatif	kǭn (homme)	kǭneṅk	kǭnar
ergatif	kǭnil	kǫneṅgul	kǭnar
vocatif	kǭninda	kǭnula	kǭnuna
génitif	kǭnald	kǭneṅar	kǭnan
datif	kǭnaṅ	kǭnuṅeṅan	kǭnuṅar
élatif	kǭnanmant	kǭnuṅeṅun	kǭnuṅar
comitatif	kǭnañir	kǭnuṅeṅun	kǭnan

Le vocatif est fréquent dans l'Ouest et le Centre australien (Aranda), il est toujours marqué dans ces régions par une désinence en *-i*.

La disparition de l'ablatif, conjuguée avec l'apparition de deux cas spéciaux : élatif (mouvement hors de) et comitatif (accompagnement), semble spéciale à quelques langues de l'Extrême Sud-Est.

L'ergatif apparaît comme le cas caractéristique de l'australien. Le nominatif serait le cas sujet pour les verbes intransitifs seulement ; l'ergatif s'emploierait comme cas sujet pour les autres verbes. Certains auteurs donnent un cas instrumental, mais, ou bien il se confond avec l'ergatif (Yualayi), ou bien il est ignoré des auteurs plus récents (Aranda). De même, l'accusatif semble ne pas exister (pour les substantifs du moins), se confondant tantôt avec le nominatif (Yualayi), tantôt avec le datif (Aranda) ; cette carence pourrait être en relation avec l'absence de verbes véritablement transitifs.

Nombre. — En général, trois nombres : singulier, duel, pluriel. Le duel est de moins en moins employé ; il manque dans le Kattang de Nouvelles Galles du Sud. Un triel existe dans le Nord et le Nord-Ouest (Worora). Le plus souvent, le nombre est marqué par un suffixe. Dans un seul cas, sur la Daly river, on redouble la syllabe initiale comme dans certaines langues papoues. Parfois, comme en Pitjantjara (Australie du Centre), il n'y a pas de flexion indiquant le nombre ; à cette fin, on emploie, munis de la désinence voulue, les adjectifs *tyuṭa* (nombreux), ou *mankurpa* (trois, peu) — le duel se marque par le suffixe *-ṟaru* ou *-ara*, ajouté au nominatif du substantif.

Genre. — Dans la plus grande partie du continent, le genre est indiqué par un terme indépendant, quand une telle précision est nécessaire.

A ce point de vue, les langues du Nord et du Nord-Ouest se placent bien à part. Les substantifs s'y divisent en un certain nombre de classes, deux, quatre ou davantage, selon la langue. A partir de Groote Eylandt et de la côte du golfe de Carpentaria, deux coins s'enfoncent dans la partie Est de la Terre d'Arnhem, délimitant deux zones où l'on trouverait cinq, six et neufs classes de substantifs. Ces classes se distinguent soit par la terminaison du nom, soit, dans une même langue et selon les cas, par une combinaison de préfixes et de suffixes, ou même encore d'infixes. Leur existence coïncide avec l'absence presque totale de déclinaisons du type normal.

Quand il n'y a que deux classes, celles-ci recouvrent toujours une division masculin-féminin, division à peu près correcte suivant les normes européennes.

Pour les langues à quatre classes, voici par exemple la liste du Worora :

1. Hommes, objets de leur fabrication, êtres ou choses qui leur sont associés ; êtres ou choses qui sont associés en même temps aux hommes et aux femmes : suffixe *-a*.

2. Femmes, objets de leur fabrication, êtres ou choses qui leur sont associés : suffixe *-ña*.

3. Mots terminés en *i*, *u* ou par des consonnes autres que des labiales.

4. Mots terminés par des consonnes labiales.

Le cas des neuf classes de l'Andiljaugwa (Terre d'Arnhem) est plus complexe :

1. Hommes, etc. 2. Duel des noms de la classe 1. 3. Pluriel des noms des classes 1 et 4.

4. Femmes, etc ; certains oiseaux et d'autres animaux.

5. Duel des noms de la classe 4.

6. Objets inanimés, certains poissons, arbres ; la plupart des parties du corps ; les corps célestes, sauf le soleil et la lune.

7. Soleil, mer, rivage, bateaux, tubercules de nénuphars et la plupart des objets en bois.

8. Lune, petits animaux, outils divers, armes ; divers autres termes.

9. Gros animaux, mais les préfixes en sont souvent similaires à ceux de la classe 3.

Ainsi, en fait, on pourrait ne compter que six classes. De même des langues à six classes se ramènent à n'en avoir que cinq (Ngandi) ou quatre (Anjula).

Ces systèmes devraient faire l'objet d'une étude conceptuelle intéressante. Ils ont un rôle morphologique énorme.

Dans les langues sans classes de l'Est de la Terre d'Arnhem, le substantif peut être presque invariable, des suffixes indiquant seulement le nombre.

Le Pitjantjara, voisin de l'Aranda, comportant quatre déclinaisons différentes pour les substantifs, semble se rattacher à ce point de vue aux langues à classes, mais par ailleurs il ne se distingue pas du type australien courant.

Adjectif. — Déclinaison. L'adjectif n'est jamais verbe d'état comme en Mélanésie. D'habitude, il s'accorde en genre (quand il y a lieu), nombre et cas avec le substantif auquel il se rapporte (dans certaines langues, seulement en nombre et cas). Dans le Centre (Aranda, Pitjantjara) le substantif accompagné d'un adjectif reste invariable et seul l'adjectif se décline. Si plusieurs adjectifs suivent le nom, le dernier seul subit la flexion.

Yualayi : *uregali buregali* = deux hommes grands.

Aranda : *atua mara-ka* = d'un homme bon.

Les langues à classes demandent l'accord de l'adjectif suivant la classe du substantif :

1. Un bon bébé garçon = *ianda inia*.
2. Un bon bébé fille = *ndyandinüa nüinia*.
3. Un bon bâton = *budu wunia*.
4. Une bonne pierre (pour pointe de sagaie) = *gai bum maniam*.

Dans les langues sans classes de la péninsule de Cobourg (Nord-Ouest de la Terre d'Arnhem), les adjectifs sont invariables.

Pronoms. — Pronoms personnels. Déclinaison. C'est là que l'on rencontre le plus de formes courantes à travers toute l'Australie ; par exemple *ṅayu* pour la première personne du singulier, qui se retrouve d'un bout à l'autre du continent.

En général, les pronoms personnels se déclinent. Dans le Sud-Est certains paradigmes sont irréguliers, présentant un radical nouveau presque à chaque cas.

Awabakal (Nouvelle Galles du Sud, langue éteinte).

Première personne du singulier :

nominatif	*ṅatoa*
ergatif	*baṅ*
accusatif	*tia*
génitif	*emmoumba*
datif	*emmouṅ*.

En Aranda, la déclinaison est d'aspect plus régulier, bâtie presque complètement sur un même radical :

Singulier

	1ʳᵉ personne	2ᵉ personne	3ᵉ personne
nominatif	*yiṅa*	*unta*	*era*
ergatif	*ata, ta*	*unta*	*era*
accusatif	*yiṅaṇa*	*ṅana*	*eriṇa*
datif	*yiṅaṇa*	*ṅana*	*ereṇa*
génitif	*nuka*	*uṅgwaṅa*	*ekura*
ablatif	*nukaṅa*	*uṅgwaṅaṅa*	*ekuraṅa*

Duel

	1ʳᵉ personne	2ᵉ personne	3ᵉ personne
nominatif	*ilina*	*mbala*	*eratara*
accusatif	*ilinaṇa*	*mbalana*	*erinatara*
datif	*ilinaṇa*	*mbalana*	*erenatara*
génitif	*ilinaka*	*mbalaka*	*ekuratara*
ablatif	*ilinakaṅa*	*mbalakaṅa*	*ekurataraṅa*

Pluriel

nominatif	*(a)mina*	*raṅkara*	*etna*
accusatif	*(a)minaṅa*	*ronaṅkaraṇa*	*etnaṇa*
datif	*(a)minaṅa*	*raṅkaraṇa*	*etnaṇa*
génitif	*(a)minaka*	*ragaṅkara*	*etnaka*
ablatif	*(a)minakaṅa*	*ragaṅkaraṅa*	*etnakaṅa*

Ici on constate l'apparition d'un véritable accusatif se différenciant du datif. Dans le cas des pronoms, elle semble générale dans les langues du type australien normal, ce qui, avec la fréquente disparition de l'ergatif, différencie le paradigme du pronom personnel de celui du substantif.

Il n'y a pas de distinction d'inclusif et d'exclusif, dans le Centre (Aranda, Pitjantjara), l'Est (Queensland, Nouvelle Galles du Sud et Victoria) et dans certaines langues sans classes de la Terre d'Arnhem (Amarag). Mais il n'est pas encore prouvé que la présence de la distinction inclusif-exclusif soit restreinte aux langues à classes du Nord et du Nord-Ouest du continent.

Dans les langues du Nord-Ouest, pas de flexion de cas, mais il existe un pronom spécial pour chaque classe de substantifs, forme qui subit une flexion spéciale suivant la place de celui dont on parle.

3ᵉ personne du singulier

Worora	classe I	II	III	IV
proximité	*iña*	*nyina*	*wuna*	*mana*
éloignement	*ino*	*nyino*	*wuno*	*mano*
hors de la vue	*irru*	*nyirru*	*wurru*	*marru*

Ce phénomène original reçoit un aspect tout à fait ordonné, avec un même système de désinences indiquant la situation, le radical seul étant différent pour chaque classe ; des formes analogues, rares, existent à la troisième personne du pluriel.

Par ailleurs, en ces langues, le pronom objet s'incorpore au verbe. Il existe aussi une forme pronominale négative. Au pluriel, il existe une forme dite « complète ».

1re personne du pluriel, inclusif	*ṅardarawaia*	nous tous
1re personne du pluriel, exclusif	*ardarawaia*	nous tous
2e personne	*nüidarawaia*	vous tous
3e personne	*arkarawaia*	eux tous

Relation génitivale. — En Australien normal, elle est ordinairement indiquée par une simple flexion de cas s'appliquant au déterminé.

Yualayi : *ure-gu burran* = boomerang de l'homme.

Le Koko Yimidir renverse l'ordre et distingue deux possibilités :

magar diraiṅgur-be = filet du vieil homme.

s'il en est sa possession, et

magar diraiṅgur-ga = s'il n'est pas pour le moment en sa possession.

Ailleurs, surtout dans le Sud-Est, déterminant et déterminé prennent tous deux une flexion.

Tyattyalla (Victoria) :

wutyu-ga gatimgatim-uk = boomerang d'un homme homme de boomerang lui

c'est-à-dire que le déterminé se met au génitif et le déterminant prend le pronom possessif en suffixe.

Dans le Nord-Ouest (Worora), la relation génitive est assimilée à la relation possessive (voir ci-dessous).

Possessifs. — En Aranda le génitif du pronom personnel est utilisé comme pronom ou comme adjectif possessif, avec parfois adjonction de particules de renforcement :

ñuka = mon, *ñukara* = le mien, *ñukil'ta* = le mien propre, mais ils sont alors invariables.

Normalement, pronoms ou adjectifs possessifs se déclinent et alors indiquent la position du substantif déterminé qui reste invariable. Voici par exemple les possessifs correspondant aux personnes du singulier.

	1re personne mon père	2e personne ton père	3e personne son père
nomin.	*kata nuka*	*kata uṅgwaṅa*	*kata ekura*
vocatif	*kata nukai*		
ergatif	*kata nukanala*	*kata uṅgwaṅanala*	*kata ekuranala*
génitif	*kata nukanaka*	*kata uṅgwaṅanaka*	*kata ekuranaka*
ablatif	*kata nukanaṅa*	*kata uṅgwaṅanaṅa*	*kata ekuranaṅa*

Il semble que ce soit le système normal dans les langues australiennes du type courant. Exceptions : le Tyattyalla possède une série de pronoms personnels différents de l'ordinaire, et bâtis sur un même radical,

je = *yurwek*, tu = *yurwin ;* il, elle = *yurwuk*

les pronoms possessifs sont sur le même modèle,

le mien = *yurwanek*, le tien = *yurwaṅin*,
le sien = *yurwaṅuk*

et, pour exprimer la possession, on ajoute au nom le suffixe de la personne

mon boomerang   *gatimgatim-ek*
ton boomerang   *gatimgatim-in*
son boomerang   *gatimgatim-uk*

Dans le Kimberley Nord, les possessifs sont de deux types, indépendants ou préfixes. La plupart du temps, on utilise les possessifs indépendants, formés par adjonction d'un préfixe au pronom personnel.

Worora : suffixe *anaṅga*

mon = *ṅaianaṅga*
ton = *ṅund'anaṅga*
son = classe I   *anaṅga*
      classe II   *nüaṅganaṅga*
      classe III *unaṅga*
      classe IV   *anaṅgam*

Les préfixes personnels ne jouent que pour les parties du corps et quelques objets :

ma tête	ṅamri	nos têtes (inclusif)	ararbri
sa tête	ṅumri	nos têtes (exclusif)	ṅararbri
sa tête I	imri	vos têtes	nüimri
II	nüumri	leurs têtes	artbri

Démonstratifs. — Adjectifs ou pronoms selon le cas, les démonstratifs se déclinent sur le modèle des adjectifs. Les formes simples, nombreuses, comprennent des synonymes. L'adjonction de particules de renforcement (*-toa*, *-tit'a* en Aranda) peut en multiplier le nombre.

Aranda : *nana* = celui-ci, *nana era* = celui-ci même, *tana* = celui-là, *tana era* = celui-là même, *lena*, *lana* = celui-ci, celui-là, *lena era*, *lana era* = celui-ci même, celui-là même, *lalina* = celui-là là-bas, *lituguna* = celui-là là-bas ; *nakwa* = celui-là là-bas, *lakintya* = ce nombreux, *erantema* = le même, *erantem-erantema* = lui-même (ipse), *ñint-erantema* = une seule et même personne (one and the same).

Interrogatifs. — En Aranda, ils sont différents selon qu'il s'agit de personnes ou d'animaux, plantes et objets inanimés.

1er cas : *ṅuna* = qui, lequel, quoi.

2e cas : *iwuna* = quoi, lequel,

pourquoi se traduit par *iwunaka* (génitif de *iwuna*),

combien = *ntakint'a*.

Ces termes subissent une flexion normale, sauf *ntakint'a*, forme plurielle qui prend les désinences du singulier. Les interrogatifs peuvent être adjectifs et alors, comme eux, placés après le nom :

quel homme? = *atwa ṅuna?*

Indéfinis. — Pronoms ou adjectifs, déclinés comme ces derniers.

Aranda :

arbuna = un autre, *urbut'a* = quelques uns, *urbut'arbuna* = quelques autres, *arbuna... arbuna* = l'un... l'autre,

les uns... les autres, *tweda* = un à part, *twedakatweda...*
twedakatweda = ici à part... là à part, *ñintamañinta* =
chacun, *ñunabaka* = quiconque (et d'autres cas du pronom
interrogatif *ñuna+baka*), *iwunabaka* = quel que soit (et
d'autres cas du pronom interrogatif *iwuna + baka*),
iwunit'a = quelque chose (je ne sais pas quoi), *ñunatit'a* =
quelqu'un (je ne sais pas qui), *it'ala* (ergatif) = personne
(devant un verbe intransitif, il n'y a pas de terme).

Numération. — A ce point de vue, il y a une grande
pauvreté de termes dans toutes les langues australiennes.
On ne dépasse pas généralement deux ou trois ; après :
beaucoup. Plus récemment, l'influence européenne a fait
s'enrichir certains systèmes comme celui de l'Aranda :
Cardinaux : *ñinta* = un, *tara* = deux, *urbut'a* = trois
(mais aussi un peu, quelques), *taramañinta* = trois, *tara-
matara* = quatre, *taramataramañinta* = cinq. Ordinaux :
aruguliña = le premier, *arbuna* = le second (aussi un
autre), après, on ajoute *wott-arbuna* = encore un autre. Il y
a en plus, une série d'ordinaux indéfinis : *aruguliña* = le
premier, *mbabult'iña* = celui du milieu, *kant'iña*, *iñkana* =
le dernier, celui de la fin. Tous ces termes se déclinent à la
façon des adjectifs.

Dans les langues du Nord et du Nord-Ouest, le système
des classes s'étend aux numéraux.

Worora : classe I	classe II	classe III	classe IV
1. *iaruṅ*	*nüaruṅ*	*t'aruṅ*	*maiaruṅum*
2. *iaruṅandu*	*nüaruṅandinüa*	*t'aruṅandu*	*maiaruṅandum*
3. *iaruṅuri*	*nüaruṅurinüa*	*t'aruṅuri*	*maiaruṅurim*

En réalité, il s'agit d'un terme exprimant l'unité et mis
successivement au duel, puis au triel.

Verbe. Types de conjugaison. — En gros, deux sortes de
flexions verbales : variations de temps, mais pas de
personne (quoique le nombre puisse être indiqué) — variations de personne, aussi bien que de temps et de nombre
(par suffixe, préfixe ou combinaison des deux).

Kattang, type de la première classe : « faire ».

	Singulier	Pluriel
1ʳᵉ personne	*natwa maruma*	*nïïiun maruma*
2ᵉ personne	*ïïinnar maruma*	*nurar maruma*
3ᵉ personne	*nuar maruma*	*bara maruma*

pour le passé, on ajoute *-la* au verbe : *natwa maruma-la* par contre, le futur est indiqué par un suffixe, ajouté cette fois-ci au pronom qui suit alors le verbe.

Le Thanggatti est de type plus régulier au futur : présent : *ñaia nïïinne;* passé : *ñaia nïïinnimbin;* futur : *ñaia nïïinniliñ.*

Ce type de conjugaison prévaut dans l'Ouest (Mount Margaret) et le Queensland Nord (Koko Yimidir).

Mount Margaret : « appeler », présent : *ïïeldiwa* ; passé : *ïïeldigu;* futur : *ïïelderni.*

L'Aranda complique ce schéma en y ajoutant des formes spéciales pour le duel et le pluriel, communes aux trois personnes et obtenues au moyen d'infixes :

« aller »	Singulier	Duel	Pluriel
présent :	*l-ama*	*l-ar-ama*	*l-ariri-ma*
passé :	*l-aka*	*l-ar-aka*	*l-arir-aka*
futur :	*l-it'ina*	*l-ar-it'ina*	*l-ariri-t'ina*

et ainsi de suite pour les autres temps.

Suivant T. G. H. Strehlow, l'Aranda aurait : deux voix = actif et réflexif, chacune comprenant un positif et un négatif ; quatre temps = présent, futur, prétérit et parfait ; quatorze modes, du moins en ce qui concerne le présent = indicatif, subjonctif, jussif, optatif 1, optatif 2, consécutif, négatif final, conditionnel A1, conditionnel B2, impératif 1, impératif 2, impératif 3, participe, infinitif. Le Pitjantjara, voisin, offre un paradigme verbal moins complexe : quatre conjugaisons, mais seulement quatre modes (indicatif, impératif, subjonctif, participe) ; d'ailleurs pas de flexion de nombre ou de personne.

Il n'y a malheureusement pas encore d'étude qui analyse la valeur exacte des termes européens usuels employés, termes qui semblent recouvrir parfois des nuances d'aspect. D'ailleurs, certaines formes se recouvrent, ce qui laisse des doutes sur la justesse des classifications proposées.

Dans les deux langues précédemment citées, à côté des formes normales du verbe, il existe des formes à sens accentué ou dérivé, formes obtenues par adjonction de certains verbes jouant le rôle de suffixes.

Dans le deuxième type de conjugaison, des suffixes indiquent la personne et le temps.

Dans le Victoria et une grande partie de la Nouvelle Galles du Sud, on utilise en suffixe au verbe une forme abrégée du pronom (en général, une forme différente du suffixe possessif).

Tyattyalla : « battre ».

présent = 1ʳᵉ personne du singulier = *takan*
passé   = 1ʳᵉ personne du singulier = *tak-in-an*
futur   = 1ʳᵉ personne du singulier = *tak-inü-an*

présent = 2ᵉ pers. = *takar*   3ᵉ pers. = *takar*
passé   = 2ᵉ pers. = *tak-in-ar*   3ᵉ pers. = *tak-in*
futur   = 2ᵉ pers. = *tak-inü-ar*   3ᵉ pers. = *tak-inü*

Dans les langues du Nord et du Nord-Ouest, le verbe varie quant à la personne et au temps, mais la conjugaison utilise surtout les préfixes, en combinaison aussi avec des suffixes.

Ainsi en *Bād* (Kimberley), langue sans classes, « aller » :

Présent	Singulier	Pluriel
1ʳᵉ personne	*anad'it*	*erit*
2ᵉ personne	*mid'it*	*wariyit*
3ᵉ personne	*ird'it*	*ird'it*
passé :		
1ʳᵉ personne	*nañit*	*üaṅgayit*
2ᵉ personne	*mind'it*	*worayit*
3ᵉ personne	*iñit*	*iṅeryit*

24

Dans les langues à classes, deux types de conjugaisons
l'une à préfixes, l'autre avec un auxiliaire s'ajoutant à une
forme invariable ; chacun de ces types comprend des
verbes « transitifs » et des verbes intransitifs.

Premier type : préfixes pour la personne ; suffixes pour
le temps et le nombre (singulier, duel, triel, pluriel).
L'existence des classes ne se manifeste qu'à la troisième
personne du singulier. Worora : « venir » :

Présent	Singulier		Pluriel
1ʳᵉ personne	ṅaṅgal	1ʳᵉ pers. (inc.)	arẹṅgal
2ᵉ personne	ṅuṅgal	1ʳᵉ pers. (excl.)	ērẹṅgal
3ᵉ classe I	kaṅgal	2ᵉ pers.	niẅirẹṅgal
3ᵉ classe II	niẅaṅgal	3ᵉ pers.	kariṅgal
3ᵉ classe III	kuniẅuṅgal		
3ᵉ classe IV	meṅgal		
passé 1ʳᵉ pers.	ṅeṅgunal, etc.		
futur	nēẅuṅgal		

Le duel et le triel s'obtiennent en ajoutant respectivement -audu et -uri.

La fréquente incorporation du pronom objet au verbe
peut entraîner une extrême complication de toutes ces
formes.

Deuxième type : différents auxiliaires qui sont des verbes
ordinaires,

ṅanuṅ. « je suis »   labiru ṅanuṅ, « je sais »
keṅo, « je frappe »   mara keṅo, « je vois »
ṅeṅa, « je vais »   widaua ṅeṅa, « je marche »

Les préfixes de ces verbes auxiliaires sont les préfixes
ordinaires.

Le verbe « être » se traduit, soit par un verbe « être
couché » comme en Aranda, soit par la conjugaison de
l'adjectif attribut sur le paradigme verbal habituel.

Objet. — En Worora, quand ils suffixent des verbes
transitifs, les signes du duel et du triel se rapportent à
l'objet, le sujet étant indiqué dans le préfixe. On a déjà

cité par ailleurs l'incorporation au verbe du pronom objet, mais il s'agit alors de verbes dits « transitifs ». Un phénomène du même genre se produit dans quelques langues de Nouvelle Galles du Sud. Gudungurra : « il bat » = *ṅabuyin;* « il me bat » = *ṅubayiña;* « je te bats » = *ṅuberiṅañi.*

Il faut mettre en parallèle l'utilisation dans l'Australien « ordinaire » de l'ergatif comme cas sujet des verbes dits « transitifs » : le verbe s'infléchit alors en nombre pour s'accorder avec le nom objet aussi bien qu'avec l'agent. Ngunawal (Nouvelle Galles du Sud) : « j'ai vu un kangourou *(buru)* » *buru nangurriṅga;* « j'ai vu un couple de kangourous » *burumbla nangurriṅbla;* « j'ai vu de nombreux kangourous » *burulula nangurriṅdïwula.* Il se pourrait que le terme « transitif » recouvre en réalité des verbes à sens passif, ce qu'appuierait d'ailleurs certaines remarques des auteurs anglais.

Conjugaison « adverbiale ». — Dans un grand nombre de langues, les adverbes interrogatifs se conjuguent comme des verbes. Dyirringam : *wandïwia* = où suis-je ? *wandïwiawili* = où es-tu ? *wandïwawanni* = où est-il ?

Mais il s'agit de désinences spéciales, différentes de celles des verbes et différentes des pronoms suffixes.

Syntaxe

Sauf deux exceptions (Kakadu dans le Nord et Karadjeri à l'Ouest), l'adjectif se place toujours après le nom auquel il se rapporte. Le sujet précède le verbe, sauf le cas ergatif qui se met indifféremment avant ou après le verbe « transitif ». L'objet suit le verbe, quand il ne s'y suffixe pas.

Pas de propositions subordonnées (le relatif s'exprime par la répétition d'un démonstratif). Aranda :

    atwala nala, nala tmarka albuka, worana takola
    homme cet, cet hier parti, garçon a battu
    « l'homme qui partit hier a battu le garçon ».

Une méthode plus rare est d'exprimer le relatif au moyen d'une forme participiale du verbe :

ilupa tera, il tana mbaka tnarakala, yiraka
haches deux, maison sur-penchant, disparurent
« les deux haches qui étaient appuyées contre
la maison disparurent ».

Pas de véritable copule. On énumère simplement en
laissant des pauses ou en intercalant des interjections.

On traduit les alternatives par deux questions côte à
côte, ou une question suivie d'une affirmation. L'égalité
est marquée par une juxtaposition du type de : court ceci,
court celà ; mais dans certaines langues, il y a des termes
pour la similitude comme pour la comparaison.

Vocabulaire

Il est considérable, étant donné la facilité avec laquelle
les australiens créent des mots nouveaux. En Kabi
(Queensland), on forme des adjectifs en suffixant le génitif
des pronoms au substantif (à partir d'autres éléments, on
emploierait des méthodes différentes) : *wuru* = avant,
wuru-wendʻ = vieux ; *dʻandar* = glissant, *dʻanderban* =
agréable.

L'Aranda forme des verbes à partir d'adjectifs ou de
substantifs en ajoutant -*era* ou -*ila* et l'affixe verbal -*ma :*
albana = faible, *albanerama* = s'affaiblir ; *lara* = une
crique, *larerama* = nager. De même, certains suffixes
aident à former des substantifs à partir d'autres substantifs ou de verbes : *ingua* = nuit, *ingua-riña* = somnambule.
On trouve des verbes composés : *albmelama* = répéter,
de *albuma* = retourner et *ilama* = dire, des termes formés
par répétition : *etopa* = ceinture, *etopaetopa* = rebord ;
kwatʻa = eau, *kwatʻakwatʻa* = liquide.

L'utilisation d'affixes peut être un mécanisme régulier de
formation de mots abstraits. En Dieri (Australie du Sud),
on ajoute -*etʻa*, -*kantʻi*, -*la*, -*ni* au verbe approprié :
nayinayibana = contempler, *nayinayibanietʻa* = contem-
plation ; en aranda : -*ña* et -*ma*, en suffixes à un adjectif
ou à un verbe : *ningalauma* = souffrir ; *ningalauña* =
souffrance.

On peut aussi exprimer des notions abstraites en utilisant des adjectifs substantivement. Koko Yimidir : *dulinbil* = triste, tristesse.

Pour exprimer des conditions physiques ou physiologiques, formation de mots à partir de termes du corps. Koko Yimidir : *kambogo* = « tête », *kambogo-bidar* = « intelligent (tête légère) », *kambogo-gulṅgil* = « stupide (tête lourde) », *milka-mul* = « stupide (sans oreilles) », *walu dindal* = « mal de tête (tempe-mordre) », *mandar-mut'ul* = « babiller (langue molle) ».

Ces divers procédés de formation donnent parfois des mots très complexes : Groote Eylandt (Australie du Nord) : *amumgualüumpa* = harpon ; *amum*, de *amumore* = doigts ; *gual*, de *agualïwa* = chair ; *üumpa*, de *iningumpa* = plonger ; donc terme descriptif : l'indigène plonge pour donner au coup l'impulsion du poids de son propre corps.

Les emprunts aux langues voisines jouent un très grand rôle. Les noms individuels comprennent souvent des termes usuels, qui après la mort ne doivent plus être prononcés ; et ainsi, le vocabulaire d'une tribu est obligé peu à peu de se renouveler, par emprunt, ou même par création d'un mot nouveau pour remplacer le terme maintenant interdit.

Mimique

Elle joue un rôle très important dans la conversation. Les réponses aux questions se traduisent souvent par un jeu de physionomie qui peut échapper à l'observateur européen. Par extension, il existe un véritable langage par gestes, langage qui aurait une valeur intertribale. Chaque geste représente la traduction d'une idée.

Texte

Langue Kabi, parlée dans le bassin de la Mary River, Queensland (d'après J. Mathew, *Eaghehawk and Crow*, Londres, Melbourne, 1899, p. 192).

đakkan   *warań*   *ńunda*   *kora-*   *man*   *ńuin*
arc-en-ciel méchant pron. 3ᵉ pers. enlever terminaison verbale garçon
                    nominatif   indicatif

đikui.   *karva-*   *na*   *womńan*   *mullū.*   *ńunda-ro*
de basse classe autre indice de donner noir   indice de
                    l'objet ?   l'ergatif

komńan   *ńuin-(n)a.*   *tunba-*   *no*   *nolla-no*   *karin-*
prendre.   ind. de   montagne ind. datif trou   dans
                l'objet   ou allatif

di-   *mi.*   *nolla-ni*   *ńuin*   *nyena-man.*   *ńuru-ni*   *wuru-*
ind. verbal   ind.   être   jour   hors
transitif ?   locatif

        bo-   *man.*
ind. verbal intransitif.

Traduction : « L'arc-en-ciel est méchant ; il enlève un garçon de basse classe ; il (en) donne un autre noir (?) ; il prend le garçon, le met dans un trou (d'eau) dans la montagne ; le garçon est dans le trou ; pendant le jour il sort ».

                                        J. GUIART.

BIBLIOGRAPHIE SOMMAIRE

CAPELL (A), *The structure of Australian languages.* Oceania, vol. 8, Sydney, 1937-38.

CAPELL (A), *The classification of languages in North and North-west Australia*, Oceania, vol. 10, 1940.

CAPELL (A.), *Languages of Arnhem Land, North Australia*, Oceania, vol. 12 1942 et vol. 13, 1943.

CAPELL (A.) and ELKIN (A. P.), *The languages of the Kimberley division*, Oceania, vol. 8, 1937-38.

ELKIN (A. P.), *The nature of Australian languages*, Oceania, vol. 8, 1937-38.

SCHMIDT (W.), *Die Gliederung der Australischen Sprachen*, Vienne, 1919.

SOMMERFELT (A.), *La langue et la société, Caractères sociaux d'une langue archaïque*, Paris, 1935.

STREHLOW (T. G. H.), *Aranda phonetics,* Oceania, vol. 12, 1942

STREHLOW (T. G. H.), *Aranda grammar*, Oceania, vol. 13, 1943.

TRUDINGER (R. H.), *Grammar of the Pitjantjara dialect, Central Australia*, Oceania, vol. 13, 1943.

TASMANIEN

Introduction

Découverte en 1642, visitée, à partir de 1772, par des navigateurs qui ne faisaient que de courtes stations sur les côtes, la Tasmanie reçut en 1803 sa première colonie. Dès 1804, un conflit sérieux marqua le commencement de relations tendues entre colons et indigènes. En 1825, les colons engagèrent une guerre d'extermination méthodique et au début de 1830 les quelques milliers d'indigènes étaient réduits à 203 individus, qui abandonnèrent la Tasmanie pour l'île Flinders, au Nord-Est.

Ces circonstances expliquent la rareté de nos documents linguistiques. J. Milligan, qui devint en 1847 protecteur de l'île Flinders, fut le premier à publier, en 1859, un recueil de mots étendu, portant sur 3 des 5 langues tasmaniennes. Cependant il ne restait déjà plus en 1854 que 3 hommes, 11 femmes et 2 enfants ; le dernier Tasmanien mourut en 1865, la dernière Tasmanienne en 1877 ; à cette date, et sans doute avant, le tasmanien était complètement mort.

Nos documents sont insuffisants en qualité comme en quantité : nous n'avons que des recueils de mots, sans phrases valables ni complètes, et pas de données directes sur la grammaire. Toute étude de la langue suppose une critique préalable des sources, qui se relient en partie les unes aux autres, et dont la localisation fait défaut ou est inexacte. Ce travail a été partiellement réalisé par F. Hestermann, et j'ai, de mon côté, achevé dès 1917 des recherches analogues. Mais aucun autre auteur n'a procédé à cette critique préliminaire, de sorte que les vastes rapprochements tentés par Fr. Müller, H. de Charencey, E.-M. Curr, B. Ritz, A. Trombetti, sont sans valeur.

GROUPEMENT

Autre travail préliminaire : chercher s'il y a unité de langue et, dans ce cas, s'il existe des groupes de parlers ou de dialectes, et procéder alors à la répartition des matériaux entre ces groupes. Personne n'a fait ce travail, d'ailleurs difficile puisque les sources, en général, ne donnent pas de localisation sûre et ne fournissent pas l'indice de langues distinctes ou de dialectes. Les recueils de mots de Milligan peuvent servir de base à ce travail, mais seulement pour 3 des 5 langues tasmaniennes.

Selon moi, toutes les langues tasmaniennes ont une origine commune ; elles sont au nombre de 5 et constituent 2 groupes : Est et Ouest :

1º Le **Groupe oriental**, le plus important par son aire (les deux tiers de l'île, des monts de l'Ouest à la côte Est) et par les matériaux qu'il fournit, comprend trois langues ou dialectes :

a) La *langue du Nord-Est*, de Port-Dalrymple, sur la côte Nord, à Great-Swanport, sur la côte Est ;

b) La *langue du Centre-Est*, de Great-Swanport à la péninsule de Tasman, sur la côte Est ;

c) La *langue du Sud-Est*, de la péninsule de Tasman à un point de la côte Sud situé un peu à l'Est de Southwest Cape.

2º Le **Groupe occidental**, qui occupe l'étroite bande de la côte Ouest et la moitié de la côte Nord, comprend deux langues :

a) La *langue de l'Ouest*, de Southwest Cape à Mersey River ;

b) La *langue du Nord*, de Mersey River à Port Dalrymple.

ÉTUDE INTERNE

I. *Phonétique*

1) *Vocalisme:*

a) Voyelles simples :

i			u	ü
	ẹ		ọ	ö
	ę	ǫ		
		ä å		
		ā		

La langue du Sud-Est et, à un moindre degré, celle du Centre-Est, ont aussi les variétés nasales de la plupart des voyelles. Trait caractéristique : il n'y a de *a* de timbre « pur » (le *a* italien) que pour la longue, la brève ayant régulièrement le timbre *ä* de angl. hat, cat[1]. Par ailleurs, le rôle de la quantité ne peut être établi de façon sûre[2] ;

b) Diphtongues : *ey, ay, oy, üy; oẅ, aẅ; wa, ẅo* sont attestées surtout dans les langues du Centre-Est et du Sud-Est, d'une part, de l'Ouest d'autre part.

2) *Consonantisme:*

k (g)	ɛ	ṅ			
t (d)	y	t′	n	n′ r l
p (b)	w		m	m′

Les langues du Centre-Est et du Sud-Est ont aussi *k, p, r, l* palatalisés. Elles sont, avec les langues de l'Ouest, les seules à posséder un son comparable au ɛ arabe, à moins qu'il s'agisse d'un *r* guttural. Trait caractéristique : il n'y a pas d'opposition entre sourdes et sonores ; le flottement graphique entre *k* et *g*, *t* et *d*, *p* et *b*, indique qu'il s'agit d'un son intermédiaire. Les fricatives gutturales, dentales et labiales manquent ; la notation de fricatives gutturales dans quelques documents est suspecte.

---

1. Pour la commodité de la transcription, on notera le *ä* par un simple *a*, s'opposant à *ā* de timbre « pur » ; de même, on ne fera apparaître l'opposition entre les deux variétés de *e* et de *o (ẹ, ę; o, ǫ)* qu'en distinguant par *ę* et *ǫ* les *e* et *o* ouverts.
2. Pour les voyelles autres que *a*, on ne trouvera le signe d'une longue ou d'une brève que dans quelques cas privilégiés.

3) *Structure phonétique du mot :*

A l'*initiale absolue*, les voyelles sont rares.

A la *finale absolue*, elles sont constantes dans les langues du Nord-Est et du Sud-Est d'une part, de l'Ouest d'autre part ; mais il existe une finale -*ķ*, pourvue d'une fonction sémantique déterminée, dans les langues du Nord et surtout du Centre-Est (v. p. 717).

Au total, les langues tasmaniennes sont très sonores, notamment grâce à l'absence, à l'intérieur du mot, de groupes de consonnes autres que occlusive+liquide.

II. *Pronoms*

1) *Pronoms personnels :*

.	Nord-Est	Centre-Est	Sud-Est	Ouest	Nord
1re pers.	*mi(na)*	*mi(na)*	*mi(na)*, *mä(na)*	*ma(na)*	*ma(ṅa)*
2e pers.	*ni(na)*	*ni(na)*	*ni(na)*	*ni(na)*	*ni(na)*, *ni*
3e pers.	*nara*	*nara*	*nara*	*nara*	*nara*

Il n'y a pas de formes spéciales pour le pluriel ; comme pour les substantifs, les formes attestées ne font apparaître aucune opposition entre singulier et pluriel,

2) *Pronoms possessifs :*

Le rapport de possession s'exprime par l'adjonction du pronom personnel au substantif. Il est vrai que les exemples de loin les plus nombreux sont fournis par les noms de parenté et de parties du corps ; mais ces noms se présentent aussi sans possessifs, surtout les noms de parties du corps.

3) *Adverbes et pronoms démonstratifs :*

Adverbe : deux formes : *wa*, *we* « ici », *ni*, *ne* « là », dont les valeurs se confondent souvent.

La seconde forme a fourni un pronom, attesté seulement dans le groupe Est : *nika* (Nord-Est), *neka* (Centre-Est et Sud-Est).

4) *Adverbes et pronoms interrogatifs :*

ñamela « où ? » (Centre-Est) ; *an'a* « quoi ? que ? » (Sud-Est).

Nos matériaux ne nous donnent aucune forme pour « qui ? ».

III. *Noms*

1) *Nombre :*

On n'a pas d'exemples de formes particulières marquant une opposition entre singulier et pluriel ; on ne peut interpréter en ce sens les très rares exemples de répétition et de réduplication (v. aussi p. 714, pronoms).

2) *Genre :*

Il n'y a ni genre grammatical ni aucun autre procédé de classement des substantifs. La désignation du genre naturel se fait quelquefois par apposition au nom du mot désignant le mâle ou la femelle, postposé s'il s'agit de personnes, antéposé s'il s'agit d'animaux.

3) *Cas :*

a) Le nominatif sujet se présente en général devant le verbe, l'accusatif objet après ; cependant nos documents en matière de phrases sont trop peu sûrs pour autoriser la certitude ; mais toutes les langues attestent :

b) L'antéposition du génitif au substantif déterminé : *pugga luggana* « trace de pas (de noir) », *ria luggana* « trace de pas (de blanc) » ;

c) Un datif de la direction, caractérisé par un suffixe *-to, -ta* (comp. l'adverbe *ta* « vers ») ;

d) Un locatif en *-re*.

4) *Autres suffixes nominaux :*

D'autres suffixes nominaux font difficulté : beaucoup plus fréquents que les suffixes cités ci-dessus, ils ont certainement d'autres fonctions, et, par ailleurs, dans cette catégorie, des suffixes déterminés sont propres à des langues déterminées, au point qu'on peut les considérer comme des caractéristiques de ces langues.

Ainsi, le suffixe *-na* se présente dans les trois langues du groupe oriental, qui n'en connaissent pas d'autres de cette catégorie ; au contraire, les suffixes *-lea (-lia)*, *-liga* *-riga*, sont propres au groupe occidental : *-lea (-lia)* à la langue de l'Ouest, *-liga*, *-riga*, à la langue du Nord, qui possède aussi un suffixe rare *-taka*.

	Groupe Est			Groupe Ouest	
	Nord-Est	Centre-Est	Sud-Est	Ouest	Nord
femme.....	*lu(na)*	*loa(na)*	*lowa(na)*	*nowa(lea)*	*lu(riga)*
main......		*ri(na)*	*ri(na)*	*ri(lea)*	*raba(liga)*
kangourou..	*tara(na)*	*tara(na)*	*tara(na)*	*tara(lea)*	
os........		*tene(na)*	*tene(na)*		*tiwan(rik)*

Des faits suivants :

a) le génitif adnominal, antéposé, n'a pas de suffixe, tandis que le nom déterminé, postposé, est suffixé ;

b) quand un nom est déterminé par un adjectif, l'adjectif étant toujours postposé, le nom, sauf quelques exceptions, n'a pas de suffixe ;

il ressort que le suffixe fonctionne comme une sorte d'article déterminé. Ces deux faits n'étant toutefois attestés par un nombre suffisant d'exemples que pour le groupe Est, l'interprétation du suffixe nominal comme article n'est rigoureusement valable que pour le suffixe *-na* du groupe Est et ne peut reposer, pour les suffixes du groupe Ouest *(-lea*, *-liga*, *-riga)*, que sur le parallélisme entre ces suffixes et *-na* du groupe Est.

IV. *L'adjectif*

1) *Place :* toujours après le substantif, qui perd son suffixe (v. ci-dessus, III, 4, *b*).

2) *Forme :* l'adjectif a aussi ses suffixes, différents de ceux des noms et qui par suite caractérisent comme adjectifs les mots auxquels ils s'adaptent ; contrairement aux suffixes nominaux, ils sont généralement communs à toutes les langues et de l'Est et de l'Ouest.

a) Le plus répandu est le suffixe *-tę (-t'ę)* : *tanětę* «agité» (N.-E., C.-E., S.-E., O.), *kǫtę* «faible» (N.-E., C.-E., S.-E., O.);

b) Le suffixe *-nę* a moins d'extension et est douteux pour le groupe Ouest ;

c) Un suffixe *-iaḳ*, *-yaḳ*, qui n'est sûr que pour le Nord-Est et le Centre-Est, a fréquemment une valeur dépréciative ou péjorative (*noweiaḳ* «mauvais», *krakoneiaḳ* «malade»), et dans d'autres cas s'applique aux couleurs, mais avec une valeur d'atténuation (*tent'ę* «rouge», *tendiaḳ* «rougeâtre»), de sorte que les deux fonctions se rejoignent ;

d) Le suffixe *-lį*[1] (*poilį* «nouveau») est caractéristique des langues du Sud-Est et peut-être en partie de l'Ouest.

V. *Le verbe*

Faute d'un nombre suffisant de phrases sûres, base nécessaire pour une bonne analyse d'un système verbal, on ne peut ici se prononcer d'une manière définitive. On peut toutefois établir dans ses grandes lignes le jeu de morphèmes verbaux et isoler les thèmes ; on peut aussi répartir les morphèmes entre les deux groupes linguistiques et, à l'intérieur de ces groupes, aux différentes langues qu'ils comprennent. Ainsi sera-t-on en mesure d'apercevoir dans quelques cas la fonction sémantique des différents morphèmes.

1) *Une base verbale en -nę :*

Dans plusieurs cas apparaissent, dans presque toutes les langues des deux groupes, des formations en *-nę*, sans que ce *-nę* puisse être posé comme une désinence indépendante : il est plus exact de dire que dans plusieurs cas les désinences *-lį*, *-elį*, *-gelį*, *-gana*, sont adaptées à cette finale, *-nę*. L'immense majorité des thèmes verbaux se présente sans la finale *-nę*.

2) *Les désinences verbales :*

Quelques-unes sont communes à toutes les langues, d'autres propres à des langues déterminées ; mais la rareté

---

1. į note ici une voyelle de timbre intermédiaire entre *i* et *e*.

des matériaux pour le groupe Ouest interdit un jugement sûr ; on manque en tout cas de données pour la langue du Nord.

A) *Désinences communes :*

a) La plus fréquente est *-gana, -gęna.* Comme l'indique *pǫin'e-gana* « rire » (C.-E.) tiré de *pǫin'e (pin'e)* « gaieté » (C.-E.), *-gana* est une désinence verbale ; la valeur des thèmes verbaux munis de *-gana* semble être celle de substantifs verbaux ou d'infinitifs ; *-na*, dans *-gana*, doit être assimilé au suffixe nominal *-na*, ce que confirment d'autres indices (v. p. 716) ;

b) Un problème se pose pour la désinence *-beā, -be*, commune aux deux groupes (sauf N.-E. et N.), et qui s'adapte non seulement à des thèmes verbaux, mais aussi au pronom-sujet postposé à un thème verbal : *tena-mi-beā wīna* « je (te) donne un bâton », et même à un substantif ou à un adjectif. Milligan, dans ses maigres phrases, a plusieurs fois traduit les formes verbales en *-beā, -be*, par l'impératif, mais dans d'autres cas par l'indicatif : l'interprétation par l'impératif est donc douteuse, et même dans un certain nombre de cas absolument impossible. On a plusieurs raisons de considérer *-beā, -be* comme un suffixe adverbial, qui apparaît lorsque le verbe reçoit une détermination particulière : objet direct ou indirect, adverbe proprement dit, et qui se fixe au verbe ou à la détermination, et même, dans un cas, aux deux : *t'ena-beā kaīta-beā* « (l'homme) nourrit le chien » (exactement : « (l'homme) donner au chien »).

B) *Désinences propres à l'un ou à l'autre groupe :*

a) Le suffixe *-tę, -ta* est limité à trois langues du groupe Est et s'y présente bien moins souvent que les autres désinences verbales ; peut-être est-il identique au suffixe d'adjectif *-tę* (v. p. 717) et fournit-il ici une sorte d'adjectif verbal, un participe présent ;

b) Au groupe Est se limitent les deux désinences *-lị, -elị, -ɛelị, -gelị* (Centre-Est seulement) et *-gara, -gĕra, -gra* (Sud-Est seulement). Il arrive qu'un même thème verbal reçoive, dans le Centre-Est la première, dans le Sud-Est la seconde, par ex. :

	C.-E.	S.-E.
« téter »	*mo-li̦*	*mo-gra*
« aller »	*ta-li̦*	*ta-gara*
« laver »	*none-li̦*	*nunu-gra*

La valeur de ces désinences nous échappe ; il semble que les verbes pourvus de ces désinences, dans leurs domaines respectifs, ne reçoivent jamais la désinence commune *-gana, -gẹna*, excepté *ta* « aller » (C.-E. et S.-E.), *tö* « manger » (C.-E.), *wa* « tourner » (S.-E.) ; cette incompatibilité indique en tout cas que *-li̦* et *-gara* d'une part, et *-gana* d'autre part, ont des fonctions différentes (v. p. 716).

3) *La conjugaison :*

Elle s'organise par l'adaptation aux formes verbales, munies de leurs désinences respectives, du pronom personnel. Autant qu'on peut en juger par nos matériaux, qui ne nous livrent que des phrases rares et peu sûres, et presque uniquement pour le Centre-Est et le Sud-Est, le pronom-sujet est régulièrement postposé au verbe.; ex. (Centre-Est) :

> *noia meātean̄-mīna nī-to tuggene*
> « ne pas donne-moi   à toi à manger »
> = « je ne te donne pas à manger »

4) *Les temps :*

On ne relève qu'une forme de parfait, limitée au Centre-Est. Elle est bâtie au moyen de *burak̦*, qui doit signifier « passé, accompli » ; en même temps, le thème verbal, s'il a une finale *-nẹ*, la change en *-n̄-*, et s'il a une finale vocalique, est suffixé par *-k̦-*, la gutturale emphatique finale de *burak̦* ; ex. :

kran̄ burak̦ : « mûr » = « être » + « accompli » = « devenu »
ton̄ burak̦ : « s'enfoncer » + « accompli » = « enfoncé »
tiak̦ burak̦ : « prendre » + « accompli » = « pris »
toienuk̦ burak̦ : « entendre » + « accompli » = « entendu »

Noms de nombre

La nécessité d'une sévère critique des sources est ici particulièrement manifeste ; le maintien traditionnel d'interprétations erronées a élevé inconsidérément la liste des noms de nombre, alors qu'un examen approfondi des matériaux révèle :

que les noms de nombre sont attestés seulement dans le groupe Est ;

qu'ils n'y sont représentés que par les formes suivantes :

	N.-E.	C.-E.	S.-E.
« un »	*męrę*	*mara*	*mara*
« deux »	*pŭę*	*pĭę*	*pŭę*

Toutes les autres formes signifient soit « peu de », comme *lô-we*[1], soit « beaucoup de », comme *kātę*, ou bien sont des composés des deux seuls noms de nombre du tasmanien : car les Tasmaniens ne connaissaient que le système de la paire, comme certaines tribus australiennes ; le fait est confirmé par un témoignage de Backhouse rapporté par Ling Roth, p. 134 (v. bibliographie) : « Les indigènes ne pouvaient dire que un, deux, beaucoup de, et, pour établir le nombre de personnes présentes à telle ou telle occasion, ils donnaient leurs noms ».

Le nom de nombre est postposé au substantif, avec les suffixes *-lį*, *-le*, etc., qui indiquent qu'il est senti comme adjectif[2].

W. Schmidt.

---

1. Le mot nous a été transmis avec une notation *ô* que nous conservons, mais dont nous ignorons la valeur.

2. Ce qui a été dit de l'insuffisance de nos documents explique qu'aucun texte ne soit présenté ici : il n'en existe aucun qui soit sûr.

BIBLIOGRAPHIE

F. Hestermann, *Tasmanisch-Linguistische Quellenkritik* (Folia Ethno-Glossica, II, 1926, Hamburg, p. 4-11, — et : *Die tasmanischen Sprachquellen und ihre kritische Behandlung, Erster Teil: Die ältesten zehn Vokabulare* (von 1784, 1846) (Internationales Archiv für Ethnographie, XXXIV, 1936, Leiden, p. 1-57) ; je n'ai pas eu connaissance d'une seconde partie. Les deux ouvrages font exclusivement une critique des sources (v. p. 711).

W. Schmidt, *Grammatik und Lexikon der tasmanischen Sprachen* (à paraître). La grammaire comprend trois parties : 1. Critique des sources et groupement des langues tasmaniennes ; 2. Phonétique ; 3. Morphologie et syntaxe. Le dictionnaire donne la totalité des matériaux fournis par les sources, avec l'orthographe d'origine et par ordre alphabétique, et, en même temps, en orthographe phonétique, les formes établies de façon sûre et revues d'un point de vue critique. L'ensemble de l'ouvrage représentera environ 600 pages.

L'ensemble des données brutes a été *grosso modo* publié par H. Ling Roth, *The Aborigines of Tasmania*, 1ʳᵉ éd., London, 1890, appendice C, p. xxii-lxvi ; 2ᵉ éd. Halifax (England), 1899, appendice C, p. xix-xlvii.

LES LANGUES PAPOUES[1]

Le nom de papou (du malais *papuwah* « crépu ») a été
donné aux populations non mélanésiennes de la Nouvelle-
Guinée et des îles voisines, et étendu aux langues qu'elles
parlent. Prises entre deux domaines linguistiques beaucoup
mieux connus, l'indonésien à l'Ouest et le mélanésien à
l'Est, les langues dites papoues n'ont pas encore été l'objet
d'une étude comparative, de sorte que l'on groupe sous
cette appellation divers parlers qu'on ne peut définir que
négativement en disant qu'ils ne sont ni mélanésiens ni
indonésiens.

La Nouvelle-Guinée est la plus grande île du monde.
L'exploration géographique aussi bien qu'ethnologique et
linguistique est encore loin d'être achevée. Il y a, à l'intérieur, de vastes régions où l'homme blanc est inconnu et
dont les populations belliqueuses mènent une vie aussi
primitive que leurs ancêtres de l'âge de pierre. Seules les
côtes sont connues des Européens qui y ont installé leurs
factoreries, leurs établissements administratifs et leurs
missions. Toutefois, dans le territoire de Papua, les
Européens se sont établis au pied des grandes montagnes
de l'intérieur où le climat leur permet de vivre ; il en est
de même au Nord, le long du fleuve Sepik.

Les habitants de cette île appartiennent essentiellement
à deux types physiques. Les uns, qui vivent au bord de la
mer, sont du type mélanésien et parlent des langues
mélanésiennes plus ou moins pures (voir pp. 675 et 677).
Ce sont des envahisseurs. Les autres sont les autochtones,
d'un type physique absolument différent : ils sont de
taille moyenne, leur peau est de couleur brun foncé, parfois
presque noire, ils ont les cheveux bouclés, certains portent

1. Planche XIII.

la barbe. Ils vivent de chasse et de pêche, ou d'une agriculture très primitive. Ils sont le plus souvent en guerre avec les tribus littorales. Il faut aussi signaler l'existence de quelques tribus de pygmées sur le territoire hollandais. On en a découvert une dans le territoire sous mandat australien.

Les matériaux que nous possédons sur les langues papoues sont insuffisants pour nous permettre de présenter une image précise de ces langues. Chacune d'elles est parlée par une tribu qui, en général, n'habite qu'un très petit nombre de villages. Aucun parler papou n'a servi de langue de relation. On a utilisé, dans la partie britannique le « biche-la-mar », dans la partie hollandaise le malais. C'est une des raisons de notre ignorance des langues papoues.

Du fait de l'éparpillement des tribus, il y a un très grand nombre de langues papoues. D'après l'état actuel des recherches, on en compte environ 620 ; la classification n'en est pas achevée. Mais on connaît aussi 350 noms de petites tribus de l'intérieur dont les langues demeurent totalement inconnues. Malgré la multiplicité des langues le nombre de personnes qui les parlent est assez petit. En voici une évaluation très imparfaite, compte tenu des langues papoues parlées en dehors de la Nouvelle-Guinée :

Nouvelle-Guinée Hollandaise..........	120/150.000
New Guinea (Mandat australien)........	100/150.000
Territoire de Papua..................	150/200.000
Hors de la Nouvelle-Guinée :	
Enggano, Tembora, Vaigiou............	10/ 12.000
Iles Moluques.......................	100/120.000
Iles Salomon........................	40/ 50.000
Autres territoires...................	2/ 3.000
	522/685.000

LANGUES SPÉCIALES

Dans quelques tribus existent des langues secrètes parlées pendant les cérémonies religieuses. Elles sont très mal connues. On en a constaté l'existence sur la côte de Rai et à la baie de l'Astrolabe.

On ne décrit ici que la langue ono, parlée par environ 4.000 indigènes, établis au N.-E. de l'île, sur les bords de la baie de Huon. Ce nom (*ono* « quoi ? ») leur a été donné par leurs voisins les Kate. Eux-mêmes s'appellent *kubai* « forestiers ».

PHONÉTIQUE

Le vocalisme de l'ono présente les cinq timbres *a*, *e*, *i*, *o*, *u*, sans distinguer entre longues et brèves. Les contacts de voyelles sont fréquents. Le système consonantique est constitué par les occlusives *p*, *b*, *k*, *g*, *t*, *d*, et une riche série nasale comportant *m*, *n*, *ṅ*, et une consonne complexe à élément labiovélaire transcrite *ṁ*. Une spirante *v*, une sifflante *s*, une affriquée *ḍ*, une semi-consonne *w* et deux liquides *r* et *l* complètent le système. On trouve en ono des groupes de consonnes, mais le kate, dialecte voisin, les ignore.

MORPHOLOGIE

Le verbe constitue la catégorie morphologique la plus importante et la plus riche de l'ono. Quand une phrase comporte plusieurs verbes, seul le dernier présente les déterminations temporelles et modales. On compte quatre temps à l'indicatif : présent, futur, passé proche, passé lointain, deux à l'imaginatif : futur (potentiel) et passé (irréel) et un à l'hortatif, chacun ayant ses désinences pour les trois personnes et les trois nombres (singulier, duel et pluriel).

Ex. Indicatif présent du verbe *ari-* « aller ».

Sing. 1. *ari-maile*   Duel 1. *ari-maite*
    2. *ari-maiṅe*   2. ⎱
    3. *ari-maike*   3. ⎰ *ari-mamit*

Pluriel 1. *ari-maine*
    2. 3. *ari-mami*

Indicatif futur 1. Sing. : *ari-kale*, passé proche 1. Sg. : *ari-le*, passé lointain 1. Sg. : *ari-kole*.

Imaginatif futur 1. Sg. : *ari-kolo* « je pourrais aller », passé 1. Sg. : *ari-werap*.

Hortatif 1. Sg. : *ari-we*.

Il se constitue par l'infixation d'éléments auxiliaires un jeu complexe de fréquentatifs, ayant chacun une conjugaison complète.

Ex. : *ari-ma-maile :* « j'ai coutume d'aller ».
ari-ge-maile : « je continue à aller ».

Quant aux verbes qui en précèdent un autre, l'ono ne les affecte de désinences personnelles que s'ils ont un sujet différent de celui du dernier verbe. Les diverses catégories de désinences indiquent alors un aspect particulier de la succession des idées.

Ex. : Pour indiquer seulement une liaison étroite :

1. Sing.	*ari-we*	Duel	*ari-te*	Pluriel	*ari-nem*
2	*ari-nom*	2			
3	*ari-ki*	3	*ari-ut*		*ari-u*

Pour y introduire l'idée d'une succession temporelle :
Sg. 1 *ari-weso* — 2 *ari-nomso*, etc...

Pour y introduire l'idée d'une prolongation de l'action :
Sg. 1 *ari-mageweso* — 2 *ari-magenomso*, etc...

Si le verbe antécédent a le même sujet que le verbe final il se présente sous la forme de la simple racine verbale, accompagnée du suffixe *-so* pour insister sur l'idée de succession temporelle, du suffixe *-mage* pour indiquer la prolongation.

Ex. : *ne-so kisi ra-nom* « mange (et après) raconte (*ra-nom :* hortatif 2ᵉ sg.) une histoire ».

L'ono, ainsi que le kate, présente des verbes à objet pronominal inclus. Ainsi : *nan :* « me voir » *gan* « te voir », *ka* « le voir », *ṅot* « nous voir nous deux », *ṅut* « vous voir vous deux », *ot* « les voir eux deux », *ṅon* « nous voir », *ṅun* « vous voir », *on* « les voir ».

Ex. : *nan-maike :* « il me voit » *gan-kole :* « je t'ai vu ».

De même *nin-maike* « il me donne », *gin-maile* « je te donne », *man-maiṅe* « tu lui donnes ».

Ces verbes sont les plus usuels de la langue : voir, donner, battre, prendre, dire, chasser, appeler.

Le pronom personnel sujet est ordinairement inclus dans

la désinence verbale, il n'est exprimé indépendamment que par emphase. D'autres parlers papous comme le kovio distinguent à la première personne du pluriel un pronom inclusif et un pronom exclusif. Le génitif du pronom personnel préposé sert en ono à indiquer la possession, mais on trouve aussi des pronoms possessifs suffixes.

Ex. : *tat-ne* « mon frère aîné » *tat-ḍe* « notre frère aîné ».

Dans les substantifs comme dans les verbes et les pronoms l'ono ignore la distinction des genres. Au besoin il différencie les mâles des femelles en ajoutant au substantif un terme spécial.

Ex. : *berek* « porc » *berek-ṅeire* « verrat » *berek-ṅereune* « truie ».

A la différence des verbes et des pronoms, le substantif ne présente pas de formes différentes selon les nombres. Certains parlers papous, surtout extérieurs à la Nouvelle-Guinée, ont même deux substantifs différents pour exprimer le singulier et le pluriel d'un même objet.

Ex. : en baining (Nouvelle-Bretagne) *a greidi* « vallée » *a gar* « vallées » (*a* est l'article défini).

Il n'y a pas à proprement parler de déclinaison en ono, mais les différents « cas » concrets y sont indiqués au moyen de particules postposées qui servent aussi avec les verbes.

Cas indifférent...................	*vesi* « pierre »
Instrumental et Ergatif..........	*vesi-ṅo*
Génitif.........................	*vesi-wane*
Comitatif......................	*vesi-rop*
Caritif.........................	*vesi-midaine*
Locatif........................	*vesi-wo*
Ablatif........................	*vesi-wo-ṅino*
Adversif.......................	*vesi-wo-ken*
Réversif.......................	*vesi-wo-ken-ṅino*

SYNTAXE

Le substantif peut être déterminé par un adjectif qui le suit toujours et qui est lui-même affecté éventuellement des postpositions.

La phrase peut être nominale, le rôle de copule est alors tenu par un pronom personnel.

Ex. : *ñei*[1] *eñe*[2] *suaine*[3] : l'homme[2] lui[1] grand : « l'homme est grand ».

Quand la phrase est verbale, le verbe est toujours à la fin. Seuls les noms d'êtres animés entraînent l'accord en nombre du verbe dont ils sont sujets. Les noms d'objets inanimés, et aussi ceux de petits animaux, sont toujours accompagnés d'un verbe au singulier.

L'ono possède deux négations, une pour le nom, une autre pour le verbe.

La cohérence de la phrase complexe est assurée par le rejet des déterminations temporelles et modales après le dernier verbe. Il peut constituer l'équivalent de propositions subordonnées en affectant les formes verbales des particules postposées dont il a été question ci-dessus.

Ex. : *ari-maike* : « il va ». Avec la postposition du locatif : *ari-maike-o* : « là où il va » et avec celle de l'ablatif : *ari-maike-o-ñino* : « là d'où il vient ».

NOMS DE NOMBRE

Dans les langues papoues les noms de nombre sont souvent désignés par des noms de parties du corps. On ne compte pas au delà de 40.

L'ono emploie le système suivant : 1 : *veku*, 2 : *etke*, 3 : *karewe*, 4 : *etke so etke* (2 et 2), 5 : *mete mane* (« une main »), 6 : *mete mane so ḍite veku* (« une main et un doigt ») ; 10 : *mete etke* (« deux mains »), 11 : *mete etke so kieo ḍitne veku* (« deux mains et, au pied, un doigt »), 20 : *ñei mane korop* (« un homme entier »).

Une autre langue, le noub (région du haut Digoul), emploie pour les nombres supérieurs à trois les noms de parties du bras : 4 se dit : « index », 5, « pouce », 6, « poignet », 7, « avant-bras », 8, « coude », 9, « bras », et 10, « épaule ».

Les langues nasioi et buin, de l'île Bougainville, distinguent, par des systèmes numériques différents, diverses « classes » : hommes, animaux, oiseaux, poissons, etc.

Texte

Début d'une légende (d'après Wacke : *Formlehre der Ono-Sprache*).

ṅanom-ine-rop medep ṅatn-o ari-koit ṅau-ne-ṅo ra-ke « ge met-nom » ra-ki-so ṅanom-ine-ṅo ra-ke ṁaine ari-kete.

ṅanom-ine-rop : ṅanom : « femme », ine : suffixe possessif de la 3ᵉ personne du singulier -rop : postposition du comitatif.

medep : enfant, cas indifférent.

ṅatn-o : -o : postposition du locatif, « dans le corps ».

ari-koit : 3ᵉ personne duel du passé lointain indicatif de ari- « aller ».

ṅau-ne-ṅo : ṅau : « mari », ne : possessif 3ᵉ personne, ṅo : postposition de l'ergatif.

ra-ke : 3ᵉ pers. sing. du passé proche indicatif de ra- : « dire ».

ge : pronom personnel 2ᵉ singulier, cas indifférent.

met-nom : 2ᵉ pers. sing. hortatif de met- : « s'asseoir ».

ra-ki-so : 3ᵉ pers. sing. de la forme verbale dépendante à sujet particulier, avec particule -so, indiquant l'antériorité de l'action.

ṅanom-ine-ṅo : ṅanom : femme, ine : suffixe possessif de la 3ᵉ personne du singulier ṅo postposition de l'ergatif.

ṁaine : adverbe: bien.

ari-kete : 1ʳᵉ pers. duel du futur indicatif de ari- « aller ».

Traduction : Il allait avec sa femme qui était enceinte. Le mari dit : « Assieds-toi ». Quand il eut parlé, sa femme lui dit : « Nous marcherons bien ».

LISTE DES PRINCIPALES LANGUES PAPOUES

Cette liste ne mentionne que les groupes de langues les plus importants ou les mieux connus. On a indiqué au besoin les principaux dialectes de chaque groupe.

NOUVELLE-GUINÉE

Nord-Est (territoire sous mandat australien) : *sisano; valman* ou *lemiń* (région d'Aitapé) ; *buł* ou *puł* (rivière Ualib) ; *nor* ou *murik* (au nord de la lagune Karau) ; *bongu* (baie de l'Astrolabe) ; *mugil* (dans le district du même nom) ; *ṁovaṁ* (à l'intérieur, environs du mont Hagen) ; *ono* (à l'est de la rivière Bulum) ; *kate* (au sud de l'ono).

Sud-Est (territoire britannique) : *orokaiva* (sud du golfe Huon) ; *dimuga* (entre la baie Collingwood et le fleuve Moni) ; *mailu* (sur la côte sud entre la baie de l'Orangerie et la baie Mac-Ferlane) ; *koiari* (arrière-pays de Port-Moresby) ; *fuyuge* (au nord-ouest du koiari) ; *kovio* (à l'intérieur entre les rivières Angabunga et Waria) ; *elema* (sur la côte entre les rivières Biaru et Bailala) ; *namau* (delta du Purari) ; *sesa* (à l'intérieur, entre le Purari et le Kirari) ; *kiwai* (entre le Kikari et le Fly), dialectes : *mawata, sisiame; gaima* (à l'ouest du kiwai), dialectes : *girama, gogodara : kunini* (au sud du kiwai) ; *miriam* (îlots du détroit de Torrès) ; *mikud* (entre les rivières Pahoturi et Mai Kasa) ; *keraki* (à l'ouest du mikud) ; *serki* (à l'ouest du keraki) ; *jimak* (au nord du serki) ; *digule* (région des sources du Fly, à la frontière des trois territoires), dialecte : *nub.*

Ouest (territoire néerlandais) : *marind-anim* (langue de chasseurs de crânes bien étudiés, région des rivières Salikara, Kumbe et Gawir) ; *yab* (à l'ouest du marind-anim) ; *komelom* (sud de l'île Frederik-Hendrik) ; *klader* (île Frederik-Hendrik) ; *sohur* (sur la rivière Mapi) ; *pesexem* (monts de Carstensz) ; *tapiro* (langue des Pygmées du mont Goliath) ; *ekari* (région des lacs) ; *mimika* (au sud et à l'ouest de l'ekari) ; *kapaur* (presqu'île Onim) ; *karon* (langue des cannibales de la côte de Karoon) ; *wondama* (sur la côte et dans l'île Jobi, très influencé par les langues mélanésiennes), dialectes : *ansus, pomi ; sewan* (entre le fleuve Berrik et la baie Walckenaer).

INDONÉSIE

Dans quelques îles de l'Indonésie subsistent des vestiges d'anciens parlers. Ces groupes isolés ont naturellement subi l'influence des envahisseurs indonésiens. Seuls quelques petits groupes ont conservé la langue de leurs ancêtres.

Une langue totalement isolée est parlée dans l'île d'Enggano à l'ouest de Sumatra. Les habitants ont une civilisation matriarcale.

Dans quelques villages de l'île de Soumbawa, on a parlé le *tembora*, langue isolée, sur laquelle des auteurs anciens nous ont conservé des indications lexicales.

Un grand groupe de langues apparentées entre elles est parlé dans la partie nord de l'île Halmahera, dans l'archipel des Moluques. Quelques tribus sont islamisées, les autres ont gardé leur civilisation propre. Principales langues : le *galela* (nord) ; le *tobelo* (au sud du galela) ; le *loda* (nordouest) ; le *tabaru* (sud) ; le *modole* (intérieur) ; le *ternate* et le *tidore* (langues des tribus musulmanes de l'ouest).

On a également signalé quelques langues non-indonésiennes dans la partie portugaise de l'île Timor, comme le *makasai*, le *waimaha* et le *dagodá* dans l'extrême nord-est et le *kemak* et le *bunak* sur la frontière néerlando-portugaise.

Une autre langue non-indonésienne est parlée dans l'île Waigiou au nord-ouest de la Nouvelle-Guinée.

MÉLANÉSIE

Il y a en Mélanésie une série de langues étrangères aux parlers mélanésiens. Ce sont les idiomes de tribus, souvent très primitives, vivant dans les forêts à l'intérieur des îles et ennemies des tribus mélanésiennes.

On a parlé, semble-t-il, des langues non-mélanésiennes dans la petite île Laut de l'archipel de l'Amirauté *(paluan)* et dans quelques villages de la Nouvelle-Irlande. On en parle encore en Nouvelle-Bretagne, au sud et au centre de l'île *(bainiǹ; sulka)* et dans l'île Rossel ou Duba, de l'archipel des Louisiades.

Dans l'archipel des Salomon, on a reconnu quatre familles linguistiques dans l'île Bougainville : le groupe *nasioi* (sud-est, dialecte : *koromira*) ; le groupe *buin* (sud) ; le groupe *iapa* (à l'ouest de l'île, très mêlé de mélanésien, dialecte : *buruwe*) ; enfin le *tiob*, langue isolée de l'intérieur.

Les îles Salomon sont encore habitées par de nombreuses tribus qui parlent des langues non-mélanésiennes, isolées les unes des autres. Ainsi le *maṭungam* de l'île Solles, le *kazukuru* de Nouvelle-Géorgie, le *bilua* de l'île Vella Lavella, le *laumbe* de l'île Russel, le *mbaniata* de l'île Randavou.

On a également signalé une langue non-mélanésienne dans l'archipel des Nouvelles-Hébrides, l'île d'Aneitoum.

Č. LOUKOTKA.

BIBLIOGRAPHIE

K. WACKE, *Formlehre der Ono-Sprache*, dans *Zeitschrift für Eingeborenensprachen*, Berlin, t. XXI, 1931, p. 161-207.

Č. LOUKOTKA, *Classification des langues papoues* (en préparation).

M. P. DRABBE, *Sur les langues papou du Sud de la Nouvelle-Guinée*, dans *Actes du XXIe Congrès des Orientalistes*, Paris, 1949, pp. 249-250.

J. H. M. C. BOELAARS, *The linguistic position of South-Western New-Guinea*, Leiden, 1950.

LES LANGUES DE L'AFRIQUE NOIRE

NOTE LIMINAIRE

Les Africanistes sont d'accord pour penser que les langues khoïn, cantonnées dans l'extrême Sud de l'Afrique, sont le reste d'un domaine plus étendu qui se serait restreint à la suite de l'installation des « grands nègres » : elles constituent une famille à part.

Au contraire, également suivant l'accord des Africanistes, la séparation, pour la description, des Langues du Soudan et de la Guinée *d'une part, des* Langues bantoues *d'autre part, n'empêche pas qu'il ne s'agisse d'une seule vaste famille* négro-africaine. *Le groupe bantou (de* ba-ntu, *racine* ntu *« homme » et préfixe singulier de la classe des êtres humains) a été reconnu le premier et a fait l'objet d'études comparatives internes*[1]. *Les autres langues se répartissent en plusieurs groupes sur le classement desquels les Africanistes ne sont pas entièrement d'accord, tout en reconnaissant généralement la cohérence de l'ensemble*[2].

Si on admet que les « paléonégrides » seraient venus de l'Est (Mélanésie?), on ne sait quand et comment, on peut avoir la tentation de chercher dans leurs langues des traits de leur habitat antérieur présumé : en effet le phénomène caractéristique des « classes » rappelle des faits océaniens. C'est pourtant moins loin, en dravidien, que récemment

---

1. Anciens auteurs : J. W. APPLEYARD, *The Kafir languages*, King William's Town, 1850, et surtout W. H. J. BLEEK, *Comparative Grammar of South African languages*, Capetown, Londres, 1862-1868.

2. Premier ouvrage : KOELLE, *Polyglotta africana*, Londres, 1854 ; derniers ouvrages, les livres de L. HOMBURGER et H. BAUMANN et D. WESTERMANN cités p. 751-752.

L. Homburger a voulu chercher l'origine de la phonétique et de la morphologie négro-africaines[1]. *Elle maintient néanmoins son idée antérieure sur le vocabulaire égyptien qu'elle croit avoir été emprunté par les noirs d'Afrique au cours de leurs migrations. Sur cette hypothèse, ainsi que sur celles de J. Lukas et de C. Meinhof, voir la* Note *liminaire des Langues chamito-sémitiques.*

1. Communication au xxie Congrès des Orientalistes, Paris, 1948, communication à la Société de Linguistique du 29 janvier 1949, voir *Bull. de la Soc. de Ling.*, t. XLV, fasc. 1, p. xix-xx ; voir aussi *The negro-african languages*, 1949, p. 181, et *Le langage et les langues*, Paris, 1951.

LANGUES DU SOUDAN ET DE LA GUINÉE

GÉNÉRALITÉS[1]

Il est question ici des seize groupes de la famille négro-africaine autres que le bantou, c'est-à-dire des langues parlées, d'une façon générale, au Soudan et dans la Guinée septentrionale et moyenne (par 45 à 50 millions d'individus).

a) *Difficultés et caractère provisoire de la classification proposée.*

Il est malaisé de faire, même à grands traits, la grammaire comparée de ces langues et surtout d'en établir une classification généalogique.

D'abord notre documentation est presque uniquement contemporaine.

L'unique mot rapporté par le carthaginois Hannon de son voyage à la côte occidentale d'Afrique ne nous est connu que par l'incertaine transcription dont nous avons tiré le nom du « gorille » ; on en pourrait seulement rapprocher la racine *gor*, *kor* ou *gur*, signifiant « homme » dans plusieurs langues actuelles du bas Sénégal.

Il faut descendre jusqu'à l'époque du IVe au VIIe siècle après Jésus-Christ pour rencontrer des documents de

---

1. Les noms de langages ou de populations imprimés en égyptiennes ou en romaines doivent se lire selon les règles ordinaires de la prononciation française, ainsi que les noms portés sur la carte. Les mêmes noms ou les mots indigènes, imprimés en *italiques*, se liront selon les règles de la transcription phonétique adoptée pour l'ensemble du présent ouvrage ; on notera de plus que *ę*, *į* et *ų* représentent un *e*, un *i* et un *u* nasalisés, distincts des voyelles nasales ordinaires telles que *ã*, *ẽ*, *õ*.

quelque importance : je veux parler des ouvrages religieux rédigés en langue nubienne et écrits en caractères coptes. La valeur linguistique en est médiocre. En effet, outre que la graphie employée ne convient nullement à l'usage qui en a été fait, ces textes ont été composés par des étrangers ou tout au moins par des hommes de culture étrangère, par des savants ; ils sont la traduction d'écrits étrangers relatifs à des choses pour l'expression desquelles le nubien de l'époque devait manquer de vocables appropriés. La langue en est savante, artificielle ; barbarismes et solécismes n'y manquent peut-être pas.

Au XIe siècle, on trouve quatre mots soudanais et une expression cités par El Bekri ; puis, au XIVe, Ibn Khaldoun nous donne cinq mots et Ibn Batouta seize, plus une proposition nominale, recueillis par lui sur place. J'ai étudié ailleurs ces quelques matériaux et, mettant à part trois vocables que je n'ai pu identifier nettement, j'y ai reconnu, tels qu'ils se disent aujourd'hui dans les mêmes régions, deux mots peuls, quatre mots sarakollé, deux mots et une expression songoï, quatorze mots et une proposition mandingues. Donc, dès la fin de notre moyen âge, l'état linguistique de cette partie du Soudan ressemblait à l'état actuel.

A partir du XVIIe siècle, la documentation devient plus fournie. Des vocabulaires sont recueillis au Sénégal et à la Côte d'Or, des mots et des phrases sont cités par les voyageurs. Tout cela cependant se réduit à peu de chose, présente peu de garanties, et, mis à part quelques très rares travaux d'une réelle valeur, il faut arriver vers le milieu du XIXe siècle pour entrer dans la période de recherches sérieuses à laquelle a succédé enfin, vers le début du XXe siècle, une période de mise au point qui n'est encore qu'à ses débuts.

En somme, nous ne disposons que d'une documentation contemporaine. Est-elle au moins suffisamment sûre et abondante ? Ni l'un ni l'autre.

De quoi se compose-t-elle en effet ? Pour le plus grand nombre des langues, de simples listes de mots, recueillis souvent sans méthode auprès d'informateurs fréquemment douteux, par le canal d'un double ou d'un triple interprète, et transcrits selon les caprices d'une oreille plus ou moins inexpérimentée. Je ne conteste pas le mérite de ceux qui nous ont rapporté ces vocabulaires, sans lesquels nous n'aurions rien, mais quelle base fragile et décevante ils constituent pour des études linguistiques !

Nous avons, il est vrai, de quelques langues, des grammaires dont certaines sont bien faites. Mais la plupart sont des accommodations de la grammaire de Lhomond, c'est-à-dire qu'on s'y est évertué à faire entrer une langue négro-africaine dans le cadre d'une langue indo-européenne. Et, malheureusement, ce défaut capital n'est que bien rarement racheté par de copieux exemples ou des textes suivis. Exemples et textes présentent d'ailleurs les mêmes caractères d'incertitude que les vocabulaires : le noir ignorant et illettré par lequel on se fait dicter un récit trouve fastidieuse cette besogne inaccoutumée dont il ne saisit pas la portée ; il cherche à l'abréger et, dans ce but, évite avec soin les locutions qu'il suppose ignorées de son collaborateur européen, afin de n'avoir pas à les lui expliquer ; il tient à n'employer que des tournures connues et toujours les mêmes ou, ce qui est pis, il émet des phrases, non point conformes au génie de sa langue, telle qu'il la parle avec ses compatriotes, mais coulées dans le moule d'une espèce de sabir à l'usage des relations entre Européens et indigènes.

Les bons textes, voilà ce qui nous manque le plus et ce qui, pourtant, est le plus indispensable au linguiste. Nous en possédons d'excellents et abondants en haoussa et, depuis une époque toute récente, en peul, parce que ces deux langues sont écrites, au moins occasionnellement, par plusieurs des gens qui les parlent, ce qui a permis de faire rédiger des contes ou des récits au lieu de se les faire dicter. Mais si l'on songe que, sur les quelque 450 à 500 langues qui ont cours au Soudan et en Guinée, il n'y en a que cinq ou six qui s'écrivent, on conviendra que grande est la difficulté de se procurer de bons textes en quantité suffi-

sante. Il existe bien, en assez grand nombre, des traductions
de la Bible et du catéchisme, mais, sauf exceptions, cette
catégorie de documents a peu de valeur au point de vue
linguistique : la plupart de ces traductions ont les défauts
des textes nubiens du IVe au VIIe siècle dont je parlais
plus haut ; elles nous livrent la langue des missionnaires
et non pas celle des indigènes.

Et que dire des parlers dont nous ne savons que le nom ?
Il en est aussi dont nous ne soupçonnons pas l'existence.

Notre connaissance des langues négro-africaines est
tellement imparfaite que toute étude comparée de ces
langues, faite aujourd'hui, ne peut prétendre à autre chose
qu'à poser des jalons pour l'avenir. C'est dire que la classification à laquelle je suis arrivé, après trente ans de
pratique, d'étude et de tâtonnements, n'est qu'une
classification incomplète et provisoire, destinée à guider
les recherches plutôt qu'à résoudre le problème.

b) *Caractères communs aux divers groupes*
de langues négro-africaines.

1º *Classes nominales.* — Le système des classes nominales, tel qu'il apparaît dans son intégrité, repose sur une
répartition des êtres et objets et, postérieurement sans
doute, des abstractions en un certain nombre de catégories,
d'après une classification dont les règles tantôt se mani-
festent clairement à notre esprit et tantôt nous échappent,
mais semblent répondre chez les noirs à des conceptions
propres. En général, les êtres humains constituent l'une
de ces catégories ; l'eau, les liquides et les corps facilement
fusibles ou liquéfiables en forment une autre ; une troisième comprendra le bois et les végétaux ligneux, une
quatrième l'herbe et les végétaux herbacés ou fibreux,
une cinquième la terre avec ses divers aspects et tout ce
qui provient d'elle, une sixième ce qui se rapporte à telle
ou telle saison de l'année, etc. Tous les noms servant à
désigner des êtres ou objets de l'une de ces catégories

constituent ensemble une classe grammaticalement distincte, caractérisée par une syllabe spéciale qui lui est propre, qui sert de pronom à tous les noms de la classe, qui est employée comme déterminatif de ces mêmes noms et qui, soit sous sa forme pronominale soit en subissant telle ou telle modification peu profonde, se préfixe ou se suffixe au radical de chacun de ces noms et à celui de l'adjectif qui le qualifie. (Pour l'emploi plus étendu, voir au groupe IV p. 770 et au chapitre du bantou).

Ce système a dû, à une certaine époque, fonctionner intégralement dans toutes les langues négro-africaines, tel qu'il fonctionne encore de nos jours dans un grand nombre d'entre elles, bantoues et non bantoues. Mais, de même que les langues indo-européennes offrent une tendance générale à se débarrasser des flexions casuelles, les langues négro-africaines ont eu et ont encore une tendance générale à se débarrasser des classes nominales. Toutes ont évolué dans cette voie, mais les unes ont évolué plus vite et plus radicalement que les autres. Aussi pouvons-nous, de nos jours, observer, dans un même groupe et surtout dans des groupes divers, à peu près tous les stades de cette évolution.

Certaines langues possèdent le système à l'état complet. D'autres, tout en conservant les affixes de classe comme déterminatifs, comme étiquettes des noms et comme symboles de l'accord de l'adjectif avec le nom, les ont remplacés, comme pronoms personnels, par une forme unique commune à toutes les classes. D'autres, allant plus loin, ont laissé tomber l'affixe anciennement accolé au nom, tout en le conservant à l'adjectif et en le gardant comme déterminatif. D'autres enfin ont rejeté même ces derniers procédés et ne présentent plus que des vestiges de l'ancien état de choses, sous la forme de quelques affixes de classe demeurés accolés à certains noms et faisant désormais, en quelque sorte, partie du radical.

Quoi qu'il en soit, il n'est sans doute pas une seule langue négro-africaine dans laquelle on ne retrouve point, à un degré plus ou moins apparent, sous une forme ou

sous une autre, des traces de classes nominales. Dans
quelques-unes, il est vrai, ces traces sont si ténues et si
clairsemées qu'on ne les aperçoit pas au premier abord,
mais un examen approfondi ne tarde pas à les mettre en
lumière. Par ailleurs, dans un très grand nombre de langues
dites « soudanaises », notamment dans celles du groupe
kordofanien et dans plusieurs idiomes des groupes éburnéo-
dahoméen, nigéro-camerounien, sénégalo-guinéen, nilo-
équatorien, voltaïque, en particulier dans plusieurs parlers
quelquefois qualifiés bien à tort de chamitiques, tels que
le peul et le massaï, les classes nominales fonctionnent aussi
complètement que dans les langues bantoues dans lesquelles le système est le plus visible.

Le plus souvent, la syllabe caractéristique de chaque
classe se préfixe au radical, au Soudan et en Guinée comme
dans le domaine bantou. Quelquefois, elle est à la fois
préfixée et suffixée, ainsi qu'il arrive dans certaines
langues du groupe voltaïque et du groupe sénégalo-
guinéen et dans le groupe bas-nigérien. Enfin, dans la
plupart des parlers du premier de ces groupes et dans l'un
au moins de ceux du second (le peul), elle est suffixée au
radical. Ces modalités ne me semblent pas constituer un
élément important de différenciation, surtout étant donné
que la syllabe suffixée dans une langue correspond souvent
de façon très nette au préfixe de même classe dans une
autre langue.

2º *Manque de distinction essentielle entre le nom et le
verbe dès que le système des classes nominales cesse de
fonctionner à l'état complet.* — Tant que chaque nom
possède son préfixe ou son suffixe de classe et que la notion
du rôle joué par ce préfixe ou ce suffixe ne s'est point
perdue, le nom se trouve, par là même, nettement distingué du verbe. Mais c'est là le seul élément essentiel de
différenciation entre le nom et le verbe dans les langues
négro-africaines. Dès qu'il disparaît, c'est-à-dire dès que
l'affixe de classe est tombé ou qu'il s'est incorporé au
radical, il n'y a plus rien qui permette de reconnaître que
tel mot est un nom ou un verbe, en dehors de la place qu'il

occupe dans la phrase et en dehors aussi, bien entendu, des cas où le verbe s'accompagne d'un affixe de conjugaison ou de celui où l'on a affaire à un nom dérivé qui ne saurait, de par la nature de son affixe de dérivation, être pris pour un verbe. Comme un radical verbal peut s'employer seul, ne serait-ce qu'à l'impératif, et comme un radical nominal peut être par lui-même un mot dans les langues qui ont rejeté les affixes de classe, il s'ensuit que l'évolution dans ce sens marche de pair avec l'évolution des classes nominales vers la disparition ; dans les langues où ces dernières ont totalement disparu en fait, comme en mandingue, on a parfois recours dialectalement à des artifices pour distinguer le nom du verbe, mais, en réalité, rien ne les distingue plus essentiellement sauf leur place respective, et la syntaxe est obligée de venir au secours d'une morphologie absente ou inopérante.

3º *Aspects verbaux.* — Les conceptions des noirs africains ne correspondent pas généralement aux nôtres et il n'est pas possible, sans égarer les idées, de donner les noms de nos temps ou de nos modes aux divers aspects du verbe dans les langues négro-africaines. D'autre part, ces conceptions spéciales se retrouvent identiquement les mêmes dans toutes ces langues, bien qu'elles y soient rendues de façons variées.

Dans toutes, en mettant à part l'infinitif, qui est un nom, les participes, qui sont des noms ou des adjectifs, le verbe comporte trois aspects essentiels, les autres dérivant le plus souvent des premiers ou étant obtenus à l'aide d'auxiliaires, ou de formes spéciales données aux pronoms sujets.

L'un de ces trois aspects a surtout, par rapport à notre façon de voir, une valeur négative ; il indique avant tout que l'action n'est pas accomplie ou que l'état n'est pas acquis ; il peut donc représenter soit notre présent, soit notre futur, et il représente en effet l'un et l'autre dans une certaine mesure, ainsi que le présent d'habitude et le présent de narration employé pour le passé ; lorsqu'il y a lieu de le traduire par le futur, il marque plus particulièrement une réalisation prochaine ou inéluctable de l'action ou de l'état, dans le sens, par exemple, de « il va partir » ou « il partira nécessairement, il doit partir ». Je donne à cet aspect verbal, faute de mieux, le nom d'« aoriste ».

Un second aspect, que j'appelle « parfait », implique que l'action est achevée ou que l'état est acquis et dure encore. Il traduira donc, d'une manière générale, le passé de nos verbes d'action et le présent de nos verbes d'état : « il a mangé, il est parti » se rendront par le parfait dans les langues négro-africaines, et « je sais, je comprends » se rendront aussi par le parfait, attendu que ces expressions sous-entendent que « j'ai acquis » la connaissance ou l'intelligence d'une chose, de même que « il est grand, il me plaît », parce que, dans ce dernier cas, le fait d'être grand ou d'être agréable est effectivement acquis et dure encore.

Le troisième aspect se réfère à une action ou à un état qui s'accomplit ou s'acquiert, soit dans le passé, soit dans le présent, soit dans le futur, sous l'influence d'une autre action ou d'un autre état pouvant résulter de la volonté du sujet, mais pouvant aussi lui être étrangère. Je l'appelle « injonctif » ; en plus de notre subjonctif, il rend aussi l'impératif, l'optatif et, en général, notre infinitif complément d'un autre verbe ou en dépendant.

L'aoriste négro-africain peut exiger, dans certains cas, d'être traduit par l'un de nos passés, car il peut exprimer une action qui, tout en étant passée en ce qui concerne le début de son accomplissement, n'est pas définitivement achevée et par conséquent est encore en cours soit au moment où l'on parle soit au moment dont il s'agit : par exemple, si l'on dit, en parlant d'un homme encore vivant, « il a fait de grandes choses toute sa vie » ; ou en ce qui concerne le premier verbe d'une phrase comme celle-ci : « il travaillait aux champs lorsque nous l'avons rencontré ».

Inversement, le parfait sera fréquemment traduit par notre présent ou notre futur lorsqu'il s'agira d'une action antérieure à celle exprimée par la proposition principale :

dans des phrases comme « viendras-tu me voir si je te donne un présent ? », « je te donnerai un présent quand tu travailleras bien », les verbes « donne » et « travailleras » se mettront au parfait, parce que j'aurai accompli l'action de donner au moment où tu viendras et que tu auras accompli celle de travailler au moment où je te récompenserai.

Dans la plupart des langues négro-africaines, il existe d'autres aspects verbaux qui expriment un passé relativement à l'un des aspects principaux, tels qu'un « imparfait » correspondant à l'aoriste, un « prétérit » correspondant au parfait : ceux-là pourraient être appelés des « temps ». On les rend le plus souvent à l'aide d'un affixe spécial venant s'ajouter à la forme de l'aspect principal. On rencontre aussi des aspects secondaires tels qu'un présent absolu, un futur ordinaire, un conditionnel, etc., qui tantôt se forment comme les aspects principaux, tantôt dérivent de ceux-ci et tantôt se construisent au moyen d'un auxiliaire ou d'un pronom sujet spécial qui, alors, est indispensable et subsiste à la 3e personne, même s'il y a un nom sujet.

Mais partout, l'aoriste, le parfait et l'injonctif forment la base de la conjugaison. Parfois même, ils sont les seuls aspects verbaux qui existent. On les forme en général à l'aide d'affixes de conjugaison ; souvent l'un d'entre eux ou même deux d'entre eux sont constitués par le simple radical verbal ; il en est ainsi presque partout de l'injonctif à la 2e personne du singulier, correspondant à notre impératif.

4° *Syntaxe de position.* — L'absence de toute flexion casuelle nécessite la subordination du rôle joué par les mots dans la phrase à la place respective qu'ils y occupent : aussi toutes les langues négro-africaines ont une syntaxe de position. A vrai dire, quelques-unes font usage de particules suffixées ou préfixées qui, dans une certaine mesure, ont une valeur analogue à celle des flexions casuelles dans d'autres familles linguistiques ; toutefois ces particules ne peuvent rendre que quelques cas (possessif, génitif, locatif, datif), rarement l'accusatif, plus rarement encore le nominatif ; leur rôle, en outre, n'est qu'accessoire, ainsi que le prouve le fait qu'elles sont souvent omises dans les langues mêmes qui en font le plus usage. Ce qui constitue essentiellement la syntaxe dans l'ensemble des langues négro-africaines, ce qui marque qu'un mot est un nom, un adjectif, un verbe, qu'un nom est sujet ou complément du verbe, ou complément d'un autre nom, c'est la place qu'occupe ce mot par rapport aux autres.

Quant à l'ordre adopté, il varie selon les groupes. C'est surtout pour la place respective du nom et de son complément, du verbe et de son complément, qu'il y a des différences contribuant précisément à faire rattacher telle ou telle langue à tel groupe plutôt qu'à tel autre.

5° *Vocabulaire*. — Les termes d'importation étrangère mis à part, les éléments formatifs du vocabulaire, racines et affixes, présentent un remarquable caractère d'unité dans l'ensemble des langues négro-africaines. Il arrive souvent que plusieurs racines servent à exprimer la même idée et que, dans ce cas, l'une de ces racines ait prévalu dans une langue tandis que l'une des autres a été adoptée de préférence par une autre langue, mais il n'est apparemment pas un seul groupe négro-africain dans lequel on ne puisse retrouver, à quelques exceptions près, tous les principaux éléments formatifs du vocabulaire d'un autre groupe quelconque, si grande que soit la distance qui sépare leurs domaines géographiques respectifs. Non seulement les racines sont similaires et proviennent manifestement d'une ancienne racine commune, mais encore les concepts exprimés par ces racines similaires sont rigoureusement identiques et les concepts qui en sont obtenus par dérivation le sont au moyen de procédés analogues donnant des résultats semblables.

Cette communauté se manifeste également dans certains pronoms, dans certains noms de nombre et dans les affixes des classes les mieux caractérisées (classe humaine et classe des liquides principalement).

6° *Tons musicaux*. — Certaines langues négro-africaines possèdent des tons musicaux à valeur étymologique ou à valeur grammaticale, d'autres n'en possèdent pas, et les deux cas peuvent coexister dans le même groupe. Ce qu'il importe d'observer, c'est que, partout où les tons ont une valeur grammaticale, le ton bas marque l'affirmation, l'augmentatif, le pluriel ou la personne à qui l'on parle, tandis que le ton haut marque la négation, le diminutif, le péjoratif, le singulier ou la personne qui parle.

c) *Différences conduisant à répartir en plusieurs groupes distincts les langues négro-africaines.*

Les classes nominales, quoique apparaissant partout, ne sont pas partout au même stade, comme il a été dit plus haut. La difficulté de distinguer le nom du verbe, dès que le système des classes nominales tend à se simplifier, est générale, mais les procédés employés pour y remédier varient. La valeur des aspects verbaux est identique dans toutes les langues, mais le système de conjugaison ne l'est pas. Toutes ont recours à la syntaxe de position, mais toutes n'ont pas adopté le même ordre des mots. Les éléments formatifs du vocabulaire sont communs, mais des phonétiques différentes viennent en modifier l'aspect.

C'est par la comparaison des modalités d'application des grands principes communs que j'ai été amené à répartir les langues négro-africaines en dix-sept groupes, l'un de ces groupes étant le groupe bantou et les seize autres occupant le domaine de l'Afrique noire non bantou. A l'intérieur de chacun de ces groupes, les modalités d'application des principes communs sont les mêmes, au moins dans leurs grandes lignes, et c'est là ce qui fait l'unité du groupe.

Accessoirement, j'ai examiné dans le même esprit la façon dont se marque le pluriel des noms et la forme que revêtent les pronoms personnels.

Deux langues ayant même grammaire et même vocabulaire et appartenant incontestablement au même groupe linguistique peuvent présenter, à la même époque, des aspects phonétiques dissemblables, si elles sont parlées

dans deux régions différentes, tandis qu'au contraire deux
langues de systèmes grammaticaux divergents, mais
parlées dans des contrées analogues, peuvent avoir la même
phonétique. Aussi les caractères d'ordre purement phonétique m'ont-ils paru être ceux qui présentent en général
le moins d'importance pour la classification des langues
négro-africaines, surtout étant donné que nous manquons
le plus souvent de certitude quant aux faits de cet ordre.

Dans chaque groupe se trouvent des langues qui font,
pour ainsi dire, liaison avec quelques langues des groupes
voisins. Souvent, il est difficile de tracer la démarcation,
et ces espèces de soudures font apparaître plus étroite
l'unité de l'ensemble. C'est ainsi que les langues les plus
orientales du groupe nigéro-camerounien, telles que le
tikar, le vouté, etc., et les langues nord-occidentales du
groupe bantou, telles que le douala, le fang, etc., sont si
voisines les unes des autres que l'on hésite à rattacher les
unes ou les autres à l'un des groupes plutôt qu'à l'autre.
Le même phénomène s'observe dans l'Ouest et le Sud-
Ouest de l'Éthiopie entre certaines langues que je crois
devoir considérer comme négro-africaines et certaines
autres que l'on estime être des parlers chamito-sémitiques
du groupe couchitique. C'est une raison de plus pour
répéter que la présente classification n'offre pas un caractère absolu ni définitif.

d) *Notes sur les langues écrites.*

Dans l'ensemble, les langues du Soudan et de la Guinée
sont uniquement des langues parlées et ne s'écrivent pas.
Toutefois certaines d'entre elles au moins possèdent un
système d'écriture qui leur est propre et qui est employé
sur une assez vaste échelle à l'intérieur de leur domaine :
1º le **vaï** (groupe nigéro-sénégalais) s'écrit au moyen de
signes syllabiques d'invention indigène, dont l'origine
remonte soit à la fin du XVIIIe siècle soit au début du
XIXe ; 2º le **mom** ou bamoun (groupe nigéro-camerounien)

s'écrit au moyen de signes inventés vers 1900 par Njoya, roi de Foumbân, et modifiés depuis par leur inventeur ; d'abord idéographiques, ces signes sont devenus phonétiques (en majorité syllabiques) ; leur usage se répand parmi quelques populations voisines des Bamom ou Bamoun et parlant des langues similaires, notamment les Bagam ; 3° le **mendé** (groupe nigéro-sénégalais) s'écrit au moyen de 190 signes syllabiques simples, inventés par un tailleur musulman ; il est le seul de ces syllabaires qui se lise de droite à gauche ; 4° le **bassa** (groupe éburnéo-libérien) s'écrit également au moyen d'un système syllabique qui serait l'invention d'un noir venu d'Amérique. Ces deux systèmes d'écriture auraient été créés sous l'influence de l'écriture vaï[1] ; 5° le **toma** (groupe nigéro-sénégalais) utilise aussi un syllabaire de même type que le vaï.

Les caractères coptes ont été utilisés dans le domaine religieux, du IVe siècle au VIIe, pour la transcription du **nouba** ancien (groupe nilo-tchadien), et, d'après une communication de H. A. MacMichael, le nouba moderne s'écrirait de nos jours, de Korosko au Mahas, au moyen de signes se rapprochant à la fois de ceux de l'alphabet arabe et de ceux d'alphabets sémitiques anciens.

D'autre part, trois langues s'écrivent, au moins occasionnellement, à l'aide de l'alphabet arabe, parfois adapté au moyen de signes diacritiques supplémentaires : le **kanouri** (groupe nilo-tchadien), le **haoussa** (groupe nigéro-tchadien) et le **peul** (groupe sénégalo-guinéen). Ce procédé ne s'est pas étendu aux autres langues parlées par des populations islamisées ; les noirs musulmans lettrés, lorsqu'ils veulent écrire, le font en langue arabe ; nulle part, sauf quelques exceptions individuelles ou localisées, ils ne parlent l'arabe, mais partout, ils ont adopté l'arabe écrit comme langue savante et langue de correspondance.

Enfin, il convient de noter que certains catéchumènes

---

1. L'écriture dite *nsibidi* répandue en Nigéria du Sud est une collection d'idéogrammes de valeur magique, employée par les membres d'une société secrète.

des missionnaires chrétiens écrivent leur langue maternelle au moyen de caractères romains plus ou moins adaptés aux nécessités phonétiques locales. Ce procédé toutefois n'a pas pris, en général, une grande extension[1].

INDICATIONS BIBLIOGRAPHIQUES SUR LES ÉCRITURES. — Voir pour l'écriture vaï, DELAFOSSE, *Les Vaï, leur langue et leur système d'écriture* (*L'Anthropologie*, X, 1899) ; pour l'écriture mom, même auteur, *Naissance et évolution d'un système d'écriture de création contemporaine* (*Revue d'ethnographie*, 1922, 9) ; pour l'écriture nouba moderne, MACMICHAEL, *A history of the Arabs in the Sudan*, Cambridge, 1922 (2e vol., p. 328) ; pour l'écriture mendé, SUMNER, *Sierra Leone Studies*, 1932 ; pour l'écriture toma, JOFFRE, *Sur un nouvel alphabet ouest-africain: le Toma* (*Bulletin de l'Institut Français d'Afrique Noire*, VII, 1945, p. 160-173).

e) *Langues sifflées et tambourinées*

Le langage tambouriné et sifflé est répandu surtout en Afrique Occidentale. On le rattache généralement aux tons du langage parlé.

BIBLIOGRAPHIE. — Voir HEINITZ, *Die Probleme der Trommelsprache*, Berlin, 1943 ; John F. CARRINGTON, *Talking drums of Africa*, Londres, 1949.

f) *Langues secrètes*

On a reconnu l'existence de langues particulières aux membres des sociétés secrètes, nombreuses en Afrique Occidentale, ainsi que de langues religieuses utilisées notamment pendant les cérémonies d'initiation.

BIBLIOGRAPHIE. — Une étude de langue secrète est donnée par Michel LEIRIS, *La langue sigui des Dogons*, Paris, 1949.

Je vais maintenant examiner successivement les seize groupes négro-africains du Soudan et de la Guinée. Faute de pouvoir, dans l'état actuel de la science, adopter un ordre généalogique solide, je me suis arrêté à un ordre approximativement géographique, en allant, autant que possible, du Nord au Sud et de l'Est à l'Ouest, tant pour

---

1. Aujourd'hui (1949) l'écriture phonétique en caractères latins entre plus ou moins dans l'usage, notamment en Nigéria, sous l'impulsion de l'International African Institute.

les groupes eux-mêmes que pour les langues dont chacun d'eux se compose.

Afin de fixer les idées, j'ai donné à chaque groupe un nom qui comporte en lui-même l'indication sommaire de la localisation territoriale du groupe. On trouvera sur la carte qui correspond au chapitre présent [carte XIV, A et B, par M. DELAFOSSE (1924), revue et mise à jour par J. PERROT] la figuration du domaine géographique de chaque groupe, ainsi que les noms des diverses langues qui le constituent, le nom de chaque langue correspondant approximativement à l'emplacement de celle-ci.

Au cours de l'énumération des diverses langues de chaque groupe, j'ai mis entre parenthèses, pour chaque langue, une date et un nom : c'est la date à laquelle remontent les premiers renseignements obtenus et le nom de l'auteur auquel ils sont dus. L'absence de tout renseignement publié est indiquée par le mot « néant ». Un astérisque signale les langues éteintes.

INDICATIONS BIBLIOGRAPHIQUES SUR L'ENSEMBLE DES LANGUES DU SOUDAN ET DE LA GUINÉE. — En fait d'ouvrages traitant de l'ensemble des langues du Soudan et de la Guinée, ou tout au moins de plusieurs groupes de langues, on peut citer : R. N. CUST, *A sketch of the modern languages of Africa*, London, 1883, 2 vol. (actuellement sans autre valeur que celle de fournir une abondante bibliographie, parfois incorrecte d'ailleurs, pour la période antérieure à 1880) ; D. WESTERMANN, *Die Sudansprachen*, Hamburg, 1911 (essai de reconstitution d'un ancien soudanais commun par des comparaisons entre trois langues du groupe éburnéo-dahoméen, deux langues du groupe nigéro-camerounien, deux langues du groupe nilo-tchadien et une langue du groupe nilo-abyssinien) ; F. W. H. MIGEOD, *The languages of West-Africa*, London, 1911-1913, 2 vol. (étude comparative, mais trop souvent superficielle, d'un grand nombre de langues de l'Afrique occidentale) ; C. MEINHOF, *An introduction to the study of African languages*, London, 1915 (résultat de recherches sérieuses et approfondies, offrant toutefois l'inconvénient de quelques confusions entre le domaine négro-africain et le domaine chamito-sémitique) ; A. DREXEL, *Gliederung der Afrikanischen Sprachen* dans *Anthropos*, 1921-1925, XVI-XX ; D. WESTERMANN, *Die westlichen Sudansprachen*, Berlin, 1927 (étude plus approfondie que celle de 1911 des traits phonétiques, morphologiques et lexicaux communs aux langues du Soudan Occidental : groupes nigéro-camerounien, voltaïque, éburnéo-dahoméen, nigéro-sénégalais, éburnéo-libérien et sénégalo-guinéen, exception faite du peul ; complétée par une comparaison lexicographique de ces langues avec le bantou) ; H. BAUMANN et D. WESTERMANN, *Völkerkunde von Afrika*, Essen, 1940, traduction française, Paris, 1948. La partie linguistique, œuvre de D. Westermann, présente une classification sommaire de toutes les langues africaines. Parmi les langues du Soudan et de la Guinée, il distingue les langues *nilotiques* (groupe nilo-abyssinien) et *nilo-chamitiques* (groupe nilo-équatorien) des langues soudanaises proprement dites. L'étude des survivances du système des classes nominales le conduit à classer ces dernières en langues *semi-bantoues*, à système de classes fonctionnant intégralement, en langues où le système des classes n'est plus que rudimentaire, et parmi celles-ci il distingue pour des raisons lexicographiques des langues *nigritiennes* et des langues *du Soudan Intérieur*, enfin en langues *mandés* (groupe nigéro-sénégalais) où toute trace du système des classes a disparu ; D. WESTER-MANN, *Pluralbildung und Nominalklassen in einigen afrikanischen Sprachen*, dans *Abhandlungen der deutschen Akademie der Wissenschaften*, Berlin, 1947, et *Sprachbeziehungen und Sprachverwandschaft in Afrika*, dans *Sitzungsberichte der deutschen Akademie der Wissenschaften*, Berlin, 1948 ; L. HOMBURGER, *Les langues négro-africaines*, Paris, 1941, traduction anglaise, Londres, 1949. L'auteur a essayé de présenter les résultats de ses études comparatives des langues négro-africaines, bantoues et non-bantoues et exposé sommairement ses vues sur l'origine égyptienne de ces langues.

Travaux en cours d'impression ou de rédaction :

1º dans le cadre des travaux préliminaires du *Handbook of african languages* projeté par l'*International african Institute*, de M. A. BRYAN et D. WESTERMANN un fascicule sur la distribution des langues de l'Afrique occidentale (pour le nilotique, voir p. 764) ;

2º de G. VAN BULCK, un manuel des langues non bantoues de l'Afrique noire.

LES SEIZE GROUPES NÉGRO-AFRICAINS DU SOUDAN
ET DE LA GUINÉE

I. — *Groupe nilo-tchadien* (35 langues).

Ce groupe, le plus septentrional et sans doute le plus
vaste, occupe la vallée du Nil depuis Assouan (1re cataracte)
au Nord jusque non loin de Fachoda au Sud, s'étendant à
l'Est entre le Nil et l'Atbara et au-delà de cette rivière
jusqu'aux limites occidentales du tigraï ; à l'Ouest, il
pénètre à travers le désert de Libye jusqu'au Tibesti
inclus, englobant toutes les régions montagneuses et désertiques situées au Nord du Kordofan, du Darfour, du
Ouadaï et du Kanem, pour s'étendre plus au Sud dans la
majeure partie de ces quatre provinces et, contournant le
lac Tchad au Nord, dans le Mounio et le Bornou. Cet
immense domaine présente peu de solutions de continuité,
mais le groupe nilo-tchadien le partage dans le bassin du
Nil et à l'Est et au Nord du Tchad avec l'arabe, que
parlent de nombreuses tribus, pour la plupart nomades,
d'origines diverses.

Le nombre des individus ayant comme parlers maternels
des langues nilo-tchadiennes ne saurait être évalué rigoureusement, mais il dépasse très certainement deux millions,
qui se répartissent entre plusieurs peuples, les uns constitués
par des négroïdes et des nègres (comme une fraction des
Nouba, les Baria, les Kounama et l'ensemble des
Zaghaoua, Anna et Toubou), les autres composés de
nègres purs ou à peu près purs (les Nouba du Sud, les
Kondjara, les Mâba, les Kanouri, etc.).

Certains, comme les Nouba du Nord, ont joui autrefois

d'une civilisation avancée, sans qu'on puisse préciser si elle était ou non d'importation étrangère. Actuellement, on ne rencontre une civilisation relativement développée qu'au Darfour chez les Kondjara, au Ouadaï chez les Kodoï et les Mâba, au Bornou chez les Kanouri, c'est-à-dire dans le Sud du groupe et seulement dans celle de ses fractions qui appartient incontestablement à la race noire, tandis que les autres populations, en particulier les négroïdes du Nord, dont certains sont aussi voisins de la race blanche que de la race noire (Zaghaoua, Anna, Toubou), ne possèdent qu'une civilisation très fruste.

Les traces de classes nominales sont faibles, mais visibles. En kounama, on a un préfixe *a* pour les noms concrets, un préfixe *ko* pour les noms abstraits ; en nouba, un préfixe à initiale *k* ou *g ;* en baria, l'emploi du pronom de la 3ᵉ personne comme déterminatif ; en kanouri et en toubou, quelques préfixes, dont un préfixe nasal pour les noms de liquides ; en mâba, kodoï, mimi, mara, kondjara, rougna, etc., des préfixes assez nombreux, dont *mu* pour la classe humaine. Les pronoms de classe n'ont subsisté nulle part.

On a cherché à distinguer le nom du verbe en donnant au nom une désinence spéciale : *a* en kounama, voyelles diverses en nouba, voyelles ou consonnes diverses dans les autres langues.

Les aspects du verbe sont marqués par des suffixes ; le plus souvent, une voyelle, consonne ou syllabe, *qui varie à chaque nombre selon la personne*, suit le suffixe de conjugaison (baria, nouba) ou le précède (kounama, kanouri, toubou) ou précède le radical verbal (mâba, kodoï). Parfois les aspects négatifs font usage de préfixes (baria), et l'on a dans certaines langues des aspects secondaires à préfixe et d'autres à suffixe. A noter qu'en kanouri et en toubou les aspects secondaires à suffixe placent la syllabe de personne après le suffixe, tandis que les aspects principaux l'intercalent entre le radical verbal et le suffixe. Quoi qu'il en soit, le système de conjugaison présente dans son ensemble une unité réelle et offre des particularités qui constituent la caractéristique principale du groupe.

Ordre des mots : le sujet précède le verbe ; le complément d'un verbe précède ce verbe et se place entre le nom sujet et le verbe ; le complément d'un nom précède ce nom (baria, kounama, nouba) ou bien le suit (kanouri) ou bien le précède ou le suit selon que le nom est indéterminé ou déterminé (toubou, mâba, kodoï, mimi, mara, kondjara, rougna, où l'on dit « maison-maître » pour « un maître de maison » et « maître-maison » pour « le maître de la maison) ; » le qualificatif suit le nom qualifié ; le déterminatif, s'il est adjectif, suit le nom déterminé ou, s'il y a aussi un qualificatif, ce qualificatif ; le nom de nombre suit le nom de la chose nombrée, sauf, à ce qu'il semble, en baria. Dans certaines langues (nouba, kanouri, toubou, mâba), on peut suffixer une particule de relation ou d'annexion au complément d'un nom, qu'il précède ou suive ce nom.

L'existence de tons musicaux n'a été signalée dans aucune des langues du groupe.

Il n'y a que des désinences vocaliques en kounama, mais, dans toutes les autres langues, on rencontre des désinences consonantiques.

Le pluriel des noms est indiqué par un suffixe ajouté ou substitué à la désinence du singulier ou par la suppression pure et simple de cette désinence.

Les pronoms personnels se ramènent aux formes essentielles suivantes :

	Kounama	Baria	Nouba	Toubou	Kanouri	Mâba
1re ps. s.	*a, na, ba*	*a, o, i*	*a, ay*	*t, r*	*u, i, sk*	*a*
— pl.	*ma* (excl.), *ka* (incl.)	*he, k, g*	*u*	*t, r*	*d, ye*	*m*
2e ps. s.	*ne, e*	*ę*	*i, ir, n*	*n, m*	*n, m*	*k, m*
— pl.	*me*	*e, k, g*	*u, ur, k*	*n, d*	*n, d, u*	*k*
3e ps. s.	*e, i, u*	*te, u, o*	*ta, tar*	*s, o*	*ši, či, o*	*t*
— pl.	*o*	*te, k, g*	*te, ter*	*s, d*	*ča, a*	*w*

Le groupe renferme une trentaine de langues aujourd'hui plus ou moins connues, et peut-être d'autres encore dont nous ignorons même le nom[1] :

1. D'après la classification de Westermann, le nouba, le baria et le kounama appartiennent aux langues nigritiennes, les autres langues du groupe aux parlers du Soudan Intérieur.

1º le **nouba** *(nūba)* ou « nubien » ou *nōb* ou *barabra* ou *berberi* ou *barabira* ou *boromu* ou *ḍoṅ*, parlé le long du Nil depuis Assouan au Nord jusqu'en amont de Khartoum et dans une partie du Sennâr, du Kordofan et du Darfour (beaucoup de « Barbarins » sont domestiques ou petits artisans en Égypte) ; nombreux dialectes : *kenus* ou *kenuz* ou *kenzi* (anciennes provinces des Nobades de Philœ et Talmis, entre Assouan et Ouadi-Ibrim) ; *fadiʄa* (région de Ouadi-Halfa, entre Ouadi-Ibrim et Dar-Souk-kot) ; *mahas* (de Dar-Soukkot à la 3ᵉ cataracte) ; *doṅgola* ou *danagla* (ancien royaume des Nápatai ou Noubádai chrétiens, province de Dongola, de la 3ᵉ à la 5ᵉ cataracte) ; *funʄi* (province de Berber et ancien État de Méroé, Fazogl, Sennâr, Dar-Foundji) ; *n'ima, kadero, kargo* ou *garko, dulmān, kolfān* ou *kordofān, koldaʄi, deleṅ* (Nord et Centre du Kordofan) ; *deyer* ou « daïr » ou nouba propre (Dar-Nouba, Sud du Kordofan) ; *midob* (Est du Darfour), etc. (nouba moderne, 1619 Duret et 1650 Carradori) ; pour le nouba ancien voir ci-dessus p. 738 ;

2º le **baria** *(barya)* ou *barea* ou *nẹre* ou *mogoreb* ou *marda* ou *kolkotta*, parlé à l'Est de l'Atbara, au Nord du Mâreb (1814 Salt) ;

3º le **kounama** *(kunama)* ou *bāza* ou *bāzen* ou *bāḍen*, parlé dans le Barka, au Nord-Ouest de l'Abyssinie, sur les deux rives du Mâreb et surtout entre le Mâreb et le Takazzé (1814 Salt) ;

4º le **toubou** *(tubu)* ou *tibbu* ou *teda* ou *dāza* ou *gorān*, parlé par les Toubou ou Tibbou ou Téda du Tou ou Tibesti (Bardoa de Léon l'Africain) et du Kaouar, les Boulguéda du Borkou, les Dâza et Kécherda du Bodélé, les Kréda ou Karra du Mourtcha et du Nord-Ouest du Ouadaï, et d'autres tribus englobées avec les précédentes par les Arabes sous le nom de Gorân ou Gourân (1819 Burck-hardt) ;

5º à 18º les langues suivantes sont parlées au Kordofan et assez mal connues : **takli** ou *takale* ou *tegali* ou *tegele*, **kadougli** *(kadugli)*, **katla**, **koalib**, **krongo**, **tima**, **miri** (1916 Meinhof) ; il faut y ajouter le **keiga**, le **toloubi**, le **laro**, le **tira**, le **chouaï** (dialecte *šeybun*), l'**otoro**, le **ronge** ;

19º le **kondjara** *(konǰara)* ou *koṅgara* ou *fūr* ou *fŏr*, parlé au Darfour dans la région d'El-Facher (1815 Salt) ;

20º le **mara** ou *marra* ou *kanābyaṅ*, parlé par les Mararit ou Abouchârib ou Chouârib et les Ménagon ou Saba de la région montagneuse située au Sud du Tama, entre le Dar-Massalit à l'Est et le Ouadaï à l'Ouest (1851 Ibn Omar El Tounsy) ;

21º le **mâba** *(māba)* ou « ouadaïen » ou *kursa* ou *ǰema*, parlé au Ouadaï dans les provinces de Ouara et d'Abécher, ainsi qu'à l'Est et au Sud-Est de ces villes (1817 Vater d'après Seetzen) ;

22º et 23º le **mimi** *(mīmi)* ou *mīma*, Nord du Ouadaï, et le **kodoï** *(kodoy)*, Nord-Est et Sud d'Abécher (1906 Demombynes d'après Decorse) ;

24º le **rougna** *(ruṅa)* ou *ruṅga* ou *ruṅ'a*, parlé par les païens dits Fertit ou Djénakhéra du Dar-Rougna ou Dar-Rounga et du Dar-Kouti, au Sud du Darfour et du Ouadaï (1849 Clarke) ;

25º le **kanouri** *(kanuri)* ou *bǫrnu* ou *barnu* ou *baribari* ou *balibali* ou *aza* ou *kaga* ou *kagaʈan* ou *zanzanti* ou *bino* ou *mafak* ou *kaniki*, etc., parlé dans le Kanem, le Bornou, le Manga, le Mounio, le Damergou, etc., par plus d'un million d'individus (1819 Burckhardt et Bowdich) ;

26º à 35º le **zaghaoua** *(zagāwa)* ou *zǫgāwa* ou *berri* ou *bela* ou *bele* ou *bede* ou *bedeyāt* ou *wan'a*, parlé au Sud du désert de Libye et au Nord du Darfour et du Ouadaï, notamment dans la région du Kabga ou Gaoga de Léon l'Africain (1912 MacMichael) ; — l'**anna**, parlé dans l'Ennedi (néant) ; — le **siga** ou *sigato* ou *sulgu* ou *kurmu* ou *bayti* ou *berti*, dans l'Est du Darfour, au Sud des Nouba du Midob (1922 MacMichael) ; — le **tama**, dans le Dar-Tama, au Nord-Est du Ouadaï, parlé aussi, concurremment avec l'arabe, par les Kimr, qui habitent au Nord des Massalit et à l'Est des Tama (néant) ; — le **massalit**, entre le Darfour et le Ouadaï, dialectes *ereṅga* et *mūn* (1922 MacMichael) ; — le **soungor** *(suṅgor)* ou *murro*, au Sud du précédent (néant) ; — le **kachméré** *(kašmere)*, Sud du Ouadaï (1906 Demombynes) ; — le **bigna** *(biṅa)* ou *miṅga*, à l'Est du Dar-Rougna (néant) ; — le **dadio** *(dad'o)* ou *dajo* ou *dad̦o* ou *dāgu* ou *tāgu* ou *fininga*, parlé au Sud du Ouadaï dans les régions d'Amdam, de Goz-Beïda et du Dar-Sila, dans la haute vallée de la Batha et celle du Bahr-Salamat, et aussi dans le Sud du Darfour et au Kordofan (dialecte *bego* ou *beo* ou *bayko*) (1922 Mac-Michael) ; — le **kadiaksé** *(kad'akse)*, ou *kajarge* ou *kajra* ou *kagaru* ou *murgi* ou *birked*, province de Goz-Beïda et Darfour (1922 MacMichael).

Noms de nombre en nubien moderne (dialecte de Dongola) : 1 *wērum*, 2 *owun*, 3 *toskin*, 4 *kemsin*, 5 *dijin*, 6 *gorjin*, 7 *kolladin*, 8 *iduwin*, 9 *iskodin*, 10 *diminun*, 11 *dimin do-wērum*, 20 *ari*, 21 *ari wērum*, 30 *talatīnun*.

TEXTES

1° *Texte vieux-nubien* (xe s.), d'après Zylharz, *Grund-züge der nubischen Grammatik*, p. 137.

Translitération :

noda t(e)lla ouna doll(i)mmo ouka eiar(i)lgadgadenka (i)staurosou nokkona mustērka.

noda : nod « seigneur » (nubien moderne : *nōr*) + *a*, particule de vocatif ;

tella : tell(i) « dieu » (nub. mod. : *tir*) + *a* du vocatif ;

ouna : oun, possessif 1re pers. pluriel inclusif (*ou* « nous » + *n*, particule de génitif) + *a* du vocatif ;

dollimmo : doll- « vouloir », « souhaiter » (même sens en nub. mod.), *-im-*, infixe duratif, *-mo*, désinence de 1re pers. pluriel de l'aoriste indépendant ;

ouka : ou, pronom pers. 1er pl. inclusif (nub. mod. dial. *fadija : ū*) + *-ka*, désinence de complément d'objet ou d'attribution *(fadija : ka)* ;

eiarilgadgadenka : eiar (phon. *īar*) « savoir » (nub. mod. *ier*), *-il*, élément de détermination s'attachant au nom verbal, *-gadg-*, suffixe causatif, *-a*, indice de l'état attributif affectant la nouvelle forme verbale *eiarilgadg-* « faire savoir », *-de*, élément formatif du futur en position dépendante, *-n*, désinence de 2e pers. sing. ,*-ka*, désinence

d'accusatif, nominalisant le complexe verbal pour
indiquer sa dépendance par rapport au verbe principal ;
istaurosou : istauros « croix » (grec) + *-ou*, désinence de
mot apposé (ici à l'adjectif qui suit) ;
ṅokkona : ṅokko « glorieux » + *-na*, désinence du génitif
(s'ajoute à l'adjectif et non au nom) ;
mustērka : mustēr « mystère » + *-ka ;* désinence du complément.

Traduction :

Seigneur, notre dieu, nous demandons que tu nous fasses
connaître le mystère de la croix glorieuse.

2° *Texte nubien moderne* (dialecte de Dongola). Début
de la légende de Mas-ibn-el-Dchebel, d'après Reinisch,
Die Nuba-Sprache, p. 176.

*nahār weki mohammed ten hēmer āgkŏn, ten sahaberī
gunun āgkŏn yemenirī tākŏran mohammen nar salām
wēkŏran.*

nahār : « jour », arabe ;
weki : we « un », sert d'article indéfini, *-ki*, postposition
indiquant la localisation dans le temps ;
ten : forme du génitif du pronom personnel 3e pers. sing.,
sert à indiquer la possession ;
hemēr : hēme « tente », arabe + *-r*, forme réduite de la postposition locative *-ro ;*
āgkŏn : āg « être assis », *-kŏ*, suffixe indiquant le passé,
-(i)n, suffixe de la 3e pers. sing. ;
sahaberī : pluriel de *sahab* « compagnon », arabe ;
gunun : postposition comitative, « avec » ;
yemenirī : pluriel de *yemeni* « yéménite » ;
tākŏran : tā « venir » + *-kŏ*, suffixe du passé + *-ran*, suffixe
de la 3e pers. du pluriel ;
nar : postposition indiquant le mouvement dirigé, « vers » ;
salām : « salut », arabe ;
wēkŏran : wē « dire », même formation que *tākŏran.*

Traduction :

Un jour Mohammed était assis dans sa tente [il était

assis] avec ses compagnons, des Yéménites venaient auprès de lui et <le> saluaient.

BIBLIOGRAPHIE. — Aucun ouvrage ne traite de l'ensemble du groupe. Parmi les publications concernant les langues étudiées spécialement, on peut citer : pour le nouba ancien, E. ZYLHARZ, *Grundzüge der nubischen Grammatik im christlichen Frühmittelalter*, Leipzig, 1928 ; pour le nouba moderne, LEO REINISCH, *Die Nuba-Sprache*, Vienne, 1879, 2 vol. ; et surtout R. LEPSIUS, *Nubische Grammatik*, Berlin, 1880 ; pour les dialectes nubiens, MACDIARMID, *Languages of the Nuba Mountains*, Khartoum, 1931 ; VON MASSENBACH, *Wörterbüch des nubischen Kunuzi Dialektes*, Berlin, 1933 ; KAUCZOR et DREXEL, *Die Daier Sprache in Kordofan*, Innsbrück, 1931 ; pour le baria et pour le kounama, LÉO REINISCH, *Die Barea Sprache*, Vienne, 1874 ; *Die Kunama Sprache*, Vienne, 1888-1891 ; C. CONTI ROSSINI, *Lingue nilotiche*, Rome, 1926 p. [27] ss ; pour le toubou, CARBOU, *La région du Tchad et du Ouadaï*, Paris, 1912 ; Ch. LE CŒUR, *Dictionnaire ethnographique téda, précédé d'un lexique français-téda, Mémoires de l'IFAN*, n° 9, 1950 ; du même, à paraître : *Grammaire téda et recueil de textes téda ;* pour le mâba, BARTH, *Sammlung und Bearbeitung Central-Afrikanischer Vokabularien*, Gotha, 1862-1866, 2 vol. (chap. XII) ; G. TRENGA, *Le Bura-Mabang du Ouadaï*, Paris, 1947 ; pour le kanouri, A. VON DUISBURG, *Grundriss der Kanuri-Sprache*, Berlin, 1913 ; DR. NOËL, *Petit manuel français-kanouri*, Paris, 1923 ; J. LUKAS, *A study of kanuri language*, Londres, 1937.

II. — *Groupe nilo-abyssinien* (20 langues)[1].

Ce groupe occupe la vallée du moyen Nil Bleu et celle du Nil Blanc (Bahr-el-Abiod et Bahr-el-Djebel) depuis la hauteur de Sennâr en aval jusque près de Lado en amont, s'étendant à l'Est le long du Sobat et jusque sur le bas Omo et à l'Ouest sur le bas cours du Bahr-el-Arab et du Soueh, avec deux enclaves au Sud, l'une sur le haut Bahr-el-Djebel à hauteur de Wadelaï et l'autre à l'Est du lac Victoria. Les langues qui le composent sont parlées par un nombre assez considérable de nègres purs dont la civilisation semble en général très arriérée.

1. C'est pour ce groupe que la dénomination de *nilotique* a été proposée. Certains traits communs à ce groupe et au suivant (racines de type consonne +voyelle+consonne, caractéristiques morphologiques des pronoms personnels et des démonstratifs, formation du pluriel des noms et du passif des verbes par des changements de vocalisme ou d'accent, postposition du nom complément au nom complété) ont conduit la plupart des auteurs à affirmer l'existence d'un « grand groupe linguistique s'étendant de l'Érythrée au Kilimandjaro » (Conti Rossini). Conti Rossini rattache à ce groupe le kounama, Reinisch le nouba.

Les vestiges de classes nominales sont bien apparents :
des préfixes de classe ont subsisté fréquememnt (*o*, *a* et
u en chilouk, *a* en aniouak, *ę* et *kę* en nouër, *a*, *e*, *o*, *u* et *ke*
en dinka, etc.) ; le qualificatif est souvent précédé d'un
ancien pronom de classe (*ma* ou *mę* en chilouk, *ma* ou *mu*
en aniouak, *me* en nouër) ; d'anciens pronoms de classe se
suffixent au nom pour en marquer le nombre ou la détermination ou s'intercalent entre le nom et son complément
(dinka : *ran* « homme », *ran e* « l'homme » ; *tyam* « manger »,
tyam de « le manger » ; *rōr* « des hommes », *rōr ke* « les
hommes »).

On a cherché à distinguer le nom du verbe en maintenant
certains préfixes nominaux et en usant de désinences
spécialement nominales, mais, dans beaucoup de cas,
la distinction repose uniquement sur la place donnée
respectivement au nom et au verbe.

Les aspects principaux du verbe sont indiqués tantôt
par des suffixes (chilouk), tantôt par des suffixes pour une
première forme et des préfixes pour une deuxième
(aniouak), tantôt par des suffixes à certains aspects et des
préfixes à d'autres (nouër), tantôt par des préfixes (dinka).
La forme du suffixe ou du préfixe servant à marquer un
aspect donné est analogue dans la plupart des langues du
groupe (aoriste : suffixe *ǫ* en chilouk et en aniouak ; parfait :
suffixe *i* en chilouk, suffixe *i* ou préfixe *tše* en aniouak,
préfixe *či* en nouër, *k'i* en dinka, *k* en mékan). Les aspects
négatifs ou secondaires sont indiqués généralement par
des préfixes. Lorsqu'il est fait usage de préfixes, ceux-ci se
préfixent souvent, non pas au radical verbal, mais au
pronom sujet, s'il existe.

Ordre des mots : le sujet précède le verbe, sauf parfois
en nouër et, pour ce qui est du pronom sujet, à l'injonctif ;
le complément d'un verbe peut suivre ce verbe (dinka,
parfois chilouk), mais le précède en général (mékan,
aniouak, nouër, gamila, berta) ; le complément d'un nom
suit ce nom ; le qualificatif suit le nom qualifié ; le déterminatif suit le nom déterminé ou, s'il y a aussi qualificatif,
ce qualificatif, sauf en ce qui concerne le déterminatif

jouant le rôle de notre article défini qui, lui, se suffixe toujours directement au nom ; le nom de nombre suit le nom de la chose nombrée.

Il existe des tons musicaux à valeur étymologique et à valeur grammaticale, souvent employés pour distinguer le pluriel du singulier dans les noms et le passif de l'actif dans les verbes. Les désinences consonantiques sont très fréquentes.

Le pluriel des noms est indiqué, dans chaque langue du groupe, au moyen de divers procédés employés soit isolément, soit simultanément : chute ou modification de la désinence du singulier ou addition au radical d'une désinence spéciale ; changement apporté à la quantité, à la nature ou à la tonalité de la voyelle radicale ; modification de la dernière consonne radicale, la sonore devenant sourde ; changement ou addition de préfixe de classe.

Les pronoms personnels sont les suivants dans les langues les mieux connues :

		Chilouk	Aniouak	Nouër	Dinka
1ʳᵉ pers.	sing.	*ya, a*	*a*	*a*	*ya, a*
—	plur.	*wa, wǫ*	*wa*	*kǫ*	*o, wa*
2ᵉ pers.	sing.	*yi, i*	*i*	*i, d'i*	*yi, i, u*
—	plur.	*wu*	*wu*	*yę, u*	*we, un*
3ᵉ pers.	sing.	*yę, ę, gǫ*	*ę*	*ę, d'ę*	*ye, e*
—	plur.	*gę*	*gi*	*kę, k'ę*	*ke, en*

Le groupe renferme 8 langues aujourd'hui à peu près bien connues, auxquelles il faut probablement en ajouter 7 autres sur lesquelles nous ne possédons pas de renseignements suffisants et peut-être d'autres encore que nous ignorons totalement aujourd'hui :

1º le **chilouk** *(šiluk)* ou *šilluk* ou *ţolo* ou *dembo*, parlé sur la rive gauche du Nil Blanc au Nord de Fachoda et sur les deux rives entre Fachoda et le confluent du Sobat, ainsi que, plus au Sud, entre le Bahr-el-Djebel et le bas Omo (1829 Rüppell) ;

2º le **nouër** *(nuęr)* ou *nāţ* ou *abigar*, parlé dans la région marécageuse qui borde les deux rives du bas Bahr-el-

Djebel et du bas Sobat, au Sud du précédent, ainsi que le long du moyen Sobat (1861 Brun-Rollet) ;

3° l'**aniouak** *(an'wak)* ou *yambo*, parlé à l'Est du nouër et du dinka dans la vallée du Sobat, ainsi que dans celle du Baro et entre les rivières Gélo et Akobo (1872 d'Abbadie) ; peut-être faut-il lui rattacher le *kogo*, parlé sur la rive droite du Baro ;

4° le **dinka** *(dinka)* ou *denka* ou *jeng* ou *d'ang* ou *d'en* (plur. *dink*), parlé entre le Nil Blanc (Bahr-el-Abiod) et le Nil Bleu, que les Dinka déborderaient vers l'Est dans la direction du lac Tsana et, en amont des Nouër, sur les deux rives du Sobat, sur la rive droite du Bahr-el-Djebel (tribu des Bor) et sur sa rive gauche (tribus des Gog, des Agar, des Lessi, des Atot, des Eliab, etc.) (1829 Rüppell) ; peut-être faut-il y rattacher le *gindilia* (entre le bas Sobat et le coude du Nil Bleu), ainsi que le *barun*, le *komo* et le *mao*, parlés entre le Baro et le même coude ;

5° le **diour** *(d'ūr)* ou *jūr* ou *luō* ou *ber*, parlé sur le bas Soueh (1872 Schweinfurth) ;

6° le **gang** *(gan)* ou *gani* ou *ačoli* ou *šuli* ou *šefalu* ou *obbo* ou *farajoke*, sur la rive droite du haut Bahr-el-Djebel, entre Wadelaï et le lac Albert (1882 Emin Bey) ;

7° le **lour** *(lūr)* ou *lūri* ou *alūru* ou *dūdu* ou *alūlu*, sur la rive gauche, en face du précédent (1882 Emin Bey) ;

8° le **djalouo** *(jaluo)*, à l'Est du lac Victoria, au Sud des Kavirondo ((1904 Johnston) ;

9° à 20° sous réserves[1] : le **tabi** sur le Nil Bleu, au Sud-Est de Khartoum, en voie de disparition (1864 Marno et 1912 Seligmann) ; — le **goulé** *(gule)*, dans le Dar-Foundji et le Fazogl, au Sud du Sennâr (1864 Marno et 1912 Seligmann) ; — le **hamedj** *(hamej)* ou *naga* (ce dernier nom, qui semble d'ordre géographique, est donné aussi au « gounza », langue probablement couchitique parlée dans le voisinage des Hamedj), parlé en aval du coude du Nil

---

1. Westermann et Tucker ont séparé ces langues, parlées au Dar-Foundj, du groupe « nilotique » ou nilo-abyssinien. Elles paraissent avoir une partie de leur vocabulaire en commun avec les langues nilotiques, mais il n'est pas encore possible de les classer.

Bleu (1864 Marno) ; — le **berta** ou *mugo* ou *dalla* ou *doba*, parlé par les Beni Changoul, entre le Nil Bleu et le Nil Blanc, au Sud de Sennâr (1864 Marno et 1874 Halévy) ; — le **gamila** ou *gamolla*, parlé par une fraction des Berta, dite « Qamâmil » par les Arabes, sur le Dabous (1826 Cailliaud) ; — le **mékan** *(mekan)* ou *sūro* (*sūro* en kaffa signifie « nègre »), parlé au Sud-Ouest du Kaffa, entre le haut Akobo et l'Omo, et qui semble tenir à la fois du groupe nilo-abyssinien et, à un degré moindre, du groupe nilo-équatorien (1913 Conti Rossini) ; il faut joindre au mékan le **masongo** (ou *maĵangir*), parlé entre la vallée du Baro et les monts Gourafarda, à la frontière de l'Éthiopie et du Soudan (1948 Cerulli) ; — le **doko** ou *golda* ou *maĵi* ou *maše* ou *mase*, sur les deux rives du bas Omo (1913 Conti-Rossini) ; — le **mourle** ou *beir ;* — le **didinga** — le **tirma** — le **tid**.

BIBLIOGRAPHIE. — Sur l'ensemble du groupe : C. CONTI ROSSINI, *Lingue nilotiche*, Rome, 1926 ; M. A. BRYAN, *Distribution of the Nilotic and Nilo-Hamitic languages of Africa, Linguistic analyses by* A. N. TUCKER, Oxford Univ. Press, 1948. Parmi les publications concernant spéciale-ment les langues les mieux étudiées, on peut citer : pour le chilouk, D. WESTERMANN, *A short grammar of the Shilluc language*, Philadelphie, 1911 ; B. KOHDEN, *Grammatica della lingua Scilluk*, Le Caire, 1931 ; pour le nouër, D. WESTERMANN, *The Nuer language*, Berlin, 1912 ; J.-P. CRAZZOLARA, *Outlines of a Nuer Grammar*, St. Gabriel-Mödling, 1933 ; R. HUFFMAN, *Nuer-English dictionary*, Berlin, 1929 ; pour l'aniouak, D. WESTERMANN, *Some notes and a short vocabulary of the Anywak language*, Berlin, 1912 ; pour le dinka, G. BELTRAME, *Grammatica e vocabolario della lingua Denka*, Firenze, 1881 (2ᵉ édition) ; pour le gang, A. L. KITCHING, *An outline of the Gang language*, London, 1907 ; J. P. CRAZZOLARA, *A Study of the Acooli Language*, Londres, 1938 ; C. MURATORI, *English, Bari, Lotuxo, Acoli Vocabulary*, Okaru, 1948 ; pour le lour, P. M. VANNESTE, *Woor-denboek van de Alur taal*, Boeschout, 1940 ; pour le masongo, E. CERULLI, *Il linguagio dei Masongo*, dans la *Rassegna degli studi etiopici*, juillet-décembre 1948 ; pour le didinga, H. J. DRIBERG, *The Didinga language*, Berlin, 1931 ; pour le tirma, E. CERULLI, *Il linguagio dei Tirma*, dans *Oriente Moderno*, t. 22, Rome, 1942.

III. — *Groupe nilo-équatorien* (24 langues)[1].

Ce groupe fait suite, dans la direction du Sud, au groupe
nilo-abyssinien, dont il entoure les enclaves méridionales,
son domaine s'entremêlant à l'Ouest avec celui du groupe
nilo-congolais. Il commence, au Nord, à peu près à hauteur
de Lado, pour s'étendre, au Sud, jusqu'au 6° de latitude
Sud ; à l'Ouest, il dépasse le Bahr-el-Djebel et, à l'Est, il
atteint le lac Stéphanie et le mont Kilimandjaro, poussant
même une antenne jusqu'au rivage de l'Océan Indien près
de Mombassa.

Les langues de ce groupe sont parlées à la fois par des
populations agricoles de race nègre (Bari, Kouafi, etc.),
par des populations pastorales, beaucoup moins nombreuses, dont certaines fractions semblent se rattacher en partie
à un rameau de la race blanche (Massaï propres, Houmba,
Toussi, Nkolé) et enfin par quelques castes de chasseurs
et d'artisans dans lesquelles l'élément nègre coudoie
l'élément négrille (Dorobo, Kounono, etc). L'ensemble
constitue un groupe ethnique très hétérogène, de civilisations plutôt arriérées. Il semble que les éléments de race
blanche qui en font partie aient, une fois installés dans le
pays, emprunté le parler des nègres qui s'y trouvaient
avant eux.

Les classes nominales sont très nettes. Dans chaque
langue, il en existe une comprenant les noms des êtres
mâles ou forts, les augmentatifs, le nom de la terre et celui
de la lune, les noms de collectivités humaines (métiers,
tribus, etc.) et des noms divers, puis une autre comprenant
les noms des êtres femelles ou faibles, les diminutifs, le
nom du ciel et celui du soleil et des noms divers ; en plus
de ces deux classes principales, il s'en rencontre souvent

---

1. Ce groupe a été souvent et improprement appelé « nilo-chamitique ».
On a en effet attribué à une influence chamito-sémitique la distinction du
masculin et du féminin dans les pronoms personnels et les démonstratifs
qui est la principale caractéristique de ce groupe.

d'autres (par exemple, en massaï, une classe des noms de lieux et une classe d'abstractions). Chaque classe est caractérisée grammaticalement : par un préfixe de classe qu'on a improprement qualifié d'article (en bari et en massaï, l'élément essentiel est *l* pour la 1re classe, *n* pour la 2e) ; par un pronom de classe analogue au préfixe et employé devant le complément d'un nom pour remplacer ou rappeler celui-ci ; par un relatif de classe (1re classe, bari *lo*, massaï *o* ; 2e classe, bari et massaï *na*) qui se préfixe à l'adjectif pour marquer son accord en classe avec le nom qualifié ; enfin par l'emploi, pour chaque classe, d'une série spéciale de déterminatifs ayant pour base le préfixe ou le pronom de classe. Parfois cependant, il y a disparition fréquente du préfixe nominal de classe, comme en bari, ou bien tendance à faire usage d'un pronom personnel commun à toutes les classes, comme en massaï ; c'est surtout au pluriel que cette tendance à l'unification des pronoms de classe est manifeste.

Dans les langues, comme le bari, où le préfixe nominal de classe a souvent disparu, on distingue le nom du verbe à l'aide de désinences spécialement nominales, variant avec le nombre ; ce procédé se rencontre même dans des langues qui, comme le massaï, ont conservé les préfixes de classe.

Les aspects du verbe sont marqués en général par des suffixes à la voix affirmative et par des préfixes à la voix négative. De plus, on fait usage, à certaines personnes de certains temps, du redoublement parfait ou imparfait du radical. Il existe un passif, indiqué par des suffixes spéciaux.

Ordre des mots : le sujet précède le verbe dans les propositions principales, mais le suit en général dans les propositions relatives lorsque ce n'est pas le relatif qui est sujet (toutefois, en massaï, le nom sujet suit toujours le verbe, mais il est représenté devant celui-ci par un pronom à forme abrégée) ; le complément d'un verbe suit ce verbe et se place généralement après le sujet quand celui-ci est suffixé au verbe ; le complément d'un nom suit ce nom et est précédé le plus souvent du pronom de classe de celui-ci ; le qualificatif suit le nom qualifié et est précédé en général du relatif de classe de ce nom (quelquefois il précède le nom, qui perd alors son préfixe de classe pour le passer au qualificatif) ; le déterminatif *précède* le nom déterminé, qui perd son préfixe de classe ; le nom de nombre est un adjectif et se comporte comme le qualificatif.

Il existe des tons musicaux, dont il est fait usage pour préciser le rôle d'un mot lorsque sa place dans la phrase ne suffit pas à l'indiquer nettement ; ainsi, en massaï, le ton haut marque qu'un nom est sujet, le ton bas qu'il est complément d'un verbe.

Le passage d'un radical d'une classe nominale à une autre, ou le changement d'acception dans une même classe, peut amener la modification d'une consonne radicale (bari : *lu-ňačer* « frère », *ki-yačer* « sœur » ; massaï *ol-alače* « frère », *eň-anače* « sœur » ; *eň-geray* « enfant », *eň-gelay* « petit enfant »). Les désinences consonantiques sont fréquentes.

Le pluriel des noms est indiqué à la fois par une modification du préfixe de classe et par une modification de la désinence, ce dernier procédé étant naturellement le seul employé là où le préfixe de classe a disparu.

Voici les pronoms personnels en bari et en massaï :

		Bari	Massaï
1ʳᵉ pers. sing.		*nan*	*na, a*
— plur.		*i*	*yok, ki*
2ᵉ pers. sing.		*do, da*	*ye, i*
— plur.		*ta*	*nday, i*
3ᵉ pers. sing.	1ʳᵉ classe	*lo, lu, la*	*ol, o*
— —	2ᵉ classe	*na, nu, no*	*en, na*
— —	3ᵉ classe	......	*ne*
— —	4ᵉ classe	......	*ki*
— —	commun	......	*ni, e*
— plur. commun		*če, k'e*	*nd'e, e*

Le groupe renferme 13 langues aujourd'hui plus ou moins bien connues, auxquelles il en faut probablement ajouter 11 autres sur lesquelles nous sommes insuffisamment renseignés pour nous prononcer à coup sûr et peut-être d'autres encore dont nous ignorons le nom :

1° le **bari** ou *ǰilio*, parlé par 300.000 individus environ des deux côtés du Bahr-el-Djebel entre Lado et Doufilé et, vers l'Est, jusque près du lac Rodolphe : dialectes *bari* propre, *fad'ellu, liggi* ou *yeyi* ou *yeh, mandari, šir* ou *k'ir, kuko*, etc. (1864 F. Müller) ;

2° le **latouka** *(latuka)* ou *lotuko* ou *lotuho*, à l'Est du Bahr-el- Djebel, entre les 5° et 4° de latitude nord (1867 Baker), dialectes : *dongotono, koriok, lokoya ;*

3° et 4° le **tourkana** *(turkana)* ou *kume*, sur la rive occidentale du lac Rodolphe, et le **souk** *(suk)*, au Sud-Est et à l'Est du même lac, parlé peut-être même jusqu'au Nord-Est du lac Stéphanie sous le nom de *konso* (1902 Hobley) ;

5° le **liri** ou *riri* ou *lira* ou *lir* ou *sugu*, à l'Est de la pointe septentrionale du lac Albert (1852 H. C. von der Gabelentz) ;

6° le **nandi** ou *lumbwa* ou *teṅwal*, au Nord-Est du lac Victoria (1902 Hobley) ;

7° le **kipsikissi** *(kipsikisi)* ou *kakesan*, appelé aussi *lumbwa* comme le nandi, au Sud-Est du lac Victoria, en arrière du Kavirondo (1902 Hobley) ;

8° le **houmba** *(humba)* ou *wamba* ou *hima*, parlé par des pasteurs négroïdes vraisemblablement apparentés à la race blanche, dits Vahoumba, Vahimba, Vahouma, Vahima[1], etc., éparpillés entre le lac Albert et le lac Édouard dans l'Ounioro et entre les lacs Victoria et Tanganika, ainsi qu'au Sud-Est du lac Victoria (1885 Last) ;

9° le **toussi** *(tusi)*, parlé par des pasteurs de même origine que les précédents, éparpillés au Sud du lac Victoria dans l'Ouniamouézi et entre les lacs Victoria et Tanganika dans l'Ouha (1907 Dahl) ;

10° le **tatourou** *(taturu)*, au Sud-Est du lac Victoria,

---

1. D'autres populations négroïdes pastorales, désignées par les Bantous sous le même nom de *Vahima, Bahima, Wašimba*, etc., se rencontrent plus à l'Ouest jusque près de l'Océan Atlantique. Elles passent pour parler les diverses langues bantoues sur les territoires desquelles elles nomadisent. Il est possible que les Hottentots soient issus d'un mélange de ces mêmes « Vahima » avec les négrilles dits « Bushmen » qui les avoisinent et dont ils auraient adopté la langue.

entre le pays des Kipsikissi et le lac Niarassa, à l'Est de
l'Ouniamouézi (1885 Last) ;

11° le **massai** propre *(māsai)*, parlé seulement par 30.000
à 40.000 pasteurs négroïdes se donnant eux-mêmes le nom
de *Ilmāsa-e* (sing. *Ol-māsa-ni*), répandus surtout entre le
lac Victoria et le mont Kénia (1857 Erhardt) ;

12° le **dorobo** ou *ndorobbo* ou *torōbo*, parlé par des castes
de chasseurs et d'artisans disséminés parmi les Massaï et
les Kouafi et ne se distinguant que très peu du massaï
propre (1904 Johnston) ;

13° à 24° sous réserves[1] : le **mbouloungué** *(mbulunge)* ou
buruṅgi, au Sud-Ouest du Kilimandjaro, entre les 5° et
6° de latitude sud (1906 Meinhof) ; le **karamodjo** *(karamoʝo)*
ou *kakisera*, à l'Ouest du tourkana et du souk ; le **kamassia**
(kamas'a), au Sud du précédent ; le **lango** ou *kedi* ou *kidi* ou
lukedi, au Nord du lac Victoria, à l'Est de l'Ounioro ; le
nguichou *(ṅgišu)*, au Sud-Est du mont Elgon, au Nord du
nandi ; le **goumi** *(gumi)* ou *elgumi*, au voisinage des Massaï
propres (pour ces cinq langues, 1904 Johnston) ; — le **nkolé**
(ṅkole), langue de pasteurs répandus entre le lac Édouard
et le lac Victoria ; le **nifoua** *(nifwa)* et le **gaya**, sur la côte
orientale du lac Victoria (pour ces trois langues, néant) ; —
le **tatoga**, région montagneuse du Nord de l'ancien Est-
Africain allemand (1898 Werther et 1911 Struck) ; —
l'**irakou** *(iraku)*, même région (1911 Struck) ; — le **mbougou**
(mbugu), région de Mombassa (1906 Meinhof).

BIBLIOGRAPHIE. — Pour l'ensemble du groupe, C. Conti Rossini,
Lingue nilotiche, Rome, 1926 ; A. N. Tucker, *Distribution of the Nilotic
and the Nilo-Hamitic Languages of Africa*, Londres, 1948 ; parmi les publications concernant les langues les mieux étudiées, on peut citer : pour le
bari, J. C. Mitterutzner, *Die Sprache der Bari*, Brixen, 1867, et traduction
anglaise par C. R. Owen (*Bari grammar and vocabulary*, Oxford, 1908) ;
S. M. Spagnolo, *Bari-english-italian vocabulary*, Lalyo, 1942 ; même
auteur, *Bari grammar*, Vérone, 1933 ; pour le latouka, C. Muratori, *Grammatica Lotuxo*, Vérone, 1935 ; C. Muratori, *English, Bari, Lotuxo,
Acoli Vocabulary*, Okaru, 1948 ; pour le liri, L. Wolf, *Beitrag zur Ki-Lir*

1. Westermann et Tucker séparent ces langues des langues du groupe
nilo-équatorien, sans pouvoir cependant les classer. Westermann reconnait
dans plusieurs d'entre elles des traits soudanais.

26

Sprache (Sugu) dans *Zeitschrift für Afrikanische Sprachen*, III ; pour ⟩
souk, W. H. Mervyn Beech, *The Suk, their language and folklore*, Oxforc
1911 ; pour le nandi, A. C. Hollis, *The Nandi, their language and folklor⟨*
Oxford, 1909 ; S. M. Bryson, *Nandi Grammar*, Africa Inland Mission, 1940
pour le massaï propre, A. C. Hollis, *The Masai, their language and folklor⟨*
Oxford, 1905, pour le kouafi, F. Müller, *Die Sprache der Il-Oigob*, Wier
1884.

IV. — *Groupe kordofanien* (7 langues)[1].

Ce groupe constitue géographiquement une sorte d⟨
tampon isolateur entre le groupe nilo-tchadien et le group⟨
nilo-abyssinien. Il est limité à la partie sud-occidentale d⟨
Kordofan et comprend, d'après le peu que nous en savons
dix langues qui sont parlées chacune, sur une aire très
restreinte, par des nègres qui diffèrent à la fois des Noub⟨
et des Chilouk, leurs voisins les plus immédiats.

Le système linguistique des parlers de ce groupe corres
pond très étroitement à celui des langues bantou et le⟨
classes nominales s'y présentent sous le même aspect qu⟨
dans ces dernières. Chaque classe (en talodi, il en exist⟨
dix-sept, dont dix pour le singulier et sept pour le pluriel
est caractérisée par un pronom de classe spécial qui s⟨
préfixe à tout nom de sa classe et à l'adjectif qualifian⟨
celui-ci et qui sert en outre de pronom personnel, de relatif
de démonstratif et de déterminatif (en talodi avec la voyell⟨
a pour marquer la proximité, la voyelle *i* ou *u* pour marque⟩
l'éloignement).

Le préfixe de classe suffit à distinguer le nom du verbe
la place respective de l'un et de l'autre complète la dis⟨
tinction.

Les documents existants ne permettent pas de précise⟩
quelle est exactement la conjugaison du verbe.

Ordre des mots : le nom sujet précède le verbe ; le pronom
sujet le précède également dans les propositions principales
mais le suit en général dans les propositions relatives, et

---

1. On parle au Kordofan : 1° des dialectes nubiens (voir p. 756) ; 2° des
langues où le système des classes nominales n'a laissé que peu de traces
ces langues ont été classées par Delafosse dans le groupe nilo-tchadien (voir
p. 756) ; 3° les langues à classes énumérées dans cette section et qualifiées
par Westermann de « semi-bantoues ».

alors la consonne initiale de la racine verbale passe de l'occlusive à la constrictive correspondante (comparez la modification inverse en peul) ; le complément d'un verbe suit ce verbe ; le complément d'un nom suit ce nom, avec ou sans particule de relation intercalaire (*n'* en talodi) ; le qualificatif, le nom de nombre et le déterminatif suivent le nom qualifié, nombré ou déterminé.

L'existence de tons musicaux n'a pas été signalée.

Les désinences consonantiques sont fort rares et peut-être ne se rencontrent-elles qu'autant que la consonne terminale est une sonante.

Le pluriel des noms est indiqué par le changement du préfixe de classe. Quelquefois on ajoute au radical un suffixe de pluralité.

Enfin il semble que la consonne initiale de la racine peut subir des modifications selon le nombre ou la classe.

En talodi, les pronoms personnels apparaissent comme suit :

1re pers. sing. *i, ya, g'a*, plur. *ri, r'a.*

2e pers. sing. *u, o, ba, wa*, plur. *ta, da.*

3e pers. (pronom de classe).

Le groupe comprend, d'après Westermann, les 7 langues suivantes : **talodi**, **éliri**, **lafofa** ou *lifofa*, **toumtoum** *(tumtum)*, **loumoun** *(lumun)*, **tagoï** *(tagoy)* et **toumèli** *(tumẹli)* ou *tumale.*

BIBLIOGRAPHIE. — Le toumèli a été étudié dès 1848 par L. Tutschek (*Ueber die Tumale-Sprache*, München). Mais c'est seulement en 1916 que Carl Meinhof (*Eine Studienfahrt nach Kordofan*, dans *Abhandlungen des Hamburgischen Kolonialinstituts*, Band XXXV) l'a séparé du takli et autres langues nilo-tchadiennes avec lesquelles on l'avait d'abord rangé, pour le classer avec le talodi et les autres langues kordofaniennes. Tout ce que nous savons de celles-ci est consigné dans deux communications de la *Zeitschrift für Kolonial-Sprachen*, l'une de Mme Brenda Z. Seligmann (*Notes on the languages of the tribes of Southern Kordofan*, 1910-1911), l'autre de Ferdinand Bork (*Zu den neuen Sprachen von Süd-Kordofan*, 1912-1913) et dans le travail susmentionné de Meinhof ; ce dernier est le seul qui ait parlé du tagoï.

V. — *Groupe nilo-congolais* (20 langues)[1].

L'aire territoriale du groupe nilo-congolais, assez étroite, s'insinue entre celles du groupe nilo-abyssinien au Nord-Est, du groupe nilo-équatorien à l'Est, du groupe bantou et d'une antenne du groupe oubanguien au Sud et de ce dernier groupe à l'Ouest et au Nord-Ouest. Dans l'ordre linguistique, il offre de nombreux points de contact avec les divers groupes dont il est entouré. Les populations parlant les langues dont il se compose appartiennent toutes à la race nègre ; elles ne paraissent pas numériquement considérables et ont une civilisation en général arriérée.

Le système des classes nominales se révèle par des préfixes de classe accolés à la plupart des noms et peut-être, quoique ce ne soit pas sûr, par l'emploi de certains de ces préfixes devant l'adjectif. Il ne semble pas être fait usage actuellement de pronoms de classe.

L'emploi, très net encore, de préfixes nominaux concourt à faire distinguer le nom du verbe ; la distinction est assurée en outre par la place respective de l'un et de l'autre.

Les documents que nous possédons ne permettent pas de déterminer exactement les procédés de conjugaison.

Quant à l'ordre des mots, il se différencie nettement de ceux qui sont observés dans tous les groupes géographiquement voisins, en ce sens que le complément d'un nom précède ce nom, au lieu de le suivre comme dans les langues nilo-abyssiniennes, nilo-équatoriennes, bantou, oubanguiennes et kordofaniennes (mangbètou : *nę-ṅgo* « œil », *ke-pi* « peau », *nę-ṅgo ke-pi* « peau d'œil, paupière » ; mbouba : *o-yo* « œil », *ku-pu* « peau », *o-yo pu* « paupière » ; léga : *e-ḷa* « maison », *lę-lio* « bouche », *e-ḷa lio* « bouche de maison, porte » ; lendou : *ḷa* « maison », *la-ḷo* « bouche », *ḷa ḷo* « porte »). Le nom complété garde quelquefois, mais perd, généralement, son préfixe de classe (voir les exemples cités plus haut). Comme dans les langues oubanguiennes,

---

1. Les langues de ce groupe sont classées par Westermann parmi les langues nigritiennes.

le sujet précède le verbe, le complément d'un verbe le suit. Le déterminatif ou le nom de nombre se place après le nom déterminé ou nombré. Le qualificatif paraît également suivre le nom qualifié.

L'existence de tons musicaux semble douteuse.

On ne rencontre pas de désinences consonantiques ; lorsqu'une racine se termine par une consonne, on lui suffixe, pour en faire un mot, une voyelle qui est généralement identique ou analogue à la voyelle radicale (mangbètou : $\sqrt{wur}$ donne *no-wuru* « montagne », $\sqrt{pang}$ donne *mu-panga* « lance » ; aouidi : $\sqrt{lol}$ donne *lolo* « mâle » ; mbouba : $\sqrt{leb}$ donne *ge-lebe* « terre » ; léga : $\sqrt{sog^b}$ donne *i-sog^bo* « terre »). Il semble d'ailleurs que le plus grand nombre des racines affecte la forme « consonne + voyelle ».

Le pluriel des noms est marqué par le changement du préfixe de classe (mangbètou : *na-bę* « homme », plur. *a-bę*).

Le pronom de la 1re pers. du sing. est *ma* en mangbètou, en aouidi, en madi, en bangba, etc., et celui de la 1re pers. du plur. *a-ma ;* ceux de la 2e et de la 3e pers. sont respectivement en mangbètou *mi* et *nę* au sing., *a-mi* et *a-ę* ou *ę* au plur. A noter la correspondance du préfixe de classe mangbètou *nę* ou *na* (plur. *ę* ou *a*), qui semble le plus fréquent, avec les pronoms *nę* et *a-ę* ou *ę* (comparez les préfixes bangba *na*, léga *lę*, lendou *la*, correspondant à mangbètou *nę* ou *na*).

L'état àctuel de notre documentation permet d'attribuer au groupe nilo-congolais 20 langues, mais il est possible qu'il en contienne d'autres, encore inconnues :

1° l'**aouidi** *(awidi)*, parlé par une petite tribu habitant sur la rive orientale du Bahr-el-Djebel, à hauteur de Doufilé, à laquelle on donne parfois le même nom d'Aboukaya qu'à une fraction des Mittou (1863 et 1865 Miani) ;

2° le **morou** *(moru)* ou *amadi* (ne pas confondre avec le mittou, dit aussi « amadi », du groupe oubanguien), parlé dans le village et la région d'Amadi-sur-Yeï, au Nord-Ouest de Lado (1892 Casati) ;

3º et 4º sous réserves[1] : le **niangbara** *(n'ăgbara)* ou *n'ambara*, parlé au Sud du précédent sur la rivière Yeï ou Djeï (1867 Mitterutzner d'après Morlang) ; — le **kédérou** *(kederu)*, à l'Ouest du précédent (1880 Wilson et Felkin) ;

5º le **madi** ou *čopi* (ne pas confondre avec le morou, dit « amadi », qui est du même groupe, ni surtout avec le mittou, dit aussi « amadi », du groupe oubanguien), sur la rive orientale du Bahr-el-Djebel, au Sud des Aouidi, entre Doufilé et Wadelaï (1880 Wilson et Felkin) ;

6º à 9º le **logbouari** *(logbwari)* ou *lugware* ou *mogwari*, dans le district montagneux d'où sortent, vers le Nord, la Yeï, vers l'Est des affluents du haut Bahr-el-Djebel et vers l'Ouest des affluents du haut Ouellé ; — le **kéliko**, parlé au nord du logbouari ; — le **lendou** *(lendu)* ou *alendu*, au Sud du logbouari, à l'Ouest et à hauteur de Wadelaï, près des sources du Kibali ou haut Ouellé, avec une enclave dans l'Ounioro ; — le **léga** *(lega)* ou *legga* ou *drugu*, au Sud du précédent, dans la direction du lac Albert (pour ces trois langues, 1904 Johnston) ;

10º le **logo** ou *loggo*, à l'Ouest du logbouari, entre le Doungou et le Kibali, à l'Est de leur confluent (1921 de Calonne-Beaufaict) ;

11º le **mangbètou** *(măgbętu)* ou *măgbatu* ou *mambęktu* ou *mambettu* ou *mombuttu*, parlé à cheval sur le Kibali et au Sud jusqu'au haut Itouri ou Arouwimi (mangbètou de l'Est), puis, plus à l'Ouest, chez les pêcheurs dits Bakango, entre l'Ouellé et son affluent le Bomokandi (mangbètou du centre), et, plus à l'Ouest encore, entre l'Ouellé et l'Arouwimi (mangbètou de l'Ouest ou *makęrę*), langue d'une certaine extension (1876 Long) ;

12º à 20º sous réserves : le **madjé** *(maǰe)* ou *meǰe*, dans le voisinage et au Sud des Mangbètou de l'Est (néant) ; — le **momvou** *(momvu)* ou *momwu* ou *momu* ou *mõfu*, au Sud du Kibali, entre les Mangbètou de l'Est et ceux du centre (1888 Junker) ; — le **lessé** *(lese)*, parlé par les *Balese* ou

---

1. D'après Westermann et Tucker, le niangbara appartiendrait au groupe appelé ici nilo-équatorien.

Walese à l'Ouest des Momvou et au Sud-Est des Mangbètou du centre (1910 Struck) ; — le **karè** *(karę)* ou *akarę* ou *ękalę* ou *ap'a*, parlé dans quelques colonies, que d'aucuns disent d'origine bantoue, éparses parmi les Zandé, entre le Mbomou et l'Ouellé (1888 Junker) ; — le **bangba** *(bãgba)* ou *bãmba* ou *abãgba*, sur la rive gauche de l'Ouellé, au Nord des Mangbètou du centre (1888 Junker) ; — le **birri** ou *abiri* ou *ambili*, au voisinage du précédent (1888 Junker) ; — le **baboua** *(babwa)* ou *ababwa*, sur la même rive, au Nord des Mangbètou de l'Ouest (néant)[1] ; — le **bouté** *(bute)* ou *buti* ou *mbute* ou *bambute*, sur le haut Itouri, au Sud des Mangbètou de l'Est (1904 Johnston) ; — le **mbouba** *(mbuba)* ou *hoko* ou *huku* ou *koko* ou *kikoko* ou *bukoko*, à l'Ouest du Semliki et à l'Est entre le lac Albert et le lac Édouard, parmi des Bantous du Rouwenzori (1904 Johnston).

BIBLIOGRAPHIE. — Les langues de ce groupe n'ont longtemps été connues que par de petits vocabulaires tels que MIANI, *Lingua degli Avidi*, Le Caire, 1863, pour l'aouidi, ou ceux renfermés dans F. MÜLLER, *Die äquatoriale Sprach-familie*, Vienne, 1880, pour le mangbètou, le momvou, le kare, le bangba et dans H. JOHNSTON, *The Uganda Protectorate*, Londres, 1902-1904, 2 vol., pour le madi, le logbouari, le lendou, le lega, le mbouba, le bouté. On possède quelques grammaires, plus récentes, telles que L. MOLINARI, *Appunti di grammatica della lingua Madi*, Vérone, 1925 ou A. VECKENO, *La langue des Makere, des Medjé et des Mangbetu*, Bruxelles, 1928. Une importante documentation est apportée par le premier volume de A. N. TUCKER, *The eastern sudanic languages*, Londres, 1940, qui contient une description des parlers morou, logo, madi, logbouari, aouidi, keliko et lendou.

1. D'après le Père Van den Plas, le birri et le baboua seraient des langues bantoues ; il est possible que les tribus connues sous ces deux noms parlent à la fois une langue bantoue importée du Sud et une langue nilo-congolaise trouvée sur place.

VI. — *Groupe oubanguien* (25 langues)[1].

Ce groupe se soude au précédent, qui l'enserre à l'Est et
au Sud-Est, dans la région du haut Ouellé. Sa limite méridionale part de l'Itouri, puis suit à peu près la ligne de
partage des eaux entre l'Ouellé-Oubangui et l'Itouri-
Congo, pour atteindre ensuite l'Oubangui et le traverser
près d'Imfondo ou Desbordesville, d'où elle remonte vers
le Nord-Ouest jusque non loin de la haute Kadeï, où elle
quitte la frontière nord du groupe bantou pour suivre la
frontière orientale du groupe nigéro-camerounien jusque
vers la haute Mambéré. Là commence la limite septentrionale du groupe oubanguien, qui marche à peu près droit
vers l'Est jusque dans les vallées du Bahr-el-Ghazal, où
elle s'arrête à la rencontre des groupes kordofanien et nilo-
abyssinien. De nombreuses peuplades nègres remplissent
ce vaste domaine, dont quelques-unes, comme les Zandé,
possèdent une organisation relativement développée, mais
dont la plupart sont encore à un stade très arriéré.

Toutes les langues du groupe possèdent des classes
nominales à préfixes, analogues à celles du groupe nilo-
congolais, quoique moins nettes. Elles sont attestées par
la persistance plus ou moins générale de préfixes nominaux
qui, cependant, ont souvent disparu, surtout au singulier.
On ne paraît plus faire usage de pronoms distincts pour
représenter les noms des différentes classes, sauf en zandé,
mais on rencontre souvent, entre le nom et son complément
ou son qualificatif, des particules qui semblent bien être
des vestiges d'anciens pronoms de classe faisant aujour-
d'hui office d'éléments d'annexion ou de relation. Enfin le
pronom de la 3e personne s'emploie comme déterminatif
de la même façon que le pronom de classe dans les langues
à système de classes intégral (banda, sango, zandé, mittou),

---

(1) Les langues de ce groupe sont rangées par **Westermann** parmi les
langues nigritiennes.

ou bien l'on a un déterminatif qui rappelle la particule d'annexion (mandjia, baya).

Le nom ne se distingue essentiellement du verbe que là où le préfixe de classe nominale a persisté. Dans le cas contraire, qui est le plus fréquent dans beaucoup de langues (mandjia, baya, sango, banziri, bondjo, monjombo, séré, moungou), la distinction n'est assurée que par la place respective du nom et du verbe.

En général, l'injonctif est constitué par le simple radical verbal ou par un affixe préfixé au pronom sujet, comme en zandé ; l'aoriste se présente sous cette même forme ou prend un suffixe, parfois le préfixe *a* (sango, zandé) ; le parfait est toujours marqué par un suffixe ; certains aspects secondaires du verbe s'obtiennent par redoublement du radical (zandé, mandjia). La négation s'indique à l'aide d'une particule suffixée à la proposition.

Ordre des mots : le sujet précède le verbe ; le complément d'un verbe suit ce verbe ; le complément d'un nom suit ce nom, soit directement, soit précédé de la particule dont il a été question plus haut ; parfois, en zandé, le nom est précédé de son complément, qui est précédé lui-même de la particule ; le qualificatif précède le nom qualifié si l'on entend laisser à celui-ci une valeur indéterminée (banda *i-mbin mbrata* « blanc cheval, un cheval blanc ») et le suit, avec ou sans particule de relation, dans le cas contraire (banda *mbrata di-mbin* ou *mbrata se di-mbin* « le cheval blanc dont il est question ») ; le déterminatif suit toujours le nom déterminé, sauf en zandé ; s'il y a aussi qualificatif, le déterminatif se place généralement entre le nom et le qualificatif (banda, mandjia, baya, sango, etc.) ou exceptionnellement avant le qualificatif (zandé) ; le nom de nombre suit le nom de la chose nombrée.

Il semble exister des tons à valeur étymologique, c'est-à-dire qu'une même syllabe, émise sur des tons différents, peut représenter des idées distinctes, mais il ne paraît pas y avoir de tons musicaux à valeur grammaticale.

Il n'y a pas de désinences proprement consonantiques. Lorsque la racine se termine par une consonne, on lui

suffixe, pour en faire un mot, une voyelle qui est en général
semblable à la voyelle radicale.

En principe, le pluriel est indiqué dans les noms par le
changement de préfixe ou par l'addition d'un préfixe aux
mots qui n'en ont pas au singulier (banda : *mbrata* « cheval »,
plur. *a-mbrata ; bãnda* « un Banda », plur. *a-bãnda ;*
zandé : *bǫrǫ* « être humain », plur. *a-bǫrǫ ; zãnde* « un
Zandé », plur. *a-zãnde*). Mais, très fréquemment, le nombre
n'est marqué que par le déterminatif, en sorte que rien ne
peut alors faire distinguer le pluriel du singulier dans les
noms indéterminés. D'après Struck, le gbaya formerait le
pluriel des noms en changeant en *a* la voyelle terminale du
singulier.

Voici les formes essentielles des pronoms dans les principales langues :

		Banda	Baya et Sango Mandjia		Banziri	Bondjo	Zandé	Mittou
1ʳᵉ pers.	sing.	*mo*	*mi, mõ*	*mbi*	*ma*	*ma*	*mi*	*mu*
—	plur.	*a*	*le*	*a*	*ya, a*	*a*	*a*	*ę*
2ᵉ pers.	sing.	*bo, ze*	*me, ma*	*mo*	*mo, lo*	*mo, lo*	*mǫ*	*mo*
—	plur.	*e*	*ne*	*i*	*yi, i*	*i*	*o*	*i*
3ᵉ pers.	sing.	*se, i*	*a, ya*	*lo*	*e*	*ye, e*	*ko, li, u, sę*	*kǫ, ǫ*
—	plur.	*nži*	*wa*	*a-la*	*wo, o*	*yo*	*yo, i, si*	*?*

Les renseignements que nous possédons nous permettent
d'attribuer, avec les réserves nécessaires, 25 langues au
groupe oubanguien :

1° le **mittou** *(mittu)* ou *abukaya* ou *avukaya*, dit parfois
mittumadi ou *amadi* (ne pas confondre avec le « madi »
du groupe nilo-congolais ni avec le « morou » du même
groupe parlé à Amadi-sur-Yéï), comprenant les dialectes
des *Abukaya*, entre les Morou d'Amadi-sur-Yeï au Nord et
les Abaka au Sud, des *Abaka*, entre les Bari à l'Est et les
Zandé à l'Ouest, des *Luba*, entre les Abaka au Nord et les
Logo au Sud, et enfin des *Amadi* au Aboukaya de l'Ouest,
dans le district d'Amadi-sur-Ouellé entre 25° et 24° de
longitude est de Paris (1864 Marno) ;

2° le **moungou** *(muṅgu)* ou *maygo-muṅgu* ou *moygo-*
muṅgu ou *mayogo*, parlé d'une part entre la haute Yeï

et le haut Doungou par 4º latitude nord et 28º longitude est de Paris (dialecte *mundu*) et d'autre part au Sud des Mangbètou du centre par 3º lat. nord et 26º long. est de Paris (dialecte *mayogo*) (1864 Marno)[1] ;

3º le **gbaya** ou *beya*, dans le Dar-Fertit à l'Ouest de Dem-Ziber, sur le haut Chinko (1918 Struck) ;

4º le **kredj** *(kreǯ)* ou *kred'* ou *kreš* ou *kreyš* ou *fertīt*, dans le Dar-Fertit au Sud de Hofrat-en-Nahas et au Nord-Ouest du précédent, entre 9º et 8º lat. nord et 23º et 21º long. est de Paris : dialectes *ambãgo* ou *yãgbãgoꞏ aǰa* ou *veya*, *ndoggo* ou *nduggo*, etc. (1829 Rüppell) ;

5º le **gobou** *(gobu)* ou *ṅgobu* ou *agobbu*, sur le moyen Chinko au sud du gbaya (1888 Junker) ;

6º le **gôlo** *(gōlo)* ou *gōro*, au Nord des Zandé de Zémio, par 6º lat. nord (1829 Rüppell) ;

7º le **séré** *(sere)* ou *šere* ou *basiri* ou *basili*, parlé dans quelques villages répandus parmi les Gôlo et au Sud-Est de leur pays (1912 Westermann, qui donne du séré sous le nom de gôlo) ;

8º le **ndakko** ou *andakko*, parlé au voisinage du séré et très voisin de celui-ci (1888 Junker) ;

9º le **barambo** ou *baramo* ou *balẹmbo* ou *abarambo*, parlé dans quelques villages au voisinage des Zandé, notamment à l'Ouest de Tamboura et sur la rive sud de l'Ouellé par 25º long. est de Paris (1888 Junker) ;

10º le **zandé** *(zãnde)* ou *azãnde* ou *n'amn'am* ou *man'an'a* ou *omad'aka* ou *babuṅgera* ou *makkarakka* ou *makraka* ou *makarka* ou *makalaka* ou *digga*, parlé par une population de plus de 200.000 individus, répartie entre de nombreuses tribus conquérantes ou vassales dont les principales sont les *Avuṅgura* ou *Avoṅgara*, les *Aband'a* ou *Abanza* et les *Ad'o*, habitant sur la rive septentrionale du Mbomou à partir de Rafaï et en amont et sur la zone comprise entre

---

1. Le Père Van den Plas prétend que les Moundou et les Mayogo parleraient le bangba, qui est une langue nilo-congolaise ; cette affirmation ne concorde pas avec les documents que nous possédons sur les dialectes moundou et mayogo, à moins que les Moundou et les Mayogo ne parlent le bangba en plus de leur langue maternelle, ce qui est bien possible.

le Mbomou et l'Ouellé du 27° au 22° long. est de Paris
(1861 Petherick) ;

11° le **dendi**, sur le Mbomou entre Rafaï et Bangasso
(néant) ;

12° le **sakara** ou *nsakkara*, au Nord du précédent et à
l'Ouest dans la région de Bangasso et des Patri (1895
Comte) ;

13° sous réserves : le **sabanga** *(sabãga)* ou *manža* ou
mãṅga ou *bamãṅga*, parlé d'une part au milieu des Banda
par 7° lat. nord et 19° long. est de Paris, d'autre part au
coude de l'Oubangui (région de Fort-de-Possel) et enfin
près et en aval de Bangui (néant) ;

14° le **sango** *(sãṅgo)*, dialectes *buraka*, *yakoma*, *bãgi*, etc.,
parlé sur les deux rives du Mbomou près de son confluent
avec l'Ouellé et, en aval de ce confluent, sur les deux rives
de l'Oubangui (régions de Ouango, Mobaye, Banzyville),
et répandu comme langue commerciale tout le long de
l'Oubangui jusque vers Imfondo ou Desbordesville (1906
Demombynes d'après Decorse) ;

15° le **gbandi** *(gbãndi)* ou *ṅgbãndi* ou *moṅgbãndi* ou *mo-
ṅgwãndi*, au Sud du précédent, jusque vers le 3° lat. nord,
entre les 21° et 18° long. est de Paris (1921 Tanghe) ;

16° le **banda** *(bãnda)* ou *abãnda*, parlé au Nord du Mbo-
mou-Oubangui, dont il est séparé par le zandé, le sakara, le
sango, le maka, le banziri, et dont il atteint les rives en
quelques endroits près du coude de Fort-de-Possel et de
Bangui, s'étendant en longueur du 22° au 17° environ de
long. est de Paris et dépassant au Nord le 8° lat. nord ;
population de 200.000 individus environ, répartie entre
de nombreuses tribus (Bodo, Biri, Vidri, Ouassa, Togbo,
Mbriya, Linda, Yakpa, Langba, Goundjou, Pagoua,
Ndopa, Bendi, Boubou ou Bougou, Mbala, Ngao, Marouba,
Dakoa, Dakpa, Ngapou, Gba, Langouassi, Djemmi,
Tané, Tombaggo, Mbagga ou Gbaga, Ngola ou Ngoura,
Mbi, Ka, Ndi, Mbrou ou Bourou, Mbré ou Mbélé, Moria,
Mbada ou Pata ou Ouadda, Ndri, Nguéré ou Nguélé ou
Bouzérou, etc.) (1902 Truffert) ;

17° sous réserves : le **maka** ou *bamaka* ou *saka*, parlé sur l'Oubangui par une petite tribu fixée entre les Sango et les Banziri (néant) ;

18º le **banziri** *(bãnziri)* ou *gbãnziri*, sur l'Oubangui en aval de Mobaye et des Maka jusque près et en amont de Fort-de-Possel et, plus en aval, à hauteur et en aval du confluent de la Lobaye (1906 Demombynes d'après Decorse) ;

19º le **bondjo** *(bõǰo)* ou *bõǰyo* ou *mbwaga* ou *gmbwaga* ou *mbwaka* ou *mpagga*, sur la basse Lobaye à l'Ouest des Banziri du Sud (1911 Ouzilleau, Calloc'h) ;

20º le **monjombo** *(monžombo)* ou *monǰombo* ou *moǰambo*, dit aussi « bondjo » comme le précédent, parlé le long de l'Oubangui et à l'Ouest, de Bétou ou Monjimbo jusqu'à Imfondo ou Desbordes ville inclus (1911 Cottes et Poutrin, Ouzilleau, Calloc'h) ;

21º le **mandjia** *(mãǰya)* ou *mãǰa* ou *gbea*, parlé entre les 17º et 15º long. est de Paris, du 7º au 4º lat. nord, à cheval sur le bassin du Chari et celui de l'Oubangui, par de nombreuses tribus réparties en quatre sections : Baza ou Baja, Bakka, Bidigri et Mombé (1908 Giraud) ;

22º sous réserves : le **yanguéré** *(yãṅgere)* ou *bosiṅgene* ou *kuruma*, à l'Ouest du précédent (néant) ;

23º le **baya**, parlé à l'Ouest du précédent, entre les 14º et 12º long. est de Paris, et dans deux enclaves méridionales, au milieu de parlers bantous, chez les Bangandou (entre la Ngoko et la Sanga) et les Ikassa de la haute Likouala (1896 Clozel) ;

24º le **goundi** *(gundi)*, au Sud du yanguéré, sur la haute Lobaye (région de Bambio) et sur la haute Sanga (région de Bayanga), au milieu de parlers bantous (1911 Ouzilleau) ;

25º le **bomassa** *(bomasa)*, sur la moyenne Sanga à l'Est de Ouesso, au milieu de parlers bantous (1911 Ouzilleau).

BIBLIOGRAPHIE. — Il n'existe pas d'ouvrage d'ensemble sur les langues oubanguiennes. Quelques-unes ont fait l'objet de bonnes études spéciales, notamment : le zandé (LAGAE et VAN DEN PLAS, *La langue des Azandé*, Gand, 1921-1922, 2 vol. ; E. C. GORE, *A Zande grammar*, Londres, 1931 ; du même auteur, *Zande and English vocabulary*, Londres, 1931) ; le sango (CALLOC'H, *Vocabulaire français-sango et sango-français précédé d'un abrégé grammatical*, Paris, 1911) ; le banda (COTEL, *Dictionnaire français-*

banda et banda-français précédé d'un essai de grammaire banda, Brazzaville, 1907) ; Ch. TISSERANT, *Dictionnaire banda-français*, Paris, 1931) ; le baya (H. HARTMANN, *Die Sprache der Baja* dans *Zeitschrift für Ethnologie*, t. 62, Berlin, 1930) ; le banziri, le bondjo et le monjombo ensemble (CALLOC'H, *Vocabulaire français-gmbwaga-gbanziri-monjombo, précédé d'éléments de grammaire*, Paris, 1911) ; le mandjia (même auteur, *Vocabulaire français-gbéa précédé d'éléments de grammaire*, Paris, 1911). A citer aussi : EBOUÉ, *Langues sango, banda, baya, mandjia*, Paris, 1918.

VII. — *Groupe chari-ouadaïen* (12 langues)[1].

Le domaine de ce groupe s'étend, d'une façon générale, au Sud de la partie occidentale du groupe nilo-tchadien et au Nord de la partie centrale et occidentale du groupe oubanguien. A ses extrémités est et ouest, il est interpénétré par le domaine de ce dernier groupe et par celui du groupe nigéro-tchadien ; il est entamé de plus par une enclave que constitue le groupe charien. Son extension territoriale est peu considérable et se trouve diminuée encore par la présence de quelques îlots de langue peule (du groupe sénégalo-guinéen), notamment au Baguirmi, et de langue arabe. Les populations parlant des langues chari-ouadaïennes sont composées uniquement de nègres dont la plupart sont fort arriérés, mais dont quelques-uns, comme les Baguirmiens, ont atteint un degré de civilisation relativement avancé. Leur nombre total est assez élevé ; à eux seuls, les Baguirmiens atteignent ou dépassent le chiffre de 100.000, et les Sara sont vraisemblablement au moins aussi nombreux.

Les langues chari-ouadaïennes constituent l'un des très rares groupes négro-africains dans lesquels on ne trouve pas actuellement de classes nominales ni de pronoms de classe. Toutefois l'existence ancienne de classes paraît attestée par le fait que certains dissyllabes, jouant aujourd'hui le rôle de radicaux, comportent visiblement

---

1. Ces langues sont classées par Westermann parmi celles du Soudan Intérieur.

un préfixe n'appartenant pas à la racine, lequel préfixe varie selon les langues ou les dialectes et revêt souvent une forme que l'on rencontre devant des noms de même catégorie, comme préfixe de classe, dans des groupes à classes nominales. C'est ainsi que *ma* dans le mot sara, baguirmien et goula *ma-nda* « jeune fille » et *mo* dans le baguirmien *mo-belo* « vieille femme » rappellent le préfixe de la classe humaine du bantou et d'autres groupes, tandis que *nda* et *bel* sont assurément les racines, comme il résulte d'une comparaison avec d'autres langues. A signaler de même : sara *ndo* et *gi-ndo* « nuit » (en horo *lu-ndo*) ; *na-he* « lune » (en ndouka *nze-he*, en bongo *ni-hi*, en babalia *ne-fe*, en kenga *na-fa*, en lis *na-fe*, en baguirmien *na-pi*) ; *yo-ṅgǫ* et *nu-ṅgǫ* « os » (kaba et ndouka *nu-ṅgǫ*, goula *n'o-ṅgǫ*, lis *to-ṅgǫ*, baguirmien *tu-ṅǫ* et *t'u-ṅgǫ*, horo *ṅgǫ*) ; *ṅga* « terre » (ndouka *ṅga*, goula *na-ṅga*, baguirmien *na-ṅge*), etc.

Le nom n'est distingué du verbe, d'une façon essentielle, que par la place respective qu'ils occupent dans la phrase.

La conjugaison du verbe présente une certaine originalité. Il en existe divers types selon que la racine verbale est du type « consonne + voyelle + consonne », du type « consonne + voyelle » ou du type « voyelle + consonne » ou « voyelle ». Dans le premier cas et le trosiième, on suffixe une voyelle à la racine ; dans le second, le troisième et le quatrième, on préfixe un élément *ki* ou *ku* (*k* devant une voyelle), qui disparaît au parfait ; dans le premier cas, c'est la forme du pronom sujet qui permet de distinguer l'aoriste du parfait. Il convient de noter à ce propos que la voyelle du pronom sujet se modifie ou même disparaît selon les aspects verbaux, que le pronom sujet de la 1re personne est identique au pluriel à celui de la 3e personne (la distinction étant faite éventuellement à l'aide d'un suffixe *ki* ou *gi* ajouté au verbe à la 1re personne) et qu'à la 2e personne, le pronom sujet (qui parfois ne s'exprime pas au parfait) est généralement le même pour les deux nombres (la distinction étant faite par l'addition au verbe du suffixe *ki* ou *gi* au pluriel). Il arrive souvent que les aspects

principaux du verbe ne se différencient que par la forme
du pronom sujet ; à la 3ᵉ personne, si le sujet est un nom,
aucune distinction n'est possible à la première conjugaison.
D'autre part, il existe un présent à préfixe (baguirmien *et*,
sara *tu*) et des aspects secondaires ou négatifs à suffixes ;
ces suffixes sont parfois séparés du verbe par son complément.

Ordre des mots : le sujet précède le verbe ; le complément d'un verbe suit ce verbe ; le complément d'un nom
suit ce nom, avec, éventuellement, préfixation (baguirmien *an*) ou suffixation (bongo *gi*), au nom ou pronom
complément, d'une particule précisant l'annexion ; le
qualificatif suit en général le nom qualifié, mais peut aussi
le précéder, et cela dans la même langue ; le déterminatif
et le nom de nombre suivent le nom déterminé ou
nombré.

Les désinences consonantiques ne sont pas rares ; mais,
en général, les racines se terminant par une consonne ne
deviennent des mots qu'après suffixation d'une voyelle qui,
souvent, est identique à la voyelle radicale ou à la voyelle
de l'ancien préfixe de classe et ne semble avoir alors que la
valeur d'une voyelle d'appui, mais qui, d'autres fois, est
différente de la voyelle radicale et paraît constituer alors
un suffixe de dérivation (ainsi bagurimien *dona* « force
physique » et *dono* « influence morale ou politique » ;
tuma « marcher » et *tumo* « marcher à la dérobée »). Quelle
que soit sa valeur, cette voyelle tombe devant un complément, un qualificatif ou un déterminatif, si la voyelle
radicale est accentuée, et subsiste dans le cas contraire :
baguirmien *dóna* et *dóno* donnent *dón ñgólo* « grande force »
ou « grande influence » ; *kága* « arbre » donne *kág muta*
« trois arbres », mais *kaga* « panthère » donne *kaga muta*
« trois panthères ».

Le pluriel des noms se marque par un suffixe spécial
(-*ge* en baguirmien et sara), qui entraîne la chute de la
voyelle terminale non radicale si la voyelle radicale est
accentuée (baguirmien *bísi* « chien », plur. *bís-ge; sinda*
« cheval », plur. *sinda-ge*).

Les pronoms personnels, dans leur forme essentielle,
sont :

		Bongo	Baguirmien	Ndouka	Kaba	Lis	Sara
1ʳᵉ	pers. sing.	*ma*	*ma*	*ma*	*ma*	*ma*	*ma*
—	plur.	*ge*	*d'e*	*ḍe*	*je*	*d'e*	*ze*
2ᵉ	pers. sing.	*i*	*i*	*i*	*i*	*yi*	*yi*
—	plur.	*hẹ*	*se*	*se*	*se*	*ze*	*se*
3ᵉ	pers. sing.	*ba*	*ne*	*ne*	*ne*	*ne*	*ne*
—	plur.	*ye*	*d'e*	*ḍi*	*de*	*de*	*zi*

Le groupe chari-ouadaïen paraît renfermer 12 langues :

1º le **goula** *(gula)* ou *bolgo* ou *disa* (cette dernière appella-
tion commune au goula et au lis), parlé d'une part au
Nord-Ouest du kredj et d'autre part sur la rive droite du
Bahr-Salamat au Sud du saba (1906 Demombynes d'après
Decorse) ;

2º le **bongo** *(bŏngo)* ou *abŏngo* ou *obong* ou *akuma* ou
dōr, dans la région montagneuse d'où sort à l'Est le Bahr-
el-Arab (1857 Von Heuglin) ;

3º le **ndouka** *(nduka)* ou *ndukwa* ou *ndokwa* ou *ndokoa*,
sur la rive droite du haut Bamingui (1906 Demombynes
d'après Decorse) ;

4º sous réserves : le **saba** ou *sabang* ou *bangbay* ou
d'ongor, vallée du Bahr-Salamat (1857 Barth) ;

5º et 6º le **kaba** ou *kabba*, sur le Bahr-Salamat, près de
son confluent avec le Chari, et le **horo**, rive droite du
Chari en amont de Fort-Archambault (1906 Demombynes
d'après Decorse) ;

7º le **sara**, entre le haut Chari et le haut Logone par 9º
environ de lat. nord et dans une enclave située à l'Est
du moyen Chari entre les Kaba et les Goula du Bahr-
Salamat (1898 Delafosse) ;

8º le **ngama** *(ngama)* ou *dagba*, au Sud-Est des Sara,
entre le Bahr-Sara et le Gribingui (1906 Demombynes
d'après Decorse et Bruel) ;

9º le **lis** ou *lisa* ou *disa* ou *tār-lis* (langue des Lis), dialectes *medogo*, *kuka* et *bulala*, parlé sur la basse [Batha, le
lac Fitri et au Sud (1906 Demombynes d'après Decorse) ;

10° le **kenga** *(keṅga)*, entre la Batha et le Chari (1909 Gaden) ;

11° le **barma** *(bārma)* ou « baguirmien » ou *bagarmi* ou *begarmi* ou *bagirmi* ou *bagrimma* ou *bögre* ou *tomo*, dans le Baguirmi, à l'Est du bas Chari (1817 Vater d'après Seetzen) ;

12° le **babalia** ou *mbrak*, sur la rive droite du Chari, en aval du précédent, entre Fort-de-Cointet et Fort-Lamy (1906 Demombynes d'après Decorse).

BIBLIOGRAPHIE. — Aucun ouvrage d'ensemble sur le groupe, mais des vocabulaires de plusieurs langues, recueillis par le Dᵣ Decorse, figurent, accompagnés de notes grammaticales, dans GAUDEFROY-DEMOMBYNES, *Documents sur les langues de l'Oubangui-Chari* (II, Groupe barma), Paris, 1906. Il existe de plus de DELAFOSSE un *Essai sur le peuple et la langue sara*, Paris, 1898, et de GADEN un très bon *Essai de grammaire de la langue baguir-mienne suivi de textes et de vocabulaires*, Paris, 1909 ; également sur le sara : G. MURAZ, *Vocabulaire du patois arabe tchadien ou tourkou et des dialectes Sara-Madjingaye et Sara Mbaye*, Paris, 1926, et L. HABRELIE, *Notes sur la langue sara*, Journal de la Soc. des Africanistes, t. 5, Paris, 1935.

VIII. — *Groupe charien* (15 langues)[1].

Très restreint comme superficie, ce groupe forme le long du moyen et du haut Chari une enclave entre les langues nord-occidentales et sud-occidentales du groupe précédent, enclave se soudant sur le moyen Logone au groupe nigéro-tchadien. Il comprend de plus un îlot isolé à Afadé, au Sud et près du lac Tchad, dans le triangle Goulfeï-Kousseri-Dikoa. Les langues dont il se compose, fort mal connues encore, sont parlées par de petites tribus nègres en général très arriérées.

Il semble bien exister des classes de noms caractérisées par des préfixes et, dans plusieurs langues du groupe tout au moins, par des pronoms de classe spéciaux (saroua, toumok, somraï et ndam *n-am*, mana *r-im*, afadé *am* et *l-ęm*, gabéri *k-am*, tounia et niellim *n'-um* « eau » ; saroua

1. Les langues de ce groupe sont classées par Westermann dans la section du Soudan Intérieur.

a-dwa, toumok et ndam *a-ru*, somraï *be-da*, gabéri *ka-la*
« bois » ; boua *m-bel*, tounia *li-bili* « chemin », etc.).

Le nom se distingue du verbe en général à l'aide des
préfixes nominaux de classe et aussi par la place respective
de l'un et de l'autre.

Les documents existants ne permettent pas de discerner
le mode de conjugaison.

Ordre des mots : le nom ou pronom sujet précède le
verbe ; le nom ou pronom complément d'un verbe suit ce
verbe ; le nom ou pronom complément d'un nom se place
avant ce nom, comme dans le groupe nilo-congolais et,
en partie, dans le groupe nilo-tchadien, et contrairement à
ce qui a lieu dans les cinq autres groupes étudiés jusqu'ici
(saroua : *kwo-lę* « maison », *m-bu* « bouche », *kwo-lę m-bu*
« bouche de maison, porte » ; boua : *lu* « maison », *n-mu*
« bouche », *lu m-mu* « porte » ; mana *to m-mo*, niellim
li m-mu, somraï *ku-lu bu*, « porte ») ; le qualificatif suit le
nom qualifié, soit directement, soit précédé lui-même d'une
particule qui est peut-être un indice de classe ; le déterminatif et le nom de nombre suivent le nom déterminé ou
nombré.

Les désinences consonantiques sont assez rares ; la
plupart du temps — mais non toujours — elles semblent
ne se rencontrer que si la consonne finale est une sonante.

Le pluriel des noms paraît s'obtenir, tantôt par changement du préfixe de classe, tantôt, et notamment pour les
noms dépourvus de préfixe, par l'addition d'un suffixe de
pluralité ou par modification de la désinence vocalique.

Les documents existants ne permettent pas de reconnaître la forme exacte des pronoms.

Le groupe semble renfermer 15 langues, dont 5 parlées
sur la rive droite ou à l'Est du Chari, 5 sur la rive gauche,
4 plus à l'Ouest entre Chari et Logone et 1 à l'Ouest et
près de l'embouchure du Chari :

1º à 5º le **sokoro** ou *bedaṅga*, à l'Est du Baguirmi, entre
Melfi et Bédanga inclus (1912 Benton d'après Barth) ; —
le **saroua** *(sarwa)* ou *sęrwa* ou *kara*, en amont du babalia,

de Fort-de-Cointet en aval à Boulaye en amont (1906
Demombynes d'après Decorse) ; — le **fania** *(fan'a)* ou
fan'ā ou *koke*, à l'Est de Melfi (néant) ; — le **boua** *(bwa)* ou
boa, région de Korbol, de Boulaye en aval jusqu'au
confluent du Bahr-Salamat en amont (1905 Bruel) ; —
le **mana**, près de Fort-Archambault (1906 Demombynes
d'après Decorse) ;

6º à 10º le **miltou** *(miltu)* ou *kuṅ*, de Fort-de-Cointet en
aval jusqu'au 10º lat. nord environ, et le **niellim** *(n'ellim)*
ou *n'illem*, en amont du précédent jusqu'à Fort-Archambault (1905 Bruel) ; — le **tounia** *(tun'a)*, en amont du
précédent, et, sous réserves, le **gori**, de situation géographique mal déterminée (1906 Demombynes d'après
Decorse) ; — sous réserves : l'**arétou** *(aretu)* ou *rotu* ou
leto, en amont du tounia (néant) ;

11º à 14º le **ndam** ou *dam*, au Sud du miltou et à l'Ouest
du niellim ; le **somraï** *(somray)* ou *somrę*, à l'Ouest du
précédent ; le **gabéri** *(gaberi)* ou *čīre* ou *t'ēre* ou *masa*
(cette dernière appellation partagée avec le mousgou,
du groupe nigéro-tchadien), au Sud du somraï ; le **toumok**
(tumok) ou *tummok* ou *tumak* ou *maga*, entre le pays des
Gabéri et le Bahr-Sara (pour ces quatre langues, 1905
Bruel) ;

15º l'**afadé** *(afade)* ou *affade*, dans le canton de même
nom, entre le bras du bas Chari dit Serbevel à l'Est et la
Yadséram ou rivière de Dikoa à l'Ouest, près de la rive
méridionale du Tchad (1808 Seetzen).

BIBLIOGRAPHIE. — Rien n'a été publié sur les langues de ce groupe,
en dehors des vocabulaires, en général très fragmentaires, contenus dans :
U. J. SEETZEN, *Monatliche Korrespondenz*, Band XXII, 1808 (pp. 269-275) ;
J. S. VATER (d'après le précédent), *Mithridates*, Leipzig, 1817 ; G. BRUEL
(numérations), *Le Cercle du Moyen-Logone*, Paris, 1905 ; GAUDEFROY-
DEMOMBYNES (d'après Bruel et Decorse), *Documents sur les langues de
l'Oubangui-Chari*, Paris, 1906 (III et surtout VII et VIII) ; BENTON (d'après
des vocabulaires inédits recueillis par Barth en 1852), *Notes on some languages
of the Western Sudan*, Oxford, 1912 (Part III).

IX. — *Groupe nigéro-tchadien* (34 langues)[1].

Ce groupe fait suite à l'Ouest aux groupes nilo-tchadien, chari-ouadaïen et charien ; il pousse, au Sud, une pointe jusque dans le Sud de l'Adamaoua avec le batta et contourne à l'Est et au Nord le groupe nigéro-camerounien, auquel il semble abandonner les pays bas et les vallées pour se réserver les montagnes et les plateaux, — observation qui ne s'applique pas aux langues nord-orientales du groupe nigéro-tchadien (mousgou, klessem et kotoko du bas Logone, yédina et koûri du Tchad). Dans la direction de l'Ouest, avec le haoussa, il atteint le Niger sur une petite partie de son cours, des deux côtés de l'embouchure de la rivière de Sokoto, pour s'en éloigner aussitôt et côtoyer, dans la direction du Sahara, le groupe nigéro-sénégalais, représenté là par le zerma et le songoï. Au Nord, la limite avec le berbère est assez indécise, plusieurs fractions de Touareg parlant également le haoussa et le tamacheq ou même, comme beaucoup de Kel-Oui, ne faisant guère usage que de la première de ces langues.

Bien que l'étendue territoriale de ce groupe soit moins vaste que celle de certains autres, il présente une très grande importance, en ce sens que la densité de la population est relativement fort élevée dans la majeure partie de son domaine propre, également par suite du grand nombre de ses parlers, enfin du fait que l'un de ceux-ci, le haoussa, idiome maternel d'une société en partie très évoluée, est devenu la principale langue d'extension et de civilisation du Soudan central. Par contre, les autres langues du groupe, dont plusieurs paraissent être en voie de disparition, sont parlées en général par des populations très frustes et souvent barbares.

---

1. A l'exception de certains parlers du Baoutchi, les langues de ce groupe appartiennent selon Westermann à la section du Soudan Intérieur. La présence dans plusieurs langues de ce groupe d'une distinction grammaticale des genres et l'analogie morphologique des pronoms avec ceux des langues chamito-sémitiques a conduit J. Lukas à donner à ce groupe le nom de « tchado-chamitique ».

Tous les peuples qui ont comme parler national l'une des langues du groupe, y compris celui des Haoussa, appartiennent incontestablement à la race nègre. Les idiomes en usage dans les montagnes du Baoutchi et de l'Adamaoua semblent être les représentants les plus purs de l'ancien fonds commun. Au contraire, la langue haoussa a bénéficié de l'évolution du peuple haoussa, évolution à laquelle le contact des races de l'Afrique du Nord n'a probablement pas été étranger. On a pensé souvent que ce même contact avait pu introduire dans la langue des modifications dues à une influence sémitique ou libyco-berbère, comme l'emploi d'un genre féminin à désinence *a* et d'un pronom *ta* spécial à ce genre, quelques autres pronoms, l'usage d'une particule d'annexion *n*, etc. Toutefois, une étude attentive des autres langues du groupe, et en particulier de celles qui sont demeurées le plus à l'écart des contacts chamito-sémitiques, montre que ces phénomènes ne sont point spéciaux au haoussa. Lorsque nous connaîtrons mieux l'angas, le bouta, le bola, le batta et d'autres langues nigéro-tchadiennes dont nous ne savons guère aujourd'hui que le nom, il deviendra loisible de trancher la question, souvent agitée mais impossible à résoudre actuellement de façon sûre, de l'influence des parlers chamito-sémitiques sur le haoussa. En tout cas, même si cette influence vient à être démontrée quelque jour, il paraît certain dès maintenant qu'elle n'a pas été suffisante pour que l'on puisse distraire le haoussa de l'ensemble des langues négro-africaines et, en particulier, du groupe nigéro-tchadien.

Il convient de noter que le domaine de ce groupe renferme des îlots importants de langue peule (groupe sénégalo-guinéen), notamment dans l'Adamaoua et, à un degré moindre, dans les provinces de Gober et de Sokoto.

L'existence de classes nominales à préfixes se reconnaît facilement dans toutes les langues du groupe, mais elle s'y présente, selon les langues, à des stades très divers d'évolution. Souvent, les pronoms de classe ont persisté, même là où les préfixes de classe ont disparu ou tendent à dispa-

raître, et ils sont employés comme sujets et régimes aussi
bien que comme déterminatifs et comme préfixes d'accord
de l'adjectif ; le cas est attesté particulièrement en yédina,
en mousgou, et, à un degré moindre, en kotoko, en mandara,
en margui, en batta, etc. ; il l'est également en haoussa,
mais, dans cette langue, comme en d'autres d'ailleurs et
notamment en mousgou et en bola, le nombre des classes
est réduit à deux pour le singulier, avec une classe commune
au pluriel, au moins du point de vue grammatical, et l'on
n'a plus au singulier que deux pronoms de classe, dont l'un
(*ta* en haoussa, *t* en mousgou et bola) représente les noms
des êtres féminins et d'un certain nombre d'objets sans
sexe (généralement à désinence *a* en haoussa, *i* en mousgou), ainsi que les noms propres de localités, l'autre pronom
(en haoussa *ši*, *sa ya* ou *na* selon les cas, en mousgou *ni*,
na ou *a*, en bola *se* ou *ni*) représentant tous les autres noms
(y compris, en haoussa, un nombre appréciable de noms
terminés par *a* et, en particulier, de noms abstraits dérivés
en *ta*). Même dans les langues comme le haoussa et le bola,
par exemple, qui n'ont plus que deux classes grammaticales, pouvant à la rigueur recevoir l'étiquette, consacrée
chez nous, de genres masculin et féminin, il y a lieu de
noter la présence de préfixes, se rapportant à d'autres
catégories plus anciennes, qui, ayant perdu aujourd'hui
leur signification première, semblent à première vue faire
partie du radical. On dit en haoussa *mu-tum na-gari* « une
personne bonne », *me-ži na-gari* « un homme bon », *ma-če
ta-gari* « une femme bonne », mais, dans la première
syllabe de *mu-tum*, *me-ži*, *mače*, il est aisé de reconnaître
le préfixe de la classe humaine si fréquent dans l'ensemble
des langues négro-africaines (comparez haoussa *mu-tum*
« être humain », bola *mu-ndu* « femme », margui *ma-ndu*
et zani *mi-nde* « être humain », et diverses langues bantoues
mu-ntu « être humain » ; haoussa et batta *ma-če*, mandara
mu-ksa et kongo *ṅ-ke* « femme »). Ce même préfixe d'une
ancienne classe humaine a continué à trouver son emploi
comme préfixe des noms d'agent ou de détenteur, sous la
forme *ma* ou *may* en haoussa, *ma* en mandara, *mo* ou *mu*

en mousgou, *me* ou *mi* en kotoko, *moy* ou *am* en bola, etc.

Le nom, lorsque le préfixe de classe a disparu ou a été, en quelque sorte, incorporé au radical, ne se distingue essentiellement du verbe que par la place respective de l'un et de l'autre. Parfois il est fait usage de désinences proprement nominales et, moins rarement, d'affixes verbaux de conjugaison.

La conjugaison présente peu d'unité. Toutefois il est un caractère commun à tout le groupe : c'est que l'aspect verbal le plus employé, l'aoriste, se compose du simple énoncé du radical verbal, sans affixe, et sert aussi d'injonctif. Les autres aspects sont marqués, tantôt par des préfixes, tantôt par des suffixes, tantôt par l'emploi de telle forme de pronom sujet de préférence à telle autre, tantôt par le premier et le troisième procédés réunis. La négation s'obtient en général soit en suffixant *à la proposition* une particule négative, soit en préfixant *au sujet* une particule qu'on répète parfois à la fin de la phrase ; quelquefois on substitue, devant le radical verbal, un préfixe négatif à un préfixe affirmatif (batta). Parfois le pluriel se distingue du singulier dans les verbes, soit par l'addition d'un suffixe nasal spécial (bola à toutes les personnes, yédina à la 2e), soit par le changement des voyelles radicale et terminale (mousgou). Parfois aussi on ajoute un suffixe au radical lorsque le verbe est employé sans complément direct (bola). Parfois on a des formes verbales caractérisées par le redoublement du radical (mousgou, mandara, haoussa). Parfois enfin le parfait se distingue de l'aoriste par le fait qu'au premier de ces aspects on substitue à la voyelle radicale, selon la personne, la voyelle essentielle du pronom (kotoko).

Ordre des mots : 1º le nom ou pronom sujet précède le verbe[1] ; lorsque le sujet est un nom, on exprime générale-

---

1. Sauf, disent la plupart des auteurs, au passif. Mais, en réalité, le soi-disant passif du haoussa, du mandara, du bola, etc., est un verbe actif à sujet indéterminé *a*, qui se retrouve en yédina, en mousgou et en batta comme pronom commun à toutes les classes, en kotoko et en mandara comme pronom unifié, et qui correspond à notre « on » ; et le verbe a pour

ment après lui le pronom sujet, ce qui souvent est nécessaire pour préciser l'aspect du verbe, la forme du pronom
sujet étant parfois la seule chose qui le précise : haoussa
kare ya nema (chien il chercher) « le chien cherche », *kare
ši nema* (chien lui chercher) « que le chien cherche » ;[1] —
2º le nom ou pronom complément d'un nom suit ce nom,
soit directement, soit le plus souvent en intercalant entre
eux une particule d'annexion qui est généralement *n*, mais
qui peut aussi varier selon la classe du nom complété,
surtout lorsqu'on veut insister sur l'idée de propriété ou
de dépendance (yédina *ṅgö* et *ru ;* kotoko *na* ou *en, e, a*
et *ya ;* mousgou *ṅga, na, ne, ta, la ;* mandara, *na, a da ;*
haoussa *na* ou *n* et *ta* ou *l* ou *r*) ; cette particule n'est donc
pas autre chose que l'une des formes du pronom ou indice
de classe : haoussa *birni n sarki* « la ville du roi », *mače n
sarki* « la femme du roi », où *n* n'est pas l'équivalent de *n*
berbère marquant le génitif, mais de l'ancien pronom *na*
de la 1ʳᵉ classe qu'on retrouve dans *sarki na-gari* « le roi
bon » ; de même, on a *birni na sarki* « la propre ville du
roi, la ville celle du roi », mais *mače ta sarki* ou *mače l sarki*
« la propre femme du roi » ; — 4º le qualificatif suit le nom
qualifié si l'on veut faire entendre que celui-ci est déterminé et le précède dans l'hypothèse contraire ; dans le
premier cas, on fait accorder l'adjectif en classe avec le
nom, soit en lui préfixant un indice de classe approprié,
soit en lui donnant une désinence spéciale, soit par les
deux procédés ensemble ; dans le second cas, l'adjectif
reste en général invariable et c'est le nom que l'on fait
précéder de l'indice de classe : haoussa *meži na-gari*
« l'homme bon », *mače ta-gari* « la femme bonne » ; *gida
sabo* « la maison neuve », *riga sabua* « la blouse neuve » ;

---

régime — et non pour sujet — ce qui serait le sujet de notre passif. Cela est
si vrai que, si c'est un pronom qui subit l'action, il prend la forme du pronom
complément : en haoussa *a nema kare* et *a nema ši* signifient exactement
« on cherche le chien » et « on cherche lui » et non pas « le chien est cherché »,
« il est cherché ».

1. A la 2ᵉ classe, toutefois, on aura la même forme *(karia ta nema)* pour
« la chienne cherche » et « que la chienne cherche ».

gari n-meži « un homme bon », *gari l-mače* « une femme bonne » ; *sabo n-gida* « une maison neuve », *sabo l-riga* « une blouse neuve » ; — 5° le déterminatif suit le nom déterminé (yédina *köli* « chien », *köli ngö* « le chien » ; haoussa *kare* « chien », *kare n* « le chien ») ; — 6° le nom de nombre se construit de même et prend souvent un préfixe de classe, le nom de la chose nombrée pouvant rester au singulier : « trois femmes », yédina *ṅgö-röm ka-könnö*, kotoko *ge-nem ga-xir*, mousgou *mu-ni mu-hu*, mandara *mu-ksa kaǰe*, bola *mu-ndu kunu*, batta *ma-če ma-kin*, haoussa *ma-če uku*.

On rencontre assez souvent des désinences consonantiques, mais le plus souvent, dans ce cas, la consonne finale est une sonante (liquide, nasale ou semi-voyelle) ou un *s ;* cependant en mousgou, en kotoko, en batta et en zani, on a des terminaisons, *f, d, t, g, k,* etc. Le changement de nombre ou de classe dans les noms et les adjectifs ou d'acception dans les verbes peut amener une modification de la voyelle radicale ou d'une consonne radicale ou des deux à la fois, ou encore l'addition d'une voyelle entre deux consonnes radicales : yédina *fo* « village », plur. *fu-yu ;* *wule* « enfant », plur. *wayl-u ;* kotoko *ge-nem* « femme », plur. *ge-nam* ou *ga-nam ; böskwan* « cheval », plur. *basakwa ;* mousgou *sa* « boire », *ši* « être bu » ; *węl* « vieillard », *uli* « vieille femme » ; bola *došo* « cheval », plur. *dowi ;* haoussa *doki* « cheval », plur. *dawaki.*

Le pluriel se marque dans les noms soit par l'addition d'un suffixe de pluralité au singulier, soit par le changement de la désinence, soit par une modification de la racine (voir plus haut), soit par substitution d'un préfixe à un autre ou par chute du préfixe, soit par redoublement de la seconde consonne radicale (haoussa *tufa* « tissu », plur. *tufafi ; iri* « espèce », plur. *irari*), soit par plusieurs de ces procédés à la fois.

Voici la forme essentielle des pronoms dans quelques-unes des langues du groupe :

	Yédina	Koûri	Kotoko	Mousgou	Mandara	Gamergou	Bola	Haoussa
sg.	wu	u	wu, in	mu, ā	ye, wa	i, wa	i, ni, wo	i, ni, wa
pl.	ye, nay	ne	mi	mi	ma	?	mu	mu
g. 1e cl.	gu	ku	ken, ku	ku	ka	ka	ka	ka
— 2e cl.	...	...	ki	...	ki	ke	...	ki
pl.	gu, woy	kay	kan, kun	ki	ku	ku	ku	ku
g. 1e cl.	ni	ni	ni	ni	na	?	ni, se	ši, sa, ya, na
— 2e cl.	di	di	di	ta	da	?	ta	ta
comm.	a	a	a	a	a	?	?	a
pl.	yi, dan	tan	ye, ti	e, di	te	tā	su	su

On notera la présence fréquente — et non point seulement en haoussa — d'un pronom spécial pour la 2e pers.
du sing. 2e classe, ou féminin.

L'état actuel de nos connaissances nous conduit à
attribuer 34 langues au groupe nigéro-tchadien (voir en
outre n. 1, p. 796) :

1º le **yédina** *(yedina)* ou *yeddina* ou *buduma* au *budduma*
ou *bidduma*, parlé dans les îles du centre, du Nord et de
l'Est du lac Tchad, ainsi que sur ses rives nord et nord-
est (1854 Koelle) ;

2º le **koûri** *(kūri)* ou *kūra* ou *kāle* ou *kādi* ou *ṅgāne* ou
karka, parlé dans les îles et sur les rives de la partie sud-est
du lac Tchad (1906 Demombynes d'après Decorse) ;

3º le **kotoko** ou *logone* ou *logon* ou *malagom* ou *buso* ou
bedde ou *bal* ou *makari* (dialectes *ṅgala* ou *sao* ou *sō*,
semsig ou *kusri*, *gulfey*, etc.), sur les deux rives du bas
Logone en aval de Mousgoum et sur les deux rives du bas
Chari depuis le lac Tchad jusqu'à Fort-Lamy (1862 Barth) ;

4º sous réserves : le **klessem** *(klēsem)*, entre Chari et
Logone au Sud de Fort-Lamy (1912 Benton d'après
Barth) ;

5º le **mousgou** *(musgu)* ou *muzuk*, avec dialecte *luggoy*,
sur les deux rives du Logone de Mousgoum en aval jusqu'à
Laï en amont (1886 F. Müller d'après Krause) ;

6e le **massa** ou *banana*, ou *walia*, sur les deux rives du
Logone, de Vele (rive gauche) en aval, jusqu'à Ham en
amont ; parlé aussi par les Boudougoum sur le Logone et
les Gisey de l'Est du lac Fianga ;

7º le **mandara** ou *wandara* ou *wandala* ou *ndara* ou *alna*, dans la région montagneuse au Sud du Tchad et notamment dans la province de Mora (1826 Klaproth)[1] ;

8º le **fali** ou *falli*, dans la zone montagneuse au Nord de Garoua ;

9º le **toupouri** *(tupuri)* ou *dore*, parlé entre le Logone et le Haut Mayo-Kebbi, à l'Est du Moundang, à l'Ouest du lac Fianga (1912 Benton d'après Barth) ;

10º sous réserves : le **moundang** *(mundaṅ)* ou *mundâ* ou *mbana* ou *yasiṅ*, à l'Est de Garoua sur le Haut Mayo-Kebbi (région de Léré et Lamé) et dans quelques enclaves en pays mousgou et en pays sara (1910 Strümpell).

11º le **margui** *(margi)*, avec dialecte *mulgu* ou *molgoy*, à l'Ouest du mandara dans les régions de Koptchi et Madagali (1912 Benton d'après Barth) ;

12º le **gamergou** *(gamergu)*, au Sud de Dikoa dans les provinces de Douré ou Doré et Dogoumba (1912 Benton d'après Barth) ;

13º le **karékaré** *(karekare)* ou *kerrikerri*, au Sud-Ouest du Bornou (1905 Merrick) ;

14º le **bola** ou *bole* (dialectes *fika* ou *pika* et *bara*), parlé par les *Bolawa* (sing. *Bolanči*) à l'Ouest des monts Mandara et au Nord du Baoutchi, dans les régions de Goudjba et Nafada (1854 Koelle) ;

15º le **guéra** *(gera)*, au Sud du précédent (1905 Merrick) ;

16º le **zani** (dialectes *bullo*, *galla* et *mbutudi*), au Nord de la haute Bénoué, à l'Ouest des Margui (1912 Benton d'après Barth) ;

17º le **batta**, parlé par les autochtones de l'Adamaoua, notamment à l'Est de Yola dans les régions de Garoua et Mbéré (1910 Strümpell) ;

18º le **bodé** *(bode)*, dialectes *ṅgoǰin* et *dwey* ou *doey* ou *deba*, à l'Ouest du Bornou, au Sud du Manga et du Mounio (1849 Clarke et 1854 Koelle) ;

---

1. Langues reconnues par Jean Mouchet dans les massifs du Mandara : le padoko ou padogo ou masakal, le hourza, le oudham, le mada, le zelgwa ou zoulgo, le mbokou, le mofou, le matakam, le jeng, le gidar, le mousgoy, le mono, le dourou, le kali.

19° à 32° quatorze langues parlées dans le Baoutchi, région montagneuse comprise entre les vallées du Komadougou au Nord et de la Bénoué au Sud : le **tangalé**[1] *(taṅgale)* ; le **gourka** *(gurka)* ; le **douguéra** *(duggera)* ; le **ouadja**[1] *(waǰa)*, dialectes *tula* et *awok ;* le **bouta** *(buta) ;* le **rone** *(ron)* (pour ces six langues, 1913 Migeod d'après Hastings, Fitzpatrick, S. Smith et Francis) ; — l'**ankoué** *(aṅkwe)*, dialectes *montol* et *sura* ou *mažavul*, dans le Baoutchi oriental (1913 Migeod d'après Fitzpatrick, S. Smith et Francis) ; le **djaraoua**[1] *(ǰarawa)*, dans la province de Yakoba, Baoutchi central (1854 Koelle) ; — l'**angas** ou *karaṅ*, même région (1913 Ormsby) ; — le **hâm**[1] *(hām)* ou *ǰaham* ou *ǰuham* ou *ǰaba* ou *doma* ou *agato*, même région (1854 Koelle) ; — le **payem** (1913 Migeod d'après S. Smith) ; — le **bouroum** *(burum)*, Baoutchi occidental (1913 Migeod d'après Francis) ; — le **koro**[1], même région, et le **yasgoua**[1] *(yasgūa)*, à l'Ouest du Baoutchi et à l'Est du pays gbari (1854 Koelle) ;

33° le **moubi** *(mubi)* parlé au cœur du Ouadaï (1937 Lukas) ;

34° le **haoussa** *(hausa)* ou *afno* ou *afnu* ou *kendyi* ou *abakpa* ou *šeše* ou *zãgwe* ou *marhaba* ou *gamberi*, parlé par environ quatre millions de Haoussa habitant les provinces de Tahoua, Zinder, Sokoto, Gober, Zanfara, Kano, Katséna, Gando, Zaria, etc., ou répandus, au milieu d'autochtones de langues diverses, dans le Kebbi, le Yaouri, le Gbari, le Baoutchi, le Kororofa, l'Adamaoua, etc., ou dans des colonies plus lointaines (oasis du Sud-Algérien, du Sud-Tripolitain et de l'Aïr, centres de Sansanné-Mango, Salaga, Kintampo, Oua et autres dans le Sud-Est de la Boucle du Niger, etc.), ainsi que, comme langue auxiliaire et commerciale, par quantité de Touareg au Sud et au Sud-Est d'Agadès (Kel-Oui notamment) et de nègres habitant les bassins de la Komadougou

---

1. Ces parlers sont rangés par Westermann parmi les langues « semi-bantoues » du Baoutchi.

Yoobé, de la Bénoué, du bas Niger, etc., soit au total par plus de six millions d'individus (1809 Grey Jackson).

Noms de nombre haoussas : 1 *'daya,* 2 *biyu,* 3 *uku,* 4 *hu'du,* 5 *biyar,* 6 *šidda,* 7 *bakwai,* 8 *takwas,* 9 *tara,* 10 *goma.*

TEXTE HAOUSSA

akwai taḷuniya 'daya, amma ban sani ba duka, na sani šaši. kurege ya tafi čikin ruwa, ya gani kifi da yawa, ya fitas waǰe, ya či.

akwai : particule d'existence ;

taḷuniya : substantif fém. sing. « fable » ;

'daya : adjectif numéral cardinal, « un » ;

amma : conjonction empruntée à l'arabe « mais » ;

ban sani ba : 1re pers. sing. du parfait négatif de *sani* « savoir » ; *ba* est la négation redoublée, *-n* représente le pronom sujet de la 1re personne ;

duka : substantif « tout » ou adverbe « totalement » ;

na sani : 1re pers. du parfait de *sani* « savoir » ;

šaši : substantif « partie » ou adverbe « partiellement » ;

kurege : substantif masc. sing. « écureuil » ;

ya tafi : 3e pers. sing. masc. du parfait de *tafi* « aller » ;

čikin : préposition indiquant le lieu où l'on est ou celui où l'on va ;

ruwa : « eau » ;

ya gani : 3e pers. sing. masc. du parfait de *gani* « voir » ;

kifi : « poisson » ;

da yawa : locution adverbiale « beaucoup » ;

ya fitas : 3e pers. sing. masc. de *fitas,* forme causative de *fita* (« sortir ») « tirer » ;

waǰe : adverbe « dehors » ;

ya či : 3° pers. sing. masc. du parfait de *či* « manger ».

Traduction :

Il existe une fable, mais je ne la sais pas en entier, je ne la sais qu'en partie. L'écureuil alla au bord de l'eau, vit du poisson en quantité, le tira hors de l'eau et le mangea.

BIBLIOGRAPHIE. — Comme ouvrage d'ensemble sur la région, J. LUKAS, *Zentralsudanische Studien,* Hambourg, 1937. Pour beaucoup de langues nigéro-tchadiennes nous ne possédons que de courts vocabulaires, tels que ceux de la *Polyglotta africana* de KOELLE (London, 1854), ceux que recueillit Barth en 1852 et qui ne furent publiés qu'en 1912 par BENTON (*Notes on some languages of the Western Sudan*, Oxford), quelques-uns donnés en 1905 par MERRICK dans *Hausa proverbs* (London), en 1906 par GAUDEFROY-DEMOMBYNES dans *Documents sur les langues de l'Oubangui-Chari* (Paris), en 1910 par STRUMPELL dans la *Zeitschrift für Ethnologie* et en 1921 par Sir H. JOHNSTON dans le *Journal of the African Society*, ou de simples numérations rassemblées en 1913 par MIGEOD dans le 2e vol. de *The languages of West-Africa* (London).

Pour certaines, nous avons des vocabulaires plus étendus et une étude grammaticale dans *Sammlung und Bearbeitung Central-Afrikanischer Vokabularien* (Gotha, 1862-1866, 2 vol.) de BARTH (kotoko, mandara), dans *Die Musuk-Sprache* (Wien, 1886) de Fr. MÜLLER d'après Krause (mousgou), dans les *Notes on Bolanchi* qui forment la première partie des *Notes on some languages of the Western Sudan* (1912) de BENTON (bola) dans *A manual of the Angas* (London, 1915) de FFOULKES (angas). Sur le yédina, J. GADICHE, *La langue boudouma*, dans *Journal de la Société des Africanistes*, t. 8, Paris, 1938 ; sur le kotoko, J. LUKAS, *Die Logone Sprache in zentralen Sudan*, Leipzig, 1936 ; sur le fali, J.-P. LEBŒUF, *Vocabulaires comparés des parlers de seize villages fali*, dans *Journal de la Société des Africanistes*, t. 11, Paris, 1941 ; le haoussa a fait l'objet de travaux importants et nombreux, dont les meilleurs ont été, pour leur temps : *Haussa Grammatik* de J. LIPPERT, Berlin, 1906 ; *Grammaire et contes haoussas* de LANDEROIN et TILHO, Paris, 1909 et *Dictionnaire haoussa* des mêmes, Paris, 1910 ; plus récents : G. BARGERY, *A Hausa-English dictionary*, Oxford, 1934, N. V. YOUCHMANOV, *Stroï yaz̦ika hausa*, Léningrad, 1937 ; R. ABRAHAM, *Modern Grammar of spoken hausa*, 1941 ; C. T. HODGE, *An Outline of hausa Grammar*, Baltimore, 1947 (*Language Dissertation*, n° 41) ; du même : *Morpheme alternants and the noun phrase in Hausa*, dans *Language*, t. 21, Baltimore, 1945, p. 87-91 ; J. H. GREENBERG, *Some problems in Hausa phonology*, dans *Language*, t. 17, Baltimore, 1941, p. 316-323.

X. — *Groupe nigéro-camerounien* (66 langues)[1].

De tous les groupes soudanais et guinéens, le groupe nigéro-camerounien est celui qui renferme le plus grand nombre de langues distinctes. Il est possible d'ailleurs qu'une connaissance plus approfondie des idiomes de la Cross-River et du Cameroun occidental, sur lesquels nous n'avons que des données très insuffisantes, amène à rattacher à une même langue divers parlers qu'il a paru

1. Les langues de ce groupe ont été rangées par Westermann, les unes parmi les langues « semi-bantoues », les autres parmi les langues « nigritiennes », selon le degré de conservation du système des classes nominales. Les noms des dernières ont été ci-dessous pourvus d'un astérisque.

convenable ici de dissocier, mais le total des langues du groupe n'en demeurera pas moins singulièrement élevé, surtout dans la partie orientale de son domaine.

Celui-ci comprend, d'une façon générale, les basses vallées de la Bénoué et du Niger, la haute vallée de la Sanaga-Djerem, la vallée de la Cross-River ou rivière de Calabar et les vallées des cours d'eau côtiers situés entre le delta du Niger et Porto-Novo. Il est limité au Nord par les groupes nigéro-tchadien et voltaïque, à l'Est par les groupes chari-ouadien et oubanguien, au Sud par le groupe bantou — avec lequel la démarcation est très difficile à établir nettement — et par la mer (à part la petite enclave constituée sur le delta du Niger par le groupe bas-nigérien), à l'Ouest par le groupe éburnéo-dahoméen.

Les populations qui parlent des langues nigéro-camerouniennes appartiennent exclusivement à la race nègre. Elles sont pour la plupart très frustes, mais quelques-unes d'entre elles ont atteint un assez haut degré de civilisation et se sont fait remarquer soit par l'invention d'une écriture (Bamom), soit par une industrie artistique remarquable (Edo), soit par des institutions politiques développées et des aptitudes commerciales dignes d'attention (Yorouba).

Des classes nominales à préfixes existent dans toutes les langues du groupe, à des stades divers. Le système semble se présenter à un état plus complet dans les langues du Cameroun, de la Cross-River et du bas Niger que dans celles de la Bénoué, où cependant les préfixes de classe sont facilement reconnaissables. Dans certaines langues (dioukoun, gayi, dama, mounchi, yakoro, aboua, gbogolo, fi, kana, biobolo, gbira, gara, yala, kpoto, bo, gori, cha, do, sobo, yorouba), les pronoms de classe paraissent avoir disparu, ainsi que la préfixation de l'indice de classe au qualificatif. Dans d'autres (ki, koï, kèlé, sopon, kouri, etc.), chaque classe a conservé son pronom spécial, tant comme pronom proprement dit que comme déterminatif, bien qu'il existe à chaque nombre un pronom commun pouvant être employé pour des noms de n'importe quelle classe. Dans d'autres langues (ndé, kparabon, gbaragba, kouni, diba, kpé, kounakouna, kayon, sosso, etc.), l'accord en classe du qualificatif avec le nom qualifié, par le moyen d'un préfixe de classe, semble bien attesté.

Le préfixe de classe accolé au nom sert à distinguer celui-ci du verbe. Toutefois il existe dans quelques langues des noms sans préfixe, qui ne se différencient des verbes que par la place respective donnée aux uns et aux autres dans la phrase.

Conjugaison : à l'affirmatif, l'aoriste et l'injonctif sont constitués par le simple radical verbal, les autres aspects verbaux étant généralement marqués chacun tantôt par un préfixe, tantôt par un suffixe spécial ; au négatif, chaque aspect verbal a son préfixe ou son suffixe. Parfois on use du redoublement du radical (futur affirmatif en diba et en kouri). Il arrive souvent que les suffixes se placent, non pas immédiatement après le radical verbal, mais à la fin de la proposition. Enfin, dans un certain nombre de langues (kouri, sopon, mom, gori, ndé, ki, etc.), la négation peut s'exprimer par un simple changement de ton, accompagné ou non d'une modification de la voyelle radicale. Le nombre est quelquefois marqué dans les verbes par une modification de la consonne initiale de la racine, qui passe de l'occlusive nasalisée au singulier à la constrictive correspondante au pluriel, ou s'il n'y a pas de constrictive correspondante, à l'occlusive simple (gbaragba, kparabon).

Ordre des mots : le nom ou pronom sujet précède le verbe, sauf qu'en bo le pronom sujet de la 1re pers. du sing. suit généralement le verbe ; — le nom ou pronom complément d'un verbe suit ce verbe ; — le nom ou pronom complément d'un nom suit ce nom, avec ou sans préfixation au complément tantôt d'une véritable particule d'annexion (comme *ti* en yorouba), tantôt d'un pronom représentant le nom complété (ki : *ba-ne-t ba d'i* « les gens ceux [de] moi, mes gens ») ; le plus souvent, dans les noms composés, le préfixe de classe du nom complément disparaît (ki : *ę-če* « œuf », *ę-kwa* « poule », *ę-če-kwa* « œuf de poule ») ;

27

— le qualificatif précède le nom qualifié que l'on ne veut pas déterminer, mais suit le nom qualifié que l'on tient à déterminer[1] ; c'est dans ce dernier cas surtout que, dans beaucoup de langues du groupe, le qualificatif prend le préfixe de classe du nom qualifié ou un indice d'autre forme mais de même classe (ki : *a-kǫp ba-ne* « de grandes personnes », *ba-ne ba-kǫp* ou *ba-ne-t ba-kǫp* « les gens grands ») ; — le déterminatif (souvent constitué par le pronom de classe quand il y a détermination simple) suit le nom déterminé ; — enfin le nom de nombre suit le nom de la chose nombrée, tantôt en demeurant invariable et alors le nom de la chose nombrée peut rester au singulier, tantôt en s'accordant en classe avec ce dernier nom qui, alors, se met au pluriel (ki : *bo-tõ bo-bǫñe* « une oreille », *a-tô a-fè* « deux oreilles », *a-tô a-tañe* « cinq oreilles ») ; quelquefois cependant, le nom de nombre, considéré comme un véritable substantif ayant pour complément le nom de la chose nombrée, précède ce dernier (aboua : *o-tu* « maison », *i-yala l-o-tu* « paire de maisons, deux maisons).

Toutes les langues du groupe semblent posséder des tons musicaux à valeur tantôt étymologique et tantôt grammaticale.

Les désinences des mots sont le plus souvent vocaliques ; cependant, surtout dans les langues de la Cross-River et du Cameroun, on entend fréquemment des désinences consonantiques qui proviennent pour la plupart de l'addition au nom du déterminatif *k*, *t* ou *p*.

Le pluriel des noms se marque exceptionnellement par l'addition d'un suffixe de pluralité (*-ka* ou *-ge* en dioukoun). La règle le plus généralement suivie — et, la plupart du temps, uniquement suivie — consiste à changer le préfixe de classe selon le nombre : « être humain » *u-ndi* plur. *be-ndi* (dama), *u-ne* plur. *be-ne* (gayi), *o-ne* plur.

---

1. Parfois cependant l'adjectif précède un nom déterminé, mais il faut alors que celui-ci soit accompagné d'un déterminatif (aboua : *a-nono* « oiseau », *e-bi a-nono* « un bel oiseau », *e-bi a-nono-k* « le bel oiseau »).

a-ne (yakoro), *o-ne* plur. *ba-ne* (ki), *n-ne* plur. *a-ne* (koï
et ndé), *nu-ne* plur. *ba-ne* (kparabon), *n-ni* plur. *a-ni*
(gbaragba), *o-ni* plur. *a-ni* (kouni), *o-nõ* plur. *a-nõ* (sopon),
o-no plur. *a-no* (kounakouna), *o-nen* plur. *be-nen* (kayon),
a-nǫ plur. *ba-nǫ* (kpoto), *o-n'e* plur. *i-n'e* (bo), *ǫ-ni* plur.
e-ni (yorouba), etc.

Suivent les formes essentielles des pronoms en quelques
langues du groupe :

	Dioukoun	Ki	Koï	Ndé	Kparabon
1ʳᵉ pers. sing.	*mi*	*me, d'i*	*me*	*me*	*me*
— plur.	*ba*	*bę, te*	*wot, ra*	*wu*	*sǫ, de*
2ᵉ pers. sing.	*u*	*wǫ, yen*	*wa, ya*	*wǫ, yę*	*wa,ya*
— plur.	*ne*	*bęn*	*wun*	*na*	*wo, wuna*
3ᵉ pers. sing. commun	*a*	*ę*	*we*	*a*	*a*
— plur. —	*nene*	*bę*	*a*	*a*	*ę*

	Gbaragba	Yala	Bo	Sosso	Do	Yorouba
1ʳᵉ pers. sing.	*me*	*mi*	*mu*	*me*	*me*	*mi*
— plur.	*wur*	*ma*	*in'i*	*ma*	*ma*	*wa*
2ᵉ — sing.	*wǫ, ya*	*wǫ*	*i, gi*	*u, ę*	*u, we*	*wo*
— plur.	*wun*	*wa*	*unu*	*wa*	*wa*	*ęyį*
3ᵉ pers. sing. commun	*e*	*o*	*ya, o*	*a*	*ǫ̀*	*ę*
— plur. —	*ba*	*a*	*fa, a*	*a*	*a*	*a*

Les 66 langues dont paraît se composer le groupe
peuvent se répartir ainsi :

1º à 7º sept langues parlées sur la rive droite de la
Bénoué, dans les provinces du Mouri ou Hamaroua, du
Kororofa et de Nassaraoua, et dans la partie du Mouri
qui déborde sur la rive gauche : le * **dioukoun** (*d'ukụ*)
ou *d'uku* ou *d'ukõ* ou *fukun* ou *kororofa* ou *gᵇagᵇã* ou *apa*
ou *appa* ou *urapã* ou *kwana* ou *koana* (1849 Clarke et
1854 Koelle) ; — le **boritsou** (*borifu*) (1854 Koelle) ; —
le **yergoum** (*yergum*), appelé aussi *appa* comme le dioukoun
(1828 Kilham) ; — le **regba** ou *eregᵇa*, le **mbariké** (*mbarike*)
et le **bassa-bénoué** (*basa*, à ne pas confondre avec le
« bassa-niger » du même groupe), avec le dialecte *kamuku*
(1854 Koelle) ; — le **kagoro**, dialectes *tumu* et *ndob* ou
ndov ou *burukem*(1849 Clarke et 1854 Koelle) ;

8º à 13º six langues parlées au Sud des précédentes,

sur la rive gauche de la Bénoué : le **foudou** (*fudu*) ou
afudu ou *afuru* et le **gayi** ou *alege* (1854 Koelle) ; — le
dama (1914 Thomas) ; — le **mounchi** (*munši*) ou *miči* ou
tiv ou *tiwi*, appelé aussi *appa* comme le dioukoun et le
yergoum (1849 Clarke et 1854 Koelle) ; — le **yakoro**
(1914 Thomas) ; — sous réserves le **nkoum** (*ṅkum*) (néant) ;

14° à 24° onze langues parlées au Sud de l'Adamaoua :
le **vouté** (*vute* ou *bute* ou *mbam* ou *mbum*, région de Ngaoun-
déré, haut Djerem et haute Sanaga (1854 Koelle) ; —
sous réserves le **kapoulla** (*kapulla*), région de Tibati
(néant) ; — le **lou** (*lu*) ou *balu* ou *bali* ou *pakot*, près et
à l'Est du précédent (1849 Clarke et 1854 Koelle) ; —
le **tikar**, au Sud-Ouest de Tibati (1880 von Bary) ; —
sous réserves le **sagba** ou « sarhba », au Sud du précédent
(1912 Gehr) ; — le **koum** (*kum*) ou *kumbe* ou *bakum* ou *bankon*
ou *bo* (à ne pas confondre avec le bo ou ibo du bas Niger),
entre Tibati et Foumbân (1849 Clarke et 1854 Koelle) ;
— le **gba** ou *bag^ba*, au Nord du précédent (1854 Koelle) ;
— le **nio** (*n'o*) ou *ban'o* ou *ban'õ* ou *bayõ* ou *bayu̧* ou
baṅki ou *pati*, dans la province de Banyo, au Nord-Ouest
de Tibati (1849 Clarke et 1854 Koelle) ; — le **mom** ou
bamom ou *bamum* ou *bamun*, dans la province de Foumbân,
au Sud-Ouest du précédent, possédant une écriture propre
(1849 Clarke sous le nom de *baipa* et 1854 Koelle) ; —
le **pé** (*pe*) ou *pape* ou *papu* ou *papia*, à l'Ouest de Foumbân,
et le **gha** (*ga*) ou *gam* ou *bagam* ou *paʀam* ou *baɫap* ou
egap, à l'Ouest du précédent, écrit au moyen des caractères
mom (1849 Clarke et 1854 Koelle) ;

25° à 44° vingt langues parlées le long de la Cross River, de
la région de ses sources à celle de son embouchure : le **fout**
(*fut*) ou *fot* ou *mfut* ou *bafut*, dialectes *penin* ou *binin*,
mbe, *nžo* ou *banžo* et *fum* ou *bafum*, au Nord et au Nord-
Ouest de Foumbân (1826 Prichard, 1828 Kilham, 1849
Clarke et 1854 Koelle) ; — le **gouala** (*gwala*) ou *ṅgwala*,
au Nord-Ouest de Foumbân (1849 Clarke sous le nom de
barikan et 1854 Koelle) ; — le **ménia** (*men'a*) ou *momen'a*,
près du précédent (1854 Koelle) ; — le **kongouan** (*koṅgwã*)
ou *akwoṅgo* ou *banene*, au Nord-Est d'Old-Calabar, le

ki ou *ṅki* ou *boki* ou *osikom* (dialectes *basua* et *banda*
ou *bendega*), au Nord de la haute Cross-River, et le **koï**
(koy) ou *ekoy* ou *itun* ou *atam* ou *akwa* ou *moko* ou *inĵor*
ou *eafen*, au Sud de la haute Cross-River (1849 Clarke et
1854 Koelle) ; — le **kparabon** *(kᵖarabõ)* ou *akᵖarabõ*,
rive droite, au Sud du ki (1907 Dayrell) ; — le **ndé** *(nde)*
ou *mbeṅkᵖe*, appelé aussi *atam* ou *otam* comme le koï,
dialectes *befụ* ou *mbofõ*, *afunatam* ou *ekamtulufu* et *akaĵu*,
rive droite, en aval du précédent (1849 Clarke et 1854
Koelle) ; — le **kèlé** *(kęle)* ou *ukęle*, rive droite, au niveau
du coude nord-ouest de la rivière (1849 Clarke sous le
nom de « tshari » et 1914 Thomas) ; — le **nkodo** *(ṅkodo)*,
en arrière du précédent, et le **gbaragba** ou *agᵇaragᵇa*, rive
gauche, en face du kparabon (1914 Thomas) ; — le **kouni**
(kuni) ou *okuni* ou *udom* ou *obam*, dialectes *ikom* et
olulomo, entre le gbaragba et le koï (1849 Clarke et 1854
Koelle) ; — le **sopon** *(sopõ)* ou *asopõ* ou *esopõ* ou *okam* ou
wakande, dialectes *ndaĵanawe*, *arun* ou *adun* et *igᵇo* ou
imaban ou *afo*, à l'intérieur du coude nord-ouest, avec
quelques enclaves sur la rive droite (1854 Koelle) ; — le
diba ou *ediba*, rive gauche, en aval du précédent, et le
kouri *(kuri)* ou *ekuri*, dialectes *ṅkpani* et *ge* ou *ugep*, à
l'Est du diba et au Sud du sopon (1914 Thomas) ; — le
kounakouna *(kunakuna)* ou *akunakuna* ou *akurakura*,
dialectes *abini* et *umon*, deux rives, en aval du diba (1849
Clarke et 1854 Koelle) ; — le **kpé** *(kᵖe)* ou *akᵖet*, à l'Est
du précédent (1914 Thomas) ; — le **oué** *(we)* ou *uwet*, au
Sud du kouri, et le **kayon** *(kayõ)* ou *akayõ* ou *okǫn'õ*, rive
gauche, en aval du kounakouna (1874 Goldie) ; — le
fi ou *efik* ou *ibibio* ou « calabar », appelé aussi *moko* comme
le koï (dialectes *kwa*, *mona*, *tinan* ou *anaṅ*, *ikot*, etc.),
à cheval sur l'embouchure de la Cross-River, depuis Old-
Calabar jusqu'au delta du Niger (1828 Kilham sous le
nom de *karaba* et 1846 Waddell) ;

45° à 60° seize langues parlées dans la vallée du bas Niger :
le * **gbari** ou *gᵇali* ou *gwali*, avec le dialecte *musu*, provinces
de Zaria et de Keffi, au Nord du confluent de la Bénoué et
du Niger (1849 Clarke sous le nom de « tshamba » et 1854

Koelle) ; — le *noupé *(nupe)* ou *nufe* ou *nife* ou *tappa*
(dialectes *ebe* ou *agalati, kupa,* etc.), dans le Noupé propre
(région de Bida) et sur les deux rives du Niger depuis les
rapides de Boussa jusqu'au confluent de la Bénoué (1828
Kilham, 1849 Clarke et 1854 Koelle) ; — le *bassa-niger
(basa), rive droite du Niger à l'Ouest du noupé (1854
Koelle) ; — le *kakanda ou *kakaṇḍa* ou *sabe* ou *čabe* ou
šabi ou *ad'akat'e*, près du précédent (1837 Laird et Oldfield) ; — le *gbira ou *igᵇira* ou *koto* ou *kotokori* (dialectes
panda, hima et *igu),* sur la rive droite de la Bénoué près
de son confluent et sur la rive droite du Niger en aval
dudit confluent jusqu'à Idah, et le *gara ou *igara* ou *igala*
ou *okᴾoto* (distinct du « kpoto » ou « okpoto » mentionné
plus loin), à l'intérieur du coude formé par la basse Bénoué
et le Niger, rive gauche (1849 Clarke et 1854 Koelle) ; —
le yala, dispersé en trois îlots (*agala* entre le gara et le
yakoro, *yala* du Nord entre le mounchi et le ndé et *yala*
du Sud près et au Nord d'Okouni, haute Cross-River)
(1854 Koelle) ; — le *kpoto ou *okᴾoto,* dans le Nord-Est
du pays des Ibo (1914 Thomas) ; — le *bo ou *ibo* ou *iswama*
(dialectes *isele* ou *is'ele, abaǰa* ou *abwaǰa, aro, mboǰ'a* ou
*ekᴾaf'a, ala, atoma, ubuluku, nsukwa, abi, asaba, okwuži,
boni, ndoki, ṅgwa, asa, omoma, afikᴾo, ezzi, mbo, ṅkanu,
oweri, okugᵇa, ṅkaraya, biko, adunsoba, ezza,* etc.), sur les
deux rives du Niger en aval d'Idah jusqu'au delta exclu
et, à l'Est, jusqu'à la vallée de la Cross-River exclue (1827
et 1828 Kilham, 1841 Norris) ; — le gbogolo ou *ogᵇogolo,*
sur la branche orientale du delta du Niger, l'aboua *(abwa),*
même région, le *kana ou *ogoni* ou *kereka,* à l'Est du delta,
et le *biobolo ou *ebiobolo* ou *andoni* ou *toridoni,* au Sud
du précédent, sur la côte, entre le fi et le djo (1914
Thomas) ; — le gori, à l'Ouest du Niger, entre le kakanda
et le sosso (1914 Thomas) ; — le *sosso *(soso)* ou *kukuruku*
(dialectes *wepa, wano,* etc.), rive droite du bas Niger en
aval du gbira (1910 Thomas) ; — le *cha *(ša)* ou *eša* ou
išã ou *ihewe,* en aval du précédent (1849 Clarke sous le
nom de « nago nᵒ 104 » et 1854 Koelle) ;

61ᵒ à 66ᵒ six langues parlées le long de la côte du Bénin

et en arrière : le * **do** ou *edo* ou *bini* ou «bénin» (dialectes
egbele et *oloma*), province de Bénin (1827 et 1828 Kilham,
1849 Clarke et 1854 Koelle) ; — le * **sobo** (dialectes *igabo*
ou *igabor* et *uhobo*), au Sud du précédent, à l'Ouest du bo
et au Nord du djo (1828 Kilham et 1848 Allen et
Thomson) ; — le * **zékiri** *(zekiri)* ou *izekiri* ou *džekri* ou
šekri ou *okiri*, sur la côte entre la rivière Forcados à l'Est
et la rivière Bénin à l'Ouest (1828 Kilham et 1837 Laird et
Oldfield) ; — le **yébou** *(yebu)* ou *idžebu*, sur la côte, à
l'Ouest du précédent (1841 Norris et 1845 d'Avezac) ; —
le * **yorouba** *(yoruba)* ou *yariba* ou *ayo* ou *eyo* ou *egba* ou
nago ou *ayaǯi* ou *aku* (dialectes *ota*, *iǯesa*, *ife*, *yagba*, *eki*,
ǯumu ou *akanḍa* ou *akuya* ou *abinu*, *oworo* ou *egᵇe* ou
eyagi, *ondo* ou *doko*, *akoko*, *holli*, etc.), parlé sur la côte
depuis la rivière Bénin à l'Est jusqu'à l'Ouémé à l'Ouest
(région de Lagos), en arrière jusque vers le 8º lat. nord
(régions d'Abéokouta, Ibadan, Ilorin, etc.) et, plus à
l'Ouest, au Nord du Dahomey propre (1827 et 1828
Kilham, 1829 Clapperton, 1831 Raban, 1841 Norris, 1843
Crowther) ; — l'**ana** ou *atakᴾame*, en arrière du mina et de
l'éhoué (1902 P. Fr. Müller).

BIBLIOGRAPHIE. — Il n'existe pas d'ouvrage d'ensemble sur les
langues nigéro-camerouniennes, mais beaucoup d'entre elles sont représentées dans divers recueils de vocabulaires, tels que les vocabulaires imparfaits mais encore très utiles de KOELLE (*Polyglotta africana*, London, 1854),
les *Dialects of the Okuni district* de DAYRELL (Lagos, 1907), l'excellent recueil
de Northcote THOMAS (*Specimens of languages from Southern Nigeria*,
London, 1914). Quelques-unes ont fait l'objet de travaux spéciaux, parmi
lesquels on peut citer : pour le dioukoun, W. K. FRASER, *Vocabulary of the
Jukon language*, Zungeru, 1908 ; pour le même et le mounchi, E. DAYRELL,
Vocabulary of Juku and Munshi, Zungeru, 1908 ; pour le yergoum,
R. DANGEL, *Grammatische Skizze der Yergum Sprache*, Innsbrück, 1929 ;
pour le mounchi, R. ABRAHAM, *The grammar of the Tiv*, Kaduna, 1934 ;
pour le vouté, A. VON DUISBURG, *Untersuchung über die Mbum-Sprache*,
Berlin, 1925 ; pour le tikar, un vocabulaire de VON BARY dans *Zeitschrift
der Gesellschaft für Erdkunde zu Berlin*, Band XV, 1880 ; pour le koum,
F. SPELLENBERG, *Die Sprache der Bo oder Bankon in Kamerun*, Berlin,
1922 ; pour le kouni, DAYRELL, *Ikom folk-stories*, London, 1903 ; pour le fî,
GOLDIE, *Principles of the Efik grammar*, 2ᵈ ed., Edinburgh, 1868 ; R. ADAMS,
English-Efik and Efik-English vocabulary, Liverpool, 1943 ; pour le gbari,
EDGAR, *A grammar of the Gbari language*, Belfast, 1909 ; pour le noupé,
CROWTHER, *Elements of a grammar and vocabulary of the Nupe language*,

London, 1864 ; pour le gbira, COOMBER, *Igbira primer and vocabularies*, London, 1869, et WILLIAMS, *Reading-book in the Igbira language*, London, 1883 ; pour le gara, COOMBER, *Igara primer and exercices*, London, 1867 ; BYNG-HALL, *English-Okpoto vocabulary*, Zungeru, s. d., et W. PHILPOT, *Notes on the Igala language*, dans *Bulletin of the School of the Or. Res.*, t. 7, Londres, 1933-1935 ; pour le bo, SPENCER, *An elementary grammar of the Ibo language*, London, 1901 et Northcote W. THOMAS, *Anthropological report on the Ibo-speaking peoples*, London, 1913-1914, 6 vol. ; I. WARD, *Ibo dialects and the development of a common language*, Cambridge, 1941, et R. ADAMS, *A modern Ibo grammar*, Londres, 1932 ; pour le sosso, de W. THOMAS, le 2ᵉ vol. de *Anthropological report on the Edo-speaking peoples*, London, 1910, et STRUB, *Essai d'une grammaire de la langue kukuruku*, dans *Anthropos*, 1915 ; pour le do, les vol. I et II de l'ouvrage précité de THOMAS sur *the Edo-speaking peoples* ; A. MELZIAN, *A concise dictionary of the Bini language of Southern Nigeria*, Londres, 1937 ; pour le yorouba, JACQUOT, *Études sur la langue nago ou yorouba*, Lyon, 1880, J. DE GAYE et W. BEERCROFT, *Yoruba grammar*, Londres, 1923; pour l'ana, P. Fr. MÜLLER, *Ein Beitrag zur Kenntniss des Atakpame*, dans *Zeitschrift für Afrikanische, Ozeanische und Ostasiatische Sprachen*, 1902.

XI. — *Groupe bas-nigérien* (1 langue)[1].

Le delta du Niger est occupé par une population nègre, celle des Idjo, qui présente cette particularité de parler une langue qu'il ne semble pas possible de rattacher au groupe au sein duquel elle forme une enclave ni à aucun des autres groupes négro-africains. Il convient donc, au moins provisoirement, de considérer cette langue comme constituant à elle seule un groupe, lequel a quelques points communs avec le groupe nigéro-camerounien qui l'environne, mais s'en sépare nettement par ailleurs, de même qu'il se rapproche, mais à certains égards seulement, du groupe éburnéo-libérien et de certaines langues du groupe voltaïque.

Bien qu'il ne semble pas y avoir de pronoms de classe ni d'accord en classe du qualificatif avec le nom, l'existence de classes nominales paraît certaine. Mais celles-ci sont caractérisées, tantôt par des préfixes vocaliques, tantôt par des suffixes syllabiques, tantôt par les deux procédés à la fois : *ko-mǫ* ou *tu-mbwǫ* « être humain », plur. *a-ke-mǫ*

1. Westermann range le djo parmi les langues nigritiennes.

ou *a-to-ma ; o-we-bǫ* « homme », plur. *o-wi-ma ; i-ǫrǫ-bǫ*
« femme », plur. *ęrę-ma.*

Ces affixes nominaux distinguent le nom du verbe ;
mais ils peuvent faire défaut et, alors, la place respective
du nom et du verbe différencie seule ces deux catégories
de mots.

La conjugaison semble procéder tantôt par préfixes
et tantôt par suffixes.

Le nom ou pronom sujet précède le verbe ; le nom ou
pronom complément d'un verbe *précède* ce verbe, se plaçant
entre le sujet et l'expression verbale : *ay o-biri be-famo*
« je chien suis-frappant, je frappe un chien » ; *o in ęre* « il
moi voit, il me voit » ; le nom ou pronom complément d'un
nom *précède* ce nom : *a-la-bǫ* « chef », *o-moni-bǫ* « esclave »,
a-la-b o-moni-bǫ « l'esclave du chef », *in o-moni-bǫ* « mon
esclave » ; le qualificatif, le déterminatif et le nom de
nombre *précèdent* le nom qualifié, déterminé ou nombré :
dob o-biri « gros chien », *kal o-biri* « petit chien » ; *te*
« arbre », *me te* « l'arbre » ; *oy a-te* « dix arbres ».

La désinence d'un mot est toujours vocalique, mais la
voyelle finale s'élide si le mot suivant est à initiale vocalique.

Il existe des tons musicaux à valeur tantôt étymologique et tantôt grammaticale.

Le pluriel des noms se marque, soit par changement,
addition ou suppression de préfixe, soit par changement
de suffixe, soit par modification de la voyelle radicale ou
du ton, soit par plusieurs de ces procédés, à la fois : *te*
« arbre » plur. *a-te, ware* « maison » plur. *a-ware, ko-mǫ*
« être humain » plur. *a-ke-mę, o-we-bǫ* « homme » plur.
o-wi-ma, i-ǫrǫ-bǫ « femme » plur. *ęręma, a-ka* (ton haut)
« dent » plur. *a-ka* (ton bas).

Les pronoms personnels offrent cette particularité qu'à
chaque nombre la 1re personne est distinguée de la 2e par
le ton :

1re pers. sing.	*ay, iy, in*	(ton haut),	plur.	*wa, amene* (ton haut)
2e pers. —	*ęy, iy, in*	(ton bas),	—	*wo, omene* (ton bas)
3e pers. —	*o, a, e, or, ar, er,*		—	*in'e, ne.*

27 -1

Le **djo** *(ǰo)* ou *iǰo* ou *id'o* ou *ud'o* ou « bonny » ou « new-calabar » ou *okrika* ou *akrika* ou *akasa* renferme plusieurs dialectes : *degema* (New-Calabar), *okuloma* ou *obane* (Bonny), *nembe* ou *numbe* (Brass et Noun), *ǰo* propre (Forcados), etc.

BIBLIOGRAPHIE. — Les premiers renseignements ont été fournis par KÖLER (*Einige Notizen über Bonny an der Küste von Guinea, seine Sprache und seine Bewohner, mit einem Glossarium*, Göttingen, 1848). La *Polyglotta* de KOELLE renferme deux vocabulaires (*uǰo* et *okuloma*). Il faut encore citer : TAYLOR, *Ijo primer and vocabulary*, London, 1862 ; F. E. G. JOHNSON, *Vocabulary of the Bonny language*, Lagos, 1903, un *Primer in the Ijo language*, London, 1911 ; les vocabulaires de trois dialectes donnés par Northcote W. THOMAS dans ses *Specimens of languages from Southern Nigeria*, London, 1914, etc.

XII. — *Groupe voltaïque* (53 langues)[1].

Le domaine de ce groupe occupe tout le bassin supérieur des diverses branches de la Volta et s'étend à l'Est jusqu'au Niger et même un peu au delà, où il se soude au groupe nigéro-tchadien, tandis qu'à l'Ouest, il atteint le Bani. Limité au Sud par les groupes nigéro-camerounien et éburnéo-dahoméen, il se trouve enclavé, sur la majeure partie de ses frontières, à l'intérieur du groupe nigéro-sénégalais. Les populations parlant des langues voltaïques appartiennent exclusivement à la race nègre ; elles sont nombreuses et la plupart offrent une densité de peuplement remarquable. Certaines, comme les Mossi, ont atteint depuis fort longtemps un degré de civilisation très appréciable ; d'autres, comme les Lobi, sont encore barbares et sauvages ; d'autres encore, comme les Sénoufo, sont simplement frustes.

Toutes les langues voltaïques possèdent des classes nominales qui semblent avoir procédé autrefois par préfixation du pronom ou indice de classe au radical du nom, mais qui, aujourd'hui, procèdent en général par suffixation.

1. Toutes les langues de ce groupe sont d'après Westermann « semi-bantoues ».

Certaines cependant, comme le gourma, le kabré, le konko, le bassari, le losso, etc., ont conservé des préfixes de classe, tout en faisant en même temps usage de suffixes, usant souvent à la fois des deux systèmes : « terre » *teṅ-ga* (mô), *kę-teṅ* (konko), *ga-teṅ-ga* (gourma). Les pronoms de classe ont subsisté dans certaines langues dites « gourounsi » (nourouma, sissala, etc.), à un degré moindre dans certaines autres (dagari, gbanian), et, comme déterminatifs et relatifs, dans d'autres (tem, kabré, etc.), mais, le plus souvent, il n'y a plus qu'un seul pronom de la 3e personne à chaque nombre. Les adjectifs tantôt s'accordent en classe avec le nom qu'ils qualifient (gourma, konko, kabré, tem, etc.), tantôt demeurent invariables quelle que soit la classe du nom (mô, sénoufo, etc.).

L'affixe de classe distingue le nom du verbe, mais il peut faire défaut et il tombe souvent en composition : alors c'est la place respective du nom et du verbe qui les fait reconnaître.

La conjugaison repose sur un jeu de préfixes ou de suffixes affirmatifs et de préfixes négatifs, dont chacun caractérise un aspect verbal. On fait également usage d'auxiliaires suffixés pour certains aspects secondaires.

Ordre des mots : le nom ou pronom sujet précède le verbe ; — le nom ou pronom complément d'un verbe suit ce verbe, sauf en sénoufo où, comme dans la plupart des langues nigéro-sénégalaises, il précède le verbe, se plaçant entre le préfixe de conjugaison, s'il existe, et le radical verbal (mô *kõ ko-m* « donne eau », sénoufo *to-mõ ka* « eau donne », « donne de l'eau ») ; — le nom ou pronom complément d'un nom précède ce nom ; dans les noms composés, le suffixe de classe du nom complément disparaît et, s'il s'agit de langues faisant usage de préfixes de classe, le nom composé prend le préfixe du nom complété (mô *teṅ-ga* « terre », *sō-ba* « maître », *teṅ-ga sō-ba* « le détenteur d'un terrain », *teṅ-sō-ba* « un chef de terre » ; gourma *ga-teṅ-ga* « terre », *o-dan-o* « chef », *o-teṅ-dan-o* « un chef de terre ») ; — le qualificatif, le déterminatif et le nom de nombre suivent le nom qualifié, déterminé ou nombré.

Les désinences des mots sont uniquement vocaliques ou nasales.

Il ne paraît pas exister de tons musicaux dans la plupart des langues du groupe ou du moins ils semblent n'y avoir que peu d'importance ; dans d'autres, et notamment dans celles du sous-groupe de l'Est, ils se rencontrent au contraire avec une valeur très nette, tantôt étymologique et tantôt grammaticale.

Les gutturales labialisées *g*[b] et *k*[p] sont fréquentes, ainsi que les sons *g* et R, qui sont généralement interchangeables ; il existe en sénoufo une laryngale rappelant le « 'aïn » arabe. Dans certaines langues, comme le tem, la voyelle du pronom sujet et parfois celle du préfixe de conjugaison varient selon la voyelle radicale du verbe, de même que la voyelle du suffixe nominal peut varier selon la voyelle radicale du nom et inversement ; dans les mêmes langues, la sourde initiale de la racine verbale ou nominale devient sonore après le pronom sujet du verbe ou complément du nom non suivi d'un déterminatif (tem *ma wa* pour *ma fa* « que je donne », *e di-nde* pour *e ti-nde* « son poisson »).

Le pluriel des noms se marque par un suffixe de classe approprié. Dans les langues faisant usage de préfixes, le préfixe disparaît au pluriel ou se modifie comme le suffixe (sénoufo *ṅ'e-ge* « œil » plur. *ṅ'e-le* ; mbouin *bi-o* « enfant » plur. *bi-ma* ; dagari *bi-le* « enfant » plur. *bi-we* ; mampourou *bi-a* « enfant » plur. *bi-si* ; mô *bī-ga* « enfant » plur. *bī-si* et *mō-ga* « un Mô » plur. *mō-si* ; tem *tem-ne* « un Tem » plur. *tem-ba* ; bassari *kẹ-bi-kẹ* « enfant » plur. *m-bi-am* et *ko-di* « maison » plur. *te-di-te* ; gourma *ga-bi-ga* « enfant » plur. *gi-bi-ge* et *li-d'ẹ-li* « maison » plur. *d'ẹ-na*).

Voici les formes essentielles des pronoms dans quelques langues :

		Gourma	Tem	Mô	Mbouin	Sénoufo
1re pers.	sing.	*mi*	*ma*	*m*	*mi*	*mi*
—	plur.	*ti*	*da*	*d*	*si*	*su*
2e pers.	sing.	*fi*	*n'a*	*f*	*bi*	*ma, mu*
—	plur.	*i*	*mi*	*i*	*mō*	*mu, ye*

3ᵉ pers. sing.	*we*	*a, wa*	*a*	*wo*	*u*
— plur.	*ba*	*ba*	*ba*	*ba*	*pe*

A noter que plusieurs langues voltaïques semblent posséder à la 1ʳᵉ personne du pluriel un pronom inclusif et un pronom exclusif.

Au point de vue linguistique, le domaine des parlers voltaïques est loin d'être complètement exploré. Dans l'état actuel de nos connaissances, le groupe paraît renfermer 53 langues, qu'il conviendrait de répartir en sept sous-groupes :

1º à 11º sous-groupe de l'Est : le **kambari** ou *kambali* ou *yauri*, deux rives du Niger en amont de Boussa (1854 Koelle) ; — le **gourma** (*gurma*) ou *bị*, dans le royaume des Gourmantché ou Bimba ou de Fada-n-Gourma, 150.000 individus environ (1849 Clarke et 1854 Koelle) ; — le **ber** ou *berba* ou *barba* ou *bariba* ou *bergo* ou *bargu*, dans la région du Bergo ou Borgou (1854 Koelle) ; — le **kabré** (*kabre*) ou *kabere* ou *kaure* ou *kauri* (dialectes *sum* ou *sumba, basila, pilapila, dompago* et *wẽ̀ĭwẽ̀ĭ*), dans la région des monts Atakora et au Sud (1828 Kilham, 1849 Clarke et 1854 Koelle) ; — le **legba** ou *debba* dans les provinces de Djébiga et Pama et à l'Est de Sansanné-Mango (1849 Clarke et 1854 Koelle) ; — le **konko** (*koṅko*) ou *koṅkobiri* ou *koṅkomba* ou *t'opo* ou *t'opowa*, à l'Ouest des monts Atakora (1911 Groh) ; — le **tem** ou *tim* ou *temba* ou *k'amba* ou *brinni* ou *kotokoli* ou *čaučo*, entre Sansanné-Mango et Sokodé (1849 Clarke et 1854 Koelle) ; — le **kassélé** (*kasele*) ou *akasele* ou *ḷamba* ou *čamba* ou *t'ãsi*, région de Tchamba, entre le haut Mono et Sokodé (1768 Oldendorp) ; — le **mouâ** (*mwā*) ou *mōba*, Nord-Ouest du Togo (1911 Groh) ; — le **losso** (*loso*), dans le district de Sokodé, et le **bassari** (*basari*) ou *tobote*, dans le district de Bassari (1911 Groh) ;

12º à 23º sous-groupe de la Volta Blanche : le **mô** (*mō*) ou *mōrẹ* ou *mōle* (nom de la langue) ou *mōʀo* ou *mōgo* (nom du pays) ou *mōsi* ou *mōse* (nom des habitants), parlé par les Mossi des royaumes du Yatenga et de Ouaga-

dougou et par un certain nombre d'étrangers, 1. 600.000
individus environ au total (1819 Bowdich, 1849 Clarke
et 1854 Koelle) ; — le **nankana**, à l'Est et au Sud-Est
de Léo jusque vers Gambaga (1912 Tauxier) ; — le **djélagna**
(*ǰelaṅa*) ou *čelaṅa*, région de Sansanné-Mango (1854 Koelle) ;
— le **boura** (*bura*), au Sud du nankana (1912 Tauxier) ;
— le **mampourou** (*mampuru*) ou *mampursi* ou *mamprusi*,
région de Gambaga (1911 Groh, Migeod) ; — le **koussan**
(*kusã*) ou *kusãsi*, au Sud-Est du précédent (1913 Westermann) ; — le **kandia** (*kand'a*) ou *kand'aga*, au Nord-Est
de Oua (1849 Clarke sous le nom de « tshamba nᵒ 207 »
et 1854 Koelle sous le nom de *guresa*) ; — le **dagomba**
ou *dagᵇoma* ou *dagᵇane*, régions de Tamalé et Yendi,
à l'Est de la Volta Blanche (1819 Bowdich et 1849 Clarke) ;
— le **gbanian** (*gᵇan'ã*) ou *gᵇan'e* ou *gwãn* ou *gwãnǰa* ou
gonǰa ou *gwan'a* ou *bãnǰa* ou *ban'a* (appelé aussi *nta*
ou *bōre* ou *bōle* comme une langue éburnéo-dahoméenne de
la même région), dans les provinces de Salaga, Daboya
et Bôlé (1819 Bowdich sous le nom d'*ingwa*) ; — sous
réserves, le **oulé** (*ule*) ou *wule* ou *wulewule*, sur la Volta
Noire, au Nord du 11ᵒ lat. Nord, avec quelques colonies
plus au Sud (néant) ; — le **dagari** ou *dagarti*, deux rives
de la Volta Noire au Nord et au Sud de Oua, où se parle
le dialecte *wala* (1904 Delafosse) ; — le **birifo** ou *birifõ*
ou *birifor*, à l'Ouest de la Volta Noire du 10ᵒ au 9ᵒ5′ lat.
Nord environ (1904 Delafosse) ;

24ᵒ à 31ᵒ sous-groupe dit « gourounsi » : le **kourouma**
(*kuruma*) ou *fulse* ou *n'on'ose*, 80.000 individus environ,
autochtones du Yatenga (1917 Tauxier) ; — sous réserves
le **kô** (*kō*) ou *kipirsi*, au Sud du précédent (néant) ; —
le **nourouma** (*nuruma*) ou *nunuma* ou *nibulu* ou *guresi* ou
grusi ou *gurunsi* ou *grunši*, avec le dialecte *menk'era*,
au Sud du précédent, à l'Est de la Volta Noire et à hauteur
de Boromo (1849 Clarke) ; — le **kasséna** (*kāsena*) ou
kasene ou *kasuna* ou *kasum* ou *kasm* ou *kāsem* ou *kāsom*
ou *kāsom-bura*, à l'Est de Léo (1854 Koelle) ; — le **fra** ou
frafra ou *kāsom-fra* ou *k'ālo* ou *ak'ulo* ou *aǰolo* ou *yulu*
ou *le* ou *re*, ville de Léo et région au Sud de cette ville

(1854 Koelle) ; — le **sissala** (*sisala*) ou *isala* ou *kwama*
ou *bag^b alã*, au Sud de Léo (1854 Koelle) ; — le **siti**,
village de Vonkoro, sur la Volta Noire à hauteur de Bouna
(1904 Delafosse) ; — le **dégha** (*dega*) ou *mō* (ne pas confondre
avec le « mô » ou « mossi ») ou *g'amu* ou *d'ammu* ou *buru*,
trois villages, dont Assafoumo, au Nord-Est de Bondoukou
(1904 Delafosse) ;

32º à 35º sous-groupe dit « lobi » : le **pougouli** (*puguli*)
ou *buguri*, sur le Bougouriba à l'Ouest de Diébougou ; —
le **dian** (*d'ã*) ou *zã* ou *zãga*, canton de Diébougou ; — le **lobi**,
100.000 individus environ, région de Gaoua et plus à
l'Ouest, ainsi qu'au Nord-Ouest de Bouna ; — le **gan** (*gã*),
district de Lorhosso ou Lokhosso (pour ces quatre langues,
1904 Delafosse) ;

36º à 43º sous-groupe dit « koulango » : le **koulan** (*kulã*)
ou *ṅgorã* ou *kulãṅgo*(pays) ou *kulãmvo* (habitants) ou
k^p aʀala ou *pakalla*, régions de Bouna et de Bondoukou
(1819 Bowdich sous le nom de *gaman* et 1849 Clarke sous
le nom de *boutuku*) ; — le **lorhon** (*loʀõ*) ou *loʀo* ou *loʀoma*
ou *logoma* ou *nabe* ou *nẹmbay*, à l'Ouest du précédent
le long de la Comoé (1921 Tauxier) ; — le **tégué** (*tege*)
ou *teges'e* ou *tuna* ou *tumbe*, au Sud de Lorhosso (1921
Tauxier d'après Labouret) ; — sous réserves : le **padorho**
(*padoʀo*), à l'Ouest de Lorhosso ; le **dorhossié** (*doʀos'e*),
haute Comoé ; le **komono**, au Nord-Est de Kong ; le
karaboro, région de Lorhognilé ; le **kiéfo** (*k'efo*) ou *t'efo*
au Sud de Bobo-Dioulasso (pour ces cinq langues, néant) ;

44º à 52º sous-groupe dit « bobo » : le **boua** (*bwa*) ou
bobofị (dialectes *sãkura* et *ṅ'ẹnege*), 100.000 individus
environ, dans la boucle de la Volta Noire (1912 Tauxier) ;
— le **tara** ou *pwe* ou *boboule*, 110.000 individus environ,
au Nord-Ouest du précédent (1849 Clarke et 1904 Delafosse) ; — le **kian** (*k'ã*) ou *bobog^b ẹ*, 40.000 individus
environ, à l'Ouest de la Haute Volta Noire (1904 Delafosse);
— le **mbouin** (*mbwẽ*) ou *kpẽ* ou *turuka* ou *turka*, 50.000 individus environ, régions de Léra, Banfora et Bérégadougou
(1909 Tauxier, inédit) ; — sous réserves : le **tagba**, à
l'Ouest de Bobo-Dioulasso ; le **nanergué** (*nanerge*), le

vigué (*vige*), le **toussia** (*tus'a*) et le **sémou** (*semu*), cercle de Bobo-Dioulasso (pour ces cinq langues. néant) ;

53° sous-groupe ne comprenant que la **sénoufo** (*senufo*) ou *s'ena* ou *s'ene* (dialectes *bamāna* ou *min'ăṅka*, *seneRę* ou *sendere*, *noholo* ou *nahulu*, *zōna*, *kadle*, *pōmporo*, *n'ene*, *teneure*, *foro* ou *folo*, *gbāto*, *kasembele*, *kāfibele*, *kofolo*, *k'embaRa*, *nafaRa*, *gbãnzoro*, *n'aRafolo*, *pala* ou *kPalaRa* ou *pallaka*, *sikolo*, *tafile* ou *tafire*, *falafala*, *takPǫnẽ* ou *tagbǫna* ou *tagwana*, *gimini*, *d'ammala*, *nafāna* ou *pãntara* ou *bãnda*, etc.), parlé dans les régions de Koutiala, Sikasso, Odienné, Boundiali, Niellé, Korhogo ou Koroko, Darhakolondougou, Dabakala, Kong, Bondoukou, etc., du Bani au coude Sud de la Volta Noire, par 800.000 individus environ (1887 Tautain et 1904 Delafosse).

BIBLIOGRAPHIE. — Les langues du groupe voltaïque ont fait l'objet d'esquisses d'ensemble de la part de DELAFOSSE (*Mémoires de la Société de Linguistique de Paris*, 1911) et de WESTERMANN (*Anthropos*, 1913, et *Zeitschrift für Kolonialsprachen*, 1913-1915). De plus, deux chapitres (VI et VII) leur sont consacrés dans : DELAFOSSE, *Vocabulaires comparatifs de plus de 60 langues ou dialectes*, Paris, 1904 ; J. BERTHO, *Langues voltaïques du Togo-Nord et du Dahomey-Nord*, dans *Notes africaines*, oct. 1949, p. 124-126. Sur quelques-unes d'entre elles ont été publiés des travaux spéciaux, par exemple : sur le gourma, le bassari, le kassélé et le ber, D. WESTERMANN, pp. 36 à 142 de *Die Sprache der Guang... und fünf andere Togosprachen*, Berlin, 1922 ; sur le tem, P. Fr. MÜLLER, *Beitrag zur Kenntnis der Tem-Sprache* (*Mitteilungen des Seminars für Or. Spr.*, 1905) ; sur le mô, F. FROGER, *Étude sur la langue des Mossi*, Paris, 1910, et *Manuel pratique de langue môré*, Paris, 1923 ; sur le koussan, R. LASSIG, *Die Kussassi Sprache in Westsudan*, Berlin, 1928 ; sur le dagomba, R. FISCH, *Grammatik der Dagomba-Sprache*, Berlin, 1912 ; sur le kasséna, J. CREMER, *Grammaire kasséna*, Paris ; sur le dian, J. HAILLOT, *Étude sur la langue dian* (*Bulletin du Comité d'études historiques et scientifiques de l'A. O. F.*, 1920) ; sur le dorhossié, L. TAUXIER, *Vocabulaire dorhossié*, *Journal de la Société des Africanistes*, t. 1, Paris, 1931 ; sur le sénoufo, G. CHÉRON, *Essai sur la langue minianka* (*ibid.*, 1921).

XIII. — *Groupe éburnéo-dahoméen* (48 langues)[1].

Ce groupe fait suite à l'Ouest, le long de la côte du golfe de Guinée, au groupe nigéro-camerounien ; il est limité

1. Les langues de ce groupe sont réparties par Westermann entre la section nigritienne et la section semi-bantoue, selon le degré de survivance du système des classes nominales. Les noms de langues classées par lui comme « nigritiennes » sont ici précédées d'un astérisque.

au Nord par l'extrémité occidentale de ce dernier et par
le groupe voltaïque, au Nord-Ouest par le groupe nigéro-
sénégalais et à l'Ouest par le groupe éburnéo-libérien,
qu'il rencontre sur le bas Bandama ; il possède en outre
une enclave isolée à l'extrémité occidentale de ce dernier
groupe, dans le Libéria, enclave constituée par le gola.
Parmi les langues qu'il renferme, plusieurs sont extrêmement voisines les unes des autres, comme le fanti et le
tchi, l'agni et le baoulé. Les langues de ce groupe sont
parlées, les unes par des populations assez arriérées, la
plupart par des peuples remarquablement doués au point
de vue intellectuel ou artistique, appartenant tous d'ailleurs
à la race nègre.

Toutes les langues éburnéo-dahoméennes ont possédé
autrefois un système de classes nominales à préfixes, qui
fonctionne encore aujourd'hui à l'état parfait ou presque
parfait dans quelques-unes, localisées dans des domaines
extrêmement restreints, telles que le logba, l'adélé, le
kabou, le kposso, le kédémonié, le trougbou, le balé, le
béri, l'adioukrou, tandis que le plus souvent, il n'en
demeure que des vestiges sous forme de préfixes nominaux
plus ou moins généralisés.

Le nom est facilement distingué du verbe dans les
langues où le procédé des classes nominales a subsisté
dans son intégrité. Ailleurs il arrive que les préfixes nominaux eux-mêmes font défaut, et alors c'est la place respective du nom et du verbe qui, seule, sert à les différencier.

Les divers aspects verbaux sont marqués à l'affirmatif
par des préfixes ou, plus rarement, par des suffixes,
l'aoriste étant toujours constitué par le radical seul et
l'injonctif par le radical simple ou nasalisé à l'initiale. La
négation s'indique à l'injonctif par un préfixe spécial,
aux autres aspects par un préfixe, ou, plus souvent, par
une particule négative suffixée soit au verbe, soit à la
proposition, parfois par un changement de ton (kédémonié,
trougbou, balé, goua) ou par la nasalisation de la consonne
initiale du radical verbal (akan, fanti, tchi, abron, zéma,

agni, vétéré, abouré, goua) ou par le redoublement de cette consonne (attié). Plusieurs langues possèdent un soi-disant passif caractérisé par un préfixe *a-* qui paraît être de nature pronominale (comparez le soi-disant passif du haoussa et d'autres langues nigéro-tchadiennes).

Ordre des mots : le nom ou pronom sujet précède le verbe ; — le nom ou pronom complément d'un verbe suit ce verbe, parfois en perdant son préfixe (avikam, aladian, abè) ; en gola toutefois, le *pronom* complément du verbe se place entre le préfixe de conjugaison (lequel est alors en réalité un verbe auxiliaire) et le radical verbal ; — le nom ou pronom complément d'un nom précède ce nom, soit directement, soit en intercalant entre les deux une particule d'annexion ; le nom complété peut perdre son préfixe ; dans les langues à classes nominales intactes, le nom complément perd souvent aussi son préfixe pour former un nom composé, lequel prend alors en général le préfixe de classe du nom complété (kédémonié : *ǫ-kukǫ* « poule », *li-ḍe* « œuf », *ǫ-kukǫ li-ḍe* « l'œuf d'une poule », *li-kukǫ-ḍe* « un œuf de poule ») ; parfois, comme en fon, en balé, etc, le pronom complément du nom est remplacé par un véritable adjectif possessif qui, comme tout adjectif, suit le nom (fon : *xwe to-we* « maison tienne, ta maison ») ; — le qualificatif, le déterminatif et le nom de nombre suivent le nom qualifié, déterminé ou nombré.

La désinence d'un mot est toujours vocalique ou nasale, sauf en adioukrou. Dans les autres langues et parfois même dans celle-ci, lorque la racine se termine par une consonne, on en forme un mot en lui suffixant une voyelle généralement identique à la voyelle radicale.

Des tons musicaux à valeur soit étymologique soit grammaticale existent dans quelques langues du groupe (fon, éhoué, kédémonié, trougbou, balé, goua, etc.), mais, dans la plupart des autres, leur existence semble problématique.

Le pluriel des noms se marque par une modification du préfixe de classe (kédémonié *o-nu* « être humain » plur. *ba-nu, ku-pi* « poil » plur. *si-pi* ; béri *ku-du* « dizaine »

plur. *a-du* ; tchi *o-hene* « chef » plur. *a-hene* ; vétéré *e-bra*
« femme » plur. *m-bra* ; goua *o-tõ* « bœuf » plur. *n-tõ* ;
adioukrou *lē-ten* « pirogue » plur. *mē-ten*) ou bien il est
indiqué par l'addition d'un suffixe de pluralité (fon *xwe*
« maison » plur. *xwe-le*, boualé *swa* « maison » plur. *swa-mõ*
abouré *k'a* « homme » plur. *k'a-me*). Parfois on a au pluriel
addition d'un préfixe, ou bien d'un préfixe et d'un suffixe,
ou modification de la désinence (tioko *bara* « femme »
plur. *m-bara-m*, *buru* « dizaine » plur. *a-bru* ou *a-bro* ;
baoulé *ba* « enfant » plur. *ma* (pour *m-ba*) ou *ma-mõ*
buru « dizaine » plur. *a-bura*).

Voici les pronoms personnels dans quelques-unes des
langues du groupe :

	Fon	Kédémonié	Trougbou	Balé	Tchi
1ʳᵉ pers. sing.	*ñ'e̱, m*	*me̱*	*me̱*	*mi*	*me, mi*
— plur.	*mi* (ton haut)	*blo̱*	*blo̱*	*bu*	*ame*
— plur. excl.	.....	.....	....	...	*ye*
2ᵉ pers. sing.	*a, we*	*wo*	*wo̱*	*fo*	*wo*
— plur.	*mi* (ton bas)	*mbo̱*	*wo̱no̱*	*bi*	*amene*
3ᵉ pers. sing.	*e*	pr. de classe	*ye̱*	*a*	*o*
— plur.	*ye*	pr. de classe	*ba*	*ba*	*be*

	Baoulé	Attié	Abouré	Adioukrou	Gola
1ʳᵉ pers. sing.	*me, mi*	*me̱*	*me, mi*	*me*	*me, mi*
— plur.	*ame*	*a*	*ame*	*se*	?
— plur. excl.	*ye*	.....	*e*	*we*	*wi*
2ᵉ pers. sing.	*wo, e*	*bo̱*	*wo*	*e, i*	*mbo*
— plur.	*amu̱*	*mun*	*ama*	?	?
3ᵉ pers. sing.	*o, a*	*o, e*	*o, e*	*o*	pr. de classe
— plur.	*be*	*ba*	*ve*	*be*	pr. de classe

Les 48 langues du groupe peuvent se répartir en sept
sous-groupes :

1º à 5º sous-groupe dit « éhoué » : le * **mahi** (*maxi*),
au Nord d'Abomey (1849 Clarke et 1854 Koelle) ; —
le * **fon** (*fõ*) ou *fōgᵇe* ou *dãxo̱me* ou *ǰēǰi*, Dahomey propre
et régions d'Allada et Ouidah (1730 Père Labat) ; —
le * **mina** ou *gẽ* ou *gẽgᵇe* ou *popo* ou *wači* ou *anex*, régions
de Grand-Popo et Anecho, sur la côte (1827 et 1828
Kilham) ; — le * **krépé** (*krepe*) ou *añfwe* ou *kᵖãndo*, régions
de Misahöhe et Kpando (1819 Bowdich, 1849 Clarke et

1854 Koelle) ; — *l'**éhoué** (*ehwe*) ou *ewe* ou *efe* ou *eve*
ou *yewe* ou *wegᵇe* ou *añlo* ou *awuna*, régions d'Avrékété,
Lomé et Quittah, sur la côte (1856 et 1857 Schlegel) ;

6º à 24º sous-groupe de la Volta : le **logba**, au Nord
et au Nord-Est d'Avatimé (1903 Westermann) ; — l'**adélé**
(*adele*), région d'Adélé, à l'Est du bas Oti (1895 Christaller) ;
— le **kabou** (*kabu*) ou *kębu* ou *akabu* ou *kögᵇörikö*, au
voisinage du précédent (1907 Wolf) ; — le **kposso** (*kᴾoso*),
ou *akᴾoso*, dans la région des monts Akposso (1907
P. Fr. Müller) ; — le **kédémonié** (*kedemon'e*) ou *avatime*,
région d'Avatimé (1887 Christaller) ; — le **balé** (*bale*)
ou *santrokofi*, parlé par 1.500 individus seulement entre
la Volta et les monts Akposso (1911 Funke) ; — le
trougbou (*trugᵇu*) ou *n'ãgᵇo-tafi*, parlé dans treize villages
entre Avatimé et Kpando (1910 Funke) ; — le **bouem**
(*bwem*) ou *lefana*, entre le kposso au Nord et le krépé
au Sud (1910 Westermann) ; — l'**ago** ou *ogo* ou *bogo*
ou *ahlõ* ou *axolo*, près des sources du Dayi, dans le moyen
Togo, (1898 Plehn-Seidel) ; — sous réserves : le **likpé**
(*likᴾe*), à l'Ouest du précédent ; l'**akpafou** (*akᴾafu*), dans
le moyen Togo ; le **bôli** (*bōli*) ou *bowli*, même région ;
le **boro**, parlé à Tapa et à Ouoraouora, même région
(pour ces quatre langues, néant) ; — l'*adan (*adã*) ou
adãpe ou *adãgᵇe* ou *adãme*, avec le dialecte *krobo*, région
d'Addah, à l'embouchure de la Volta (1854 Koelle) ;
— le *gan (*gã*) ou *ga* ou *akra*, ville et région d'Accra,
sur la côte (1788 Isert) ; — le *gouan (*gwã*) ou *gwañ* ou
akripõ, cantons d'Anoum, de Laté, de Cherepong, etc.,
coude de la basse Volta (1844 Prichard) ; — le **fétou**
(fetu) ou *afutu* ou *awutu* ou *obutu* ou *gomwa* ou *dwoma*
ou *aguna*, région de Winnebah, sur la côte, à l'Ouest
d'Accra (1480 Eustache de la Fosse, publié en 1897, et
1675 W. J. Müller) ; — l'**oti** ou *nawuri*, vallée du bas Oti
(1922 Westermann) ; — le **nta** ou *inta* ou *gwan'a* ou *bōle*
ou *daboya* (ne pas confondre avec le gbanian, du groupe
voltaïque, dit aussi « nta, gouania, bôlé » et parlé dans la

même région), provinces de Bôlé, de Daboya, du Gondja, et plus au Sud (1819 Bowdich)[1] ;

25° à 31° sous-groupe dit « tchi », englobé avec les deux suivants sous le nom de *tõ* par les Mandingues : le *****béri** *(beri)*, village de Taghadi, à l'Ouest de la Volta Noire, entre Bouna et Bondoukou (1921 Tauxier) ; — le *****koranza** ou *ṅkoranza*, région de Kintampo (1849 Clarke sous le nom de « dagamba n° 289 ») ; — le *****kouahou** *(kwahu)* ou *okwahu* ou *borõ* ou *brõ* ou « abron de l'Est », à l'Est et au Sud-Est du précédent dans les provinces d'Ataboubou et d'Amina (1819 Bowdich sous le nom de *burum* et 1849 Clarke sous les noms de *trubi* et « quako ») ; — l'*****akan** *(akã)*, dialectes *akwambu*, *akwapim* et *akim*, au Sud du précédent (1828 Rask) ; — le *****fanti** *(fãnti)*, dialectes *asin*, *t'efo*, *wasa* ou *wasaw* et *fãnti* propre ou *agwa* ou *amina*, provinces de Cape-Coast, Elmina, Sekondi, et le pays en arrière (1764 Protten) ; — le *****tchi** *(či)* ou *tüi* ou *t'i* ou *k'i* ou *oči* ou *ok'i* ou *okin* ou *asãnti*, parlé par les Adansi, les Denkira, les Amansi, les Assanti ou Achanti et les Ahafo, région de Coumassie (1819-1821 Hutton) ; — l'**abron** *(abrõ)* ou *brõ* ou *borõ* ou *abonõ* ou *abonu* ou « abron de l'Ouest » ou *g'amã* ou *gamã* ou *boga* (dialectes *abrõ* propre, *doma* ou *domna*, *ntakima*, etc.), région à l'Est, au Sud-Est et au Sud de Bondoukou (1849 Clarke sous le nom de « boutuku n° 171 ») ;

32° et 33° sous-groupe dit « apollonien » : l'*****ahanta**, provinces d'Axim et Dixcove près du cap des Trois-Pointes (1819 Bowdich) ; — le *****zéma** *(zema)* ou *nsima* ou *zimba* ou *amanaya*, province de Béyin, basse Tano, et colonies plus à l'ouest, notamment à Grand-Bassam (1819 Bowdich) ;

34° à 37° sous-groupe dit « agni » : le ***** tioko** *(t'oko)* ou *t'okosi* ou *čokosi*, isolé dans une colonie d'origine baoulé à Sansanné-Mango et aux environs (1911 Groh) ; —

---

1. Il existerait encore, au Togo, d'autres langues, en voie de disparition, qu'il y aurait lieu sans doute de ranger avec les précédentes, mais sur lesquelles nous n'avons aucune documentation, telles que celles des Tétémang, des Lolobi, des Bayika.

l'**assayé** *(asaye)* ou *sahüe* ou *sẹfẅi*, à l'Ouest de la moyenne
Tano (1904 Delafosse) ; — l'**agni** *(aṅi)* ou *aṅ'i* ou *aowim*
ou *awõṅẅi* ou *bonnai* (dialectes *bini, kumwenu, bonna* ou
bonda, sikāsu, nden'e, bet'e, bures'a ou *brusa, aris'ẽ* ou
ariš'ẽ, afema, sãmwị ou *sãwi, asini* ou *asoko*, etc.), au Sud
de l'abron de l'Ouest, entre l'assayé et le fanti à l'Est et la
Comoé à l'Ouest (1714 Père Loyer) ; — le **baoulé** *(baule)* ou
poni (dialectes *ṅg'e* et *abe* du Mango, *bomo, ndamẹ, wure*
ou *wor'e* ou *wele, moro* ou *moronu, agᵇẹṅ'aụ, baule* propre,
g'asale ou *t'asale*, etc.), entre la Comoé et le Bandama
(1898 Lasnet) ;

38º à 47º sous-groupe dit « des lagunes » : l'*attié
(at'e « ou *ak'ẹ* ou *kurobu* (dialectes *nedẽ* et *bodẽ* ou *budẹ*),
entre la basse Comoé et l'Agnéby (1900 Dreyfus) ; — le
*vétéré *(vetere)* ou *v'etre* ou *b'etri* ou *ewutre* ou *ewutile*
ou *papaire* ou *mek'ibo*, îles et rives des lagunes Tano, Abi,
etc. (1904 Delafosse) ; — l'*abouré *(abure)* ou *abonwã* ou
akaples, provinces de Bonoua à l'Est de la basse Comoé
et d'Abra et Mouossou près de son embouchure (1902
Bailleul) ; — le **goua** *(gwa)* ou *ṅgora* ou *mbāto* ou *potu*,
lagune Potou, et l'**ébrié** *(ebrie)* ou *k'ama*, rive nord de la
lagune Ébrié entre la lagune Potou et l'Agnéby et village
de Petit-Bassam (1904 Delafosse) ; — l'**abè** *(abẹ)* ou
« abbey », entre l'Agnéby et le bas Bandama et le bas Nzi ;
l'**ari** ou *abigi* ou *abiji*, région de Bessédi, au Sud du précédent ; l'*adioukrou *(ad'ukru)* ou *ag'ukru* ou *og'ukru*, au
Nord de la lagune Ébrié à l'Ouest de l'Agnéby, région de
Dabou-Toupa ; l'**aladian** *(alad'ã)* ou *alag'ã* ou « jack-
jack », au Sud de la lagune Ébrié à l'Ouest de Petit-
Bassam, région de Jacqueville (pour ces quatre langues,
1901 Delafosse) ; — l'*avikam** ou *avikọm* ou *avekwọm* ou
gᵇãnda ou *briṅã* ou *kwakwa* ou *lahu*, sur la côte, de Krafi
à l'Est à Dibou à l'Ouest et sur le bas Bandama, région
de Lahou (1849 Leighton Wilson) ;

48º le **gola** ou *gora* ou *gura*, isolé sur le bas Saint-Paul en
amont de Monrovia (1849 Clarke et 1854 Koelle).

BIBLIOGRAPHIE. — Aucun travail d'ensemble n'a été publié sur le groupe éburnéo-dahoméen dans son entier, mais on peut citer, pour les sous-groupes de l'Est : J. G. CHRISTALLER, *Die Volta-Sprachen Gruppe* (*Zeitschrift für Afrikanische Sprachen*, 1887) ; le même, *Sprachproben aus dem Sudan* (*ibid.*, 1889) ; B. GROH, *Sprachproben aus zwölf Sprachen des Togohinterlandes* (*Mitteil. des Seminars für Or. Spr.*, 1911) ; — et pour les sous-groupes tchi, apollonien, agni et des lagunes, les chapitres III et I de DELAFOSSE, *Vocabulaires comparatifs de plus de 60 langues ou dialectes*, Paris, 1904.

Parmi les travaux consacrés à des langues spéciales du groupe, on peut citer : pour le fon, DELAFOSSE, *Manuel dahoméen*, Paris, 1894, et Père JOULORD, *Manuel français-dahoméen*, Lyon, 1907 ; pour le mina, Père SCHUH, *Vocabulaire gengbe-français et français-gengbe*, Rome, 1910 ; pour l'éhoué, D. WESTERMANN, *Grammatik der Ewe-Sprache*, Berlin, 1907, du même auteur, *Ewe-English dictionary*, Berlin, 1928 et *A study of the Ewe language*, Londres, 1930 ; pour le logba, même auteur, *Die Logbasprache* (*Zeit. für Afr. Spr.*, VII, 1903) ; pour l'adélé, J. G. CHRISTALLER, *Die Adelesprache* (*ibid.*, I, 1895) ; pour le kabou, F. WOLF, *Grammatik der Kögböriкö-Sprache* (*Anthropos*, 1907) ; pour le kposso, même auteur, *Grammatik der Kposo-Sprache* (*ibid.*, 1909) ; pour le kédémonié, E. FUNKE, *Versuch einer Grammatik der Avatimesprache* (*Mitteil. des Seminars für O. Spr.*, 1909) ; pour le balé, même auteur, *Die Santrokofisprache* (*ibid.*, 1911) ; pour le trougbou, même auteur, *Die Nyaṅgbo-Táfi-Sprache* (*ibid.*, 1910) ; pour le bouem, D. WESTERMANN, *Die Lefánasprache in Togo*, Berlin, 1910 ; pour l'ago, même auteur, *Die Ahlō-Sprache in Mitteltogo*, pp. 5 à 33 de *Die Sprache der Guang*, Berlin, 1922 ; pour le gan, J. ZIMMERMANN, *A grammatical sketch of the Akra or Gã language*, Stuttgart, 1858, 2 vol., M. WILKIE, *Gã grammar*, Londres, 1930 ; pour le gouan, D. WESTERMANN, *Die Sprache der Guang*, Berlin, 1922 ; pour l'akan, H. N. RIIS, *Elemente des Akwapim-Dialektes der Odschi-Sprache*, Basel, 1853 ; pour le tchi et le fanti, J. G. CHRISTALLER, *A grammar of the Asante and Fante language*, 2d ed., Basel, 1882, W. T. BALMER and F. C. F. GRANT, *Grammar of the Fante-Akan Language*, Londres, 1929, W. WELMERS, *A descriptive grammar of Fanti*, Baltimore, 1946 (Language Dissertation nº 39) ; pour l'agni et le baoulé, DELAFOSSE, *Essai de manuel de la langue agni*, Paris, 1901, pour l'attié, Père MÉRAUD, *Essai sur la langue attié*, Dabou, 1902 ; pour l'adioukrou, J. BERTHO, *La place du dialecte adiukru*, *Bull. de l'IFAN*, t. XII (1950), p. 1075-1094 ; pour le gola, D. WESTERMANN, *Die Gola-Sprache* (*Zeit. für Eingeborenensprachen*, 1921).

XIV. — *Groupe nigéro-sénégalais* (36 langues)[1].

Par son étendue territoriale, ce groupe vient en troisième ligne après le groupe bantou et le groupe nilo-tchadien. Il fait suite à l'Ouest au groupe nigéro-tchadien, contourne au Nord, à l'Ouest et au Sud le groupe voltaïque,

---

1. Les langues de ce groupe forment la section mandingue ou des langues sans classes de Westermann, exception faite du zerma et du songoï, qualifiés de nigritiens et du dogon que la persistance très nette du système des classes nominales a fait ranger parmi les langues semi-bantoues.

poussant des antennes entre ce dernier et les groupes
éburnéo-dahoméen et nigéro-camerounien, puis limite au
Nord et à l'Ouest le groupe éburnéo-libérien et s'entremêle
ensuite au groupe sénégalo-guinéen, atteignant la mer
près de Monrovia, de Freetown, de Conakry, de Bathurst,
pour se rencontrer, à la lisière méridionale du Sahara,
avec le domaine de l'arabe et du berbère. Il convient
d'ajouter que cette dernière langue forme des enclaves
importantes, avec divers dialectes parlés par les Touareg,
entre Agadès et Gao, à l'intérieur de la Boucle du Niger
et près de Tombouctou, de même que l'arabe entre Tombouctou et le Sénégal ; de plus le peul, du groupe sénégalo-
guinéen, est parlé en divers points du territoire nigéro-
sénégalais, notamment dans le Liptako (Boucle du Niger)
et dans le Massina (au Sud-Ouest de Tombouctou).

Les populations qui parlent des langues nigéro-sénégalaises appartiennent toutes à la race noire ; mais les
plus septentrionales (Songoï, Azer, Sarakollé) sont plus
ou moins métissées, depuis une époque paraissant ancienne,
d'éléments de race blanche, sémitiques ou libyco-berbères.
A part les tribus du Sud qui vivent au voisinage de la
forêt dense et dont quelques-unes sont anthropophages
(Dan, Manon), à part aussi quelques tribus isolées comme
les Dogon, les Samo, etc., la plupart des peuples de langues
nigéro-sénégalaises ont atteint depuis plusieurs siècles
un état de civilisation relativement avancé, et certains
(Sarakollé, Mandingues, Songoï) possèdent un passé historique remarquable.

Les classes nominales ont complètement disparu,
semble-t-il, des langues de ce groupe, quoiqu'on en retrouve
des vestiges sous forme d'anciens préfixes de classe, communs à nombre de langues négro-africaines, qui ont subsisté
çà et là en s'incorporant, pour ainsi dire, au radical de
certains noms, tels le préfixe *mu-* de la classe humaine dans
le mot mandingue *mu-so* « femme » $\sqrt{so}$.

En général, le nom ne se distingue du verbe que par la
place respective de l'un et de l'autre dans la phrase. En

réalité, il n'y a pas de verbes à proprement parler, mais seulement des noms qui, soit par le moyen d'affixes de conjugaison, soit simplement de par la place qu'ils occupent, font fonction de verbes. Cependant, il arrive parfois qu'on distingue le rôle nominal d'un mot de son rôle verbal en lui donnant, quand il est nom, une désinence spéciale (*o* dans certains dialectes mandingues et dogon, *e* en sarakollé, en azer, en kouranko) ou en nasalisant sa consonne initiale (dialectes bambara et dioula du mandingue).

La conjugaison présente un nombre assez considérable d'aspects verbaux, tant affirmatifs que négatifs, marqués chacun par un préfixe spécial ou, exceptionnellement, par un suffixe, tandis que le parfait affirmatif des verbes intransitifs comporte au contraire le plus souvent un suffixe. En dehors de ce dernier cas, l'absence de complément direct est la seule chose qui distingue le verbe intransitif du verbe transitif et elle suffit à donner à un verbe quelconque une valeur neutre ou passive (mandingue : *a bi muso bugo* « il frappe une femme », *a bi bugo* « il est frappé »).

Le sujet, nom ou pronom, précède le verbe. — Le nom ou pronom complément d'un verbe ou d'un nom précède ce verbe ou ce nom ; il n'y a d'exception qu'en songoï, où le complément du verbe suit en général le verbe ; le zerma, extrêmement voisin du songoï par ailleurs, suit la règle générale, laquelle consiste à mettre le complément du verbe immédiatement avant le radical verbal ; parfois cependant, en zerma, le complément d'un verbe non pourvu de préfixe suit ce verbe au lieu de le précéder. — Le qualificatif, le déterminatif et le nom de nombre suivent toujours le nom qualifié, déterminé ou nombré ; l'expression mandingue *o muso* « cette femme », *o k'ę* « cet homme », ne fait pas exception à la règle, car *o* est un pronom complément du nom qui le suit, et la traduction exacte serait « femme de ceci, homme de ceci ».

Il n'existe pas de désinences proprement consonantiques, sauf en songoï. Dans les autres langues, et souvent même en songoï, lorsque la racine se termine par une consonne,

on en forme un mot en lui suffixant une voyelle qui, en
général, est identique ou analogue à la voyelle radicale.
Commune dans le Sud, la gutturale labialisée g^b passe
généralement à *g* dans le Nord. On rencontre r uvulaire
(R), interchangeable avec *g*, dans plusieurs langues ou
dialectes, non dans d'autres ; il en est de même de la jota
(x), qui est interchangeable avec *k*.

On n'a signalé de tons musicaux, avec quelque apparence
de certitude, que dans une seule langue du groupe, le loko,
où ils peuvent être dus au voisinage de langues sénégalo-
guinéennes à tons.

Les noms forment leur pluriel par l'addition d'un suffixe
à la forme du singulier.

Suivent les pronoms personnels dans quelques langues
du groupe :

	Zerma	Songoï	Dogon	Sia	Sorko	Sarakollé	Mandingue	Soussou
1re pers. sing.	*ay*	*ay*	*mi, i*	*mi*	*ni*	*n'e*	*ne, ni*	*ni*
— plur.	*iri*	*yer*	*emę*	*?*	*?*	*o*	*an, nu*	*woǹ, muxu*
2e pers. sing.	*ni*	*ni*	*u*	*bi*	*ǎ*	*an*	*i, e*	*i*
— plur.	*wor*	*wor*	*ey*	*?*	*?*	*axa*	*al, au*	*wo*
3e pers. sing.	*a, ǹga*	*a, ǹga*	*a, wo*	*a*	*a*	*a*	*a*	*a*
— plur.	*i, ǹgay*	*i, ǹgi*	*be*	*ki*	*?*	*i*	*u*	*e*

Les 36 langues nigéro-sénégalaises peuvent se répartir
en six sous-groupes :

1° et 2° sous-groupe du Nord-Est : le **zerma**[1] ou *ǰerma* ou
zaberma, vallée du Niger en aval d'Ansongo jusqu'à Ilo,
ainsi qu'à l'Est dans le Djermaganda et au Sud-Ouest
dans le Dendi, 100.000 individus environ (1897 Hacquard
et Dupuis) ; — le **songoï**[1] *(soǹǫy)* ou *soǹay* ou *sõgǫy* ou
sõgay ou *kuria* (« kissour » dans Caillé), vallée du Niger
en amont de Gao inclus jusqu'à Dienné inclus, y compris
Tombouctou, 300.000 individus environ, langue commerciale et politique du Nord de la Boucle du Niger, avec des
dialectes aberrants à Agadès *(emgedezi)*, à Tabalbalet
(balbali), etc. (XIe siècle El Bekri et 1818 Lyon) ;

3° à 9° sous-groupe de l'Est: le **dogon** *(dogõ)*[1] ou *dogom*

---

1. Voir la note de la p. 823.

ou *dogo* ou *toro* ou *tombo* ou *ha'be* (sing. *ka'do*), parlé sur les montagnes dites « falaises » des cercles de Bandiagara et de Hombori, ainsi que par les *Deforo* ou *Humbe'be*, au pied de ces montagnes, 100.000 individus environ, nombreux dialectes (1849 Clarke et 1921 Arnaud) ; — le **samo** ou *samoro* ou *sǫmno*, dans le Sud du Yatenga, près du coude nord de la Volta Noire et à l'Est de Sikasso (1819 Bowdich et 1899 anonyme sous le nom de « mossi ») ; — le **sia** *(s'a)*, parlé par les autochtones de Bobo-Dioulasso (1904 Delafosse) ; — sous réserves : le **sembla**, le **ouara** *(wara)*, le **natioro** *(nat'oro)* et le **blé** *(ble)*, dans le cercle de Bobo-Dioulasso (pour la première de ces quatre langues, néant ; pour les trois autres, 1921 Ferréol [inédit]) ;

10º et 11º sous-groupe du Sud-Est : le **boussa** *(būsa)* ou *bisa* ou *bisã* ou *bisõ* ou *bǫko*, entre le ber ou bariba à l'Ouest, le kambari au Nord et le noupé au Sud (1854 Koelle) ; — le **boussan** *(busã)* ou *moṭã*, parlé par les Boussansi ou Boussangsé ou M'otsantsé au Nord de Gambaga et de Sansanné-Mango (1889 Christaller sous le nom de mozanze)[1] ;

12º à 14º sous-groupe du Nord : le **sorko** ou *sorogo* ou *koroṅgoy* ou *boso* ou *bozo*, parlé par les pêcheurs et riverains du Niger et de ses lacs et canaux, de Tombouctou à Dienné (1904 Delafosse) ; — le **sarakollé** *(saraxǫlle)* ou *sęrękule* ou *sęrawuli* ou *soniṅke* ou *aswanik* ou *marka* ou *gad'aga* ou *wakore*, parlé sur les deux rives du Sénégal dans la région du Galam ou de Bakel, au Nord dans le Guidimaka et au Nord-Est dans la région de Nioro (xiᵉ siècle El Bekri, xivᵉ siècle Ibn Batouta, et xviiᵉ siècle vocabulaire anonyme publié en 1845 par d'Avezac) ; — l'**azer** ou *ajer* ou *girgãke* ou *masīn*, parlé par les nomades Guirganké et par les sédentaires des oasis de Tichit, Ouadân, Oualata, etc., peut-être aussi par les chasseurs Némadi (1855 Barth) ;

15º à 21º sous-groupe du centre : le **ligbi** ou *ligwi* ou

---

1. Le boussa et le boussan se rapprochent très étroitement des langues formant le sous-groupe du Sud et semblent en constituer, avec d'appréciables solutions de continuité, le prolongement vers l'Est jusqu'au bas Niger, en suivant à peu près la zone de culture des colatiers.

nig^bi ou *nigwi*, entre le coude sud de la Volta Noire et
Bondoukou ; le **noumou** *(numu)*, parlé surtout par des
artisans dans la région de Bondoukou ; le **huéla** *(hïwela)*
ou *ïwela* ou *vïwela*, même région (pour ces trois langues,
1904 Delafosse) ; — le **mandingue** ou « mandingo » ou
mandę ou *mandį* ou *manę* ou *manį* ou *mali* ou *melli* ou
wāgara ou *kāga* ou *sōgo* ou *soʀo*, parlé d'une façon continue
depuis le Bani à l'Est jusqu'à la basse Gambie à l'Ouest et
depuis le parallèle de Nioro au Nord jusqu'aux sources du
Niger et aux approches de la forêt dense au Sud, et, d'une
façon disséminée, dans de nombreuses et populeuses
colonies citadines sur le coude sud de la Volta Noire, à
Bondoukou et dans la région, en pays bobo (Boromo,
Bobo-Dioulasso, etc.), en pays sénoufo (Sikasso, Bong,
Koroko, Kong, etc.), ensemble 2.500.000 individus environ
dont le mandingue est la langue maternelle, plus 2.000.000
environ qui le parlent comme langue auxiliaire ; idiome
de très grande extension, qui tend à se répandre dans toute
l'Afrique occidentale ; nombreux dialectes pouvant se
ramener à six sections : *d'ula* ou *g'üla* ou *d'ura*, dans des
colonies à l'Est du Bani ; *bāmbara* ou *bāmana*, entre Bani
et Niger et à l'Ouest du Niger en aval de Bamako, ainsi
que dans le Sahel ; « malinké de l'Est » ou mandingue
propre, le long du haut Niger en amont de Bamako et
entre Niger et Bafing ; « malinké du Nord » ou *xasoṅke*,
dans la région de Kayes ; « malinké de l'Ouest », sur la
Gambie ; « malinké du Sud », aux abords de la forêt
dense ; de plus, il existe un dialecte commun dit *kāg^bę*
(langue blanche), au profit duquel se fait l'expansion de
la langue (xie siècle El Bekri, xive siècle Ibn Batouta et
Ibn Khaldoun, xviie siècle vocabulaire anonyme publié
en 1845 par d'Avezac) ; — le **kouranko** *(kurãko)*, région des
sources du Niger (1916 Thomas) ; — le **kono**, au Sud-Ouest
du précédent (1854 Koelle) ; — le **vaï** *(vay)* ou *vęy* ou *karo*
ou *karu*, sur la côte, à l'Ouest du Saint-Paul, possède une
écriture syllabique spéciale (1828 Kilham et 1849 Koelle) ;

22° à 36° sous-groupe du Sud : le **gbin** *(g^be)* ou *g^beyį* ou
mbę̃ ou *guro*, entre Bondoukou et la Comoé, et le **ngan**

(ṅgã), dans le Mango et le Diammala (1904 Delafosse) ; —
le **noua** *(nwa)*, sur le haut Bandama Rouge (néant) ; —
le **mouin** *(mwē)* ou *mona* ou *moni*, à l'Ouest du précédent,
entre le Oué et le Béré (1849 Clarke sous les noms de
« lorangga » et « kangga n° 207 » et 1901 Delafosse) ; —
le **lo** ou *guro*, entre Bandama et Sassandra au Sud de
Séguéla (1899 Eysséric) ; — le **toura** *(tura)*, montagnes
du haut Sassandra (néant) ; — le **dan** *(dã)* ou *mẹbe* ou
yabuba ou langue des « Dioula anthropophages », haut
Cavally (1854 Koelle sous le nom de *gīo*) ; — le **manon**
(manõ) ou *gõ*, à l'Ouest du précédent (1854 Koelle sous
le nom de *mano*) ; — le **guerzé** *(gerze)* ou *gᵇerese* ou
gᵇẹse ou *kᵖẹle* ou *kᵖwesi* ou *pesa* ou « pessy » ou « bar-
line », entre la haute Nuon et le haut Saint-Paul (1827-
1828 Kilham, 1849 Clarke et 1854 Koelle) ; — le **toma** ou
loma ou *buzi*, au Sud-Ouest de Beyla (1849 Clarke sous le
nom de *baru* et 1854 Koelle) ; — le **gbandi** *(gᵇãndi)*, au
Sud du kono et au Nord du vaï (1854 Koelle) ; — le **mendé**
(mende) ou *mendi* ou *koso* ou *wuro* ou *komboya*, à l'Ouest
du vaï, du gbandi et du kono (1827 Kilham) ; — le **loko**
ou *landoꞃo*, entre la Roquelle et la Grande Scarcie, au
Nord-Est de Freetown (1854 Koelle) ; — le **langan** *(lãgã)*
ou *sako* ou *d'allonke* ou *d'aluṅka*, langue des autochtones
du Foûta-Diallon (1799 Mungo-Park) ; — le **soussou** *(susu)*
ou *soso*, au Sud-Ouest du Foûta-Diallon (1802 Brunton).

BIBLIOGRAPHIE. — Comme travaux d'ensemble sur une partie au
moins des langues nigéro-sénégalaises, on peut citer : H. Steinthal, *Die
Mande-Neger-Sprachen*, Berlin, 1867, les chapitres IV et V de Delafosse,
Vocabulaires comparatifs, Paris, 1904 et A. Prost, *Contribution à l'étude
des langues mandé sud*, dans *Notes africaines*, oct. 1948. Parmi les publications relatives à des langues du groupe : pour le zerma et le songoï,
Hacquard et Dupuis, *Manuel de la langue soñgay*, Paris, 1897, et, pour
le songoï, Dupuis-Yakouba, *Essai de méthode pratique pour l'étude de la
langue songoï*, Paris, 1917, Ardant du Picq, *La langue Songhoy*, Paris,
1933 ; pour le sorko, Ch. Monteil, *La langue des Bozo*, dans *Bulletin du
Comité des Études historiques de l'A. O. F.*, t. 15, Paris, 1933 ; Ch. Monteil,
La langue azer, dans *Contributions à l'étude du Sahara occidental*, fasc. II
(*Public. du Comité d'études hist. et scient. de l'A. O. F.*, série B, n° 5) Paris,
1939 ; pour le mandingue, ouvrages généraux, M. Delafosse, *La langue
mandingue et ses dialectes*, Paris, 1928 ; Klingenheben, *Die Mandevölker und
ihre Sprachen*, dans *Zeitschrift für Eingeborenen Sprachen*, t. 34, Berlin,

1944, DELAFOSSE, *Essai de manuel pratique de la langue mandé*, Paris, 1901 (dialecte dioula) ; DELAFORGUE, *Grammaire et méthode bambara*, Paris, 1947 (dialecte bambara) ; Père ABIVEN, *Dictionnaire français-malinké et malinké-français précédé d'un abrégé de grammaire malinkée*, Conakry, 1906 (dialecte malinké de l'Est) ; Ch. MONTEIL, *Les Khassonké*, Paris, 1915 (dialecte malinké du Nord) ; MACBRAIR, *A grammar of the Mandingo language*, London, 1837 (dialecte malinké de l'Ouest) ; pour le vaï, S. W. KOELLE, *Outlines of a grammar of the Vei language*, new edition, London, 1902 ; pour le guerzé, D. WESTERMANN, *Die Kpelle Sprache in Liberia*, dans *Zeitschrift für Eingeborenen Sprachen*, Beiheft 6, Berlin, 1924 ; pour le mendé, K. CROSBY, *Introduction to the Study of Mende*, Cambridge, 1944, M. EATON, *A dictionary of the Mende language*, Freetown, s. d. ; pour le soussou, J. B. RAIMBAULT, *Dictionnaire français-soso et soso-français*, Rio-Pongo, 1885.

XV. — *Groupe éburnéo-libérien* (24 langues)[1].

D'étendue restreinte, ce groupe présente une grande unité entre les parlers qui le composent. Son territoire est limité exclusivement à la zone de forêt dense comprise entre le Bandama et le Saint-Paul, avec une pointe s'avançant au Sud-Est, de l'autre côté du Bandama, jusque sur la lagune Ébrié. Les populations qui habitent ce domaine, frustes et souvent sauvages, parfois anthropophages, appartiennent toutes à la race noire.

Des vestiges très nets de classes nominales à préfixes subsistent sous la forme de quelques préfixes nominaux et surtout sous celle de deux pronoms de la 3e personne du singulier, dont l'un est réservé aux êtres humains, le second servant à représenter tous les autres êtres ou objets.

Le nom, en dehors des cas où le préfixe de classe a subsisté, ne se distingue essentiellement du verbe que par la place respective de l'un et de l'autre.

Il existe deux conjugaisons, l'une pour les verbes simples (radicaux ou dérivés), l'autre pour les verbes accompagnés d'une particule séparable. En général l'aoriste, ainsi que, souvent, l'injonctif, ne prend pas d'affixe de conjugaison, tandis que le parfait se marque à l'aide d'un suffixe et les aspects secondaires à l'aide de préfixes, la négation s'indiquant au moyen d'une particule préfixée au verbe ou, quelquefois, suffixée. La forme du pronom sujet varie

1. Ces langues font partie de la section nigritienne de Westermann.

fréquemment selon les aspects du verbe et sert alors à les
déterminer ou à les préciser.

Ordre des mots : le nom ou pronom sujet précède le
verbe ; parfois il se place entre le préfixe de conjugaison
et le radical verbal ; — le nom ou pronom complément
d'un verbe suit ce verbe en général dans les propositions
principales, se plaçant entre le radical verbal et le suffixe
de conjugaison, mais il le précède dans les propositions
subordonnées ou négatives, se plaçant entre le préfixe de
conjugaison et le radical verbal, ou même quelquefois
avant le préfixe de conjugaison ; lorsqu'il y a interrogation, le complément du verbe peut même se placer avant
le sujet ; de plus la place du complément varie parfois
selon qu'il est nom ou pronom ou, s'il est pronom, selon
la personne, ou enfin selon le type de conjugaison (kra :
ã na nu̧ « nous boire vin de palme, buvons du vin de
palme », gi ā nu̧ na « viens nous vin de palme boire, viens
que nous buvions du vin de palme », ā se nu̧ na « nous
non vin de palme boire, nous ne buvons pas de vin de
palme ») ; — le nom ou pronom complément d'un nom
précède ce nom, directement si c'est un pronom, généralement en intercalant entre les deux une particule pronominale si c'est un nom (kra : nā kru « toi village, ton village »,
kru ę huro « village lui chemin, le chemin du village »,
ble ę döbo « bœuf lui tête, la tête du bœuf ») ; dans les
noms composés, les deux éléments se suivent directement,
le complément prenant la forme du pluriel (kra : ble plur.
bli « bœuf », bli-döbo « une tête de bœuf », bli-yu « un
petit de bœuf, un veau ») ; — le qualificatif, le déterminatif
et le nom de nombre suivent le nom qualifié, déterminé
ou nombré.

Il n'y a que des désinences vocaliques.

Les voyelles nasales sont assez rares, mais la nasalisation
des consonnes et notamment des aspirées est fréquente.
Les labiales gutturalisées abondent.

Il existe des tons musicaux à valeur étymologique et à
valeur grammaticale. Le ton haut est affecté, entre autres
choses, à la 1re personne et le ton bas à la 2e, la différence

de ton suffisant, même en l'absence de tout pronom, à distinguer l'une de l'autre ces deux personnes.

Le pluriel des noms est marqué par une modification de la voyelle finale, ainsi parfois que par un déplacement de l'accent, une modification de la voyelle radicale ou un changement de ton ; de plus, le préfixe de classe, s'il existe, peut disparaître au pluriel (abri : *bre* « bœuf » plur. *bri, tu* « arbre » plur. *ti, kǫü* « maison » plur. *kęi, kubu* « européen » plur. *kubo, n'õ* « être humain » plur. *n'u ;* né : *m-ble* « bœuf » plur. *bli, kókwę* « poule » plur. *kokǫ́, húro* « maison » plur. *hulé*).

Voici les pronoms personnels dans quelques langues du groupe :

	Dida	Né	Abri	
1ʳᵉ pers. sing.	ĕ, nă, mŏ	ĕ, nă, mŏ	ĕ, nă, mŏ	(1)
— sing.	ē, nā, mō	ē, nā, mō	ē, ĭ, nā, mō	(2)
3ᵉ pers. s. classe humaine	ǫ	ǫ	ǫ	
— s. autre classe	ă	ĕ̆	ĕ̆	
1ʳᵉ pers. plur.	ā	aa	aa	(1)
2ᵉ — —	ā	aa	aa	(2)
3ᵉ — —	ā	aa	aa	(3)

	Té	Pla	Kra	
1ʳᵉ pers. sing.	ĕ, nǎ, mŏ	ĕ, nĕ, nǎ, mŏ	ĕ, nǎ, mŏ	(1)
2ᵉ pers. sing.	ē, nā, mō	ē, nē, nā, mō	ē, nā, mō	(2)
3ᵉ pers. s. classe humaine	o	o	ǫ̀	
3ᵉ — s. autre classe	ǎ, ĕ̆	ǎ	ę	
1ʳᵉ pers. plur.	ā	ā	ā	(1)
2ᵉ — —	ā	ā	ā	(2)
3ᵉ — —	ā, õ	wā, õ	ā	(3)

(1) Ton haut. — (2) Ton bas. — (3) Ton moyen.

Les 24 langues du groupe peuvent se répartir en deux sous-groupes :

1º à 8º sous-groupe oriental : l'**ahizi**, sur les deux rives de l'extrémité occidentale de la lagune Ebrié (néant) ; — le **dida** ou *d'ida*, au nord de l'avikam, du Bandama au Rio Fresco (1849 Clarke sous le nom de *wawi*) ; — le **zégᵇé** *(zegᵇe)* ou *kwaya*, vallée du Rio Fresco et Yobéhiri (1849 Clarke sous les noms d'*eple* et de « friesco ») ; — le **go** ou *god'e*, région de Kotrou, entre Fresco et Trépoint, et en arrière (1849 Clarke) ; — le **oua** *(wa)* ou *waya* ou *wad'e* ou *bobwa*, au Nord de Daloa (1904 Delafosse) ; — le **bêté** *(bęte)*, de Daloa inclus au Nord jusqu'à Kouati exclu au Sud (1904 Delafosse) ; — le **koua** *(kwa)* ou *kwad'a* ou *kwadre*, sur les deux rives du bas Sassandra de Kouati inclus à Griguiblé exclu (1905 Thimann) ; — le **né** *(ne)* ou *newole* ou *neyo* ou *nihiri*, villages et cantons de Trépoint *(Grabwa)*, de Sassandra *(Bokre)* et Drewin *(Kębę)* (1849 Clarke) ;

9º à 24º sous-groupe occidental : le **ouobê** *(wobę)*, région de Sémien à l'Ouest du Sassandra et au Sud-Ouest de Séguéla (néant) ; — le **ba** ou *bańïwa* ou *zag'e* ou *ńgere* ou *gere*, entre Sassandra et Cavally, au sud du ouobê et du dan (1905 Thomann) ; — le **bakoué** *(bakwe)*, au Sud du précédent (1849 Clarke sous le nom de *pori*) ; — le **houané** *(hwane)* ou *hwēne*, région de Victory, sur la côte, entre Drewin et San-Pedro (1904 Delafosse) ; — le **pia** *(p'a)* ou *p'ę* ou *omelokwe*, vallée du San-Pedro (néant) ; — l'**abri** ou *abriwi* ou *abriń'õ* ou *berebi* ou *aulo*, région des Béréby entre Tahou et Ouappou (1849 Clarke) ; — le **té** *(te)* ou *tewi* ou *tïwa* ou *tepo* ou *horo*, à l'Est du bas Cavally et sur ses deux rives, au Sud du bakoué et au Nord de l'abri et du pla, régions de Sapo, Paloubo, Graouro, Krépo, Ouampo, Olodio, Ségré ou Sigli, Grabo, Taté, etc. (1849 Clarke) ; — le **pla** ou *plawi* ou *bla* ou *plapo*, district de Tabou (1849 Clarke) ; — le **bâ** *(bā)* ou *bāpo* ou *bābo*, bouche du Cavally et village de Half-Cavalla (1827-1828 Kilham sous le nom d'*appa*) ; — le **padé** *(pade)* ou *padebo*, entre Cavally et Nuon, au Nord du suivant (1906 Johnston) ; — le **gré** *(gre)* ou *grebo* ou *gedebo* ou *krebo* ou *krepo*, sur la côte, du Cavally à Nifou, région de Cape-Palmas (1835 Leighton Wilson et Mrs. Wilson) ; — le **gbé** *(gᵇe)* ou *sikoń*, au Nord de Sinoe (1854 Koelle) ; — le **kra** ou *krawo* ou *krao* ou *krawi* ou *kru* ou *nańa* ou *ńana*, sur la côte dite de Krou, de Nifou à Bafou, régions de Nannakrou, Krouba, Settakrou, Sinoe, etc. (1827-1828 Kilham) ; — le **bassa** *(basa)* ou *gᵇasa*, de Bafou à Marshall, région de Grand-Bassa (1827-1828 Kilham) ; — le **gui** *(gi)* ou *givi* ou *gibi* ou *kwia* ou

« queah », entre la rivière Duqueah et Monrovia (néant) ; —
le **dé** *(de)* ou *do* ou *dewoy*, sur la lagune de Monrovia et le
bas Saint-Paul (1854 Koelle).

BIBLIOGRAPHIE. — A citer comme études d'ensemble : Fr. MÜLLER,
Die Sprachen Basa, Grebo und Kru, Wien, 1877, et le chapitre II de DELA-
FOSSE, *Vocabulaires comparatifs*, Paris, 1904. Comme études de détail :
pour le né, G. THOMANN, *Essai de manuel de la langue néouolé*, Paris, 1905 ;
pour le gré, J. PAYNE, *Grebo grammar*, New York, 1864 ; pour le kra, USERA
Y ALARCON, *Ensayo grammatical del idioma de la raza africana de Ñana por
otro nombre Cruman*, Madrid, 1845 ; pour le bassa, CROCKER, *Grammatical
observations on the Basa language*, Edina (Liberia), 1844.

XVI. — *Groupe sénégalo-guinéen* (24 langues)[1].

Ce groupe se trouve resserré entre le groupe nigéro-
sénégalais et la mer. Les langues qui le composent,
visiblement acculées à la côte par la poussée des grandes
migrations venant de l'Est, n'ont chacune qu'un domaine
exigu, à l'exception du peul, qui d'ailleurs, par un mouvement en sens inverse, s'est transporté non seulement vers
le Sud (Foûta-Diallon), mais aussi vers l'Est et bien au
delà de son territoire primitif, lequel devait se trouver
vraisemblablement entre Nioro et Tombouctou avant les
immigrations dans le Foûta-Toro.

Les populations parlant des langues sénégalo-guinéennes
appartiennent toutes à la race nègre, sauf pour ce qui
est des Peuls ou Foulbé propres, lesquels se rattachent
probablement à une souche de blancs, mais sont beaucoup
moins nombreux que les métis ou noirs purs parlant le
même idiome qu'eux. Les populations noires ou métisses
de langue peule (Toucouleurs du Foûta-Toro et Foula
du Foûta-Diallon) et les Peuls propres, ainsi que les
Ouolofs et les Sérères, ont atteint un certain degré de
civilisation ; les autres peuples parlant des langues sénégalo-
guinéennes sont en général au contraire très arriérés.

1. Les langues de ce groupe sont d'après Westermann «[semi-bantoues ».
Le sérère, le ouolof et surtout le peul y occupent une position à part. On a
souvent proposé pour ce dernier une origine chamito-sémitique (Meinhof,
Westermann en 1927, voir A. DREXEL, *Kann das Ful als hamitische Sprache
gelten?* dans *Fetschrift P. W. Schmidt*, St. Gabriel-Mödling, 1928).

Toutes les langues de ce groupe possèdent un système de classes nominales, tantôt fonctionnant à l'état parfait (peul, diola, timné, etc.), tantôt montrant des tendances à la simplification (ouolof, sérère, limba, boulom, krim, kissi, etc.). On procède en général par préfixation de l'indice de classe, parfois par préfixation et suffixation (boulom, où le préfixe de classe devient suffixe quand le nom est accompagné d'un déterminatif ; kissi, où les deux procédés coexistent), uniquement par suffixation dans l'une des langues (peul). Souvent, en ouolof par exemple, les pronoms de classe ne sont plus ou presque plus en usage en tant que pronoms proprement dits et ont disparu de la plupart des noms en tant que préfixes nominaux, mais ils ont subsisté comme déterminatifs, comme relatifs et comme préfixes de l'adjectif pour faire accorder celui-ci en classe avec le nom qu'il qualifie (ouolof : *nit*, pour *ku-nit*, « une personne », *nit ku*, pour *ku-nit ku*, « la personne » ou « la personne qui » ; *nit ku-mag* « une personne âgée », *nit ku-mag ku* « la personne âgée » ; comparez en peul, où l'on procède par suffixation : *ne'd'd-o* « une personne », *ne'd'd-o o* « la personne », *ne'd'd-o mo* « la personne qui », *ne'd'd-o maw-'do* « une personne âgée », *ne'd'd-o maw-'do o* « la personne âgée »). Dans plusieurs langues du groupe (peul, ouolof, sérère), les classes sont caractérisées par la nature de la consonne initiale de la racine, laquelle, pour une même racine, est, selon les classes, tantôt une constrictive, tantôt l'occlusive simple et tantôt l'occlusive nasalisée correspondante.

L'indice de classe distingue aisément le nom du verbe. Là où il est tombé, la distinction est encore facile pour les noms déterminés ; mais les noms indéterminés ne se différencient des verbes que par la place respective qu'occupent les uns et les autres.

Il existe en général au moins deux voix (active et réfléchie) et souvent trois (active, réfléchie et passive), dont chacune est caractérisée par des suffixes de conjugaison spéciaux, tant au négatif qu'à l'affirmatif. Il n'est jamais fait usage de préfixes, au moins pour les aspects principaux du verbe. En peul, sauf dans le dialecte du Foûta-Diallon et quelques autres, et en sérère, le pluriel des verbes est caractérisé par la substitution, à l'initiale de la racine, de l'occlusive nasalisée à la constrictive.

Le nom ou pronom sujet se place avant le verbe ; pourtant il y a quelquefois inversion du pronom sujet dans les propositions incidentes ou relatives (peul, ouolof, sérère). Le nom ou pronom complément d'un nom suit ce nom. Le qualificatif suit le nom qualifié. Le déterminatif, y compris le pronom de classe employé comme déterminatif, suit le nom déterminé ou, s'il y a aussi un qualificatif, ce qualificatif ; mais s'il est employé avec une valeur nettement démonstrative, il précède le nom (peul : *puť-u ṅgu* « le cheval », *ṅgu-puť-u* « ce cheval »). A noter que souvent (ouolof, sérère, diola, timné, etc.) le degré de détermination ou de proximité est indiqué par l'attribution de telle ou telle voyelle finale au déterminatif. Le nom de nombre suit en général le nom de la chose nombrée ; en ouolof, où il est un nom véritable ayant pour complément le nom de la chose nombrée, il le précède.

Les désinences consonantiques sont fréquentes, surtout dans les langues du Nord. Dans celles du Sud (timné, limba, boulom, etc.), on a tendance à n'employer que des désinences vocaliques.

Des tons musicaux à valeur étymologique existent dans les langues du Sud. D'autre part, le peul possède au moins un cas de tons musicaux à valeur grammaticale : à l'aoriste présent et à l'aoriste d'habitude de la voix active, c'est le ton musical seul qui distingue le négatif de l'affirmatif.

Le pluriel est indiqué dans les noms par l'indice de classe, qui varie selon le nombre, et, éventuellement, par la modification de la consonne initiale de la racine (ouolof et limba quelquefois, sérère, peul). En boulom l'indice de classe, bien qu'ayant disparu le plus souvent au singulier, s'est maintenu au pluriel. Lorsque l'indice de classe est complètement tombé ou a été incorporé au radical (cas fréquent en ouolof), rien ne distingue le pluriel du singulier dans les noms indéterminés.

Voici, dans leur forme essentielle, les pronoms personnels
de quelques langues.

		Peul		Ouolof	Sérère	Diola
1ʳᵉ pers. sing.		mi, am		ma	mi	i, om
— plur.		min (excl.), en (incl.)		nu	in	di
2ᵉ pers. sing.		a, 'da		a	wo	u
— plur.		on		en	om	d'u
3ᵉ pers. sing. commun		'dum, um		mu	a, le	mu
— plur. —		'dumen		n'u	a, de	mu

		Timné	Boulom	Limba	Kissi
1ʳᵉ pers. sing.		i, mi	ya, mi	ya, am	i, mi
— plur.		sö	hö	min	ne
2* pers. sing.		mö	mu	ndó	nom, nu
— plur.		nö	nö	na	n'a
3* pers. sing. commun		o̧	wo̧	?	o
— plur. —		ṅa	ṅa	?	a

Suit la nomenclature des 24 langues du groupe :

1º le **peul** ou *pular* ou *fulfulde* ou *ful'bere* ou *ful* ou *pul* ou
fula ou *fulāni* ou *fellata* ou *fellāniya*, parlé dans le Foûta-
Toro ou Foûta sénégalais, le Boundou et le Ferlo au
Sénégal, dans le Foûta-Diallon en Guinée Française, dans
le Massina au Soudan Français, dans le Liptako en Haute-
Volta, dans l'Adamaoua en Nigéria et au Cameroun et
dans un grand nombre de colonies de moindre importance
disséminées çà et là en Afrique Occidentale et jusqu'à
l'Est du Tchad[1], par des pasteurs nomades ou semi-nomades
de race blanche plus ou moins métissée, assez peu nombreux, dits plus proprement *Ful'be* (sing. *Pullo*) ou *Woror'be*
ou *Wurur'be* (sing. *Bororo*) ou encore *Pulli*, par de nombreux
noirs agriculteurs et sédentaires tels que les « Toucouleurs »
ou *Tokoror* ou *Tekārir* du Foûta sénégalais ou Tekrour
et du Boundou, par des métis de Peuls et de nègres divers,
tels que les *Fula* du Foûta-Diallon et bien des gens dits
improprement *Ful'be* du Soudan Français, de la Nigeria,
etc., enfin par quantité de serfs nègres dits *Rimāy'be*,
vassaux des diverses catégories précédentes (xıᵉ siècle

---

1. Les Peuls établis au Darfour auraient adopté la langue arabe.

El Bekri, xviie siècle vocabulaire anonyme publié en 1845 par d'Avezac) ;

2° le **ouolof** *(wolof)* ou *volof* ou *g'olof* ou *d'olof* ou *valaf*, parlé sur le bas Sénégal à partir et en aval de Dagana et au Sud jusqu'à Dakar inclus (xviie siècle vocabulaire susmentionné) ;

3° le **none** *(nōn)* ou *d'oba*, dit « sérère-none », dans la région de Thiès (1868 Mage) ;

4° le **sérère** *(serẹr)* ou *kegem* ou *nd'egem*, dit « sérère-sine », dans le Baol, le Saloum et le Sine, à l'Est et au Sud de Dakar (xviie siècle voc. anonyme susmentionné) ;

5° le **diola** *(d'ola)* ou *yola* (dialectes *flup* ou *felup* et *filham* ou *fon'i*), sur la basse Gambie et la basse Casamance et entre les deux (xviie siècle voc. anonyme susmentionné) ;

6° à 12° sept langues parlées entre la Casamance et l'estuaire de Boulam : le **bagnoun** *(ban'un)*, entre Casamance et Cacheo (xviie siècle voc. anonyme susmentionné) ; — le **balante** *(balāt)* ou *bulanda*, à l'Est du précédent, entre Casamance et Geba ; le **mandjak** *(mãǰak)* ou *mãnd'ago* ou *kan'op*, sur les deux rives du bas Cacheo ; le **bôla** *(bōla)* ou *bulam* ou *burāma*, sur la côte, entre le Cacheo et le Geba (dialecte *sarar* ou *sadal*) et dans l'île de Boulam (dialecte *burāma*) ; le **papel** ou *pẹpel*, rive droite de l'estuaire du Geba et île Bissao ; le **biafaré** *(biafare)* ou *biafada* ou *fada*, rive gauche du même estuaire ; le **bidjougo** *(biǰugo)* ou *biǰogo* ou *biǰago* ou *bisago*, archipel des Bissagos (pour ces six langues, 1854 Koelle) ;

13° à 16° quatre langues parlées de la haute Gambie au haut Rio Nuñez et englobées souvent sous le nom commun de *tenda :* le **bassari** *(basari)* ou *biyan* ou *ayan* ou *wo* (néant) ; — le **koniagui** *(kon'agi)* ou *awōhē* ou *azẹn* (1913 Migeod) ; — le **badiar** *(bad'ar)* ou *paǰad* ou *paǰāde* ou *bigola* ou *agola* ou *axus* (1854 Koelle) ; — sous réserves le **tiapi** *(t'api)* ou *t'apesi* (néant) ;

17° à 23° sept langues parlées le long ou près de la côte depuis l'estuaire de Boulam jusqu'à la rivière Soulimah sur les frontières du Sierra-Leone et du Libéria : le **nalou**

(nalu), entre le Rio Grande et le Rio Nuñez (1854, Koelle) ;
— le **baga**, sur la côte, du Rio Grande à Conakry (1849
Clarke sous le nom de *barka* et 1854 Koelle) ; — le **landouman**
(landumã) ou *landǫma*, entre le haut Rio Nuñez et le haut
Rio Pongo, à l'Est du nalou et du baga, et le **limba** ou
limbã (dialectes *sella*, *safroko*, etc.), entre le soussou et le
loko (1854 Koelle) ; — le **timné** *(timne)* ou *temne* ou *temene*
ou « timmanee », avec le dialecte *sanda*, vallées de la
Kolente, de la Petite Scarcie et de la Roquelle, et le
boulom *(bulom)* ou *bullom* ou *šerbro* ou *mampwa*, sur la
côte, de Freetown à Sherbro inclus (1803 Winterbottom) ;
— le **krim**, entre Sherbro et la rivière Soulimah (1916
Thomas) ;

24º le **kissi** *(kisi)* ou *gihi*, isolé au Nord du gola, entre
le toma et le guerzé à l'Est, le kono et le gbandi à l'Ouest
(1827-1828 Kilham).

Noms de nombre : 1º ouolof : 1 *bęnă* ou *gęnă* ou *d'ęnă*
(la consonne initiale est la consonne caractéristique de
classe), 2 *ñār*, 3 *ñętă*, 4 *ñanęnt*, 5 *d'urǫm*, 6 *d'urǫm-bęnă*,
7 *d'urǫm-ñār*, 8 *d'urǫm-ñętă*, 9 *d'urǫm-ñanęnt*, 10 *fukă*.

2º Dialecte foul de Maroua-Jamaaré (Nord-Cameroun) :
1 *goɔ*, 2 *didi*, 3 *tati*, 4 *nahi*, 5 *yoɔi*, 6 *yoɔ e goɔ*, 7 *yoɔ e didi*,
8 *yoɔ e tati*, 9 *yoɔ e nahi*, 10 *sappo*.

TEXTES[1]

1º TEXTE OUOLOF :

*dă-mă-dǭn-rǭti wā d'u gǭr   dab-mă nę-mă nob-mă-lă
mă-nę kǫ nobu-mă-lă.*

dă-mă-dǫn-rǭti : forme explicative (indiquée par la particule *dă* devant le pronom sujet atone de
la 1ʳᵉ pers. sing. *mă*) de l'inaccompli
présent (marqué par l'auxiliaire *dǭn*)
de *rǫti* « creuser » ;

1. Le texte ouolof a été fourni par M. L. Senghor, le texte foul par M. J.
Mouchet.

wā :	indéfini, « un certain » ;
d'u :	indice de classe à degré vocalique *u* indiquant quelque chose de vague ou d'inconnu, sert à relier à *wā* le mot suivant qui lui est apposé ;
gōr :	« homme », sujet du verbe suivant ;
dab :	3ᵉ pers. sing. aoriste de *dab* « attraper » ;
mă :	pronom objet atone de la 1ʳᵉ pers. du sing.;
nę :	3ᵉ pers. sing. aoriste de *nę* « dire » ;
nob-mă :	1ʳᵉ pers. sing. de l'accompli (à sens résultatif) présent de *nob* « aimer ».
lă :	pronom objet atone de la 2ᵉ pers. sing.
mă-nę :	1ʳᵉ pers. sing. aoriste de *nę* « dire » ;
kǫ :	pronom objet atone de la 3ᵉ pers. sing. ;
nobu-mă-lă :	1ʳᵉ pers. sing. de l'inaccompli présent du verbe négatif *nob-u* « ne pas aimer » + *lă*, pronom objet atone de la 2ᵉ personne.

Traduction :

J'allais puiser à la fontaine ; un homme m'aborda et me dit : « Je t'aime ». Je lui répondis : « Je ne t'aime pas ».

2º TEXTE FOUL EN FOUNNANGUÉRÉ DE MAROUA.

Extrait d'une lettre privée reçue d'un notable le 30 janvier 1946. Le destinataire avait commandé du beurre à la campagne, et l'expéditeur en avait envoyé une quantité supérieure.

yagǫrdo,
patron,
 mi wala hāyę lǒrnanon 'dam sulę
je n'ai pas besoin que vous rendiez pour lui shillings
(= francs).
čapandę yoɔi 'dę besdumi 'dę.
dizaines cinq les j'ajoutai que
mi hofni on bo 'dudum.
je salue vous aussi beaucoup.

mi :   pronom personnel 1 sg. sujet du verbe *wala ;*

wala :   correspond au «*ɔala*» du poular de Gaden, page 2 de son lexique, parfait négatif d'un verbe inusité, exprimant la non-possession ;

hāyę :   besoin, affaire ; emprunt arabe ;

lŏrnanon :   décomposé en :

     lŏr :   revenir

         n :   suffixe factitif = faire revenir, rendre ;

            an :   suffixe destinatif : pour, à cause de.. ;

                on :   pronom personnel 2 pl., suffixé comme sujet en conjugaison inversée ; verbe à l'optatif ; emploi du pronom pluriel à titre respectueux ;

'dam :   pronom de la classe *'dam*, se rapportant au complément non exprimé *nębam* = « beurre » ;

sulę   emprunt de l'anglais (par le hausa) shilling ; usité localement pour franc ;

čapandę yoɔi :   cinquante ; le numéral suit le nombré ;

'dę :   pronom de la classe plurielle *'dę ;* déterminatif, suivant le déterminé ;

besdumi :   décomposé en :

     besdu :   augmenter, ajouter ;

         mi :   pronom personnel 1 sg., suffixé comme sujet en conjugaison inversée ; verbe au parfait ;

'dę :   pronom de la classe plurielle *'dę ;* rôle de relatif ; s'accorde avec *sulę*, raccourci de *sulęyę* qui ne s'emploierait que pour indiquer des pièces de monnaie.

mi :   pronom personnel 1 sg., sujet du verbe *hofni ;*

hofni :   parfait du verbe *hofnugo*, saluer ;

on :   pronom personnel 2 pl., complément direct de *hofni ;*

bo :   particule du mode ;

'dudum :   forme participiale du verbe *'dudugo* =
être abondant, mise à la classe *'dum*,
rôle adverbial.

Traduction :

« Je n'ai pas besoin que vous me rendiez de l'argent pour
les cinq dizaines que j'ai ajoutées. Je vous adresse aussi
beaucoup de salutations. »

BIBLIOGRAPHIE. — Aucun ouvrage d'ensemble. A citer : pour le peul,
H. GADEN, *Le poular, dialecte peul du Foûta Sénégalais*, Paris, 1913-1914,
2 vol., et Sylvia LEITH-ROSS, *Fulani Grammar*, London, 1922 ; pour le
ouolof, RAMBAUD, *La langue wolof*, Paris, 1903, L. SENGHOR, *Les classes
nominales en wolof* dans *Journal de la Société des Africanistes*, t. 13, Paris,
1943 ; pour le sérère, H. GREFFIER, *Dictionnaire français-sérèr précédé d'un
abrégé de la grammaire sérère*, Saint-Joseph de Ngasobil, 1901, pour le diola,
Ed. WINTZ, *Dictionnaire français-dyola et dyola-français précédé d'un essai
de grammaire*, Paris, 1909, H. WEISS, *Grammaire et lexique diola du Fogny
(Casamance)*, dans *Bulletin de l'Institut Français d'Afrique Noire*, t. 1,
Paris, 1939 ; pour le biafare, KRAUSE, *Die Fada-Sprache am Geba-Flusse*
(*Zeit. für Afrikanische Sprachen*, 1895) ; pour le timné, SCHLENKER, *Grammar of the Temne language*, London, 1864 ; pour le boulom, A. T. SUMNER,
A handbook of the Sherbro language, London, 1921.

Appendice A. — Parlers des négrilles du Soudan.

En divers points du Soudan, du haut Nil jusqu'au
Cameroun, on rencontre, dispersés par petits groupements,
vivant en général uniquement de la chasse, des hommes de
petite taille dits « négrilles » (pygmées), qui, au point de vue
anthropologique et par les mœurs, se distinguent nettement
des nègres et se rapprochent beaucoup des « Bushmen »
de l'Afrique Australe. Les quelques petits vocabulaires
et renseignements recueillis par de rares voyageurs
tendraient à faire croire que chaque groupement de
négrilles soudanais parle la langue du peuple nègre auprès
duquel il vit ou avec lequel il a été en relations dans le
passé. Il est possible cependant qu'entre eux ces gens
parlent des idiomes distincts des langues négro-africaines
et présentant des affinités avec les idiomes des Bushmen

et des Hottentots. La question reste à élucider[1]. Dès maintenant, il semble attesté que, même lorsqu'ils usent de langues négro-africaines, les négrilles y ont introduit des vocables étrangers, des tons musicaux spéciaux et variés et des sons rappelant les clics des Bushmen et des Hottentots.

INDICATIONS BIBLIOGRAPHIQUES. — On trouvera quelques mots d'un parler des négrilles dits *Efe* ou *Efifi* ou *Voču* ou *Tiketike* ou *Akka*, répandus à l'Ouest du haut Nil et sur le haut Ouellé, dans G. CASATI, *Dix années en Équatoria*, trad. L. de Hessem, Paris, 1892 (p. 113) ; des parlers des négrilles dits *Mpagga* ou *Mbakka* de l'Oubangui et de la Lobaye dans Dᵣ OUZILLEAU, *Notes sur la langue des Pygmées de la Sanga (Revue d'ethnographie et de sociologie*, 1911, pp. 75-92, voc. 4, 5 et 6) ; des parlers des négrilles dits *Babiṅga* ou *Bayaga* de la Sanga dans le mémoire précité du Dᵣ OUZILLEAU (voc. 1, 2 et 3), dans G. BRUEL, *Les populations de la Moyenne-Sanga : les Babinga (ibid.*, 1910, pp. 111-126), et dans Dʳˢ POUTRIN et GRAVOT, *Travaux scientifiques de la mission Cottes au Sud-Cameroun*, Paris, 1911 (III, pp. 80-101) ; P. SCHEBESTA, *Les Pygmées*, Paris, 1940.

Appendice B. — Parlers négro-européens de la Guinée.

A l'occasion de la traite des esclaves et à la suite des contacts qui en ont résulté entre les Européens et les Noirs, il s'est formé sur la côte occidentale d'Afrique des parlers mixtes qui ont acquis depuis une extension de plus en plus grande et qui sont employés couramment aujourd'hui par les Européens et les indigènes dans leurs relations mutuelles et même souvent par les indigènes entre eux lorsqu'ils ont des langues maternelles différentes. Chacun de ces parlers a composé son vocabulaire à l'aide de mots, plus ou moins déformés phonétiquement, empruntés à celle des langues européennes qui lui a donné naissance, beaucoup de ces mots étant des termes spéciaux aux marins ou provenant des parlers créoles de l'Amérique ; on rencontre aussi des mots pris à d'autres langues, par exemple, dans le négro-anglais, des mots pris au portugais ou à l'espagnol, comme *save* « savoir ». Quant à la gram-

---

1. Le P. Schebesta a défendu la parenté linguistique des Pygmées et des Bochimans, mais il n'a pas encore publié sa description de la langue des Pygmées.

maire, elle est conforme aux principes grammaticaux de
la langue négro-africaine dont les ressortissants ont le plus
contribué à la formation et au développement du parler
négro-européen considéré. Le verbe a été pris dans sa
forme la plus simple ou la plus répandue, par exemple,
dans le négro-français, au participe passé ou à l'impératif,
et non point à l'infinitif, comme bien des gens le croient
pour n'avoir considéré que des verbes appartenant en
français à la 1ʳᵉ conjugaison, où l'infinitif sonne comme le
participe passé : *vi* (pour « vu ») = voir, *fini* = finir, *pri*
ou *prã* = prendre, etc. On le conjugue au moyen d'affixes
dont chacun a une valeur conventionnelle ; ainsi le parfait
prend en négro-français le préfixe *ya* (il y a) et en négro-
anglais le préfixe *dōn* (*done*, fait). L'ordre des mots varie
selon les régions, se conformant à peu près à l'ordre des
mots suivi dans le groupe négro-africain où le parler
mixte s'est introduit ; c'est ainsi qu'en négro-français on
dit au Sénégal *fam mwa* (femme moi) et à la Côte d'Ivoire
mõ fam (mon femme) ou *mwa fam* (moi femme) pour « ma
femme ».

Actuellement, trois parlers négro-européens sont en
usage en Afrique Occidentale : le **négro-portugais**, parlé
aux Iles du Cap Vert, d'où il paraît avoir fait disparaître
l'ancienne langue indigène, en Guinée Portugaise, sur la
Côte des Esclaves, où un nouvel apport lui est venu
d'esclaves originaires de la région, transportés au Brésil,
puis revenus dans leur patrie, et enfin dans l'île de Sao-
Thomé, où il a remplacé, semble-t-il, l'ancienne langue
indigène ; — le **négro-anglais** ou « pidgin » *(piǰin)*, répandu
sur la basse Gambie, au Sierra-Leone, au Libéria et sur
toute la côte depuis le Cap des Palmes jusqu'à l'équateur,
ainsi que dans les centres, à l'intérieur des colonies britanniques ; — le **négro-français** ou « petit-nègre », parlé
seulement dans les colonies françaises.

INDICATIONS BIBLIOGRAPHIQUES. — Des études ont été publiées
sur ces divers parlers. On pourra consulter : pour le négro-portugais, F. DE
BARROS, *Lingua creola da Guiné portuguesa e do archipelago de Cabo Verde*
(*Revista de estudas livres*, Lisboa, 1885-1886) ; PAULA e BRITO, *Dialectos*

crioulos portuguezes (*Boletim da Soc. de Geogr.*, Lisboa, 1887) ; Almada
Negreiros, *O dialecto de S. Thomé* (pp. 303-369 de *Historia ethnographica
da ilha de S. Thomé*, Lisboa, 1895) ; H. Schuchardt, *Kreolische Studien*,
I-IX, Wien, 1882-1891 ; — pour le négro-anglais, K. Lentzner, *Colonial
English*, London, 1891 ; H. Schuchardt, *Beiträge zur Kenntnis des
Englischen Kreolisch* (*Englische Studien*, XII, 3) ; note dans le chapitre VIII
de Delafosse, *Vocabulaires comparatifs*, Paris, 1904 — pour le négro-
français : L. Adam, *Les idiomes négro-aryen et maléo-aryen*, Paris, 1883 ;
H. Schuchardt, *Beiträge zur Kenntnis des Kreolischen Romanisch* (*Zeit.
für Romanische Philologie*, XII) ; note dans le chapitre VIII de Delafosse,
ouvrage précité.

Appendice C. — Parlers négro-africains de l'Amérique.

Dans plusieurs îles des Antilles (Haïti notamment) et
dans diverses provinces de la Guyane et du Brésil, peut-être
en d'autres régions de l'Amérique, les parlers négro-
africains des esclaves amenés d'Afrique aux siècles passés
ont subsisté jusqu'à ce jour parmi les descendants de ces
esclaves, et sont encore employés, au moins au cours de
certaines cérémonies magico-religieuses. Nous manquons
de documentation quant à l'extension et à l'emploi de ces
parlers, ainsi qu'en ce qui concerne les langues négro-
africaines qu'ils représentent ou dont ils dérivent. Il semble
cependant que le groupe éburnéo-dahoméen soit celui qui a
fourni l'appoint le plus considérable et le plus persistant.

Maurice Delafosse (1924) ;
revu par A. Caquot.

LES LANGUES BANTOUES[1]

INTRODUCTION

1. *Position ethnologique et anthropologique.*

Les noirs d'Afrique qui parlent des langues bantoues ne se laissent guère identifier comme « groupe anthropologique ». Lors de l'immigration en Afrique des Paléo-négrides, certains groupes d'entre eux pénétrèrent dans la forêt tropicale et s'y mêlèrent avec les Pygmées. Ces Bantous silvestres se laissent reconnaître à la taille généralement peu élevée, au prognathisme prononcé, aux yeux enfoncés dans les orbites, au nez épaté et à la peau velue.

La plupart des nègres toutefois se répandirent tout autour de la forêt centrale dans les savanes septentrionales, orientales et méridionales. Ils eurent à y subir ultérieurement un métissage avec des peuples pasteurs de l'Afrique Orientale auxquels on applique les dénominations d'« éthiopiens » et de « chamitiques » et qui ont pénétré dans le Sud. Chez beaucoup d'entre eux les traces de métissage khoinide et de sang éthiopien sont indéniables : ils sont de taille moyenne, ont la tête plutôt dolichocéphale et la couleur de la peau moins foncée.

L'examen linguistique nous amène à y reconnaître plusieurs grandes vagues, qui se déroulèrent vers le Sud par la voie du Nord, de l'Est et de l'Ouest. Partout nous nous trouvons en présence d'un substrat de Pygmées, de Pygmoïdes ou de Khoinides.

Par la *voie du Nord* pénétrèrent jadis les Bantous archaïques, qui furent ultérieurement scindés en tronçons de

---

1. Les noms des langues et dialectes sont présentés en romaines et doivent donc être lus comme des mots français ; toutefois e non accentué doit être lu é ; voir aussi la note p. 855.

l'Est et de l'Ouest. Par la même voie on vit surgir plus
tard les « vieux Bantous du Nord » et au XVIIᵉ siècle les
« jeunes Bantous du Nord ». Ce fut encore cette route qu'em-
pruntèrent les conquérants soudanais, qui les suivirent.

Une autre *voie* s'ouvrit *à l'Est* des Grands Lacs. C'est
celle par où s'avancèrent les Bantous Orientaux. A l'heure
actuelle nous y distinguons divers groupes : ceux du Sud-
Est qui furent modifiés profondément par une infiltration
de pasteurs ; ceux qui allèrent occuper l'Est et les hauts-
plateaux centraux ; ceux qui subirent des influences
perso-sémito-hindoues sur la côte orientale ; enfin ceux
qui furent recouverts par la pénétration éthiopienne sur
les bords méridionaux de la cuvette[1].

Reste la *voie de l'Ouest*. C'est la porte d'entrée des
agriculteurs matriarcaux. Partis de la côte occidentale,
pénétrant fort loin vers l'intérieur, ceux-ci paraissent
rejoindre la côte orientale chez les Makouwa. Par cette
même voie vinrent les « Bantous du Nord-Ouest », qui
descendirent jusqu'au Nzadi (fleuve Congo) en refoulant
leurs prédécesseurs à l'intérieur de la cuvette. C'est encore
là qu'à date historique nous assistons aux derniers contre-
coups de la pénétration des Fang-EWondo.

Notre plus ancienne documentation en langue bantoue
remonte aux travaux des missionnaires dans le royaume de
Congo et de Monomotapa. Le plus ancien dictionnaire (1652)
et la première grammaire (1659) sont en KiKoongo. Les
anciennes chroniques des villes de Kilwa, Pate, Lamou,
Mombasa et Zanzibar sur la côte orientale, rédigées en
KiSwaheli et écrites en caractères arabes au XVIᵉ siècle,
offrent un intérêt historique plus que linguistique.

2. *Nombre et aire d'extension.*

Le nombre d'indigènes parlant des langues bantoues
proprement dites s'élève en Afrique méridionale et centrale
à plus de 45 millions.

Ces langues occupent toute l'Afrique centrale et l'Afrique
méridionale sauf l'extrême coin sud-ouest, où se parlent

---

1. Pour situer la « cuvette congolaise », chercher sur la carte la section M.

les langues khoinides. Leur limite septentrionale traverse l'Afrique de part en part de la Nigérie à l'Ouest jusqu'au Somaliland à l'Est. Il faut mentionner toutefois quelques enclaves. Pour le Congo belge, en terrain bantou, deux enclaves bantouïdes (Mondounga et BaManga) et trois enclaves de Soudanais (BaBeyrou, BaRoumbi, BaMvouba) ; en terrain soudanais, cinq enclaves bantoues (Ngoombe-Ngbolo, Akare, BoGouro, MaNgbele et BaBira-BaNyali). En outre, pour l'Afrique orientale deux enclaves khoinides (Sandawe et Kindiga) et une enclave de Nilo-Equatoriens (Bouroungi).

3. *Problème des langues culturelles.*

Une seule langue bantoue se présente à nous comme « *langue de mélange* », c'est le KiSwaheli de la côte orientale. Les mots isolés empruntés à l'arabe y sont très nombreux ; néanmoins il a gardé son système phonétique et sa structure morphologique et syntaxique. Depuis que les autorités coloniales l'ont imposé comme langue officielle à toute l'Afrique orientale anglaise, son aire d'extension a été artificiellement fort étendue, mais non sans susciter de vives réactions de la part des « langues de civilisation » déjà existantes dans ces territoires : le KinyaMwesi, le LouGanda, le KinyaRwanda-KiRoundi.

Le passage du style oral au stade de littérature écrite, la parution de journaux indigènes, le recours aux langues indigènes pour l'éducation, pour l'instruction moyenne et même supérieure, ont donné naissance aux « langues de civilisation » ou « langues culturelles ». Pour l'Afrique Méridionale, le Zoulou-Xhosa-Southo-Tchwana, pour la Rhodésie du Sud, le Chona unifié, pour le Nyassaland le Nyandja, pour la Rhodésie du Nord le Lozi-Bemba-Lamba-Tonga, se sont déjà stabilisés comme tels, quoique des problèmes d'unification ultérieure restent encore à résoudre. Au Congo belge il en va de même pour le TchiLouba, le KiKoongo et le LoNkoundo. Ici toutefois la situation s'est compliquée à cause de l'existence de deux « langues véhiculaires » à grammaire fort simplifiée et de structure notoirement artificielle : le KiNgwana-KiSwaheli du Katanga, qui n'est qu'une déformation dialectale du KiSwaheli de la côte, et le LiNgala, dialecte riverain de Nouvelle-Anvers qui a été répandu tout le long du Fleuve jusqu'à Léopoldville.

La nécessité journalière de communiquer entre blancs et noirs a donné lieu à l'apparition de « sabirs ». C'est à peine si pour ceux-ci le nom de « langue » peut encore se justifier : tel le « pidgin-english » du Cameroun, le « Ngala » du Moyen-Congo, le « Fiote » ou « Boula-Matari » de l'estuaire du Congo, l'«Ikelevè » du Kwango, le « Kitouba » du Kasai, le « Ngwana » de l'Arouwimi, le « kitchen-Kafir » des centres miniers de l'Union sud-africaine.

STRUCTURE DES LANGUES BANTOUES

A) *Caractéristiques générales*

1. *La racine.*

Tous les vocables se terminent en voyelle. La chute de la voyelle finale leur donne parfois l'aspect de pseudo-monosyllabes à finale consonantique.

Ex. : les locatifs dans le groupe du Sud-Est : *-eni, *-ini>eṅ, iṅ ; les pseudo-monosyllabes du groupe du Nord-Ouest (voir p. 899).

a) Les racines nominales et verbales se présentent :

1º soit comme racines *monosyllabiques* de forme CV avec souvent une semi-voyelle prépalatale ou vélaire (CyV, CwV) : Ko. : *dya*, manger ; *fwa*, mourir ; *sa*, placer ;

2º soit comme racines disyllabiques de forme CVCV.

A la consonne initiale on trouve souvent une combinaison à semi-voyelle prépalatale ou vélaire : Ko. : *syaama*, être ferme ; *nwaana*, lutter.

A la consonne médiane, il y a souvent une combinaison nasale, *nd*, *mb*, *ṅg* : Ko. : *toonda*, aimer, *loomba*, demander : *tuuṅga*, construire.

Moins souvent on trouve *nt, mp, ṅk :* Ko. : *toonta*, être épuisé, *soompa*, emprunter, *kooṅka*, ajuster ;

3º soit comme formes à initiale vocalique : VCV. La présence d'un préfixe en voile souvent l'aspect : Ko. : *d-isu*, l'œil.

b) Les « éléments formatifs » (particules, enclitiques, proclitiques) sont tantôt monosyllabiques (CV), tantôt à initiale vocalique (VCV) : cette dernière forme semble être la plus archaïque.

2. *Le radical.*

Un substantif, un déterminatif, un verbe bantou se décomposent normalement en préfixe (ou pronom)+ radical+suffixe.

a) La voyelle finale, en règle générale, doit être considérée comme voyelle suffixe, dès qu'il s'agit de formes verbales (simples ou dérivées) ou de formes nominales déverbatives (voir notamment p. 861).

Pour les autres radicaux, la voyelle finale peut être due à des motifs psychologiques (théorie du P. Polis sur la valeur psychologique représentative des voyelles et des consonnes en Bantou) ; elle peut être exigée aussi par des lois d'harmonie vocalique.

b) Le radical est-il immuable ? Sans doute, puisque les radicaux, déterminés quantitativement, qualitativement et tonétiquement ont valeur sémantique. Mais notons toutefois que :

1º La couleur de la voyelle radicale peut se modifier : les alternances vocaliques.

2º Le ton peut varier : le ton musical à valeur morphologique.

3º La quantité vocalique est sujette à mutations : accent rythmique.

4º Les consonnes initiales et finales du radical peuvent être modifiées sous l'effet de préfixation ou de suffixation : palatalisation, vélarisation, aspiration, etc.

D'après le groupe linguistique qu'on envisage, tel ou tel facteur semble prévaloir : le ton musical dans le groupe du Nord-Ouest ; la quantité vocalique et l'accent dynamique dans le groupe occidental et central ; la mutation consonantique dans le groupe de l'Est et du Sud-Est.

3. La syllabe.

Normalement toute syllabe bantoue est ouverte : Ko. : *suu-mba* (acheter) et non *suum-ba; ka-bwi-di-ṅgi* (il est tombé) et non : *kab-wi-diṅ-gi.*

Dans les deux cas cités p. 850 (pseudo-monosyllabisme et locatif suffixé), on retrouve les syllabes ouvertes primitives, dès qu'on restitue la voyelle finale disparue.

B) Lexique

1. Un grand nombre de racines sont communes à tous les groupes bantous et des lois phonétiques régulières expliquent toutes leurs modifications :

Ex. : *mona* (éprouver une sensation), *dya* (manger),
      gana (donner)   *masa* (eau)
      mu-ntu (personne humaine).

2. Pour beaucoup d'objets ou de notions, il existe des racines diverses, ayant chacune leur aire d'extension propre. A la méthode cartographique linguistique de fixer ces aires.

Ex. : dix : *kumi, omurongo, bofe;*
      case : *nyumba, nzo, ndako;*
      village : *gata, bwaala, nji;*
      feu : *tiya, mbau, moto, mulilo;*
      éléphant : *nzau, nzamba, nzoko;*
      Être suprême : *nzambi, nzakomba, muluṅgu,*
          kaluṅga, lesa.

3. Certains termes se laissent nettement déceler comme « importations exotiques » et rattacher à une infiltration ou une influence culturelle déterminée :

Ex. : *mali* (Swaheli), *imali* (Xhosa), de l'arabe *māl*
   « argent » ;
-dak'wa (Xhosa) « enivrement » ; *-t'ak'wane* (Sotho)
   « chanvre », de l'arabe *duḫān* (tabac).

C) *Phonétique*

1. *Système vocalique.*

1. Le *nombre* des voyelles (en général sept) peut différer :

a) Toutes les langues ont le *i* et le *u* qui représentent le
ˇî et le *ˇû* tendus archaïques.

b) Quelques langues (Douala, Sotho) ont à la fois la
forme forte (tendue) *(î, û)* et la forme faible *i, u.*

Dans les régions contaminées par le courant éthiopien,
des mutations consonantiques régulières attestent la
présence de *ˇî* et de *ˇû* :

devant *ˇû*, les consonnes sont devenues labiales ;

devant *ˇî*, elles sont devenues sifflantes *(s, z)*, parfois
affriquées *(ṭ, č, ḍ, ǰ)* ;

c) Ailleurs la forme faible *i, u*, a passé à : *e* et *o*. C'est le
cas p. ex. à Fernando Po, au Cameroun, au Gabon, à
l'Oubangui, dans la boucle du Congo, mais également en
Tchwana, Pedi, Sotho ;

d) Beaucoup de langues ont pour *e* et *o* une forme
ouverte à côté d'une forme fermée.

2. La différenciation à valeur sémantique entre voyelles
longues et voyelles brèves est fréquente (dans les langues
du Sud-Ouest et les langues centrales).

3. Des voyelles centrales et des voyelles antérieures
arrondies se rencontrent dans le groupe du Nord-Ouest
(Fang, Teke, langues du lac Léopold II, langues de la
Kantcha).

4. Des voyelles nasalisées se rencontrent dans les mêmes
langues que les voyelles centrales.

5. Les diphtongues sont rares. Toutefois la juxtaposition
de voyelles *a(y)i, o(y)i, o(y)o* peut souvent y donner
lieu dans les parlers dialectaux.

6. La simple juxtaposition de voyelles sans consonne intervocalique ni semi-voyelle est d'usage fréquent dans certains groupes, p. ex. dans le groupe de la cuvette.

2. *Le système consonantique.*

1. Division d'après le mode d'articulation :

a) Claquantes. Elles sont attestées pour le groupe du Sud-Est, pour le Chona et le Mozambique, pour le Kinga et pour le Nord-Ouest (Douala, Noko, etc.).

b) Glottalisées (éjectives). Elles sont rares. Citons, toujours pour le Sud-Est, *tl'*.

c) Liquides. Elles sont caractéristiques du groupe du Sud-Est.

La latérale fricative sonore existe également en Gouta (dial. Chona-MaNyika) et peut-être en OtjiHerero. Son pendant sourd existe dans les mêmes langues (L).

Les affriquées latérales *(tl, tl', dl)* ne se rencontrent que dans le groupe du Sud-Est.

l et *r* « syllabiques » (*l̦*, *r̦*) sont attestés pour le Southo et le Pedi. Le Tchwana possède le *r* syllabique, mais n'a pas le *l* syllabique.

Le Tchwana présente un *r* et un *l* articulés en détachant vivement la langue du palais (« flapped »).

Le *r* « roulé » se rencontre dans le groupe Chona et en Tchwana, mais il y est souvent remplacé par une autre liquide.

Le *r* « uvulaire » ne se rencontre qu'au Basoutoland, et cela sous l'influence des missionnaires français ;

d) Fricatives : La dentale fricative est rare : elle est attestée en Swaheli pour des mots empruntés à l'arabe, mais la transcription simplifiée ne l'indique plus. Une fricative prédentale sonore existe avec valeur phonologique en Gikouyou. Les fricatives palato-alvéolaires *(š, ž)* se présentent souvent dialectalement. Dans le groupe de la cuvette, elles sont fréquentes à l'initiale et semblent dues souvent à une palatalisation après la chute de la voyelle préfixée *i*.

La fricative vélaire est très fréquente, tant au Sud-Est (sourde x) qu'à l'Est et à l'Ouest (sonore g). Dans le groupe du Nord-Ouest on la trouve même en combinaison avec claquante ($'bg$) ou avec nasale labiale (mg).

Des fricatives avec labialisation (« whistling fricatives ») sont caractéristiques du groupe Chona et ont contaminé également le Venda.

e) Affriquées : La labio-dentale p^f n'est pas rare comme variante dialectale pour bilabiale p ; elle est plus fréquente en Chona ; b^v, et aussi m^v, sont rares.

Les alvéolaires t et d se rencontrent fréquemment dialectalement. En Yaka p. ex. $n+s$, $n+z$ donnent t, d (avec perte de la nasalité). On indique également ce fait pour le groupe du Sud-Est.

La vélaire k^x est très fréquente dans le groupe du Sud-Est : $n+k > k^x$.

Les post-alvéolaires $č$, j, $nč$ sont fréquentes dans le groupe du Sud-Est et de l'Est.

La latérale t^l est caractéristique du groupe du Sud- Est.

En Tchwana $č$ et j se présentent avec arrondissement des lèvres $č^w$, j^w; les affriquées peuvent s'y présenter également sous forme aspirée : t^l, $t^{l'}$, ou glottalisée : $t^{l'}$.

f) Nasales : En combinaison avec une explosive, la nasale s'assimile toujours à cette dernière : on trouve m devant labiale, n devant dentale, $ṅ$ devant vélaire ; n' palatalisé est moins fréquent (en Kinga et dans le groupe Chona).

Dans quelques langues (Swaheli) la nasale vélaire peut se rencontrer aussi seule, c'est-à-dire en dehors de combinaison avec occlusive vélaire[1].

g) Les clics. Les clics du substrat khoinide (voir p. 909 et suiv.) ont contaminé le groupe du Sud-Est. En Zoulou et en Xhosa[2] on trouve trois clics (dental, cérébral et latéral). Ces trois formes radicales s'y présentent dans vingt-quatre combinaisons possibles : avec nasalisation,

---

1. Dans la transcription en romaines, ng note à la fois $ṅ$ et $ṅg$; dans les noms cités, ng doit être interprété comme $ṅg$, sauf à la finale [ex. : Dzing *(ɟiṅ)*] et dans un cas à l'initiale [p. 898, BaNgoko *(BaÑoko)*].
2. Xh note un clic aspiré.

avec aspiration, avec nasalisation de la forme aspirée, sous forme sourde, sous forme sourde aspirée, sous forme sourde nasalisée, sous forme sonore et sous forme nasalisée. Il faut en distinguer les six formes combinées nasales : simple combinaison de nasale, précédant un clic et cette même forme aspirée. Le Southo n'a emprunté que le seul clic cérébral, mais il s'y présente lui aussi sous forme aspirée et sous forme nasalisée.

2. Division d'après l'organe d'articulation.

a) Bilabiales : elles ne sont pas rares, mais il est rare que dans une même langue fricative bilabiale et fricative labio-dentale se rencontrent toutes deux avec valeur phonologique (ainsi en Karanga).

b) Labio-vélaires. k^p et g^b se rencontrent au voisinage des langues soudanaises, sous une influence soudanaise ou comme survivance du substrat Oubangui-Ouellien (Ngoombe, Ngbolo).

c) Rétroflexes : des rétroflexes $\underline{t}$, $\underline{d}$, $\underline{n}$ se rencontrent dans le groupe du Sud-Est et en Venda.

d) Aspirées : les sonores aspirées sont rares, mais non les sourdes. Pour le Swaheli et le groupe du Sud-Est cette aspiration présente une valeur phonologique. En Ndau les formes aspirées s'opposent à des formes glottalisées. Ailleurs l'aspiration des explosives sourdes marque souvent la chute d'une nasale en combinaison avec une explosive (Yombe, Yaka : $n+k>k'$, $m+p>p'$; $n+t>t'$).

3. Semi-voyelles.

On rencontre la semi-voyelle bilabiale ou vélaire *w*, la palatale *y* et parfois la denti-labiale $\underline{v}$ (voir Doke : *Bantu linguistic Terminology*, p. 194). Les mêmes langues qui présentent des consonnes intervocaliques renforcées en combinaisons nasales (*mb*, *nd*, *ṅg*, etc.) présentent des combinaisons de consonnes initiales avec semi-voyelle (*bw*, *by*, etc.).

Ces mêmes semi-voyelles se rencontrent en position intervocalique (v. diphtongues) : Ko. : *mayi* (eau) ; *nsawu* (gué) ; *nkoyi* (léopard) ; *kweyi* (ou).

3. *Phénomènes phonétiques.*

a) Labialisation. Labialisation des bilabiales : émission *w* après les bilabiales *p*, *b*, *ᵽ*, *ƀ*, et après les labio-dentales *v*, *f* : *pʷ*, *bʷ*, *ᵽʷ*, *ƀʷ*, *vʷ*, *fʷ*; labialisation dans le groupe Southo-Pedi-Tchwana pour *s*, *t*, *č*, *n*, *m*, *l*: *sʷ*, *tʷ*, *čʷ*, *nʷ*, *mʷ*, *lʷ*; labialisation des vélaires *h*, *k*, *g*, *ṅ*, *ṅg*, *ṅk*: *hʷ*, *kʷ*, *gʷ*, *ṅʷ*, *ṅgʷ*, *ṅkʷ*.

b) Palatalisation. Dialectalement (Yaka) on trouve de véritables consonnes palatalisées *k'*, *t'*, *n'*. Dans les mêmes dialectes, on rencontre, comme ailleurs, les simples combinaisons d'explosives avec semi-voyelles *(t+y, d+y)* ou de nasale avec semi-voyelle : *n+y*.

c) Nasalisation. La fréquence des combinaisons de nasale avec explosive (*mb, nd, ṅg*, etc.) à l'intérieur des vocables semble un phénomène d'évolution, indice du courant éthiopien. Dans les groupes extrêmes de simples consonnes intervocaliques y correspondent.

d) Vélarisation : La vélarisation proprement dite (consonne+*g*, *k*) semble caractéristique du groupe Chona, d'où ce phénomène s'est communiqué au Venda ; et cela non seulement pour les explosives, mais également pour les fricatives : *pk*, *bg*, *mṅ*, *nyṅ*, *tkʷ*, *dgʷ*, *mṅʷ*, *gʷ*, *čk*, *ǰg*.

En Tchwana les affriquées se présentent également avec arrondissement des lèvres.

4. *Lois phonétiques.*

a) Loi de dissimilation (Loi d'Edm. Dahl) : lorsque deux syllabes à initiale aspirée devraient se suivre dans le même vocable, la première perd son aspiration : *t'at'u>dat'u* ; lorsque deux sourdes devraient se suivre, la première devient sonore : *kikuyu>gikuyu* ; ce fait est constant en NyaMwezi, Rwanda, Gikouyou et les langues voisines du groupe de l'Est.

b) Loi d'assimilation nasale : 1° En cas de combinaison de nasale avec explosive, la nasale prend la forme homorganique : *m* devant labiale, *mg* devant denti-labiale, *n* devant alvéolaire, *ṅ* devant vélaire.

2º Nasale dure et légère. Dans le groupe occidental (Koongo), le préfixe singulier de la classe 1 et 3 *(mu)* ne se présente d'ordinaire que sous forme d'une consonne allongée : *mm, nn, ṅṅ* (nasale dure). Quand il s'agit de nasale légère, la consonne qui suit celle-ci, est renforcée, c'est-à-dire subit elle aussi des modifications déterminées :

$$m+m>mb \qquad n+n>nd \qquad n+l>nd$$
$$m+g>mp \qquad n+y>\dot{n}gy$$
$$m+w>\dot{n}gw$$

Ce sera le cas p. ex. en Ko. : pour le préfixe singulier de la classe 9 ; pour le pronom personnel objet 1re p. sing. (infixe) à tous les temps ; pronom personnel préfixe 1re pers. sing. du subjonctif et au prétérit.

3º Dialectalement (Yombe, Yaka, etc.) il y a chute de la nasale légère et substitution d'une aspirée en cas d'explosive, d'une affriquée en cas de fricative :

$$n+t>t\text{'}, \ h \qquad m+p>p\text{'}, \ h \qquad \dot{n}+k>k\text{'}, \ h$$
$$n+z>\d{d}, \ \jmath \qquad m+f>pf \qquad n+s>\d{t} \ \check{c}$$

En Chona les substitutions sont diverses.

4º Après une première syllabe à initiale nasale, la seconde syllabe substitue à son *l* initial la nasale *n*.

Dans le groupe occidental (Koongo) on en trouve une application régulière dans les formes applicatives des dérivations verbales : « Lorsque une des deux consonnes radicales du verbe présente une nasale simple (pas une combinaison nasale), le *l* du suffixe verbal applicatif se modifie en *n* » (Butaye) : *ela, ila>ena, ina.*

kuna (planter) >*kunila* >*kunina ; mona* (sentir) > *monila>monina.*

c) Loi de palatalisation. Sous l'influence d'une voyelle préfixée, la consonne initiale se palatalise, c'est-à-dire qu'il s'y substitue une consonne prépalatale. Cette loi est d'emploi fréquent dans le groupe du Sud-Est et dans la boucle du fleuve Congo : p. ex. pour les diminutifs, pour les formes locatives et pour les passifs :

$$p\textasciiacute > \check{s} \qquad b > \check{z} \qquad \textbartext{b} > \check{c}$$
$$m > n' \qquad mp > n\check{c} \qquad mb > n\check{z}$$
$$t\textasciiacute > \check{s} \qquad d > \check{z} \qquad t > \check{c}$$
$$n > n'$$

d) Loi de sonorisation. Des consonnes sourdes se modifient en sonores. C. M. Doke en cite des exemples en Chona :
ex. substantifs de classe en *li : kuru > guru.*

e) Loi de dissimilation des combinaisons nasales. Deux
syllabes à combinaisons nasales ne se suivent pas :
ou bien la première perd sa consonne explosive (loi du
LouGanda) : Swaheli : *ṅombe* (bétail),
ou bien la seconde perd sa nasale (loi de l'OchikwaNyama) :
Nyama : *oṅgobe* (bétail), tandis qu'en Kikoongo on aura
ṅgōmbe.

f. Loi de la perte de l'aspiration : sous influence immé-
diate d'une nasale, il y a fréquemment perte de l'aspiration
(C. M. Doke) : Zoulou : **t'and-* (aimer); *ngit'anda,* mais
intando.

5. *L'accent dynamique.*

En règle générale, l'accent dynamique tombe sur la
syllabe pénultième et s'accompagne d'allongement de la
voyelle. Toutefois dans le sous-groupe Ganda et dans le
groupe occidental (notamment Koongo) l'accent dynamique
reste attaché à la syllabe radicale :

Zoulou : *si'bóna; siya'bóna, siya'bonísa, siya'bonisísa.*
Ganda : *yágala.*
Koongo : *toónda, toóndisa, toóndele* (aimer).

Dans certaines régions on trouve assez fréquemment
l'accent sur l'antépénultième ou sur la finale.

Les mots polysyllabiques d'au moins trois syllabes
présentent outre l'accent principal, un accent rythmique
secondaire.

6. *Le ton ou accent musical.*

Les quelques langues bantoues qu'on a pu examiner
méthodiquement au point de vue du ton (Gikouyou,

EWondo LoNkoundo, TchiLouba) montrent d'une part le
rôle essentiel de l'accent musical, d'autre part une différenciation très prononcée entre divers systèmes tonétiques.
Plus personne ne conteste l'importance de l'accent musical
dans sa fonction sémantique ou grammaticale. Dans le
groupe central où la couleur et la quantité de la voyelle
radicale ainsi que l'alternance des consonnes radicales
peuvent avoir valeur sémantique et grammaticale, le ton
semble n'avoir de valeur sémantique que dans le cas
exceptionnel de quasi-doublets ou homophones ; le ton
s'y présente parfois avec valeur grammaticale dans le
système verbal.

Certains grammairiens confondent ce rôle de l'accent
musical avec l'accent rythmique, avec l'accent logique
ou surtout avec le ton affectif ou psychologique.

D) *Morphologie*

1. *Structure à affixes.*

La caractéristique principale des langues bantoues est
leur structure à préfixes, suffixes et infixes.

a) *Préfixes.* Le fait le plus notable est la répétition de
préfixes dits de classe (voir p. 864), qui rattache au substantif (ou pronom) tous ses déterminatifs (qualificatifs
épithètes, démonstratifs, numératifs, indéfinis), et de
même son complément et son prédicat (verbe ou copulatif) :

Ko. : *baleke bana ba mfumu, bankaka ba mbote, bankaka*
        garçons ceux-là du chef, les uns bons, les autres
    ba mbi, bafwiidi bau baakulu
    méchants, ils moururent eux tous

= ces garçons du chef moururent tous, les bons comme
les méchants.

nnsafu mina mitatu minene mi mfumu-nsi mifudidi
safoutiers ceux-là trois grands du chef de terre, sont en
fleurs

= Ces trois forts safoutiers du chef, possesseur du sol
de notre région, sont en fleurs.

b) *Suffixes.*

1º Dans les formes verbales :

a) Les suffixes indiquent l'aspect verbal :

-*i* marque l'action achevée.
-*a* marque l'action indéfinie.
-*e* marque l'action prescrite, souhaitée, prohibée, etc.
-*u* marque l'action subie.

Ko. : *fwa* (mourir) ; *fwidi* (il n'est plus) ; *kafwe* (qu'il meure) ; *bafu* (les défunts) ;

b) Des suffixes servent également à former des dérivés :

-*a/-ika*	: *nwa* (boire)	*nwika* (abreuver),
-*a/-ama*	: *leemba* (se calmer)	*leembama* (être calme),
-*ama/-ika*	: *toṅgama* (se tenir debout)	*toṅgika* (mettre debout),
-*(u)wa/-ula*	: *leembwa* (être calme)	*leembula* (rendre calme),
-*uwa/-uka*	: *nuwa* (être bu)	*nuka* (absorber),
-*una/-uka*	: *nanuna* (allonger)	*nanuka* (s'allonger),
-*ula/-uka*	: *laula* (rendre fou)	*lauka* (être fou).

c) Éventuellement des suffixes indiquent l'implication (voir p. 872) : -*a/-aṅga* : *basala* (ils travaillent) *basalaṅga* (ils travaillent encore).

2º Dans les substantifs déverbatifs, le couple préfixe-suffixe spécifie le sens du vocable dérivé :

Ko. : *nn...i*	: *nnlooṅgi*	celui qui a pour métier d'enseigner *(looṅga)*,
n....i	: *ndoki*	celui qui a envoûté *(loka)*, l'envoûteur,
nn...o	: *nnloko*	le sortilège par lequel on a envoûté *(loka)*,
n....a	: *ndola*	l'action de châtier *(lola)*,
lu...u	: *lutumu*	l'ordre qui hic et nunc a été enjoint *(tuma)*,
n....u	: *nsuungu*	la préoccupation, le souci *(suuṅgama*, être soucieux).

c) *Infixes.* 1° Des infixes, qui suivent le préfixe personnel et précèdent le radical, précisent l'action verbale : ils ajoutent une détermination de lieu, de temps ou de modalité.

Ko.   : *-ta-* : action en train de s'accomplir : *itakwisa,* je viens à l'instant même = je suis en route ;

Swah. : *-me-* : action accomplie : *ameaṅguka* = il gît par terre = il est tombé ;

Southo : *-a-* : action présente : *keea moo rata* = je l'aime ;

Lamba : *-ka-* : action qui se fera, mais plus tard ; *tukalawila* = nous parlerons.

2° Les infixes indiquent également l'implication (voir p. 872).

Zoulou : *-sa-* : action, qui continue à se faire : *basahamba* = ils travaillent encore ;

      ka : action qui ne se fait pas encore : *aṅgikat'andi* = je n'aime pas encore.

d) *Autres cas d'affixation.* Le pronom personnel préfixe indique :

tantôt le sujet : Ko. : *tu-toonda* = nous aimons,
tantôt le régime : Zoulou : *ṅ-gičele* = dis-moi.

Le complément peut être :

ou suffixé : Louba : *nakamupa-čio* = je le lui ai donné (c'est-à-dire *čimuna* = le fruit) ;
ou infixé : Swah. : *uli-m-piga* = tu le frappes.

Le sujet, d'ordinaire préfixé, peut être aussi suffixé :

Louba : *muči kupona-wo* = l'arbre tomba (*wo* reprend le sujet).

Le pronom personnel infixe peut avoir divers sens comme forme objet :

Ko. : *ka-n-sumbila nsusu* : il a acheté une poule pour moi,
    ka-n-sumba nsusu : il m'a acheté une poule (c'est-à-dire à moi).

2. *La fonction.*

En bantou un même élément peut se présenter avec des fonctions diverses :

ex. *eki, ama* : peut être ou pronom ou adjectif ;

   mo   : peut être ou adverbe ou locatif ;

   luse   : peut être substantif (face) mais il est usité (Ko.) dans l'expression adverbiale : *ga luse* = par devant ;

   kudia : peut être forme verbale (manger), mais peut se retrouver comme forme nominale : le manger, les vivres *(madia)* ;

   bana   : peut être pronom démonstratif, pronom relatif, etc.

3. *Les parties du discours.*

A) Éléments constitutifs :

a) Le nom et le pronom.

b) Les déterminatifs du nom : qualificatif, démonstratif, numéral, indéfini ; et cela soit avec fonction adjectivale, soit avec fonction pronominale

c) Le verbe : verbe d'état ou verbe d'action ; il peut être éventuellement remplacé par une autre partie du discours avec fonction copulative.

d) Les additifs au verbe : soit descriptifs : adverbes, expressions adverbiales, idéophones ; soit expressifs : interjections.

B) Éléments accessoires : éléments de relation :

a) Des conjonctions, reliant les propositions.

b) Des affixes nominaux : p. ex. des enclitiques locatifs.

c) Des formatifs : instrumentaux : le conjonctif *na,*

                    adverbiaux   : l'instrumental *ṅga* (Zoulou) ; *ku, mu, pa* locatifs ;

                    prédicatifs   : *ke-* (Sotho) ; *ni-, si-* (Swaheli); *yi-, ṅgu-* (Zoulou).

Il faut y ajouter les éléments formatifs proprement dits, dont il a été question plus haut : affixes nominaux (préfixes, suffixes), affixes verbaux (suffixes et infixes), particules d'accord (accord adjectival, pronominal, relatif, numéral, possessif, verbal : subjectif, objectif, présent, passé).

4. *Voyelles et consonnes caractéristiques.*

a) Indication de place, de direction dans l'espace :
Ko. : *mu/ku/pa : mu* = ici ; *ku* = vers, à droite ou à gauche ;
$\qquad$ *pa* = au-dessus de.

b) Indication de proximité ou d'éloignement dans l'espace :
Swah. : *u/o/le : huku :* ici, près de celui qui parle,
$\qquad$ *huko :* là, près de celui avec qui je parle,
$\qquad$ *hule :* là-bas, près de celui dont on parle,
$\qquad$ ou : loin des interlocuteurs.

c) Indication du temps :
Louba : *e/a/o : eu :* ce dont nous parlons en ce moment ;
$\qquad$ *au :* ce dont nous venons de parler ;
$\qquad$ *owu :* ce dont nous allons parler.

d) Indication de réversif :
Ko. : *i/u : zangila* = lever ; *zangula* = déposer.

e) Indication d'actif ou de neutre :
Ko. : *l/k : zibula* = ouvrir ; *zibuka* = être ouvert.

5. *Classification des substantifs au moyen de préfixes* (voir p. 860).

Proposée par Bleek (16 classes, 1869), cette classification fut complétée par Meinhof (1899, 1910, 21 classes), par Al. Werner (1919, 20a) et C. M. Doke (1a, 2a).

1. *mu-*	3. *mu-*
1a. *(mu-)*	4. *mi- :* plur. de 3.
2. *ɓa :* plur. de 1.	5. *li- :*
2a. *ɓa :* plur. de 1a.	6. *ma- :* plur. de 5, 14, 15a ; aussi « pluralia tantum » ;

7. *ki-:*

8. *ɓî:* plur. de 7.

9. *ni-:*

0. *lî-ni-:* plur. de 9 et plur. de 11 ;

1. *lu-:* singulatif ;

2. *tu-:* plur. de 11, 13, 19.

3. *ka-*

4. *ɓu -:* « singularia tantum » ;

15. *ku-:* infinitif ;

15a. *ku-:* parties du corps ;

16. *pa-:* locatif ;

17. *ku-:* locatif ;

18. *mu-:* locatif ;

19. *pî-:* diminutif ;

20. *gu-*

20a. *ga-:* plur. de 20 ;

21. *gî-.*

Nous groupons ici en tableau comparatif les préfixes nominaux :

Pour le groupe du Sud-Est : 1. IsiZoulou ;
Pour le groupe du centre : 2. TchiLouba ;
Pour le groupe de la côte orientale : 3. KiSwaheli ;
Pour le groupe du Nord-Est : 4. OlouGanda ;
Pour le groupe du Sud-Ouest : 5. OtjiHerero ;
Pour le groupe de la côte occidentale : 6. KiKoongo ;
Pour le groupe occidental sous influence du Nord-Ouest : 7. Douala ;
Pour le groupe de la cuvette : 8. LoMongo.

	1	2	3	4	5	6	7	8
1.	*umu-*	*mu-*	*m-*	*omu-*	*omu-*	*mu-*	*mu-*	*bo-*
2.	*a'ba-*	*ba-*	*wa-*	*aba-*	*oba-*	*ba-*	*'ba-*	*ba-*
3.	*umu-*	*mu-*	*m-*	*omu-*	*omu-*	*mu-*	*mu-*	*bo-*
4.	*imi-*	*mi-*	*mi-*	*emi-*	*omi-*	*mi-*	*mi-*	*be-*
5.	*ili-, i-*	*di-*	*-*	*eri-*	*e-*	*di-*	*(di-)*	*li-, (ži-)*
6.	*ama-*	*ma-*	*ma-*	*ama-*	*oma-*	*ma-*	*ma-*	*ba-*
7.	*isi-*	*či-*	*ki-*	*eki-*	*otži*	*ki-*	*e-*	*e-*
8.	*izi-*	*bi-*	*vi-*	*ebi-*	*obi*	*bi-*	*'be-*	*bi-*
9.	*in-...*	*n-...*	*n-...*	*en-...*	*on-...*	*n-...*	*n-...*	*n-...*
10.	*izin-*	*n-...*	*n-...*	*en-...*	*ozon-*	*n-...*	*n-...*	*n-...*
11.	*ulu-*	*lu-*	*u-*	*olu-*	*oru-*	*lu-*	*lo-*	*lo-*
12.	*-*	*tu-*	*-*	*otu-*	*otu-*	*tu-*	*(lo-)*	*to-*
13.	*-*	*ka-*	*-*	*aka-*	*oka-*	*-*	*-*	*-*
14.	*u'bu-*	*bu-*	*u-*	*obu-*	*ou-*	*bu-*	*'bo-*	*w-*
15.	*uku-*	*ku-*	*ku-*	*oku-*	*oku-*	*ku-*	*-*	*-*
16.	*-*	*pa-*	*(pa-)*	*wa-*	*opa-*	*ga-*	*(wa-)*	*-*

	1	2	3	4	5	6	7	8
17.	uku-	ku-	(ku-)	ku-	oku-	ku-	o-	-
18.	-	mu-	(mu-)	mu-	omu-	mu-	-	-
19.	-	-	-	-	-	fi-	i-	i
20.	-	-	-	ogu-	-	-	-	-
21.	-	-	-	aga-	-	-	-	-
22.	-	-	ǰi-	-	-	-	-	-

L'ancienne interprétation, qui cherchait dans ce système de préfixation des « catégories psychologiques » propres à la mentalité bantoue n'a pu résister à l'examen objectif des faits. En effet le nombre des classes varie avec les langues ; le même objet s'y présente dans des classes différentes. La thèse de « l'homogénéité des préfixes » a fait place à une différenciation entre préfixes « primaires » et préfixes « secondaires ».

Le rôle des préfixes est net dans la dérivation des substantifs déverbatifs :

ki-: relatif, instrumental ; *ba-:* collectif pour être vivants ;

mu-: participe verbal *ma-:* collectif pour objets ;

fi-, ka-: diminutif *ku-/ma-:* action verbale ;

lu-: singulatif *ku-/mu-/pa-:* locatif ;

bu-: abstrait ;

ka-: dépréciatif.

Aux désignations d'êtres vivants et d'objets inanimés comportant déjà leur préfixe, un second préfixe ajoute de nouvelles nuances :

Ko. : *fi-:* *mbele* (couteau) *fi-mbele* (petit couteau) ;

ki-: *ndoki* (envoûteur) *ki-ndoki* (envoûtement) ;

lu-: *ṅguba* (arachides) *lu-ṅguba* (une seule arachide) ;

bu-: *mputu* (pauvre) *bu-mputu* (la pauvreté) ;

ba-: *ṅgo* (léopard) *ba ṅgo* (la gent des léopards) ;

ma-: *nzo* (case) *ma nzo* (l'ensemble des cases).

Louba : *ka-:* *muntu* (homme) *ka-muntu* > *kantu* (un petit homme).

Dans le cas de vocables de forme VCV, il y a souvent substitution de préfixes au lieu de préposition :

Louba : *mayi* (l'eau)   *tuayi* (un peu d'eau, une goutte) ;
     muele (couteau)   *tuêle* (un petit couteau).

Certains préfixes n'ont qu'une valeur régionale. Ils serviront dès lors à décéler les groupes linguistiques. Tel le préfixe diminutif *fi* pour le groupe occidental, *ka* pour l'influence éthiopienne.

Il en va de même de certains couples de préfixes :
    les arbres *(mu/mi)* opposés aux fruits *(i/zi)* ;
    les animaux *(i/zi)* opposés aux objets *(di/ma)* ;
    les liquides *(-/ma)*.

6. *Le genre sexuel.*

a) Pour l'indication du genre, on se sert souvent de vocables différents :

Ila : *iṅombe* (bétail)   *mučende* (taureau)   *impwizi* (vache)
Lamba : *insumbi* (volaille)   *kombolwe* (coq)   *inseke* (poule)
Koongo :   *(di)toko* (jeune homme)
            nduumba (jeune fille)

b) Souvent on l'indique en ajoutant un mot indiquant le sexe :

ṅgudi (mère) Ko. : *ṅgudi-mbwa* (une chienne) ;
        Lamba : *nyina-mbusi* (une chèvre) ;
ṅṅkeento (femme) Ko. : *ntinu ṅṅkeento* (roi femme = reine) ;
      mwaana ṅṅkeento (enfant femme = fille).
suffixe *-hali* Sotho : *mofuma-hali* (reine) ;
        morali (fille).

7. *Harmonie vocalique.*

a) Elle se rencontre sous sa forme la plus complète au Cameroun et dans une partie de la cuvette :

Ngoombe : *bala* (parler) présent indéfini : *nabalaka*
     ine (voir)   *naneke*
     ko (faire)   *nakoko.*

b) Sous forme mitigée elle se montre dans le groupe du

Sud-Ouest, le groupe occidental et même en Chona. D'après la voyelle radicale nous y distinguons des séries parallèles :

Forme du prétérit :

Ko. : en *idi*, si la voyelle radicale est *a*, *i* ou *u*.

tala/tadidi (regarder) ;

en *ele*, si la voyelle radicale est *e* ou *o*.

goga/gogele (parler).

Dérivations verbales :

Après *i*, *u* : applicatif en *ila*; neutre en *ika*; causatif en *isa*.

Après *e*, *o* : applicatif en *ela*; neutre en *eka*; causatif en *esa*.

c) Dans le groupe du Sud-Est quelques traces subsistent : Zoulou : les voyelles *e*, *o* sont fermées, si dans la syllabe suivante se présente *i* ou *u*, sinon ces voyelles sont ouvertes.

8. *Harmonie consonantique.*

Elle s'ajoute à l'harmonie vocalique dans le groupe du Sud-Ouest et le groupe occidental. La loi d'assimilation nasale y joue. Si une des consonnes radicales est une nasale simple, l'applicatif et les formes dérivées auront *ina/ena* au lieu de *ila/ela :*

Ko. : *kuna* (planter) applic. *kunina* (planter pour quelqu'un).

9. *Pronom personnel.*

Sa forme absolue est commune. On pourra comparer p. ex. :

Pour le gr. du Sud-Est : 1. Zoulou.

Pour le gr. du Centre : 2. TchiLouba,

Pour le gr. de la côte orientale : 3. Swaheli.

Pour le gr. de l'Est : 4. Mwezi.

Pour le groupe du Nord-Est : 5. Ganda.

Pour le gr. du Sud-Ouest : 6. Herero.

Pour le gr. de la côte occidentale : 7. Koongo (Est).

Pour le gr. de l'Ouest : 8. Douala.

Pour le gr. du Nord-Ouest : 9. Dzing.

Pour le gr. de la cuvette : 10. Moongo.

Pour le gr. du Nord : 11. Ngoombe.

	1	2	3	4	5	6
1º sg.	mina	meme	mimi	nene	nze	owami
2º sg.	wena	wewe	wewe	wewe	gwe	ove
3º sg.	yena	yeye	yeye	uwe	ye	eye
1º pl.	t'ina	twētu	sisi	iswe, twi	fwe	owete
2º pl.	nina	twē	nyinyi	imwe	mwe	owena
3º pl.	bona	bōbo	wao	(w)awo	bo	owo

7	8	9	10	11
mono	mba	me	emi	mbi
ṅgeye	wa	ṅgya	we	we
yāndi	mǫ	ndyen	ende	iyo
bēto	bisǫ	bi	iso	iso
bēno	binyǫ	bēn	inyo	ino
bau	babǫ	ba	iyo	ibo

Le pronom personnel peut se présenter :

1º Sous forme absolue : simple ou emphatique :
    Ko. : *mono* (moi).

2º Sous forme absolue copulative (« c'est moi ») :
    Ko. : *i mono.*

3º Sous forme de préfixe verbal à valeur de sujet.

Ainsi le pronom personnel de la première personne se présente en Koongo tantôt comme un *i-*, tantôt comme une nasale homorganique : *m-* devant labiale, *n-* devant dentale, *ṅ* devant vélaire, *n'* devant palatale. D'autre part au *i-* du présent s'oppose *ya-* du passé. Le préfixe peut revêtir d'autres formes dans un sens négatif : Louba : *či-.* Ex. *mvwa* j'étais, *čivwa* je n'étais pas ;

4º Sous forme d'infixe objectif, complément direct ou indirect : Ko. : *-m-, -n-, -ṅ-* ;

5º Parfois également sous forme de suffixe objectif ; dans ce cas l'infixe indique le régime indirect, le suffixe le régime direct.

TchiLouba : *m-mu-pele-čio =* je le *(čio)* lui *(mu)* ai donné.

6º Ou encore uni à une particule d'accord : de moi = mon = le mien. Dans ce cas il fait fonction d'adjectif ou de pronom possessif. Ko : *mwāmo* ;

7º Ou encore uni à l'élément formatif *ku* pour donner une forme d'insistance. Ko. : *kwāmo* ;

8º Ou uni à l'élément formatif instrumental ou conjonctif *na, ya*. Ko. : *yāmo*.

10. *Le démonstratif.*

Certaines langues ont conservé quatre séries de démonstratifs avec voyelle caractéristique d'après le degré de proximité ou d'éloignement dans l'espace ou dans le temps :

	I	II	III	IV
Ila :	*wezu*	*wezo*	*weno*	*welia*
Lamba :	*uyu*	*uyo*	*uno*	*ulya*

D'autres ont perdu la troisième série :

	I	II		IV
Louba :	*eu*	*au*		*owu*
Zoulou :	*lo*	*lowo*		*lowaya*

ou la quatrième série :

	I	II	III	IV
Koongo	*wu*	*wo*	*wuna*	*wunaa*
	ki	*kio*	*kina*	*kinaa*

11. *Les numéraux.*

Dans l'examen des numéraux, nous devons tenir compte :

a) D'un substrat pygmée ou khoinide. Dans la cuvette nous le reconnaissons à $2 = fe$, $5 =$ main, $10 =$ deux mains, $20 =$ homme ;

b) D'un substrat, dans l'Afrique centrale, à système quaternaire : 4, 8, 12, 24, 36 ;

c) D'un système quinaire pur, s'infiltrant par le Nord sur toute la ligne des invasions soudanaises : 5, 10, 15 ;

d) D'un système décimal,
tantôt à formes composites : 5+1, 5+2, 5+3, 5+4, 10, 10×2, sur toute la ligne de la pénétration éthiopienne ;
tantôt à formes secondaires ajoutées : 3+3, 4+4, 10 — 2, 10 — 1.

Les exemples sont choisis :

Pour le groupe du Sud-Est : 1. Xhosa.

Pour le groupe du Centre : 2. Ila.
Pour le gr. de l'Est (côte) : 3. Swaheli.
Pour le gr. du Sud-Ouest : 4. Lounda.
Pour le gr. de la côte occident. : 5. Koongo (Est).
Pour le gr. du Nord-Ouest : 6. Dzing.
Pour le gr. de la cuvette : 7. Moongo.
Pour le gr. du Nord : 8. Ngoombe.

	1	2	3	4
1.	-nye	-mwi	-moya	-mwe
2.	-bini	-bili	-wili	-ari
3.	-tatu	-tatwe	-tatu	-satu
4.	-ne	-ne	-nne	-nhi
5.	-Lanu	-sanwe	-tano	-tanu
6.	-tandatu	(či)sambomwi-	sita	sambanu
7.	(isi)xenče	(či)loba	saba	sambuari
8.	(isi)bozo	(lu)sele	-nane	(či)nana
9.	(i)toba	(i)fuka	kenda	(ri)vu
10.	(i)šumi	(i)kumi	kumi	(ri)kumi

5	6	7	8
-moší	-mbeyi, -ya	-moko	-moči
-ōle, -āli	-ǫil	-fe	-bae
-tatu	-sar	-sato	-sato
-ya, -na	-na	-nei	-nei
-tānu	-t'ēn	-tano	-tano
-sāmbanu	syām	botoa	-samano
sambwādi	nsāmboil	nsambo	sambo
nāna	(i)nān	mwambi	bombwambe
vwa	(i)wa	(i)bwa	(li)bwa
-kumi	(i)kwum	ǰomo	domi

Le groupe oriental par son *bili* (2) s'oppose nettement au groupe occidental *-ari*, *-āli* et au groupe central de la cuvette *(fe)*. Deux autres formes lui paraissent propres : neuf *(kenda)* et huit (4+4) *nana* ;

Le groupe occidental se distingue par deux *(ali)*, par neuf *(vwa)*.

12. Le verbe.

Les verbes peuvent se présenter :

a) Sous forme monosyllabique CV : Ko. : *dya* (manger), *fwa* (mourir) ; Ngoombe : *ko* (faire).

b) Avec initiale vocalique VCV : Ngoombe : *ine* (voir).

c) Sous forme disyllabique CVCV : avec finale en *a* : Ko. : *tuma* (envoyer).

d) Sous forme disyllabique CVCV : avec voyelle finale soumise à l'harmonie vocalique : Ngoombe : *seke* (rire) ; *tondo* (dire) ; *bala* (parler).

e) Sous forme disyllabique tronquée CVC′ (ou pseudo-monosyllabique) : Dzing : *luk* (pagayer).

Les systèmes verbaux présentent dès lors des différences très marquées dans les divers groupes. Certaines remarques semblent valoir pour l'ensemble des groupes.

1º L'opposition des trois aspects :
l'indéfini : Zoulou : *ṅgalamba* (la faim me prend) ;
l'achevé : Zoulou : *ṅgaṅgilambile* (j'étais affamé) ;
le continu ou duratif : Zoulou : *ṅgaṅgilamba* (la faim me tiraillait) ;

2º Les trois implications :
l'énoncé d'un simple fait : Zoulou : *ṅgit'anda* (j'aime) ;
l'énoncé d'une action en progression : affirmatif : *ṅgisat'anda* (j'aime encore) ; négatif : *aṅgisat'andi* (je n'aime pas plus longtemps) ;
l'énoncé d'une action limitée exclusive : affirmatif : *seṅgit'anda :* j'aime désormais (à partir de maintenant) ; négatif : *aṅgikat'andi :* je n'aime pas encore.

3º L'indication du mode par l'élément suffixe :
Ko. : *kafwa* (il meurt) ; *k-afwe* (qu'il meure) ; *k-ufwe ko* (ne meurs pas).

L'indication du temps par l'élément préfixé et la particule d'accord :
Ko. : *yatōnda* (il aimait : passé immédiat) ;
L'indication de la modalité par des particules infixées :
Ko. : *i-ta-kwisa* (je viens à l'instant).

4º Pour les temps, on distingue souvent :

	'bona (voir)	kwisa (venir)
le présent réel	: Zoulou : ṅgiya'bona	Ko. : ikwisa
le passé immédiat	: Zoulou : ṅgi'bonile	Ko. : ṅgisidi
le passé lointain	: Zoulou : ṅga'bona	Ko. : yayisidi
le futur immédiat	: Zoulou : ṅgizo'bona	Ko. : siṅgisa
le futur éloigné	: Zoulou : ṅgiyo'bona	Ko. : saṅgisa

En outre on peut rencontrer un futur certain et un aoriste : Ko. : ṅgisa, yayisa.

5º Des suffixes déterminés permettent de créer des formes dérivées secondaires :

a) Le causatif : *isa/esa :* faire en sorte que l'action soit posée (éventuellement par un intermédiaire) :
Ko. : *tuma* (envoyer) ; *tumisa* (mander).

b) Le dépendant : *ila/ela : ina/ena :* accomplir une action dans telles circonstances, pour telle raison, dans tel but, à l'avantage de quelqu'un, etc...
Ko. : *sūmba* (acheter) ; *sūmbila* (acheter à).

c) L'applicatif ou relatif : *idila/elela; inina/enena :* accomplir une action pour quelqu'un :
Ko. : *sāmba* (prier) ; *sāmbidila* (intercéder).

d) L'intensif : *-alala* de *-ama; -ulula* de *-ula; -umuna* de *-una.*

Avec souvent un pendant neutre : *ama* et *ika; ula* et *uka; ila* et *ika; una* et *uka; ina* et *ika* :
Ko. : *tōṅgama* (être debout) ; *tōṅgika* (mettre debout) ;
       tōṅgalala (rester debout) ;
       nanama (être long) ; *nanika* (rendre long) ; *nanuna* (allonger) ; *nanuka* (s'allonger) ;
       bula (briser) ; *buka* (se briser) ; *bukuna* (rompre) ; *bukuka* (se rompre) ; *bukumuna* (détruire) ; *buku-muka* (être détruit) ;
       lēṅga (crépir) ; *lēṅgwa* (être enduit) ; *lēṅgula* (polir) ; *lēṅgulula* (repolir) ; *lēṅguka* (être poli) ; *lēṅguluka* (être repoli).

e) Éventuellement une forme continuative ou habituelle : *aṅga/eṅge/iṅgi :*

Ko. : *sala* (travailler), *salāṅga ;*
    kwīsa (venir) *yisidīṅgi ;*
    kwēnda (aller) *weléṅge.*

6º Il y a une distinction fondamentale entre verbes d'état et verbes d'action :

v. d'action : accomplir tel acte ;

v. d'état   : être dans tel état : *pēmba* = être blanc ; entrer dans tel état, devenir : *lǫmba* = s'assombrir ; *bwāka :* rougir, devenir rouge ; mettre dans tel état : *lǫmbisa* = faire noircir ; *lǫmbula* = noircir.

7º Les formes verbales dérivées se laissent réduire à des couples :

a) Poser un acte ou le poser réciproquement :
    tǫnda   = aimer ;
    tǫndana = s'aimer, s'entr'aimer.

b) Poser un acte ou le faire poser : *dya, dīla* = manger ;
    dīka = nourrir.

c) Faire subir ou subir : *nanuna* = allonger ;
    nanuka = être allongé, s'allonger ;
    ou : *bula* = briser ;
    buka = être brisé, se briser.

d) Être dans tel état ou mettre dans tel état :
    tekama = être courbé ;
    tekika = rendre courbe, courber.

8º A côté de la conjugaison régulière à formes simples existent d'ordinaire des formes plus récentes, pour lesquelles on fait appel à des verbes défectifs, suivis de l'infinitif, du subjonctif ou du participe.

Les verbes défectifs les plus fréquents sont : être, être avec (= avoir), aller et venir. En outre des formes très communes expriment :

le commencement : *baka, bwa, yala bayadidi tūṅga* = ils ont commencé à bâtir ;

l'antériorité   : *teka, yita*   *batekele   dya* = ils mangèrent d'abord ;

l'attardement	: *sala*	*basīdi lēka* = ils sont restés (à) dormir ;
la possibilité	: *lēnda*	*balēnda nata* = ils savent (le) porter ;
l'inutilité	: *lēndi*	*k-ilēndi...ko* = je ne saurais (le) faire ;
le désir	: *zǫla*	*bazǫlele bēnda* = ils voudraient partir ;
la persévérance	: *kwāma*	*bakwāma talaṅga* = ils regardent continuellement ;
l'achèvement	: *mana, wa*	*bamene tūṅga* = ils ont fini de bâtir ; *bawīdi fwa* = ils sont (déjà) morts ;
la convenance	: *fwēte*	*ufwēte kumbaka* = tu aurais dû le prendre ;
l'omission, le manque	: *lēmba*	*balēmbele kuṅkayisa* = ils négligèrent de le saluer ;
l'excellence	: *toma*	*batoma sala* = ils travaillent fort bien ;
la hâte	: *vika*	*bavika kwīsa* = ils ne tarderont pas à venir.

13. Idéophones.

Alors que les « onomatopées » se réduisent à reproduire les « sons », les idéophones (« adverbes descriptifs » de Junod), parviennent à représenter n'importe quelle sensation ressentie par l'organisme humain. Ce sont « les représentations sonores des sensations vécues ». Elles consistent en éléments invariables précédés d'un verbe de sens général (type français : « faire poum » = « éclater ») :

Zoulou : précédés du verbe défectif *ukutʻi*.

Ronga : précédés de *kuti, kuku, kuli*.

Southo : précédés de *hore*.

Koongo : précédés de *na*.

Exemple : Zoulou *yima uti twi* « lui a fait debout » = « il s'est mis debout ».

E) *Syntaxe*

Des règles fixes régissent l'ordre des mots dans la phrase.

1. Le sujet précède le verbe, soit comme pronom personnel préfixé, soit comme substantif :

Ko. : *ka-fwīdi* = il est mort ;
    mfumu ufwīdi = le chef est mort ;
    mfumu bu kafwa = lorsque le chef meurt... ;
    kafwīla mfumu = si le chef vient à mourir... ;
    mfumu, ka tuwīdi nkēnda ku kayēnda ko = le chef, nous n'avons pas appris la nouvelle où il est allé = nous n'avons pas entendu dire où est allé le chef.

2. Postposition du complément du nom au nom complété :

Ko. : *nzo mfumu* = la case du chef ;
    mfumu gata = le chef du village ;
    kiti ki mfumu = le siège du chef.

3. Postposition du régime direct. Le verbe précède son complément direct :

Ko. : *kagǭndele mwāna* = il a tué l'enfant.

Le régime direct peut précéder :

a) Si le sujet est exprimé par un nom :

Ko. : *nzimba nsusu kabakidi* = la civette s'est emparée de la poule ;

b) Si le régime direct est répété par un pronom démonstratif :

Ko. : *n̄guba zīna, k-izolele zo ko* = ces arachides, je ne les veux pas.

Si le régime direct est un pronom personnel, ce dernier peut devenir infixe :

Ko. : *katutonda* = il nous aime (*tu* = nous).

Dans certaines langues il en est de même si le régime direct est un pronom démonstratif :

Louba : *nudi nubukwata* = c'est vous qui le prenez ; *bu* = *buta* (l'arc).

4. Le complément du verbe applicatif se place avant le complément direct du verbe simple :

Ko. : *baleke batuṅgila mfumu nzo* = ses sujets bâtissent une case pour le chef *(mfumu)*.

Cela se vérifie même si le complément indirect est exprimé par un pronom : il précède le régime direct :

Ko. : *kansūmba nsusu* = il m'a acheté une poule (c'est-à-dire à moi) ;

> *yāndi wansūmbidila nsusu* = il a acheté une poule pour moi.

Dans les deux cas le « moi » s'exprime par -*n*-.

5. Le complément circonstanciel précède le verbe et le complément direct :

Ko. : *ga mǭṅgo gakadila nzo* = sur la montagne se trouve une case ;

> *mu kisalu babakila mbǭṅgo zīṅgi* = grâce au travail ils ramassèrent beaucoup d'argent ;
>
> *ṅgǭnda ziyēdila maya* = les lunes, lesquelles mûrissent les champs = les mois pendant lesquels les champs mûrissent ;
>
> *mono, ṅgudi-āmo, ṅginini yāndi* = moi, ma mère, je suis avec elle = moi j'ai encore ma mère.

6. Le numéral, d'ordinaire, termine la proposition :

Ko. : *kakabidi ba nsusu zāndi zā tatu* = il fit cadeau de ses poules, toutes les trois.

7. Le déterminatif suit le substantif qu'il détermine :

démonstratif : Ko. : *muntu yu* = cet homme-ci ;
qualificatif : Ko. : *nzila indā* = un long chemin ;
numératif (indéfini) : Ko. : *bāntu babēṅgi* = beaucoup de gens.

8. L'interrogatif suit :

nzila yei? le chemin, est-ce celui-ci ? = est-ce ce chemin-ci ?

9. Souvent il y a répétition de ce qui a déjà été exprimé : pour le sujet : Ko. : *bafwīdi kwau* = ils *(ba)* sont morts eux *(kwau)* ;

pour le régime direct : *nsusu zīna, kakabidi zǫ* = ces
poules-là, il a fait cadeau d'elles *(zǫ)*.

10. Toutefois l'on comprend que dans des langues qui
sont encore en plein stade du « style oral », cet ordre sera
fréquemment interverti pour insister sur tel ou tel élément
de la proposition :

Ko. : *yu tulēṅga yāndi, nkatu* = celui (avec qui) nous
allons en route (celui-ci) aucun = je n'ai pas de
compagnon de route.

di basīla buna, k-izēyi mo ko = cela (pour quel
motif) ils disent ainsi, je ne le sais pas = j'ignore
pourquoi ils parlent de la sorte.

Texte (KiKoongo de l'Est)

*nti wāku unene ufwīdi ; ewu, ka waa ko ; ewo, nnsafu
kwāndi ;*

arbre ton grand est mort ; celui-ci, pas lui ; celui-ci, safoutier lui ;

kānsi wuna nti ubwāka, nkak-āndi.

mais cet arbre-là il rougit, semblable son.

= Ton grand arbre est mort ; pas celui-ci, c'est un safoutier ; mais cet autre arbre rouge là-bas, qui est de la
même espèce.

nti : subst. sing. sujet cl. *mu/mi ; mu* est amuï en *n*
(= *nnti*) arbre ;

waku : adject. posses. 2e pers. sing. (possesseur) de cl.
mu/mi (objet possédé) ;

u-nene : adject. qualific. « grand », avec préf. *u-* de la cl.
mu sing ;

u-fwīdi : prétérit 3e pers. sing. de *fwa* « mourir », avec
préf. *u-* de cl. *mu* sing, aspect achevé ;

ewu : pron. démonstr. sing. de cl. *mu* sing., 1er degré de
distance ;

ka...ko : particule de négation encadre le mot nié ;

wā : pron. pers. 3e p. sing. cl. *mu* sing. ; dans la négation
wu devient *wā* ;

ewo : pron. démonstr., sing. de cl. *mu* sing. 2e degré ;

nnsaʃu : subst. sing. de cl. *mu/mi,* l'arbre (safoutier), qui
porte les fruits *nsaʃu* (i/zi) ;

kwāndi : pron. pers. 3ᵉ pers. sing. forme avec *ku* pour
insister : *ku+yaandi>kwāndi ;* « c'est un,.. » ;

kānsi : conjonction marquant l'opposition : « mais » ;

wuna : adject. possessif cl. *mu* sing. 3ᵉ degré « celui-là
là-bas ») ;

ubwāka : indic. prés. 3ᵉ pers. sing. verbe *bwāka* « rougir »
avec préf. *u-* de cl. *mu* sing. ; peut s'interpréter aussi
comme partic. prés. ;

nkak(a) : subst. de cl. *i/zi* sing. « le pendant d'un objet »,
« l'autre de la même espèce » ; *a* final est tombé devant
l'initiale vocalique de *andi* ;

āndi : adject. possessif « son » 3ᵉ pers. sing. (possesseur) de
cl. *i/zi* sing. (objet possédé).

CLASSIFICATION DES LANGUES BANTOUES

A

SECTION DU SUD-EST

Caractéristiques.

1. Le locatif des substantifs s'exprime uniquement au moyen de suffixes.
2. La fonction du locatif est uniquement adverbiale.
3. Le diminutif et l'augmentatif s'indiquent par un suffixe.
4. Présence de latérales fricatives sourdes (inspirée t^L, aspirée $t^{L'}$, nasale nt^L) et sonores (aspirée $d^{l'}$, nasale, nd^l).
5. Palatalisation des consonnes : complète en Ngouni et en Sotho ; partielle en Tsonga et en Venda. Elle est caractéristique surtout pour les labiales.
6. Existence de clics, empruntés au substrat khoinide : 18 variantes en usage en Zoulou, 21 en Xhosa, 3 en Sotho.
7. Présence de la claquante *'b* en Ngouni.

I. GROUPE NGOUNI

1. IsiZoulou *(isizulu)*.

> 1*a*. Zoulou/Zoulouland (1859, L. Grout). — 1*b*. Zoulou/Natal. — 1*c*. Qwa'be. — 2. SiNdebele/Transvaal (1912, J. O'Neil). — 3. SiNdebele/Matabeleland. — 4*a*. KiNgoni/Nyassaland (1891, W. A. Elmslie). — 4*b*. KiNgoni/Tangan. Terr. — 4*c*. Bounga. — 4*d*. Mbounga.— 4*e*. Ndongwe. — 4*f*. Touta. — 4*g*. Ngoni/Gazaland.

2. IsiXhosa *(isiX'osa)*.

> 5. Xhosa (1830, J. Bennie). — 5*a*. Ngqika. — 5*b*. Rarabe-Gcaleka. 5*c*. Ndlambe. 5*d*. Thembou. 5*e*. Bomvana. 5*f*. Mpondomisi. 5*g*. Mpondo. 5*h*. Xesi'be. 5*i*. Kwati .5*j*. Tchezi. 5*k*. Hlangwini. 5*l*. Pengou = Fingou (Mbele, Hloubi, Zizi, Kouze, Chawa, Ngwane).

3. IsiSwazi.

> 6. Swazi (1930, J. A. Engelbrecht). 6*b*. Vieux Mfengou. 6*c*. Batcha.

Lorsqu'il existe de la documentation grammaticale, nous indiquons après le nom de la langue ou du dialecte la date et l'auteur de la « première grammaire » ; s'il s'agit simplement de « notice grammaticale », nous le faisons précéder du sigle : N. Gr.

Beaucoup de parlers ont été nommés et situés pour la première fois par l'auteur du présent chapitre.

Les numéros coïncident avec ceux de la carte (carte XV).

II. Groupe Sotho

1. SeTchwana (Ouest) *(secwana)*.

7. SeTchwana (1841, E. Casalis). *a)* à l'Ouest : 7*a*. Mbandjerou. 7*b*. Kgalahari. *b)* au Nord : 7*c*. Phouti. 7*d*. Tawana. 7*e*. Mangwato. *c)* au Centre : 7*f*. NgwaKetse. 7*g*. Kwena. *d)* au Sud : 7*h*. Thlapiṅg (1885, R. Brune). 7*i*. Rolong (RaTchidi, RaTloou, Seleka, RaPoulana, GaMaidi) (1880, W. Crisp). 7*j*. Houroutse = Tchwene = GaNanwa. 7*k*. Thlaro = GaMoThware. 7*l*. Kouboung.

2. SeKgathla (Tchwana de l'Est).

8. SeKgathla.

3. SePedi (Sotho du Nord).

9. SePedi (1876, K. Endemann). *a)* au Centre : 9*a*. Pedi = MaRoteng. 9*b*. Rooka. *b)* à l'Est : 9*c*. Koutswe. 9*d*. Pai = Mbayi. *c)* au Nord : 9*e*. Koni. 9*f*. Tlookwa. *d)* au Nord-Est : 9*g*. Lobedou (1928 N. Gr., W. Eiselen).

4. SeSoutho (Sotho du Sud ou Basoutoland) *(sesut'o)*.

10. SeSoutho (1927, A. Jacottet). — 11. SiKololo/Barotseland (1917, Ad. Jalla). 11*a*. SiLozi (1936, Ad. Jalla).

III. Groupe Venda

1. TchiVenda *(civenda)*.

12. TchiVenda (1904, P. Schwellnus). *a)* au Sud : 12*a*. de la plaine. *b)* à l'Ouest : 12*b*. de Louis Trichardt. *c)* à l'Est : 12*c*. de Sibasa.

IV. Groupe Tsonga

1. ChiRonga (Tsonga du Sud) *(široṅga)*.

13. ChiRonga = Landina = « Lourenço-Marques » (1896, H. A. Junod). 13*a*. ChiKonde.

2. ChiTonga (Tsonga du Centre) *(šitoṅga)*.

14. ChiThonga (1907, H. A. Junod). *a)* 14*a*. Djonga. 14*b*. Bila. 14*c*. Ngwaloungou. 14*d*. Hlanganou. *b)* Thonga du Transvaal : 14*e*. Thonga-Changaan (N. Gr. 1938, C. A. Chawner). 14*f*. Gwamba (1883, P. Berthoud, éd. 1920).

3. ChiTswa (Tsonga du Nord) *(šiṭwa)*.

15. ChiTswa (1932, J. A. Person). 15*a*. Dzibi. 15*b*. MaKwakwe. 15*c*. Hlengwe. 15*d*. Dzonga.

V. Groupe d'Inhambane

16. ChiTchopi = ChiLenge (N. Gr., 1902, Smith et J. Matthews). 17. GiTonga (N. Gr., 1931. N. J. van Warmelo).

B

SECTION CENTRALE SUD

Caractéristiques

1. Présence de « whistling fricatives » : fricatives labialisées avec arrondissement des lèvres : *sw, zw,* et même en combinaison *sww, zww, ʈw, ɖw, nzw.*
2. Fort développement du phénomène de vélarisation : *pk, bg, mṅ, čk, ʃg, nṅ.*
3. Présence de deux claquantes : *'b, 'd.*
4. Opposition entre semi-voyelle denti-labiale *ʋ* en Chona central (Zezourou) et la bilabiale *ƀ* en Karanga.
5. Présence d'affriquées denti-labiales : *p', bᵛ.*
6. Présence latente de la voyelle initiale aux préfixes nominaux.
7. Formation de diminutifs et d'augmentatifs par suffixe (comme au Sud-Est) mais également par préfixes (comme à l'Est et au Centre).

VI. Groupe Chona

Unification Swina (Chona) (1935, O'Neil).

1. TchiZezourou (Chona du Centre) *(čizezuru).*

    18. TchiZezourou (1906, E. Biehler). — 18*a.* Chawacha. 18*b.* Harava *(haraba).* 18*c* Gova *(goba).* 18*d.* Nohwe. 18*e.* Hera. 18*f.* Njanja. 18*g.* Mbire. 18*h.* Nobvou. 18*i.* Kwakwa. 18*j.* Zwimba. 18*k.* Tsounga.

2. TchiKore-Kore (Chona du Nord) *(čikore).*

    19. TchiKore-Kore. — 19*a.* Tavara *(tabara).* 19*b.* Changwe. 19*c.* Gova *(goba)* (riverains). 19*d.* Kore-Kore. 19*e.* Kore-Kore d'Ouroungwe. 19*f.* Kore-Kore de Sipolilo. 19*g.* Tande. 19*h.* Nyongwe (Mt Darwin). 19*i.* Pfoun-gwe. 19*j.* 'Boudya.

3. TchiMaNyika (Chona de l'Est).

    20. TchiMaNyika (1911, H. Buck). — 20*a.* Houngwe. 20*b.* Teve. 20*c.* MaNyika. 20*d.* Gouta. 20*e.* Bvoumba. 20*f.* Jindwi. 20*g.* Botcha. 20*h.* Here. 20*i.* Ounyama. 20*j.* Boundji .20*k.* Nyamouka. 20*l.* Nyatwe. 20*m.* Domba. 20*n.* Karombe.

4. TchiNdau (Chona du Sud-Est).

    21. TchiNdau (1915, Am. B. Miss.). — 21*a.* Ndau « Sofala ». 21*b.* Tonga. 21*c.* Garwe. 21*d.* Danda. 21*e.* Changa (Chona de la côte). 21*f.* Rongero. 21*g.* Tombodji.

5. TchiKaranga (Chona du Sud).

    22. TchiKaranga (1915, C. S. Louw). — 22*a.* Douma. 22*b.* Jena. 22*c.* Mhari. 22*d.* Govera *(gobera).* 22*e.* Ngoya. 22*f.* Nyou'bi.

6. SeRozwi.

    23. SeRozwi. 24. SeNyai. 24*a.* NaNzwa = NaMbzya. 25. Lilima-Houmbe. 25*a.* Peri de Nswazwi. 25*b.* Talahoundra. 26. Kalanga de l'Ouest.

C

SECTION CENTRALE EST

Caractéristiques

1. Présence de préfixes locatifs ; le groupe (Ma)Kouwa possède en outre un suffixe locatif -*ni*.
2. Le préfixe de l'infinitif est *u*- ou *o*- dans le groupe (Ma)Kouwa.
3. Le pronom personnel de 1º pers. pl. est *ni*- en (Ma)Kouwa, *ti*- ailleurs.
4. Présence de combinaisons nasales à l'initiale de radicaux verbaux.
5. Présence de labiales caractéristiques, de la semi-voyelle denti-labiale *v*.
6. Au preterit -*ile* on substitue souvent diverses autres formes.

VII. Groupe Nyasa

1. Sena (S. Gr. du Zambèze).

> 27. TchiSena (1680, Miss. S. J.). — 28. TchiNyoungwe = « Tete » (1899, V. J. Courtois). — 29. TchiKounda = « Zoumbo ». 29*a*. Tchi-Mazaro. 29*b*. TchiPodzo. 29*c*. TchiGombe. — 30. TchiBarwe. — 31. TchiTonga du Zambèze. — 32. Wesa. — 33. Taamngwena.

2. Nyandja (S. Gr. du lac Nyasa).

> 24. TchiAmbo. 34*a*. TchiNdjiri. — 35. TchiManyandja du « Shire Highland » (1891, G. Henry). — 36. TchiNyandja = TchiNyasa du lac (île de Likoma) (1909, R. H. Barnes). 36*a*. TchiNyandja de Rhodésie du Nord (1930, Miss. PP. BL.). 36*b*. TchiNyandja de Rhodésie (1928, St. Hankiewicz). — 37. TchiTchewa (Nyandja de l'Ouest) (1937, M. H. Watkins). 37*a*. Union Nyandja. — 38. TchiPeta. 38*a*. MaRavi. — 39. TchiNseenga (1928, A. S. B. Ranger). — 40*a*. Dema. 40*b*. MaKanga. 40*c*. ANtoumba. 40*d*. AMpotola. 40*e*. Zimba.

3. Kinga (S. Gr. du Roukwa).

> 41. Kinga (1905, R. Wolfs). 41*a*. Kisi = Kese. 41*b*. Nyi. — 42. Ichi-Nyikha. 42*a*. IchiWanda. 42*b*. IchiWiwa. 42*c*. Safwa. — 43. Itchi-Woungou. 43*a*. KiManda. — 44. ItchiWandia. 44*a*. ItchiRambia = Lambia. 44*b*. ItchiNdali. — 45. KiMaTengo. 45*a*. KiSoutou. — 46. KiPangwa (N. Gr. 1907, Ph. Klamroth). 46*a*. Mbedjela. 46*b*. LouPembe. 46*c*. MaWemba. 46*d*. Bwandji. 46*e*. MaHasi. 46*f*. Nena. — 47. Yombe. 47*a*. Foungwe. 47*b*. Wenya.

4. Pogoro.

> 48. KiPogoro (1907, P. Hendle). — 49. MaHenge. — 50. KiGangi.

5. KiFipa.

> 51. KiFipa (1911, B. Struck). 51*a*. du Sud. 51*b*. du Nord. — 52. InaMwanga. — 53. KiKoulwe = Kourwe. — 54. Handa. 54*a*. Akwa. — 55. KiPimbwe. — 56. InyaRoungwa. — 57. Roungou. — 58. Ki-Mambwe (1893, J. D. Picton). — 59. Tambo. — 60. Iwa.

6. TchiToumbouka (S. Gr. des hauts-plateaux du Nyasa).

> 61. TchiToumbouka (1895, W. Elmslie). 61*a*. TchiHenga. 61*b*. Tchi-KaManga. — 62. TchiTonga. 62*a*. TchiSisya. 62*b*. TchiSisika. 62*c*. Poka.

7. Nkonde.

> 63. Nkonde (1899, C. Schumann). — 64. IkinyiKyousa. 64*a* Mwamba. 64*b*. Sotchiri. 64*c*. IhiKoukwe. — 65. Ssako. 65*a*. Lougouli

VIII. GROUPE (MA)KOUWA

1. (Ma)Kouwa *(Ma)Kuwa*.

> 66. MaKouwa. *a)* du Nord : 66. Meto = Medo. — 67. Mbwabo = Mbwabe. — 68. MaSasi (N. Gr. 1872. Ch. Maples) ; *b)* du Sud-Est : 69. IMaKouwa (N. Gr. 1904/05, J. V. do Sacramento). — 70. Tougoulou ; *c)* du Sud-Ouest : 71. Lomwe ; *d)* du Sud : 72. ETchwambo = ITchwaabo (Desmaroux, MS.). — 73. Roro. 73*a*. Lolo. — 74. TchiNgourou = Ngoulou. 74*a*. Kokola. 74*b*. Takwani. 74*c*. EmiHawani. 74*d*. MaRata. 74*e*. NiKoukou. 74*f*. NiToukwi.

2. KiYao.

> 75. KiYao (1889, A. Hetherwick). — 76. TchiNgindo. 76*a* du Sud. 76*b*. du Nord. 76*c*. TchiMpoto.

3. MaKonde.

> 77. KiMaKonde (1914, O. Lorenz). — 78. KiMaVia = MaBiha (1910, L. Harries). — 79. KiMwera (N. Gr. 1896, R. von Sowa). — 80. KiDonde = Ndonde. — 81. KiNindi. — 82. KiDendaouli. — 83. KiMaToumbi. 83*a*. KiNdengereko. — 84. KiMaTambwe.

IX. GROUPE DZALAMO

> 85. KiDzalamo = Zaramo (1897, A. Worms). — 86. KiKami (N. Gr. 1896, A. Seidel). — 87. KiRougourou (N. Gr. 1898, A. Seidel). — 88. KiKhoutou.

D

SECTION CENTRALE NORD

Caractéristiques

1. Usage de *ka/tu* comme préfixe pour diminutifs et comme préfixe honorifique.
2. Augmentatif en *lu* et en *či*.
3. Présence d'un p bilabial particulier.
4. Présence régionale d'un « *n* mouillé », distinct du « *ny* ».
5. Répétition du radical pour exprimer des péjoratifs.
6. Démonstratif comme infixe dans les formes verbales.
7. Régime direct pronominal comme « suffixe » dans les formes verbales.

8. Formes spéciales pour le pronom personnel dans une forme verbale négative.

9. Expression *muena/bena* pour indiquer la possession, l'occupation.

X. Groupe Bemba (de la Rhodésie)

1. Lamba.

89. Oushi = Ousi. — 90. Ounga = Hounga. — 91. Lala (N. Gr. 1908, A. C. Madan). 91*a*. MaSwaka. — 92. Lamba (1922, C. M. Doke). 92*a*. du Katanga (N. Gr. 1920, H. J. Collard). 92*b*. Wou-Lima. 92*c*. Sewa = Seba. 92*d*. Louano.

2. Wisa.

93. Wisa = Winsa = Biisa (N. Gr. 1906, A. C. Madan).

3. Beemba.

94. Beemba de Rhodésie (1904, W. G. Robertson). Union Bemba. 94*a*. KiBeemba du Katanga (N. Gr. s. d., Van Heusden). 94*b*. Ki-Tabwa (1896, G. de Beerst). 94*c*. IToumbwe-KaSanga. 94*d*. Bwile. 94*e*. Anza. 94*f*. Chila = Sira. 94*g*. TchiChinga. 94*h*. KaWendi. 94*i*. MouKoulou. 94*j*. Ngoumbou. 94*k*. Ina Kouba. 94*l*. Ina Ngoma. 94*m*. Seba = Sichi. 94*n* Ina BouKanda. 94*o*. Ina Mpoundou. — 95. Lounda. 95*a*. de KaIndou. 95*b*. de KaBimbi.

4. Honde.

96. KaHonde = KaOnde. — 97. Ina KaNyoka (N. Gr. 1900, Aug. de Clercq).

XI. Groupe Bouyou (du Katanga)

1. S. Gr. du MaNyema.

98. Bouyou = Bouyi. 98*a*. du MaNyema. 98*b*. du Katanga. — 99. Loumbou = Ngoy. — 100. KaLanga. 100*a*. Holo-Holo. — 101. Kounda = KaManya.

2. S. Gr. des pêcheurs du lac Tanganyika.

102. KiYoba = Yoa. — 103. KiSanzi. — 104. KiBwari. — 105. KiGoma = Ngoma.

3. S. Gr. du Kataga.

106. KiLomotwa. — 107. KiNwenshi = Nweshi. — 108. KiZela. — 109. Ina MiToumba. — 110. Ina MaRoungou. — 111. KiSanga (N. Gr. 1927, Hadelin Roland). — 112. KiTemba.

XII. Groupe Louba (du Kasayi)

1. Yeembe.

113. KiYeembe-KiSoonge (1923, Al. Samain). — 114. Luna Inkongo (s. a. W. H. Westcott).

2. Louba.

> **115.** KiHeemba. — **116.** KiPeemba. — **117.** KiLouva *(KiLuba)* (N. Gr. 1938, Am. Burssens). — **118.** KiLouba-Heemba (1912, Van der Meiren). **118***a.* KiRoua = KiGouha. **118***b.* KiTabwa. **118***c.* Ki-Toumbwe. — **119.** KiLounda de Kazeembe. — **120.** IWeemba du Lwapoula. — **121.** KiLouba-Sanga (1911, J. A. Clarke). — **122.** Ina Loulouwa = KichiLange (1897, Aug. de Clercq). — **123.** TchiLouba (1897, Aug. de Clercq). **123***a.* BouLouba-Loulouwa (1906, W. M. Morrison). — **124.**KiZela. — **125.** KiTembo.

3. Nkoya.

> **126.** Mankoya. — **127.** MaMbwera.

E

SECTION CENTRALE-OUEST

Caractéristiques.

1. Chute fréquente de la consonne initiale (préfixe réduit au simple élément vocalique) et de la voyelle finale : *kiluunda>iluund.*
2. Préfixes *ka/tu* caractéristiques pour la classe des personnes au lieu de *mu/ba.*
3. Augmentatif en *lu.*
4. Emploi très étendu des préfixes locatifs *mu, ha* et *ku.*
5. Multiplicité et diversité des formes verbales composées de verbes auxiliaires et défectifs suivis de la forme infinitive.
6. Permutation fréquente des liquides *r/l.*
7. Doublets fréquents dans les préfixes : *ama/ma, ba, a.*
8. Différenciation caractéristique entre la conjugaison positive et négative.

XIII. Groupe Lounda

1. Lounda.

> **128.** OuLounda. **128***a.* de l'Angola (1889, de Carvalho). **128***b.* de Rhodésie du Nord-Ouest (1946, Singleton Fisher, Ms). **128***c.* Ou-Round du Kasayi. **128***d.* IRound de Kahemba. — **129.** Louwena (N. Gr. 1912, W. A. Crabtree). — **130.** Ndembo.

2. LouTchaze.

> **131.** LouBale = LoVale. — **132.** LouTchaze. — **133.** LouKolwe. — **134.** LouChange. — **135.** LouKwakwa. — **136.** MaTaba. — **137.** Ma-Kosa. **138.** AmouKoundo.

XIV. Groupe Tcho-kwe

> **139.** KiTcho-kwe. **139***a.* de l'Angola (1916, T. Louttit). **139***b.* du Kasayi (N. Gr. 1935, A. de Lille). **139***c.* du Nzofou.

F

SECTION DE LA COTE ORIENTALE[1]

Caractéristiques

1. Le locatif des noms se forme par suffixation : *nyumbani* (à la case).
2. Le préfixe nasal a disparu devant *p, t, k, m, n, f, h, s, č*.
3. Formation de diminutifs par infixe *-yi-: kiyisu* (petit couteau).
4. Fréquence de *h*, de *š* et de *č*.
5. Grand nombre de vocables empruntés à l'arabe.
6. Négation infixée dans la forme verbale : participe, infinitif, subjonctif.
7. Le relatif se présente comme infixé ou suffixé à la forme verbale relative.

XV. Groupe Swaheli

1. KiSwaheli.

> 140. KiSwaheli. 140*a*. KiLamou (N. Gr. 1895, F. Würtz). 140*b*. Ki-Mvita (Mombasa) (N. Gr. 1850, L. Krapf). 140*c*. KiOungouja *(KiUṅguža)* (Zanzibar) (1884, E. Steere-Madan). 140*d*. Wibou (N. Gr. 1882, O'Neill). 140*e*. Ngoyi (N. Gr. 1882, O'Neill). 140*f*. KiPate. 140*g*. Ki-Siyou. 140*h*. Voumba. 140*i*. Mrima. 140*j*. Mgao. 140*k*. Hadimou (N. Gr. 1916, Al. Werner). 140*l*. Toumbatou. 140*m*. Pemba. 140*n*. Chela. 140*o*. Moundi. 140*p*. Pepo. 140*q*. KiNgwana (1928, Whitehead). 140*r*. KiSwaheli du Katanga.

2. Tikoulou.

> 141. Tikoulou.

3. S. Gr. des îles Comores.

> 142. 142*a*. Mwali. 142*b*. KhiNdjouani (1914, M. Heepe). 142*c*. SiAngaziya (1914, M. Heepe). 142*d*. Antilote (N. Gr. 1870, A. Gerrez).

G

SECTION DE L'EST

Caractéristiques

1. Fréquence de palatalisation de l'initiale.
2. Exemples fréquents du jeu de la loi de Dahl (voir page 857).
3. Absence des formes préfixales typiques pour les locatifs.
4. Stade plus usé des formes verbales ; fréquence d'infixes.

XVI. Groupe Chambala

> 143. KiChambala (1911, K. Roehl). — 144. KiBondei (1882, H. W. Woodward). — 145. KiSegouha = Segehou (1902, H. W. Woodward). 146. Ngourou = Ngoulou. — 147. KiDoe. — 148. KiKwere. — 149. KiLima.

---

1. Le parler isolé du port de Brava (voir p. 170), distinct du souahili, est appelé *ki-mballazi ;* voir Cerulli, *Nota sui dialetti somali*, RSO VIII (1921).

XVII. Groupe Tchaga (« hamitisé »)

1. Taïta.

150. KiTaïta. 150a. KiDabida. 150b. KiSagala (1894, J. A. Wray). 150c. KiSighaou (N. Gr. 1913, H. W. Woodward). 150d. Tambi. 150e. Teri. 150f. Djili = Djiri. 150g. Mbale.

2. Tchaga.

151. KiTchaga (N. Gr. 1895, A. Seidel). 151a. Mochi (1909, J. Raum). 151b. KiSiha = Chira (N. Gr. 1905, H. A. Fokken). 151c. KiMaTchame (1914, J. Augustiny). 151d. KiRombo. 151e. KiMerou. 151f. Laroucha. — 152. KiPare. 152a. Gweno. 152b. Asou (1909, E. Kota). 152c. KiMpale.

3. Taveita.

153. KiTaveita = Taveta.

4. Nika.

154. KiNika (N. Gr. 1848, L. Krapf). — 155. KiDigo. — 156. KiGiryama (N. Gr. 1891. W. E. Taylor). — 157. KiDourouma. — 158. Rabai.

5. Pokomo.

159. KiPokomo (1895, F. Würtz).

XVIII. Groupe Gogo (« masaïsé »)

160. KiSagara (N. Gr. 1892, H. Raddatz). a) du Nord : 160a. KaGourou (1886, J. T. Last). 160b. IToumba. 160c. Kondoa = Solwe ; b) du Sud : 160d. Ziraha. 160e. Kwenyi. 160f. Nkwifya. 160g. Ndounda. 160h. Nwila. — 161. KiGogo (1941, O. T. Cordell).

XIX. Groupe Irangi (« nilotisé »)

162. KinyaTourou = Limi (1913, W. Schregel). — 163. KinIramba (N. Gr. 1914, O. Dempwolff). — 164. KinIrangi (N. Gr. 1898, A. Seidel). — 165. Issansou.

XX. Groupe Mwezi

166. KinyaMwezi (1904, F. Müller). a) du Nord et du Nord-Est : 166a. KiSoukouma (1898, C. Hermann) ; b) du Centre : 166b. KiIrwana ; c) du Nord-Ouest : 166c. KiSoumbwa (1898, A. Capus) ; d) de l'Ouest : 166d. KiGalanganza. 166e. KiVinza. 166f. KiBende. 166g. KiToungwe. 166h. KiGalla ; e) de l'Est et du Sud : 166i. KinyaNyembe (1901, C. Velten). 166j. KiKonongo (1906, R. Stern). 166k. KiKhimbou. 166l. Kina Nkwila. 166m. KiGounda. 166n. KiYeke. — 167a. OuGourou. 167b. OuJoui (Užui). 167c. OuJansi. 167d. OuKoumbi.

XXI. Groupe Hehe (« ngoniïsé »)

168. KiHehe (1899, C. Velten). — 169. KiSango (1919, D. Heese). —
170. KiBena (N. Gr. 1900, R. von Sowa). — 171. Bena Toumbi.

H

SECTION DU NORD-EST

Caractéristiques

1. Présence de voyelle initiale aux préfixes.
2. Fréquence des aspirées et des interdentales.
3. Renforcement des consonnes initiales et intervocaliques.
4. Jeu fréquent de la loi de Dahl (voir p. 857).
5. Jeu de la loi de dissimilation des combinaisons nasales.
6. Série complète des préfixes primaires et secondaires, même locatifs
   et augmentatifs.

XXII. Groupe du Kavirondo

1. Kavirondo du Sud.

172. LouNyara = LouNyala. 172a. LouHanga. 172b. LouKaBa-
rasi. 172c. LouRimi.

2. Kavirondo du Nord.

173a. LouMaSaba (1907, J. B. Purvis). 173b. LouSokwia. 137c.
LouGesou = Gichou. 173d. LouKonde. 173e. LouVougousou. 173f.
LouRogoli. 173g. Ketoch = MaSawa. 173h. MouHasa. 173i. KiSisa.
173j. KiTsoso. 173k. Bagwe.

3. Samia.

174a. Mrachi. 174b. MaRama. 174c. KaMouni. 174d. Tindi =
Khaiyo. 174e. Kikelelwa. 174f. Wewanda. 174g. KiSoungou. 174h.
MouTeti. 174i. Dongoi. 174j. Ware. 174k. Isoukha. 174l. Idhako.
174m. Tiriki.

XXIII. Groupe des tribus lacustres

175. KiGouzii = IGizii. 175a. KiSingiri. — 176. KiSouba = Ko-
Sova. — 177. KiKoria = KiKouria (N. Gr. 1936, A. Silbery). 177a.
KiSima. 177b. KiTende. 177c. IKoma. 177d. Jita. 177e. Ngourouimi.
177f. Zanake. — 178. KiChachi. 178a. KiRori. — 179. KiKwaya =
Gaya.

XXIV. Groupe Kamba

180. KiKamba (1905, E. Brutzer). — 181. GiKouyou (1904,
A. W. Mc Gregor). 181a. Merou. 181b. Nyeri. 181c. Ndia. 181d. Embou.
181e. Kimbe = Dhaitcho.

XXVI. Groupe Ganda

182. LouGanda (1885, L. Livinhac). — 183. LouSoga. — 184. Lou-Sese. — 185. LouSinga. — 186. LouKena. — 187. LouVouma.

XXVII. Groupe Nyoro

188. OurouNyoro = LouNyoro. 188*a*. RouGoungou = Nyoro du Nord. 188*b*. Nyoro du Congo belge : Mokambo, Wagongo. — 189. OurouToro (1902, H. E. Maddox). 189*a*. RouSongora. 189*b*. RouHiro = Orou Yiro. 189*c*. RouKyopi. — 190. RouHima. — 191. Rounya-Nkole (N. Gr. 1897, A. Seidel). — 192. RouKoki. — 193. Rounya-Mbo. 193*a*. RouHororo (N. Gr. 1912, H. Rehse). — 194. OurouKa-Ragwe (N. Gr. 1897, A. Seidel). — 195. RouHaya. 195*a*. LouZiba (1904, Herrman). 195*b*. RouZinza (N. Gr. 1913, H. Rehse). — 196. RouSindja (N. Gr. 1898, P. Kollmann). 196*a*. OurouKerebe = Kerewe (1909, E. Hurel). 196*b*. OuSouwi. 196*c*. OuSambiro. — 197. RouKara.

XXVII. Groupe Tchwezi

1. LouKondjo.

    198. LouKondjo.

2. EkiNande.

    199. EkiNande. 199*a*. Swaga. 199*b*. Tangi. 199*c*. Mate. 199*d*. Chou-199*e*. NiSanza. — 200. KitaLinga.

3. RouHounde.

    201. RouHounde. 201*a*. Bwito. 201*b*. Nyoungou. 201*c*. Chali. — 202. KiNyanga. 202*a*. Koumboule. — 203. MaChi (Colle, Ms.). 203. Nyindou. 203*b*. KinyaBoungou. — 204. KiKano. — 205. Ki-Foulirou. — 206. KiHavou. — 207. KiTembo.

XXVIII. Groupe du Rwanda

208. KinyaRwanda = RounyaRwanda (1921, E. Hurel). 208*a*. Kigoyi. 208*b*. KiTwa. — 209. KiRoundi (1908, Ménard). — 210. RouHaa.

XXIX. Groupe Rega

211. KiRega. 211*a*. du Nord-Est. 211*b*. de l'Est. 211*c*. du MaNyema. — 212. IBembe. 212*a*. KiVira. — 213. KiLengola. — 214. KiLeka. — 215. MiToukou. 216. KiGenya (de Stanleyville, Rive droite).

I

SECTION DU SUD-OUEST

Caractéristiques

1. Apparition intermittente de la voyelle initiale aux préfixes.
2. Jeu de l'harmonie vocalique et consonantique pour les suffixes des dérivations verbales.
3. Loi d'assimilation nasale.
4. Formation de diminutifs et de locatifs par préfixation.

XXX. Groupe Ambo.-Herero

1. Ambo.

217. OchikwaNyama (1897, H. Brincker). 217*a*. kwaMato. 217*b*. kwaNgari. 217*c*. OchikwaMbi (N. Gr. 1925, L. Homburger). 217*d*. kwaLouitsi. 217*e*. EWare. 217*f*. KouBango. — 218. OchiNdonga (1891, P. H. Brinker). 218*a*. Ngouangoua. 218*b*. Mbandja. 218*c*. Ndongona. 218*d*. Ngandjera. 218*e*. Kasima. 218*f*. Mbarantou. 218*g*. Dombondola.

2. OtjiHerero.

219. OtjiHerero (1897, G. Viehe). 219*a*. Tjimba = Himba. 219*b*. Mbandjerou. 219*c*. KouVale. 219*d*. Ndoumbi. 219*e*. TyaVikoua. 219*f*. Ndimba.

XXXI. Groupe Neka-Houmbe

1. OlounyaNeka.

220. OlounyaNeka (1906, A. M. Lang). 220*a*. Mboumba. 220*b*. Ngombe. 220*c*. Ndyama. 220*d*. Ndiata. 220*e*. TyiKouyou. 220*f*. Nyime· 220*g*. Nevia = Ngambwe. — 221. MaKoutouba. — 222. TyiPoungou· — 223. Mouila. 224. OlouNdombe (N. Gr. 1925, L. Homburger).

2. Houmbe.

225. LouNkoumbi. 225*a*. MouLondo. 225*b*. Handa. 225*c*. KiTeve.

XXXII. Groupe Yeye-Nyengo

1. MaYeye.

226. Yeye (N. Gr. 1942, F. van de Merwe). 226*a*. MaKoba. — 227. AkwaMachi.

2. MaNyengo.

228. MaNyengo = ALouyi du Sud. 228*a*. MaMboukouchou = MouKousso.

XXXIII. Groupe Soubiya-Louyi

1. SiSoubiya.

229. SiSoubiya (1896, E. Jacottet). — 230. SiLeya. 230*a*. MaNanza. 230*b*. Imelangou. — 231. MaMbowe = Mbwe. — 232. BaMwenyi. — 233. Chanjo. — 234. Simaa. — 235. Ndoundoulou.

2. SiLouyi.

> 236. SiLouyi = SiLouyana (1896, E. Jacottet). 236a. SikwaNgwa.
> 236b. MakwaNdi. 236c. AkwaMaKoma.

XXXIV. GROUPE TCHITONGA-ILA

1. TchiTonga.

> 237. TchiTonga. 237a. du plateau (1918, A. Casset). 237b. de la
> vallée (N. Gr. 1891, J. Torrend). 237c. MaToka. 237d. MaTotela.
> 237e. MaTomwe = TchiWe. 237f. Gowa.

2. Ila.

> 238. Ila des MaChoukouloumbwe (1907, E. W. Smith). a) purs :
> 238a. BaMbo. 238b. BaMbale. 238c. BaBizhi ; b) sous influence
> Lamba : 238d. Lenje (Lenže) = Ina Moukouni (1908, A. C. Madan).
> 238e. Lima. c) sous influence Tonga : 238f. Loundwe. d) sous
> influence RotseLouyi : 238g. Loumbou = NaNzela ; e) sous in-
> fluence récente : 238h. Sala = Chala.

XXXV. GROUPE MAMBOUNDA

1. SiMbounda.

> 239. SiMbounda. — 240. Mbwe. — 241. MaChacha. — 242. Ma-
> Nkoya. — 243. Mbwera. 243a. Mbwera d'Angola. — 244. BaNyema
> = Nhemba.

2. Soli.

> 245. Soli (N. Gr. 1936, B. I. C. van Eeden).

3. GaNgwela.

> 246. GaNgwela = GaNgela (N. Gr. 1925, Homburger). 246a. Ngo-
> nyelou. 246b. KaToko. — 247. BaLouimbi (N. Gr. 1945, C. M. N.
> White). — 248. LouViko. — 249. BaBoulou. — 250. KiMbande. —
> 251. TchiTatabeka. — 252. BaIaouma. — 253. BaNkankala. —
> 254. KouBango.

XXXVI. GROUPE OVIMBOUNDOU

1. OuMboundou.

> 255. OuMboundou (1918, Fr. Diniz). — 256. OviYé. — 257.
> MouSele. — 258. VaIloundo (N. Gr. 1925, L. Homburger). — 259.
> Hanha. — 260. KiLenge. — 261. KaKondo. — 262. GaLange. —
> 263. Houambo. — 264. Ganda. — 265. Soumbe. — 266. Sambo. —
> 627. KaLouTsembe. — 268. TchiKouma. — 269. AMboïns.

J

SECTION DE LA COTE OCCIDENTALE
OU DE LA CONQUISTA PORTUGAISE

Caractéristiques

1. Présence de doublets, dus à l'infiltration de la caste de Kongo.
2. Jeu de l'harmonie vocalique et consonantique dans les suffixes verbaux.
3. Jeu de la loi d'assimilation nasale.
4. Formation de diminutifs en préfixant *fl.*
5. Formation secondaire d'un pluriel en *tu* pour les formes singulatives en *lu.*
6. Implication progressive (habituelle, répétitive) s'exprime par suffixation de *aṅga/iṅgi/eṅge.*
7. Rôle distinctif de la voyelle finale suffixe dans les formes verbales et les substantifs déverbatifs.
8. Infinitif toujours en finale *a* mais sans préfixe *ku* ; forme de supin à finale *i.*
9. Négatif à voyelle suffixe *i*, éventuellement *e.*

XXXVII. Groupe du Ngola ou du Kwaanza

1. Yaka.

270. IYaka. 270*a.* du Sud-Ouest (Kasongo-Lounda). 270*b.* du Sud-Est (Iteenda). 270*c.* du centre (Ngowa). 270*d.* de l'Est (Mosaka). 270*e.* de la Bakali. 270*f.* du Nord (Ndinga). 270*g.* du Nord-Est : KiPelende. 270*h.* du Kwenge-Kwilou. 270*i.* du Kwilou-Nyari.

2. KiMboundou.

271. KiMboundou (1697, P. Dias). 271*a.* Ngola. 271*b.* Ndongo. 271*c.* Mbaka = Sertao. — 272. LiBolo. 272*a.* Ndoulou. 272*b.* Hakou. — 273. KiSama. 273*a.* MbWiyi. 273*b.* KiBala. 273*c.* Tounda. — 274. Ndembo (N. Gr. 1925, Homburger). — 275. Temo. — 276. Lamba. — 277. Lemba. — 278. Kembo. — 279. Sende.

3. Songo.

280. Songo. — 281. Bondo. — 282. Houngou. — 283. Tamba. — 284. Chindji. — 285. Holo. — 286. Hari. — 287. Poombo. — 288. MiNoungou. — 289. Ginga. — 290. Akai-Louanda. — 291. IMbangala. 291*a.* KaSandji. 291*b.* Ouandou. — 292. Mbamba.

4. S. Gr. du Kwango-Kwilou.

293. KiMbala. 293*a.* du centre (Yasa). 293*b.* du Nord-Est (Djouma). 293*c.* du Sud (Kikwit). — 294. KiNgoongo. 294*a.* de Yasa. 294*b.* des BaNyaangi. — 295. KiPende. 295*a.* LouPhende *(LuP'ende)* de l'Est. 295*b.* KiPende de l'Ouest. 295*c.* IPende du centre. 295*d.* Pende des TouPende du Sud. — 296. KiKwese. — 297. KiSoonde.

XXXVIII. GROUPE DE KOONGO

1. S. Gr. du substrat du Nzadi.

a) Au plateau de Madimba.

298. Restes claniques : 298*a*. NZinga. 298*b*. Nsakou. 298*c*. Nsou-
ngou. 298*d*. Loukeni. 298*e*. Nimi. 298*f*. Mpeemba. 298*g*. Mbaamba.
298*h*. Ndaamba. — 299. Zoombo. — 300. Soso. — 301. Dembo. —
302. Soulou. — 303. LiBongo. — 304. Jembe ;

b) A la Tawa et au Kwilou.

305. Laza. — 306. KiSoukou. 306*a*. de l'Angola. 306*b*. de la Lou-
koula. 306*c*. BaNgoondi. 306*d*. de la Toungila. — 307. Mwela. —
308. Moukoukoulou. — 309. BaBeenga. — 310. Ngala ;

c) Au Kwango.

311. KiTsaamba. — 312. KiHoungana. — 313. KiPiindi ;

d) A l'estuaire du Nzadi.

314. KisiLongo. — 315. KiVili (1913, C. Marichelle). — 316.
KiWoyo ;

e) Aux cataractes du Fleuve.

317. KiSoundi. 317*a*. du Nord. 317*b*. de l'Ouest. 317*c*. de l'Est
= KisiMaNyaanga. 317*d*. du Sud. — 318. KiYoombe (N. Gr. 1925,
L. Bittremieux). — 319. KiDoondo. — 320. KiKaamba. — 321.
KiBeembe. — 322. KiInda. — 323. KiGaangala.

2. S. Gr. de l'extension Koongo.

1° *Au Sud.*

a) Dialectes du Sud :

324*a*. KichiKoongo de San Salvador (1887, W. H. Bentley).
324*b*. KiMbata. 324*c*. KiNzaamba. 324*d*. KiZoombo (cfr 299) ;

b) Dialectes du Sud-Est :

324*e*. KiKoongo de l'Angola (?, Tavares). 324*f*. KiNsoso (cfr 300).
324*g*. KiNkanou. 324*h*. KiMbeeko (du Sud, et du Nord ou de la
plaine). 324*i*. KiPhatou *(KiP'atu)* ;

2° *A l'Ouest :*

c) Dialectes de la côte :

325*a*. KiVili (cfr 315). 325*b*. KisiMaLouangou (1888, A. Ussel).
325*c*. KaKoongo (1888, Mgr Carrie). 325*d*. KaBinda. 325*e*. Ndingi.
325*f*. Mboka. 325*g*. KiWoyo (cfr 316) ;

d) Dialectes de l'intérieur.

325*h*. KiYoombe (cfr 318). 325*i*. KiVoungounya (1907, A. de
Clercq) ;

3° *Au Centre.*

e) Dialectes du Centre :

326*a*. Mpalabala (1882, H. G. Guinness). 326*b*. MaZinga-MouKi-
mboungou (1888, Nils Westlind). 326*c*. MouKimvika. 326*d*. KiMboma.

326*e*. MaZinga-Beembe (= KiNgoy). 326*f*. KiNsoundi (cf. 317).
326*g*. KiNdibou (1910, Y. Struyf & A. Seidel). 326*h*. KisoLongo
(cf. 314) ;

f) Dialectes de l'Est :

326*i*. KiMpaangou (1910, R. Butaye). 326*j*. KiNtaandou. 326*k*.
KiMbaamba. 326*l*. KiMpese. 326*m*. Ta Loula.

4° *Au Nord.*

g) Dialectes du Nord-Ouest :

327*a*. KiMbala des BamiMbala. 327*b*. KiKounyi. 327*c*. KiBeembe
(cf. 321). 327*d*. KiBwende. 327*e*. KiYaka du Kwilou-Nyari (cf. 270*i*).
327*f*. KiGaangala (cf. 323). 327*g*. KiDoondo (cf. 319). 327*h*. Ki-
Kaamba (cf. 323) ;

h) Dialectes du Nord-Est :

327*i*. KiLari (N. Gr. 1924, C. Jaffre). 327*j*. KiMbinsa (de Ki-
Mwaanza, de Nsaanda, du Nord-Ouest). 327*k*. KiKoongo du Congo
Français (Nord-Est) ;

i) Dialectes de tribus métissées avec Okande, venus du Nord.

327*l*. Kama. 327*m*. Pounou. 327*n*. Tchangi. 327*o*. Loumbou.
327*p*. VaRama.

5° *A l'Est.*

Extension ultérieure du KiKoongo aux tribus de l'entre Kwango-Kwilou :

KiHoungana, KiTsaamba, KiPiindi (cf. 311-313).
KiPende, KiKwese (cf. 295-296).
KiChindji, KiMiNoungou (cf. 284, 288).
KiSoukou (cf. 306) ; KiMbala, KiNgoongo (293,294).
KiYaka (270) ; KiHolo, KiPoombo (285, 287).
KiLouwa, KiSoonde (297).
328. KiKoongo simplifié du Kwilou (N. Gr. 1940, L. Cleymans).

K

SECTION DE L'OUEST

Caractéristiques

1. Harmonie vocalique entre seconde et première voyelle radicale.
2. Fonction grammaticale et sémantique essentielle des tons musicaux.
3. Présence de semi-voyelles *w* et *y* aux consonnes initiales.
4. Renforcement des consonnes médianes par des nasales : combinaisons
   nasales.
5. Richesse du système vocalique.
6. Tendance vers les formes apocopées.
7. Élision fréquente des voyelles.
8. Simplicité de la classification nominale.

XXXIX. Groupe Koundou (de l'extrême Nord-Ouest)

1. S. Gr. de Nigérie.

a) 329. Abo (1922, Spellenberg). — 330. Rombi. — 331. Mbo. — 332. Ndii. — 333. Bonkeng *(Bonkeṅ)* ; *b)* 334. Mbonge. — 335. EKoumbe ; *c)* 336. Koundou. *a)* du Nord : 336*a*. Likoume ; *b)* du Sud : 33 6*b*(N. Gr. 1887, C. H. Richardson) ; *c)* de l'Ouest : 336*c*. Loundou = Londo (1946, A. Bruens). — 337. Loue = Roue. — 338. Kasi. — *d)* 339. Ngolo. — 340. BaTanga. — *e)* 341. Loung *(Luṅ)*. — 342. MeLong *(MeLoṅ)*. — 343. Nkosi (1910, H. Dorsch). — 344. Sosi. — 345. Fo. — 346. NiNong *(NiNoṅ)*. — 347. Ngote. — *f)* 348. Kwiri (1908, E. Schuler). — 349. Mboko. — 350. Isoubou = Bimbia (N. Gr., 1854, J. Merrick).

2. Boube (de Fernando Po).

a) Du Nord : 351. Bani = Ediya (1869, J. Juanola) ; *b)* de l'Ouest et du Sud-Ouest : 352. BaTeti (N. Gr., 1881, Parr) ; *c)* de l'Est, du Sud et du Sud-Est : 353. Boloko.

XL. Groupe des Proto-Bantous (de l'Est du Congo belge)

1. KiNyari.

354. KiNyari. 354*a*. KiNyari de Kilo. 354*b*. LiNyari de la Semliki. — 355. KiBoudou. — 356. KiNdaka. — 357. Ombo. — 358. Beke.

2. KiKoumou.

359. Kou-Amba. — 360. KiBira. 360*a*. KiBira de la plaine (1939, C. Meinhof). 360*b*. KiBira de la forêt. 360*c*. Bila de la rive gauche du Loualaba. 360*d*. Bira de Ponthierville. 360*e*. Leda de Stanleyville (rive gauche). 360*f*. Bera de la Basse-Tchopo. — 361. KiKoumou. 361*a*. KiKoumou de l'Est. 361*b*. KiKoumou de l'Ouest (N. Gr. 1925, Lapointe). 361*c*. KiPere. 361*d*. KiPaKombe. — 362. Ki-Genya de Stanleyville (rive gauche). 363. KiBaali.

XLI. Groupe des vieux-bantous de l'Ouest

1. Douala.

364. Douala (1892, A. Seidel). — 365. Wori. — 366. MaLimba. — 367. Pongo-Songo.

2. S. Gr. du bas Sanaga.

368. Simbi = Bimbi. — 369. Koko. *a)* de l'Ouest : YaBaKalaki ; *b)* de l'Est : YeNgome, ESum (N. Gr., 1914, Chr. Gehr). — 370. BaSa (1912, G. Schürle). 370*a*. Mvela.

3. S. Gr. du Rio Mouni.

371. Mboulou = Mboucha. — 372. Cheke. — 373. Ngoumbi = Kombe. — 374. Benga-Ndowi.

4. Mpongwe. S. Gr. de l'estuaire du Gabon.

> 375. Mpongwe (1857, Le Berre). — 376. ORoungou. 376a. IVili. 376b. Dyoumba. — 377. Nkomi. — 378. GaLoa = OMyene (1908, Robert).

5. OKande. S. Gr. de l'Ogowe.

> 379. OKanda. — 380. GaPindji. — 381. Simba = Chibe. — 382. AChouka. — 383. Kona. — 384. IVeia. — 385. MiTchogo (Walker). — 386. Mpovi.

Métissés avec des gens de l'estuaire du Nzadi :

> 387. Pounou. — 388. Loumou = Loumbou. — 389. Tchangi. — 390. Voungou.

6. Chira.

> 391. GeChira. — 392. AChango. — 393. VaRama.

7. Tékéisés.

> 394. LiMbamba. — 395. LiMbete. — 396. Ndjabi. — 397. LiDouma (N. Gr. 1895, Reeb). — 398. Wandji. — 399. MiNdoumou. — 400. Kanike. — 401. Mboko. — 402. AchiKouya.

XLII. Groupe des Kota-Maka

1. Maka.

> 1° A l'Ouest :
>
> 403. Magbea (N. Gr. 1893, K. Meinhof). 403a. Ngoumba (N. Gr. 1910, Skolaster & Nekes). — 404. Kribi. — 405. Kampo.
>
> 2° A l'Est :
>
> 406. Maka. 406a. Kaka de Salo. 406b. Kaka de Ngoi. 406c. BoMone = MeSime. 406d. Gokoum. — 407. BoMbasa. 407a. MiSanga. 407b. Kounabembe. — 408. Boumbon. 408a. Lissel. 408b. Isolo. 408c. Kouelle.

2. S. Gr. de la Sangha et du Ngoko.

> 409. BeSom. — 410. Pomo. — 411. Lino. — 412. Wesso. — 413. BouMali. 414. Mbimou.

3. BaKota.

> 1° A l'Est. BaKota de l'Ivindo :
>
> 415. Kota. — 416. Ndjambi. — 417. BoKiba. — 418. Ngiye. — 419. Houngwe. — 420. Chamayi. — 421. Pou. — 422. BaMboma.
>
> 2° A l'Ouest. BaKota de l'Ogowe.
>
> 423. ENenga. — 424. YaLimbongo. — 425. AChebo. — 426. BaNdasa. — 427. LiChaka. — 428. Poumbo. — 429. Mbao.

XLIII. Groupe Kale. = KaLayi

1. Kale de l'Ouest :

> 371a. Benga (1855, J. Mackey). — 373. Noko. a) du Nord : 373a. Tanga = Langi (N. Gr. 1895, K. Meinhof) ; b) du Sud : 373b. Poukou

(N. Gr. 1907, G. A. Adam); *c)* 373*c*. Naka. 373*d*. BaNgoko *(BaṄoko)* (1907, G. A. Adams).

2. Kale de l'Est :

430. DiKele (N. Gr. 1854, Preston & Best). 430*a*. Kale de la Ngounye.— 431. Ngomo. 431*a*. de la Haute Nyanga.— 432. Ingwesiye. — 433. IBouai. — 434. BaNgowe = ANgobe. — 435. BaNtomboli.

XLIV. Groupe des Riverains

1° *De l'Ouest :*

1. S. Gr. de la Tchouapa, Ikelemba, etc.

436. BaEnga. — 437. MaAmba. — 438. ELekou. 438*a*. de la cuvette. 438*b*. du Nord du fleuve. — 439. ELinga (N. Gr. 1939, G. Hulstaert). — 440. BaRinga. — 441. ELanga. — 442. Nkole.

2. S. Gr. de Nouvelle-Anvers : boucle du fleuve.

443. LoSengo. — 444. LiPoto (N. Gr. 1903, W. H. Stapleton). — 445. LiNgala (à ne pas confondre avec les sabirs de ce nom). — 446. BoLoki. 446*a*. De la boucle du fleuve. — 447. MaBaale de la Mongala (N. Gr. 1929, J. Tanghe). 447*a*. BaBaale de l'Eau Noire. — 448. IBooko (N. Gr. 1891, Cambier). — 449. Boundji = EMate. — 450. MoTembo. — 451. Ndolo.

3. S. Gr. de la Ngiri.

452. Ngiri. — 453. Djandou. — 454. Koutou. — 455*a*. BaLobo. 455*b*. BoNkoulou. 455*c*. BoMbwala. 455*d*. BoKwala. 455*e*. BoDjinga. — 456. LiKoka. 456*a*. BoMbenga. 456*b*. LiBinza. 456*c*. BoSesera. 456*d*. BoMana. 456*e*. BoMene. — 457. Tenda. — 458. Djamba.

4. S. Gr. de l'Oubangi.

459. Pfourou. — 460. LoBangi (1899, Whitehead). — 461. BaLoyi. — 462. BaSingi. — 463. BoNgiri. — 464. Pande. — 465. LoBala. — 466. BaBochi.

2° *de l'Est:*

5. S. Gr. du Lomami.

467. LoKele (1926, W. Millmann). 457*a*. YaWembe. 457*b*. YaO-kandja. 467*c*. Youani. — 468. ToPoke = ESo. — 469. Mboso. 469*a*. d'Isanghi. 469*b*. du Lomami. 469*c*. Mbelo.

6. S. Gr. des Molielie.

470. Molielie. — 471. BoHoulo. — 472. MoPaLouma. — 473. Ya-MaNongeri. — 474. MoMbongo. — 475. YaSaka.

7. S. Gr. BoMenge.

476. BoMenge. — 477*a*. BaSoo = Soko (N. Gr., 1903, W. H. Stapleton). 477*b*. BoManeh. 477*c*. BaSoah. 477*d*. YaOfa. 477*e*. YaKoyo. 477*f*. YaMbisi. 477*g*. BaSolio. 477*h*. YaMaele.

8. S. Gr. d'Isanghi.

> 478a. LiKombe. 478b. YaMboumba. 478c. YaMika. 478d. BaSenga.
> — 479. ILongo. — 480. BaOndeh. 480a. YaNgonde. 480b. Lioto. —
> 481a. BaOnga d'Isanghi. 481b. BaOnga de Yanonghe (TouRoumbou
> de l'eau).

9. S. Gr. de Stanleyfalls.

> 482. YaSanga.

10. S. Gr. de l'Arouwimi.

> 483. WaNgbelima. — 484. BaNalya. 484a. LeGbeo. — 485. Ya-
> Mbouya. 485a. YaNgonda. 485b. LiMbaya. — 486.Ba Mangangbeli-
> maïsés : 486a. Moupe. 486b. MoKangoula. 486c. MaNdidi. — 487.
> BoMbwa. 487a. BoLoulou. 487b. Bokwa Mboulou. — 488. Bo-
> Dangi. 488a.WaMbanga. 488b. Mokope. 486c. BaPere.

1. S. Gr. du haut-bief du fleuve Co ngo.

> 489. YaPoto. — 490. YaMbinga. — 491. YaOlema. - 492. YaMo-
> hama.

L

SECTION DU NORD-OUEST

Caractéristiques

1. Tendance très marquée vers le monosyllabisme : formes apocopées.
2. Rôle primordial du ton musical : fonction sémantique.
3. Langage du tambour-téléphone encore en usage.
4. Amuissement des préfixes.
5. Simplification des catégories du substantif.
6. Mutations de la consonne initiale du substantif, après la chute du préfixe.
7. Alternances vocaliques pour exprimer ce que le Bantou classique exprime par la voyelle suffixe et par les suffixes de dérivations verbales.
8. Introduction des k^p, g^b, caractéristiques des langues soudanaises.
9. Présence fréquente de voyelles nasalisées par chute de *n* intervocalique.
10. Multiplication des affriquées.
11. Introduction d'implosives.
12. Fréquence de racines à voyelle initiale.

XLV. Groupe du chenal

1. S. Gr. de la Kantcha et Loange.

> 493. IDzing = KiDinga. 493a. du Sud-Ouest (1938, J. Mertens).
> 493b. du Nord-Ouest. 493c. du Nord-Est. 493d. de Nyadi. 493e. de
> Moukene (N. Gr., 1939, J. Mertens). 493f. de KiNdwa. — 494. IMpout
> = KiMpoutou. — 495. INgoul = KiNgoli. — 496. ILwer = KiLori.
> — 497. INdjaal = KiNzari. — 498. IMboun = KiMbounda.
> 498a. d'Idiofa. 498b. de l'Est de Kikwit. 498c. du Nord de Kikwit.
> 498d. du Sud de Kikwit.

2. S. Gr. du Bas Kwilou.

499. IYaansi = KiYaansi. 499a. du Nord. 499b. de l'Ouest. 499c. de l'Est : BiNkiyé, BiMbimbi, BiNsoongo, BaNtsambaan. — 500. ITsong = KiNsongo. 500a. de l'Ouest (= de la Gobari). 500b. de l'Est (= de la Lounyoungou).

3. S. Gr. du lac Léopold II.

501. KeBoma. 501a. de Mouchie. 501b. KiNouni. 501c. Pentaan. 501d. de la rive droite du Fleuve (C. Fr.). — 502. KeMpe. — 503. KeSakata des BaLesa (1945, J. de Witte, Ms.). — 504. KeDya. — 505. KeToukou = KeTow. — 506. KeNounou. — 507. KeTere = KeTele. — 508. KeTiene. — 509. KeBayi. — 510. Louloumo.

4. S. Gr. du Poumbou.

511. IWoum = KiWoumbou. 511a. de l'Est. 511b. du Nord (Touwa). 511c. de l'Ouest (Benkaan). — 512. Ta Loula. 512a. Loula sur Loumene. 512b. Ta Diika. 512c. Ta Koundi. 512d. Ta BouKaanga sur Loonso. 512e. Ta BouKaanga Nseke (Koondji). — 513. KiMfounouka = KiMfounou. 513a. de l'Est (sur Louflmi). 513b. de l'Ouest. — 514. KiDiki-diki.

5. KiTeke.

515. BaKouo. — 516. ITeke. 516a. ITege de l'Alima (N. Gr. 1904, J. Prat). 516b. BangaNgoulou. 516c. IsiBaana (N. Gr. 1903, W. H. Stapleton). 516d. ITeo. 516e. IFoumou (N. Gr., 1911, J. Calloc'h). 516f. MouTsaya. 516g. NTege = Teke de l'Ouest. 516h. BaSisé.

XLVI. Groupe Fang-EWondo

1. EWondo.

517. EWondo (1909, M. Haarpaintner). 517a. EToum. 517b. ESoum. 517c. Mwele. 517d. Bane. 517e. Boulou (1904, G. L. Bates) ; variante RioMouni. 517f. Boule. 517g. Mekourk. 517h. Ntoum. 517i. Mwayi.

2. Fang *(Faṅ)*.

518. Mpangwe = Fangwe = Fang = Pahouin (N. Gr. 1856, H. M. Adams). 518a. Fong. 518b. Betsi. 518c. MaKeï (N. Gr., 1892, Fr. Lejeune). 518d. OSyeba. 518e. Mokouk. 518f. BaDjwe. — 519. Ndzimou : de Lomié, Sambambo, Lissel. 519a. Ndzem = Njiem : dial. de Souanke.

M

SECTION DE LA CUVETTE

Caractéristiques

1. Rôle primordial du ton musical : effacement de la quantité vocalique.
2. Jeu de l'harmonie vocalique entre les diverses voyelles d'un même mot.
3. Fréquence de racines nominales à voyelle initiale.
4. La consonne initiale des racines verbales (qui est souvent *l*) peut s'élider ou se redoubler en intercalant une voyelle.

5. Formation d'un gérondif en préfixant la nasale *(m. n, ń)* devant la racine verbale, éventuellement modifiée.
6. Palatalisation fréquente de la consonne initiale (après chute de préfixe *li*).
7. Dans les préfixes : $mu>bo$, $mi>be$, $ma>ba$; même cette consonne *b* disparaît ou donne lieu à une simple aspiration.
8. Disparition de la gutturale *k* dans le préfixe *ki*.
9. Chute fréquente de consonne intervocalique sans provoquer d'assimilation vocalique.

XLVII. Vieux groupe de la cuvette : Koutou

1. S. Gr. de l'Est.

520. Gengele. — 521. (Benia) Kori. — 522. Songola. 522*a*. (Bachi) Louamba. 522*b*. (Bachi) Kamba. 522*c*. (Ba)Ringa = Linga. 522*d*. Hombo. — 523. Kwange. — 524. Zimba. — 525. Bango-bango. — 526. Genya du Loualaba.

2. S. Gr. du Sud-Est = du Kasayi.

527. BouKete. 527*a*. du Nord : Louebo (N. Gr., 1895, W. Snyder). 527*b*. du Sud : Dibaya. — 528. BouBindji. 528*a*. du Nord. 528*b*. du Sud : Mbagani (N. Gr. 1948, van Coillie). — 529. RouMbala de la Lweta. 529*a*. Lwalou = Lolo. 529*b*. TchiSala Mpahou = Mpasou. — 530. BouMbala du Kasayi. 530*a*. Pianga. 530*b*. Ngeende = Mpende. 530*c*. Ngombe. 530*d*. Ngongo. 530*e*. Tchobwa. — 531. Hongo = Wongo. 531*a*. Djembe. 531*b*. Bachi Lele. — 532. Boukwa Mpoutou. 532*a*. Boukwa-Lountou.

3. S. Gr. du Centre.

533. LoKousou. — 534. ONkoutchou = Ngongo de la plaine = Kongola-meno = Hina (1927, Em. Handekyn). — 535. OHamba = Ase okounda. — 536. OTetela = BaSambala ba Ngoongo-Luteta. — 537. OuNgwana. — 538. ALoua. — 539. Bwinia Samba. 539*a*. Bwinia Mweko. — 540. Bwinia LouBounda. 540*a*. Fourouka.

4. S. Gr. de l'Ouest.

1° Koutou-Ntomba au lac Ntomba.

541. LoSakani. 541*a*. LoMpama-Koutou. — 542. LoNtomba : Ntomba-Ileli (N. Gr. 1939, H. Hulstaert). 542*a*. Ntomba-Yeli. 542*b*. Ntomba-Nkole. — 543. LoNtomba du lac Lépold II = Ntomba-Ndonga (1928, L. Gilliard). — 544. Djombo. — 545. BoLia. — 546. KeSengere. — 547. BouLiasa.

2° Koutou de la Lomela.

548. LoKoutsou. — 549. Watsi. — 550. LosiKongo. 550*a*. Ntomba. 550*b*. Nounou. — 551. BoSengea. — 552. Nkwe-Nkole. — 553. Mpombi. — 554. Yenge.

3° Mbole.

555. LoMbole. — 556. Mpoko. — 557. LoOli. — 558. BoKala. — 559. Bongombe (= BoNgongombe). — 560. Nkole.

4° Nkoutchou.

561. ONkoutchou d'Oshwe. — 562. YaElima. 562a. Ipanga. 562b. ETwaoli. 562c. EDiki. — 563. BoLendo. — 564. BoLongo.

XLVIII. JEUNE GROUPE DU NORD : EKONDA

1. S. Gr. du Rouki ou du Sud-Ouest.

565. LoKonda : Konda du Nord. — 566. LoKonda : Konda du Sud (N. Gr. 1939, J. de Boeck). 566a. IPanga. 566b. Titou. 566c. Yembe. — 567. LoKota. — 568. BoChongo. 568a. LoLengese de la Loukenye. 568b. LoLengese de Nkole. 568c. EKolombe. 568d. BaKongo. 568e. ETsiki. — 569. Songo-Meno deNKole. — 570. BouKouba = BouShongo (1938, A. Brown Edmiston).

2. S. Gr. du Sud-Est : Koutou-Yela-Kela.

571. Koutou-BoYela. — 572. Koutou-AKela. — 573. Mbouli. 573a. Langa. 573b. Kouti. — 574. YaSayama « MoNgando du Sud ». — 575. BoSaka. — 576. BoKwala.

3. S. Gr. du Nord-Est : Ngando.

577. MoNgando. — 578. Lalia = Dzalia. 578a. Lalia-Ngoulou. — 579. BaMbole = ILoombo.

XLIX. JEUNE GROUPE DU NORD-OUEST : NKOUNDO

1. S. Gr. du Nord : Mongo.

580. LoMoundji-Nsongo. — 581. LoMongo (1934, E. A. & L. Ruskin). — 582. YaMongo. — 583. Ntomba-Djokou. 583a. Ntomba-Mpetsi.

2. S. Gr. du Centre : Nkoundo.

584. LoNkoundo (1893, J. & F. T. Mc Kittrick).

N

SECTION DU NORD

Caractéristiques

1. Simplification notoire du système de classification nominale.
2. Répétition du préfixe comme suffixe.
3. Fréquence de combinaisons nasales et de renforcements par semi-voyelle.
4. La nasale des préfixes *(mu, ma, mi)* réapparaît ici comme nasale et non comme *b*.
5. Structure expressive du système verbal sans recours aux auxiliaires verbaux ou verbes défectifs.

L. Groupe Ngwinda

1. S. Gr. de l'Ouest : Ngoombe.

585. LiNgoombe. 585a. Ngoombe-MaKoyi. 585b. Ngbolo-Ngoombe de l'Oubangi. 585c. Ngoombe du Nord du fleuve (1925, M. Guilmin). 585d. Ngoombe du Sud du fleuve (1937, E. A. & L. Ruskin). 585e. LiJali. 585f. LiGenja = Mowea = Ngoombe classique (N. Gr. 1947 Al. van Houteghem). — 586. LiDoko-Youmba (N. Gr., 1947, van Houteghem). 586a. LiDoko du Nord du fleuve. 586b. LiDoko du Sud du fleuve. 586c. Bwela. 586d. Mimbo. 586e. Liyenga. — 587. Ngendja. — 588. LiBinza (N. Gr. 1947, Al. van Houteghem). 588a. MaGenza. 588b. MaBenza. 588c. MaBinza. — 589. EBoudya = Eloa (N. Gr. 1925, Schillebeeckx). 589a. de l'intérieur. 589b. du fleuve. — 590. (Mo)Bango. 591. (Mo)Mbesa. — 592. Bati-Benge-Bala. 592a. Lisi. 592b. Benge-MoNdiba. 592c. Benge/Likati. 592d. Bati/ Ibembo. 592e. Lende. 592f. Dzaki. 592g. Bwasa. 592h. Bwa-Bati/ Bouta. 592i. Bwa-Bati/Ibembo. 592j. (Ba)Gbe. — 593. (Ma) Honge = Ngelima. 593a. MaHanga. 593b. Nindja. 593c. Gandjo. 593d. Boro. 593e. Angba (1924, Gérard).

2. S. Gr. du Centre : TouRoumbou.

594. YaNongo. — 595. LiKile = OLombo « TouRoumbou ». — 596. Pseudo-Lokele « LoKele du Lomami ».

3. S. Gr. du Nord : AKare.

597. AKare. — 598. Homa.

4. S. Gr. de l'Est : MaNgbele.

599. BouGourou. — 600. Pseudo-Bangba : 600a (Ma)Yenga. 600b. (Ma)Badi. 600c. Bote. — 601. (Ma)Ngbele. — 602. Lika. — 603. Kango. — 604. Baali.

LI. Groupe Bwa

1. S. Gr. Yew-Bwa.

605. Yew-Bwa. 605a. Ganzoulou. 605b. Bimba. 605c. Kiba. 605d. Gingita. 605e. Ndongwali-BaYew. 605f. Ndingima. 605g. Kwama = Gbwama. 605h. Touwi. 605i. Kwangoula.

2. S. Gr. Bwa proprement dit.

606. LiBwa. 606a. Ndongwali-Bobwa. 606b. Loungwa. 606c. Bongono.

3. S. Gr. de l'Est.

Cf. AbaNgwinda de l'Est : 599-604.

G. van Bulck.

BIBLIOGRAPHIE

W. H. J. BLEEK : *Comparative Grammar of the South-African Languages.* I. *Phonetics.* II. *Noun.* Cape Town, 1862, 1869.

J. TORREND, *Comparative Grammar of the South-African Bantu Languages.* London, 1891.

C. MEINHOF, *Grundriss einer Lautlehre der Bantusprachen.* Leipzig, 1899 ; 2ᵉ éd., Berlin, 1910. — *Introduction to the Phonology of the Bantu Languages* (Al. Werner & N. J. van Warmelo). London, 1932. — *Grundzüge einer vergleichenden Grammatik der Bantusprachen.* Berlin, 1906.

W. H. STAPLETON, *Comparative Handbook of Congo Languages.* Yakusu, 1903.

Ch. SACLEUX, *Essai de phonétique avec son application à l'étude des idiomes africains.* Paris, 1905.

F. N. FINCK, *Die Verwandtschaftsverhältnisse der Bantu-Sprachen.* Göttingen, 1908.

L. HOMBURGER, *La phonétique historique du Bantou.* Paris, 1913. — *Les préfixes nominaux dans les parlers Peul, Haoussa et Bantous.* Paris, 1929. — *Les langues négro-africaines.* Paris, 1941.

Al. WERNER, *The Bantu Languages.* London, 1915.

H. H. JOHNSTON, *Comparative Vocabularies of Bantu and Semi-Bantu Languages.* Oxford, I, 1919. II, 1922.

A. DREXEL, *Gliederung der afrikanischen Sprachen.* Anthropos, XVI-XX, 1921-1925.

C. M. DOKE, *Bantu Linguistic Terminology.* London, 1935. — *Outline Grammar of Bantu.* Witwatersrand, 1943. — *Bantu. Modern Grammatical, Phonetical, Lexicographical Studies since 1860.* London, 1945.

G. van BULCK, *Les recherches linguistiques au Congo belge.* Bruxelles, 1948. — *Manuel de linguistique bantoue.* Bruxelles, 1949. — *Cinq nouvelles classifications des langues bantoues.* Louvain, 1948.

Malc. GUTHRIE, *The classification of the Bantu Languages.* London, 1948.

LES LANGUES KHOIN[1]

GÉNÉRALITÉS

Pour désigner la race particulière, qui n'est répandue aujourd'hui que dans le Sud de l'Afrique, mais qui peuplait autrefois les savanes de l'Afrique Orientale et Septentrionale et qui se rattache par ses origines premières aux Pygmées et Pygmoïdes de la forêt tropicale, les ethnologues (L. Schultze, I. Schapera) ont proposé le terme de *Khoi-San* ou « *race khoisane* », les anthropologues (V. Lebzelter, E. von Eickstedt) celui de « *Khoisanides* ». En linguistique, A. Drexel préconisa en 1921 le vocable de « *Khoin-Sprachen* » ; celui-ci fut adopté dès 1926 par W. Schmidt et s'est généralisé depuis lors. Les « langues khoinides » ou « khoin » groupent les dialectes bochimans, les dialectes hottentots, le parler des Bergdama en Afrique du Sud-Ouest et celui de quelques minuscules groupements épars du Tanganyika Territory : Sandawe, Kindiga-Hadzapi et WaNege-WaHi. Malgré des différences non négligeables, toutes présentent ce facteur commun positif, d'être des « langues à clics » (5 en San, 4 en Hottentot, 3 en Sandawe), et cet autre négatif, de ne pas être des « langues bantoues ».

Au point de vue anthropologique, les Bochimans ou San sont les représentants les plus purs de cette race métissée : taille en dessous de la moyenne (1 m. 48 à 1 m. 56), peau jaunâtre souvent fort ridée, stéatopygie marquée chez les femmes. Les Hottentots s'en distinguent par une taille plus élevée et diverses caractéristiques dues au mélange avec une vague de Chamites, éleveurs de bovi-

1. Voir carte XVI.

30—1

dés, premiers envahisseurs de l'Afrique méridionale. Devant cette vague de pasteurs, suivis ultérieurement de vagues nègres bantoues, les Bochimans — peuple encore au stade de l'âge de pierre, artistes des gravures rupestres, ne vivant que de cueillette, de petite chasse et de piégeage — se virent refoulés dans les marais de l'Okawango et du lac Ngami, les régions arides du Kaukau-Veld et du Sand-Veld Omaheke, le désert du Kalahari, et enfin sous la poussée Boer dans le Namib de l'Afrique du Sud-Ouest. Les Hottentots, devenus des pasteurs nomadisants, surent tenir tête à l'avance bantoue au Sud du fleuve Orange. Lors de l'immigration des Huguenots français et des Boers hollandais ils se mélangèrent bientôt aux colons : sauf de rares groupes, ils ne survivent plus que comme métissés, « bastards », comme l'indique leur nom en Afrikaans. Dans l'Afrique orientale, cet ancien substrat khoinide ne se laisse plus déceler que dans quelques groupes épars, refoulés dans les recoins arides du « Graben ».

Nom. Les Boers Afrikaanders en entendant les clics appellèrent ces gens au bégayement inintelligible des « Hottentots ». Lorsque plus tard ils connurent les déshérités du Kalahari, ils crurent se trouver en présence de simples dégénérés : gens (« man ») de la futaie (« bosje »). Lichtenstein en 1808 fut le premier à introduire la distinction entre Hottentots et « Bosjesmans » (Bochimans, Bushmen). Les Hottentots eux-mêmes s'appellent : *k'oi-n* (plur. indéf.) « les hommes », et appliquent aux Bochimans le nom de : *sa-n* (plur. indéf.). Ces noms se retrouvant sous diverses formes dialectales : *kui, kwe, kwa, k'wai; čo, čowe, čwa,* les termes de « khoi-san » et « khoinides » ont été préconisés pour désigner ces langues et races.

Nombre. On estime le nombre des Bochimans à 7.500, celui des Bergdama à près de 25.000 et celui des Hottentots à un peu plus de 25.000.

L'étude linguistique de ce groupe est rendue difficile par la notation des « clics ». On a adopté ici la transcription romanisée : BB pour le clic bilabial, C pour le dental, z pour l'alvéolaire, Q pour le cérébral, x pour le latéral.

I

LE HOTTENTOT

Au moment de la pénétration européenne, les Hottentots occupaient encore toute l'Afrique méridionale au Sud du fleuve Orange et du Vaal ; les Nama fréquentaient même les pâturages au Nord du fleuve Orange à l'Ouest du Kalahari. Les dénominations géographiques sont restées attachées à ces régions : « Great & Little Namaqualand », « Griqualand ». Le « -qua » figurant dans ces noms représente le mot « homme » k'wei, k'oi, kui. C'est pourquoi on le supprime d'ordinaire dans la nomenclature de leurs dialectes pour ne plus parler que de Nama ou Korana à côté de Gri-qua.

Les groupes. — On peut y distinguer quatre groupes[1] :

A) Les groupes archaïques, éparpillés à l'heure actuelle.

    1. Des Korana (46), jadis aussi nombreux que les Nama, il ne reste plus que quelques rares survivants parlant encore leur dialecte.

    2. Des débris de plusieurs tribus, se groupant comme « Griqua », allèrent se fixer au « Griqualand » ; bientôt ils se dispersèrent. Il en reste des traces au « Griqualand East », à Kokstadt (48). Quelques individus, restés dans leur ancienne région (actuellement « Griqualand West ») (47), connaissent encore ce dialecte.

    3. Les Gonaqua et Hottentots du Cap (49) ne sont plus connus que par les récits historiques, que nous en possédons.

B) Les groupes détribalisés : Oorlams ou Koumoun ou Koloniale Hottentotten.

    Ils vinrent occuper d'abord le « Little Namaqualand », mais durent passer jusque dans l'Afrique du Sud-Ouest, où, après de longues pérégrinations, ils furent fixés près des centres coloniaux. Ils n'y parlent plus que l'Afrikaans. Les plus connus d'entre eux sont les :

    Qaman : (53) « Bethanie Hottentots » à Bethanie ;

    Chai-Cgauan : (54) « Berseba Hottentots » à Berseba ;

    Cgoposim : (55) « Witbooi-Hottentots », dirigés jadis par Witbooi, actuellement fixés à Gibéon ;

    Xaiga-Xhaen : (56) « Afrikaner-Hottentots », groupement dirigé jadis par de Jonker Afrikaander ; actuellement à Windhoek ;

    Kai-Cgauan : (57) « Amraal-Hottentots » à Gobabis.

---

    1. Les chiffres correspondent à la carte.

C) Les groupes métissés (« Bastards »), issus du mélange de Hottentots et de colons européens. Les plus connus sont les :

De Tuiner Bastards (50), établis à Rehoboth ;
Steinkopper Bastards (51), de Gibéon ;
Pellaer Bastards (52), d'Aroab.

D) Reste enfin le groupe Nama (20.000). Ils occupent le « Great Namaqualand » (pays sous mandat de l'Afrique du Sud-Ouest) et y sont les seuls à avoir pu garder leur langue. Les plus importants parmi eux sont les :

Qkami-Znun : (58) « Bondelsits Hottentots » (nom qui a été déformé ultérieurement en « Bondelswarts ») du Warmbad-Kalkfontein District ;

Qgara-Kai-Kgoen : (59) « Simon Kopper-Hottentots », groupement du chef Simon Kopper, ou « Fransmans » (« Français ») à Rietfontein ;

Kgaro-Qoan : (60) « Tsaib-Hottentots » de Keetmanshoop ;

Xhapopen : (61) « Veldskoendraers Hottentots » ou « Veldskoendragers » (« porteurs de sandales de steppes ») à Koes ;

Kai-Xgaun : (62) « Rooie Nasie Hottentots » (« la nation rouge »), à Hoachanas.

Xo-Kain : (63) « Groot Dode Hottentots » (« les grands morts ») à Gibéon et Berseba ;

Xgau-Ckoan : (64) « Swartbooi-Hottentots » ; quelques-uns sont restés à Windhoek ; les autres sont fixés à Franzfontein ;

Zao-Nin : (65) « Topnaar Hottentots ». Ce sont ceux qui se sont avancés le plus vers le Nord-Ouest : groupe extrême à Zesfontein. Les autres « Mu-Xin » (66) résident dans les dunes côtières à l'Est de Walfish-Bay.

Jusqu'en 1861, tant qu'ils eurent de Jonker Afrikaander comme chefcapitaine, les Nama parvinrent à subjuguer les Bantous OvaHerero. Mais, après de longues années de luttes très dures, ceux-ci parvinrent à se libérer.

Caractéristiques générales

a) *La racine archaïque normale.*

Outre les monosyllabes (CV, CVnasale) il existe des dissyllabes en Hottentot. Meinhof émit l'hypothèse que seuls les monosyllabes représentaient des racines primitives ; les dissyllabes s'expliqueraient par des adjonctions de suffixes ou des combinaisons de racines monosyllabiques. H. Vedder émit l'hypothèse contraire. Les racines monosyllabiques ou dissyllabiques sans consonne intervocalique ne seraient que des transformations secondaires de racines primaires dissyllabiques de forme : clic+voyelle+M, N, R ou P+voyelle (Dekompositions Theorie).

Beach se rallie à cette dernière thèse. Les clics existaient déjà dans le Hottentot archaïque et ne sont pas dus à un

emprunt ultérieur au Bochiman. L'initiale primitive aurait
toujours été un clic. La forme normale archaïque, du
moins pour les racines fortes, fut celle à quatre phonèmes :
clic+voyelle+consonne+voyelle. La consonne intervocalique ne pouvait être qu'une labiale *(p, m)* ou une
dentale *(t, n)*. Les formes actuelles à trois phonèmes
(clic+voyelle+nasale ou clic+voyelle+voyelle) ne sont
que des formes dégénérées. Troubetzkoy fait remarquer
que les « racines faibles » de Beach (les particules et les
éléments formatifs) se diront en terminologie phonologique
« morphèmes » (« formant ») mais non « racines » ; les
« racines fortes » se diront tout simplement « racines ».
Troubetzkoy propose pour la racine archaïque hottentote
une légère modification à la formule de Vedder et de
Beach : consonne+voyelle+consonne+voyelle. En effet,
d'après lui, les clics ont bien existé dès le début, mais
toutefois l'initiale n'était pas nécessairement un clic ; des
cas de simple consonne pouvaient se présenter. En outre
la consonne intervocalique n'était pas nécessairement une
labiale ou une dentale ; une gutturale pouvait aussi se
présenter (ce qui expliquerait, en cas d'amuissement, les
racines à double voyelle sans consonne intervocalique).

b) *La structure tonétique.*

La racine se présente ordinairement comme dissyllabique,
mais la racine monosyllabique est de longueur égale, étant
à double more. Le hottentot présente de nombreux exemples de ce cas extrêmement rare en d'autres langues :
syllabe constituée de deux voyelles avec consonne intervocalique.

Les tons en Hottentot ne sont pas des « modulations »
mais des « accents ». Le système y est différent d'après les
dialectes : le Nama possède six tonèmes, le Korana n'en
possède que quatre.

Phonétique

a) *Les clics.*

Le clic présente les caractéristiques suivantes :

1º Il ne comporte pas d'émission d'air des poumons ;

2º Il a un double point d'articulation, l'un stable (occlusion vélaire), l'autre variable d'après la position de la langue ou des lèvres ;

3º La raréfaction de l'air entre ces deux points d'occlusion par agrandissement de l'espace clos, grâce à l'abaissement de la langue.

Le clic se produit par l'ouverture brusque de l'occlusion antérieure et la succion de l'air extérieur dans l'espace vide buccal ; aussitôt après se produit le relâchement de l'occlusion vélaire.

La division usuelle distingue quatre catégories de clics d'après la base d'articulation antérieure : dental, alvéolaire, cérébral (palato-alvéolaire), latéral.

Beach préconise de notables changements :

a) Beach préfère prendre comme base le genre de succion. Dès lors les clics à influx se réduisent à deux types : le *type implosif*, où la langue est subitement détachée du palais, de façon à produire un bruit sec (clic alvéolaire et cérébral), et le *type affriqué*, où la langue se détache lentement du palais en glissant (clic dental et latéral). N. Troubetzkoy se rallie à cette nouvelle terminologie, mais voudrait voir indiquer en outre la position de la langue. Il y aurait dès lors :

1. Le clic prolato-lingual $\left\{\begin{array}{l}\text{affricatif : dental,}\\ \text{implosif : alvéolaire.}\end{array}\right.$

2. Le clic rétracto-lingual $\left\{\begin{array}{l}\text{affricatif : latéral,}\\ \text{implosif : cérébral.}\end{array}\right.$

b) A ces deux types à influx, Beach ajoute deux types à efflux : un *vélaire* et un *glottal*, pouvant se présenter l'un et l'autre avec une attaque vocalique tantôt plus forte, tantôt plus adoucie. Troubetzkoy propose de les dénommer plutôt type *bref* et type *long* : la différence se réduit à une accélération ou à un retardement du début de l'expiration.

c) Par la combinaison des clics avec un ou plusieurs des phonèmes consonantiques, Beach arrive à la possibilité de 24 clics : tous existent en Korana ; 20 se retrouvent en Nama. Troubetzkoy propose la classification suivante.

En Nama : clics brefs : nasalisés, aspirés et non-aspirés ; clics longs : aspirés et non-aspirés.

En Korana deux clics éjectifs s'y ajoutent, qui correspondent aux deux éjectives simples *t'* et *k'* ;

b) *Les consonnes.*

Beach réduit les consonnes à 10 en Nama *(p, t, k, ɔ, s, x, h, r, m, n, ǀ, kˣ)*, 17 en Korana. Il exclut les explosives *g, d, b* parce que la distinction introduite jadis est purement arbitraire. Il réduit les nasales à *m, n* ; en effet la nasale vélaire ne s'y rencontre guère. La liquide *r* s'y rencontre, mais *r* intervocalique y remonte à un *t* intervocalique primitif.

Il s'y rencontre deux affriquées *ǀ* et *kˣ*, mais elles sont accompagnées d'une forte aspiration. Beach met l'accent sur l'élément fricatif et écrit *ǀ, kˣ*. Troubetzkoy le met sur l'élément d'aspiration, et écrit dès lors *t', k'* : elles ne sont affriquées que parce que fortement aspirées. En Korana il s'y ajoute deux éjectives simples *t', k'* pour *ǀ'* et *kˣ'*.

c) *Les voyelles.*

La phonétique usuelle du Hottentot distinguait dans les voyelles quatre degrés de quantité : la longue, la brève, la normale et la muette. D'après Beach la quantité est négligeable, parce que sans valeur phonologique. Toutes les racines faibles sont brèves, toutes les racines fortes sont longues, qu'elles se présentent comme syllabiques ou comme dissyllabiques ; dans ce dernier cas la durée de chaque élément varie, mais celle de l'ensemble équivaut à peu près à la durée d'un monosyllabe et les variantes n'ont guère de valeur sémantique. Uldall se demande s'il ne serait pas préférable de classer les nasales parmi les voyelles, puisque *m* et *n* peuvent à elles seules constituer une syllabe (au sens de l'école phonologique). Il aboutit ainsi à une série de 8 voyelles : *i, e, a, o, u, ə, m̥, n̥;* et 5 nasalisées : *ĩ, ẽ, ã, õ, ũ*.

Morphologie

1. *Le pronom personnel.*

Le tableau des pronoms personnels nous présente la structure complexe de leur morphologie : la distinction en genres masculin, féminin et indéfini (commun, neutre) ; entre duel et pluriel ;
entre inclusif et exclusif (pron. pers. 1re pers. plur. et duel) ;
entre subjectif et objectif, ainsi que le vocatif (pour la 2e pers.).

TABLEAU DU PRONOM PERSONNEL

	FORME INDÉPENDANTE				FORME SUFFIXÉE		
	subject.	*vocat.*	*exclus.*	*objectif*	*subject.*	*vocat.*	*objectif*
Singulier							
1 p.	*ti, tita*			*te*	*-ta*		*-ta*
2 p. m.	*sa, saƚ*	*ƚe*		*ƚi, saƚa*	*-ƚ*	*-ƚe*	*-ƚa*
f.	*sa, sas*	*se*		*si, sasa*	*-s*	*-se*	*-sa*
c.					*-i*		
3 p. m.	*xẽib*			*bi, xẽiba*	*-b*		*-ba*
f.	*xẽis*			*si, xẽisa*	*-s*		*-sa*
c.	*xẽï*			*ï, xẽïë*	*-ï*		*-e*
Pluriel							
1 p. m.	*sagye*	*sigye*			*-gye*		*-gye*
f.	*sase*	*sise*			*-se*		*-se*
c.	*sada*	*sida*			*-da*		*-da*
2 p. m.	*sago*	*go*			*-go*	*-go*	*-go*
f.	*saso*	*so*			*-so*	*-so*	*-so*
c.	*sadu*	*du*		*sado*	*-du*	*-du*	*-do*
3 p. m.	*xẽigu*			*xẽiga*	*-gu*		*-ga*
f.	*xẽiti*			*xẽite*	*-ti*		*-te*
c.	*xẽin*			*xẽina*	*-n*		*-na*
Duel							
1 p. m.	*sak'um*	*sik'um*	*sak'uma*		*-k'um*		*-k'uma*
f.	*sam*	*sim*	*sama*		*-im*		*-ima*
c.	*sam*		*sama*				*-ima*

FORME INDÉPENDANTE				FORME SUFFIXÉE		
	subject.	vocat.	exclus.	objectif	subject.	vocat.	objectif

	FORME INDÉPENDANTE				FORME SUFFIXÉE		
	subject.	*vocat.*	*exclus.*	*objectif*	*subject.*	*vocat.*	*objectif*
2 p. m.	*sakʻo*	*kʻo*			-kʻo	-kʻo	-kʻo
f.	*saro*	*ro*			-ro	-ro	-ro
c.	*saro*						-ro
3 p. m.	*xẽikʻa*				-kʻa		-kʻa
f.	*xẽira*				-ra		-ra
c.	*xẽira*						-ra

2. *Le substantif.*

Les mêmes distinctions (masculin, féminin, indéfini ; pluriel, duel ; vocatif ; subjectif et objectif) se retrouvent pour le substantif. Il s'y ajoute un instrumental.

C. Meinhof a montré que le suffixe du commun ou neutre avait primitivement simplement le sens d'un « indéfini », sans aucune notion de genre sexuel :

kʻoiï (un être humain), tandis que *kʻoi-b* (l'homme), *kʻoi-s* (la femme).

gomaï (du bétail), tandis que *goma-b* (le taureau), *goma-s* (la vache).

Il semble même qu'à l'origine les suffixes définis -*b* et -*s* n'indiquaient pas le genre masculin et féminin, mais bien d'une part « grand et fort », de l'autre « petit et faible » :

héi-b (l'arbre) ; *héi-s* (le buisson) ;

ɔ*hui-b* (le rocher) ; ɔ*hui-s* (le caillou).

Les substantifs à genre commun et les noms d'animaux indéfinis devront pour exprimer le genre sexuel recevoir un déterminatif de sexe :

aoré (mâle) ou *tararé* (femelle)

Ex. : ʒ*koab* : éléphant mâle ou femelle ;

aoré ʒ*koab* : éléphant mâle ;

tararé ʒ*koab* : éléphant femelle.

ɔ*gõaï* : enfant ;

aore ɔ*gõaï* : garçon ;

tarare ɔ*gõaï* : fille.

Partout ailleurs les suffixes des pronoms personnels se retrouvent pour chacun des substantifs. Prenons la racine *k'oi- (être humain) : sing. masc. : k'oi-b sing. fém. : k'oi-s sing. comm. : k'oiï.

Si le substantif se termine par une consonne (c'est-à-dire m, n, r ou l), le suffixe sera i au lieu de b pour le masc. sing. (*bi>i au lieu de *bi>b).

xami (le lion) ; xams (la lionne).

Pour le pluriel on a : masc. k'oi-gu ; fém. : k'oi-ti ; comm. : k'oi-n.

Pour le duel : masc. : k'oi-k'a ; fémin. : k'oi-ra ; comm. : k'oi-ra.

A cette forme, appelée « subjective », il s'en oppose une autre « objective ». Elle est différente pour le sing. et pour le pluriel, pas pour le duel :

Sing. masc. : k'oi-ba ; fém. : k'oi-sa ; comm. : k'oi-e.
Plur. masc. : k'oi-ga ; fém. : k'oi-te ; comm. : k'oi-na.

Ce suffixe varie en outre, si le substantif est employé, non plus à la 3e pers. mais à la 1re ou à la 2e pers. :

1re p. sing.	masc. : k'oi-ta	fém. : k'oi-ta	comm. : k'oi-ta
plur.	— k'oi-gye	— k'oi-se	— k'oi-da
duel	— k'oi-k'um	— k'oi-m	— k'oi-um
2e p. sing.	masc. k'oi-ḷ	fém. : k'oi-s	comm. : k'oi-ï
plur.	— k'oi-go	— : k'oi-so	— k'oi-du
duel	— k'oi-k'o	— k'oi-ro	— k'oi-ro.

Ici également, il y a quelques formes particulières objectives :

1re pers. duel : masc. k'oi-k'uma, fém. : k'oi-ma, comm. : k'oi-uma

2e pers. sing. : masc. k'oi-ḷa, fém. : k'oi-sa, comm. : k'oi-i
pluriel : k'oi-do.

A la seconde personne on retrouve les formes du vocatif :

sing. : masc. : k'oi-ḷe fém. : k'oi-se
plur. : — k'oi-go — k'oi-so comm. : k'oi-du
duel : — k'oi-k'o — k'oi-ro.

Beaucoup de noms ont outre le subjectif et l'objectif, une forme instrumentale, qui s'indique par l'adjonction d'un suffixe secondaire : *-i* (au moyen de) :

masc. : *k'oi-b-i*   fém. : *k'oi-s-i*

3. *Les déterminatifs.*

Ces séries de suffixes se trouvent pour la forme adjectivale et pronominale du démonstratif, du possessif, de l'interrogatif et de l'indéfini.

a) Le démonstratif.

D'après la couleur de la voyelle radicale ils distinguent trois degrés d'éloignement :

né, né-b, né-ba, etc.   : celui-ci, près de celui qui parle ;
xné, xné-b, xné-ba, etc. : celui-là, près de celui, à qui l'on parle ;
noú, noú-b, noú-ba, etc. : celui-là là-bas au loin.

Placés devant le substantif, ils restent invariables :

né k'oi-b (cet homme) ; *né tara-s* (cette femme) ; *né ao-ï* (cet être humain).

Placés après le substantif, ils en prennent le suffixe :

pour les genres : p. ex. : *k'oi-b né-b; k'oi-s né-s;*
pour le nombre :   : *k'oi-gu né-gu;*
pour l'objectif :   : *k'oi-b né-ba.*

Remarquer que d'après la règle générale, lorsque le substantif est suivi d'un déterminatif (qualificatif, démonstratif, possessif, etc.), seul ce dernier prend la forme objective, le substantif restant au subjectif.

Ces mêmes formes à suffixes de l'« adjectif » se retrouvent quand il s'agit du « pronom démonstratif » : *né-b* (celui-ci) ; *né-s* (celle-ci).

b) Le possessif.

La possession peut s'exprimer simplement par le pronom personnel indépendant dans sa fonction de complément déterminatif (mon = de moi) :

sa di hāb = moi-de-le cheval = le cheval de moi = mon cheval.

La particule *di* du complément déterminatif peut tomber : *sa hāb*.

La forme peut se simplifier : 1ʳᵉ pers. : *tita* > *ti ;*

2ᵉ pers. : *saʈ, sas* > *sa.*

En cas de fonction pronominale, ces mêmes formes prennent l'accord du substantif qu'ils représentent : ex. sing. masc. *ti-b ;* sing. fém. *ti-s.*

On pourra recourir également à la forme du pronom personnel suffixe, mais en intercalant un *ã* :

1 p. s. : *ta* > *-ãta*   2 p. s. : *ʈ* > *-ãʈ*   2 p. s. obj. *-ʈa* > *-ãʈa*, etc.

Il existe une troisième forme. Elle est particulière au possessif de la première personne et varie d'après le possesseur et d'après l'objet possédé :

Ici on intercale *ãta*, si le possesseur est à la 1ʳᵉ pers. sing.

ãda, s'il est à la 1ʳᵉ pers. plur.

Ex. : sing. masc. *ãta-b*   plur. masc. *ãta-gu*
   — masc. obj. *ãta-ba*   — masc. obj. *ãta-ga*
ou :   — masc. *ãdab*   — masc. *ãda-gu*
   — masc. obj. *ãda-ba*   — masc. obj. *ãda-ga*

c) L'interrogatif.

L'adjectif reste invariable : *tari, mẵ* = qui ? quel ? *tare* = quoi ?

Le pronom prendra les suffixes indiqués plus haut.

d) L'indéfini.

Les pronoms prennent le suffixe :

c*nĭ̃-*   = l'autre (de la même espèce) ;
c*karȧ-*   = l'autre (d'un autre genre) ;
hoȧ, hūs = tout entier.

les interrogatifs *mẵ, tari,* joints à *hoȧ,* servent à rendre l'expression chacun, chaque :

pronominal : *mã-b hoȧ-b*   = chacun ;
adjectival : *mã k'oi-b hoȧ-b* = chaque homme.

xȧre (aucun, personne) suit toujours le substantif : il sera donc toujours pourvu d'un suffixe.

4. *Le numéral.*

1 = c*gúi*   2 = c*gàm*   3 = ǫ*nòna*   4 = *hàga*   5 = *góro*
(« toute » la main).

6 = ǫ*náni* (« le pouce » de la 2ᵉ main)   7 = *hú*   8 = x*héisa*
9 = *k'òise*   10 = *dìsi* = *yìsi*.

De 10 à 20 on ajoute -c*a*, mais le *dìsi* (= dix) peut
tomber :

$$12 = dìsi\ \text{c}gàm\text{-c}a = \text{c}gàm\text{-c}a$$

Pour les dizaines, on suffixe *dìsi* de 20 à 90 : 20 = c*gàm*
dìsi.

Pour 100 : « grand dix » = *géi dìsi*.

De même 200 = c*gām-géi-dīsi* « deux grand dix ».

Pour l'ordinal, on ajoute x*ẽi* (pron. pers. 3 p. sing.) :

$$\text{deuxième} = \text{c}gàm\text{-x}ẽi$$

Pour le distributif, on redouble et l'on suffixe *se* :

$$\text{chacun deux} = \text{c}gàm\text{-c}gàmse$$

ou bien : c*gàm ḷĩ* c*gàmse;* ou encore : c*gàm-*c*gàm-e se*

Pour le multiplicatif, on ajoute ǫ*nās* (fois) avec consonne
suffixe variable :

$$\text{c}gàm\text{-}ǫnās = \text{deux fois.}$$

5. *Le système verbal.*

L'impératif est la racine verbale simple : *mũ* = vois.

A) Forme simple : pronom personnel indépendant +
particule + racine verbale invariable.

Indic. présent : *ta* (*ra* après voyelle) : *tita ra mũ* = je
vois, j'ai l'habitude de voir ;

imparf.	: *go*	: *tita go mũ*	= je voyais ;
2 imparf.	: *go...hãi*	: *tita go mũ hãi*	= je voyais il y a déjà quelque temps ;
parf.	: *gye*	: *tita gye mũ*	= j'ai vu ;
pl.-q.-pft	: *gye...hãi*	: *tita gye mũ hãi*	= j'avais vu ;
futur	: *nĩ*	: *tita nĩ mũ*	= je verrai ;
fut. antér.	: *nĩ...hãi*	: *tita nĩ mũ hãi*	= j'aurai vu.

Forme d'habitude :

Indic. imparf.	: *go+ro*	: *tita goro mũ* = j'avais l'habitude de voir ;
parf.	: *gye+re*	: *tita gyere mũ* = j'ai eu l'habitude de voir ;
pl.-q.-pft	: *gye+re...hãi*	: *tita gyere mũ hãi* = j'avais eu l'habitude de voir ;
futur	: *nĩ+ra*	: *tıta nĩra mũ* = je verrai certainement.

Forme renforcée : en intercalant *gye* entre le pronom personnel et la particule :

Indic. prés.	: *tita gye ra mũ*
imparf.	: *tita gye go mũ ;*
parf.	: *tita gye gye mũ ;*
pl.-q.-pft	: *tita gye gye mũ hãi.*

B) *Forme inversée:* où le verbe est en tête, suivi du pronom personnel suffixe et de la particule en finale :

Indic. prés.	: *mũ-ta ra*
parf.	: *mũ-ta gye*
fut.	: *mũ-ta nĩ* (ou : *nira*)
imparf.	: *mũ-ta go*
pl.-q.-pft	: *mũ-ta gye hãi*
fut. ant.	: *mũ-ta nĩ hãi*

Ici également on peut avoir recours à la forme renforcée avec *gye* :

Indic. prés.	: *mũ-ta gye ra*
parf.	: *mũ-ta gye gye.*
imparf.	: *mũ-ta gye go*

Le *conjonctif* a comme caractéristique la voyelle *o* suffixée au mot final, soit à la racine verbale, soit à l'indice du passé *(hãi)*, soit à la particule conjonctive *ga*.

conj. prés.	: *tita ga mũo ;*
imparf.	: *tita ga mũ hã io ;*

avec forme inversée :

prés.	: *mũ-ta gao ;*
imparf.	: *mũ-ta ga hã io.*

L'*optatif* présente en finale la caractéristique : *re* (je vous en prie) :

en forme inversée : *mū-ta re* = que je puisse voir.

en forme directe, on doit intercaler la particule *ga* (ou : *gaga*) et renforcer le pronom personnel suffixe en préfixant : *a, ẽ* ou *ha* :

ẽta (= *ata* = *hata*) *ga mū re.*

Le *participe* se reconnaît à ses suffixes :

Présent : -*ǫã*, -x*noni*, -*se*: *mū-ǫã* = *mū-*x*noni* = *mū-se*: voyant ;

Parf. : *hã-ǫã*, -*mãisi*, -*ǀĩ*: *mū-hã-ǫã* = *mū-mãisi* = *mū-ǀĩ* : ayant vu.

On y retrouve une forme durative avec -*ra-*: *mū-ra-ǫã* = voyant durant tout le temps ;

et une forme passive avec -*he-*: *mū-he-ǫã*   = étant vu,

mū-he-hã-ǫã = ayant été vu.

L'*impératif* présente des formes particulières :

a) une forme renforcée avec *o* : *mūo;*

b) une forme renforcée avec *re* : *mūre;*

c) une forme de supériorité, usitée lorsqu'un ordre est intimé par un supérieur à un inférieur : on ajoute le pronom pers. suffixe au vocatif :

sing. masc. : *mū ǀe*   sing. fém. : *mū se*
plur. masc. : *mū go*   pl. fém. : *mū so*
pl. comm. : *mū du, mū do*
duel masc. : *mū k'o*   duel fém. : *mū ro,*

d) une forme de complaisance : le pronom personnel à l'objectif, suivi de *go*

sing. masc. : *mū ǀi-go*   sing. fém. : *mū si-go.*

La *négation* s'exprime en finale :

Présent : *tamá* (avec chute de la particule *ta* dans la forme verbale) :

tita mū tamá = je ne vois pas,

Futur : *tite* (avec chute de la particule *ni*) :

tita mū tite = je ne verrai pas,

Impérat. : *tá*: *tá mū*   = ne regarde pas,

tite s'emploie aussi dans la proposition principale, si le verbe de la subordonnée est au conjonctif.

tamá (présent) et *tite* (futur) s'emploient aussi dans les phrases qui ont pour sujet « aucun » (*xáre*, suivant le substantif).

9. *La dérivation.*

A) Formes verbales dérivées :

le passif : *-he* : *mũ* = voir   *mũ-he* = être vu,

l'applicatif : *-ba* : ǫoá = travailler   ǫoá-ba = travailler pour,

le réfléchi : *-sen* : ǫgăm = tuer   ǫgăm-sen = se tuer,

le réciproque : *-gú* : *mũ* = voir   *mũ-gú* = se voir l'un l'autre,

l'état : *-hã* : xgoe = se coucher   xgoe-hã = être couché,

l'itératif : *-ra* : *sā* = se tromper   *sá-rá* = se tromper toujours,

le causatif : *-si* : *dei* = têter   *dei-si* = faire têter,

le causatif archaïque : *-i* : *mã* = se tenir debout   *mã-i* = mettre debout,

le directif (ad quem) : *-ri* : *mũ* = voir   *mũ-ri* = inspecter,

le directif (ex quo) : *-ru* : xã = aller   xã-ru = revenir,

le diminutif : *-ro* : cnam = aimer   cnam-ro = aimer un peu.

B) Formes nominales déverbatives.

z*nei*	= pêcher à la nasse	z*nei-be-s*	= nasse,
dei-si	= faire téter	*dei-si-ra-s*	= celle qui fait souvent téter, la nourrice,
gáo	= régner	*gáo-s*	= le règne,
		gáo-si-b	= le royaume,
		gáo-sa-b	= le chef,
xàn	= habiter	xàn-sa	= habitable,
		xànsa-be-b	= habitant,
ǫkám	= lutter	ǫkám-is	= la lutte,
ore	= sauver	ore-sa-be-b	= le sauvé,

gã	= être pauvre	gã-si-b	= la pauvreté,
zкawu	= être faible	zкawu-sa-si-b	= la faiblesse,
ǫawa	= monter	ǫawa-ū-da-s	= l'escalier.

C) Formes verbales dénominatives.

gama-b	= taureau	gama-re	= chercher ses taureaux,
k'oi-b	= homme	k'oi-xa	= être ami,
		k'oi-xa-gu	= être amis intimes,
xgũ-b	= père	xgũ-si	= être paternel,
āo-b	= homme	ao-re	= être viril.

D) Formes nominales dérivées.

diminutif : -da- : ǫhom-i = montagne ǫhom-da-ĭ = monticule,

diminutif : -ro- : ǫã-b = rivière ǫã-ro-b = ruisseau,

privatif : -o : còn-s = nom còn-o = sans nom,

qualité : -si- : k'oi-b = homme k'oi-si = humain,

  k'oi-si-b = façon humaine,

E) Formations statives.

en xu	: géi	= être grand	géi-xu	= grand
en xa	: mari-b	= argent	mari-xa	= riche en argent,
en re	: gã	= idiot	gã-re	= idiot,
en sa	: góa	= être à demi sec	góa-sa	= à demi sec,
en wā	: zhà	= élargir	zha-wà	= large,
en ba	: anu	= digne	anu-ba	= digne de...
en tama	: anu	= digne	anu-tama	= indigne de...

Syntaxe

1. *Le complément déterminatif* peut être exprimé par simple juxtaposition, le nom du possesseur précédant celui de l'objet possédé

  xgũb còns : du père le nom = le nom du père

  cgoab xgũb : du garçon le père = le père du garçon

On peut aussi relier les deux noms par *di* dans les mêmes positions.

k'oi-b di kāb : de l'homme le cheval = le cheval de l'homme.

Ou bien le nom du possesseur précède celui de l'objet possédé et celui-ci est suivi de la particule *di* qui prend le suffixe que requiert le nom du possesseur.

    tara-s ao-b di-s: la femme de l'homme.

2. L'adjectif démonstratif, interrogatif et indéfini précèdent d'ordinaire le substantif. Ils peuvent aussi le suivre, mais prennent alors l'accord.

hŭs omi = toute la case   *né taras* = cette femme.

3. Le nombre cardinal et l'ordinal précèdent le substantif :

    góro gama-gu = cinq bœufs
  cgàm-xẽi mí-mas: le deuxième commandement.

4. Le possessif n'est qu'une application particulière du complexe déterminatif.

Il précède le nom de l'objet possédé, éventuellement relié par *di* :

    sa (di) hāb = de toi le cheval = ton cheval.

Il peut suivre le substantif comme pronom personnel suffixé, mais aura alors la forme renforcée par un *ã* initial : *hāb ãḷa* = ton cheval.

5. L'adjectif qualificatif précède ordinairement le substantif et reste alors invariable :

    géi cgoa-n: les grands enfants

Pour insister sur le qualificatif, on peut renverser l'ordre. Dans ce cas l'adjectif prend le suffixe du substantif qui le précède :

    ao-gu géi-gu: les hommes grands

Si l'adjectif est prédicat il reste invariable.

Si l'adjectif suit un substantif qui devrait être à l'objectif ou à l'instrumental seul l'adjectif en prend l'indice :

mũ ta ra ao-b géi-ba « je vois l'homme grand »
    (au lieu de **ao-ba géi-ba*)

k'oi-b géi-bi « avec l'homme grand » (au lieu de **k'oi-bi géi-bi*).

6. L'objectif n'est pas la simple expression du régime direct :

Dans les phrases interrogatives et exclamatives, le substantif sujet se met toujours à l'objectif.

Dans les propositions optatives, le pronom sujet initial se met toujours à l'objectif :

> *saḷa* z*gai-re :* « vois, je t'en prie ».

Le substantif employé comme prédicat se met à l'objectif :

x*nāb gye gao-aoba* = « celui-là est homme-chef » (et non *gao-aob*).

Ou bien il ne prend pas de suffixe, si du moins la copule *(a, gye)* est exprimée :

> *tita gye a gao-ao :* je suis homme-chef.

Lorsque le premier mot de la phrase est pourvu du suffixe pronominal annonçant le sujet de la proposition (nom ou pronom), qui suit comme simple apposé, ce sujet se met à l'objectif :

ḷi-b gye k'oi-ba go mĩ : « et lui, l'homme, disait ».

Quand il est régime direct, le substantif à l'objectif peut se mettre soit après le verbe :

> *tita gye ra mũ k'oi-ba :* « je vois l'homme »,

soit entre *gye* et la racine verbale :

> *tita gye k'oi-ba ra-mũ.*

7. Lorsque le substantif régime direct est accompagné d'un régime indirect, il peut ou bien précéder le régime indirect :

> x*ẽib gye ne* ǫ*năi-ǫkeisa* xk'*ắ-*xk'*ā-aoba gye* ǫ*hóaba*
>   il   cette histoire   au maître   raconta,

ou bien suivre le régime indirect :

> *ḷĩs gye* xk'*ắ-*xk'*ā-aoba nē* ǫ*năi-ǫkeisa gye* ǫ*hóaba*
>   il   au maître   cette histoire   raconta.

Le complément direct peut se mettre en tête de la phrase. Dans ce cas le régime indirect suivra le verbe :

> *nē* ǫ*năi-ǫkeisas gye* ǫ*hóaba* xk'*ắ-*xk'*ā-aoba*
>   cette histoire elle raconta   au maître.

8. *Postpositions :* Des particules postposées jouent le rôle de nos prépositions. Le substantif reste d'ordinaire au subjectif ; mais devant *xu* (hors de) et *ǫoa* (vers) il se met à l'objectif.

9. Pour les phrases subordonnées, la plupart des conjonctions sont postposées :
znou-toa ḷĭta = frapper après = après avoir frappé...

10. Pour les phrases complétives, *ǫkeie, ǫkeisa* (obj.), *ǫkeiï* (affaire) se met à la fin de la phrase :
mĭba te re, hāḷ nĭ, ǫkeie = dis-moi donc, tu resteras affaire = dis-moi que tu resteras.

11. Pour les phrases relatives avec *ia, hĭa*, on distingue deux constructions :

a) Relatif subjectif : si le sujet de la principale est également sujet dans la relative, *ia* reste invariable et l'on répète à la fin de la proposition relative le pronom personnel suffixé du sujet :
k'oi-b, ia go x*ari hāb, gye mi* = l'homme, qui hier vint, a dit.

b) Relatif objectif : si le sujet de la principale est complément de la relative, *ia(hĭa)* prend le suffixe du sujet de la relative, et l'on répète à la fin de la relative le pronom personnel suffixe de la principale :
c*gõab, hĭas tarasa gye sĭb, gye go* x*hawu* = le garçon, que la femme a envoyé, s'est perdu.

12. L'action complexe sera souvent analysée en ses divers composants ; d'où une suite de verbes :
znou-zkŭ́ = frapper se briser = briser en morceaux
*ǫgáo-*x*nǎ́* = couper-tomber = détacher au couteau.
nĭ-ga-ga = faire-ne pas être-ne pas être = réduire à néant.
Déjà la simple répétition marquera l'itératif ou l'intensif :
ará-ará = être pleurnicheur.

Texte

    tara-s,   hĩa-ļ gye saļa zgei   has,   go neti hā
la femme, que toi as   tu appelée elle, est ainsi venue
        k'oi-b xab go znouhe.
        l'homme par était frappée.

c'est-à-dire : la femme, que tu as appelée, vient d'arriver ;
    elle était frappée par l'homme en question.

tara-s	: nom déterminé et du féminin (suffixe *-s*) *tara* = femme.
hĩa-ļ	: pronom relatif objectif *(hĩa)* avec suffixe d'accord (2ᵉ p. s. masc). parce que le sujet de la relative est *tu* (homme).
saļa	: pronom pers. ; indépendant 2ᵉ p. sing. *(sa)* masc. *(-ļ)*. Le *a* final indique qu'il est à l'objectif (sujet de la relative considéré comme « apposé » de *hĩaļ* qui l'annonce dans son suffixe.
gye...ha	: particules auxiliaires verbales de l'indicat. plus-que-parfəit.
zgei	: racine verbale « appeler » : encadrée entre ses deux particules.
has	: particule avec suffixe féminin *-s*, qui indique le sujet féminin de la phrase principale.
go	: particule auxiliaire verbale indiquant l'indicatif passé.
ha	: racine verbale « venir ».
neti	: adverbe de manière : ainsi, de cette manière-là.
k'oi-b	: substantif déterminé masculin (suffixe *-b*) : « homme ».
xa-b	: particule postposée indiquant l'agent de l'action passive : « par ». Le substantif masc. *(-b)* qui en dépend précède.
go	: particule auxiliaire verbale, indiquant l'indicatif passé.
znou	: racine verbale « frapper » ; avec *-he*, indice du passif : être frappé.

BIBLIOGRAPHIE

C. M. DOKE, *A preliminary investigation into the state of the Native Languages of South-Africa.* Bantu-Studies, VII, 1933, 1-98.

G. van BULCK, *Nos sources pour les langues khoinides.* Studia Missionalia/ Roma, Pontif. Univers. Gregor., IV, 1948.

Les clics :

1896. R. de la GRASSERIE, *De quelques particularités de la langue des Namas.* Z. f. A. und Ozean. Sprachen, II, 1896, 205-216.

1926. W. PLANERT, *Die Schnalzsprachen.* Bibl. Afric., II, 296-315.

1935. Rom. Stopa, *Die Schnalze, Ihre Natur, Entwicklung und Ursprung.* Krakow.

1936. Pienaar de VILLIERS, *On the phonetic Aspect of clicks.* Btu-Stud., X, 41-53.

1937. A. KLINGENHEBEN, *Die Schnalze in den afrikanischen Sprachen.* D. Ges. f. Tier- und Ursprachforschung, 8, 1937, 1-12.

Nama :

1857. J. Chr. WALLMANN, *Die Formenlehre der Nama-Sprache.* Berlin.

1857. H. TINDALL, *A Grammar and Vocabulary of the Namaqua-Hottentot Language.* Capetown.

1870. Th. HAHN, *Die Sprache der Nama.* Leipzig.

1889. J. G. KROENLEIN, *Wortschatz der Khoi-Khoin.* Berlin.

1892. A. SEIDEL, *Praktische Grammatiken der Hauptsprachen Deutsch Suedwest- Afrikas.* I Nama. Wien-Pest-Leipzig.

1905. W. PLANERT, *Handbuch der Namasprache.* Berlin.

1909. C. MEINHOF, *Lehrbuch der Nama-Sprache.* Berlin, L. S. O. S., XXIII. — *Die Sprachen der Hamiten : Nama,* 211-226, 230-241. Berlin, 1912.

1938. D. M. BEACH, *The Phonetics of the Hottentot Language.* Cambridge.

1939. N. TRUBETZKOY, *Zur Phonetik der Hottentottensprache.* Anthropos, XXXIV, 1939, 267-276.

Korana.

1928. J. ENGELBRECHT, *Studies oor Korannataal.* Annale van die Univ. van Stellenbosch, VI, B, 2.

1930. C. MEINHOF, *Der Korana-Dialekt des Hottentottischen.* Berlin.

1932. L. F. MAINGARD, *Studies in Korana History, Customs and Language.* Btu-Stud., VI, 1932, 103-162.

II

LES DIALECTES SAN OU LE BOCHIMAN

Il ressort des recherches de Mlle D. F. Bleek et du Père W. Schmidt qu'on pourrait ramener ces dialectes à quatre groupes :

A) Les deux groupes du Sud, qui occupaient jadis toute la province du Cap jusqu'à la Kei-River, le Basutoland, l'État d'Orange et le Transvaal oriental. Actuellement il n'en reste plus que quelques groupements refoulés dans le désert du Kalahari. Ceux du Sud-Ouest nous sont les mieux connus grâce aux textes rassemblés par W. H. I. Bleek (1864 sq.) ; le zkhomani grâce à L. F. Maingard et C. M. Doke (1936-37).

B) Le groupe du Centre est éparpillé dans le Kalahari central et septentrional. Le centre du groupe occupe au Bechuanaland la région du lac Ngami et le delta des sources de l'Okawango. De là il s'étend au Nord jusqu'aux sources du Cuando, le Nord-Ouest de la Rhodésie et le Sud-Ouest de l'Angola. D'autre part il s'étend à l'Est jusqu'à la Rhodésie du Sud et à l'Ouest jusqu'au Kaukau-Veld. Les limites entre ce groupe-ci et celui du Nord sont floues. Nous devons en exclure les BaKalahari ou « Vaal-pens», qui ne sont que des BeTchwana dégénérés. Ils nous sont connus grâce aux études de S. S. Dornan (Tati-MaSarwa, 1917) et de Mlle D. F. Bleek (Naron Ai-kwe, 1928).

C) Le groupe du Nord. Il s'étend du Namib jusqu'aux marais de l'Okawango et à la région méridionale de l'Angola. C'est le groupe qui s'est relativement le mieux conservé parce qu'il a pu se retirer dans les steppes salines, le KauKau-Veld, le Sand-Veld Omaheke. Les Qkung nous sont connus grâce à H. Vedder (1910/11) et au Dr. V. Lebzelter (1926-28).

Répartition des dialectes, connus actuellement: Les numéros qui précèdent les noms renvoient à la carte ; les sigles entre parenthèses sont ceux de Mlle D. F. Bleek dans ses « Comparative Vocabularies » (1929).

I. *Groupe du Sud*

1. Cgam-ka-qke (S 1.)
2. Xngqke (S 2.)
3. Batwa du lac Chrissie (S 3.)
4. Qauni (S. 4.)
5. MaSarwa-Kakwa (S 5.)
6. Cnouxen (S. 6.)
7. Gabe
8. Bochimans de l'Orange (C. F. Wuras).
9. Zkhomani
10. Xkg'au

Quelques groupements dans la bande côtière (Namib du Sud) :

11. Ganin
12. Koma
13. Houini
14. Obanen.

II. *Groupe du Centre*

15. MaSarwa-Tati (C 1.) = Hou-Kwe = « MaSarwa » chez les BeTchwana = « AmaSile ».
16. MaKoba.
17. MaDenassena = Gali-Kwe
18. MaThethe
19. MaTsere-Kwe
20. BaKwena(Bochiman)
21. BaMaNgwato (Bochiman)
22. Hiechware-Tati
23. MaHoura
24. MoHissa
25. Taune-Kwe = Tenne-Kwe
26. Go-Kwe
27. Au-Kwe
28. Ai-Kwe
29. Tsau-Kwe = Tsano-Kwe
30. Khabo
31. Kai-Kai
32. Kau-Kau
33. Naron Ai-Kwe (C 2).

III. *Groupe du Nord*

34. Xk'auxen = Au-Kwe (N 1.)
35. Qkoung (N 2.)
36. Qoqkoung (N 3.) 36*a* MouKasequere de Serpa Pinto ; 36*b* VaSeke chez les BaTshokwe ; 36*c* Kwisso = BaToua du Kounene inférieur (P. Estermann) ; 36*d* VaNkala (Thiébaud).
37. Zaouin (Kaufmann)
38. Bochimans du Naukluft.

Plusieurs groupements dans l'Ovamboland, entre l'Angola et le Damaraland :

39. Bochimans de l'Etocha-Pan
40. Heixom
41. Bochimans de l'Ounkwalouthi
42. Bochimans de l'Oukouambi
43. Bochimans de l'Ochigambo
44. Zno-cgan
45. Bochimans de la Natakanako-Pan.

Ceux-ci ont subi au Nord l'influence des Ovambo, au Sud-Ouest celle des Dama et Nama. Aussi ces derniers Bochimans parlent-ils le Hottentot.

Degré de contamination : Si nous essayons de les sérier d'après leur degré de pureté, nous obtenons le tableau suivant :

1. Sont restés les plus purs : les Bochimans du Nord-Ouest (KauKauVeld et Sand Veld Omaheke) ; surtout

les Xk'au-xen (34) et les Qkoung (35). Les Hei-xom (40) sous l'influence des Nama parlent le Hottentot.

2. Déjà plus contaminés : les Bochimans du Nord-Est et du Centre :

a) Les Naron-Ai-Kwe (28, 33) et Tanne-Kwe (25) sous influence des Bantous de l'Okawango ; *b)* les Hou-Kwe, MaSarwa-Tati (15), les Gali-Kwe (17), les Hiechware-Tati (22) sous influence des Bantous BeTchwana.

3. Encore plus fortement contaminés : les Bochimans du « Great Namaqualand ». Ils sont en contact continuel avec les Nama et les Dama(ra).

4. Complètement submergés au milieu des Hottentots : les Bochimans du Namib méridional (11 à 14).

5. Le groupe du Sud n'a quasi pas survécu au contact.

Les conclusions de Mlle D. F. Bleek dans son examen lexicographique comparatif sont les suivantes. Du groupe du Nord on passe au groupe du Sud (S 1, S 2) par l'intermédiaire des dialectes S 5 et S 6. D'autre part, on passe du groupe du Nord au Hottentot par l'intermédiaire d'abord de C 1, puis de C 2. Le dialecte C 1 (Houkwe des MaSarwa-Tati, sur la frontière de la Rhodésie du Sud) se présente comme « un véritable chaînon » entre le groupe du Nord et C 2, qui nous amène au Hottentot.

LEXIQUE

En général chaque groupe possède son vocabulaire déterminé : l'extension d'une racine donnée correspond à l'extension d'un groupe.

Il y a toutefois certaines racines qui sont communes à tous les groupes.

Ex. « arriver » :

S 1. *s'i, ši, s'e*	S 2. *si, se, sa*	S 3. *se, sa*
S 4. *see*	S 5. *ši, ša*	S 6. *si*
N 1. *ꞁi či, ꞁa*	N 2. *še, ša*	N 3. *sii, tii, čii*
C 1. *ya*	C 2. *ši*	Hottentot : *si*

31

L'autre racine, en Hottentot -*haa*, se retrouve en C 2 *haa*, et en C 1 *habee*.

A côté de celles-là, il y a d'autres racines, qui sont communes à deux groupes, tantôt à celui du Sud et à celui du Centre (p. ex. feu, femelle), tantôt à celui du Centre et à celui du Nord.

PHONÉTIQUE

A) *Les clics.*

Les quatre clics du Hottentot se retrouvent dans tous les groupes des Bochimans. Le groupe du Sud (Bochimans du Cap) présente en outre un clic bilabial. Les autres dialectes ignorent ce clic bilabial, mais en revanche possèdent un rétroflexe que le groupe du Sud ignore. Au clic bilabial correspondent dans les autres dialectes bochimans des mutations consonantiques régulières. Ces six clics peuvent se présenter sous forme sonore, sous forme sourde, sous forme aspirée, sous forme nasalisée et sous forme éjective, ce qui nous donne pas moins de 28 combinaisons possibles.

B) *Les consonnes.*

explosives : *b, w, t, d, g, k, k'*, nasales : *m, n, ṅ*, continues : *s, š, z, ž*.

En initiale, on trouve aussi les bilabiales *p, b* et en finale le *y*.

La série qui offre des difficultés toutes particulières est celle des :

h, x, k', k'', kˣ, k'ˣ, k''ˣ de Mˡˡᵉ D. F. Bleek.

C) *Les voyelles.*

La série des sept voyelles y est représentée : ouvertes, fermées, longues et brèves : *i, ī; i̦, ī̦; e, ē; e̦, ē̦; a, ā; a̦, ā̦; ə, ə̄; o, ō; o̦, ō̦; u, ū; u̦, ū̦.*

En outre les nasalisées : *ã, õ, ĩ, ũ* et *õ̦.*

Pour les diphtongues, la série descendante : *ei, ai, au, ou; ao, ao̦.* La série ascendante : *o̦a, wa; we; wi.* Et même avec nasalisées : *aĩ, aũ, wã.*

D) *Accent musical.*

C. M. Doke décrit pour le Qkoung cinq tons différents :
un ton haut, un ton bas, un ton moyen (ton normal du
langage sans emphase et sans interjections), un ton descendant, un ton montant. Ex. : *ṇ* (ton haut) = être assis ;
(ton descendant) = baie, grain.

MORPHOLOGIE

1. *Le genre grammatical.*

Caractéristique du Hottentot, il se retrouve nettement
dans C 2. (masc. plur. *či*, fém. *ši*, comm. *ni*). Dans le
groupe du Centre (C 1.) et celui du Nord (N. 1 et N. 2),
on en trouve quelques traces : il y a quelques formes
masculines pour le pronom personnel. Dans le groupe
du Sud, il n'y en a pas trace. Pour préciser, on ajoute :
« mâle » *(zko)*, « femelle » (c'*aiče).*

zkhom. x*hã ũ* = frère   *koḷo zko* = chacal mâle

      x*kã xai* = sœur   *koḷo* c'*aiče* = chacal femelle

2. *Les cas.*

a) L'objectif et le nominatif emphatique.

Alors que le Hottentot possède un cas objectif mais n'a
pas de forme emphatique pour le nominatif, les dialectes
bochimans présentent l'inverse : l'objectif y manque. Dans
le groupe du Sud, le nominatif emphatique se rencontre pour
les substantifs et pour divers pronoms. Dans le groupe du
Nord et dans C 1., il est surtout en usage pour le pronom
personnel. Dans le groupe du Centre (C 2.), on y a recours
dès qu'il s'agit d'un attribut au masculin sing. ;

b) Le vocatif.

Existant en Hottentot *(ḷe, se, e),* on le retrouve pareillement comme suffixe dans quelques dialectes du Nord
(N 2. : *we*) tout aussi bien que du Sud (S 1 : *we* ; S 2 ; S 5 :
be).

3. *Le nombre.*

a) Le duel. De même qu'en Hottentot il y a des formes

spéciales pour le duel, on en trouve en C 2 : duel masc.
čera; fém. : *šera;* comm. : *k'ara* ;

b) **Le pluriel.** Il se forme en règle générale dans les
dialectes bochimans par l'adjonction d'un suffixe : Zkhom. :
sing. c*kwi-si* (« oiseau ») ; plur. : c*kwi-če* ou c*kwi-ke.* Seul
le dialecte S 1. fait exception : il n'a que quelques mots qui
se présentent avec un suffixe du pluriel ; partout ailleurs
ses pluriels se forment par réduplication. Cette forme par
réduplication se retrouve parfois en S 2. Dans N 3, il y
a aussi quelques cas du pluriel par mutation vocalique.

4. *Le complément déterminatif.*

En Bochiman tout comme en Hottentot, en règle générale, le possesseur précède ; l'objet possédé suit. Voici
toutefois quelques divergences :

En Hottentot et en C 2., il y a éventuellement une
particule *di* :

Hott. : *k'oi-b di omi*   = de l'homme la case ;
C 2.   : *kwem di* ǫ*nuša*   = de l'homme la case.

Dans le groupe du Sud, la particule est : *ka, ga, ta* :
S. 1. : *gwai ka* x*neing* = de l'homme la case.

Dans le groupe du Nord et dans C. 1. ; on n'a pas recours
à une particule d'accord :

N 1. : ǫ*kwang či*   = de l'homme la case ;
C 1.   : *kau-čo ǰu*   = de l'être humain masculin la case.

5. *Les pronoms personnels.*

On y retrouve des formes subjectives et d'autres qui
semblent objectives ; des formes inclusives et exclusives
pour la 1re pers. plur. (en zkhom. et autres dialectes du
groupe Sud) :

zkhom. sing. 1 p. : *n, ṅ, ṅa, na*
              2 p. : *a*
              3 p. : *ka, ku, kwa, ha, hã*
    plur. incl. 1 p. : *i*
         excl. 1 p. : *sa, si*
             2 p. :   *pa, ba, u*
             3 p. :   *ča, čen, ke, ku, ken, ha*

Tati Sesarwa 1 p. : *či, ča*
     2 p. : *ča*
     3 p. : *ebe*
     1 p. masc. *ka*
      comm. *ḷe*
     2 p. :   *kau, kare*
     3 p. :   *ere, ana.*

6. *Les démonstratifs.* D'après les trois degrés de distance, on aura en Tati-SeSarwa : *e* = celui-ci ; *a* = celui-là ; *ko* = celui-là la bas.

7. *Les possessifs.* En Tati-SeSarwa :

  sing. 1 p. : *či* 2 p. : *ča* 3 p. : *em*
  plur. 1 p. : *ḷe* 2 p. : *ka* 3 p. : *t'au eko.*

8. *Les adjectifs qualificatifs :* Ils suivent le substantif : Qkung : *zk'hā̃ dē* = bras gauche *dē* = gauche ;
   zk'hā̃ psgō = bras droit *psgō* = droit.
   « petit » *mā* (pour objets)   = *psgōma* (pour
              mâles),
    = *dēmạ* (pour femelles) = *ḷ'emạ* (pour mi-
               nuscule).

9 *Les nombres.*

Dans l'usage usuel on ne compte que : un et deux ; toutefois des nombres existent jusqu'à cinq :

	S 1		N 1	C 1
1	ǫ*kwāi*	c*nee*	*kwiye*	
2	ǫ*kū*	*ḷa*	c*kamnye*	
3	ʙʙ*hō*	ǫ*gã̃ĩ*	*yii*	
4	*kogn*	x*kei*	*ǰubesani*	
5	*sexano*	ǫ*gou*	*ečowe* (*ḷau* = main).	

Nombre ordinal : (en Tati-SeSarwa) 1 = *nya* 2 = c*kam* 3 = *ngonau* 4 = *samde* 5 = *ḷau : samde yube* = le quatrième mouton.

10. *Relatifs et interrogatifs.*

En Tati-SeSarwa relatifs et interrogatifs sont identiques : *nare* = qui ? *nao* = que (subj.) *nate* = que
   kau nare? = qui êtes-vous ?

11. *Structure verbale.*

La structure verbale offre de nombreuses particularités dans les divers groupes et dialectes. Il n'est pas encore possible de fournir une vue d'ensemble.

SYNTAXE

1. *Le sujet.*

Dans le groupe du Nord et dans C 2., les phrases sont d'ordinaire « concises » : sans conjonctions et même souvent sans sujet. Si l'on est au début d'un récit, le lecteur devra y suppléer la première personne ; si l'on est au milieu d'un exposé, ce sera souvent le premier sujet dont il a été question dans ce qui précède.

Dans S 1 et S 2, il y a des phrases plus longues, des conjonctions plus fréquentes et le sujet, substantif ou pronom, est presque toujours exprimé.

2. *L'ordre des mots dans la proposition.*

Dans le groupe du Nord et celui du Sud, l'ordre est déterminé : sujet-prédicat-objet. Le datif précèdera l'accusatif, les adjectifs resteront accolés aux substantifs, qu'ils déterminent en les suivant ou en les précédant.

Dans C 1 le régime précède souvent le prédicat.

Dans C 2 l'ordre peut être interverti. Outre l'ordre normal, cité plus haut, on trouve : objet-prédicat-sujet, ou prédicat-sujet-objet, ou sujet-objet-prédicat. De là résultent bien des confusions.

En Hottentot on rencontre la même liberté qu'en C 2. mais sans qu'on en éprouve les inconvénients, à cause de la présence d'une forme objective, différente de la forme subjective.

Texte en Zkhomani

ɫe na ɉubesani   xkʻoo kohare   cgoaha ha uka pakela.
nous quatre   grands zèbres avons tué de grand matin.

ɫe : pron. pers. 1 p. plur.

ɉubesani : adjectif numéral cardinal : 4.

xkʻoo : adjectif qualificatif : grand, gras.

kohare : substant. au pluriel, régime direct : *koha.*

na...cgoaha : indic. parf. de *cgoa*, tuer.

ha uka pakela : expression adverbiale « tôt dans la matinée ».

BIBLIOGRAPHIE

Travaux comparatifs :

1886. G. BERTIN, *The Bushmen and their Language.* J. R. Asiat. Soc. Gr. Br. & Ir., XVIII, Part I, 51-81.

1927. D. F. BLEEK, *The distribution of the Bushmen Languages in South-Africa.* Festschrift Meinhof, Hamburg, 1927.

1929. O. F. BLEEK, *Comparative Vocabularies of Bushmen Languages.* Univ. Capetown, Sch. Afr. Lang., Cambridge, 1929.

1937. C. M. DOKE & Rheinalt JONES, *Bushmen of the Southern-Kalahari.* Johannesburg.

Cgam-ka-qke :

P. MERIGGI, *Versuch einer Grammatik des Cgam-Buschmännischen.* Z. f. E. S., XIX, 1928-29, 117-153, 188-205.

D. F. BLEEK, *A grammatical Sketch of the Language of the Cgam-ka-qk'e.* Z. f. E. S., XIX, 1928-29, 81-98 ; XX, 1929-30, 161-174.

Qaouni :

D. F. BLEEK, *Grammatical Notes, Texts and Vocabularies of the Cauni Language.* Btu-Stud., XI, 1937, 253-278.

Zkhomani :

C. M. DOKE, *An outline of Zkhomani Bushman Phonetics.* Btu-Stud., X, 1936, 433-461.

L. F. MAINGARD, *The Zkhomani-Dialect of Bushmen.* Dans : « *Bushmen of the Southern Kalahari*, 1937, 237-275.

Bochimans de l'État d'Orange :

C. F. WURAS, *An Outline of the Bushman Language* (édit. W. Bourquin). Z. f. K. S., IX, 1919-20, 81-87.

Xkg'aou :

C. MEINHOF, *Versuch einer grammatischen Skizze einer Buschmannsprache.* Z. f. E. S., XIX, 1928-29, 161-188.

Bochimans du Transkei :

H. ANDERS, *A note on a South-East Bushman Dialect.* Z. f. E. S., XXV, 1934, 81-89.

Tati-SeSarwa :

S. S. DORNAN, *The Tati-Bushmen and their Language.* J. R. A. I., LXVII, 1917, 37-112.

Ai-Kwe = Naron :

D. F. BLEEK, *The Naron, a Bushman Tribe of the Central Kalahari.* Univ. Capetown, Sch. Afr. Lang., Cambridge, 1928.

Qkoung :

H. Vedder, *Grundriss einer Grammatik der Buschmannsprache vom Stamm der Qkung-Buschmänner*, Z. f. K. S., I, 1910-11, 5-24, 106-117.

J. Helputh, *Aus dem Wortschatz der Qkung und der Hukwe Buschmann-sprache*. Z. f. E. S., XII, 1921-22, 291-304.

C. M. Doke, *An Outline of the Phonetics of the Qkung-Bushmen of North-West Kalahari*. Btu-Stud., II, 1925, 129-165.

Bochimans de l'Angola :

D. F. Bleek, *Bushmen of Central Angola*. Btu-Stud., III, 1927, 125 sq. comp. Arch. f. Anthropol., N. F., XXI, 1927, 47-56.

III

Les Dama

L'origine des Dama est fort contestée : San ? Pyg-moïdes ? ou Négroïdes ? La plupart des ethnologues y reconnaissent des traces d'un ancien substrat prébantou. Quoique de taille pygmoïde, leur couleur (noir foncée) et leur physionomie les rapprochent plutôt des Négroïdes. Ils portent des traces indéniables de déchéance : ce qui s'explique par leur refoulement dans les recoins monta-gneux, fort inhospitaliers (Monts Otari, Monts Erongo près d'Okombahe, l'Outjo, les Waterbergen et le plateau de Komas).

Nom : le même nom leur est donné par les Bochimans et par les Hottentots :

En Hottentot : sing. *dama;* plur. *dama-n.* Duel : *dama-ra.*

En Qkoung-Bochiman : sing. : *dama;* plur. *dama-sn.*

En Hie-Bochiman : sing. : *dama;* plur. *dama-ra.*

Pour les distinguer des bantous pasteurs Ova-Herero, leurs voisins, qui sont désignés également du nom de *Dama* en Nama, on a coutume de spécifier : non pas les Dama pasteurs (Cattle-Dama, Vieh-Dama), mais les Dama des montagnes (Hill-Dama, Berg-Dama, Klipp-Kaffers en Afrikaans).

Les Ova-Herero leur appliquent le surnom : « *OvaZorotua* »

(les noirs) en opposant le noir foncé des Dama à leur propre couleur plutôt brunâtre.

Langue. Ils ne parlent plus que le dialecte Nama des Hottentots. Toutefois on fait remarquer qu'ils en prononcent mal les clics et que leur variante représente une forme de Nama très archaïque. On y voit l'indice que le Nama n'est pas leur propre langue, mais qu'ils ont dû l'emprunter aux Hottentots, au cours de la domination Nama. Lorsque celle-ci prit fin, ils tombèrent sous un joug plus dur encore, celui des Ova-Herero. Ils n'en furent libérés qu'au moment de la colonisation allemande.

Aire d'extension: Les Dama occupent actuellement la région qui s'étend de Windhoek au Sud jusqu'à l'Etocha-Pan au Nord (Afrique du Sud-Ouest).

Tribus les plus connues:

67. Ckopanin
68. Tsoa-gau-taman
69. Tauna-taman
70. Qoe-zkan
71. Qomen
72. Aope-xaen

73. Ao-koupoun
74. Animin
75. Ckaio-taman
76. Aro-taman
77. Aumin.

BIBLIOGRAPHIE

H. VEDDER, *Die Bergdama.* P. II *Die Dichtung.* Hamburg, 1923, II Vol.
C. WANDRES, *Dama-Wörter.* Z. f. E. S., XVI, 1925-26, 293-297. — *Tiernamen in der Nama- und Bergdama-Sprache, etymologisch erläutert.* Festschrift Meinhof, 1927, 125-133.
D. M. BEACH, *The Phonetics of the Hottentot Language.* Cambridge, 1938.

IV

LA LANGUE DES SANDAWE

Les Sandawe (Wachwa, Hatsa) sont estimés à 21.000 âmes. Ils résident au Tanganyika Territory dans la Province de Kilimatinde, au croisement du 5° Lat. Sud et du 36° long. Est. Ils ont été fort influencés par leurs

voisins bantous ; on retrouve néanmoins des traces de leur
ancienne manière de vivre (cueillette et petite chasse).

Dès 1910, A. Trombetti attira l'attention des linguistes
sur la parenté entre leur langue et le Hottentot. Chez les
Sandawe non wanyatourisés, il constate pour la phonétique
la présence de trois clics (dental, cérébral et latéral),
puis l'usage des tons musicaux (au moins trois). Pour la
morphologie, il en appelle à trois caractéristiques :
l'absence de préfixes, la multiplicité des suffixes, et un
genre grammatical très développé (suffixe -su pour le
féminin). Pour la syntaxe il relève la préposition du
complément régime, ce qui la rapproche de celle du
Hottentot par opposition au Bantou. O. Dempwolff en
1916 insista surtout sur les concordances entre le Sandawe
et le dialecte hottentot parlé par les Dama(ra). Il présente le Sandawe comme un résidu du substrat bochiman,
qui aurait été recouvert par une invasion de pasteurs venus
de l'Est ; ultérieurement il aurait subi sans cesse l'influence
des voisins bantous, et spécialement WanyaTourou.
H. Johnston, en 1921, réunit dans un même groupe
Sandawe et Kindiga. Il montre d'une part les concordances
avec le Hottentot, d'autre part avec les dialectes bochimans. A. Drexel (1929) a insisté surtout sur l'emploi du
genre grammatical sexuel.

BIBLIOGRAPHIE

NIGMANN, *Versuch eines Wörterbuches für Kissandavi*. M. S. O. S., XII,
1909, III Abt., 127-130.

A. TROMBETTI, *La lingue degli Ottentotti e la lingua dei Wa-Sandawi*.
Bologna, 1910 ; comp. Elementi di Glottologia, 1922, 42-44.

A. DREXEL, *Das grammatische Geschlecht in Nama und Sandawe*. Bibl.
Afric., III, 1929, 1, 51-85.

M. VAN DE KIMMENADE (C. S. Sp.) : *Les Sandawe*. Anthropos, XXI, 1936,
395-416.

(Le R. P. van de Kimmenade a composé une grammaire et un vocabulaire dont la publication prochaine a été annoncée depuis 1936).

V

LA LANGUE DES KINDIGA

Eux-mêmes s'appellent Hadzapi. Leurs voisins les désignent du nom de Kindiga. Ils vivent dans le recoin de l'« Abflussloses Gebiet » entre Irakou et l'OuSoukouma (Tangan. Terr.). Quoiqu'ils aient fortement subi l'influence des Bantous, spécialement des Issansou (bantous « hamitisés »), ils ont gardé des indices de leur ancienne parenté avec le substrat « Bochiman-Hottentot ».

Déjà en 1931 Mlle D. F. Bleek attirait l'attention sur ce fait. H. Baumann n'hésite pas à déclarer, après la dernière enquête de Kohl-Larsen (Z. f. Ethn., 1940) que cette appartenance est hors de doute. Il y ajoute également les WaNege et WaHi, comme n'étant probablement que des sous-groupes des Kindiga.

Au point de vue linguistique, D. Westermann indique quelques caractéristiques du Kindiga (Hadza) et du WaHi (Nougou, Nege) (*Völkerkunde von Afrika*, 1940, p. 401).

Pour la phonétique :

a) la présence de clics et de latérales ;

b) le fait que l'accent musical n'y a pas été reconnu, mais que l'accent dynamique y joue un rôle.

Pour la morphologie :

a) la prédominance de radicaux dissyllabiques ;

b) la présence du genre grammatical, indiqué par des suffixes au substantif et à l'adjectif ;

c) la distinction d'une forme inclusive et exclusive à la 1re p. du pluriel du pronom personnel ;

d) un certain nombre de formes morphologiques communes au Kindiga et au Sandawe.

Pour la syntaxe :

a) la postposition du complément de nom (génitif) ;

b) la position du régime objet après le verbe.

BIBLIOGRAPHIE

E. OBST, *Von Mkalama ins Land der Wakindiga.* Mitt. Geogr. Ges. Hamburg, 1912.

D. F. BLEEK, *The Hadzapi or Watindega of Tanganyika Territory.* Africa, IV, 1931, 273-286.

G. VAN BULCK.

LES LANGUES DE L'AMÉRIQUE

NOTE LIMINAIRE

*Les nombreuses langues américaines groupées provisoire-
ment en une quantité notable de familles non ramenées à
l'unité par des études comparatives n'ont d'autre part été
que dans une petite mesure mises en rapport par des linguistes
avec des langues non américaines.*

*Pour l'eskimo, à plusieurs reprises on a cru déceler des
connexions avec l'ouralien, notamment au moment où
paraissait la première édition des Langues du Monde[1].
A. Sauvageot, engagé sur cette piste en 1924 (voir ci-dessus
p. 273 et ci-dessous p. 987 avec références) y revient maintenant, après une longue interruption[2].*

*Pour les rapprochements avec des langues paléosibériennes,
voir ci-dessus, p. 276.*

*Pour les rapports entrevus par E. Sapir en 1925 entre la
famille na-déné et le sino-tibétain, voir ci-dessous, p. 1026
avec référence. Il convient de rappeler à ce sujet que les
anthropologues comprennent les Indiens d'Amérique dans
le groupe jaune, représenté surtout en Asie.*

*Pour la parenté affirmée par P. Rivet au moyen de
rapprochements abondants de vocabulaire et d'éléments
morphologiques entre la famille hoka (dans la grande famille
hoka-siou) et les langues mélanésiennes et malayo-polynésiennes, voir ci-dessous p. 992 avec références.*

Enfin, pour le groupe tchon, comprenant les langues des

---

1. Voir dans cette première édition p. 611 et aux *Additions,* p. 803.
2. Un article est à paraître dans *BSL,* t. XLVIII.

Patagons et des Fuégiens, le même auteur a rapproché le vocabulaire de celui de l'australien[1].

Il faut noter que Harry Hoijer a exprimé récemment (1946) un scepticisme général à l'égard de tous les rapprochements avancés jusqu'à présent[2].

1. P. Rivet, *Les Mélano-polynésiens et les Australiens en Amérique*, dans *Anthropos*, t. XX, 1925, pp. 52-54 (où on trouve aussi des indications sur les rapprochements anthropologiques et ethnographiques, d'une part avec la Mélanésie, d'autre part avec l'Australie) ; *Les Australiens en Amérique*, *BSL*, t. XXVI, 1925, pp. 23-63.

2. Harry Hoijer and others, *Linguistic structures of native America*, New York, 1946, p. 9. Un article récent de D. E. Ibarra Grasso, *El problema lingüístico en los orígines oceánicos de parte de los indígenas Americanos*, dans *Ciencia Nueva*, I, 1, 2, Tucuman, 1950, discute à nouveau la question ; l'auteur croit à l'existence d'un élément océanien très répandu en Amérique ; ses citations de divers auteurs et ses indications linguistiques manquent de précision.

GÉNÉRALITÉS

Au début du xvie siècle, il devait exister dans le Nouveau Monde plus de 900 langues indigènes différentes, pour une population qui n'excédait pas, au total, vingt millions de personnes. Même en se montrant très accommodant sur les preuves de parentés et en négligeant de tenir compte des langues éteintes et inconnues[1], on ne peut présentement envisager moins d'une centaine de familles linguistiques indépendantes. Un tel morcellement est remarquable et peut être considéré comme archaïque, par comparaison avec l'unité linguistique relative d'un continent comme l'Europe. Il s'explique notamment par la faible densité du peuplement indigène et par l'état culturel peu évolué de la plupart des Amérindiens. Des langues de civilisation n'avaient pas encore eu le temps de se former et d'unifier des régions étendues : cependant le quichua au Pérou, le nahuatl au Mexique, commençaient à jouer ce rôle au moment où la conquête européenne vint abattre les états indigènes qui propageaient leur usage.

SAPIR [32] a montré l'intérêt que l'étude des langues américaines présentait pour la linguistique générale. En effet, loin de se classer toutes dans un même type, comme on l'avait envisagé d'abord, elles présentent des exemples de presque tous les types morphologiques qui ont été signalés ailleurs dans le monde. De plus, leur étude a permis de définir des aires qui se distinguent par certains caractères phonétiques ou morphologiques, ce qui est important pour l'étude des phénomènes de contact.

---

1. Le nom des langues ou dialectes éteints ou supposés tels sera précédé d'un astérisque.

Le travail de description rationnelle des langues indiennes est relativement avancé en Amérique du Nord, où il a contribué à former de bons linguistes. Ce travail progresse au Mexique et débute à peine en Amérique du Sud. Un grand nombre de langues ont disparu dans le Nouveau Monde sans avoir pu être décrites de façon adéquate, et beaucoup de celles qui survivent ne sont encore connues que par des documents insuffisants, parfois même infimes. Quant aux travaux de grammaire comparée, ils sont encore en très petit nombre et méritent souvent qu'on fasse des réserves à leur sujet.

La multiplicité des langues américaines, leur extrême variété et l'état relativement peu avancé de leur étude comparative ne nous permettent pas d'en donner ici une description linguistique. Nous nous contenterons donc d'énumérer ces langues, de les classer, d'indiquer leur situation géographique et de donner les références bibliographiques nécessaires pour aborder leur étude.

Le tableau suivant présente, de façon très approximative, l'importance numérique des populations indigènes du Nouveau Monde au XVIᵉ siècle et au XXᵉ siècle.

	XVIᵉ SIÈCLE	XXᵉ SIÈCLE
AMÉRIQUE DU NORD......................	1.000.000	400.000
MEXIQUE et GUATÉMALA...................	4.500.000	4.600.000
AMÉRIQUE CENTRALE (sauf le Guatémala) ANTILLES AMÉRIQUE DU SUD	10.000.000	7.000.000
TOTAUX.................................	15.500.000	12.000.000

Ces chiffres de population, empruntés aux travaux de STEWART [35], ROSENBLAT [27], KROEBER et MOONEY ont été arrondis pour ne pas donner l'impression d'une précision illusoire. Ils sont extrêmement approximatifs, notamment en ce qui concerne le Mexique du XVIᵉ siècle, pour lequel COOK et SIMPSON viennent de proposer des chiffres plus que doubles.

Le nombre de langues est également imprécis à cause du problème des langues éteintes et aussi parce que la distinction entre langues et dialectes ne peut pas toujours être faite avec assez de précision.

Depuis l'arrivée des premiers Européens, un nombre considérable de langues a disparu. Beaucoup de celles qui subsistent sont appelées à s'éteindre prochainement. Celles-là mêmes qui demeurent bien vivaces sont menacées intérieurement par le vocabulaire anglais, espagnol ou portugais, qui les envahit progressivement. En compensation, on peut signaler que les langues européennes ont emprunté aux langues indigènes d'Amérique un assez grand nombre de mots. La proportion en est particulièrement forte dans l'espagnol du Mexique (« aztéquismes », ou emprunts au nahuatl) et dans celui du Pérou (emprunts au quichua). On pourra se faire une idée de ces « américanismes » d'origine indienne en consultant les dictionnaires de FRIEDERICI et de SANTAMARIA [**14, 31**].

Actuellement, en Amérique du Nord, la plupart des Indiens connaissent l'anglais, et les langues indigènes ont perdu toute importance pratique, sauf dans l'extrême Nord et dans certaines régions limitées du Sud-Ouest.

En Amérique latine, où le métissage est très important, on considère habituellement comme Indiens les gens qui ont une langue indienne comme langue maternelle. Ils sont particulièrement nombreux dans le Sud du Mexique, au Guatémala, dans les montagnes du Pérou et de Bolivie, enfin au Paraguay. Dans ces régions, le nombre des indigènes est parfois supérieur à ce qu'il était à l'époque précolombienne. Partout ailleurs il a fortement diminué, bien qu'il demeure important en Amazonie, dans le Matto Grosso et dans les Guyanes.

L'extinction totale des langues indigènes d'Amérique ne saurait être escomptée avant un avenir lointain. Celles du Mexique, du Guatémala et du Brésil sont trop variées et n'ont plus maintenant qu'un horizon local. Par contre, le quichua au Pérou, l'aymara en Bolivie, le guarani au Paraguay ont encore une importance nationale.

LANGUES DU COMMERCE ET DE CIVILISATION

Le morcellement linguistique qui régnait dans la plus grande partie du Nouveau Monde posait un problème pratique aux Indiens qui s'écartaient de leur résidence. Les réactions en face de ce problème ont été très variables, même à l'intérieur d'une zone limitée. Il est connu que les Pueblos ont développé leur polyglottisme et connaissent souvent plusieurs langues, tandis qu'à côté d'eux, les Navaho se refusent à parler et à comprendre autre chose que le navaho.

Au Pérou, le gouvernement incasique favorisa systématiquement la diffusion du quichua, ne reculant pas devant des mesures énergiques telles que des transferts massifs de population. Au Mexique, la prééminence politique et sociale des Aztec, succédant à celle des Toltec, tendait à faire du nahua une langue de civilisation qui se répandait peu à peu aux dépens des autres parlers. D'ailleurs le nahua jouait aussi le rôle de langue commerciale, non seulement dans l'empire aztec mais aussi, plus à l'Ouest, jusqu'au Tepic et au Jalisco et, plus au Sud-Est, le long de la côte Pacifique jusqu'à la baie de Nicoya.

Au Brésil, c'est surtout à l'époque coloniale qu'un dialecte tupi, accommodé par les missionnaires aux besoins nouveaux, se répandit à travers l'Amazonie, sans pour cela faire nécessairement disparaître les innombrables parlers locaux. Cette « *lingoa geral* » facilita les relations des Indiens entre eux et avec les Blancs, mais actuellement, elle recule devant le portugais et ne tardera sans doute pas à disparaître.

En certaines régions on vit naître parfois des langues internationales plus ou moins artificielles. C'est ainsi que le jargon mobilien, dont le vocabulaire de base était choctaw, servait aux relations commerciales depuis la Floride jusqu'au confluent de l'Ohio et du Mississipi.

De même le jargon chinook, dont le vocabulaire de base
était chinook et nootka, se répandit sur la côte de l'Océan
Pacifique jusqu'au Sud de l'Alaska et jusqu'aux limites
septentrionales de la Californie (voir Grande Famille
Penutia).

Enfin, dans les Grandes Plaines de l'Amérique du Nord,
où erraient des tribus nomades appartenant à des familles
linguistiques diverses, se forma un langage par gestes qui
était un véritable code conventionnel international,
permettant des conversations détaillées [17].

Langages spéciaux

Certains peuples américains développèrent des langages
spéciaux à usage restreint, qui généralement ne différaient
du langage ordinaire que par un petit nombre de traits.
Le parler des femmes Yana de Californie a donné lieu à
une brève étude de Sapir (voir Famille Hoka). Le langage
des femmes Caraïbes des Petites Antilles contenait une
forte proportion de mots arawak. On a noté un vocabulaire des guerriers chez les Chiricahua, un vocabulaire
rituel chez les Pueblo et les Eskimo, etc.

Un type tout différent est représenté (au Mexique) par
le langage sifflé des Mazatec qui reproduit les tons de la
langue de ces Indiens. Peut-être faut-il penser à une
technique analogue pour les messages transmis (dans le
Nord-Ouest de l'Amazonie) au moyen de grands tambours
xylophones à plusieurs notes.

Procédés mnémoniques, pictographiques, écriture indigène

Il serait à peine nécessaire de mentionner ici les bâtons
à encoches et les ficelles à nœuds, qui se rencontrent en
diverses régions du Nouveau Monde et de l'Ancien, si
l'emploi d'un de ces procédés n'avait pris au Pérou et en
Bolivie un développement particulièrement important.
Les fameux quipus, ainsi nommés en espagnol, ce qui

donne en français, au singulier, *kipou* (dont l'usage n'est
pas entièrement abandonné), étaient des séries de ficelles,
souvent de différentes couleurs, sur lesquelles on faisait
des nœuds isolés ou en groupes. Ces chapelets de nœuds
servaient d'aide-mémoire pour les statistiques, et peut-être
parfois pour les comptes de jours [16, 23]. Certains auteurs
ont prétendu que ces nœuds avaient pu constituer une
sorte d'écriture conventionnelle permettant de reproduire
des textes divers, mais cette hypothèse n'est pas soute-
nable.

Les pictographies étaient assez fréquemment utilisées
en Amérique du Nord et ont fait l'objet de plusieurs
études [18, 19]. Elles pouvaient servir d'aide-mémoire
pour faciliter le souvenir d'une série de faits [20, 29],
voire même la récitation de textes traditionnels importants
[3]. Les Cuna actuels de la région de Panama ont des
pictographies qui rendent plus aisée la récitation de textes
magico-religieux [23 bis]. Des pictogrammes ont aussi
été signalés en Colombie, chez les anciens Catios et chez
les Motilones actuels, ce qui tend à faire écarter l'hypothèse
(suggérée par Nordenskiöld) d'une influence mexicaine
transmise aux Cuna par les Nicarao. Les pétroglyphes,
qui abondent dans les deux Amériques, peuvent être
rattachés aux pictographies, mais leur étude est restée
peu fructueuse.

Dans la région hautement civilisée qui occupait la partie
méridionale du Mexique, la pictographie avait pris un
grand développement et amené la fabrication de sortes
de livres dépliants, en papier d'écorce ou en peau de cerf.

Les manuscrits que nous a fournis le territoire de
l'empire Aztec sont généralement des ouvrages rituels ou
des calendriers divinatoires [6, 34], mais il y avait aussi,
en cette zone, des registres de tributs et des annales historiques [7, 9]. Dans ces manuscrits, les représentations
pictographiques peuvent être soit complètes et détaillées,
soit schématiques, soit même réduites à quelque détail
évocateur. En ce qui concerne la numération, on employait
des points pour les unités, parfois des barres pour 5, enfin

des signes conventionnels pour 20, 400 et 8.000. Certains éléments des noms de personnes et de lieux étaient figurés par un système de rébus, premier acheminement vers une écriture syllabique [**7, 9**].

Il semble qu'un stade plus élevé encore ait été atteint par les anciens Maya qui nous ont laissé trois manuscrits [**8, 12**] et de nombreux bas-reliefs chargés d'inscriptions [**22**]. Grâce aux écrits, malheureusement trop succints, d'un missionnaire espagnol du xvie siècle et aux efforts de savants spécialisés, nous pouvons lire dans ces textes les nombres, les dates du calendrier, les noms des points cardinaux et divers autres éléments. Le reste nous échappe.

L'écriture maya était idéographique mais comportait, semble-t-il, certains éléments syllabiques [**21, 22, 13, 15**]. L'usage de cette écriture ne fut complètement abandonné qu'au début du xviiie siècle, après la destruction, par les Espagnols, de la dernière cité maya indépendante, Tayasal, prise d'assaut en 1697.

L'origine de l'écriture maya est probablement antérieure à notre ère, mais la plus ancienne inscription sûre que l'on connaisse est celle d'une plaquette gravée (conservée au Musée de Leyde), qui porte une date correspondant à 320 après J.-C., selon la corrélation communément admise. Un bas-relief, découvert récemment au lieu dit : « Tres Zapotes » (État de Veracruz) semble plus ancien de trois siècles et demi, mais sa lecture et son interprétation sont douteuses. Dans les régions mexicaines situées à l'Ouest et au Nord-Ouest de la zone maya, la connaissance de l'écriture est plus récente, cependant ses débuts ne sauraient être datés avec précision.

Parmi les trois manuscrits mayas qui nous sont parvenus, le codex conservé à Dresde est le plus ancien ; peut-être est-il antérieur au xe siècle de notre ère. En ce qui concerne les manuscrits provenant de la zone de l'empire aztec, il ne semble pas que nous possédions parmi eux d'ouvrage remontant à une époque aussi reculée.

INTRODUCTION DE L'ÉCRITURE PAR LES EUROPÉENS

Au Mexique, dans toutes les zones où les Espagnols établirent un contrôle effectif, la diffusion de l'écriture européenne fit bientôt disparaître la pictographie et l'usage des hiéroglyphes ; néanmoins certains missionnaires essayèrent d'employer les pictogrammes comme aide-mémoire pour la récitation des prières. Une tentative du même genre fut faite plus tard, au Canada, pour utiliser de façon analogue l'habitude qu'avaient les Micmac de la pictographie. En Amérique, les missionnaires espagnols ou portugais se servirent de l'alphabet latin, avec éventuellement quelques modifications, pour écrire les langues indigènes. Le résultat obtenu fut à peu près satisfaisant pour le maya, déjà moins pour le nahuatl, moins encore pour d'autres langues. La plupart des missionnaires français et anglais utilisèrent aussi l'alphabet latin pour écrire les langues indiennes. Les Russes employèrent l'alphabet cyrillique dans les îles Aléoutiennes.

Cependant des écritures spéciales furent aussi imaginées pour les langues indigènes du Nouveau Monde. Bien que d'inspiration européenne, ce sont, en général, des écritures syllabiques. La plus célèbre fut inventée, vers 1820, par un métis Cherokee appelé Sequoya, souvent surnommé George GUESS. Elle se répandit rapidement parmi les Cherokee, auxquels elle permit de rédiger de nombreux textes manuscrits et même de réaliser quelques publications.

Vers 1840, un missionnaire méthodiste anglais, le Rev. James EVANS, mit au point un alphabet syllabique pour la langue cree. Ce syllabaire fut propagé par le Rev. MASON et connut un vif succès. Il fut ensuite adapté, avec plus ou moins de bonheur, à divers dialectes cree, chippewa, athapascan et eskimo.

Vers 1885-1890, le R. P. MORICE, missionnaire mariste français, estimant que l'écriture syllabique inventée pour le cree ne convenait pas aux langues athapascan de l'Ouest canadien, en conçut une autre, assez systématique, qui fut appréciée par les Indiens.

Sur ces différents alphabets, on trouvera des renseignements et des références dans les bibliographies de Pilling, citées ci-dessous en tête des bibliographies des différents chapitres sur l'Amérique du Nord.

Les alphabets phonétiques des linguistes et des ethnologues modernes ont permis de nombreuses publications de textes indigènes, mais leur usage ne s'est pas répandu parmi les Indiens. Toutefois il faut mentionner ici un effort récent fait par des linguistes avertis, notamment au Mexique, pour mettre au point des alphabets pratiques et rationnels, adaptés aux différentes langues indiennes. Les Indigènes pourraient ainsi apprendre à lire et à écrire dans leur propre langue, ce qui constituerait un premier pas dans la voie de l'instruction.

Littérature en langue indigène

La plupart des ouvrages qui ont été publiés en langues indigènes d'Amérique sont dus à des missionnaires. Nous ne saurions entrer ici dans le détail des traductions de la Bible, des catéchismes, sermons, recueils de prières ou de cantiques, guides du confesseur et autres ouvrages de dévotion qui ont paru en des langues diverses. Le lecteur pourra s'en faire une idée en consultant les bibliographies de Pilling, du Comte de la Viñaza, de Lüdewig, de Rivet et Créqui-Montfort, de Salvador Ugarte, etc. (v. ci-dessous, bibliographie) ainsi que le *Handbook of American Indians* à l'article « Bible translations ». Il nous suffira de dire que les langues les plus favorisées à ce point de vue sont les suivantes :

Amérique du Nord : eskimo (du Groenland), cree, chippewa, mohawk, seneca, dakota, cherokee, choctaw et creek.

Amérique Centrəle : nahuatl, maya, quiché, cakchiquel.

Amérique du Sud : quichua, aymara, guarani.

Ces ouvrages religieux rédigés en langues indigènes par

les missionnaires sont, en général, de faible valeur linguistique. Dans beaucoup de cas, on peut en dire autant de certaines autres publications (souvent de même origine bien que leur caractère ne soit pas essentiellement religieux) : journaux, manuels d'enseignements et ouvrages divers, parus en quelques langues d'Amérique du Nord. Les Eskimo de l'Ouest du Groenland, maintenant très européanisés, ont à leur disposition une assez grande quantité de ces publications qui ont, pour le linguiste, l'avantage de montrer l'évolution moderne de la langue.

Il est arrivé que des indigènes, ayant appris à écrire avec des caractères latins ou syllabiques, se soient servis du nouveau procédé pour noter les anciennes traditions de leur peuple. Le fait s'est produit surtout au Mexique et au Guatémala, pays où la civilisation indienne avait atteint un niveau élevé ; mais il y en a aussi des exemples ailleurs, notamment chez les Cherokee. Telle est l'origine de quelques-uns de nos meilleurs documents sur l'histoire ou les coutumes indigènes [**2, 4, 24, 28, 30, 33, 38,** etc.]. Certains de ces textes ont été rédigés plus ou moins secrètement, comme le *Popol Vuh* [**2, 33**] ou les « Livres de Chilam Balam » [**28**], d'autres l'ont été, au contraire, avec le consentement, ou même à la demande des missionnaires. Parmi ces derniers, le plus remarquable est l'étonnante *Historia général de las cosas de Nueva España* dont le texte nahuatl [**30**] fut écrit sur l'initiative et sous le contrôle du P. Bernardino de SAHAGUN, afin de fournir, dans leur contexte normal, les éléments d'un vocabulaire complet de la langue des Aztèques.

Signalons enfin que les ethnologues et linguistes modernes ont publié des textes en un grand nombre de langues indigènes d'Amérique du Nord ou du Mexique. Les plus importants sont signalés ci-dessous dans nos bibliographies. A l'inverse des publications missionnaires, ces textes ont été généralement écrits ou dictés par des Indiens, mais ils sont réservés pour l'usage des milieux scientifiques et non destinés aux Indiens eux-mêmes.

P. RIVET et G. STRESSER-PÉAN.

BIBLIOGRAPHIE

OUVRAGES BIBLIOGRAPHIQUES CONCERNANT
DES LANGUES DES DEUX AMÉRIQUES

LÜDEWIG (H. E.), *The literature of American aboriginal languages. With additions and corrections by professor Wm. W. Turner.* Trübner's Biblioteca glottica, t. 1, Londres, 1858.

VIÑAZA (El Conde DE LA), *Bibliografía española de lenguas indigenas de América.* Madrid, 1892.

INDEX BIBLOGRAPHIQUE

1. BARLOW (R.) et MAC AFEE (B.), *Diccionario de elementos fonéticos en escritura jeroglífica.* Publicaciones del Instituto de Historia, 1ʳᵉ série, nᵒ 9, México, Universidad Nacional Autonoma, 1948.

2. BRASSEUR DE BOURBOURG (C. E.), *Popol Vuh. Le livre sacré et les mythes de l'antiquité américaine... texte quiché et traduction française en regard.* Paris, 1861.

3. BRINTON (D. G.), *The Lenâpé and their legends.* Library of aboriginal american literature, t. 5. Philadelphie, 1885.

4. BRINTON (D. G.), *The Annals of the Cakchiquels. The original text with a translation, notes and introduction by...* Library of aboriginal american literature, t. 6, Philadelphie, 1885.

5. BRINTON (D. G.), *The American race: a linguistic classification and ethnographic description of the native tribes of North and South America.* New York, 1891.

6. *Codex Borbonicus.* Manuscrit mexicain de la Bibliothèque du Palais Bourbon, publié en fac-similé, avec un commentaire explicatif par E. T. HAMY. Paris, 1899.

7. *Codex Mendoza...,* Edited and translated by James Cooper CLARK. Londres, 1938, 3 vol.

8. *Codex Peresianus...,* publié en couleurs, avec une introduction par L. DE ROSNY. Paris, 1887.

9. *Codex Telleriano Remensi...,* manuscrit mexicain... reproduit en photochromographie et précédé d'une introduction par E. T. HAMY. Paris, 1899.

10. COOK (S. F.) et SIMPSON (L. B.), *The population of Central Mexico in the sixteenth century.* Ibero-Americana, t. 31, Berkeley, 1948.

11. DIBBLE (C. E.), *El antiguo sistema de escritura en México.* Revista Mexicana de Estudios Antropológicos, México, t. 4, 1940, p. 120-128.

12. FÖRSTEMANN (E.), *Die Maya-Handschrift der Königlichen öffentlichen Bibliothek zu Dresden, herausg. von —.* Leipzig, 1880 .

13. FÖRSTEMANN (E.), *Commentary on the Maya manuscript in the Royal Public Library of Dresden.* Papers of the Peabody Museum of American Archaeology and Ethnology, Cambridge, t. 4, nᵒ 2, 1906, p. 48-266.

14. FRIEDERICI (G.), *Amerikanistisches Wörterbuch.* Abhandlungen aus dem Gebiet der Auslandkunde, t. 53, Universität Hamburg, 1947.

15. GATES (W. E.), *Commentary on the Maya-Tzendal Codex Perez.* Papers of the Peabody Museum of American Archaeology and Ethnology. Cambridge, t. 6, n⁰ 1, 1910, p. 1-64.

16. LOCKE (L. L.), *The ancient quipu, a Peruvian knot record.* New York, 1923.

17. MALLERY (G.), *Sign language among North American Indians.* First Annual Report of the Bureau of American Ethnology 1879-80, Washington, 1881, p. 263-552.

18. MALLERY (G.), *Pictographs of the North American Indians. A preliminary paper.* Fourth Annual Report of the Bureau of American Ethnology 1882-83. Washington, 1886, p. 3-256.

19. MALLERY (G.), *Picture writing of the American Indians.* Tenth Annual Report of the Bureau of American Ethnology, 1888-89. Washington, 1893, p. 3-822.

20. MOONEY (J.), *Calendar history of the Kiowa Indians.* Seventeenth Annual Report of the Bureau of American Ethnology 1895-96. Washington, t. 1, 1900, p. 129-445.

21. MORLEY (S. G.), *An introduction to the study of Maya hieroglyphs.* Bureau of American Ethnology, Bull. 57. Washington, 1915.

22. MORLEY (S. G.), *The inscriptions at Copan.* Carnegie Institution of Washington, Publication n⁰ 219. Washington, 1920.

23. NORDENSKIÖLD (E.), *The secret of the Peruvian quipus. — Calculations with years and month in the Peruvian quipus.* In : *Comparative ethnographical studies,* t. 6, nᵒˢ 1 et 2, 1925.

23 bis. NORDENSKIÖLD (E.), *Picture writings and other documents.* In *Comparative ethnographical studies,* t. 7, nᵒˢ 1 et 2, 1928-1930.

24. PREUSS (K. T.) et MENGIN (E.), *Die mexikanische Bilderhandschrift Historia tolteca-chichimeca... Teil I : Die Bilderschrift nebst Übersetzung. Teil II: Der Kommentar.* Baessler Archiv. Berlin, t. 20, n⁰ 9, 1937 ; t. 21, nᵒˢ 1-2, 1939.

25. RIVET (P.), *Langues américaines.* In : *Les langues du Monde* (1ʳᵉ édition). Collection linguistique publiée par la Société de Linguistique de Paris, t. 16, 1924, p. 597-712.

26. RIVET (P.) et CRÉQUI-MONTFORT (G. DE), *Bibliographie aymara et kičua.* Travaux et mémoires de l'Institut d'Ethnologie, t. 51. Paris, 3 vol. (sous presse).

27. ROSENBLAT (A.), *La población indigena de América desde 1492 hasta la actualidad.* Buenos Ayres, 1945.

28. ROYS (R. L.), *The book of Chilam Balam of Chumayel.* Carnegie Institution of Washington, publication n⁰ 438. Washington, 1933.

29. RUSSEL (F.), *The Pima Indians.* Twenty sixth Annual Report of the Bureau of American Ethnology 1904-05. Washington, 1908, p. 1-389.

30. SAHAGUN (B. DE), *Historia general de las cosas de Nueva España, por Fray Bernardino de Sahagún,* Publicado por la Secretaria de Instrucción Pública y Bellas Artes de México. Madrid, 1905-1907, vol. 5, 6 (2ᵉ partie), 7 et 8, seuls parus.

31. SANTAMARIA (F. J.), *Diccionario general de americanismos.* México, 1942, 3 vol.

32. Sapir (E.), *The relation of American Indian linguistics to general linguistics.* Southwestern Journal of Anthropology, t. 3, 1947, p. 1-4.

33. Schultze-Jena (L.), *Popol Vuh. Das heilige Buch der Quiché Indianer von Guatemala.* Stuttgart et Berlin, 1944.

34. Seler (E.), *Das Tonalamatl der Aubin'schen Sammlung. Eine altmexikanische Bilderhandschrift des Bibliothèque Nationale in Paris.* Berlin, 1900 (Reproduction fac-similé et commentaire).

35. Steward (J. H.), *The native population of America.* In : *Handbook of South American Indians.* Bureau of American Ethnology, Bulletin 143, t. 5. Washington, 1949, p. 655-668.

35 bis. Thompson (J. E.), *Maya hieroglyphic writing. Introduction.* Carnegie Institution, Washington. Publication 589, Washington 1950.

36. Ugarte (S.), *Catalogo de obras escritas en lenguas indigenas de México, o que tratan de ellas. De la biblioteca particular de —.* Mexico, 1949.

37. Wissler (C.), *The American Indian,* 3° edition. New York, 1938.

38. Zegarra (G. P.), *Ollantaï,* drame en vers quechuas du temps des Incas, traduit et commenté par .... Collection linguistique américaine, t. 4. Paris, 1878.

LANGUES DE L'AMÉRIQUE DU NORD[1]

GÉNÉRALITÉS

Le tableau dressé par Powell, en 1891, reste encore la base solide de tout classement des langues indigènes de l'Amérique du Nord [14]. Powell ne voulut faire état que de parentés linguistiques incontestables, basées surtout sur l'étude des vocabulaires, si bien qu'aucune des familles proposées par lui n'a été sérieusement mise en question.

Par la suite, la connaissance des langues nord-américaines progressa, et des tentatives furent faites pour réduire le nombre des familles indépendantes que Powell avait fixé à 58. Le *Handbook of American Indians* [5], publié en 1907-1910, distingue encore 56 familles mais suggère un certain nombre de rapprochements, basés surtout sur des similitudes de structures, et pouvant éventuellement aboutir à de nouvelles réunions. Puis le mouvement se précisa sous l'impulsion de Krœber, Dixon, Sapir, Radin et Frachtenberg.

Boas mit les linguistes en garde contre certains rapprochements prématurés. Il fit valoir notamment que le domaine des emprunts ne se limitait pas au vocabulaire, et il signala l'existence, en Amérique, d'aires structurales, de zones assez étendues où des langues d'origines diverses présentent des traits structuraux communs qui semblent bien être dus à des phénomènes de contact [1].

---

1. Nous tenons à remercier ici M. J. A. Mason qui nous a gracieusement fourni des renseignements et des conclusions personnelles sur les langues du Mexique, et M. C. F. Voegelin qui a bien voulu nous communiquer un exemplaire de son article, introuvable en France, sur le classement des langues nord-américaines.

Malgré cet appel à la prudence, le travail de regroupement aboutit, en 1929, à la célèbre classification de Sapir [**18**], qui répartit en six « stocks » toutes les langues d'Amérique du Nord, en y adjoignant un certain nombre de langues du Mexique et d'Amérique Centrale.

Cette classification est surtout basée sur des ressemblances structurales. Certains linguistes en ont critiqué le détail : c'est ainsi que Whorf [voir **21**] a proposé de dissocier le « stock » Hoka-Siou et de réunir les « stocks » Penutia et Uto-Aztec. D'autres ont rejeté la classification en bloc, estimant que les arguments fournis n'étaient pas proportionnés à l'importance de l'entreprise. C'est ainsi que Hoijer, dans un récent tableau des langues américaines [**6**] s'en tient, dans l'ensemble, à la classification de Powell, se contentant de signaler, avec plus ou moins de réserves, les groupements récents proposés par Sapir et ses précurseurs.

Kroeber. qui avait beaucoup contribué à classer les langues de Californie, a nuancé son jugement. Parlant des six « stocks » de Sapir, il s'est exprimé [**10**, p. 7] en ces termes : « Ils constituent, en réalité, un ensemble de prophéties prévoyant à l'avance le résultat des études futures. Bien qu'ils ne soient pas appuyés sur de véritables preuves, l'extraordinaire génie intuitif de Sapir leur confère une valeur respectable ; mais il y a lieu de les distinguer soigneusement des découvertes fondées sur des bases plus solides ».

Dans leur récente carte linguistique [**26**] qui complète un article antérieur [**23**], M. et Mme Voegelin, tout en faisant des réserves expresses sur les relations génétiques qui peuvent exister à l'intérieur des six « stocks » de Sapir, ont néanmoins utilisé ceux-ci comme un cadre pour le classement des langues indigènes d'Amérique du Nord.

En même temps, Voegelin, introduisant un progrès décisif dans la classification, entreprenait [**23**, **26**] de distinguer entre langues et dialectes. Pour lui, l'unité de base est la langue, qui peut être constituée par plusieurs dialectes, à condition que ceux-ci restent intercompréhensibles. L'application de ce principe prête d'ailleurs à la discussion car, sur une aire de quelque étendue, des dialectes centraux peuvent assurer la transition entre les dialectes des extrémités. (Ainsi, selon Fenton, Voegelin aurait été plus strict dans la distinction en langues des dialectes Iroquois que dans celle des dialectes Cree-Montagnais-Naskapi).

On peut espérer que les études de linguistique comparée des langues nord-américaines vont entrer maintenant dans une nouvelle phase de progrès, dont témoignent déjà les premières tentatives de reconstitution du Uto-Aztec commun et du « Proto-Algonquin ».

Dans le présent travail, nous avons pris pour cadre les six « stocks » de Sapir, appelés ici « grandes familles », non sans faire de sérieuses réserves quant à la parenté réelle, génétique, des langues ainsi groupées. Pour mieux marquer la différence avec les familles génétiques bien établies, Voegelin préfère désigner chacun de ces « stocks » par un numéro ; mais les noms proposés par Sapir nous ont paru d'un usage plus commode et moins déroutant pour le lecteur.

Ces « grandes familles » ont été divisées par nous en « familles » dont certaines représentent les familles de Powell, et d'autres des groupements plus récents, parfois encore contestés, comme la famille Hoka. Certaines familles ont été à leur tour fractionnées en groupes, et les groupes eux-mêmes en langues. Le texte s'efforce d'indiquer la valeur que l'on peut accorder à ces différentes subdivisions et à leurs parentés réelles ou supposées. La définition des diverses langues a été basée sur le travail de Voegelin, à part quelques exceptions.

Certaines langues du Mexique, d'Amérique Centrale et même d'Amérique du Sud ayant pu être rattachées aux grandes familles Hoka-Siou et Uto-Aztec ont été traitées ici avec ces grandes familles d'Amérique du Nord. Par contre, les langues de type Penutia, que Sapir [18] et d'autres ont signalées au Mexique et en Amérique Centrale, ont été renvoyées au chapitre consacré à ces dernières régions.

32

L'échelle de notre carte (XVII, A et B) ne permettait pas d'y porter une nomenclature complète. Chaque langue a donc été désignée par un numéro, à l'intérieur de la grande famille à laquelle elle se rattache. Un nombre variable d'apostrophes après le numéro a permis, dans certains cas, de localiser les principaux dialectes[1].

Le tracé des limites linguistiques pose un problème d'ordre historique. En effet, le territoire de beaucoup de tribus a considérablement varié depuis le xvie siècle. Il n'est pas possible de choisir une date unique pour localiser toutes les langues d'Amérique du Nord, car certains groupes s'étaient déjà déplacés, ou avaient même été anéantis, avant que l'existence ou la situation exacte de beaucoup d'autres ne soient venues à la connaissance des Européens.

Les principales migrations ou modifications territoriales ont été indiquées dans le texte. Pour les Grandes Plaines, où elles ont été très importantes, le sens général en est connu, mais les détails chronologiques et géographiques sont encore trop imprécis pour qu'on puisse actuellement figurer l'état de choses qui régnait au milieu du xviie siècle. Il faut donc, pour la carte, se résoudre à des inconséquences que l'on peut résumer dans le tableau suivant :

Mexique.	xvie siècle
Vallée du St. Laurent.	
Provinces orientales du Canada.	Milieu du
États-Unis à l'Est du Mississipi.	xviie siècle
Louisiane, Est du Texas et de l'Oklahoma.	
Pueblos de l'Arizona et du New Mexico.	
Centre Nord du Canada.	xviiie siècle
Côte Sud de la Californie.	
Peuples Athapascans du Sud-Ouest.	Première
Grandes Plaines.	moitié
Montagnes Rocheuses et Grand Bassin.	du
Californie (sauf la côte au Sud de San Francisco).	xixe siècle
Oregon et côte Nord-Ouest.	
Extrême Nord-Ouest du Canada.	

1. Ces numéros sont indiqués dans le texte immédiatement à la suite des noms de langues, entre parenthèses.

Intérieur de l'Alaska. $\left\{\begin{array}{l}\text{Seconde}\\\text{moitié du}\\\text{XIX}^{\text{e}}\text{ siècle}\end{array}\right.$

Les problèmes de géographie historique et linguistique de l'Amérique du Nord ont été traités dans de nombreux ouvrages ou articles. Dans une récente synthèse, Kroeber a indiqué les références les plus importantes et les plus nouvelles [9, p. 9-11].A sa liste il convient notamment d'ajouter : Swanton [20] pour tout le Sud-Est, C. F. et E. W. Voegelin [26] pour les peuples Algonquin du Centre, ainsi que la carte générale [26], déjà citée, des Voegelin.

J. Alden Mason [12] et F. Johnson [7] ont fait pour le Mexique et l'Amérique Centrale un travail analogue à celui de Voegelin pour l'Amérique du Nord, classant langues et dialectes et les situant géographiquement, autant que le permettait la documentation actuelle. Nous avons utilisé cette synthèse pour les familles Uto-Aztec et Hoka.

De la classification et de la répartition géographique des langues nord-américaines, Sapir [17] pensait pouvoir tirer des déductions d'ordre historique. Il en concluait notamment que les grandes familles Na-Dene et Eskimo groupaient les peuples venus en dernier dans le Nouveau Monde. Récemment Voegelin [24] a repris le problème en utilisant deux facteurs : celui de la diversité linguistique et celui de la connexité géographique. Il estime que la grande famille Eskimo, qui ne comprend que quatre langues et dont le territoire est pratiquement continu, a dû arriver la dernière en Amérique du Nord, tandis que la grande famille Hoka-Siou serait sans doute la plus ancienne pour les raisons inverses. Le cas des quatre autres grandes familles lui paraît douteux.

Cependant, il semble assez probable que la grande famille Na-Dene a pu être l'avant-dernière arrivée dans le Nouveau Monde, comme le pensait Sapir. En effet, une grande partie des peuples Na-Dene est encore installée au voisinage du détroit de Behring, et y présente des différences linguistiques bien plus considérables que celles qui

se rencontrent dans les groupes Na-Dene disséminés plus
au Sud. On pourrait également spéculer sur le cas de la
langue Beothuk que C. F. et E. W. Voegelin proposent de
séparer de la famille Algonquin et qui, de ce fait, représenterait sans doute l'ultime témoin d'un ancien peuplement.

On a noté depuis longtemps que le morcellement linguistique était extrême dans la zone montagneuse qui borde le
Pacifique. Les groupements de Sapir réduisent ce morcellement sans le faire disparaître.

Au contraire, dans les régions situées à l'Est des
Montagnes Rocheuses, chaque langue occupait en général
une aire assez étendue. On peut ajouter que les tribus
indigènes y étaient souvent très mobiles, même celles qui
accordaient beaucoup d'importance à la vie agricole. Les
vastes territoires occupés par certaines langues du versant
atlantique correspondaient parfois à une extension peu
ancienne (cas des Sioux dans les Grandes Plaines). Inversement, la vallée de l'Ohio, dont l'archéologie est très riche,
était à peu près vide d'habitants quand les premiers
Européens y pénétrèrent au xviie siècle, ce qui implique
une émigration assez récente. Bushnell a publié naguère
un court essai [2] où il reconstitue, non sans quelque
témérité, les mouvements migratoires qui ont mis en place
les familles linguistiques, à l'Est du Mississipi, au cours
des derniers siècles précédant la pénétration européenne.
Ces idées n'étaient peut-être pas absentes de l'esprit de
Sapir au moment où il élaborait sa grande classification.

Nous avons été invités à ajouter à notre texte quelques
données d'ordre statistique. Mais, si les langues indigènes
ont encore, de nos jours, une grande importance dans le
Sud du Mexique et au Guatemala, il n'en est pas de même
sur le territoire des États-Unis et du Canada, sauf en
quelques régions écartées. Il nous a donc paru préférable
d'indiquer approximativement le nombre d'Indiens qui
parlaient chaque langue avant que ce nombre fût modifié
par le contact européen.

Nous avons pris pour base les calculs de Mooney [13]
complétés pour la Californie par ceux de Kroeber [8] ;

pour le Nord-Ouest du Mexique par ceux de Sauer [**19**] ;
pour la Basse Californie par ceux de Meigs, cités par
Kroeber [**9**, p. 178-179].

Pour les langues mexicaines du Nord-Est, du Centre et
du Sud, il n'existe pas de statistiques anciennes et nous
n'avons pu indiquer que des ordres de grandeur, en faisant
état des études de Sauer, Rosenblat, Cook et Simpson
(voir les généralités), ainsi que des recensements des
missions du Nouveau Santander, au XVIIIᵉ siècle.

Toutefois, dans certains cas, nous avons cru devoir
substituer aux chiffres de Mooney des données ou suggestions d'auteurs plus récents : Swanton [**20**] pour le Sud-
Ouest, Hunt et Fenton pour les Iroquois, Kroeber [**9**] et
Hill pour les Navaho. Nous avons dû, par ailleurs, adapter
les chiffres de Mooney aux limites des langues définies
dans notre texte, ce qui n'a pu se faire parfois sans quelque
arbitraire.

Nos renseignements statistiques sont donc présentés avec
d'expresses réserves. Ce genre d'évaluation comporte des
risques d'erreurs inévitables : ainsi les écarts entre les
auteurs varient du simple au double ou au triple en ce qui
concerne les Hurons, les Navaho ou les Indiens du Mexique.
Kroeber [**9**, p. 177-179] a signalé un contraste très grand
entre les chiffres peut-être trop élevés calculés pour l'ancien
Mexique et les chiffres peut-être trop faibles calculés
pour les États-Unis et le Canada. Selon lui, ces données
seraient incompatibles, et l'une ou l'autre série devrait
être considérée comme fausse.

Toutes provisoires qu'elles sont, ces statistiques permettent cependant certaines réflexions. Elles réduisent,
par exemple, l'importance des peuples de la grande forêt
boréale dont les domaines immenses, mais presque déserts,
ne doivent pas faire illusion. Elles favorisent, au contraire,
les tribus de la côte pacifique qui peuplaient de façon
assez dense des territoires très restreints.

L'ensemble de nos chiffres fait surtout apparaître le
très faible peuplement indigène de l'Amérique du Nord.
Kroeber avait déjà montré [**9**] qu'il ne s'y trouvait jadis

aucune région de quelque étendue où la densité de population atteignît un habitant par kilomètre carré. Cet état de
chose dut influer sur l'évolution des langues, conjointement
avec l'absence presque totale de grands organismes politiques unificateurs. Le morcellement linguistique qui en
était le résultat, est mis en pleine lumière par le fait qu'au
Nord de la frontière mexicaine actuelle il n'existait jadis
aucune langue qui fût parlée par plus de 50.000 personnes.
Sur les 204 langues de cet immense territoire, 70 % étaient
parlées par moins de 5.000 personnes chacune. On y
trouvait même 34 langues parlées chacune par moins de
1.000 personnes, contre à peine 10 parlées chacune par
plus de 20.000 personnes.

A l'opposé, les conditions particulières créées par la
haute civilisation méso-américaine apparaissent clairement
si l'on considère que la langue Nahua, ou Aztec, était
certainement employée par plus d'un million de personnes,
donc par plus d'individus qu'il n'en existait dans toute
l'Amérique Septentrionale au Nord du Rio Grande.

Afin d'éviter que nos données numériques ne soient
d'ordre purement rétrospectif, nous avons indiqué par
un astérisque les langues actuellement éteintes, nous nous
sommes efforcés de signaler celles qui sont à la veille de
l'extinction et nous avons donné une mention spéciale à
celles qui ont conservé jusqu'à nos jours une importance
ou une vitalité particulière.

En ce qui concerne les noms de langues et de dialectes,
nous avons finalement décidé de les présenter avec
l'orthographe que leur donnent les publications scientifiques récentes. Pour l'Amérique du Nord, la plupart de
ces publications sont en langue anglaise, et les noms en
question y sont rédigés de façon plus uniforme que dans la
littérature très internationale qui concerne l'Amérique du
Sud. D'ailleurs le *Handbook of American Indians* contient
un index des principaux synonymes, grâce auquel on peut
se guider assez bien dans la littérature ancienne. Ces
noms de tribus et de langues ont des origines diverses,
indiennes ou européennes et leur orthographe a été fixée,

suivant les cas, par des Français, des Espagnols ou des Anglo-Saxons[1].

Le travail de classement effectué par Voegelin a d'ailleurs créé un nouveau problème de nomenclature. En effet, il serait souhaitable qu'un nom spécial pût être trouvé pour désigner certaines langues qui réunissent un grand nombre de dialectes ou de tribus. Il ne nous appartenait pas de prendre de décision à ce sujet, et nous avons simplement énuméré les principaux dialectes ou groupes tribaux, comme l'avait fait Voegelin.

Le nombre des publications consacrées aux langues d'Amérique du Nord a considérablement augmenté depuis la dernière édition des Langues du Monde. Nous nous sommes efforcés de donner ici des indications permettant d'aborder le sujet, mais nous avons dû nous limiter et omettre des travaux non négligeables, dont on trouvera facilement la référence avec l'aide des ouvrages ou articles que nous avons signalés. On remarquera que les diction-naires sont rares et que ceux qui existent sont plutôt dus à des missionnaires qu'à des linguistes professionnels. Ces derniers s'en tiennent généralement aux descriptions phonologiques et structurales et aux recueils de textes.

BIBLIOGRAPHIE

Dans les bibliographies des chapitres consacrés aux langues de l'Amérique du Nord, le manque de place nous a contraints d'employer les abréviations suivantes :

AA   = American Anthropologist.
APAMNH = Anthropological Papers of the American Museum of Natural
                History.
BAE   = Bureau of American Ethnology. (Bull. = Bulletin ; Ann.
                Rep. = Annual Report).
CUCA   = Columbia University Contributions to Anthropology.
IJAL   = International Journal of American Linguistics.
JSA   = Journal de la Société des Américanistes.

1. Pour en faciliter la prononciation, la rédaction des Langues du Monde à introduit dans le texte une transcription phonétique approximative (en italiques), mise entre parenthèses à la suite des noms cités par les auteurs du présent chapitre, dont la responsabilité n'est pas engagée.

PAES   = Publications of the American Ethnological Society.
PAPS   = Proceedings of the American Philosophical Society.
UCPAAE   = University of California Publications in American Archeology
            and Ethnology.
VFPA   = Viking Fund Publications in Anthropology.

Le principal périodique traitant des langues indigènes d'Amérique du
Nord est *International Journal of American Linguistics*, édité d'abord à
New-York (un peu irrégulièrement), puis à Baltimore. Voir aussi : *Language,
Word, American Anthropologist,* et *Journal de la Société des Américanistes*.
Ce dernier organe publie, depuis 1919, une bibliographie américaniste
annuelle, dans laquelle une section est réservée aux travaux sur les langues
d'Amérique du Nord.

OUVRAGES BIBLIOGRAPHIQUES

*A bibliographical check list of North and Middle American Indian
linguistics in the Edward E. Ayer collection.* Chicago, 1941.
*Bibliography of bibliographies of North American Indian languages still
spoken.* IJAL, Baltimore, t. 13, 1947, p. 268-273.
CROFT (K.), *A guide to source material on extinct North American Indian
languages.* IJAL, Baltimore, t. 14, 1948, p. 260-268.
GODDARD (P. E.), *The present condition of our knowledge of North American
languages.* AA, Lancaster, n. s., t. 16, 1914, p. 556-601.
MURDOCK (G. P.), *Ethnographic bibliography of North America.* Yale
Anthropological Studies, New Haven, 1941.
SWADESH (M.), *Bibliography of American linguistics, 1936-1937.* Language,
Baltimore, t. 14, 1938, p. 318-323.
TOOMEY (N.), *Bibliography of lesser North American linguistic families.*
Saint-Louis, MO., Hervas Laboratories, 1917.
VOEGELIN (C. F.), *Bibliography of American Indian linguistics, 1938-41.*
Language, Baltimore, t. 18, 1942, p. 133-139.
VOEGELIN (C. F.) et HARRIS (Z. S.), *Index to the Franz Boas collection
of materials for American linguistics.* Language monograph 22, Baltimore,
1945.

Consulter aussi les bibliographies de LÜDEWIG et du Comte de LA VIÑAZA
(qui traitent des deux Amériques et ont été citées ci-dessus : voir généralités),
ainsi que les bibliographies spécialisées de PILLING (qui seront citées ci-
dessous à propos de chacune des grandes familles linguistiques d'Amérique
du Nord).

INDEX BIBLIOGRAPHIQUE

1 BOAS (F.), *The classification of American languages.* AA, Lancaster,
t. 22, 1920, p. 367-376.
2 BUSHNELL (D. I.), *Tribal migrations East of the Mississipi River.*
Smithsonian Miscellaneous Collection, Washington, t. 89, n° 16, 1934.
3 GODDARD (P. E.), *The present condition of our knowledge of North
American languages.* AA, Lancaster, n. S., t. 16, p. 556-601.
4 *Handbook of American Indian Languages.* (Edited by Franz Boas).
Part 1-2, BAE, Bull. 40, t. 1 et 2, Washington, 1911-1922 ; Part 3, New-

York, 1933-1939 ; Part 4, New-York, 1941 (Monographies décrivant chacune une langue typique).

5 *Handbook of American Indians North of Mexico* (Edited by F. W. Hodge). BAE, Bull. 30, t. 1 et 2, Washington, 1907-1910, 972-1221 p. (Dictionnaire des tribus indiennes de l'Amérique du Nord et de leur ethnologie. Index des noms de tribus et de leurs variantes. Bibliographie).

6 HOIJER (H.), *Introduction*. In : *Linguistic Structures of native America*. VFPA, t. 6, New York, 1946, p. 9-29 (Classification des langues d'Amérique du Nord, avec notes bibliographiques).

7 JOHNSON (F.), *The linguistic map of Mexico and Central America*. In : *The Maya and their neighbors*. New York et Londres, 1940, p. 88-114.

8 KROEBER (A. L.), *Handbook of the Indians of California*. BAE, Bull. 78, Washington, 1925. (Monographies ethnologiques des tribus californiennes, avec statistiques, cartes linguistique et bibliographie).

9 KROEBER (A. L.), *Cultural and natural areas of native America*. UCPAAE, Berkeley et Los Angeles, t. 38, 1939.

10 KROEBER (A. L.), *The Work of John R. Swanton*. In : *Essays in historical anthropology of North America*. Smithsonian Miscellaneous Collections t. 100, Washington, 1940, p. 1-9.

11 *Linguistic structures of native America* (Osgood, éditeur). VFPA, New York, t. 6, 1946. (Brèves monographies, décrivant chacune une langue typique).

12 MASON (J. A.), *The native languages of Middle America*. In : *The Maya and their neighbors*. New York-Londres, 1940, p. 52-87.

13 MOONEY (J.), *The aboriginal population of America, North of Mexico*. Smithsonian Miscellaneous Collection, Washington, t. 80, n° 7, 1928.

14 POWELL (J. W.), *Indian linguistic families North of Mexico*. BAE, 7th Annual Report 1891, Washington, 1892, p. 1-142.

15 RADIN (P.), *The genetic relationship of the North American Indian languages*. UCPAAE, Berkeley, t. 14, n° 5, 1919, p. 489-502.

16 RADIN (P.), *The classification of the languages of Mexico*. Tlalocan, Azcapotzalco, t. 1, n° 3, 1944, p. 259-265.

17 SAPIR (E.), *Time perspective in aboriginal American culture*. Canada Department of Mines, Geological Survey, Memoir 90, Anthropological Series n° 13, Ottawa, 1916.

18 SAPIR (E.), *Central and North American languages*. In : *Encyclopaedia Britannica*, 14th edition, Londres, 1929, t. 5, p. 138-141.

19 SAUER (C.), *Aboriginal population of northwestern Mexico*. Ibero-Americana, t. 10, Berkeley, 1935.

20 SWANTON (J. R.), *The Indians of the Southeastern United States*. BAE, Bull. 137, Washington, 1946.

21 TRAGER (G. L.), *Review of « Map of North American Indian languages »*, compiled and drawn by C. F. Voegelin and E. W. Voegelin. IJAL, Baltimore, t. 11, 1945, p. 186-189.

22 UHLENBECK (C. C.), *Die einheimische Sprachen Nord Amerikas bis zum Rio Grande*. Anthropos. St. Gabriel Mödling, bei Wien, t. 3, 1908, p. 773-799.

23 VOEGELIN (C. F.), *North American Indian languages still spoken and their genetic relationships*. In : *Language, culture and personnality. Essays in memory of Edward Sapir*. Menasha, Wis., 1941, p. 15-40.

24 Voegelin (C. F.), *Relative chronology of North American linguistic types.* AA, Menasha, Wis., t. 47, 1945, p. 232-234.

25 Voegelin (C. F.), *Influence of area in American Indian linguistics.* Word, New York, t. 1, 1945, p. 54-58.

26 Voegelin (C. F.) et Voegelin (E. W.), *Map of North American Indian languages.* PAES, in collaboration with Indiana University, New York J. J. Augustin, 1944 (Carte linguistique, avec tableau de classement des langues et des principaux dialectes).

27 Voegelin (C. F.) et Voegelin (E. W.), *Linguistic considerations of Northeastern North America.* In : *Man in Northeastern North America,* edited by Frederick Johnson. Papers of the Robert S. Peabody Foundation for Archaeology, Andover, t. 3, 1946, p. 178-194.

I. — GRANDE FAMILLE ALGONQUIN-WAKASH

La grande famille Algonquin-Wakash comprend les familles Algonquin proprement dite, *Beothuk *(beoṭuk)*, Ritwan, Chimakum *(čimakum)*, Wakash *(wakaš)*, Kutenai et Salish *(seliš)*, soit environ 51 langues. Ces langues se parlaient naguère sur un territoire continu s'étendant, d'Est en Ouest, à travers tout le continent et, en plus, dans quelques îlots isolés. Déjà, en 1907-10, le Handbook of North American Indian signalait des similitudes entre les différentes familles susdites. Leur parenté fut affirmée par E. Sapir, en 1929, mais elle n'est pas encore acceptée sans réserves par tous les linguistes [**60**, **39**, **61**, **63**].

A) FAMILLE *ALGONQUIN* PROPREMENT DITE
[**38**, **78**, **40**, **44**, **65**, **5**]

Les langues de la famille Algonquin proprement dite peuvent être réparties provisoirement en 4 groupes : 1º groupe central et oriental, 2º groupe Blackfoot ; 3º groupe Cheyenne ; 4º groupe Arapaho.

Le groupe central et oriental formait un bloc cohérent qui occupait le Nord-Est du continent. Sa continuité territoriale n'était guère interrompue que par l'intrusion des tribus iroquoises dans la vallée du Saint-Laurent et autour des lacs Érié et Ontario. Dans la forêt boréale, les langues de ce groupe étaient parlées depuis le Labrador jusqu'au fleuve Churchill. Plus au Sud, elles occupaient presque entièrement les rives méridionales et occidentales des grands lacs et, le long de la côte atlantique, elles s'étendaient depuis l'embouchure du Saint-Laurent jusqu'au Pamlico Sound. A une date assez récente, ce groupe gagna du terrain vers l'Ouest canadien (Cree des prairies, Chippewa des prairies) et vers le centre des États-Unis (Illinois, Peoria, Shawnee). Les peuples Algonquins des forêts du Nord vivaient péniblement de chasse, de pêche et de cueillette, et les immenses territoires où ils erraient ne doivent pas faire illusion sur leur importance numérique (densité : de 1 à 2 habitants par 100 kilomètres carrés). Les tribus méridionales du groupe pratiquaient l'agriculture mais, dans la région des Grands Lacs, de l'Illinois ou du Tennessee, elles étaient cependant très mobiles et déplaçaient facilement leurs villages. La densité de population ne dépassait

0,12 habitants au kilomètre carré que sur la côte atlantique, au-dessous du 43° degré de latitude, et dans la région du riz sauvage à l'Ouest du lac Michigan. Nulle part cette densité n'atteignait 0,75 habitants au kilomètre carré.

Les langues des groupes Blackfoot, Cheyenne et Arapaho étaient parlées dans les Grandes Plaines, non loin des Montagnes Rocheuses. On s'accorde à penser qu'elles étaient jadis en usage dans la région située à l'Ouest des Grands Lacs mais on n'a de précisions à ce sujet que pour le Cheyenne et l'Arapaho, qui parvinrent dans les Grandes Plaines pendant l'époque coloniale. Quoi qu'il en soit, la phonologie et le vocabulaire de ces langues montrent que chacune d'elles a évolué isolément depuis une période assez ancienne. Au XIXᵉ siècle, les peuples Algonquins des Grandes Plaines étaient des nomades chasseurs de bisons, mais les Cheyenne et les Arapaho n'avaient complètement abandonné l'agriculture que depuis peu de temps.

L'étude des langues Algonquin est assez avancée. On trouvera, en tête de la bibliographie de Bloomfield, une série de références à des tentatives de reconstitution de l'Algonquin commun, ou Proto-Algonquin. Voir aussi **5, 10** *bis*, **26** *bis*, **42, 44, 59, 65**.

a) Groupe central et oriental

Nous traiterons ce groupe comme un ensemble. En effet, son partage en un sous-groupe central et un sous-groupe oriental semble avoir surtout une valeur géographique. Au point de vue linguistique, cette subdivision paraît artificielle à C. F. Voegelin, n'étant basée que sur certains caractères arbitrairement choisis. Toutefois Bloomfield la maintenait.

Les langues Algonquin dites « orientales » étaient parlées sur la côte atlantique, depuis le Pamlico Sound jusqu'à l'embouchure du Saint-Laurent. Beaucoup d'entre elles sont éteintes et mal connues. Pour leur classification, nous suivrons Voegelin qui a eu communication des conclusions encore inédites de Siebert

Le groupe central et oriental comprenait 19 langues :

1° Cree (1) — Montagnais (1') — Naskapi (1''). [**7, 9, 36, 45**].

(Langue parlée par environ 25.000 personnes au début du XVIIᵉ siècle, et par un nombre analogue de nos jours).

Son territoire couvre une zone forestière immense mais très faiblement peuplée, qui s'étend du fleuve Churchill jusqu'au Labrador. On peut dire que toute cette aire n'est occupée que par une seule langue dont les dialectes se répartissent en deux groupes : groupe des dialectes Cree *(kri)* à l'Ouest, groupe des dialectes Montagnais-Naskapi à l'Est. C'est à une époque assez tardive que certains Cree sortirent des forêts pour aller s'établir dans les prairies à l'Ouest du lac Manitoba. Les Tête de Boule[1] sont une tribu Cree isolée parmi les Montagnais sur le cours supérieur de la rivière Saint-Maurice. Les Naskapi vivent au Nord des Montagnais, entre la côte du Labrador et les rives orientales de la Baie d'Hudson. La langue Cree semble avoir notablement évolué durant ces deux derniers siècles. Michelson [**45**] a publié le tracé, assez complexe, de quelques lignes d'isoglosses dans le territoire des dialectes Cree-Montagnais-Naskapi.

---

1. Ce nom doit leur avoir été donné à cause de la forme de leur tête.

2º Ojibwa (2) — Ottawa (2′) — Algonquin (2″). [**10, 3, 24, 33**].

Langue parlée au début du xviiᵉ siècle par environ 42.300 personnes et, de nos jours, par un nombre analogue.

La langue Ojibwa occupait, au sud de la langue Cree, un territoire essentiellement forestier qui s'étendait du North Dakota à la vallée du Saint-Laurent. Les Ojibwa, ou Chippewa *(čipewa)*, vivaient surtout autour du Lac Supérieur, et y résident encore. Ils avaient, au Sault Sainte-Marie, un centre important qui les a fait localement appeler « Saulteux » par les Français. Les Ottawa, dont le domaine était sur les rives du lac Huron, sont maintenant installés, pour une grande part, en divers points des États-Unis, notamment au Michigan et dans l'Oklahoma. Les Algonquins proprement dits[1] résident, comme jadis, au Nord-Ouest du Saint-Laurent. Ces diverses tribus ne parlaient que les dialectes d'une seule et même langue.

3º Menomini. [**4, 8**].

(Environ 3.000 personnes au milieu du xviiᵉ siècle). Le Menomini est parlé par la tribu du même nom qui, aujourd'hui comme par le passé, est établie entre le lac Supérieur et le lac Michigan.

4º Fox (4) — Sauk (4′) — Kickapoo (4″). [**32, 6, 41**]

(D'après Mooney, environ 8.500 personnes en 1650, mais Michelson juge ce chiffre exagéré).

La langue en question était parlée par trois tribus : les Fox ou Renards[2], les Sauk et les Kickapoo *(kikapu)*. Les dialects Fox et Sauk sont très analogues ; le dialecte Kickapoo est assez divergent. Le territoire de ces Indiens s'étendait jadis à l'Ouest du lac Michigan. La plupart d'entre eux vivent maintenant en Oklahoma, à l'exception des Fox, fixés dans l'Iowa, et d'une partie des Kickapoo qui a cherché refuge au Coahuila, dans le Nord du Mexique.

5º Potawatomi. [**30**]

(Environ 4.000 personnes en 1650).

La langue Potawatomi est parlée par la tribu de ce nom, qui était anciennement établie entre les lacs Huron et Michigan. Attaqués par les Iroquois, au xviiᵉ siècle, ces Indiens sont maintenant dispersés entre l'Ontario (lac Saint-Clair), le Wisconsin, le Kansas et l'Oklahoma.

6º *Illinois (6), *Peoria (6′), *Miami (6″), *Piankashaw (6‴), *Wea (6⁗). [**75**]

(Environ 14.000 personnes en 1650).

Cette langue groupait plusieurs dialectes, parlés par de nombreuses petites tribus qui vivaient, au début du xviiᵉ siècle, dans le Nord de l'Indiana et de l'Illinois, ainsi que dans le Nord-Est de l'Iowa, mais qui poussèrent vers le Sud au cours de la période coloniale. La confédération des *Illinois groupait six ou sept tribus dont les *Peoria, les *Kahokia, les *Michigamea, les *Moingwena et les *Tamaroa. Les *Michigamea, parvenus plus au Sud que le confluent de l'Ohio et du Mississippi, furent refoulés par les Quapaw à la fin du xviiᵉ siècle.

La tribu des *Miami était étroitement associée avec les tribus *Pian-

---

1. Leur nom vient d'un nom de lieu *algumakin* « où on pêche au harpon ».

2. Ce nom, traduction de *wagaš* « renard rouge », qui désignait à l'origine les membres d'un clan, a été étendu par les Français à toute la tribu.

kashaw *(pyankašǫ)* et *Wea. Il existe encore, en Oklahoma, des survivants de ces différents groupes mais ils ont cessé de parler leur ancienne langue.

7º Shawnee (7) — et peut-être Chowanoc (7'). [**74, 75**]
(Environ 2.000 personnes en 1650, selon Swanton ; plus éventuellement 1.500 Chowanoc).

La langue Shawnee *(šǫni)* était parlée par une tribu très mobile qui se fractionna à plusieurs reprises. Les Shawnee (ou Shawano), ont peut-être anciennement voisiné avec les Delaware, près de la côte atlantique ; cependant ils n'apparaissent dans des documents précis qu'à la fin du xviiᵉ siècle et se sont alors divisés en deux fractions : une fraction orientale, récemment installée en Caroline du Sud sur le cours moyen du fleuve Savannah, et une fraction occidentale de l'autre côté du territoire Cherokee, dans le bassin des rivières Tennessee et Cumberland. De plus, il est possible qu'un autre groupe Shawnee fût représenté par les *Chowanoc de la Caroline du Nord, établis sur la rivière Chowan, près des tribus iroquoises des Tuscarora, des *Nottoway et des *Meherrin. Après plusieurs fractionnements et des migrations en sens divers, les restes du peuple Shawnee ont été finalement regroupés dans l'Oklahoma.

8º *Pamlico. [**37**]
(Environ 1.200 personnes au début du xviiᵉ siècle, selon Swanton).

La langue *pamlico, dont il subsiste un vocabulaire, était parlée en Caroline du Nord, au voisinage de Pamlico Sound et de Abemarle Sound. On suppose qu'elle était commune aux Indiens Pamlico et à quelques tribus voisines.

9º *Powhatan. [**43**]
(Environ 9.800 personnes au début du xviiᵉ siècle, selon Swanton).

La langue *Powhatan *(pauhatan)* occupait la côte atlantique, depuis le fleuve Potomac jusqu'aux environs de Abemarle Sound. Il subsiste, dans cette région, quelques survivants des tribus de la confédération Powhatan, mais ils ont cessé de parler leur langue. Speck a signalé des ressemblances particulières entre cette langue et les dialectes Cree.

10º *Nanticoke — *Conoy. [**21**]
(Environ 4.700 personnes au début du xviiᵉ siècle.

La langue *Nanticoke, ou *Nanticoke-*Conoy, était parlée par des tribus de la baie Chesapeake. Les * Nanticoke établis sur la rivière qui porte leur nom, et les *Conoy *(konoy)* de la région de Baltimore et de Washington, étaient peut-être anciennement apparentés aux Delaware et aux Shawnee.

11º Delaware. [**77, 77** *bis*, **20, 22**]
(Environ 8.000 personnes au début du xviiᵉ siècle).

La langue Delaware *(delawar)* était jadis parlée sur la côte atlantique, depuis le cours inférieur de l'Hudson jusqu'à la région de Baltimore. Cette langue compte actuellement deux dialectes : le Munsee *(munsi)* et le Lenape, ce dernier ayant été probablement parlé par les anciennes fractions appelées Unami et Unalachtigo. Les Delaware, ou Lenape, improprement appelés « les Loups » par les Français du Canada, avaient une situation prééminente parmi les peuples algonquins de l'Est. Leurs traditions étaient jadis transmises oralement, avec l'aide de pictographies ; en 1822, elles furent dictées au voyageur Rafinesque qui les écrivit en caractères européens. Pictogrammes, textes et traduction anglaise furent publiés plus tard sous le nom de Walam-

Olum. Les survivants des tribus de la confédération Delaware sont maintenant, pour la plupart, établis dans l'Oklahoma.

12º *Mohegan — *Pequot — *Montauk. [**53, 67**]
(Environ 13.800 personnes au début du xviiᵉ siècle).

Une langue qu'on peut appeler *Mohegan-*Pequot *(mohegan-pekwot)* était employée, au début du xviiᵉ siècle, dans le Connecticut, sur la rive gauche du bas Hudson et dans l'île de Long Island. Cette langue était parlée notamment par les *Mohegan et les *Pequot, tribus alliées établies dans l'Est du Connecticut, par les *Montauk *(montǫk)* et les *Unqwachog *(unkwačog)* ou *Patchoag de Long Island, enfin par les *Quinnipiac et les *Nangatuck *(nangatuk)*, tribus de l'Ouest du Connecticut qui faisait partie de la confédération Wappinger.

13º *Narraganset — *Niantic.
Environ 4.000 personnes au début du xviiᵉ siècle.

Cettte langue occupait alors la côte du Rhode Island actuel, et était parlée par deux tribus alliées, les *Narraganset à l'Est, et les *Niantic à l'Ouest.

14º *Massachusett — *Nauset — *Wampanoag — *Cowesit. [**70**]
(Environ 9.600 personnes au début du xviiᵉ siècle.)

A cette époque, cette langue qu'on pourrait appeler « Massachusett » occupait ce qui est devenu la côte du Massachusetts et l'intérieur du Rhode Island.

Les *Massachusett *(massačuset)* proprement dits étaient établis sur les bords de la baie qui a gardé leur nom ; ils nous sont connus notamment par la bible que le missionnaire Eliot traduisit jadis dans leur langue, à Natick, village d'Indiens convertis. Les *Wampanoag et les *Nauset *(nǫset)* occupaient la région du cap Cod et les îles voisines. Les *Cowesit *(kowesit)* vivaient dans le Nord du Rhode Island actuel.

15º *Nipmuck — *Pocumtuck.
(Environ 17.000 personnes au début du xviiᵉ siècle).

Cette langue était employée par les tribus Nipmuck *(nipmuk)* et Pocumtuck *(pokumtuk)* dans ce qui est devenu plus tard la partie occidentale de l'État de Massachusetts.

16º *Mahican (16) — *Pennacook (16').
Environ 5.000 personnes au début du xviiᵉ siècle.)

Les *Mahican ou « Loups » vivaient dans la moyenne vallée de l'Hudson et dans le territoire de l'actuel État de Vermont, les *Pennacook *(pennakūk)* dans l'actuel New Hampshire.

17º Penobscot (17) — Abnaki (17'). [**56, 50, 65, 68**]
(Environ 2.200 personnes au début du xviiᵉ siècle).

Le territoire de cette langue a formé la plus grande partie de l'État actuel du Maine. Les tribus Penobscot des bords de la baie du même nom, et Abnaki des forêts de l'intérieur, ont encore des représentants dans le Maine.

18ᵉ Malecite (18) — Passamaquoddy (18'). [**51, 52**]
(Environ 1.600 personnes au début du xviiᵉ siècle.)

Cette langue était employée dans le Sud de ce qui est devenu l'État du Nouveau Brunswick. Les Passamaquoddy vivaient, et vivent encore, sur les bords de la baie qui porte leur nom. Les Malecite *(malesit)*, établis plus au Nord, parlent un dialecte à peine différent.

19º Micmac. [**47, 54**]

(Environ 3.500 personnes au début du xviiᵉ siècle.)

La langue Micmac était parlée naguère depuis l'embouchure du Saint-Laurent jusqu'au cap de Sable et à l'île de Cap Breton. Les Micmac, appelés Souriquois par les anciens colons français, vivent encore disséminés, par petits groupes, dans cette zone de forêts. Quelques-unes de leurs bandes se sont installées à Terre-Neuve depuis le xviiiᵉ siècle. Les dialectes Micmac de Gaspésie seraient assez divergents par rapport aux autres. On a signalé certaines ressemblances intéressantes entre la langue des Micmac et celle des lointaines tribus occidentales des Arapaho et des Atsina.

b) Sous-groupe Blackfoot

20º Blackfoot (20) — Blood (20′) — Piegan (20″). [**72, 73, 71, 76**]

(Environ 15.000 personnes en 1780).

Le sous-groupe Blackfoot ne comprend qu'une seule langue qu'on peut appeler « Blackfoot », et qui, au milieu du xixᵉ siècle, occupait l'extrême Nord-Ouest des Grandes Plaines au pied des Montagnes Rocheuses, depuis la North Saskatchewan River, jusqu'à la Yellowstone River. Cette langue était parlée, avec certaines variations dialectales, par trois tribus fédérées : les Blackfoot proprement dits, ou Pieds-Noirs[1], ou Siksika, à l'Est ; les Blood, ou Gens du Sang, ou Kainah, au Nord-Ouest ; et les Piegan *(pigan)*, ou Pikuni, au Sud. Bien que les Blackfoot aient été, au xixᵉ siècle, des nomades typiques des Grandes Plaines, on a quelques raisons de penser qu'ils ont pu venir anciennement des bords de la Red River, ou même de régions forestières situées plus à l'Est, non loin du lac Supérieur.

c) Sous-groupe Cheyenne

21º Cheyenne (21 C. du Nord ; 21′ C. du Sud et *Sutaio). [**48, 49, 59, 44**]

(Environ 3.500 personnes en 1780).

Le sous-groupe Cheyenne ne comprend que la langue de ce nom et le dialecte *Sutaio *(sutayo)*. Au xviiᵉ siècle, Les Cheyenne vivaient près des sources du Missouri et pratiquaient l'agriculture. Pressés par les Sioux, ils émigrèrent vers le Sud-Ouest et devinrent des chasseurs de bisons dans la prairie. Au cours de leur exode, ils incorporèrent la tribu *Sutaio qui leur était apparentée et qu'ils assimilèrent entièrement au milieu du xixᵉ siècle. Vers 1840, les Cheyenne se divisèrent : un groupe septentrional s'établit entre les rivières North Platte et South Platte, un groupe méridional s'établit sur le haut Arkansas. Les Cheyenne du Nord se sont vu attribuer une réserve dans le Montana, ceux du Sud une autre dans l'Oklahoma. Par rapport aux langues Algonquin du Centre, le Cheyenne est moins divergent que le Blackfoot ou l'Arapaho, cependant les différences qu'il présente sont assez grandes pour impliquer une longue séparation. On peut penser que, bien avant le xviiᵉ siècle, les Cheyenne vivaient déjà à l'écart des Algonquins du Centre.

---

1. Ce nom est la traduction du mot indigène *siksika*, de *siksinam* « noir » et *ka*, racine de *oqkač* « pied », et a dû être appliqué à ces Indiens à cause de la couleur de leurs mocassins, peints en noir ou noircis par les cendres des feux allumés par eux dans la prairie.

d) Sous-groupe Arapaho

22° Arapaho (22). — Atsina (22'). [**35**].
(Environ 6.000 personnes en 1780).

Ce sous-groupe ne comprend qu'une seule langue qui se divisait autrefois en cinq dialectes. Il semble qu'anciennement les Arapaho vivaient dans le « Parkland », à l'Ouest des Grands Lacs et pratiquaient l'agriculture. Par la suite, ils émigrèrent dans les Grandes Plaines et devinrent des nomades chasseurs de bisons. Lowie estime que les différences linguistiques entre l'Arapaho et les langues Algonquin du Centre supposent une séparation d'au moins un millénaire.

Il subsiste actuellement deux dialectes Arapaho : l'Arapaho proprement dit et l'Atsina. Les Arapaho proprement dits, ou *Hinana'éina^n*, se fractionnèrent à une époque récente en deux groupes dont les parlers sont restés à peu près identiques. Le groupe du Nord se trouvait, vers 1850, près des sources de la Northern Platte et fut ensuite transféré dans le Wyoming. Vers 1850. le groupe du Sud se trouvait au voisinage de la rivière Arkansas et fut transféré quelques années plus tard dans l'Oklahoma. Les Atsina, ou *Hitoūnéna^n*, communément appelés « Gros Ventres de la Prairie »[1] étaient établis beaucoup plus au Nord. Au milieu du XIXe siècle, ils étaient confédérés avec les Blackfoot et vivaient parmi ceux-ci, près de la rivière Milk, entre la South Saskatchewan et le haut Missouri. Les Atsina sont restés dans l'État de Montana.

Il existait naguère trois autres dialectes Arapaho qui ont disparu, les groupes qui les parlaient ayant fusionné avec les Arapaho proprement dits. Le *Bāsa^{n}wūnéna^n*, encore parlé peut-être par quelques vieillards, était très semblable à l'Arapaho proprement dit. Le *Na^{n}watināhāna^n*, dont Lowie a pu recueillir un bref vocabulaire à la fin du XIXe siècle, se rapprochait du Cheyenne et des langues Algonquin du Centre. Le *Hā^{n}anakawūnéna^n* a disparu avant d'avoir pu être noté. D'après les Indiens, il était intermédiaire entre l'Arapaho proprement dit et le Blackfoot.

B) FAMILLE *BEOTHUK

23° *Beothuk. [**31, 78**]
(Environ 500 personnes en 1600, chiffre jugé douteux par Mooney lui-même).

La langue *Beothuk *(beotuk)* comprenait, semble-t-il, plusieurs dialectes. Elle était parlée par une tribu de chasseurs et pêcheurs assez primitifs qui occupaient jadis l'île de Terre-Neuve. L'invasion de l'île par les Micmac et l'occupation des côtes par les Européens amenèrent la disparition totale des

---

1. Ne pas confondre avec les Hidatsa, ou « Gros Ventres du Missouri », dont la langue appartient à la Grande Famille Hoka-Siou (voir p. 1017). Le nom de « Gros Ventres » vient d'un contresens fait par les trappeurs français dans l'interprétation des signes désignant ces tribus dans la langue par gestes : dans le cas des Atsina, le geste évoque des gens toujours affamés et qui mendient ; dans le cas des Hidatsa, le geste sert à désigner un tatouage particulier en raies sur la poitrine ; la ressemblance des deux gestes explique l'appellation commune.

*Beothuk au cours du XIXe siècle. La langue *Beothuk est insuffisamment connue. Il n'est pas certain qu'elle appartienne à la famille Algonquin, car les ressemblances signalées de ce côté pourraient être attribuées à un contact ancien et prolongé ayant amené des emprunts réciproques (selon Voegelin).

C) FAMILLE *RITWAN* [**60, 39, 61, 62**]

Dixon et Kroeber (1913) avaient formé une famille Ritwan en réunissant le Yurok (famille Weitspekan de Powell) et le Wiyot (famille Wishoskan de Powell). — Sapir rapprocha les langues Ritwan des langues Algonquin (1913), puis les fit rentrer dans sa grande famille Algonquin-Wakash, malgré de vives controverses. Bien que californiennes, les tribus de la famille Ritwan présentent de nombreux traits de civilisation dus à l'influence des peuples pêcheurs de la côte Nord-Ouest.

24º Yurok. [**34, 81**]
(Environ 2.500 personnes en 1780, d'après Kroeber).

Le Yurok, ou Weitspek, est parlé dans le Nord de la Californie par une petite tribu qui, au milieu du XIXe siècle, occupait la basse vallée du fleuve Klamath et la côte située plus au Sud, jusqu'au 41º de latitude. La partie méridionale de la zone côtière avait trois dialectes particuliers, mais le plus différencié était encore aisément compris des Indiens de la vallée.

25º Wiyot. [**57, 34**]
(Environ 1.000 personnes en 1780, selon Kroeber).

Le Wiyot, ou Wishosk *(wišosk)* ou Sulatelak, est parlé par une petite tribu qui, vers 1850, occupait la côte californienne au Sud du pays Yurok, jusqu'au voisinage du cap Mendocino.

D) FAMILLE *CHIMAKUM*

Cette famille ne comprend que deux langues, assez étroitement apparentées, qui étaient parlées par deux petites tribus de pêcheurs, dans le Nord-Ouest de l'État actuel de Washington.

26º * Chimakum. [**11**]
(Environ 400 personnes en 1780).

Les *Chimakum *(čimakum)* vivaient dans la région où s'élève maintenant la ville de Port Townsend, à l'angle du canal de Hood et du détroit de Juan de Fuca.

27º Quileute. [**2, 1**]
(Environ 500 personnes en 1780).

Les Quileute *(kwileute)* occupaient la côte du Pacifique, au Sud du cap Flattery, depuis 50 jusqu'à 80 kilomètres environ de ce cap.

E) FAMILLE *WAKASH*

Les langues Wakash *(wakaš)* étaient parlées sur les rives de l'Océan Pacifique (depuis la rive méridionale du détroit de Juan de Fuca jusqu'au canal de Douglas et au 54e degré de latitude) par des tribus de pêcheurs dont la civilisation, assez brillante, était typique de la « côte Nord-Ouest » de l'Amérique. Ces langues sont encore parlées, dans la même région, par de petits groupes d'indigènes très européanisés. On peut répartir les langues Wakash en deux groupes : 1º groupe Nootka *(nutka)*, 2º groupe Kwakiutl.

a) Groupe *Nootka*

Le groupe Nootka *(nutka)* comprend trois langues :

28° Nootka. [**69, 64**]

(Environ 5.400 personnes en 1780.)

Le Nootka proprement dit était parlé sur la côte occidentale de l'île Vancouver, depuis le cap Cook jusqu'au Barklay Sound.

29° Nitinat.

(Environ 600 personnes en 1780).

Le Nitinat était aussi parlé sur la côte occidentale de l'île Vancouver, mais plus au Sud, depuis le Barclay Sound jusqu'à la pointe Sheringham, au Nord du détroit de Juan de Fuca.

30° Makah.

(Environ 2.000 personnes en 1780).

Le Makah était parlé autour du cap Flattery, à l'entrée du détroit de Juan de Fuca (sur la rive méridionale de ce détroit, dans l'État de Washington).

b) Groupe *Kwakiutl*

Le groupe Kwakiutl comprend trois langues :

31° Kwakiutl [**12, 15, 11** *bis,* **14**]

(Environ 4.500 personnes en 1780).

Le Kwakiutl proprement dit était, et est encore parlé à l'extrémité septentrionale de l'île Vancouver, ainsi que sur la terre ferme, de l'autre côté du détroit de la Reine Charlotte, entre le Cap Caution et le Bute Inlet.

32° Bella Bella. [**17**]

(Environ 900 personnes en 1780).

Le domaine de cette langue se situait à l'entrée du River Inlet et du Fitz Hugh Sound, au Nord du Kwakiutl proprement dit.

33° Kitamat-Haisla

(Environ 1.800 personnes en 1780).

Cette langue, avec deux dialectes principaux, était parlée sur la côte de la Colombie Britannique, depuis le Douglas Channel jusqu'au Rivers Inlet (sauf sur les bords du Dean Channel, du Burke Channel et des rivières Salmon et Bella Coola, zone occupée par la tribu Salish des Bella Coola qui était, en quelque sorte, enclavée en territoire Kitamat).

Les Kitamat étaient aussi appelés « Heiltsuk », mais ce terme a servi également à désigner les Bella Bella.

F) FAMILLE *KUTENAI*

43° Kutenai. [**23, 26, 13**]

(Environ 1.200 personnes en 1780).

La famille Kutenai ne comprend qu'une seule langue, le Kutenai, ou Kootenay *(kutenę),* avec deux dialectes faiblement divergents : le Kutenai d'amont et le Kutenai d'aval. Les Kutenai étaient des chasseurs et des pêcheurs. Ils vivent actuellement dans les vallées du lac et de la rivière Kootenay, à l'intérieur des Montagnes Rocheuses, mais prétendent que leurs ancêtres sont venus de régions situées plus à l'Est. Il est possible qu'ils aient été refoulés par les Blackfoot, au xviie ou xviiie siècle.

G) FAMILLE *SALISH* [**16, 19, 29, 79**]

Au milieu du xixᵉ siècle, les langues Salish *(seliš)* étaient parlées de part et d'autre de la frontière séparant le Canada des États-Unis. Sur la côte du Pacifique, on trouvait des groupes Salish depuis les Coast Ranges du Nord-Ouest de l'Oregon jusqu'au Bute Inlet, en Colombie Britannique, avec la tribu Bella-Coola, isolée plus au Nord au delà du 52ᵉ degré de latitude. Dans l'intérieur des Montagnes Rocheuses, les Salish s'étendaient depuis le cours moyen du fleuve Columbia jusqu'aux sources du Fraser. Il y avait même des Salish sur le haut Missouri, en bordure des Grandes Plaines. — Les groupes côtiers les plus septentrionaux avaient subi l'influence civilisatrice des tribus dites de la côte Nord-Ouest. Cette influence s'estompait dans les groupes du Sud ou de l'intérieur, où le niveau culturel était assez bas. Enfin, au début du xixᵉ siècle, les groupes du Sud-Est subirent l'influence des Indiens des plaines.

Les peuples Salish étaient souvent fractionnés en groupes locaux infimes, dont beaucoup ont disparu et dont le classement est parfois malaisé. Cependant toutes les langues Salish sont encore parlées de nos jours par des indigènes peu nombreux, que la civilisation blanche a submergés sans les refouler à de grandes distances. Les langues Salish se subdivisent en une foule de dialectes et sont encore imparfaitement classées. Nous distinguerons parmi elles un groupe de la côte et un groupe de l'intérieur, quoique cette classification, consacrée par Boas, ne corresponde pas toujours bien aux variantes phonétiques signalées par le même Boas et par Haeberlin.

a) *Groupe de l'intérieur*

35° Shuswap.
(Environ 5.300 personnes en 1780).

Le Shuswap *(šuswap)* était parlé sur un territoire montagneux assez étendu, depuis la haute vallée de la rivière Thompson jusqu'au lac Quesnel et aux sources du Fraser.

36° Lillooet.
(Environ 4.000 personnes en 1780).

Le Lillooet *(lilluet)* était parlé dans la haute vallée de la rivière Lillooet, dans les montagnes voisines de la côte.

37° Thompson.
(Environ 5.000 persocnes en 1780).

Le Thompson, ou Ntlakyapamuk, était parlé au confluent du Fraser et de la rivière Thompson et, plus au Sud-Est, jusqu'au delà de l'actuelle frontière des États-Unis.

38° Okanagon — Sanpoil — Nespelem — Sinkaietk — Colville — Lake [**79**]
(Environ 4.500 personnes en 1780).

On peut appeler Okanagon l'ensemble des dialectes parlés par les Okanagon (établis sur le lac de ce nom et plus à l'Est), par les Sanpoil, Nespelem et Sinkaietk des bords du fleuve Columbia, les Colville, en amont des précédents, enfin les Lake, dans la vallée du lac Arrow.

39° Wenatchi.
(Environ 4.500 personnes en 1780).

On peut appeler Wenatchi les dialectes parlés au Sud-Ouest des précédents, depuis le mont Chapaca, au Nord, et la Grande Coulée, au Sud-Est, jusqu'au mont Rainier. — Ces dialectes, intercompréhensibles entre eux, étaient ceux des Wenatchi, des Peskwaus, des Chelan *(čelan)*, des Methow *(Metau)*, des Sinkiuse *(sinkius)* et de diverses petites tribus établies dans la moyenne vallée du fleuve Columbia.

40° Flathead — Pend d'Oreilles — Kalispel — Spokane. [**28, 80, 79**]
(Environ 3.200 personnes en 1780).

Cette langue étendait son territoire depuis les sources du Missouri jusqu'au confluent du fleuve Columbia et de la rivière Spokane. Elle comprenait plusieurs dialectes parlés par les Flathead, ou Salish proprement dits du haut Missouri, par les Pend d'Oreilles du lac Flathead, par les Kalispel du lac Pend d'Oreilles, enfin par les Spokane établis sur la basse rivière Spokane et, plus au Sud, jusqu'à la rivière Snake.

41° Cœur d'Alène. [**58, 79**]
(Environ 1.000 personnes en 1780).

La tribu Cœur d'Alène[1] ou Skitswish était établie sur les bords du lac Cœur d'Alène et de la rivière Saint-Joseph (Nord de l'État actuel de Idaho).

b) *Groupe de la côte*

42° Bella Coola [**46**]
(Environ 1.400 personnes en 1780.)

La langue Bella Coola *(bellakula)*, isolée parmi les langues Wakash du Nord, était parlée sur les bords du Dean Channel, du Burke Channel et des rivières Salmon et Bella Coola (Colombie Britannique).

43° Comox — Pentlatch — Shishiatl.
(Environ 3.100 personnes en 1780).

Cette langue est un ensemble de dialectes intercompréhensibles parlés, sur la côte orientale de l'île Vancouver, par les Pentlatch et les Comox, et, sur la terre ferme (de l'autre côté du détroit de Georgia), par un autre groupe de Comox et par les Shishiatl ou Sheshelt *(šišiatl* ou *šešelt)*.

44° Squamish.
(Environ 1.800 personnes en 1780).

La langue Squamish *(skwamiš)* ou Squawmish était parlée sur les bords du Howe Sound et du Burrard Inlet, au Nord de l'embouchure du fleuve Fraser.

45° Nanaimo — Cowichan.
(Environ 12.600 personnes en 1780).

On peut appeler Nanaimo-Cowichan la langue qui est parlée par les Nanaimo et les Cowichan *(kaoičan)* du Sud-Est de l'île Vancouver et, de l'autre côté du détroit de Géorgie, par les tribus de la basse vallée du Fraser.

46° Lummi — Songish — Clallam.
(Environ 3.800 personnes en 1780).

Les dialectes de cette langue étaient parlés par trois tribus séparées : les Lummi, qui occupaient les îles San Juan et la côte voisine, au Sud de l'embouchure du Fraser ; les Songish *(songiš)* ou Lkungen, qui vivaient à l'extrémité

---

1. Ce nom est la traduction d'un mot employé par un Indien pour apprécier le cœur des trafiquants.

sud-est de l'île Vancouver, enfin les Clallam installés sur la rive Sud du détroit de Juan de Fuca.

47° Nootsak.

(Environ 300 personnes en 1780).

Le Nootsak *(nutsak)* ou Nooksak *(nuksak)* était parlé par une petite tribu établie, à l'Est des Lummi, dans quelques vallées voisines du mont Baker. Cette langue serait analogue au Squamish. Voegelin ne la mentionne pas dans sa classification. Peut-être pourra-t-on l'intégrer à un des groupes de dialectes environnants.

48° Nisqually — Puyallup. [**27, 55**]

(Environ 4.000 personnes en 1780).

On peut donner le nom de Nisqually-Puyallup *(niskwalli-puyallup)* à un ensemble de dialectes intercompréhensibles parlés sur les rives du Puget Sound, depuis le mont Baker et la vallée de la Skagit au Nord, jusqu'au mont Rainier et aux alentours de la ville actuelle d'Olympia au Sud.

Les principales tribus de cette zone sont les suivantes : Nisqually, Puyallup, Muckleshoot, Suquamish, Duwamish, Snuqualmi, Skykomish, Snohomish, Stillaquamish, Skagit.

49° Twana.

(Environ 1.000 personnes en 1780).

La langue Twana, ou Skokomish, était parlée à l'Ouest du Puget Sound, sur les bords du canal de Hood.

50° Chehalis — Cowlitz — Quinault. [**18**]

(Environ 2.500 personnes en 1780).

Cette langue réunissait un ensemble de dialectes parlés au Nord de la basse vallée du Columbia, jusqu'au petit fleuve Quinault au Nord-Ouest, et jusqu'au mont Rainier à l'Est. Elle était parlée notamment par les Chehalis *(čehelis)* d'aval, les Chehalis d'amont, les Cowlitz *(kaoliⱡ)*, les Satsop, les Winooche *(winuče)*, les Humptulips, les Oyhut, les Copalis, les Quinault, les Queets, les Hoh, etc...

51° Tillamook .[**25**]

(Environ 1.500 personnes en 1780).

La langue Tillamook *(tillamuk)* était parlée sur la côte de l'Oregon, depuis la pointe Tillamook jusqu'aux environs de la ville actuelle de New Port. Les Tillamook étaient séparés des autres peuples Salish par les Chinook de la basse vallée du fleuve Columbia.

BIBLIOGRAPHIE
DE LA GRANDE FAMILLE ALGONQUIN-WAKASH

(ABRÉVIATIONS, voir p. 967).

OUVRAGES BIBLIOGRAPHIQUES

Pilling (J. C.), *Bibliography of the Algonquian languages*. BAE, Bull. 13, Washington, 1891.

Bloomfield (L.), *Bibliography of Algonquian, according to language groups*. In : *Linguistic structures of Native America*, VFPA, t. 6, New York, 1946, p. 123-129.

PILLING (J. C.), *Bibliography of the Wakashan languages*. BAE, Bull. 19, Washington, 1894.

PILLING (J. C.), *Bibliography of the Salishan languages*. BAE, Bull. 16, Washington, 1893.

INDEX BIBLIOGRAPHIQUE

1 ANDRADE (M. J.), *Quileute texts*. CUCA., New York, t. 12, 1932.

2 ANDRADE (M. J.). *Quileute*. In : *Handbook of American Indian Languages*, Part III, New York, 1933, p. 149-292.

3 BARAGA (F.), *A grammar and dictionary of the Otchipwe language*. Montréal, 1879, 3 vol.

4 BLOOMFIELD (L.), *The Menominee language*. Proceedings of the 21st International Congress of Americanists, first part, held at the Hague, August 1924. La Haye, 1924, p. 336-343.

5 BLOOMFIELD (L.), *On the sound system of central Algonquian*. Language, t. 1, Menasha, 1925, p. 130-156.

6 BLOOMFIELD (L.), *Notes on the Fox language*. IJAL, New York, t. 4, nos 2-4, 1927, p. 181-219.

7 BLOOMFIELD (L.), *The Plains Cree language*. Atti del XXII Congresso internazionale degli Americanisti, Roma, Settembre 1926, Rome, t. 2, 1928, p. 427-431.

8 BLOOMFIELD (L.), *Menominee texts*. PAES, New York, t. 12, 1928.

9 BLOOMFIELD (L.), *Plains Cree Texts*. PAES, New York, t. 16, 1934.

10 BLOOMFIELD (L.), *Algonquian*. In : *Linguistic structures of native America*. VFPA, t. 6, New York, 1946, p. 85-129.

10 bis BLOOMFIELD (L.), *Proto-algonquian -i.t « fellow »*, Language, Baltimore, t. 17, 1941, p. 292-297.

11 BOAS (F.), *The Chemakum language*. AA, Washington, t. 5, 1892, p. 37-44.

11 bis BOAS (F.), *Kwakiutl tales*. CUCA, New York, t. 2, 1910, et t. 26, 1935.

12 BOAS (F.), *Kwakiutl*. In : *Handbook of American Indian Languages*. Part I, BAE, Bull. 40, t. 1, Washington, 1911, p. 423-557.

13 BOAS (F.), *Kutenai tales, together with texts collected by A. F. Chamberlain*. BAE, Bull. 59, Washington, 1918.

14 BOAS (F.), *Ethnology of the Kwakiutl, based on data collectioned by George Hunt*. BAE, 35th Annual Report 1921, 2 vol.

15 BOAS (F.), *A revised list of Kwakiutl suffixes*. IJAL, New York, t. 3, no 1, 1924, p. 117-131.

16 BOAS (F.), *Distribution of Salish dialects and of languages spoken in the adjoining territory, before 1800...* In : HAEBERLIN, TEIT & ROBERTS, *Coiled basketry in British Columbia and surrounding region*. BAE, 41st Annual Report 1914-24, Washington, 1928 (Carte linguistique, avec classification mais sans commentaire).

17 BOAS (F.), *Bella Bella texts*. CUCA, New York, t. 5, 1928.

18 BOAS (F.), *A Chehalis text*. IJAL, New York, t. 8, 1934, p. 103-110.

19 BOAS (F.) et HAEBERLIN (H.), *Sound shifts in Salishan dialects*. IJAL, New York, t. 4, nos 2-4, 1927, p. 117-136.

20 BRINTON (D. G.), *The Lenâpé and their legends.* Brinton's Library of aboriginal american literature, t. 5, Philadelphie, 1885.

21 BRINTON (D. G.), *A vocabulary of the Nanticoke dialect.* PAPS, Philadelphie, t. 31, 1893, p. 325-333.

22 BRINTON (D. G.) et ANTHONY (A. S.), *Lenâpe-English dictionary, from an anonymous manuscript.* Philadelphie, 1888.

23 CANESTRELLI (P.), *Grammar of the Kutenai language (Annoted by Franz BOAS),* IJAL, New York, t. 4, n° 1, 1926, p. 1-84.

24 CUOQ (J. A.), *Lexique de la langue algonquine.* Montréal, 1886.

25 EDEL (M. M.), *The Tillamook language.* IJAL, New York, t. 10, n° 1, 1939, p. 1-57.

26 GARVIN (P.), *Kutenai. I : phonemics, II : morpheme variations, III : morpheme distributions.* IJAL, Baltimore, t. 14, 1948, p. 37-42, 87-90, 171-187.

26 bis GEARY (James A.), *Protoalgonquian *çk : further examples,* Language, Baltimore, t. 17, 1941, p. 304-310.

27 GIBBS (G.), *Dictionary of the Niskwally.* Contributions to North American Ethnology, Washington, t. 1, 1877, p. 285-361.

28 GIORDA (J.), *A dictionary of the Kalispel or Flat Head Indian language.* St. Ignatius Mission, 1877-1879.

29 HAEBERLIN (H. K.), *Types of reduplication in the Salish dialects.* IJAL, New York, t. 1, n° 2, 1918, p. 154-174.

30 HOCKETT (C. F.), *Potawatomi.* IJAL, Baltimore, t. 14, 1948, p. 1-10, 63-73, 139-149, 213-225.

31 HOWLEY (J. P.), *The Beothucks or Red Indians, the aboriginal inhabitants of Newfoundland.* Cambridge, 1915.

32 JONES (W.), *Algonquian (Fox). Revised by Truman Michelson.* In : *Handbook of American Indian Languages,* Part I, BAE, Bull. 40, t. 1, Washington, 1911, p. 735-873.

33 JONES (W.), *Ojibwa texts (edited by Truman Michelson).* PAES, t. 7, part I, Leyde, 1917, par II, New York, 1919.

34 KROEBER (A. L.), *The languages of the coast of California, North of San Francisco,* UCPAAE, Berkeley, t. 9, n° 3, 1911, p. 273-435.

35 KROEBER (A. L.), *Arapaho dialects.* UCPAAE, Berkeley, t. 12, n° 3, 1916, p. 71-138.

36 LACOMBE (A.), *Dictionnaire de la langue des Cris.* Montréal, 1874.

37 LAWSON (J.), *The history of Carolina...* Londres, 1714, p. 225-230.

38 MICHELSON (T.), *Preliminary report on the linguistic classification of Algonquian tribes.* BAE, 28th Annual Report 1906-07, Washington, 1912, p. 221-290.

39 MICHELSON (T.), *Two alleged Algonquian languages of California.* AA, Lancaster, n. s., t. 16, 1914, p. 361-367, t. 17, 1915, p. 194-198.

40 MICHELSON (T.), *The fundamental principles of Algonquian languages.* Journal of the Washington Academy of Sciences, t. 16, n° 13, 1926, p. 369-371.

41 MICHELSON (T.), *Notes on the Fox Wâpanowiweni.* BAE, Bull. 105, Washington, 1932.

42 MICHELSON (T.), *Phonetic shifts in Cheyenne.* IJAL, New York, t. 8, n° 1, 1933, p. 78.

43 MICHELSON (T.), *The linguistic classification of Powhatan*. AA, Menasha, n. s., t. 35, 1933, p. 549.

44 MICHELSON (T.), *Phonetic shifts in Algonquian languages*. IJAL, New York, t. 8, 1934-1935, p. 131-171.

45 MICHELSON (T.), *Linguistic classification of Cree and Montagnais-Naskapi dialects*. In : Anthropological papers, n° 8, BAE, Bull. 123, Washington, 1939, p. 67-95.

46 NEWMAN (S.), *Belle Coola*. IJAL, Baltimore, t. 13, 1947, p. 129-134.

47 PACIFIQUE (Le R. P.), *Leçons grammaticales, théoriques et pratiques de la langue Micmaque*. Sainte Anne de Ristigouche, 1939.

48 PETTER (R.), *Sketch of the Cheyenne grammar*. Memoirs of the American Anthropological Association, Lancaster, Pa., t. 1, 1907, p. 443-478.

49 PETTER (R.), *English-Cheyenne dictionary*. Kettle Falls, Washington, 1913-1915.

50 PRINCE (J. D.), *The Penobscot language in Maine*. AA, Lancaster, Pa., n. s., t. 12, 1910, p. 183-208.

51 PRINCE (J. D.), *The morphology of the Passamaquoddy language*. PAPS, Philadelphie, t. 53, 1914, p. 92-117.

52 PRINCE (J. D.), *Passamaquoddy texts*. PAES, New York, t. 10, 1921.

53 PRINCE (J. D.) et SPECK (F. G.), *Glossary of the Mohegan-Pequot language*. AA, Lancaster, Pa., n. s., t. 6, 1904, p. 18-45.

54 RAND (Rev. S. T.), *Dictionary of the language of the Micmac Indians*. Halifax, 1888.

55 RANSOM (J. E.), *Notes on Duwamish phonology and morphology*. IJAL, Baltimore, t. 11, 1945, p. 204-210.

56 RASLES (S.), *A dictionary of the Abnaki language*. Memoirs of the American Academy of Sciences and Arts, Cambridge, Mass, t. 1, 1833, p. 375-574.

57 REICHARD (G. A.), *Wiyot grammar and texts*. UCPAAE, Berkeley, t. 22, n° 1, 1925, p. 1-215.

58 REICHARD (G. A.), *Cœur d'Alene*. In : *Handbook of American Indian languages*, Part 3, New York, 1938, p. 521-707.

59 SAPIR (E.), *Algonkin P and S in Cheyenne*. AA, Lancaster, Pa., n. s., t. 15, 1913, p. 538-539.

60 SAPIR (E.), *Wiyot and Yurok, Algonkin languages of California*. AA, Lancaster, Pa., n. s., t. 15, 1913, p. 617-646.

61 SAPIR (E.), *Algonkin languages of California, a reply*. AA, Lancaster, PA., n. s., t. 17, 1915, p. 188-194 et 198.

62 SAPIR (E.), *The Algonkin affinity of Yurok and Wiyot kinship terms*. JSA, Paris, n. s., t. 25, 1923, p. 37-74.

63 SAPIR (E.), *Central and North American languages*. In : *Encyclopædia Britannica*, 14th Edition, Londres, 1929, t. 5, p. 138-141.

64 SAPIR (E.) et SWADESH (M.), *Nootka texts, ... with grammatical notes and lexical materials*. Special Publication of the linguistic Society of America, Philadelphie, University of Pennsylvania, 1939.

65 SIEBERT (F. T.), *Certain Proto-Algonquian consonant clusters*. Language, Baltimore, t. 17, 1941, p. 298-303.

66 SPECK (F. G.), *Penobscot transformer tales*. IJAL, New York, t. 1, 1917-1920, p. 187-244.

67 SPECK (F. G.), *Native tribes and dialects of Connecticut, a Mohegan-*

Pequot diary. BAE, 43d Annual Report 1925-26, Washington, 1928, p. 199-288.

68 SPECK (F. G.), *Abnaki text.* IJAL, Baltimore, t. 11, 1945, p. 45-56.

69 SWADESH (M.), *Nootka internal syntax.* IJAL, New York, t. 9, nᵒˢ 2-4, 1939, p. 77-102.

70 TRUMBULL (J. H.), *Natick dictionary,* BAE, Bull. 25, Washington, 1903.

71 UHLENBECK (C. C.), *Original Blackfoot texts. — A new series of Blackfoot texts.* Verhandelingen der Koninklijke Nederlandsche Akademie van Wetenschappen te Amsterdam, Afdeeling Letterkunde, Amsterdam, n. s., t. 12, nᵒ 1, 1911, p. 1-106 et t. 13, nᵒ 1, 1912, p. 1-264.

72 UHLENBECK (C. C.), *A concise Blackfoot grammar, based on material from the southern Peigans.* Verhandelingen der Koninklijke Nederlandsche Akademie van Wetenschappen te Amsterdam, Afdeeling Letterkunde, Amsterdam, n. s., t. 41, 1938.

73 UHLENBECK (C. C.) et GULIK (R. H. van), *An English-Blackfoot vocabulary, based on material from the southern Peigans. — A Blackfoot-English vocabulary, based on material from the southern Peigans.* Verhandelingen der Koninklijke Nederlandsche Akademie van Wetenschappen te Amsterdam, Afdeeling Letterkunde, Amsterdam, n. s., t. 29, nᵒ 4, 1930, et t. 33, nᵒ 2, 1934.

74 VOEGELIN (C. F.), *Shawnee phonemes.* Language. Philadelphie, t. 11, 1935, p. 23-37.

75 VOEGELIN (C. F.), *Shawnee stems and the Jacob P. Dunn Miami dictionary.* Prehistory Research Series, Indianapolis, Indiana Historical Society, t. 1, nᵒˢ 3-10, 1938-1940, p. 63-108, 135-167, 289-341, 345-406, 409-478.

76 VOEGELIN (C. F.), *The position of Blackfoot among the Algonquian Languages.* Papers of Michigan Academy of Arts and Letters, Ann Arbor, t. 24, 1941, p. 505-512.

77 VOEGELIN (C. F.), *Delaware, an eastern Algonquian language.* In : *Linguistic structures of native America,* VFPA, t. 6, New York, 1946, p. 130-157.

77 bis VOEGELIN (C. F.), *Proto-algonquian consonant clusters in Delaware, Language,* Baltimore, t. 17, 1941, p. 143-147.

78 VOEGELIN (C. F.) et VOEGELIN (E. F.), *Linguistic considerations of northeastern North America.* In : *Man in northeastern North America,* edited by F. JOHNSON. Papers of the Robert S. Peabody Foundation for Archeology, t. 3, Andover, 1946, p. 178-194.

79 VOGT (H.), *Salishan studies. Comparative notes on Kalispel, Spokan, Colville and Cœur d'Alene.* Skrifter Utgitt av det Norske Videnskap Akademi i Oslo. II. Historik-filologisk Klasse, nᵒ 2, Oslo, 1940.

80 VOGT (H.), *The Kalispel language. An outline of the grammar, with texts, translations and dictionary.* Oslo, 1940.

81 WATERMAN (T. T.), *Yurok affixes.* UCPAAE, Berkeley, t. 20, 1923, p. 369-386.

II. — GRANDE FAMILLE ESKIMO-ALEUT

La grande famille Eskimo-Aleut se divise en deux familles apparentées (famille Eskimo et famille Aleut) dont chacune comprend deux langues. Des ressemblances entre l'Eskimo et les langues ouraliennes ont été aperçues au début du XIXe siècle par Rasmus Rask, et étudiées en 1924 par A. Sauvageot [**12, 18**]. Uhlenbeck a même cherché des rapports entre l'Eskimo et les langues indo-européennes [**19, 20**].

La grande famille Eskimo-Aleut groupait jadis environ 93.000 personnes, sur un habitat côtier s'étendant depuis les Iles Aléoutiennes jusqu'à l'Est du Groenland. Les peuples en question vivaient de chasse et de pêche, dans un milieu de toundra, sous un climat très rude. Par exception, la côte Sud de l'Alaska a des forêts.

A) FAMILLE *ESKIMO*

L'une des deux langues Eskimo est répandue au Groenland, dans le Nord du Canada et de l'Alaska, enfin à la pointe orientale de la Sibérie. L'autre est localisée dans le Sud-Ouest de l'Alaska. Bien que répartis entre ces deux langues différentes, les parlers du Nord et du Sud de l'Alaska, ainsi que ceux de la Sibérie, ont en commun un type archaïque et un certain nombre de caractères particuliers.

1° Eskimo proprement dit.

(Jadis 47.000 personnes environ).

Une seule et même langue est employée par les nombreuses tribus Eskimo disséminées depuis le Groenland oriental jusqu'à l'embouchure du Yukon et jusqu'à la pointe orientale de la Sibérie. Cette langue est divisée en plusieurs dialectes, qui n'ont pas encore été suffisamment décrits et délimités mais qui sont mutuellement intelligibles [**2, 7**]. La plupart des Eskimo se nomment eux-mêmes « *Inuit* ». Ils se distinguent des autres indigènes du Nouveau Monde par un type physique particulier.

La langue Eskimo proprement dite est (ou « était ») parlée par : 1° les Eskimo de la côte orientale du Groenland [**17**], naguère concentrés à

Angmagssalik mais dont une fraction s'est établie récemment au Scoresby Sund ; 2° Les Eskimo de la côte occidentale du Groenland, depuis le cap Farewell jusqu'à la baie de Melville [**13, 13 bis, 14, 15**] ; 3° Les Eskimo polaires, établis au Nord-Ouest du Groenland sur les bords du Smith Sound ; 4° Les Eskimo du Labrador, qui s'étendaient jadis jusqu'à l'embouchure du Siant-Laurent et qui fréquentèrent un moment le Nord de Terre-Neuve ; 5° Les Eskimo de la Terre de Baffin ; 6° Les Sadlermiut, ou Eskimo de l'île de Southampton, éteints en 1906 ; 7° Les Iglulik de la presqu'île Melville et de la côte Nord-Ouest de la baie d'Hudson ; 8° Les Netsilik, ou Eskimo de la presqu'île de Boothia ; 9° Les Eskimo-Caribou [**11**] qui vivent loin de la mer, dans les toundras de la région de Chesterfield Inlet ; 10° Les Eskimo du Cuivre qui vivent à l'embouchure de la Coppermine River, dans la région de Coronation Gulf et sur la côte Sud de l'île Victoria ; 11° Les Eskimo du Mackensie [**9**], à l'embouchure du fleuve de ce nom ; 12° Les Eskimo du Nord de l'Alaska [**1, 7, 10**], depuis la région de la pointe Barrow jusqu'au Norton Sound ; 13° Enfin, probablement, les Eskimo d'Asie [**3**], qui s'appellent eux-mêmes *Iuit* au lieu de *Inuit*, ont des parlers assez différents, et se subdivisent en Nookalit (du cap Dejnev), Aiwanat (du cap Tchukoski), Wuteelit (du cap Oulakhpen) et Eiwhelil, ou Siorarmiut (de l'île Saint Lawrence).

De plus, l'archéologie montre que les Eskimo ont occupé jadis toutes les côtes Nord et Est du Groenland (il y en avait encore à l'île Clavering au début du xixe siècle), et certaines terres, maintenant désertes, de l'archipel du Nord Canada : Terre d'Ellesmere, North Devon, île Bathurst, etc.

La langue Eskimo proprement dite est parlée de nos jours par près de 30.000 personnes. En territoire canadien, les Eskimo sont disséminés sur d'immenses espaces mais leur nombre est infime. La majeure partie des Eskimo proprement dits vit sur la côte Ouest du Groenland (environ 17.000 indigènes très métissés). Le dialecte du Groenland occidental a beaucoup évolué depuis quelques siècles, sous l'influence civilisatrice du Danemark, et tend à se séparer de plus en plus des autres parlers Eskimo.

2° Eskimo du Sud de l'Alaska. [**1, 6**]

Parlée jadis par environ 30.000 personnes, cette langue comprend plusieurs dialectes fortement différenciés. Elle est employée par toutes les tribus Eskimo de l'Alaska méridional, jusqu'aux Ikogmiut du delta du Yukon inclusivement. Les Eskimo des bords de l'Océan Pacifique sont souvent désignés sous le nom de Tchugatch *(čugač)*. Ils vivent sous un climat moins rude que celui de l'Océan Glacial. Leur anthropologie et leur ethnologie témoignent d'une influence exercée par les tribus indiennes voisines. Le nombre de ces indigènes a été réduit des deux tiers par le contact des Européens.

B) FAMILLE *ALEUT*

La parenté entre les langues Eskimo et Aleut est lointaine. Notée par Rask au début du xixe siècle, puis contestée, elle est maintenant communément admise [**16**]. Les Aleut ou Aléoutes *(aleut)* ont souffert de la colonisation russe (qui en a déporté un certain nombre à l'île Kadiak et au Sud de l'Alaska), puis du contact des baleiniers américains. La guerre entre le Japon et les États-Unis a amené de nouveaux transferts de population. Les différences entre les deux langues Aleut sont assez grandes pour empêcher l'intercompréhension. Ces deux langues sont :

1° L'Aleut de l'Est ou Unalaska [**4, 5, 21**], parlé jadis par 11.000 personnes environ dans les îles Fox orientales (Unimak et Unalaska), dans les îles Shumagin, à l'extrémité occidentale de la péninsule d'Alaska, et enfin dans les îles Pribilov (Saint-Paul et Saint-Georges). Depuis un siècle cette langue a gagné du terrain vers l'Ouest, aux dépens de la suivante, et elle est parlée maintenant jusqu'à Atka inclusivement.

2° L'Aleut de l'Ouest ou Atka [**3**].

(Parlé jadis par quelque 5.000 personnes dans les Near Islands (Attu, Agattu), dans les îles Andreanov (notamment dans l'île d'Atka), et jusqu'à Umnak inclusivement).

Cette langue a perdu du terrain à l'Est mais elle en a gagné à l'Ouest, des indigènes d'Attu et d'Agattu ayant été installés par les Russes dans les îles du Commandeur.

On remarquera que les quatre langues de la Grande Famille Eskimo-Aleut se rencontrent toutes sur le territoire de l'Alaska, cependant que les Eskimo des régions situées plus à l'Est n'emploient qu'une seule et même langue avec de faibles variations dialectales. Sapir en a déduit que les origines de la Grande Famille Eskimo-Aleut doivent probablement être placées en Alaska ou en Asie, et que la langue Eskimo proprement dite n'a dû se répandre sur les côtes du Canada et du Groenland qu'à une époque relativement récente. Toutefois les traditions scandinaves rapportent qu'Erik le Rouge, quand il atteignit le Groenland méridional, à la fin du xe siècle, y trouva déjà des traces du passage des Eskimo.

BIBLIOGRAPHIE
DE LA GRANDE FAMILLE ESKIMO-ALEUT

(ABRÉVIATIONS, voir p. 967)

OUVRAGES BIBLIOGRAPHIQUES

PILLING (J. C.), *Bibliography of the Eskimo languages*. BAE., Bull. 1, Washington, 1887, vi-116 p.

INDEX BIBLIOGRAPHIQUE

1 BARNUM (F.), *Grammatical fundamentals of the Innuit language, as spoken by the Eskimo of the western coast of Alaska*. Boston et Londres, 1901.

2 BIRKET-SMITH (K.), *Five hundred Eskimo words; a comparative vocabulary from Greenland and central Eskimo dialects*. Reports of the fifth Thule expedition, 1921-24, Copenhague, t. 3, n° 3, 1928.

3 BOGORAS (V. G.), *Juitskij (Aziatsko-Eskimosskij) jazyk*. Jazyki i pis'm'ennos't' narodov s'ev'era, Moscou-Leningrad, Gos-učeb-pedag-izdat., t. 3, 1934, p. 105-128.

4 GEOGHEGAN (R. H.), *The Aleut language. The elements of Aleut grammar with a dictionary in two parts containing basic vocabularies in Aleut in English*. Washington, 1944.

5 HENRY (Victor), *Esquisse d'une grammaire raisonnée de la langue* *aléoute, d'après la grammaire et le vocabulaire de Ivan Veniaminov.* Paris, 1879.

6 HINZ (Rev. J.), *Grammar and vocabulary of the Eskimo language, as spoken by the Kuskokwim and southwest coast Eskimo of Alaska.* Bethleem, Pennsylvania, 1944.

7 JENNESS (D.), *Comparative vocabulary of the western Eskimo dialects.* Report of the Canadian Artic Expedition 1913-18, t. 15, part. A : *Eskimo language and technology,* Ottawa, 1928.

8 JOCHELSON (W.), *Unanganskij (Aleutskij) jazyk.* Jazyki i pis'm'ennos't' narodov s'ev'era. Moscou-Leningrad, Gos-učeb-pedag-izdat., t. 3, 1934, p. 105-128.

9 PETITOT (R. P. E.), *Vocabulaire français-esquimau, dialecte des Tchiglit des bouches du Mackenzie et de l'Anderson.* Bibliothèque de linguistique et d'ethnographie américaines. Paris, t. 3, 1876.

10 RASMUSSEN (K.), *Alaskan Eskimo Words.* Reports of the fifth Thule expedition 1921-24, Copenhague, t. 3, n° 4, 1941.

11 RASMUSSEN (K.), *Iglulik and Caribou Eskimo Texts.* Reports of the fifth Thule expedition 1921-24, Copenhague, t. 7, n° 3, 1930.

12 SAUVAGEOT (A.), *Eskimo et Ouralien.* JSA. Paris, t. 16, 1924, p. 279-316.

13 SCHULTZ-LORENTZEN, *Dictionary of the West Greenland Eskimo language.* Meddelelser om Grønland. Copenhague, t. 69, 1927.

13 bis SCHULTZ-LORENTZEN, *A grammar of the West Greenland language,* Meddelelser om Grønland, t. 129, n° 3, Copenhague, 1945.

14 SWADESH (M.), *South Greenlandic (Eskimo).* In : *Linguistic structures of native America.* VFPA, t. 6, New York, 1946, p. 30-54.

15 THALBITZER (W.), *Eskimo.* In : *Handbook of American Indian languages,* Part 1, BAE., Bull. 40, t. 1, Washington, 1911, p. 967-1069.

16 THALBITZER (W.), *The Aleutian language compared with Greenlandic, a manuscript by Rasmus Rask, dating from 1820, now in the Royal library at Copenhaguen.* IJAL., New York, t. 2, n°ˢ 1-2, 1921, p. 40-57.

17 THALBITZER (W.), *The Ammasalik Eskimo, part II: Language and folklore.* Meddelelser om Grønland, Copenhague, t. 40, n° 3, 1923, p. 113-564.

18 THALBITZER (W.), *Is there any connection between the Eskimo language and the Uralian?* Atti del XXII congresso Internazionale degli Americanisti, Roma, Settembre 1926. Rome, t. 2, 1928, p. 551-567.

19 THALBITZER (W.), *Uhlenbeck's Eskimo-Indoeuropean hypothesis. A critical revision.* Travaux du Cercle Linguistique de Copenhague, t. 1, 1945, p. 66-76.

20 UHLENBECK (C. C.), *Oude Aziatische contacten van het Eskimo,* Mededeelingen der Nederlandsche Akademie von Wetenschapen, Afd. Letterkunde, Nⁱⁱᵉ série, 4, n° 7, p. 201-227, Amsterdam 1941.

21 VENIAMINOV (I.), *Opyt grammatiki aleutsko lis'jevskago jazyka.* Saint-Pétersbourg, 1846.

III. — GRANDE FAMILLE HOKA-SIOU

Le nom de Hoka a été proposé, en 1913, par Dixon et Kroeber [23], pour désigner une nouvelle famille, localisée en Californie ou au voisinage, et groupant le Karok, le Chimariko, le Yana, le Esselen, les langues Shasta, les langues Pomo et les langues Yuma. Le Washo, le Salina et le Chumash y furent rajoutés peu après, ainsi que quelques langues de la côte pacifique du Mexique (Seri, Tlapanec, Tequistlatec). En 1918, Sapir étendit ce groupe vers l'Est en y adjoignant le Tonkawa et les langues Coahuiltek du Texas et du Nord-Est mexicain. Enfin, en 1929, Sapir [91] créa la Grande Famille Hoka-Siou, en adjoignant aux précédentes les familles Yuki, Keres, Tunica, Caddo-Iroquois, Yuchi-Siou et Muskogee-Natchez (ces deux dernières étant réunies en un « Groupe du Sud-Est »). En 1946, cette Grande Famille s'étendit jusqu'en Amérique du Sud [82].

Whorf, avant de mourir, arriva à la conviction que la Grande Famille Hoka-Siou était artificielle et que les familles ou groupes qu'elle réunissait ne procédaient pas tous d'une commune origine. Le détail de ces critiques n'a pas été publié. Selon Trager, Whorf proposait de considérer les familles Siou-Muskogi et Iroquois-Caddo comme indépendantes, cependant que, par ailleurs, il envisageait de rattacher la famille Tunica à une « Grande Famille Penutia » englobant aussi les langues Uto-Aztec-Tano et les langues Maya.

Nous présenterons ici la « Grande Famille Hoka-Siou » sensiblement comme Sapir l'a proposée, sans nous dissimuler toutefois que c'est le plus fragile des grands groupes entre lesquels il a réparti les langues d'Amérique du Nord.

Rappelons que l'un de nous a démontré la parenté de la famille Hoka avec les langues malayo-polynésiennes et, plus particulièrement, avec les langues mélanésiennes [**81**].

De Goeje a signalé des analogies de structure et de morphèmes entre les langues Iroquois-Caddo et les langues Caribe [**32**].

Étendue de la Californie à la Colombie, du Dakota au Texas, du Saint-Laurent à la Floride, la Grande Famille Hoka-Siou rassemblait des peuples si divers, sur un territoire si vaste et si irrégulier, qu'il est difficile d'en donner une vue d'ensemble. La famille Hoka proprement dite était plutôt centrée sur le littoral du Pacifique et, à part quelques avant-gardes méridionales, elle groupait surtout des peuples collecteurs et chasseurs dont certains étaient assez primitifs. Mais avec l'adjonction des familles Caddo, Iroquois, Siou et Muskogee, le centre de gravité de la Grande Famille Hoka-Siou se situe sur le versant oriental des États-Unis, dans une région où dominaient des peuples agriculteurs et chasseurs déjà avancés en civilisation. Certains de ces peuples adoptèrent plus ou moins tardivement un genre de vie nomade dans les grandes plaines à bisons. Notons ici qu'une hypothèse assez séduisante suggère que la plupart des peuples orientaux de la Grande Famille Hoka-Siou ont pu être jadis groupés au voisinage des Caddo, à l'Ouest du cours moyen et inférieur du Mississippi. Cette théorie, qui a été exposée notamment par Bushnell, se fonde sur certaines traditions indigènes, et cherche des appuis du côté de l'archéologie et de la linguistique.

A) FAMILLE *HOKA*
[23, 55, 84, 24, 85, 86, 89, 56, 50, 53, 103, 109, 63]

Les membres de cette famille sont dispersés depuis la Californie jusqu'à la Colombie. A l'intérieur même de la Californie, les peuples Hoka sont souvent écartés les uns des autres, comme s'ils avaient été séparés par la poussée des peuples Penutia et Uto-Aztec. Les régions de la Basse Californie, de l'île Tiburon, du Coahuila, du Tamaulipas et du Texas méridional apparaissent comme des sortes de refuges. Enfin dans le Sud du Mexique, en Amérique Centrale et en Colombie, les langues Hoka ne formaient que des îlots minuscules, séparés par d'énormes distances.

Si l'on ajoute à cela le fait que l'agriculture était ignorée de tous les peuples Hoka, à l'exception de ceux qui vivaient sur le bas Colorado et des petits groupes méridionaux, on peut avoir l'impression que la famille Hoka représente un peuplement primitif, refoulé par l'avance Penutia et Uto-Aztec dans des régions écartées ou ingrates, et resté généralement en marge de la civilisation. On pourrait même imaginer que cet ancien peuplement Hoka s'étendait jadis sur le Mexique et sur l'Amérique Centrale, mais il est plus facile de penser que les petits groupes Tlapanec, Tequistlatec et *Yurumanguí ont simplement été entraînés par le grand mouvement qui a porté vers le Sud l'avant-garde des peuples Uto-Aztec, ainsi que d'autres Indiens du Mexique.

Chez les tribus Hoka de Californie, la densité de peuplement variait en général de 0,30 à 0,90 habitants par kilomètre carré. La plupart de ces tribus ont été submergées par la colonisation européenne. Certaines sont éteintes, en particulier celles qui avaient été réunies, dès le xviiie siècle, dans des missions espagnoles. D'autres n'ont que des survivants peu nombreux et dispersés. Le groupe Yuma comptait des tribus qui pratiquaient l'agriculture et qui ont mieux subsisté. Les tribus culturellement très attardées de la Basse Californie ont disparu, sauf à l'extrême Nord, ainsi que celles du Texas, du Coahuila et du Tamaulipas. Par contre, les groupes Hoka du Mexique, dont le niveau de civilisation était assez élevé, restent vivaces.

a) Groupe *Karok* (Quoratean de Powell)

1º Karok. [**53, 6, 44**]
(Environ 1.500 personnes en 1770, d'après Kreber).

Le Karok (ou *Karuk*) était parlé dans la vallée du fleuve Klamath, depuis Redcap Creek jusqu'à Indian Creek, au Nord-Ouest de la Californie. Il y avait deux dialectes Karok, l'un en amont, l'autre en aval. Les Karok étaient des sédentaires, chasseurs, pêcheurs et collecteurs. Leur civilisation témoigne d'une influence indirecte des peuples pêcheurs de la « côte Nord-Ouest ».

b) Groupe *Shasta*. [**21**]

Ce groupe est formé de trois langues et réunit les anciennes familles Sastean et Palaihnihan de Powell.

2º Shasta. [**21**]
(Environ 2.750 personnes en 1770, d'après Kroeber).

Le Shasta se divisait en quatre dialectes : le Shasta proprement dit, ou Shastika, était parlé dans la vallée du fleuve Klamath (en amont du territoire Karok et jusqu'au-delà de l'embouchure du Fall Creek), ainsi que dans les vallées de la Scott River et de la Shasta River, jusqu'au-delà de la limite actuelle de l'Oregon. Le *Okwanuchu *(okwanuču)* était parlé à la source du Sacramento et sur la rivière Mc Cloud. Le *Shasta de la New River était parlé sur le cours supérieur de la Salmon River et de la New River. Enfin le *Konomihu était parlé sur le cours moyen de la Salmon River.

3º Achomawi [**112, 5**]
(Environ 600 personnes en 1770, selon Kroeber).

La langue Achomawi (*ačomawi* ou *ačumawi*) était parlée dans le bassin de la Pitt River, depuis Montgomery Creek jusqu'au Goose Lake. Il existait jadis neuf dialectes Achomawi, il en subsiste quatre : Atwandjini, Ilmawi, Adjumawi *(ajumawi)*, Hammaawi.

4e **Atsugewi.**

(Environ 600 personnes en 1770, selon Kroeber).

La langue Atsugewi était parlée sur quelques affluents de gauche de la Pitt River, dans la région de Eagle Lake et de Lassen Butte. Achomawi et Atsugewi sont étroitement apparentés.

c) Groupe *Chimariko.

5º *Chimariko [**22**].

(Environ 250 personnes en 1770, selon Kroeber).

Le *Chimariko *(čimariko)* était parlé par une petite tribu, sur un territoire minuscule, dans la vallée de la Trinity River (entre les embouchures du South Fork et du French Creek). Le niveau de civilisation de ces Indiens était plutôt inférieur à celui de leurs voisins.

d) Groupe *Yana

6º *Yana. [**84, 87, 88, 90, 92**]

(Environ 1.500 personnes en 1770, selon Kroeber).

La langue *Yana était parlée au Sud de la Pitt River, sur le versant occidental des montagnes et des collines qui sont dominées par le Mont Lassen et descendent à l'Ouest vers le Sacramento. On distingue quatre dialectes *Yana, désignés sous les noms de *Gari'i, *Gata'i, *Yana du Sud et *Yahi. Le langage des femmes *Yana différait assez sensiblement de celui des hommes [**90**].

e) Groupe *Washo*

7º Le Washo était parlé par une tribu d'Indiens chasseurs et collecteurs sur le versant oriental de la Sierra Nevada, dans la région du lac Tahoe et des rivières Truckee et Carson.

f) Groupe *Pomo*. [**53, 56, 3**]

Le groupe Pomo occupait, en Californie, presque tout le bassin de la Russian River, le littoral du Pacifique plus à l'Ouest, et quelques vallées situées plus à l'Est, notamment au Nord du Clear Lake. Les Pomo étaient sédentaires, vivaient surtout de cueillette, et leur genre de vie était typique de la Californie Centrale. Selon Kroeber, ils étaient environ 8.000 en 1770.

On peut distinguer sept langues Pomo, aussi différentes entre elles, selon Kroeber, que le sont les langues romanes.

8º Pomo du Nord-Est.

(Peut-être 500 personnes en 1770).

Le Pomo du Nord-Est, en voie d'extinction, était un îlot linguistique isolé du reste du groupe sur le versant oriental de la Coast Range, dans la haute vallée du Stony Creek, affluent du Sacramento. Sous l'influence du Wintun (Grande Famille Penutia) qui l'entourait, cette langue avait fini par devenir assez divergente par rapport aux autres membres du groupe Pomo.

9º Pomo du Nord.

(Peut-être 2.000 personnes en 1770).

Le Pomo du Nord était parlé sur le cours supérieur de la Russian River, dans la zone côtière située plus à l'Ouest, et sur la rive occidentale du Clear Lake.

10° Pomo du Centre.

(Peut-être 1.500 personnes en 1770).

Le Pomo du Centre était parlé sur le cours moyen de la Russian River et, plus à l'Ouest, jusqu'au littoral du Pacifique.

11° Pomo de l'Est.

(Peut-être 1.000 personnes en 1770).

Le Pomo de l'Est était parlé au Nord et au Sud de la moitié occidentale du Clear Lake.

Pomo du Nord, du Centre et de l'Est ont entre eux des affinités assez étroites.

12° Pomo du Sud-Est.

(Peut-être 500 personnes en 1770).

Le Pomo du Sud-Est était parlé sur les rives de la moitié orientale du Clear Lake.

13° Pomo du Sud.

(Peut-être 1.500 personnes en 1770).

Le Pomo du Sud était parlé dans la basse vallée de la Russian River et, plus à l'Ouest, jusqu'à peu de distance de l'Océan.

14° Pomo du Sud-Ouest.

(Peut-être 1.000 personnes en 1770).

Le Pomo du Sud-Ouest était parlé à l'embouchure de la Russian River, et le long du littoral jusqu'aux environs de la ville actuelle de Gualala.

Pomo du Sud et du Sud-Ouest ont entre eux des affinités assez étroites.

Cette classification a été critiquée, et Voegelin ne compte que quatre langues Pomo.

g) Groupe *Esselen

15° *Esselen. [**50**]

(Environ 500 personnes en 1770, selon Kroeber).

La langue *Esselen, seule représentante de ce groupe, était parlée par une petite tribu montagnarde, dans la vallée de la Sur River et sur le cours supérieur de la Carmel River, depuis la Pointe Sur, au Nord-Ouest, jusqu'à la Pointe Lopez et au Pic de Santa Lucia, au Sud-Est. Le *Esselen est connu de façon très insuffisante. Selon Kroeber, ce serait une langue Hoka peu spécialisée, présentant de curieuses affinités avec les langues Pomo, *Yana et Yuma.

h) Groupe *Salina

16° *Salina. [**68, 86**]

(Environ 3.000 personnes en 1770, selon Kroeber).

Le *Salina, seule langue de ce groupe, était parlé entre l'Océan Pacifique et le faîte de la Coast Range, depuis le Pic de Santa Lucia jusqu'au cours supérieur du fleuve Salinas et de ses principaux affluents. Il y avait trois dialectes *Salina : le *Playano sur la côte, le *San Miguel dans le haut bassin du Salinas, le *San Antonio en aval du précédent. Les *Salina, sédentaires, vivaient surtout de cueillette.

i) Groupe *Chumash

17° *Chumash. [**50, 52**]

(Environ 10.000 personnes en 1770, selon Kroeber).

La langue *Chumash *(čumaš)* était parlée, à la fin du XVIII° siècle, sur la côte de l'Océan Pacifique et dans les vallées de la Coast Range, depuis Santa Monica Bay jusqu'à Estero Bay. Les *Chumash, qui avaient d'assez bons canots et tiraient de la mer une grande partie de leurs ressources, occupaient aussi les trois îles de San Miguel, de Santa Cruz et de Santa Rosa. Kroeber distingue huit dialectes *Chumash : *Obispeño et *Purissi-meño, à l'Ouest ; *Cuyama, *Santa Ines et *Barbareño, au Centre ; *Emig-diano et *Vcntureño, à l'Est ; enfin *Dialecte des Iles. Le premier et le dernier de cette liste seraient les plus divergents.

j) Groupe *Yuma*. [**58, 99**]

Ce groupe occupait la basse vallée du Colorado (depuis le confluent du Petit Colorado), le cours inférieur de la rivière Gila (depuis le confluent de la Salt River), les plateaux compris entre ces deux cours d'eaux jusqu'aux San Francisco Mountains et à la Mogollon Mesa, la région de Salton Lake et de San Diego dans l'extrême Sud de l'État de Californie, les deux tiers septentrionaux de la Basse Californie, enfin l'île Tiburon et la côte de Sonora au voisinage de cette île. Le climat de ces pays est sec et parfois désertique. Les Diegueño, les Seri, les Yavapai et les tribus de Basse Californie vivaient de cueillette ou des ressources fournies par la mer. Dans la région du Gila et du Colorado, les autres peuples Yuma, sans pour cela négliger la cueillette, pratiquaient plus ou moins l'agriculture.

Les nombreux dialectes du groupe Yuma peuvent être répartis en cinq langues distinctes :

18º Walapai (18) — Havasupai (18′) — Yavapai (18″). [**98, 99**] Environ 1.600 personnes à la fin du xviie siècle).

Langue des plateaux de l'Arizona occidental, groupant trois dialectes. Les Walapai vivaient sur les plateaux arides situés entre le Colorado, la rivière Williams et le Cataract Canyon. Les Yavapai étaient établis plus au Sud, entre la rivière Williams, le Colorado, le Gila et le Rio Verde. Les Havasupai occupent le Cataract Canyon et les hauteurs qui l'entourent.

19º Mohave (19) — Yuma (19′) — Maricopa (19″) — Halchildoma-Kavelchadom (19‴). [**54, 42, 43, 99, 56**] (Environ 8.500 personnes à la fin du xviie siècle).

Langue des bords du Colorado et du Gila, avec trois dialectes : Mohave, Yuma proprement dit, et Maricopa-Halchildoma-Kavelchadom. Les Mohave occupaient les deux rives du Colorado, en aval du Black Canyon et jusqu'au confluent de la rivière Williams. Les Yuma sont restés remarquablement stables au confluent du Colorado et du Gila. Les trois autres tribus vivaient aussi jadis sur le bas Colorado. Kroeber estime que le Maricopa, étant inter-médiaire entre le Mohave et le Yuma, devait être parlé sur un territoire situé entre celui de ces deux tribus ; mais dès avant le xvie siècle, les Maricopa avaient quitté les rives du Colorado pour s'installer sur le Gila cependant que, peu après, les Kavelchadom *(kavelčadom)*, appelés Opa ou Cocomari-copa par les anciens auteurs, venaient s'installer en aval. Au début du xixe siècle, les Halchildoma *(halčildoma)* quittèrent à leur tour le Colorado et s'établirent parmi les Maricopa, où les Kavelchadom les rejoignirent. Halchildoma et Kavelchadom parlaient le même dialecte et ce dialecte était si proche du Maricopa qu'il s'est complètement confondu avec lui.

20º Cocopa (20) — Halyikwamai-Kohuana (20′). [**56, 58**] (Environ 4.000 personnes à la fin du xviie siècle).

Langue du delta du Colorado, avec les dialectes Cocopa et Halyikwamai-Kohuana. Les Cocopa sont restés près de l'embouchure du grand fleuve. Les Halyikwamai, qui vivaient plus en amont, se sont unis à la fin du XVIIIe siècle avec les Kohuana (ou Kahwan) qui parlaient le même dialecte qu'eux. Après une tentative pour s'installer entre les Yuma et les Mohave, ils durent s'enfuir vers le Rio Gila et se joindre aux Maricopa.

Le dialecte Halyikwamai-Kohuana est aujourd'hui virtuellement éteint.

21º Diegueño (21) — Kamia (21') — Akwa'ala (21'') — Kiliwa (21'''). [**56, 59**]

(Peut-être 8.000 personnes à la fin du XVIIe siècle).

Langue de la frontière des deux Californies, avec les dialectes Diegueño, Kamia, Akwa'ala et Kiliwa, encore parlés sur place par quelques survivants.

Les Diegueño *(dyegeño)* occupaient la côte du Pacifique ainsi que le versant occidental des Monts San Jacinto et des montagnes du Nord de la Basse Californie, depuis la région de San Diego aux États-Unis, jusqu'au delà de Enseñada en territoire mexicain. Les Kamia étaient, semble-t-il, une fraction orientale des Diegueño qui parvint jusqu'aux rives du Bas Colorado et y apprit un peu d'agriculture. Les Akwa'ala (ou Paipai) vivaient dans les montagnes du Nord de la Basse Californie, au Sud de Santa Catarina, à la même latitude que l'embouchure du Colorado. Les Kiliwa (ou Kiliwi) étaient les voisins des Akwa'ala, au Sud-Est, jusqu'au rivage du Golfe de Californie.

22º *Cochimi du Nord. [**57**]

(Peut-être 10.000 personnes à la fin du XVIIe siècle).

Les *Cochimi vivaient au XVIIe siècle dans la péninsule de Basse Californie, depuis la punta de Santo Tomas, près de Enseñada, au Nord, jusqu'au voisinage de Loreto, au Sud. Leur langue n'est connue que par quelques textes et vocabulaires très insuffisants. Ces documents montrent qu'il existait en réalité, au XVIIIe siècle, au moins deux langues *Cochimi très nettement différenciées. Ces langues représentent la fraction la plus divergente du groupe Yuma. Le *Cochimi *(kočimi)* septentrional était parfois appelé *Laymon. Les Kiliwa de la région de San Felipe disent qu'à l'Ouest de la Sierra de San Pedro Martir, était parlée une langue particulière qu'ils appelaient *Nakipa, mais dont on ne sait rien que ce nom.

23º *Cochimi du Sud. [**57**]

(Peut-être 10.000 personnes à la fin du XVIIe siècle).

Langue définie et localisée ci-dessus.

k) Groupe *Seri*

24º Seri Tiburón (24) — *Tepoca (24') — *Seri Salinero (24'') — *Tastioteño (24''') — *Guayma et *Upanguayma (24'''') [**55, 56**].

(Environ 5.000 personnes au début du XVIIe siècle, selon Sauer).

Ce groupe ne comprend qu'une seule langue, le Seri, actuellement parlé dans l'île Tiburon, du Golfe de Californie, mais les documents du XVIIe et du XVIIIe siècles mentionnent, sur une partie de la côte de Sonora, plusieurs bandes ou tribus ayant à peu près la même langue et les mêmes coutumes que les insulaires de Tiburón. Les principales de ces tribus étaient, du Nord au Sud, les *Tepoca, les *Salinero (ou *Seri), les *Upanguayma et les *Guayma. Ces deux derniers petits groupes furent absorbés, au XVIIIe siècle, par les Yaquis de la Mission de Belem, avec lesquels on les avait réunis. Les indigènes

qui vivent de nos jours à Tiburón disent qu'il subsistait, au xixᵉ siècle,
quatre tribus Seri, chacune parlant un dialecte particulier probablement
peu différencié. Ces quatre tribus étaient : les *Seri proprement dits, sur le
Rio Sonora, en aval de la ville actuelle d'Hermosillo ; les *Tepoca, sur le
littoral plus au Nord ; les *Tastioteño, sur le littoral au Sud du Rio Sonora ;
enfin les Tiburón, dans l'île. Les survivants des trois groupes de terre ferme
se seraient récemment réfugiés à Tiburón, et le peuple Seri actuel résulterait
de leur fusion avec les insulaires. Pêcheurs et collecteurs, ces indigènes ne sont
pas aussi primitifs que Mc Gee les a décrits.

Le Seri est clairement apparenté à l'ensemble du groupe Yuma, mais il
ne s'y laisse pas inclure et diffère fortement de toutes les langues qui en font
partie, notamment du *Cochimi. Les Seri doivent être séparés depuis longtemps des peuples Yuma.

l) Groupe *Waicuri-Pericu

25º *Waicuri (25) — *Pericu (25′) [**6 bis**]
(Atteignaient peut-être, au xviiᵉ siècle, le chiffre de 10.000 individus).

Au Sud de Loreto et du Cerro La Giganta, la Basse Californie était occupée
par les Inciens *Waicuri *(waikuri)*, ou *Guaycura, ou *Guaycuru, sauf à son
extrémité méridionale où vivaient les *Pericu *(periku)*. Ces deux peuples,
dont le niveau culturel était très bas, ne supportèrent pas le choc de la
civilisation européenne et furent à peu près anéantis par des épidémies au
cours du xviiiᵉ siècle. Brinton a tenté de rattacher le *Waicuri aux langues
Yuma. Par la suite, Thomas et Swanton ont montré que plusieurs auteurs
anciens ne semblaient pas distinguer bien nettement les *Waicuri des
*Pericu. Les langues Hoka auraient ainsi occupé toute la péninsule califor-
nienne, ce que nous avons indiqué sur notre carte à titre d'hypothèse,
mais ce qui parait difficile à prouver de façon certaine. Les quelques mots
*Waicuri que le P. Baegert nous a conservés se prêtent mal à la comparaison
linguistique, mais Kroeber [**55**, p. 290] estime qu'ils ne paraissent ni Yuma,
ni même Hoka. La langue des *Pericu nous est totalement inconnue.
L'ostéologie a montré que cette tribu éteinte se distinguait de tous les peuples
voisins par son type physique archaïque.

m) Groupe *Tonkawa*

26º Tonkawa. [**47, 48, 103, 109**]
(Environ 1.600 personnes au xviiᵉ siècle).

Ce groupe ne comprend qu'une seule langue connue : le Tonkawa, parlé
naguère par une tribu de nomades, chasseurs de bisons. A la fin du
xviiiᵉ siècle, les Tonkawa erraient dans l'intérieur du Texas, entre les
fleuves Trinité et Colorado. Dans leur voisinage plus ou moins immédiat
vivaient plusieurs petites tribus : *Mayeye, *Sana, *Eripiame, *Tohaha, etc.,
dont la plupart semblent avoir parlé des dialectes apparentés au Tonkawa.
Tous ces peuples vagabonds avaient un territoire mal défini. Ils paraissent
avoir eu tendance à se replier vers le Sud, suivant le mouvement général
des tribus de la partie méridionale des Grandes Plaines. Au xixᵉ siècle, les
Tonkawa, seuls survivants du groupe, après avoir été eux-mêmes fortement
réduits par les guerres et les épidémies, furent enfin installés dans une
réserve de l'Oklahoma. Leur langue est maintenant à la limite de l'extinction.

En 1915, la parenté du Tonkawa avec les langues du Texas méridional et du Coahuila fut signalée par Swanton, qui proposa de former un groupe Tonkawa-*Cotoname et un groupe *Coahuiltec-*Comecrudo-*Karankawan. La découverte de quelques documents anciens est venue ensuite confirmer la parenté de ces langues, mais a conduit Swanton à adopter la classification que nous présentons ici et à envisager la possibilité de rapports plus étroits avec la famille Tunica.

n) Groupe *Coahuiltec ou *Pakawa. [**103, 109, 113**]

Le territoire de ce groupe s'étendait sur le Sud du Texas et sur la plus grande partie des États mexicains de Coahuila, Nuevo Léon et Tamaulipas. Dans cette zone plutôt aride, des peuples nomades, divisés en d'innombrables petites bandes, vivaient misérablement de cueillette et de chasse. Ces peuples ont achevé de s'éteindre au xixe siècle et leurs langues ne nous sont connues que par quelques documents très insuffisants. Swanton, après une étude d'ensemble de ce matériel, conclut que les langues en question étaient probablement apparentées entre elles et qu'on peut envisager comme vraisemblable l'hypothèse de Sapir qui les rattache à la famille Hoka.

27° *Karankawan. [**109, 113**]
(Environ 2.800 personnes au milieu du xviie siècle).
La langue dite *Karankawan était parlée par un ensemble de petites tribus qui vivaient sur le littoral du Texas, depuis la baie de Galveston jusqu'à la baie de Corpus Christi. Ces Indiens étaient les *Quelancouchis, ou *Clamcoches, des anciens voyageurs français.

28° *Coahuiltec. [**109**]
(Peut-être 10.000 personnes au début du xviie siècle).
Le *Coahuiltec (koawiltek), connu par un manuel religieux du xviiie siècle, était sans doute un ensemble de dialectes apparentés, parlés dans le Nord du Coahuila et au Texas, entre le Rio Grande et la région de San Antonio. Les dialectes du Nord du Nuevo León étaient probablement apparentés au *Coahuiltec.

29° *Cotoname. [**109**]
(Peut-être 1.500 personnes au xviie siècle).
Le *Cotoname (kotoname) ne nous est connu que par un bref vocabulaire recueilli par A. S. Gatschet, en 1886, à Las Prietas, près de Camargo, sur le Rio Grande, dans le Nord du Tamaulipas.

30° *Comecrudo [**109**]
(Peut-être 1.500 personnes au xviie siècle).
Le *Comecrudo (komekrudo) ou *Carrizo était parlé sur le cours inférieur du Rio Grande.

31° *Tamaulipec. [**109**]
(Peut-être 15.000 personnes au début du xviiie siècle).
On désigne habituellement sous le nom de *Tamaulipec (tamaulipek) l'ensemble des langues ou dialectes, pratiquement inconnus, qui étaient parlés sur le territoire du Nuevo Santander (aujourd'hui État de Tamaulipas) lorsque José de Escandon en fit la conquête, au milieu du xviiie siècle. On en excepte la partie septentrionale, occupée par les *Cotoname et *Comecrudo déjà cités, et la partie Sud-Ouest, occupée par les *Janambre que l'on met à part, plus ou moins arbitrairement, à cause de leur importance numérique et de leur caractère belliqueux (Voir ci-dessous « Langues du Mexique »). Le

reste était occupé par un grand nombre de petites tribus, vivant exclusivement de cueillette et de chasse dans le Nord, pratiquant un peu d'agriculture
dans le Sud. Les parlers de ces tribus sont tous éteints et totalement inconnus
de nous, sauf le *Maratin (ou *Martinez) qui était parlé aux environs
d'Aldama, et dont un court texte nous a été transmis par un missionnaire
du xviiie siècle. De l'analyse de ce texte, on a conclu, non sans réserves,
que le *Maratin pouvait être rattaché au groupe Coahuiltec et ce classement
a été étendu, par extrapolation, à toutes les tribus dites *Tamaulipec.

o) Groupe *Tlapanec*. [63]

32º Tlapanec (32) — *Maribio (32') — *Maribichicoa (32''). [63, 77,
93, 78, 119]

Ce groupe ne comprend qu'une seule langue qui était parlée par trois
petits peuples, isolés à de grandes distances les uns des autres. Les Tlapanec
vivent au Sud-Est de l'État mexicain de Guerrero, dans les montagnes qui
s'étendent entre Tlapa et Ayutla. On les confondait naguère avec les *Yopi
(ou *Yope), mais certains documents donnent à penser que ces derniers
étaient une tribu différente, vivant à l'Ouest du Rio Ayutla ou Nexpa.

P. Radin a distingué deux dialectes Tlapanec, auxquels il a donné les
noms de Tlapaneco et Tlapaneca.

Les *Maribio (souvent appelés à tort *Subtiaba) vivaient, au Nicaragua,
dans les montagnes qui portent encore leur nom, le long du littoral pacifique,
au Sud-Est de la baie de Fonseca. Leur langue ne différait presque pas des
dialectes Tlapanec du Mexique. Les *Maribichicoa *(maribičikoa)* étaient
un petit groupe Maribio qui s'était séparé du reste de la tribu peu avant la
conquête espagnole et s'était installé à une centaine de kilomètres plus au
Nord-Est, près de la ville actuelle de Ocotal (Nicaragua).

Les Tlapanec sont actuellement 17.000 environ. Les trois peuples réunis-
saient peut-être 40 ou 50.000 personnes au début du xvie siècle (?)

p) Groupe *Tequistlatec*. [63, 55]

33º Tequistlatec. [4]

(Env. 9.000 pers. aujourd'hui ; peut-être 20 ou 25.000 au début du xvie s.).

Ce groupe ne comprend qu'une seule langue, le Tequistlatec *(tekistlatek)*
ou Tequisistec *(tekisistek)* ou Chontal *(čontal)* de Oaxaca, parlé à l'Ouest
de Tehuantepec, sur un territoire restreint du Sud de l'État d'Oaxaca. Cette
langue doit son nom à la ville de Tequisistlan. La parenté du Tequistlatec,
du Seri et des langues Yuma, signalée par Brinton en 1901, a été confirmée
par Kroeber en 1915.

q) Groupe *Yurumanguí*[1]

34º *Yurumanguí. [82]

La langue *Yurumanguí *(yurumangi)* était parlée, au xviiie siècle sur
le cours du petit fleuve du même nom, au Sud de la ville actuelle de Buena-
ventura, dans une partie du Bas Chocó qui dépend maintenant de la province
colombienne du Cauca. Le *Yurumanguí, dont un missionnaire nous a
transmis un vocabulaire, est la première langue d'Amérique du Sud qui ait
été rattachée à une famille d'Amérique du Nord. Nous n'avons pas de
renseignements sur le nombre des *Yurumangui. D'après l'étendue du terri-

---

1. On trouvera le Yurumangui sur la carte de l'Amérique du Sud (langues
isolées, **N**).

toire qu'on leur attribue et la densité moyenne du peuplement indigène dans le Chocó, ils ne devaient guère être plus de quelques centaines.

B) FAMILLE *YUKI*. [56]

Cette famille californienne est restée longtemps complètement isolée. P. Radin a cherché à la rapprocher des langues Penutia. Finalement Sapir l'a incluse, sans trop de preuves, dans sa Grande Famille Hoka-Siou, où elle forme une subdivision aberrante. Les peuples Yuki, comme leurs voisins, étaient chasseurs, pêcheurs et collecteurs, mais se distinguaient par un type physique particulier, parfois un peu archaïque.

Les deux langues de la famille Yuki étaient parlées dans la Coast Range de Californie, au Nord de la baie de San Francisco, en trois petits territoires distincts, séparés par les peuples Pomo (Famille Hoka).

35° Yuki.
(Environ 3.000 personnes en 1770, selon Kroeber).

Le Yuki *(yuki)* était parlé dans le haut bassin de la Eel River et, plus à l'Ouest, dans un petit territoire côtier adjacent. Il se subdivise en trois dialectes principaux : Ukhotnom (ou dialecte Yuki de la côte) à l'Ouest ; dialecte Huchnom *(hučnom)* au Centre, enfin dialectes Yuki proprement dits au Nord-Ouest.

36° Wappo.
(Environ 1.000 personnes en 1770, d'après Kroeber).

Le Wappo était parlé dans un territoire, peu étendu mais assez accidenté, situé entre le Clear Lake et la baie de San Francisco. Une petite bande Wappo, celle des *Lileek, s'était détachée assez récemment du reste de la tribu pour s'établir sur la rive même du Clear Lake. Il y avait trois ou quatre dialectes Wappo, mais ils différaient faiblement entre eux.

C) FAMILLE *KERES*

37° Keres. [**97, 11, 120**]
(Environ 4.000 personnes en 1680).

Cette famille, dont le rattachement à la Grande Famille Hoka-Siou aurait besoin d'être plus amplement prouvé, ne comprend qu'une seule langue, le Keres *(keres)*, qui est actuellement parlée dans sept villages du New Mexico. Sédentaires, agriculteurs, les Keres sont des représentants typiques de la civilisation dite des « Pueblos ».

Le dialecte Keres oriental est employé dans les villages de Cochiti, Santo Domingo, San Felipe, Sia et Santa Ana, groupés dans la vallée du Rio Grande, à l'Ouest de Santa Fé. Le dialecte occidental est parlé dans les villages d'Acoma et de Laguna, à une centaine de kilomètres au Sud-Ouest des précédents. Il existait jadis d'autres villages Keres qui ont été détruits ou abandonnés depuis l'arrivée des premiers Européens.

D) FAMILLE *TUNICA*

Cette famille a été constituée par J. R. Swanton qui proposa, en 1917, de grouper trois langues considérées jusqu'alors comme indépendantes : Le Tunica *(tunika)*, l'*Atakapa et le Chitimacha *(čitimača)*. Sapir a rattaché la famille Tunica ainsi formée à la Grande Famille Hoka-Siou. Whorf, qui

33—1

tenait la Grande Famille Hoka-Siou pour artificielle et voulait la démanteler, envisageait de rattacher la famille Tunica à une Grande Famille Penutia élargie, ou il se proposait d'inclure les langues Uto-Aztec et Maya-Zoque.

Les tribus de la famille Tunica étaient sédentaires et vivaient d'agriculture, de chasse et de pêche.

Nous diviserons ici la famille Tunica en trois groupes :

a) Groupe *Tunica*

38º Tunica. [**35, 38**]

(Environ 1.500 personnes au milieu du xviiᵉ siècle, selon Swanton.)

Ce groupe ne comprend qu'une seule langue, le Tunica, qui au xviiᵉ siècle était parlé vers le confluent du Yazoo et du Mississippi. Par la suite, les Tunica descendirent le grand fleuve jusqu'au confluent de la Red River, où ils sont installés depuis le début du xviiiᵉ siècle et où leur langue achève actuellement de s'éteindre. D'après Swanton, des dialectes Tunica étaient probablement parlés par quelques petites tribus voisines : les *Tiou, les *Yazoo *(yazu)*, les *Koroa et les *Grigra.

Swanton pense que les Tunica devaient être anciennement établis au voisinage des Chitimacha, mais qu'ils furent délogés par les Natchez et refoulés vers le Nord jusqu'à la région de la ville actuelle de Memphis. Après quoi ils seraient ensuite revenus progressivement vers le Sud.

b) Groupe *Atakapa

39º *Atakapa. [**100, 108, 31**]

(Environ 2.050 personnes au milieu du xviiᵉ siècle, selon Swanton.

La langue *Atakapa ou *Attacapa était la seule de ce groupe. Elle était parlée sur la côte, à l'Ouest du Mississippi, depuis Vermilion Bay jusqu'à Galveston Bay. Swanton estime que les *Akokisa, *Bidai, *Patiri et *Deadose, établis dans le bassin inférieur du fleuve Trinité, en amont de la baie de Galveston, étaient des tribus *Atakapa, et qu'il en était de même des *Opelousa *(opelusa)* qui vivaient dans la région actuelle d'Opelousas, en Louisiane.

Nous connaissons deux dialectes *Atakapa, l'un qui fut noté dans la région voisine du Mississippi, l'autre qui fut observé près de la baie de Calcasieu. Il en existait peut-être un ou plusieurs autres parmi les tribus du fleuve Trinité. Sapir a proposé de grouper le Tunica et l'*Atakapa en une subdivision spéciale de la famille Tunica.

c) Groupe *Chitimacha*

40º Chitimacha. [**100, 101**]

(Environ 2.700 personnes au milieu du xviiᵉ siècle).

Ce groupe ne comprend qu'une seule langue, le Chitimacha *(čitimača)* parlée en Louisiane, autour du Grand Lake, entre le Bayou Lafourche, le Bayou La Teche et la côte du Golfe du Mexique. On ne connaît qu'un seul dialecte Chitimacha et il n'est plus parlé que par une seule personne. Swanton suppose que les petites tribus Chawasha *(čawaša)* ou Chaouacha et Washa *(waša)* ou Ouacha, qui vivaient à l'Est des Chitimacha, parlaient probablement la même langue.

E) FAMILLE CADDO. [**64, 110**]

Les langues Caddo paraissent avoir été groupées anciennement en un territoire compact, vers le Sud des Grandes Plaines ; mais, dès le xviiie siècle, elles étaient réparties entre trois domaines séparés. Le plus important de ces domaines était à l'Ouest du bas Mississippi ; on y rencontrait les langues Wichita, *Kitsai et Caddo proprement dit. La langue Pawnee était parlée, plus au Nord, dans la région de la rivière Platte et avait détaché un dialecte, l'Arikara, sur le haut Missouri, en amont du confluent de la White River. Jusqu'à présent les langues Caddo n'ont guère retenu l'attention des linguistes.

Les peuples de la famille Caddo étaient agriculteurs et, à un moindre degré, chasseurs. Leur civilisation les apparentait aux peuples du Sud-Est de l'Amérique du Nord. Cependant certaines traditions des Pawnee semblent témoigner d'une lointaine influence mexicaine.

Sapir a groupé les langues Caddo et Iroquois en une subdivision de sa Grande Famille Hoka-Siou.

La Famille Caddo peut être divisée en deux groupes :

a) Groupe *Caddo*

41º Caddo. [**64, 110**]
(Environ 7.800 personnes au milieu du xviie siècle, selon Swanton).

Ce groupe ne comprend qu'une seule langue, le Caddo *(kado)*, qui se fractionnait jadis en plusieurs subdivisions dialectales, dont les limites ne coïncidaient pas avec celles des confédérations de tribus. Après maintes épreuves, les derniers Caddo, très réduits en nombre, ont été réunis dans l'Oklahoma. Leurs différents dialectes ont disparu, ou ont été absorbés par celui des Kadohadacho *(kadohadačo)*, qui étaient la tribu la plus importante.

En faisant appel aux souvenirs de quelques vieux Indiens et à certains documents historiques, on parvient à répartir les anciens dialectes Caddo entre quatre sections que l'on peut appeler conventionnellement : Caddo, *Hainai, *Natchitoches et *Adai.

Les dialectes Caddo proprement dits étaient parlés par les tribus de la confédération Kadohadacho (sur la Red River, aux limites du Texas, de l'Oklahoma et de l'Arkansas), et par certaines tribus de la confédération Hasinai (sur les rivières Neches et Angelina, dans le Texas oriental). Le dialecte *Hainai, assez peu différent du précédent, était parlé par les tribus *Hainai et *Nabedache, de la confédération Hasinai. Les dialectes *Natchitoches *(načitoš)* étaient parlés par les tribus *Natchitoches et *Doustioni, sur le cours inférieur de la Red River, près de la ville actuelle de Natchitoches et, plus en amont, par la tribu Yatasi. Enfin un vocabulaire nous a été conservé du dialecte *Adai, assez divergent, qui était parlé près de l'emplacement de la ville actuelle de Robeline (en Louisiane, à l'Ouest de Natchitoches) et qu'employait aussi la tribu Eyeish (ou Ais, ou Hais), qui vivait un peu plus à l'Ouest, de l'autre côté de la rivière Sabine. Kadohadacho et Hasinai étaient les « Cadodaquios » et les « Cenis » des anciens auteurs français. Les Espagnols appelaient les Hasinai « Texas » *(tešas)* ou « Tejas » d'après un mot signifiant « ami » dans la langue de ces Indiens.

b) Groupe *Pawnee* [**64**]

Ce groupe, dispersé depuis le Texas central jusqu'au North Dakota, comprenait trois langues :

42º Wichita (42) — *Tawaconi — *Waco (42').
(Environ 3.200 personnes au xviiᵉ siècle).

La langue Wichita *(wičita)* était parlée anciennement dans une région qui s'étendait depuis le centre du Kansas jusqu'au centre du Texas ; mais elle recula peu à peu vers le Sud, surtout au xviiiᵉ siècle, sous la pression des Osage (famille Siou) et des Comanche (famille Uto-Aztec).

La confédération Wichita comprenait plusieurs tribus, parlant des dialectes apparentés, dont les plus importantes étaient celles des Wichita proprement dits, des *Tawakoni et des *Waco *(weko)*. Les Wichita, appelés « Panis piqués » (= tatoués) par les Français, occupaient le Nord de cette zone, notamment les bords de l'Arkansas. Les dialectes *Tawakoni et *Waco étaient parlés plus au Sud-Ouest. Refoulés dans le Texas, décimés par les guerres et les épidémies, ces tribus furent finalement installées dans l'Oklahoma.

43º *Kitsai.
(Environ 500 personnes en 1690).

La langue *Kitsai *(kiţai)* ou *Kichai *(kičai)*, assez proche du Pawnee, était parlée, au début du xviiiᵉ siècle, sur la Red River, en amont du territoire Kadohadacho. Refoulés dans le Texas, puis installés dans l'Oklahoma, ces Indiens se sont fondus parmi les Wichita.

44º Pawnee (44) — Arikara (44').
(Environ 13.000 personnes en 1690).

La langue Pawnee *(pǫni)* était parlée par quatre tribus confédérées, établies sur les rivières Platte et Loup, dans le territoire de l'État actuel de Nebraska. Les Pawnee, appelés « Panis » par les Français, gardaient le souvenir d'être venus du Sud et maintenaient encore, au xviiiᵉ siècle, des rapports avec les Wichita. Très réduits en nombre, ils ont été transférés dans l'Oklahoma. Les Skidi ou Skiri (Panis-Loups ou Pani-Maha des anciens voyageurs français) formaient la plus importante des quatre tribus Pawnee et avaient un dialecte particulier. Enfin le dialecte Arikara, fortement différencié, est parlé par une fraction assez anciennement séparée des Skidi, et qui s'était établie sur le haut Missouri, au Nord de la rivière Cheyenne. Les Arikara ont été placés, au milieu du xixᵉ siècle, dans la réserve de Fort Berthold (North Dakota), avec les Mandan et les Hidatsa, autres peuples sédentaires des grandes plaines septentrionales.

F) FAMILLE *IROQUOIS* [**7, 10, 117, 28 bis**]

Le principal domaine de la famille Iroquois[1] comprenait les vallées du Saint-Laurent et de la Susquehanna, les bords des lacs Érié et Ontario, et la rive Sud-Est du lac Huron. De plus, la puissante nation Cherokee occupait le Sud des monts Appalaches, et trois autres tribus moins importantes étaient établies dans les plaines qui s'étendent à l'Ouest de Pamlico Sound

---

1. Le nom d'Iroquois est la déformation d'un mot indigène (francisé à l'aide du suffixe -ois) signifiant « vraies vipères ».

ət de Abemarle Sound. Toutes ces régions ont un climat tempéré et étaient couvertes de forêts. Certaines traditions donnent à penser que les groupes méridionaux de la famille Iroquois avaient anciennement vécu plus au Nord. Par contre, les Iroquois du Saint-Laurent et des Grands Lacs apparaissent, à bien des points de vue, comme un peuple d'origine méridionale, qui aurait poussé vers le Nord ou le Nord-Est en refoulant les peuples Algonquins.

La classification de Sapir place les langues Iroquois, avec les langues Caddo, dans une subdivision spéciale de la Grande Famille Hoka-Siou. Quelques ethnologues ont envisagé de placer l'origine des Iroquois dans une région située à l'Ouest du Mississippi, au voisinage du pays Caddo. Enfin L. Allen a signalé des ressemblances particulières entre les langues Iroquois et Siou.

Tous les peuples de la famille Iroquois étaient sédentaires, pratiquaient l'agriculture et n'accordaient à la chasse qu'une importance secondaire. Ces peuples avaient une civilisation néolithique assez élevée et leur organisation politique était particulièrement remarquable.

Le nom d'Iroquois, au sens restreint, s'applique aux membres d'une confédération naguère puissante et belliqueuse, qui groupait les cinq tribus Seneca, Cayuga, Onondaga, Oneida et Mohawk. On peut considérer que ces confédérés parlaient trois langues différentes. On estime que les Hurons étaient installés plus anciennement qu'eux dans la région des Grands Lacs.

La classification des langues Iroquois est assez peu satisfaisante, plusieurs de ces langues ayant disparu avant d'avoir pu être décrites et certaines des survivantes n'ayant pas encore été suffisamment étudiées.

Dès le xviie siècle, les missionnaires français remarquèrent que les langues Iroquois de la région du Saint-Laurent et des Grands Lacs étaient étroitement apparentées entre elles. Fenton pense qu'elles l'étaient alors plus qu'elles ne le sont aujourd'hui, et qu'elles ont dû se différencier assez sensiblement depuis cette époque.

Il existait probablement six ou sept langues Iroquois qui sont les suivantes :

45° Huron (45) — Tionontati (45') — *Neutre (45''). [**7, 73, 33, 83**] (Environ 50.000 personnes au début du xviie siècle, quelques centaines aujourd'hui).

Le Huron était numériquement la langue la plus importante de l'Amérique du Nord. Il comprenait plusieurs dialectes, au sujet desquels on manque de données linguistiques précises. Voegelin estime que le parler des Tionontati n'était pas un simple dialecte Huron, et il le classe comme une langue différente.

Les Hurons[1] proprement dits (ou Wendat) formaient une confédération établie sur un territoire assez restreint, entre la baie Georgienne et le lac Simcoe. Il semble que deux de leurs principales tribus, celles des Arendahronon et celle des Tohontaenrat, étaient venues de la vallée du Saint-Laurent, qu'elles occupaient encore au milieu du xvie siècle (mais qu'elles durent abandonner par la suite à cause des attaques des peuples Algonquins). En effet, Champlain, en 1603, trouva désertes les régions de Hochelaga (Montréal) et de Stadacona (Québec) où Jacques Cartier, en 1535, avait pu

---

1. Vieux mot français dérivé de hure et attesté dès le xive siècle, le terme de huron a été appliqué à ces Indiens à cause de leurs traits jugés peu agréables ou de leur façon de disposer leur chevelure.

noter un bref vocabulaire qui, dans sa majorité, correspond à des mots hurons (Toutefois un doute subsiste pour les gens de Hochelaga qui étaient peut-être Mohawk).

Les Tionontati, ou « Hurons du Petun », vivaient sur un territoire peu étendu, au Sud de la baie Georgienne. D'après les anciens auteurs, il semble qu'ils étaient proches parents des Hurons proprement dits et qu'ils parlaient un dialecte huron.

Les *Neutres[1] étaient établis sur la rive Nord du lac Érié. *Neutres et Hurons proprement dits se décernaient mutuellement le surnom de « Attiwandaronk », c'est-à-dire « Ceux qui parlent mal ». Ce fait témoigne d'une différence dialectique sensible.

Ces peuples furent à peu près anéantis par les attaques des Iroquois, au milieu du xviie siècle. La plupart des survivants furent incorporés dans la tribu Seneca et promptement assimilés. Un certain nombre de Tionontati purent s'échapper vers l'Ouest, où ils fusionnèrent, par la suite, avec quelques fugitifs Hurons et *Neutres. Après 200 ans de vicissitudes diverses, ces réfugiés finirent par se regrouper et se fixer dans l'Oklahoma. C'est à eux que, depuis le milieu du xviiie siècle, on applique plus spécialement le nom de « Wyandot ». Un petit groupe de Hurons trouva asile près de Québec, où ses descendants habitent le village de Lorette et parlent maintenant français.

46º *Érié (46) — * Wenro (46'). [**28 bis**]
(Peut-être 10.000 personnes au début du xviie siècle).

Les *Érié, ou *Chats[2], vivaient au Sud et à l'Ouest du lac Érié. Vaincus par les Iroquois au milieu du xviie siècle, ils furent massacrés ou dispersés. Certains furent incorporés dans la tribu Seneca. D'autres se réfugièrent dans la haute vallée de l'Ohio, et il semble que ce furent ces fugitifs qui furent appelés « Black Minquas » jusqu'au jour où ils se joignirent, eux aussi, aux Seneca.

La langue que parlait les *Érié est complètement inconnue. Ce pouvait être un dialecte Huron ou un dialecte Seneca, ou encore une langue particulière. D'après Fenton, il subsiste un vocabulaire inédit des Black Minquas, et ce document est d'allure tout à fait Seneca.

Les *Wenro (ou *Wenrohronon) vivaient à l'Est du lac Érié. Ils firent un moment partie de la confédération des *Neutres. Abandonnés par ceux-ci et attaqués par les Iroquois, ils quittèrent leur pays, demandèrent asile aux Hurons et se fondirent parmi eux, ou furent anéantis avec eux.

La langue que parlait les *Wenro est complètement inconnue, mais il y a quelques probabilités qu'elle ait été un dialecte *Érié et, comme telle, apparentée au Seneca.

47º Seneca — Cayuga — Onondaga. [**1, 45, 46, 74**]
(Environ 8.000 personnes au milieu du xviie siècle).

Ces trois tribus vivaient au Sud du lac Ontario. Les Seneca *(seneka)*

---

1. Le nom de Neutres leur a été donné par les Français à cause de leur neutralité dans les guerres entre Iroquois et Hurons.

2. Érié représente, francisée, une forme d'un nom d'animal qui ne désigne plus que le puma, mais qui était autrefois commun au puma et au chat sauvage.

étaient installés à l'Ouest du lac Seneca ; les Cayuga *(kayuga)* sur les rives du lac Cayuga ; les Onondaga enfin, à l'Est des Cayuga. Ces tribus sont maintenant dispersées en de nombreux endroits, surtout dans la province d'Ontario et dans l'État de New-York. Un groupe de Seneca se trouve en Oklahoma.

48° Oneida. [**7, 10**]
(Environ 1.000 personnes au milieu du xviie siècle).
Cette langue était parlée dans une seule ville, près du lac Oneida, dans l'État actuel de New-York. Quelques Oneida vivent encore là mais la plus grande partie de la tribu a émigré dans l'Ottawa ou dans le Wisconsin.

49° Mohawk. [**7, 10, 14, 18, 41, 46**]
(Environ 3.000 personnes au milieu du xviie siècle).
Cette langue était parlée sur la rivière du même nom, au Sud des Monts Adirondak. Les Mohawk *(Mohǫk)* formaient la plus orientale des cinq tribus de la ligue des Iroquois. A la suite des guerres du xviiie siècle, ils ont dû, pour la plupart, se réfugier dans l'Ontario ou aux environs de Montréal.

50° *Conestoga.
(Au moins 5.000 personnes au milieu du xviie siècle).
Cette langue occupait le bassin du fleuve Susquehanna jusqu'à la baie Chesapeake. Les *Conestoga étaient aussi appelés *Susquehanna, *Andaste, ou *White Minquas. Ils furent vaincus, en 1675, par les Anglais et les Iroquois. Les survivants se dispersèrent et furent absorbés par les Oneida et par les *Meherrin. La langue *Conestoga est à peu près inconnue, les documents anciens n'en ayant conservé que quelques mots. On pense qu'elle devait être plus particulièrement apparentée aux langues Iroquois de l'Est, notamment à l'Oneida.

51° Tuscarora (51) — *Nottoway (51') — *Meherrin (51''). [**71**]
(Environ 8.000 personnes au début du xviie siècle).
La langue Tuscarora a été peu étudiée. Elle était peut-être apparentée au *Conestoga.
Les trois tribus de la confédération Tuscarora vivaient, au xviie siècle, sur le cours moyen des petits fleuves Neuse, Tor et Roanoke. Après une guerre contre les Blancs, ces Indiens durent émigrer vers le Nord. Les Oneida les accueillirent comme des parents et les firent admettre dans la ligue des Iroquois, qui comprit désormais six « nations ». Leurs descendants vivent dans l'État de New-York et dans l'Ontario. Les *Coree *(kori)* du Cap Lookout et les *Neusiok de l'embouchure de la Neuse furent alliés des Tuscarora, et Swanton pense qu'ils leur étaient apparentés linguistiquement. Les *Nottoway *(notowe)* qui vivaient en Virginie, sur le fleuve qui a gardé leur nom, parlaient une langue Iroquois qui n'était probablement séparée du Toscarora que par des différences dialectales. Il en était sans doute de même de leurs voisins, les *Meherrin, parmi lesquels se réfugièrent, en 1675, une partie des *Conestoga. On estime, en général, que ces tribus Iroquois de Caroline et de Virginie ont dû venir du Nord, se détachant de la masse principale des peuples auxquels elles s'apparentaient linguistiquement.

52° Cherokee. [**8, 70**]
(Environ 22.000 personnes au milieu du xviie siècle, plus de 40.000 actuellement).
La langue Cherokee *(čeroki)* occupait jadis la partie méridionale des

monts Appalaches. En 1822, les Cherokee, déjà fortement européanisés, adoptèrent l'usage d'un alphabet syllabique inventé par un des leurs, nommé Sequoya. Cet alphabet permit d'imprimer diverses publications et même un journal. En 1838-39, le Gouvernement américain expulsa les Cherokee de leur pays et les transféra dans l'Oklahoma. Cependant quelques centaines d'entre eux se cachèrent dans les montagnes et obtinrent finalement l'autorisation d'y rester : ce sont les Cherokee dits orientaux, qui vivent encore de nos jours dans l'Ouest de la Caroline du Nord.

Le Cherokee diffère sensiblement des autres langues de la famille Iroquois. D'après Mooney, on pourrait distinguer trois principaux dialectes Cherokee. Celui qui était parlé au Sud-Est, dans la vallée du fleuve Savannah, est maintenant éteint. Celui de la Caroline du Nord survit, notamment chez les Cherokee orientaux. Enfin le dialecte des montagnes est le plus important et c'est pour lui qu'a été conçu l'alphabet de Sequoya. Les Cherokee sont maintenant un des groupes indigènes les plus nombreux et les plus civilisés de l'Amérique du Nord.

G) FAMILLE YUCHI

Cette famille, que Sapir classe au voisinage des familles Siou et Muskogee, ne comprend qu'une seule langue :

53º Yuchi. [**110, 116, 123**]

(Environ 3.000 personnes au milieu du XVIIe siècle).

Les Yuchi *(yuči)*, d'abord appelés Chisca *(čiska)* puis Westo, vivaient anciennement dans les montagnes et plateaux qui avoisinent le confluent des rivières Hiwassee et Tenessee. A la fin du XVIIe siècle, des bandes Yuchi allèrent s'établir sur le cours moyen des fleuves Savannah et Apalachicola d'où elles furent bientôt chassées. Les restes du peuple Yuchi sont actuellement installés dans l'Oklahoma.

H) FAMILLE MUSKOGEE.
[**38 bis, 91, 107, 110, 102, 104, 106, 118, 34, 39**]

Swanton [**107**] a réuni les familles Muskogee *(muskogi)* et Natchez *(načez)* de Powell. Sapir y a rajouté la famille *Timucua *(timukwa)* et cette addition est aussi proposée par Swanton. La famille Muskogee, ainsi élargie, groupait des peuples sédentaires qui tiraient leurs ressources essentielles de l'agriculture, sauf dans l'extrême Sud de la Floride. D'après leurs traditions, ces peuples seraient anciennement venus d'une région située à l'Ouest du Mississippi. Au moment de l'arrivée des Européens, ils étaient à peu près tous installés dans le Sud-Est de l'Amérique du Nord, entre le Mississippi et l'Océan Atlantique. C'était là une zone forestière, de climat tempéré, et la densité de peuplement y atteignait 0,10 à 0,20 habitants par kilomètre carré. En 1650, avant la pénétration européenne, les langues Muskogee devaient être parlées par plus de 80.000 personnes si l'on admet les chiffres de Mooney, par près de 67.000 selon les conclusions plus récentes de Swanton, que nous admettrons de préférence. Sur la côte du Golfe du Mexique, le contact des Européens provoqua rapidement l'extinction d'un certain nombre de tribus qu'il est malaisé maintenant de placer dans une classification linguistique. D'autres tribus émigrèrent ou se divisèrent à plusieurs reprises, et sont difficiles à situer géographiquement. Enfin presque tout ce qui restait des Indiens du Sud-Est des États-Unis fut transféré dans l'Oklahoma pendant la première moitié du xixe siècle.

Nous avons déjà signalé que Sapir considérait les langues Muskogee comme particulièrement apparentées aux langues Siou et Yuchi.

Avec Swanton, nous diviserons la famille Muskogee en trois groupes : Muskogee, *Timucua et Natchez.

a) Groupe *Muskogee.* [**34, 39, 104, 106, 110**]

Mary Haas y distingue un sous-groupe occidental, avec la seule langue Choctaw, et un sous-groupe oriental, avec les langues Alabama, *Apalachee, Koasati, Hitchiti et Creek. Les langues Alabama, *Apalachee et Koasati peuvent être réunies dans une subdivision Alabama. Enfin c'est au sous-groupe oriental qu'il convient, semble-t-il, de rattacher le *Calusa, langue éteinte et à peu près inconnue.

Le groupe Muskogee s'étendait sur presque tout le territoire de la famille Muskogee, à l'exception du Nord de la Floride et d'une petite région sur les bords du bas Mississippi. Les langues de ce groupe étaient parlées par plus de 50.000 personnes.

54° Choctaw (54) — Chikasaw (54′) — *Chakchiuma (54″) — *Mobile — *Pensacola (54‴). [**16, 17, 102**]

(D'après les calculs de Mooney, la langue Choctaw ainsi définie aurait été parlée, en 1650, par environ 30.000 personnes ; mais les dernières recherches de Swanton lui donnent un peu moins de 27.000 personnes).

La langue Choctaw *(čoktǫ)* était une des plus importantes d'Amérique du Nord. De plus, elle a servi de base à la formation du jargon commercial dit « Mobilien ». De nos jours, il existe encore une vingtaine de milliers de Choctaw et de Chikasaw, pour la plupart très américanisés.

La langue Choctaw proprement dite était parlée par les Choctaw (ou Chacta), importante nation établie jadis entre le Mississippi et la rivière Tombigbee, et aussi par quelques petites tribus qui vivaient sur le cours inférieur du Mississippi : *Acolapissa, *Bayogoula, *Okelousa, *Quinipissa et *Pascagoula. Ces petites tribus sont maintenant éteintes ; une partie des Choctaw est restée dans l'État du Mississippi, le reste a été transféré dans l'Oklahoma au début du xixe siècle.

Les Chikasaw *(čikasǫ),* qui parlent un dialecte très voisin du Choctaw, vivaient jadis entre le Mississippi, le bas Tennessee et le cours supérieur de la Tombigbee. Swanton leur rattache les petites tribus *Ibitoupa et *Taposa, qui étaient installées sur la rivière Yazoo et sont maintenant éteintes. Les Chikasaw ont été transférés dans l'Oklahoma à partir de 1837.

Les *Chakchiuma *(čakčiuma),* qui parlaient aussi un dialecte Choktaw, vivaient jadis sur la rivière Yalobusha, affluent du Yazoo. Les *Houma *(huma)* étaient, semble-t-il, une fraction Chakchiuma, installée au xviie siècle sur la rive droite du Mississippi, en face de l'embouchure de la Red River. Quelques Houma survivent en Louisiane mais ils ont abandonné l'usage de leur langue indigène.

Enfin des dialectes très voisins du Choctaw étaient parlés, semble-t-il, par les petites tribus *Mobile *(mobil)* — sur la baie de ce nom, — *Pensacola *(pensakola)* — sur la baie de ce nom — et *Tohome — sur le cours inférieur de la rivière Tombigbee.

55° *Apalachee. [**39, 106, 110**]

(Parlé par environ 5.000 personnes au milieu du XVIIe siècle).

Les *Apalachee *(apalaći)* étaient établis au Nord de la baie qui porte leur nom, entre les fleuves Aucilla et Apalachicola, dans le Nord-Ouest de l'État actuel de Floride. Après divers combats, une partie d'entre eux se fondit parmi les Creek ; le reste émigra en Louisiane, puis alla s'éteindre en Oklahoma.

56° Alabama. [**106**]

(Parlé peut-être par 1.500 personnes au XVIIe siècle).

Cette langue est étroitement apparentée au *Apalachee et au Koasati. A la fin du XVIIe siècle, elle était employée sur un territoire restreint, dans la vallée du fleuve Alabama, en aval de la jonction des rivières Coosa et Tallapoosa. Mais, en 1541, Hernando de Soto paraît avoir rencontré au moins une fraction des « Alibamo » plus au Nord-Ouest, en pays Chikasaw, près des sources de la rivière Tallahatchie. Quelques Alabama se réfugièrent en Louisiane et au Texas : ils y ont encore environ 300 descendants. Le reste de la tribu s'unit aux Creek et se fondit parmi eux. Il semble qu'on puisse classer avec les Alabama deux petites tribus voisines, celles des *Tawasa et des *Muklasa.

57° Koasati (57) — *Tuskegee (57′). [**36, 106, 110**]

(Parlé peut-être par 1.000 personnes au XVIIe siècle).

La tribu Koasati était établie sur la rivière Tennessee, en aval de la ville actuelle de Chattanooga. Quelques Koasati s'installèrent, à la fin du XVIIIe siècle, sur la Red River, au Nord-Ouest de la Louisiane actuelle où ils ont encore des descendants. Aux Koasati, on peut, semble-t-il, joindre une tribu voisine et alliée, celle des *Kaskinampo venus de l'Arkansas, et une autre, celle des *Tuskegee *(tuskegi)* établis plus au Sud, dans la haute vallée de la rivière Coosa.

58° Hitchiti (58) avec peut-être *Cusabo (58′) et *Chatot (58″). [**29, 106, 110**]

(Parlé peut-être par 6.500 personnes au XVIIe siècle).

Le territoire de cette langue s'étendait en Georgie, dans le Nord-Ouest de la Floride et probablement dans le Sud-Ouest de la Caroline du Sud. La tribu Hitchiti *(hićiti)* proprement dite, avec la tribu *Oconee, la tribu *Okmulgee et quelques villages alliés, était installée sur le cours moyen des rivières Oconee et Okmulgee. Les *Chiaha et les *Yamasee vivaient, au XVIIe siècle, en aval des précédents, sur la rivière Okmulgee, mais les *Chiaha paraissent être venus des bords du fleuve Savannah peu de temps auparavant. Les *Tamathli étaient établis sur la Flint River. Les *Apalachicola et les *Sawokli vivaient sur le cours inférieur du fleuve Apalachicola.

Les Indiens de toutes ces tribus ont suivi le sort des Creek et, pour la plupart, se sont confondus avec eux. Cependant quelques-uns des Hitchiti transférés en Oklahoma ont gardé leur individualité et leur langue. Une bonne partie des tribus Hitchiti se retira en Floride à la fin du XVIIIe siècle et au début du XIXe. Ces Hitchiti de Floride, surtout constitués par une fraction des *Chiaha, reçurent le nom de Mikasuki et formèrent un élément important de la nation dite « Seminole » *(seminol)*. Leur dialecte était un peu différent du Hitchiti proprement dit. Après la guerre Seminole de 1835-1842, presque tous les Mikasuki survivants furent déportés dans l'Oklahoma. Cependant une bande est restée en Floride jusqu'à nos jours.

Swanton pense qu'un dialecte Hitchiti était probablement parlé par les *Cusabo *(kusabo)* de la côte méridionale de la Caroline du Sud. Les *Guale de la côte de Georgie, quoique étant plutôt de langue Creek, devaient compter un élément Hitchiti important. Enfin, à titre d'hypothèse, on peut peut-être rapprocher des Hitchiti les *Chatot *(čato)* qui, au nombre de 500 environ, vivaient à l'Ouest du cours inférieur du fleuve Apalachicola. La langue de ces *Chatot est inconnue. D'après les dires d'un ancien auteur, elle était différente du Choctaw, et Swanton conclut qu'elle se rattachait probablement au Hitchiti, ou peut-être au *Apalachee.

59° Creek (59) avec peut-être *Coosa (59′) et *Guale (59″). [**37, 65, 29, 106, 110**]

(Cette langue n'était peut-être parlée, au milieu du xviie siècle que par environ 8.000 personnes, mais les Creek absorbèrent, par la suite, les restes de diverses petites tribus voisines et dépassèrent le nombre de 15.000 au début du xixe siècle).

La langue Creek *(krik)* ou Muskogee *(muskogi)* était parlée par un ensemble de tribus qui formaient l'élément dominant de la confédération Muskogee (confédération dans laquelle furent admises par ailleurs des Hitchiti, des Koasati, des Yuchi, des Natchez et des Shawnee). Selon Mary Haas, le Creek a dû s'individualiser précocement, car aucune autre langue Muskogee du sous-groupe oriental ne s'est autant écartée du Choctaw.

Le centre de la puissance Creek était la région des rivières Coosa et Talla-poosa, en Alabama. Mais les Creek s'étendaient aussi vers l'Est, jusqu'au fleuve Savannah, dans la région de la ville actuelle d'Augusta, et peut-être même jusqu'à la côte de Georgie. Ils occupèrent ensuite la vallée de la rivière Chattahooche, entre Georgie et Alabama.

Les principales tribus ou villes Creek étaient celles des Abihka, des Coosa, des Coweta, des Eufaula, des Fus-hatchee, des Hilibi, des Hothliwahali, des Kan-hatki, des Kasihta, des Kolomi (ou Kulumi), des Okchai, des Pakaua, des Tukabahchee et des Wakokai. Les événements du xixe siècle et du xxe ont amené le mélange de ces différentes fractions. Les *Coosa *(kusa)* qui vivaient dans la plaine côtière du Sud-Est de la Caroline du Sud, en arrière des *Cusabo, étaient peut-être une fraction détachée des Coosa de l'Alabama. Enfin Swanton estime qu'un élément Creek dominait probablement chez les *Guale de la côte de Georgie, bien qu'une partie de cette tribu ait pu être d'origine Hichiti.

Vaincus par les troupes américaines, en 1813-1814, la plupart des Creek furent transférés dans l'Oklahoma, où leurs descendants vivent encore au nombre d'une vingtaine de mille, et conservent plusieurs dialectes. Les insoumis s'enfuirent en Floride.

On désigne habituellement sous le nom de « Seminole » un dialecte Creek qui devint important en Floride au début du xixe siècle. Le peuple Seminole commença à se constituer, au milieu du xviiie siècle, par l'afflux de réfugiés de différentes tribus venant de Georgie ou de l'Alabama. D'abord arrivèrent des Indiens de langue Hitchiti, auxquels on se mit à décerner, pour partie tout au moins, le nom de Mikasuki. Puis vinrent les Eufaula et d'autres Muskogee. Après la guerre Creek de 1813-1814, ces derniers affluèrent en si grand nombre qu'ils devinrent prédominants. Il fallut aux Américains plusieurs années de luttes acharnées (1835-1843) pour vaincre les Seminole et les déporter dans l'Oklahoma. Il n'est resté dans les marais de Floride qu'une petite bande parlant la langue Mikasuki, et une autre parlant la langue Seminole-Creek. Presque tous les Seminole de l'Oklahoma parlent le Seminole-Creek, mais quelques-uns comprennent encore le Mikasuki.

60° *Calusa. [**104, 106, 110**]
(Parlé par 4.000 personnes environ au milieu du xviiᵉ siècle).

On réunit sous ce nom l'ensemble des parlers éteints et à peu près inconnus, qui étaient employés naguère dans le Sud de la Floride. Swanton estime que ces parlers étaient probablement apparentés au Hitchiti ou au *Apalachee et qu'ils furent séparés géographiquement du reste du groupe Muskogee par l'irruption du groupe *Timucua. La tribu *Calusa *(kalusa)* proprement dite était assez importante et occupait la côte occidentale de la péninsule, au Sud de la baie de Tampa ; elle n'a disparu qu'au milieu du xixᵉ siècle. Les petites tribus *Ais, *Guacata *(wakata)*, *Jaega *(kaega)* et *Tekesta vivaient sur la côte orientale.

b) Groupe *Timucua

Ce groupe ne comprenait, semble-t-il, qu'une seule langue : le *Timucua.

61° *Timucua. [**72, 30, 106, 110**]
(Parlé par environ 10.000 personnes au milieu du xviiᵉ siècle).

On réunit sous le nom de *Timucua l'ensemble des dialectes, apparentés entre eux, qui étaient parlés dans la moitié septentrionale de la péninsule de Floride et se sont éteints au xviiiᵉ siècle. La langue *Timucua *(timukwa)*, considérée d'abord comme indépendante, se rattache certainement à la famille Muskogee. Les *Timucua étaient déjà en Floride au xviᵉ siècle mais devaient y être arrivés assez récemment, selon Swanton, car il semble qu'une tribu parlant la même langue vivait encore, en 1540, dans le centre de l'Alabama. Les dialectes *Timucua étaient parlés par les tribus suivantes : *Icafui, *Tacatacuru, *Yui, *Saturiwa, *Agua Dulce (*Fresh Water Indians), *Surruque, sur la côte orientale ; *Yustaga, *Utina, *Onatheaqua, *Potano, *Ocale, *Acuera, *Tocobaga, *Mococo, *Ocita et *Pohoy, au voisinage de la côte occidentale.

c) Groupe Natchez

Ce groupe ne comprenait, semble-t-il, qu'une seule langue, le Natchez.

62° Natchez (62) — *Taensa (62') — *Avoyel (62''). [**102, 107**]
(Environ 5.000 personnes au milieu du xviiᵉ siècle).

La langue Natchez *(načez)* était parlée dans plusieurs villages, près de la ville actuelle de Natchez, dans le Sud-Ouest de l'État de Mississippi, sur la rive gauche du grand fleuve. Cette langue se rattache à la famille Muskogee, malgré de grandes différences de vocabulaire.

Les Natchez avaient atteint un niveau de civilisation assez élevé. Leur culte solaire et leur organisation sociale ont attiré l'attention des voyageurs et des ethnologues. A la suite d'une guerre désastreuse avec les Français, les Natchez furent vaincus et dispersés (1729-1731). Une partie d'entre eux se fondirent parmi les Creek, d'autres trouvèrent refuge chez les Cherokee. C'est au milieu des Cherokee de l'Oklahoma que vivaient encore, en 1940, les deux derniers Indiens capables de parler la langue Natchez.

D'après d'anciens documents français, le *Taensa aurait été la même langue que le Natchez. Les *Taensa, peu nombreux, vivaient sur le Mississippi en amont des Natchez, près de l'embouchure de la rivière Big Black. Chassés de ce site, ils se réfugièrent dans le delta du Mississippi, puis sur les bords de la baie de Mobile, enfin en Louisiane, où leur langue s'éteignit au XIXe siècle. Vers 1880, une grammaire et des textes dits Taensa furent publiés en France, par un certain Parisot. Après une longue controverse avec A. S. Gatschet et Lucien Adam, Brinton réussit à démontrer que ces documents avaient été forgés de toutes pièces.

La petite tribu *Avoyel vivait sur le cours inférieur de la Red River. Sa langue est éteinte et complètement inconnue, mais Swanton a montré qu'elle devait être analogue à celle des Taensa, dont les *Avoyel n'auraient été qu'une fraction récemment détachée.

I) FAMILLE SIOU [115]

Au début du XIXe siècle, la grande masse des peuples de langue Siou était répandue à l'Ouest du Mississippi, depuis les rivières Yellowstone et Saskatchewan jusqu'à l'embouchure de l'Arkansas. De plus, dans les premiers temps de la colonisation anglaise, c'étaient essentiellement des Indiens de langue Siou qui occupaient la région située à l'Est des monts Appalache, entre les fleuves Potomac et Savannah. Enfin deux petites tribus, connues depuis la fin du XVIIe siècle dans la région du bas Mississippi, ont été reconnues tardivement comme faisant partie de la famille Siou.

Les Sioux occidentaux ont gardé la tradition d'être venus de l'Est, et les données de l'histoire confirment que leur expansion dans les Grandes Plaines ne date, en général, que d'une époque toute récente. Au contraire, les Sioux de la région atlantique avaient gardé le souvenir d'être venus de l'Ouest ou du Nord-Ouest. Quant aux Sioux de la région du bas Mississippi, ils avaient une étroite parenté linguistique avec ceux de la Virginie : Swanton a montré de façon assez convaincante qu'ils étaient venus du Nord et que certains d'entre eux devaient se trouver encore dans la vallée de l'Ohio au milieu du XVIIe siècle.

Partant de ces données, des ethnologues et linguistes ont formulé l'hypothèse que les peuples Sioux[1] étaient anciennement réunis dans la zone des rivières Ohio, Wabash, Illinois, et jusqu'au haut Mississippi. De là, ils se seraient répandus, à une époque plus ou moins lointaine vers l'Est, vers l'Ouest et vers le Sud, laissant leur ancienne patrie à peu près déserte, comme la trouvèrent les premiers explorateurs français du XVIIe siècle.

Au moment de l'arrivée des Européens, la plupart des peuples de la famille Siou vivaient de l'agriculture plus que de la chasse et habitaient, en général, dans des villages sédentaires. On a quelques raisons de penser qu'il en a été de même anciennement des tribus Crow, Teton-Dakota et Assiniboin ; mais à l'époque historique, ces tribus sont décrites comme nomades et tirant leur substance de la chasse aux bisons dans les Grandes Plaines. Il semble qu'on puisse attribuer aux peuples Sioux une partie des « mounds » étudiés par les archéologues dans la vallée de l'Ohio, notamment ceux de la civilisation dite de « Fort Ancient ».

1. Le nom des Sioux est tiré, par abréviation et corruption, de *nadoweisiw*, appellation qui leur a été donnée par les Chippewa et qui signifie « serpent », d'où « ennemi ».

Mooney a estimé qu'avant la pénétration européenne, les langues Siou étaient parlées par plus de 80.000 personnes. Dans la zone située à l'Ouest du Mississippi, la densité du peuplement indigène variait généralement entre 0,02 et 0,05 habitants au kilomètre carré. Elle atteignait 0,12 à l'Est des Appalaches, enfin 0,27 chez les Winnebago du lac Michigan et chez les Mandan du haut Missouri. Tous ces chiffres n'ont qu'une valeur relative car ils concernent des époques différentes et des populations assez instables.

La parenté qu'ont entre elles les langues Siou de l'Ouest a été établie de bonne heure. Par contre le Tutelo n'a été reconnu comme Siou, par Horatio Hale, qu'après 1870 ; le Catawba, par Gatschet, qu'en 1881 ; le *Biloxi et l'*Ofo n'ont été notés, l'un qu'en 1886 par Gatschet, l'autre qu'en 1908 par Swanton. Sapir a rapproché les langues Siou du Yuchi et des langues Muskogee, Allen des langues Iroquois.

James Owen Dorsey a classé, en 1883, les langues et dialectes Siou alors connus. Nous suivrons ici la classification exposée, en 1941, par C. F. Voegelin [**115**] qui distingue onze langues Siou, réparties en quatre groupes : Groupe dit de la valllée du Mississippi (5 langues) ; Groupe dit du Missouri (2 langues); Groupe dit de la vallée de l'Ohio (3 langues) ; Groupe oriental (1 langue). Chacun des trois premiers de ces noms collectifs se réfère à la région où les différentes langues du groupe en question sont censées avoir été réunies avant leur dispersion.

a) Groupe dit de la *valllée du Mississippi*. [**25**]

Ce groupe était le plus important au point de vue numérique. Son centre de dispersion paraît avoir été sur le cours supérieur et sur le cours moyen du Mississippi, ainsi que, semble-t-il, sur la rivière Wabash et sur le bas Ohio. Au début du xixᵉ siècle, les cinq langues qu'il réunit étaient répandues depuis les plaines de la Saskatchewan, dans l'Ouest canadien, jusqu'aux confluents du Mississippi et de l'Arkansas. Les descendants de ces Indiens sont encore nombreux mais ils ont été répartis entre plus de vingt réserves depuis l'Alberta jusqu'à l'Oklahoma.

63º Dakota-Assiniboin. [**13, 12, 80, 79, 15, 20**]

Dialectes : Santee-Dakota (61), Yankton-Dakota (61'), Teton-Dakota (61''), Assiniboin (61''').

Cette langue est une des plus importantes de l'Amérique du Nord. En 1780, elle était parlée par environ 35.000 personnes et ce chiffre est actuellement dépassé (bien que l'effectif des Assiniboin ait beaucoup diminué au cours du xixᵉ siècle). Il semble qu'au xviᵉ siècle, ou au début du xviiᵉ, toutes les tribus Dakota-Assiniboin devaient être réunies dans la région du haut Mississippi, auprès du lac Mille Lacs (dans l'État actuel de Minnesota). Leur dispersion vers l'Ouest semble avoir été due à la pression des Chippewa, précocement pourvus d'armes à feu par les trafiquants de fourrures, et aussi à l'introduction du cheval, qui rendit plus facile la vie nomade dans les Grandes Plaines. Ainsi fut réalisée la récente localisation géographique des quatre dialectes définis par J. O. Dorsey.

Les Santee *(santi)* s'écartèrent à peine vers le Sud-Ouest et restèrent sur le haut Mississippi et sur la rivière Minnesota. Les dialectes Santee sont parlés par les tribus Mdẹwankton, Wahpeton, Wapekute et Sisseton, maintenant installées dans des réserves en South Dakota et au Nebraska. Les Santee s'appellent eux-mêmes « Dakota ».

Les Indiens qui parlaient le dialecte Yankton semblent avoir émigré vers l'Ouest au début du XVIIIe siècle. La tribu Yankton proprement dite s'installa dans la région des rivières Little Sioux, Big Sioux et Dakota ; la tribu Yantonai *(yanktonę)* s'établit plus au Nord, entre le cours supérieur de la Red River, le Devil's Lake et le Missouri. Les uns comme les autres furent ensuite parqués dans les réserves du South Dakota. Les Yankton s'appellent eux-mêmes « Nakota ».

Les Teton franchirent le Missouri dans le courant du XVIIIe siècle et poussèrent jusqu'aux Black Hills, d'où ils refoulèrent les Kiowa et les Cheyenne. Leurs principales bandes étaient celles des Brulé, des Oglala, des Blackfoot[1], des Miniconjou, des Sans Arc, des Two Kettle et des Hunkpapa. Avant d'être placés dans différentes réserves du North et du South Dakota, ces Indiens vivaient dans les plaines parcourues par les rivières Big ĮCheyenne, White et Niobrara. Les Teton s'appellent eux-mêmes « Lakota ».

Le dialecte Assiniboin *(asinibwan)* est parlé par une tribu qui semble avoir été jadis une fraction des Yanktonai, mais qui se sépara anciennement des Dakota, et par la suite entretint avec eux des rapports hostiles. D'abord en contact avec les Cree, sur les bords du lac des Bois et du lac Winnipeg, les Assiniboin se retirèrent vers l'Ouest et s'installèrent le long des rivières Saskatchewan et Assiniboin, dans les plaines canadiennes. Des réserves leur furent finalement assignées dans l'Alberta et le Montana.

A l'époque historique, certaines tribus Santee et Yankton pratiquaient encore un peu l'agriculture, mais la plupart des Dakota-Assiniboin tiraient leurs ressources essentielles des hordes de bisons. Nomades, chasseurs et guerriers, les Teton et les Assiniboin furent parmi les représentants les plus typiques de la fameuse « civilisation des Plaines » qui se développa dans les steppes nord-américaines après l'introduction du cheval.

64° Mandan. [**122, 49**]

(Environ 3.600 personnes en 1780).

La langue Mandan est celle d'une tribu agricole et sédentaire qui, d'après ses traditions, serait venue de l'Est. Arrivés au confluent de la White River et du Missouri, les Mandan remontèrent progressivement le fleuve. Le XVIIIe siècle les vit installés sur la Heart River puis, plus au Nord, sur la Knife River. Décimés par les épidémies, ils se retirèrent enfin sur la réserve de Fort Berthold (North Dakota) avec les Hidatsa et les Arikara, tribus dont le genre de vie était analogue au leur.

65° Winnebago. [**13, 94**]

(Environ 3.800 personnes en 1650).

Cette langue est étroitement apparentée aux dialectes dits Chiwere. Les Winnebago étaient un peuple sédentaire qui tirait ses principales ressources de l'agriculture et de la cueillette du riz sauvage. Dès le XVIIe siècle, ils étaient établis depuis longtemps à l'Ouest du lac Michigan, près de la Green Bay. Refoulés peu à peu vers le Sud-Ouest, les Winnebago, après plusieurs transferts, sont maintenant établis dans le Nebraska.

66° Chiwere.

Dialectes : Iowa (64), Oto (64′), *Missouri (64″). [**121**]

---

(1) Ne pas confondre avec les Blackfoot du Canada, qui parlent une langue de la famille Algonquin (voir p. 976).

(Environ 3.100 personnes en 1780).

Le mot Chiwere *(čiwere)* a été choisi par Dorsey pour désigner l'ensemble des trois tribus Iowa, Oto et *Missouri, dont les parlers n'étaient séparés que par de simples différences dialectales. D'après leurs traditions, ces peuples sédentaires et agriculteurs se seraient anciennement séparés des Winnebago pour émigrer vers le Sud-Ouest.

Les Iowa *(ayowę)* vivaient, au xviiie siècle, sur la rivière des Moines, dans l'État actuel d'Iowa ; puis ils franchirent le Missouri et s'établirent sur la Platte River. Leur dialecte survit dans une réserve du Kansas et, dans une autre, en Oklahoma.

Les Oto étaient établis, au début du xviiie siècle, dans le Sud de l'État actuel de Minnesota. Refoulés jusqu'à l'embouchure de la Platte River, ils ont été transférés ensuite dans une réserve en Oklahoma.

Les *Missouri vivaient à la fin du xviie siècle, sur le fleuve qui porte leur nom, près de l'embouchure de la Platte River. Affaiblis par les guerres et les épidémies, ils s'unirent aux Oto, les accompagnèrent en Oklahoma et s'éteignirent.

67° Dhegiha. [**25, 26, 13, 9, 27, 61, 60**]

Dialectes : Omaha (65), Ponca (65′), *Kansa (65″), Osage (65‴), Quapaw (65⁗).

(Langue parlée par plus de 14.000 personnes en 1780).

Le mot Dhegiha *(tegiha)*, employé par les Ponca et les Omaha pour se désigner eux-mêmes, a été adopté par J. O. Dorsey pour désigner l'ensemble des dialectes intercompréhensibles parlés par les tribus Omaha, Ponca, *Kansa, Osage et Quapaw. Dans cet ensemble, Dorsey distingue une division d'aval ou division Quapaw, avec le seul dialecte Quapaw, et une division d'amont ou division Omaha, avec les dialectes Omaha, Ponca, *Kansa et Osage.

Les peuples Dhegiha étaient sédentaires et agriculteurs. D'après leurs traditions, ils seraient venus de la région traversée par la rivière Wabash et par le cours inférieur de l'Ohio. De là, ils auraient d'abord avancé vers l'Ouest jusqu'au Mississippi. Les Quapaw, dont le nom signifie « Gens d'aval » auraient descendu ce fleuve tandis que les autres tribus le remontaient, puis remontaient ensuite le Missouri, précédés par les Omaha dont le nom signifie « Gens qui vont vers l'amont ». Les Osages et les *Kansa restèrent au voisinage du bas Missouri. Les Omaha et les Ponca poussèrent beaucoup plus loin vers le Nord et le Nord-Ouest, mais durent enfin se replier devant les attaques des Sioux.

Les Omaha, au début du xixe siècle, étaient installés sur la rive droite du Missouri, en amont du confluent de la Platte River. Ils se sont vu attribuer une réserve dans cette partie du Nebraska.

Les Ponca *(ponka)* ont été longtemps unis aux Omaha et parlent un dialecte presque identique. Au xviiie et au xixe siècles, ils vivaient au confluent de la Niobrara et du Missouri. Certains sont restés dans le Nebraska, d'autres ont été installés dans l'Oklahoma.

Les *Kansa, dont le dialecte était étroitement apparenté à celui des Osage, vivaient, depuis le xviie siècle, sur la rivière qui porte leur nom. Très éprouvés par les épidémies, ils se sont éteints dans l'Oklahoma où on les avait transférés.

Les Osage *(ozaž)*, après avoir vécu pendant plus de 200 ans auprès de la rivière qui porte leur nom, dans l'État actuel de Missouri, se replièrent vers le Sud et s'installèrent dans une vaste réserve en Oklahoma.

Les Quapaw *(kwapǫ)* étaient jadis appelés Akansea ou Arkansas. Venus de la basse vallée de l'Ohio et d'abord installés au confluent du Mississippi et de l'Arkansas, ils remontèrent cette dernière rivière. Finalement ils ont été établis en Oklahoma.

b) Groupe dit *du Missouri*

Ce groupe ne comprend que deux langues, parlées l'une par les nomades Crow, l'autre par les sédentaires Hidatsa. D'après leurs traditions, ces peuples seraient venus ensemble du Nord-Est, peut-être de la région du Devil's Lake (North Dakota). Ils se seraient séparés sur le Missouri, les Hidatsa restant au voisinage des Mandan et les Crow poussant à travers les plaines jusqu'aux Montagnes Rocheuses.

68º Hidatsa. [**66, 69**]

(Environ 2.500 personnes en 1780).

Les Hidatsa, appelés « Minnetaree » *(minitari)* par les Mandan, et « Gros Ventres du Missouri »[1] par les Canadiens Français, étaient installés au début du XVIIIᵉ siècle, à l'embouchure de la Heart River. Ils remontèrent ensuite jusqu'à la Knife River, puis jusqu'à la réserve de Fort Berthold (North Dakota). Ils y furent rejoints par leurs alliés Mandan et Arikara, comme eux très réduits par les épidémies.

69º Crow. [**67**]

(Environ 4.000 personnes en 1780).

Les Crow appelés « Gens des Corbeaux »[2] par les Canadiens Français, vivaient anciennement à l'Est du Missouri et, d'après la tradition, ne faisaient alors qu'un seul peuple avec les Hidatsa. A cette époque, ils paraissent avoir été sédentaires et avoir pratiqué un peu d'agriculture. Mais, dès avant l'arrivée des premiers explorateurs français, ils avaient passé dans les Grandes Plaines et étaient devenus des nomades chasseurs. Dans la première moitié du XIXᵉ siècle, ils erraient entre le petit Missouri, la rivière Yellowstone, les Monts Bighorn et le plateau de Laramie. Une réserve leur a été assignée dans le Montana

c) Groupe *de la vallée de l'Ohio* [**110, 102, 115**]

Quand ce groupe s'éteignit, au début du XXᵉ siècle, il n'avait plus de représentants dans la vallée de l'Ohio depuis au moins 200 ans, les uns s'étant repliés vers l'Est au delà des monts Alleghanys, les autres ayant émigré vers le Sud jusqu'au voisinage du Golfe du Mexique. La fin de cet exode se situe au début de l'époque coloniale. Swanton a montré que les Iroquois en étaient, au moins partiellement, responsables en raison des campagnes qu'ils dirigèrent vers l'Ohio et le Mississippi pendant la seconde moitié du XVIIᵉ siècle, pour s'assurer le contrôle du commerce des fourrures. Toutefois Griffin estime que les Sioux évacuèrent la vallée de l'Ohio à une époque plus ancienne.

1. Ne pas confondre avec les « Gros Ventres de la Prairie » (ou Atsina), fraction détachée des Arapaho, dont la langue se rattache à la famille Algonquin (voir p. 977). Sur l'origine de l'appellation, voir également p. 977.

2. L'appellation est empruntée à ces Indiens eux-mêmes.

70° *Ofo (ou *Mosopelea). [**28, 114**]
(Langue parlée par 800 personnes environ, en 1650).

D'après Swanton, les premiers explorateurs français auraient rencontré cette tribu dans la vallée de l'Ohio et l'auraient signalée sous le nom de Mosopelea. Aussitôt après, les *Ofo (ou *Ofogoula) auraient été chassés vers le Sud par les Iroquois et, en 1673, Marquette les trouva sur le Mississipi, en aval du confluent de l'Ohio. En 1690, ils s'établirent parmi les Tunica mais, en 1729, la guerre Natchez les amena à gagner l'embouchure de la Red River. C'est près de là que Swanton découvrit, en 1908, la dernière survivante de cette tribu et obtint d'elle les données qui lui permirent de rattacher la langue *Ofo à la famille Siou.

71° *Biloxi. [**28, 114**]
(Environ 450 personnes en 1650).

La petite tribu *Biloxi *(biloksi)* fut rencontrée, en 1699, à l'Ouest de la baie de Mobile. De là elle passa plus tard en Louisiane, où Gatschet, puis Dorsey purent étudier sa langue avant qu'elle ne s'éteigne à la fin du XIXᵉ siècle. Cette langue était très proche de l'*Ofo et du *Tutelo, ce qui montre que les *Biloxi ont dû venir du Nord à une époque récente. D'après certains indices, Swanton se demande même s'ils ne vivaient pas encore dans la haute vallée de l'Ohio au début du XVIIᵉ siècle.

72° *Tutelo. [**40, 110**]
(Environ 4.000 personnes au début du XVIIᵉ siècle).

Les Iroquois désignaient sous le nom de « Tutelo » toutes les tribus Siou de Virginie, et ce nom collectif peut être retenu par les linguistes car on estime que ces diverses tribus ne parlaient qu'une seule et même langue. Les Sioux de Virginie avaient la tradition d'être venus de l'Ouest, à une époque indéterminée. Au moment de l'arrivée des colons anglais, ils étaient déjà installés au pied des monts Alleghanys, depuis le fleuve Rappahannock jusqu'au fleuve Roanoke et à la Dan River (à l'exception de la tribu *Moneton qui, vers 1674, vivait encore dans le bassin de l'Ohio près de la rivière Kanawha).

Les *Tutelo proprement dits, qui habitaient sur le cours supérieur du fleuve Roanoke, durent, au milieu du XIXᵉ siècle, se réfugier auprès de leurs anciens ennemis, les Iroquois. La Guerre de l'Indépendance les chassa enfin dans l'Ontario. Avant de s'éteindre, leur langue fut étudiée par Horatio Hale (qui la reconnut comme Siou), puis par J. O. Dorsey.

Au voisinage des *Tutelo vivaient diverses petites tribus qui finirent presque toutes par fusionner avec eux, et qui les accompagnèrent quand ils se retirèrent chez les Iroquois. Les principales de ces tribus étaient celles des *Manahoac, des *Monecan, des *Moneton, des *Nahyssan, des *Occaneechi et des *Saponi. On sait que ces deux dernières parlaient la langue *Tutelo, ou un dialecte étroitement apparenté, et on pense qu'il en était de même des autres.

d) Groupe *Oriental*. [**110, 115**]

C'est à tort que le *Tutelo a parfois été placé dans ce groupe, à côté du *Catawba. En fait, ces deux langues ont évolué séparément depuis longtemps, et elles semblent n'avoir voisiné, à l'Est des monts Alleghanys, qu'à une époque assez récente.

73º Catawba (73) — *Woccon (73').

(Langue parlée, en 1600, par environ 14.000 personnes, selon Swanton, par 17.000 selon Mooney).

La tribu Catawba *(katǫba)* proprement dite vivait, au XVIIᵉ siècle, sur la rivière du même nom, à la limite des États actuels de Caroline du Nord et de Caroline du Sud. D'après des traditions quelque peu douteuses, elle serait anciennement venue du Nord-Ouest, en passant par le bassin de la rivière Kentucky. Les derniers Catawba, très réduits en nombre, vivent encore en Caroline du Sud, mais leur langue indigène est à la limite de l'extinction. Cette langue a été reconnue comme Siou par Gatschet, en 1881, mais elle s'écarte de toutes les autres langues de la famille, tant par sa grammaire que par son vocabulaire.

Autour des Catawba, depuis la Neuse River jusqu'à la Santee River et à la Saluda River, vivaient de nombreuses petites tribus, parmi lesquelles Swanton cite les *Cape Fear, les *Cheraw, les *Congaree, les *Eno, les *Keyauwee, les *Pedee, les *Santee, les *Sewee, les *Shakori, les *Sissipahaw, les *Sugeree, les *Waccamaw, les *Wateree, les *Waxhaw, les *Winyaw, les *Woccon et les *Yadkin. Aucun de ces petits groupes ne subsiste aujourd'hui avec son individualité et sa langue. La plupart d'entre eux, affaiblis par les épidémies et les guerres, ont fusionné avec les Catawba, ce qui a permis de supposer qu'ils parlaient la même langue que ces derniers, ou des dialectes étroitement apparentés. Cette hypothèse est confirmée par le cas du *Woccon *(wokkon)*, le seul de ces parlers sur lequel nous ayons des renseignements d'ordre vraiment linguistique. Le bref vocabulaire *Woccon qui nous a été transmis par John Lawson, au début du XVIIIᵉ siècle, est nettement Catawba. Les *Woccon vivaient sur le fleuve Neuse, en aval des Tuscarora, à 250 kilomètres de la tribu Catawba.

BIBLIOGRAPHIE
DE LA GRANDE FAMILLE HOKA-SIOU

(ABRÉVIATIONS, voir p. 967)

OUVRAGES BIBLIOGRAPHIQUES

PILLING (J. C.), *Bibliography of the Iroquoian languages.* BAE, Bull. 6, Washington, 1888.

PILLING (J. C.), *Bibliography of the Muskhogean languages.* BAE, Bull. 9, Washington, 1889.

PILLING (J. C.), *Bibliography of the Siouan languages.* BAE, Bull. 5, Washington, 1887.

INDEX BIBLIOGRAPHIQUE

1 *A French-Onondaga dictionary, from a manuscript of the seventeenth century.* Shea's Library of American Linguistics, New York, t. 10, 1862.

2 ALLEN (L.), *Siouan and Iroquoian.* IJAL, New York, t. 6, 1930-1931, p. 185-193.

3 ANGULO (J. de), *Texte en langue Pomo*. JSA, Paris, n. S., t. 19, 1927, p. 129-144.

4 ANGULO (J. de) et FREELAND (L. S.), *The Chontal language (dialect of Tequixistlan)*. Anthropos, St. Gabriel Mödling, t. 20, 1925, p. 1032-1052.

5 ANGULO (J. de) et FREELAND (L. S.), *The Achumawi language*. IJAL, New York, t. 6, 1930-31, p. 77-120.

6 ANGULO (J. de) et FREELAND (L. S.), *Karok texts*. IJAL, New York, t. 6, 1930-1931, p. 194-226.

6 bis BAEGERT (J.), *Nachrichten von der Amerikanischen Halbinsel Californien*. Mannheim, 1772.

7 BÁRBEAU (M.), *Classification of Iroquoian radicals with subjective pronominal prefixes*. Canada Department of Mines, Geological Survey, Memoir 46 ; Anthropological Series, no 7, Ottawa, 1915.

8 BENDER (E.), *Cherokee*. IJAL, Batlimore, t. 15, 1949, p. 223-238.

9 BOAS (F.), *Notes on the Ponca grammar*. Congrès International des Américanistes, XVe session, tenue à Québec en 1906. Québec, t. 2, 1907, p. 317-337.

10 BOAS (F.), *Notes on the Iroquois language*. In : *Putnam anniversary volume*. New York, 1909, p. 427-460.

11 BOAS (F.), *Keresan texts*. PAES, New York, t. 8, parts I-II, 1925-1928, 2 vol.

12 BOAS (F.) et DELORIA (E.), *Notes on the Dakota, Teton dialect*. IJAL, New York, t. 7, 1932, p. 97-121.

13 BOAS (F.) et SWANTON (J. R.), *Siouan: Dakota (Teton and Santee dialects), with remarks on the Ponca and Winnebago*. In : *Handbook of American Indian Languages*. Part 1, BAE, Bull. 40, t. 1, Washington, 1911, p. 875-965.

14 BRUYAS (J.), *Radices verborum iroquaeorum, auctore R. P. Jacobo Bruyas S. J. Radical words of the Mohawk language, with their derivatives*. Shea's Library of American Linguistics, New York, t. 10, 1862.

15 BUECHEL (P.), *A grammar of Lakota*. St. Francis, S. Dak., 1939.

16 BYINGTON (C.), *Grammar of the Choctaw language* (Editor D. G. Brinton). PAPS, Philadelphie, t. 11, 1870, p. 317-367.

17 BYINGTON (C.), *A dictionary of the Choctaw language* (Edited by Halbert et Swanton). BAE, Bull. 46, Washington, 1915.

18 CUOQ (J. A.), *Lexique de la langue iroquoise, avec notes et appendices*. Montréal, 1882.

19 DANGBERG (G.), *Washo texts*. UCPAAE, t. 22, no 3, 1927, p. 391-443.

20 DELORIA (E.), *Dakota texts*. PAES, New York, t. 14, 1932.

21 DIXON (R. B.), *The Shasta-Achomawi: a new linguistic stock, with four new dialects*. AA, Lancaster, Pa., n. s., t. 7, 1905, p. 213-217.

22 DIXON (R. B.), *The Chimariko Indians and language*. UCPAAE, Berkeley, t. 5, no 5, 1910, p. 293-380.

23 DIXON (R. B.) et KROEBER (A. L.), *New linguistic families in California*. AA, Lancaster, Pa., n. s., t. 15, 1913, p. 647-655.

24 DIXON (R. B.) et KROEBER (A. L.), *Linguistic families in California*. UCPAAE, Berkeley, t. 16, no 3, 1919, p. 47-118.

25 DORSEY (J. O.), *On the comparative phonology of four Siouan languages*. Smithsonian Institution, Annual Report for 1883, Washington, 1885, p. 919-929.

26 Dorsey (J. O.), *The Cegiha language.* Contribution to North American Ethnology, Washington, t. 6, n° 1, 1890, p. 1-783.

27 Dorsey (J. O.), *Omaha and Ponca letters.* BAE, Bull. 11, Washington, 1891.

28 Dorsey (J. O.) et Swanton (J. R.), *A dictionary of the Biloxi and Ofo languages, accompanied with thirty one Biloxi texts and numerous Biloxi phrases.* BAE, Bull. 47, Washington, 1912.

28 bis Fenton (W. N.), *The present status of anthropology in Northeastern North America; a review article.* AA, Menasha, n. s., t. 50, 1948, p. 494-515.

29 Gatschet (A. S.), *A migration legend of the Creek Indians, with a linguistic, historic and ethnographic introduction.* Vol. 1, in : Brinton's Library of aboriginal American Literature, Philadelphie, t. 4, 1884 et vol. 2, Saint-Louis, 1888.

30 Gatschet (A. S.) et Grasserie (R. de la), *Textes Timuqua.* Revue de Linguistique et de Philologie comparée. Paris, t. 22, 1889, p. 320-346.

31 Gatschet (A. S.) et Swanton (J. R.), *A dictionary of the Atakapa language, accompanied by text material.* BAE, Bull. 108, Washington, 1932.

32 Goeje (C. H. de), *Études linguistiques caribes.* Verhandelingen der Koninklijke Nederlandsche Akademie van Wetenschappen te Amsterdam, Afdeeling Letterkunde, Amsterdam, n. s., t. 10, n° 3, 1909, et t. 49, n° 2, 1946.

33 *Grammar of the Huron language, by a missionary of the village... of Lorette..., translated from the Latin by Mr. John Wilkie.* Fifteenth Report of the bureau of Archives for the Province of Ontario, Toronto, 1920, p. 725-777.

34 Haas (M. R.), *The classification of the Muskogean languages.* In : *Language, Culture and Personality,* Menasha Wis., 1941, p. 41-56.

35 Haas (M. R.), *Tunica.* In : *Handbook of American Indian Languages,* Part 4, New York, 1941, p. 1-143.

36 Haas (M. R.), *Men's and women's speech in Koasati.* Language, Baltimore, t. 20, 1944, p. 142-149.

37 Haas (M. R.), *Dialects of the Muskogee language.* IJAL, Baltimore, t. 11, 1945, p. 69-74.

38 Haas (M. R.), *A grammatical sketch of Tunica.* In : *Linguistic structures of native America.* VFPA, New York, t. 6, 1946, p. 337-366.

38 bis Haas (M. R.), *Noun incorporation in the muskogean languages,* Language, Baltimore, t. 17, 1941, p. 311-315.

39 Haas (M. R.), *The position of Apalachee in the Muskogean family.* IJAL, Baltimore, t. 15, 1949, p. 121-127.

40 Hale (H.), *The Tutelo tribe and language.* PAPS, Philadelphie, t. 21, n° 114, 1883, p. 1-45.

41 Hale (H.), *The Iroquois book of rites.* Brinton's Library of Aboriginal American Literature, Philadelphie, t. 2, 1883.

42 Halpern (A. M.), *Yuma.* In : *Linguistic structures of native America.* VFPA, New York, t. 6, 1946, p. 249-288.

43 Halpern (A. M.), *Yuma.* IJAL, Baltimore, t. 12, 1946, p. 25-33, 147-151, 204-212 ; t. 13, 1947, p. 18-30, 93-107 et 147-166.

44 Harrington (J. P.), *Karuk texts.* IJAL, New York, t. 6, 1930-1931, p. 121-161.

45 Hewitt (J. N. B.), *Seneca fiction, legends and myths.* Part I. BAE, 32d Annual Report 1910-11, Washington, 1918, p. 37-819.

46 Hewitt (J. N. B.), *Iroquoian cosmology.* BAE, 21st Annual Report 1899-1900, p. 127-339 ; 43d Annual Report 1925-26, p. 449-819, Washington, 1903-1928.

47 Hoijer (H.), *Tonkawa, an Indian language of Texas.* In : *Handbook of American Indian Languages,* Part 3, New York, 1933, p. 1-148.

48 Hoijer (H.), *Tonkawa.* In : *Linguistic structures of native America,* VFPA, New York, t. 6, 1946, p. 289-311.

49 Kennard (E.), *Mandan grammar.* IJAL, New York, t. 9, n⁰ 1, 1936, p. 1-43.

50 Kroeber (A. L.), *The languages of the coast of California, South of San Francisco.* UCPAAE, Berkeley, t. 2, n⁰ 2, 1904, p. 29-80 (Étudie les langues Chumash, Salina, Esselen et Costano).

51 Kroeber (A. L.), *The Washo language of East central California and Nevada.* UCPAAE, Berkeley, t. 4, n⁰ 5, 1907, p. 251-318.

52 Kroeber (A. L.), *The Chumash and Costanoan languages.* UCPAAE, Berkeley, t. 9, n⁰ 2, 1910, p. 237-271.

53 Kroeber (A. L.), *The languages of the coast of California, North of San Francisco.* UCPAAE, Berkeley, t. 9, n⁰ 3, 1911, p. 273-435 (Étudie les langues Pomo, Yuki, Karok, Wiyot, Yurok et Miwok).

54 Kroeber (A. L.), *Phonetic elements of the Mohave language.* UCPAAE, Berkeley, t. 10, n⁰ 3, 1911, p. 45-96.

55 Kroeber (A. L.), *Serian, Tequistlatecan and Hokan.* UCPAAE, Berkeley, t. 11, n⁰ 4, 1915, p. 279-290.

56 Kroeber (A. L.), *Handbook of the Indians of California.* BAE, Bull. 78, Washington, 1925.

57 Kroeber (A. L.), *The Seri.* Southwest Museum Papers, Los Angeles, 1931.

58 Kroeber (A. L.), *Classification of the Yuman languages.* University of California Publications in Linguistics, Berkeley et Los Angeles, t. 1, n⁰ 3, 1943, p. 21-40.

59 Kroeber (A. L.) et Harrington (J. P.), *Phonetic elements of the Diegueño language.* UCPAAE, Berkeley, t. 11, n⁰ 2, 1914, p. 177-188.

60 La Flesche (F.), *The Osage tribe, rite of the Wa-xo'-be.* 45th Annual Report 1927-28, Washington, 1930, p. 523-833.

61 La Flesche (F.), *A dictionary of the Osage language.* BAE, Bull. 109, Washington, 1932.

62 Lawson (J.), *The history of Carolina...* Londres, 1714, p. 225-230.

63 Lehmann (W.), *Zentral Amerika. Teil I: Die Sprachen Zentral-Amerikas.* Berlin, 1920, 2 vol.

64 Lesser (A.) et Weltfish (G.), *Composition of the Caddoan linguistic stock.* Smithsonian Miscellaneous Collection, Washington, t. 87, n⁰ 6, 1932, p. 1-15.

65 Loughridge (R. M.) et Hodge (D. M.), *English and Muskokee dictionary.* St. Louis, 1890.

66 Lowie (R. H.), *Hidatsa texts, with grammatical notes and phonograph transcriptions by Zellig Harris and C. F. Voegelin.* Indiana Historical Society, Prehistory Research Series, Indianapolis, t. 1, n⁰ 6, 1939, p. 173-239.

67 Lowie (R. H.), *The Crow language: grammatical sketch and analyzed text.* UCPAAE, Berkeley, t. 39, n⁰ 1, 1941, p. 1-142.

68 MASON (J. A.), *The language of the Salinan Indians.* UCPAAE, Berkeley, t. 14, n° 1, 1918, p. 1-154.

69 MATTHEWS (W.), *Grammar and dictionary of the language of the Hidatsa (Minnetarees, Grosventres of the Missouri).* Shea's American Linguistics, Series II, n° 1, New York, 1873.

70 MOONEY (J.) et OLBRECHTS (F. M.), *The Swimmer manuscript. Cherokee sacred formulas and medicinal prescriptions.* BAE, Bull. 99, Washington, 1932.

71 OLBRECHTS (F. M.), *De pronominale Prefixen in het Tuscarora.* Donum natalicium Schrijnen, Nimègue-Utrecht, 1929, p. 154-161.

72 PAREJA (R. P. F.), *Arte de la lengua Timuquana, compuesto en 1614 por el P. Francisco Pareja...* Bibliothèque Linguistique Américaine, Paris, t. 11, 1886.

73 POTIER (R. P. P.), *Manuscripts on the Huron language.* Bureau of Archives for the Province of Ontario, Fifteenth Report, Toronto, 1920, p. 1-688.

74 PRESTON (W. D.) et VOEGELIN (C. F.), *Seneca I.* IJAL, Baltimore, t. 15, 1949, p. 23-44.

75 RADIN (P.), *Wappo texts.* UCPAAE, Berkeley, t. 19, n° 1, 1924, p. 1-147.

76 RADIN (P.), *A grammar of the Wappo language.* UCPAAE, Berkeley, t. 27, 1929.

77 RADIN (P.), *Notes on the Tlappanecan language of Guerrero.* IJAL, New York, t. 8, n° 1, 1933, p. 45-72.

78 RADIN (P.), *Notes on Schultze-Jena's Tlappanec.* Boletín Bibliográfico de Antropología Americana, México, t. 4, 1940, p. 70-74.

79 RIGGS (Rev. S. R.), *A Dakota-English dictionary.* Edited by J. O. Dorsey. Contributions to North American Ethnology, Washington, t. 7, 1890.

80 RIGGS (Rev. S. R.), *Dakota grammar, text and ethnography.* Contributions to North American Ethnology, Washington, t. 9, 1893.

81 RIVET (P.), *Les Malayo-Polynésiens en Amérique.* JSA, Paris, n. s., t. 18, 1926, p. 141-278.

82 RIVET (P.), *Un dialecte Hoka colombien: le Yurumangí.* JSA, Paris, n. s., t. 34, 1942 (1947), p. 1-59.

83 SAGARD THEODAT (G.), *Dictionnaire de la langue Huronne.* Paris, 1632. (Plusieurs rééditions).

84 SAPIR (E.), *The position of Yana in the Hokan stock.* UCPAAE, Berkeley, t. 13, n° 1, 1917, p. 1-34.

85 SAPIR (E.), *The Hokan and Coahuiltecan languages.* IJAL, New York, t. 1, n° 4, 1920, p. 280-290.

86 SAPIR (E.), *A supplementary note on the Salinan and Washo.* IJAL, New York, t. 2, n°s 1-2, 1921, p. 68-72.

87 SAPIR (E.), *The fundamental elements of Northern Yana.* UCPAAE, Berkeley, t. 13, n° 6, 1922, p. 215-234.

88 SAPIR (E.), *Text analyses of three Yana dialects.* UCPAAE, Berkeley, t. 20, 1923, p. 263-294.

89 SAPIR (E.), *The Hokan affinity of Subtiaba in Nicaragua.* AA, Menasha, Wis., n. s., t. 27, 1925, p. 402-435 et 491-527.

90 SAPIR (E.), *Male and female forms of speech in Yana.* In : *Donum natalicium Schrijnen.* Nimègue-Utrecht, 1929, p. 79-85.

91 Sapir (E.), *Central and North American languages*. In : *Encyclopædia Britannica*, 14th edition, Londres, 1929, t. 5, p. 138-141.

92 Sapir (E.) et Dixon (R. B.), *Yana texts by E. Sapir, together with Yana myths collected by R. B. Dixon*. UCPAAE, Berkeley, t. 9, n° 1, 1910, p. 1-235.

93 Schultze-Jena (L.), *Indiana III. Bei den Azteken, Mixteken und Tlapaneken der Sierra Madre del Sur von Mexiko*. Jena, 1938.

94 Sebeok (T. A.), *Two Winnebago texts*. IJAL, Baltimore, t. 13, 1947, p. 167-170.

95 Siebert Jr. (F. T.), *Linguistic Classification of Catawba*. IJAL, Baltimore, t. 11, 1945, p. 100-104 et 211-218.

96 Speck (F. G.), *Catawba texts*. CUCA, New York, t. 24, 1934.

97 Spencer (R. F.), *The phonemes of Keresan*. IJAL, Baltimore, t. 12, 1946, p. 229-236.

98 Spier (L.), *Havasupai (Yuman) texts*. IJAL, New York, t. 3, n° 1, 1924, p. 109-116.

99 Spier (L.), *Comparative vocabularies and parallel texts in two Yuman languages of Arizona*. University of New Mexico Publications in Anthropology, Albuquerque, t. 2, 1946. (Havasupai et Maricopa).

100 Swadesh (M.), *Phonologic formulas for Atakapa-Chitimacha*. IJAL, Baltimore, t. 12, 1946, p. 113-132.

101 Swadesh (M.), *Chitimacha*. In : *Linguistic structures of native America*. VFPA, New York, t. 6, 1946, p. 312-336.

102 Swanton (J. R.), *Indian tribes of the lower Mississippi valley and adjacent coast of the Gulf of Mexico*. BAE, Bull. 43, Washington, 1911.

103 Swanton (J. R.), *Linguistic position of the tribes of southern Texas and northeastern Mexico*. AA, Lancaster, Pa., n. s., t. 17, 1915, p. 17-40.

104 Swanton (J. R.), *Unclassified languages of the Southeast*. IJAL, New York, t. 1, n° 1, 1917, p. 47-49.

105 Swanton (J. R.), *A structural and lexical comparison of the Tunica, Chitimacha and Atakapa languages*. BAE, Bull. 68, Washington, 1919.

106 Swanton (J. R.), *Early history of the Creek Indians and their neighbors*. BAE, Bull. 73, Washington, 1922.

107 Swanton (J. R.), *The Muskogean connection of the Natchez language*. IJAL, New York, t. 3, n° 1, 1924, p. 46-75.

108 Swanton (J. R.), *A sketch of Atakapa language*. IJAL, New York, t. 5, 1929, p. 121-149.

109 Swanton (J. R.), *Linguistic material from the tribes of southern Texas and northeastern Mexico*. BAE, Bull. 127, Washington, 1940.

110 Swanton (J. R.), *The Indians of the southeastern United States*. BAE, Bull. 137, Washington, 1946.

111 Trager (G. L.), *Review of « Map of North American Indian Languages »*, compiled and drawn by C. F. Voegelin and E. W. Voegelin. IJAL, Baltimore, t. 11, 1945, p. 186-189.

112 Udall (H. J.), *A sketch of Achomawi phonetics*. IJAL, New York t. 8, n°s 1-2, 1933, p. 73-77.

113 Villiers du Terrage (M. de) et Rivet (P.), *Les Indiens du Texas et les expéditions de 1720 et 1721 à la « Baie St. Bernard »*. JSA, Paris, n. s., t. 11, 1914-1919, p. 403-442.

114 VOEGELIN (C. F.), *Ofo-Biloxi sound correspondences.* Proceedings of the Indiana Academy of Science, Greencastle, t. 48, 1939, p. 23-26.

115 VOEGELIN (C. F.), *Internal relationships of Siouan languages.* AA, Menasha, Wis., n. s., t. 43, 1941, p. 246-1949.

116 WAGNER (G.), *Yuchi.* In : *Handbook of American Indian Languages.* Part 3, New York, 1934, p. 293-384.

117 WEER (P.), *Preliminary notes on the Iroquoian family.* Indiana Historical Society, Prehistory Research Series, Indianapolis, t. 1, n° 1, 1937.

118 WEER (P.), *Preliminary notes on the Muskhogean family.* Indiana Historical Society, Prehistory Research Series, Indianapolis, t. 1, n° 7, 139, p. 241-286.

119 WEITLANER (R. J.) et WEITLANER DE JOHNSON (I.), *Acatlan y Hueycantenango.* El México Antiguo, México, t. 6, n°s 4-6, 1943, p. 140-204.

120 WHITE (L.), *New material from Acoma.* BAE, Bull. 136, Washington, 1943, p. 301-359.

121 WHITMAN (W.), *Descriptive grammar of Ioway-Oto.* IJAL, Baltimore, t. 13, 1947, p. 233-250.

122 WILL (G. F.) et SPINDEN (H. J.), *The Mandans, a study of their culture, archeology and language.* Papers of the Peabody Museum of Archeology and Ethnology, Cambridge, Mass., t. 3, n° 4, 1906, p. 81-219.

123 WOLFF (H.), *Yuchi phonemes and morphemes.* IJAL, Baltimore, t. 14, 1948, p. 240-243.

IV. — GRANDE FAMILLE NA-DENE

Une famille Athapascan a été reconnue dès le milieu du XIXe siècle, car ses trois groupes sont assez proches linguistiquement, bien que géographiquement séparés : l'un dans le Nord-Ouest du Continent, l'autre sur la côte pacifique des États-Unis, le troisième dans le Sud-Ouest. Par la suite, Sapir [**56**] constitua la grande famille Na-Dene, en y adjoignant les langues Haida et Tlingit, qui étaient considérées jusqu'alors comme deux familles indépendantes, bien que Swanton et d'autres aient signalé chez elles des points communs avec l'Athapascan. Enfin la langue Eyak, découverte en 1930, est venue former une quatrième division de la grande famille Na-Dene [**1**]. Les adjonctions de Sapir seront probablement ratifiées par des études plus poussées, mais actuellement certains linguistes font encore des réserves à leur sujet [**3**].

D'autre part, en 1925, Sapir a annoncé qu'il avait pu établir la parenté de la grande famille Na-Dene avec la famille Sino-Tibétaine [**55**]. Il a malheureusement été enlevé à la science avant d'avoir publié ses preuves. S'il les a rédigées, il y a lieu d'espérer que son manuscrit pourra un jour être retrouvé.

A) FAMILLE *ATHAPASCAN* [**32 bis, 44, 51, 52, 24, 57**]

Cette famille est traditionnellement divisée en trois groupes : Groupe Septentrional, Groupe Pacifique, Groupe du Sud-Ouest, mais cette répartition est basée bien plus sur la géographie que sur la statistique. En effet, le groupe septentrional est peu cohérent et les différences qui séparent ses membres sont parfois plus grandes que celles qui le séparent des deux autres groupes. On admet communément que les peuples Athapascan furent jadis réunis dans l'Alaska et dans le Nord-Ouest du Canada. Certains d'entre eux se seraient ensuite détachés des autres et auraient gagné des régions plus méridionales. La séparation n'est peut-être pas aussi ancienne qu'on pourrait le croire, car il semble que les tribus Athapascan n'ont guère fait leur apparition dans le Sud-Ouest des États-Unis avant le XIIIᵉ ou le XIVᵉ siècle.

a) Groupe *septentrional* [**42, 47, 48, 49**]

Le groupe Athapascan septentrional occupait un territoire immense, mais très faiblement peuplé, dans les Montagnes Rocheuses et surtout dans la forêt boréale de l'Alaska et du Nord-Ouest Canadien. La densité de peuplement y était généralement voisine de un habitant par 100 kilomètres carrés.

D'après Voegelin et Osgood, on peut distinguer neuf langues Athapascan septentrionales. Ces langues sont souvent très différenciées, ce qui tendrait à prouver que les peuples Athapascan ont occupé les forêts boréales du Nord-Ouest américain pendant une longue période et que certains de ces peuples ont vécu à l'écart des autres, ou ont été soumis à de fortes influences extérieures. Chacune des langues en question est un ensemble de dialectes intercompréhensibles, parlé par tout un groupe de tribus, elles-mêmes subdivisées en plusieurs fractions, et auxquelles un minimum de cohésion est souvent fourni par l'habitat au bord d'un même cours d'eau ou de ses affluents. Tous ces peuples étaient nomades et misérables, la chasse et la pêche ne leur fournissant, sous un rude climat, que des ressources assez précaires. Ils survivent sur leurs anciens territoires, et maintenant s'adonnent, en général, à la chasse des animaux à fourrure. Seuls les Sarsi, au Sud, avaient pris la civilisation des Grandes Plaines.

1º Chippewyan (1) — Yellowknife (1′) — Slave (1″). [**41, 16, 37, 38, 48, 49**].

Une même langue est parlée par les Chippewyan, les Yellowknife et les Slave. Les Chippewyan *(čipewayan)*, parfois appelés « Montagnais »[1] ou « Mangeurs de caribou » par les anciens voyageurs français, occupent, à l'Ouest de la baie d'Hudson, un territoire qui s'étend de la rivière Churchill au lac Athabasca et au lac des Esclaves. Les Slave (ou Slavey ou Esclaves) occupent les rives méridionales de ce dernier lac, la rivière Slave et le haut Mackenzie ; ils se sont légèrement repliés vers le Nord-Ouest, devant la poussée des Chippewyan. Les Yellowknife ou Tatsanottine, ou Couteaux Jaunes, vivent au Nord et au Nord-Est du Grand Lac des Esclaves. D'après une de leurs traditions, ils auraient abandonné leur ancienne langue, il y a un siècle, pour prendre celle des Chippewyan.

2º Dogrib (2) — Hare (2′) — Bear-Lake (2″) — Mountain (2‴). [**48, 49**] (Environ 2.400 personnes en 1670).

Une même langue est parlée par les Dogrib, les Hare, les Bear Lake Indians et les Mountain Indians. Les Dogrib (ou Thlingchadinne), appelés « Plats Côtés de Chiens »[2] par les voyageurs français, vivent entre le Grand Lac des Esclaves et le Grand Lac de l'Ours. Les Hare appelés « Peaux

---

(1) Il ne faut pas confondre avec les « Montagnais » de la province de Québec dont le parler, apparenté aux dialectes Cree, appartient à la famille Algonquin (voir p. 972).

2. Selon une tradition indigène cette tribu tire son origine de l'union d'un homme-chien avec une femme athabasque.

de lièvres » par les Français, et parfois « Kawchodinne »[1] du nom d'une de leurs fractions, habitent au Nord-Ouest du Grand Lac de l'Ours et sur le cours voisin du Mackenzie. Les Bear Lake Indians (ou *Satudene*) peuplent les rivages du Grand Lac de l'Ours. Les Mountain Indians vivent sur le Mackenzie et ses affluents du Sud-Ouest du Grand Lac de l'Ours.

3º Kutchin. [**48, 49**]

(Environ 2.500 personnes en 1670).

Le Kutchin *(kučin)* est la plus aberrante de toutes les langues Athapascan du Nord. Les Kutchin (ou Loucheux), parfois appelés « Dindjié » vivent au Sud des Eskimo de la toundra, sur le bas Mackenzie, sur la rivière Porcupine et sur le moyen cours du Yukon jusqu'aux montagnes de Endicott Range. Ils se divisent en huit tribus qui parlent autant de dialectes différents.

4º Koyukon (4) — Tanana (4') — Han (4'') — Tuchone (4''') [**34, 35**]

(Environ 4.000 personnes en 1740).

Une même langue est parlée, semble-t-il, par les Koyukon, les Tanana, les Han et les Tuchone, mais il est possible que les deux premiers de ces dialectes soient assez différents des deux derniers pour pouvoir être considérés comme une langue distincte. Les Koyukon habitent sur les bords de la rivière Koyukuk et sur les rives du Yukon, entre Holy Cross et l'embouchure de la rivière Tanana. Les Tanana (ou Nukluktana) sont installés sur la rivière qui porte leur nom et sur le cours moyen du Yukon. Les Han vivent sur le Yukon, des deux côtés de la frontière entre Canada et Alaska. Les Tuchone *(tučon)* ou Tutchonekutchin, vivent notamment sur les rivières Pelly et White, et sur le haut Yukon.

5º Ingalik (5) — Tanaina (5') — Nabesna (5'') — Ahtena (5''').

(Environ 3.100 personnes en 1740).

Une même langue serait parlée par les Ingalik, Tanaina, Ahtena et Nabesna dans le Sud de l'Alaska. Les Ingalik, ou Kaiyuhkhotana, appelés naguère « Inkalich », sont installés sur la rivière Kuskokwim et atteignent le bas Yukon. Les Tanaina (ou Knaiakhotana) occupent les bords des lacs Clark et Iliama, ainsi que le bassin draîné par le Cook Inlet. Les Ahtena, parfois appelés « Atnas », vivent dans la région de la Copper River. Les Nabesna (ou Nabesnatana) sont établis sur la rivière qui porte leur nom, et sur le cours supérieur des rivières Tanana et White.

6º Tahltan (6) — Kaska (6') — *Tsetsaut (6'') [**4, 43**]

(Environ 3.450 personnes en 1780).

Une même langue semble être parlée par les Tahltan, les Kaska et les *Tsetsaut, mais sans doute avec des particularités dialectales sensibles chez ces derniers. Les Tahltan occupaient tout le haut bassin de la rivière Stikine et de ses affluents. Les Kaska, souvent appelés « Nahani », peuplaient le bassin supérieur de la Liard River. Les *Tsetsaut occupaient jadis les vallées qui débouchaient au fond du Portland Canal, en Colombie Britannique. Ils sont éteints, ou à la limite de l'extinction.

7º Sekani (7) — Sarsi (7') — Beaver (7'') [**54, 39, 18, 19**]

(Environ 5.000 personnes en 1670).

Une même langue est parlée par les Sekani, Beaver et Sarsi. Les Sekani

---

1. Kawchodinne signifie, dans la langue indigène, « peuple des grands lièvres » (le lièvre est la principale ressource de ces Indiens).

vivent dans les Montagnes Rocheuses, sur le cours supérieur de la Peace River. Les Beaver ou Tsattine, appelés « Castors »[1] par les Français, occupaient jadis le bassin de la Peace River, depuis le lac Athabasca jusqu'aux Montagnes Rocheuses. Les Sarsi (ou Sarcee) du bassin de la rivière Athabasca, étaient le seul peuple Athapascan septentrional qui avait pris la civilisation des Grandes Plaines. Ils étaient alliés avec les Blackfoot. Les Sarsi, et la plupart des Beaver, ont vu leur territoire occupé par les Européens et ont été installés sur des réserves.

8° Carrier (8) — Chilcotin (8'). [**45**]
(Environ 11.000 personnes en 1780).

Une même langue est parlée par les Carrier et les Chilcotin dans les montagnes de la Colombie Britannique. Les Carrier ou Porteurs, appelés parfois « Takulli », vivent autour du lac Stuart et du lac Babine ; ils se subdivisent en Carrier proprement dits et en Babine. Les Chilcotin *(čilkotin)* ou Tsilkotin occupent le bassin de la rivière qui porte leur nom.

9° *Nicola. [**5**]
(Environ 150 personnes en 1780).

Les *Nicola (ou *Stuichamukh) vivaient au début du xixe siècle dans la vallée de la rivière Nicola. Très peu nombreux, ils ont été absorbés par les tribus voisines. On pourrait aussi les considérer comme les plus septentrionaux des Athapascan du Pacifique.

b) Groupe du *Pacifique*. [**7, 36**]

A l'exception des *Kwalhioqua, les peuples Athapascan du Pacifique étaient groupés dans le Sud de l'Oregon et le Nord de la Californie. Leur territoire se divisait en deux parties principales, séparées par les Yurok apparentés à la grande famille Algonquin. Ces Indiens ignoraient l'agriculture et vivaient de pêche, de chasse et de cueillette. Ils n'avaient d'autre organisation que celle de petits villages indépendants, parfois rapprochés par quelques alliances. Ils parlaient une quinzaine de langues, différentes mais bien apparentées, entre lesquelles les dialectes formaient souvent des transitions. La plupart de ces langues sont éteintes et celles qui survivent encore sont en voie de disparition. Les Athapascan de l'Oregon ont été mis dans des réserves, ceux de Californie ont été laissés sur place.

10e *Kwalhioqua (10) — *Tlatskanai (10'). [**6**]
(Environ 1.800 personnes en 1780).

Le nom de *Owilapsh ou de *Kwalhioqua *(kwalhiokwa)* était donné à une petite tribu Athapascan, isolée au milieu des peuples Salish et Chinook de l'État actuel de Washington, dans la haute vallée de la rivière Willopah. Nomades, chasseurs et collecteurs, très peu nombreux, les *Kwalhioqua se sont éteints au xixe siècle et sont assez mal connus. Les *Tlatskanai (ou *Klatskanai) étaient, semble-t-il, une petite tribu qui s'était détachée des *Kwalhioqua pour aller s'établir, à peu de distance, au Sud du fleuve Columbia.

---

1. Tsattine signifie « qui habitent parmi les castors » (dont la fourrure constitue une ressource essentielle).

11° Umpqua (d'amont).
(Environ 1.300 en 1780 ?).

Les Umpqua vivaient sur le cours supérieur du fleuve qui porte leur nom, dans le territoire de l'État actuel d'Oregon. On les appelle aussi « Umpqua d'amont » (Upper Umpqua) pour les distinguer des Siuslaw, peuple de la famille Penutia établi à l'embouchure de l'Umpqua, donc en aval.

12° *Coquilles (d'amont).
(Environ 700 personnes en 1780 ?).

Les *Coquilles (ou *Mishiikhwutmetunne) vivaient sur le cours supérieur du fleuve Coquille, dans l'État d'Oregon. On les appelle aussi « *Coquilles d'amont », pour les distinguer des Coos (grande famille Penutia) qui vivaient plus en aval.

13° Chasta-Costa. [**50**]
(Environ 600 en 1780 ?).

Les Chasta-Costa *(častakosta)* ou Shastacosta vivaient sur le cours supérieur du fleuve Rogue, dans l'État actuel d'Oregon.

14° *Tututni.
(Environ 4.500 personnes en 1780 ?).

Le *Tututni était parlé jadis autour de l'embouchure du fleuve Rogue, dans l'État actuel d'Oregon, par un ensemble de petites tribus côtières.

15° *Taltash-tune.
(Environ 250 personnes en 1780 ?).

Le *Taltash-tune *(taltaštune)* ou *Taltuštuntude était naguère parlé sur les bords de la rivière Galice, affluent du Rogue, dans le Sud de l'État actuel d'Oregon.

16° *Dakube-Tune.
(Environ 450 personnes en 1780 ?).

Le *Dakube-Tune était parlé dans la partie méridionale du haut bassin du fleuve Rogue jusqu'à la frontière nord de la Californie, notamment sur les bords du Applegate Creek.

17° *Wishtena-tin.
(Environ 200 personnes en 1780 ?).

Le *Wishtena-tin (ou *Khwaishtunnetunne) était parlé dans un village à l'embouchure du petit fleuve Wishtenatin, entre les fleuves Rogue et Chetco, dans l'État actuel d'Oregon.

18° *Chetco.
(Environ 800 personnes en 1780 ?).

Le *Chetco *(četko)* était parlé sur la rivière de ce nom, dans le Sud de l'Oregon.

19° Tolowa.
(Environ 1.000 personnes en 1770, selon Kroeber).

Le Tolowa était parlé sur la Smith River et sur le littoral autour de l'embouchure de ce petit fleuve.

20° Hupa — *Chilula — *Whilkut. [**11, 13, 10, 17**]
(Environ 2.000 personnes en 1770).

Une même langue était parlée par les Hupa *(hupa)*, *Chilula *(čilula)* et *Whilkut *(wilkut)*, langue nettement différente de celle des autres peuples

Athapascan du Pacifique. Les Hupa occupaient la basse vallée de la rivière Trinity, affluent du fleuve Klamath. Le territoire des *Chilula s'étendait sur la basse vallée de Redwood Creek sans parvenir à la côte. Les *Whilkut vivaient sur le cours supérieur du Redwood Creek et dans la moyenne vallée de la Mad River.

21º *Nongatl.

(Environ 800 personnes en 1770, selon Kroeber).

La langue des *Nongatl (ou *Noankahl ou *Saia) était parlée sur quelques petits affluents de droite de la Eel River.

22º Kato — Wailaki — *Lassik. [**15, 12, 23**]

(Environ 2.000 personnes en 1770, selon Kroeber).

Une même langue était parlée, avec des différences dialectales sensibles, par les Kato, Wailaki et *Lassik. Les *Lassik, éteints et mal connus, vivaient au Sud des *Nongatl sur la haute Mad River, sur une portion de la Eel River et sur un de ses affluents de droite. Les Wailaki (ou Kenesti) vivaient sur la Eel River, en amont des *Lassik. Les Kato, isolés des précédents par les Yuki, occupaient le cours supérieur de la branche Sud de la Eel River.

23º Mattole. [**40, 25**]

(Environ 500 personnes en 1770, selon Kroeber).

Le Mattole était parlé sur la côte Pacifique au voisinage du cap Mendocino, ainsi que dans les vallées des petits fleuves Bear et Mattole. La vallée du fleuve Bear avait un dialecte particulier.

24º Sinkyone.

(Environ 700 personnes en 1770, selon Kroeber).

Le Sinkyone occupait quelques kilomètres de la côte Pacifique, au Sud du territoire Mattole, et surtout la vallée de la branche Sud de la Eel River en aval du domaine des Kato.

c) Groupe *du Sud-Ouest*

Ce groupe présente une grande homogénéité. Les langues qui le composent occupaient une région qui constitue actuellement l'Est de l'Arizona et presque tout le New Mexico, ainsi que quelques zones voisines, notamment dans le Texas, et un secteur isolé aux confins du Kansas et de l'Oklahoma. Elles paraissent avoir cédé du terrain, à l'Est, au xviiie siècle. Par contre, il semble que leur expansion provisoire dans les limites du territoire mexicain actuel soit postérieure à la période de premier contact avec les Européens. Presque toutes les régions en question sont relativement arides et coupées de montagnes boisées. Les peuples Athapascan du Sud-Ouest étaient tous appelés « Apache » *(apače)* par les anciens Espagnols. C'étaient primitivement des nomades chasseurs et collecteurs d'un niveau culturel assez bas, mais ils ont su, à des degrés divers, emprunter de-ci de-là des éléments de civilisation, le plus souvent aux Pueblos, parfois aux tribus des Grandes Plaines enfin, plus ou moins récemment, aux Européens.

Hoijer répartit les langues Athapascan du Sud-Ouest en un sous-groupe occidental (avec le Navaho, l'Apache de San Carlos et le Chiricahua-Mescalero) et un sous-groupe oriental (avec le Jicarilla, le Lipan et le Kiowa-Apache). Les peuples du sous-groupe oriental se rattachaient plus ou moins nettement à la civilisation des Grandes Plaines. Ces langues sont actuellement parlées dans des réserves dont l'étendue est parfois importante.

25º Navaho. [**31, 26, 27, 7, 8, 58, 28**]

(Mooney estimait que les Navaho devaient être 8.000 en 1680, mais on pense maintenant qu'à cette époque, ils ne devaient pas dépasser le chiffre de 4.000, ce qui représentait à peu près le quart du total des Athapascan du Sud-Ouest).

Cette langue était naguère celle d'une tribu Apache comparable aux autres ; mais les Navaho, ayant su se constituer un genre de vie basé sur l'agriculture (empruntée aux Pueblos) et l'élevage (emprunté aux Espagnols), ont considérablement augmenté en nombre depuis quatre siècles et ont fini par surpasser tous les autres peuples du Sud-Ouest. Ils sont aujourd'hui 45.000 environ. Installés dans une réserve très étendue, ils résistent assez bien à l'assimilation américaine, notamment dans le domaine de la linguistique et montrent une remarquable vitalité. Les Navaho sont actuellement au premier rang parmi les peuples indigènes de l'Amérique du Nord.

26º Apache de San Carlos. [**20, 22**]

(Peut-être 4.000 personnes (?) à la fin du xviie siècle).

On peut appeler « Apache de San Carlos » l'ensemble des dialectes inter-compréhensibles parlés, entre le haut Gila et le petit Colorado, par les Apaches de San Carlos, les Apaches des White Mountains, les Apaches Tonto du Nord, et les Apaches Tonto du Sud.

27º Chiricahua (27) — Mescalero (27'). [**32, 30, 46**]

(Peut-être 4.000 personnes (?) à la fin du xviie siècle).

Les dialectes Chiricahua *(čirikawa)* et Mescalero ne formaient qu'une même langue. Les premiers étaient parlés entre le Rio Grande et la rivière San Pedro, les seconds à l'Est du Rio Grande, notamment dans la vallée de la rivière Pecos.

28º Jicarilla. [**14**]

(Peut-être 1.500 personnes à la fin du xviie siècle).

Le Jicarilla *(kikariya)* était parlé sur le cours supérieur du Rio Grande et de la rivière Canadienne.

29º Lipan.

(Peut-être 1.500 personnes à la fin du xviie siècle).

Le Lipan était parlé par des tribus dont le territoire, assez mouvant, avait son centre à peu près sur le bas cours du Rio Pecos, dans la partie occidentale de l'État actuel de Texas. Il est possible que les *Toboso, qui au xviie siècle ravagèrent le Nord du Mexique, aient été un groupe Lipan.

30º Kiowa-Apache.

(Environ 300 personnes en 1680).

Le Kiowa-Apache était parlé par une petite tribu Athapascan, isolée dans les Grandes Plaines et fédérée avec les Kiowa dont elle partageait le genre de vie. Les Kiowa-Apaches étaient nomades et leur territoire était assez mal défini ; cependant il semble qu'ils vivaient anciennement au Nord du cours moyen de la rivière Cimarron, c'est-à-dire dans la partie méridionale du Kansas actuel. D'après certaines traditions, ils paraissent avoir été séparés assez anciennement des autres peuples Athapascan.

B) FAMILLE *EYAK*. [**1**]

C'est seulement en 1930 qu'ont été remarquées les particularités linguistiques qui caractérisent la petite tribu Eyak et la mettent à part de tous les autres peuples Na-Dene. La langue Eyak semble s'apparenter lointainement d'une part à la famille Athapascan et, d'autre part, à la famille Tlingit. Les Eyak vivent essentiellement de la pêche et occupent deux villages dans le delta de la Copper River, sur la côte méridionale de l'Alaska. Ils sont actuellement moins de 200, mais atteignaient peut-être le chiffre de 600 au milieu du XVIIIe siècle.

C) FAMILLE *TLINGIT*. [**51, 3, 21, 62, 2, 61**]

(Environ 10.000 personnes en 1740).

Le Tlingit, ou Kolusch *(koluš)*, était parlé sur la côte méridionale de l'Alaska, depuis l'embouchure de la Copper River jusqu'à l'entrée du canal de Portland, c'est-à-dire sur plus de mille kilomètres. Le long de ce littoral, les Tlingit occupaient aussi les îles voisines, à l'exception de l'extrémité méridionale de l'île Prince of Wales. L'extension de la langue Tlingit vers le Nord-Ouest se serait faite, semble-t-il, à une époque relativement récente, ce qui expliquerait que les différences dialectales soient assez faibles, bien que les Tlingit aient probablement assimilé des tribus étrangères (Eskimo notamment). Les Tlingit étaient sédentaires et se rattachaient à la civilisation non agricole, mais déjà brillante, des pêcheurs de la côte Nord-Ouest.

D) FAMILLE *HAIDA*. [**53, 63, 59, 60**]

(Environ 9.000 personnes en 1780).

Le Haida (ou Skittagetan) était, et est encore parlé dans l'archipel de la Reine Charlotte dépendant de la Colombie Britannique, ainsi que dans la partie méridionale de l'île Prince of Wales dépendant de l'Alaska. Il est possible que le Haida ait compté jadis six dialectes mais il n'en subsiste plus que deux, qu'on peut appeler « Skidegate » et « Masset » d'après les principaux villages où on les parlait, le premier dans le Sud, le second dans le Nord des îles de la Reine Charlotte. Les Haida de l'île Prince of Wales parlent Masset, étant venus, depuis moins de deux siècles, du Nord des îles de la Reine Charlotte.

La civilisation Haida était typique de la côte Nord-Ouest.

BIBLIOGRAPHIE
DE LA GRANDE FAMILLE NA-DÉNÉ

(ABRÉVIATIONS, voir p. 967)

OUVRAGES BIBLIOGRAPHIQUES

PILLING (J. C.), *Bibliography of the Athapascan languages*. BAE, Bull. 14, Washington, 1892, XIV-125 p.

INDEX BIBLIOGRAPHIQUE

1 BIRKET-SMITH (K.) et LAGUNA (F. de), *The Eyak Indians of the Copper River delta, Alaska*. Copenhague, 1938.

2 BOAS (F.), *Grammatical notes on the language of the Tlingit Indians*.

University of Pennsylvania, The University Museum, Anthropological Publications, Philadelphie, t. 8, n° 1, 1917, p. 1-179.

3 Boas (F.), *The classification of American languages.* AA, Lancaster, Pa., n. s., t. 22, 1920, p. 367-376.

4 Boas (F.), *Ts'ets'aut, an Athapascan language from Portland Canal, British Columbia.* Collected by, arranged and annoted by P. E. Goddard. IJAL, New York, t. 3, n° 1, 1924, p. 1-35.

5 Boas (F.), *Vocabulary of the Athapascan tribe of Nicola valley.* IJAL, New York, t. 3, n° 1, 1924, p. 36-38.

6 Boas (F.) et Goddard (P. E.), *Vocabulary of an Athapascan dialect of the state of Washington.* IJAL, New York, t. 3, n° 1, 1924, p. 39-45.

7 Dixon (R. B.) et Kroeber (A. L.), *Linguistic families of California.* UCPAAE, Berkeley, t. 16, n° 3, 1919, p. 47-118.

8 Franciscan Fathers, *An ethnologic dictionary of the Navaho language.* St. Michaels, Arizona, 1910.

9 Franciscan Fathers, *A vocabulary of the Navaho language.* St. Michaels, Arizona, 1912, 2 vol.

10 Goddard (P. E.), *Hupa texts.* UCPAAE, Berkeley, t. 1, n° 2, 1904, p. 89-368.

11 Goddard (P. E.), *The morphology of the Hupa language.* UCPAAE, Berkeley, t. 3, 1905.

12 Goddard (P. E.), *Kato texts.* UCPAAE, Berkeley, t. 5, n° 3, 1909, p. 65-238.

13 Goddard (P. E.), *Athapascan (Hupa).* In : *Handbook of American Indian languages.* Part 1. BAE, Bull. 40, t. 1, Washington, 1911, p. 85-158.

14 Goddard (P. E.), *Jicarilla Apache texts.* APAMNAH, New York, t. 8, 1911, p. 1-276.

15 Goddard (P. E.), *Elements of the Kato language.* UCPAAE, Berkeley, t. 11, n° 1, 1912, p. 1-176.

16 Goddard((P. E.), *Chipewyan texts. — Analysis of Cold Lake dialect, Chipewyan.* APAMNH, New York, t. 10, n°s 1 et 2, 1912, p. 1-65 et p. 67-170.

17 Goddard (P. E.), *Chilula texts.* UCPAAE, Berkeley, t. 10, n° 7, 1914, p. 289-379.

18 Goddard (P. E.), *Sarsi texts.* UPAAE, Berkeley, t. 11, n° 3, 1915, p. 189-277.

19 Goddard (P. E.), *Beaver texts. — Beaver dialect.* APAMNH, New York, t. 10, n°s 5-6, 1917, p. 295-397 et 399-546.

20 Goddard (P. E.), *San Carlos Apache texts.* APAMNH, New York, t. 24, n° 3, 1919, p. 139-367.

21 Goddard (P. E.), *Has Tlingit a genetic relation to Athapascan?* IJAL New York, t. 1, n° 4, 1920, p. 266-279.

22 Goddard (P. E.), *White Mountain Apache texts.* APAMNH, New York, t. 24, n° 4, 1920, p. 367-527.

23 Goddard (P. E.), *Wailaki texts.* IJAL, New York, t. 2, n°s 3-4, 1923, p. 77-135.

24 Goddard (P. E.), *Similarities and diversities within Athapascan linguistic stocks.* Atti del XXII congresso Internazionale degli Americanisti, Roma, Settembre, 1926. Rome, t. 2, 1928, p. 489-494.

25 Goddard (P. E.), *The Bear River dialect of Athapascan.* UCPAAE, Berkeley, t. 24, n° 5, 1929, p. 291-324.

26 HAILE (B.), *A manual of Navaho grammar*. St. Michaels, Arizona, 1926.

27 HAILE (B.), *Learning Navaho*. St. Michaels, Arizona, 1941-1942, 2 vol.

28 HAILE (B.), *Origin legend of the Navaho flintway. Text and translation*. University of Chicago Publications in Anthropology, Linguistic Series, Chicago, 1943.

29 HOIJER (H.), *The southern Athapascan languages*. AA, Menasha, Wis., n. s., t. 40, 1938, p. 75-87.

30 HOIJER (H.), *Chiricahua and Mescalero Apache texts (with ethnological notes by M. E. Opler)*. University of Chcicago Publications in Anthropology, Linguistic Series, Chicago, 1938.

31 HOIJER (H.), *Navaho phonology*. University of New Mexico Publications in Anthropology, Albuquerque, t. 1, 1945.

32 HOIJER (H.), *Chiricahua Apache*. In : *Linguistic structures of native America*, VFPA, New York, t. 6, 1946, p. 55-84.

32 bis HOIJER (H.), *Phonetic and phonemic change in the Athapascan languages*, Language, Baltimore, t. 18, 1942, p. 218-220.

33 HOIJER (H.), *The Apachean verb*. IJAL, Baltimore, t. 11, 1945, p. 13-23 et 193-203 ; t. 12, 1946, p. 1-13 et 51-59 ; t. 14, 1948, p. 247-259.

34 JETTE (J.), *On the language of the Ten'a*. Man, Londres, t. 7, 1907, p. 51-56 ; t. 8, 1908, p. 72-73 ; t. 9, 1909, p. 21-25.

35 JETTÉ (J.), *On Ten'a folklore*. Journal of the Royal Anthropological Institute, Londres, t. 38, 1908, p. 298-367 ; t. 39, 1909, p. 460-505.

36 KROEBER (A. L.), *Handbook of the Indians of California*. BAE, Bull. 78, Washington, 1925.

37 LE GOFF (L.), *Grammaire de la langue montagnaise*. Montréal, 1889.

38 LE GOFF (L.), *Dictionnaire Français-Montagnais, précédé d'une explication de l'alphabet et d'un tableau des principales racines*. Paris, Lille, Bruges, etc., 1916.

39 LI (F. K.), *A study of Sarcee verb stems*. IJAL, New York, t. 6, n° 1, 1930, p. 3-27.

40 LI (F. K.), *Mattole, an Athabascan language*. University of Chicago publications in Anthropology, Linguistic Series, Chicago, 1930.

41 LI (F. K.), *Chipewyan*. In : *Linguistic structures of native America*. VFPA, New York, t. 6, 1946, p. 398-423.

42 MORICE (A. G.), *The Déné languages*. Transactions of the Canadian Institute, Toronto, t. 1, 1891, p. 170-212.

43 MORICE (A. G.), *The Nah-ane and their language*. Transactions of the Royal Canadian Institute, Toronto, t. 6, 1903, p. 517-534.

44 MORICE (A. G.), *The great Déné race*. Anthropos. St. Gabriel Mödling, t. 1, 1906, p. 229-277, 483-508, 695-730 ; t. 2, 1907, p. 1-34, 181-196 ; t. 4, 1909, p. 582-606 ; t. 5, 1910, p. 113-142, 419-443, 643-653, 969-990.

45 MORICE (A. G.), *The Carrier language (Déné family)*. *A grammar and dictionary combined*. St. Gabriel Mödling, bei Wien, 1932, 2 vol.

46 OPLER (M. E.) et HOIJER (H.), *The raid and war path language of the Chiricahua Apache*. AA, Menasha, t. 42, n° 4, 1940, p. 617-634.

47 OSGOOD (C.), *The distribution of the northern Athapaskan Indians*. Yale University Publications in Anthropology, New Haven, n° 7, 1936.

48 PETITOT (E.), *Dictionnaire de la langue Déné-Dindjié, dialectes Monta-*

gnais ou Chippewayan, Peaux de Lièvres et Loucheux..., précédés d'une grammaire. Bibliothèque de Linguistique et d'Ethnographie américaines, Paris, t. 2, 1876.

49 PETITOT (E.), *Traditions indiennes du Canada Nord-Ouest. Textes originaux et traduction littérale.* Actes de la Société Philologique, Alençon, t. 16-17, 1888, p. 169-614.

50 SAPIR (E.), *Notes on Chasta Costa phonology and morphology.* University of Pennsylvania. The University Museum, Anthropological Publications, Philadelphie, t. 2, n° 1, 1914, p. 269-340.

51 SAPIR (E.), *The Na-Dene languages, a preliminary report.* AA, Lancaster, Pa., n. s., t. 17, 1915, p. 534-558.

52 SAPIR (E.), *A type of Athapaskan relative.* IJAL, New York, t. 2, n°ˢ 3-4, 1923, p. 136-142.

53 SAPIR (E.), *The phonetics of Haida.* IJAL, New York, t. 2, n°ˢ 3-4, 1923, p. 143-158.

54 SAPIR (E.), *Pitch accent in Sarcee, an Athabascan language.* JSA, Paris, n. s., t. 17, 1925, p. 185-205.

55 SAPIR (E.), *The similarity of Chinese and Indian languages.* Science, New York, n. s., t. 62, n° 1607, 16 octobre 1925, Supplément, p. XII.

56 SAPIR (E.), *Central and North American languages.* In : *Encyclopædia Britannica*, 14th edition, Londres, 1929, t. 5, p. 138-141.

57 SAPIR (E.), *Internal linguistic evidence suggestive of the northern origin of the Navaho.* AA, Menasha, Wis., n. s., t. 38, 1936, p. 224-235.

58 SAPIR (E.) et HOIJER (H.), *Navaho texts.* Linguistic Society of America, University of Iowa, 1942.

59 SWANTON (J. R.), *Haida texts and myths.* BAE, Bull. 29, Washington, 1905. (En dialecte Skidegate).

60 SWANTON (J. R.), *Haida texts.* Memoirs of the American Museum of Natural History, New York, t. 14, 1908, p. 273-812 (En dialecte Masset).

61 SWANTON (J. R.), *Tlingit myths and texts.* BAE. Bull. 39, Washington, 1909.

62 SWANTON (J. R.), *Tlingit.* In : *Handbook of American Indian Languages*, Part I, BAE, Bull. 40, Washington, 1911, p. 159-204.

63 SWANTON (J. R.), *Haida.* In : *Handbook of American Indian Languages*, Part I, BAE, Bull. 40, Washington, 1911, p. 205-282.

V. — GRANDE FAMILLE PENUTIA

[**11, 12, 15, 44, 47, 48, 19, 50, 38, 49**]

A la fin du siècle dernier, les langues Penutia étaient réparties en treize familles indépendantes. C'est en 1913 que fut constituée, par Dixon et Kroeber [**11**], une famille « Penutia » restreinte, groupant les langues californiennes Wintun, Maidu, Miwok, Costano et Yokuts.

En 1921, Sapir [**44**] s'appuyant sur les travaux de Frachtenberg [**15**] constitua une famille « Penutia de l'Oregon », lointainement apparentée à la précédente, et réunissant les langues Chinook, Kalapuya et Takelma.

Enfin, en 1929, Sapir [**47**] proposa la « grande famille Penutia » comprenant, en plus des précédentes, les langues Yaquina, Alsea, Siuslaw, Coos, Sahaptin, Molale, Klamath et Tsimshian auxquelles il suggérait, par ailleurs, d'adjoindre quelques langues mexicaines, notamment le Mixe-Zoque.

Ces rapprochements ont été contestés, surtout ceux de 1929, que Sapir n'a pas appuyés par la publication de preuves détaillées. Cependant de notables ressemblances morphologiques ont été mises en évidence par ce travail de classement linguistique.

Ici, nous n'avons pas inclus dans la grande famille Penutia les langues mexicaines que proposait Sapir. Nous n'avons pas cru, non plus, devoir suivre Whorf [**50**] qui a proposé une grande famille Penutia incluant non seulement les susdites langues mexicaines, mais encore les grandes familles Uto-Aztèque et Maya-Quiché. Il serait souhaitable que cette intéressante suggestion, qui a été adoptée par Mason [**38**] et Trager [**49**], fît l'objet d'une étude et d'une publication technique détaillée.

La grande famille Penutia ainsi délimitée se répartit entre trois territoires géographiquement séparés : un en Californie, un dans l'Oregon (débordant sur le Sud de l'État de Washington, sur l'Ouest de l'Idaho et sur le Nord de la Californie), enfin un en Colombie Britannique.

L'étude des langues Penutia de Californie semble favorable aux conclusions de Dixon et Kroeber. Aussi avons-nous groupé ces langues en une famille à laquelle nous avons donné le nom de « famille Penutia de Californie ». Les langues Penutia de l'Oregon forment un groupe linguistique assez peu homogène, et nous les énumèrerons en six familles séparées, dans le cadre de la grande famille Penutia. Enfin une dernière famille sera formée par la langue Tsimshian, isolée en Colombie Britannique.

Aucun des peuples Penutia ne connaissait l'agriculture mais, dans les régions voisines de l'Océan Pacifique, ils trouvaient des ressources naturelles suffisantes pour leur permettre de mener une vie à peu près sédentaire et d'atteindre une densité de peuplement relativement élevée par rapport au reste de l'Amérique du Nord. Aussi, bien qu'occupant en général des territoires peu étendus, n'étaient-ils pas tout à fait négligeables au point de vue numérique (du moins au XVIIIe siècle, avant d'avoir été décimés par les épidémies et submergés par la colonisation européenne). Actuellement la plupart des langues Penutia sont encore vivantes, mais bon nombre d'entre elles sont menacées d'une extinction assez prochaine.

Les tribus Penutia de Californie étaient assez typiques d'une civilisation régionale basée sur la cueillette et sur la chasse. Dans les zones favorables, la densité de peuplement atteignait 0,50 et même 0,70 habitants au kilomètre carré, c'est-à-dire plus que chez presque tous les peuples agriculteurs de l'Est du Mississippi.

Parmi les peuples Penutia de l'Oregon et des régions voisines, ceux qui vivaient au voisinage de l'Océan Pacifique étaient surtout des pêcheurs de saumons et leur civilisation était une forme marginale de celle de la côte

Nord-Ouest. Les tribus qui peuplaient les plateaux situés plus à l'Est pêchaient aussi le saumon, dans la mesure des ressources locales, mais leur culture était plus fruste et se rapprochait par bien des aspects de celle des chasseurs et collecteurs du Grand Bassin. Le peuplement indigène, très faible sur ces plateaux couverts de sauges (0,05 habitant par kilomètre carré), s'élevait au voisinage de la mer et des cours [d'eau à saumons, atteignant son maximum chez les Chinook de la vallée du fleuve Columbia (1,50 habitant par kilomètre carré). Dans l'intérieur, la première pénétration du commerce européen modifia l'équilibre des forces entre les tribus et causa, au début du xixe siècle, des modifications territoriales assez notables. Très éprouvés par les épidémies et par la colonisation, les Indiens de l'Oregon ont été, pour la plupart, groupés dans des réserves où beaucoup d'anciens petits groupes locaux ont perdu leur individualité.

Les Tsimshian de la Colombie Britannique tiraient de la pêche des ressources abondantes et régulières. Ils étaient de bons représentants de la civilisation assez brillante dite de la côte Nord-Ouest.

A) FAMILLE *PENUTIA DE CALIFORNIE*. [**11, 12, 48, 36**]

Les 14 langues Penutia de Californie occupaient les alentours de la baie de San Francisco et la plus grande partie de l'immense vallée où coulent les fleuves Sacramento et San Joaquin. Parmi les langues en question, celles des Miwok et des Costano, qui étaient assez étroitement apparentées, exprimaient le nombre « deux » par le mot *uti*. Les autres langues peuvent être dites « langues Pen » d'après le mot *pen* qu'elles utilisaient dans le sens de « deux ». La combinaison de ces deux mots a permis de forger le terme *Penuti*. Les divergences des langues Penutia de Californie paraissent s'accentuer au fur et à mesure qu'on s'éloigne d'un point central correspondant à peu près au confluent du Sacramento et du San Joaquin. Kroeber suggère que l'expansion des tribus Penutia de Californie a dû refouler un peuplement Hoka antérieur, dont les restes sont aujourd'hui dispersés géographiquement.

a) Groupe *Wintun* (Copehan de POWELL)

Le territoire Wintun s'étendait entre le fleuve Sacramento et la crête de la Coast Range, depuis le mont Shasta jusqu'à la baie de San Francisco. Les dialectes Wintun peuvent être classés en trois langues distinctes :

1º Wintu.

(Environ 3.500 personnes en 1770).

La langue *Wintu* groupe les dialectes du Nord.

2º Wintun. [**8**]

(Environ 2.500 personnes en 1770).

La langue *Wintun* proprement dite, peu différente de la précédente, groupe les dialectes du Centre.

3º Patwin.

(Environ 6.000 personnes en 1770).

La langue *Patwin* groupe les dialectes du Sud.

b) Groupe *Maidu* (Pujunan de POWELL). [**9, 10**]

Les *Maidu* occupaient la partie orientale de la Grande Vallée Californienne, entre le Mont Lassen, le lac Honey, le Pyramid Pike et la ville actuelle de Sacramento. Les dialectes Maidu étaient parlés par 9.000 personnes environ, en 1770, selon Kroeber. Ils peuvent être répartis en quatre langues différentes :

4º Maidu des Montagnes.

(Peut-être 1.000 personnes en 1770).

Ces dialectes étaient parlés au Nord-Est de la zone Maidu, dans la région du lac Honey.

5º Maidu du Nord-Ouest.

(Peut-être 2.000 personnes en 1770).

Ces dialectes étaient parlés à l'Ouest des précédents, dans des collines de plus faible altitude.

6º Maidu de la Vallée.

(Peut-être 4.000 personnes en 1770).

Ces dialectes étaient parlés sur un territoire allongé du Nord au Sud, au voisinage de la rive gauche du Sacramento.

7º Maidu du Sud, ou Niseñan.

(Peut-être 2.000 personnes en 1770).

Ces dialectes étaient parlés au Sud-Est de la zone Maidu, sur le versant de la Sierra Nevada.

c) Groupe *Miwok* (Moquelumnan de POWELL). [**35, 36**]

Les Miwok étaient dispersés en trois territoires non contigus, à chacun desquels correspondait une langue différente.

8º Miwok du Clear Lake.

(Environ 500 personnes en 1770).

Cette langue était parlée sur une aire très restreinte, près de la rive Sud-Est du Clear Lake. Elle est à la veille de l'extinction.

9º Miwok de la côte. [**20**]

(Environ 1.500 personnes en 1770).

Cette langue était parlée entre l'Océan Pacifique et la rive Nord-Ouest de la baie de San Francisco. Elle comprenait plusieurs dialectes, notamment celui de Bodega Bay, qui survit mais ne tardera pas à s'éteindre comme les autres l'ont déjà fait.

10° Miwok de l'intérieur.

(Environ 9.000 personnes en 1770).

Cette langue était parlée depuis les hautes montagnes du parc national de Yosemite (Sierra Nevada) à l'Est, jusqu'aux collines des environs de Mariposa au Sud-Ouest, et jusqu'au confluent du San Joaquin et du Sacramento à l'Ouest. Sur ce territoire, il y avait quatre dialectes différents, celui dit « de la Plaine », au Nord-Ouest, étant le plus proche géographiquement et linguistiquement des langues Miwok de la côte et du Clear Lake.

d) Groupe *Costano

11° *Costano. [**32, 34, 37**]

(Environ 7.000 personnes en 1770).

Le *Costano était parlé jadis sur le littoral du Pacifique et dans les montagnes et vallées de la Coast Range, depuis la baie de San Francisco jusqu'à une vingtaine de kilomètres au Sud de la baie de Monterey. Le *Costano, éteint depuis le XIXe siècle, est mal connu. Il semble qu'il comptait sept dialectes principaux.

e) Groupe *Yokuts* (Mariposan de POWELL) [**33, 39, 40, 22**]

Le Yokuts *(yokuƚ)* était parlé dans presque toute la moitié méridionale de la Grande Vallée de Californie, territoire drainé par les rivières Kern et San Joaquín. Cependant les versants supérieurs de la Sierra Nevada lui échappaient. D'après Kroeber, il y avait environ 18.000 Yokuts en 1770.

Les dialectes Yokuts étaient au nombre d'une cinquantaine, mais ils peuvent être répartis en trois langues différentes :

12° Yokuts de la Vallée. [**40**]

(Environ 11.000 personnes en 1770).

Cette langue, divisée en dialectes peu différenciés, occupait le fond de la Grande Vallée dans toute sa longueur, au Sud du confluent du San Joaquin et du Sacramento. Le dialecte Yawelmani, à l'extrémité Sud-Est, est resté le plus vivant.

13° Yokuts des collines orientales.

(Peut-être 6.000 personnes en 1770).

Cette langue occupait les basses pentes du versant de la Sierra Nevada. Elle comprenait plusieurs dialectes assez différenciés.

14° Yokuts de Buena Vista.

(Peut-être 1.000 personnes en 1770).

Cette langue était localisée sur les pentes des Coast Ranges, au Sud du lac Tulare.

B) FAMILLE *CHINOOK (činuk)*. [**46, 6, 15**]

On distingue deux langues Chinook, jadis parlées par environ 23.000 individus sur le cours inférieur du fleuve Columbia, entre l'Océan Pacifique et le confluent de la rivière Deschutes. Ces langues se classent nettement à part des autres langues Penutia.

15° *Chinook d'aval. [**6, 2**]

(Environ 1.400 personnes en 1770).

Le *Chinook d'aval (*Lower Chinook) peut être considéré comme pratiquement éteint. Il comprenait deux dialectes : le *Clatsop, sur la rive gauche de l'estuaire, et le *Chinook d'aval proprement dit, sur la rive droite et sur la baie Shoalwater.

16° Chinook d'amont. [**3, 43**]
(Environ 21.600 personnes en 1770).

Le Chinook d'amont se divisait en plusieurs dialectes faiblement différenciés, parmi lesquels les plus importants étaient, en remontant le fleuve, le *Kathlamet *(katlamet)*, le *Clackamas *(klakamas)*, le Cascades *(kaskad)*, le Wishram et le Wasco.

Les Chinook étaient le peuple indigène le plus nombreux de la région qui constitue les États actuels d'Oregon et de Washington. Ils pratiquaient un commerce assez actif. La langue *Chinook d'aval (avec la langue Nootka) a servi de base à la formation d'une sorte de sabir, communément appelé « Jargon Chinook », mais dont le vocabulaire se chargea peu à peu de mots d'origine européenne, d'abord français, puis anglais. Cette espèce de langue commerciale indigène, qui avait son centre d'origine dans la vallée du fleuve Columbia, se répandit sur la côte de l'Océan Pacifique jusqu'au Nord de la Californie et jusque dans le Sud de l'Alaska. [**23, 25, 27, 29, 24**].

C) FAMILLE *KALAPUYA* (Kalapooyan de POWELL). [**15, 31**]

Les langues de la famille *Kalapuya* occupaient naguère presque tout le bassin de la rivière Willamette, où elles étaient parlées par 3.000 personnes environ en 1780. D'après Melville Jacobs, il semble que les dialectes de cette famille peuvent être répartis entre trois langues distinctes :

17° *Kalapuya du Nord-Ouest. [**31**]
(Peut-être 600 personnes en 1780).

Cette langue était parlée sur la rive gauche de la basse Willamette et sur quelques-uns de ses affluents comme la Yamhill River. Elle groupait plusieurs dialectes : *Tualatin, *Yamhill, etc.

18° Kalapuya proprement dit. [**31**]
(Peut-être 2.000 personnes en 1780).

Cette langue, qui est en voie d'extinction prochaine, avait une position centrale et occupait naguère la plus grande partie du bassin de la Willamette. Elle groupait plusieurs dialectes correspondant aux différentes petites vallées affluentes : dialecte Santiam, dialecte de Mary's River, dialecte de Mc Kenzie River, etc.

19° Yonkalla.
(Peut-être 400 personnes en 1780).

Cette langue, qui est également à la limite de l'extinction, occupait l'extrémité méridionale du bassin de la Willamette et empiétait sur le bassin du fleuve Umpqua.

D) FAMILLE *TAKELMA* (Takilman de POWELL)

20° Takelma. [**45, 42**]
(Environ 500 personnes en 1780).

Cette langue, aujourd'hui presque éteinte, était parlée jadis dans le haut bassin de la Rogue River, petit fleuve côtier du Sud-Ouest de l'Oregon.

E) FAMILLE *YAKONA*

Cette famille a été définie par Powell comme réunissant les langues
*Yaquina, Alsea et Siuslaw, naguère en usage dans le centre de la côte de
l'Oregon. Selon Mooney, ces trois langues étaient parlées, au total, par
quelque 6.000 personnes en 1780.

21º *Yaquina.
(Peut-être 1.500 personnes en 1780).
La langue *Yaquina *(yakwina)*, était parlée sur le petit fleuve du même
nom.

22º Alsea. [**16**]
(Peut-être 1.500 personnes en 1780).
Cette langue était parlée sur les bords du petit fleuve Alsea. Elle est
presque totalement éteinte de nos jours.

23º Siuslaw. [**18, 14**]
(Peut-être 3.000 personnes en 1780).
Cette langue *(saiuslǫ)*, qui est à la veille de s'éteindre, comprenait deux
dialectes parlés l'un dans la vallée du petit fleuve Siuslaw, l'autre sur le
cours inférieur du fleuve Umpqua. Le dialecte de cette dernière zone est
appelé Kuitsh *(kwič)* et, plus fréquemment, « Lower Umpqua » *(umpkwa)*,
c'est-à-dire « Umpqua d'aval ». Il y a lieu de le distinguer du « *Umpqua
d'amont » qui appartenait à la grande famille Na-Dene.

F) FAMILLE *COOS*

24º Coos. [**17, 13, 30, 14**]
(Environ 200 personnes en 1780).
Le Coos *(kus)*, seule langue de ce groupe, est en voie d'extinction. Il se
présentait sous deux formes dialectiques principales, l'une parlée dans la
vallée du petit fleuve Coos, l'autre sur le cours inférieur du petit fleuve
Coquille. Ce dernier dialecte est appelé « Lower Coquille », c'est-à-dire
« Coquille d'aval », pour le distinguer du « *Coquille d'amont » qui appar-
tenait à la grande famille Na-Dene.

G) FAMILLE *SAHAPTIN*

La famille Sahaptin, ou Shahaptin *(šahaptin)*, a été constituée par
Melville Jacobs [**26**] en 1931, sur des données qui paraissent valides. On y
distingue trois groupes, représentant chacun une des familles réunies par
Jacobs :

a) Groupe *Sahaptin* [**26**]

Ce groupe comprend deux langues parlées sur les plateaux, à la limite
des États d'Oregon et de Washington :

25º Sahaptin du Nord et de l'Ouest. [**26, 28**]
(Environ 14.100 personnes en 1780).
Les nombreux dialectes Sahaptin du Nord et de l'Ouest ne constituent
en réalité qu'une seule langue, jadis parlée sur le cours moyen du fleuve
Columbia (en amont du confluent de la rivière Deschutes) et sur les plateaux
drainés par les rivières Deschutes et John Day, à l'Est des monts Cascades.
Parmi les principaux dialectes, citons ceux des tribus Klikitat, Yakima,

Tenino *(tenaino)* ou **Warm Springs, Skin, Umatilla, Wallawalla, Paloos** *(palus)*, et Psanwapan, ainsi que ceux des tribus de la haute rivière Cowlitz et de la haute Nisqually.

26° Nez Percé[1]. **[41]**

(Environ 4.000 personnes en 1780).

La langue Nez Percé était parlée sur les plateaux drainés par les rivières Snake, Salmon, Clearwater et Grande Ronde, entre les Blue Mountains et le Crown Peak.

b) Groupe *Wailatpu*

Les deux langues de ce groupe étaient parlées par deux tribus qui avaient gardé le souvenir du temps où elles vivaient sur des territoires contigus.

27° Molale.

(Peut-être 200 personnes en 1780 ?).

La langue *Molale* ou Molala est celle d'une petite tribu qui résidait au voisinage du Mont Hood et de la rivière Molala. Une autre bande, appelée Molale du Sud, a été signalée à environ 200 kilomètres plus au Sud, auprès du Mont Thielsen. Ces Molale du Sud vivaient entre les Yonkalla et les Takelma.

28° *Cayuse.

(Peut-être 500 personnes en 1780).

La langue *Cayuse *(kayuse)* était parlée dans les Blue Mountains sur le cours supérieur de la rivière Grande Ronde et, plus à l'Ouest, sur un territoire mal défini.

c) Groupe *Lutuami*

29° Klamath (29) — Modoc (29'). **[1, 21]**

(Environ 1.200 personnes en 1780).

Ce groupe ne comprend qu'une seule langue naguère parlée (dans le Sud de l'Oregon) sur le versant oriental des Monts Cascades et, plus à l'Est, jusqu'à la longitude du Goose Lake. Au Nord de ce territoire vivait la tribu Klamath *(klamat)*, et au Sud la tribu Modoc. Entre le dialecte Klamath et le dialecte Modoc les différences grammaticales sont importantes, mais la similitude du vocabulaire permet l'intercompréhension.

H) FAMILLE *TSIMSHIAN* (Chimmesyan de POWELL)

30° Tsimshian **[5, 4, 7]**

(Environ 7.000 personnes en 1780).

La langue Tsimshian *(ṭimšyan)* était parlée en Colombie Britannique sur le Portland Canal, sur les rivières Nass et Skeena, enfin sur la côte et sur les îles voisines jusqu'au Milbank Sound.

Les Tsimshian se divisaient en trois tribus ayant chacune un dialecte particulier : les Niska, sur la rivière Nass ; les Gitksan, sur le cours supérieur de la Skeena ; les Tsimshian proprement dits, sur la basse Skeena. D'après certaines traditions, les Tsimshian seraient anciennement originaires de l'intérieur mais, arrivés au voisinage de la mer, ils auraient adopté la civilisation caractéristique des peuples pêcheurs de la côte Nord-Ouest.

---

1. Nom tiré d'une pratique fréquente, mais curieux pour cette tribu qui ne la possède pas.

BIBLIOGRAPHIE
DE LA GRANDE FAMILLE PENUTIA

(ABRÉVIATIONS, voir p. 967)

OUVRAGES BIBLIOGRAPHIQUES

PILLING (J. C.), *Bibliography of the Chinookan languages (including the Chinook jargon)*. BAE, Bull. 15, Washington, 1893.

INDEX BIBLIOGRAPHIQUE

1 ANGULO (J. de) et FREELAND (L. S.), *The Lutuami language (Klamath-Modoc)*. JSA, Paris, t. 23, 1931, p. 1-45.

2 BOAS (F.), *Chinook Texts*. BAE, Bull. 20, Washington, 1894.

3 BOAS (F.), *Kathlamet texts*. BAE, Bull. 26, Washington, 1901.

4 BOAS (F.), *Tsimshian texts*. BAE, Bull. 27, Washington, 1902.

5 BOAS (F.), *Tsimshian*. In : *Handbook of American Indian Languages*, Part I, BAE, Bull. 40, t. 1, Washington, 1911, p. 283-422.

6 BOAS (F.), *Chinook*. In : *Handbook of American Indian Languages*, Part I, Bull. 40, Washington, t. 1, 1911, p. 559-677.

7 BOAS (F.), *Tsimshian texts (new series)*. PAES, New York, t. 3, 1912, p. 65-284.

8 DIXON (R. B.), *Outlines of Wintun grammar*. In : *Putnam anniversary Volume*. New York, 1909, p. 461-476.

9 DIXON (R. B.), *Maidu*. In : *Handbook of American Indian languages*, Part I, BAE, Bull. 40, t. 1, Washington, 1911, p. 679-734.

10 DIXON (R. B.), *Maidu texts*. PAES, New York, t. 4, 1912.

11 DIXON (R. B.) et KROEBER (A. L.), *New linguistic families in California*. AA, Lancaster, Pa., n. s., t. 15, 1913, p. 647-655.

12 DIXON (R. B.) et KROEBER (A. L.), *Linguistic families in California*. UCPAAE, Berkeley, t. 16, n° 3, 1919, p. 47-118.

13 FRACHTENBERG (L. J.), *Coos texts*. CUCA, New York et Leyde, t. 1, 1913.

14 FRACHTENBERG (L. J.), *Lower Umpqua texts and notes on the Kusan dialects*. CUCA, New York et Leyde, t. 4, 1914.

15 FRACHTENBERG (L. J.), *Comparatives studies in Takelman, Kalapuyan and Chinookan lexicography, a preliminary paper*. IJAL, New York, t. 1, n° 2, 1918, p. 175-182.

16 FRACHTENBERG (L. J.), *Alsea texts and myths*. BAE, Bull. 67, Washington, 1920.

17 FRACHTENBERG (L. J.), *Coos*. In : *Handbook of American Indian Languages*. Part II, BAE, Bull. 40, t. 2, Washington, 1922, p. 297-429.

18 FRACHTENBERG (L. J.), *Siuslawan (Lower Umpqua)*. In : *Handbook of American Indian Languages*, Part II, BAE, Bull. 40, t. 2, Washington, 1922, p. 431-629.

19 FREELAND (L. S.), *The relationship of Mixe to the Penutian family*. IJAL, New York, t. 6, n° 1, 1930, p. 28-33.

20 Freeland (L. J.), *Western Miwok texts with linguistic sketch.* IJAL, Baltimore, t. 13, 1947, p. 31-46.

21 Gatschet (A. S.), *The Klamath Indians of southwestern Oregon.* Contributions to North American Ethnology, Washington, t. 2, 1890, 2 vol.

22 Gayton (A. H.) et Newman (S. S.), *Yokuts and Western Mono myths.* University of California, Anthropological Records, Berkeley, t. 5, n° 1, 1940, p. 1-109.

23 Gibbs (G.), *A dictionary of the Chinook jargon.* Shea's Library of American linguistics. New York, t. 12, 1863.

24 Grant (R. V.), *Chinook jargon.* IJAL, Baltimore, t. 11, 1945, p. 225-234.

25 Hale (H.), *An international idiom. A manual of the Oregon trade language or « Chinook jargon ».* Londres, 1890.

26 Jacobs (M.), *A sketch of Northern Sahaptin grammar.* University of Washington Publications in Anthropology, Seattle, t. 4, n° 2, 1931, p. 85-292.

27 Jacobs (M.), *Notes on the structure of Chinook jargon.* Language, Philadelphie, t. 8, 1932, p. 27-50.

28 Jacobs((M.), *Northwest Sahaptin texts.* CUCA, New York, t. 19, 1934.

29 Jacobs (M.), *Texts in Chinook jargon.* University of Washington Publications in Anthropology, Seattle, t. 7, 1930, p. 1-13.

30 Jacobs (M.), *Coos narrative and ethnologic texts. — Coos myth texts.* University of Washington Publications in Anthropology, Seattle, t. 8, n°s 1 et 2, 1938, p. 1-125 et 127-260.

31 *Kalapuya texts.* University of Washington Publications in Anthropology, Seattle, t. 11, 1945. (Textes recueillis par Jacobs, Gatschet et Frachtenberg. Plusieurs dialectes, à l'exclusion du Yonkalla).

32 Kroeber (A. L.), *The languages of the coast of California, South of San Francisco.* UCPAAE, Berkeley, t. 2, n° 2, 1904, p. 29-80.

33 Kroeber (A. L.), *The Yokuts language of South central California.* UCPAAE, Berkeley, t. 2, n° 5, 1907, p. 165-377.

34 Kroeber (A. L.), *The Chumash and Costanoan languages.* UCPAAE, Berkeley, t. 9, n° 2, 1910, p. 237-271.

35 Kroeber (A. L.), *The languages of the coast of California, North of San Francisco.* UCPAAE, Berkeley, t. 9, n° 3, 1911, p. 273-435.

36 Kroeber (A. L.), *Handbook of the Indians of California.* BAE, Bull. 78, Washington, 1925.

37 Mason (J. A.), *The Mutsun dialect of Costanoan, based on the vocabulary of de la Cuesta.* UCPAAE, Berkeley, t. 11, n° 7, 1916, p. 399-472.

38 Mason (J. A.), *The native languages of Middle America.* In : *The Maya and their neighbors.* New York et Londres, 1940, p. 52-87.

39 Newman (S. S.), *Yokuts languages of California.* VFPA, New York, t. 2, 1944.

40 Newman (S. S.), *The Yawelmani dialect of Yokuts.* In : *Linguistic structures of native America,* VFPA, New York, t. 6, 1946, p. 222-248.

41 Phinney (A.), *Nez Percé texts.* CUCA, New York, t. 25, 1934.

42 Sapir (E.), *Takelma texts.* University of Pennsylvania. The University Museum-Anthropological Publications, Philadelphie, t. 2, 1909, p. 1-267.

43 Sapir (E.), *Wishram texts.* PAES, New York, t. 2, 1909.

44 Sapir (E.), *A characteristic Penutian form of stem.* IJAL, New York, t. 2, nᵒˢ 1-2, 1921, p. 58-67.

45 Sapir (E.), *The Takelma language of Southwestern Oregon.* In : *Handbook of American Indian Languages,* Part II, BAE, Bull. 40, t. 2, Washington, 1922, p. 1-296.

46 Sapir (E.), *A Chinookan phonetic law.* IJAL, New York, t. 4, nᵒ 1, 1926, p. 105-110.

47 Sapir (E.), *Central and North American languages.* In : *Encyclopædia Britannica,* 14th edition, Londres, 1929, t. 5, p. 138-141.

48 Shafer (R.), *Penutian.* IJAL, Baltimore, t. 13, 1947, p. 205-219.

49 Trager (G. L.), *Review of « Map of North American Indian Languages »,* compiled and drawn by *C. F. Voegelin and E. W. Voegelin.* IJAL, Baltimore, t. 11, 1945, p. 186-189.

50 Whorf (B. L.), *The comparative linguistics of Uto-Aztecan.* AA, Menasha, t. 37, 1935, p. 600-608.

VI. — GRANDE FAMILLE UTO-AZTEC-TANO

[27, 58, 58 bis, 79, 83, 71]

La parenté entre le Nahuatl, langue des Aztec, et certaines langues d'Amérique du Nord et du Nord-Ouest du Mexique, a été longuement étudiée par Buschmann dès le milieu du XIXe siècle. Les langues Uto-Aztec ont été classées par Brinton, Powell, Kroeber [27, 30] et surtout par Sapir [58]. En 1929, Sapir a proposé d'y adjoindre les familles Tano, Kiowa et Zuñi, pour former la grande famille Uto-Aztec-Tano. Les langues Uto-Aztec du Mexique ont été révisées récemment par Sauer [60], Whorf et Mason [42, 43], mais comme beaucoup d'entre elles ont disparu avant d'avoir pu être étudiées convenablement, leur classement est souvent fondé sur des présomptions insuffisantes. Whorf avait entrepris la reconstitution du Uto-Aztec commun [79, 80].

Les langues Uto-Aztec-Tano occupaient, en Amérique du Nord, un très vaste territoire dans les plateaux du Grand Bassin et dans ceux du drainage supérieur de la Snake River et du drainage supérieur du Colorado. Ce territoire débordait sur la Californie méridionale. Par ailleurs, les Kiowa et les Comanche erraient dans les Grandes Plaines méridionales. Quelques autres groupes avaient des territoires restreints dans la zone des Pueblo du Sud-Ouest des États-Unis. Un autre ensemble de langues Uto-Aztec couvrait tout le Nord-Ouest et une partie de l'Ouest du Mexique. Enfin les peuples de langue Nahua occupaient une importante position dans le Mexique central, jusqu'au voisinage de Panama. On peut noter que l'expansion des Nahua dans la zone méso-américaine de haute civilisation n'est pas extrêmement ancienne, car ils semblent n'avoir atteint le Guerrero et la vallée de Mexico que plusieurs siècles après l'ère chrétienne, et avoir ensuite poussé plus loin vers le Sud-Est. Quant à l'arrivée des Comanche dans le Sud des Grandes Plaines, elle date seulement du début du XVIIIe siècle.

Le niveau culturel des peuples Uto-Aztec était très variable : les plus misérables étaient les pauvres nomades collecteurs et chasseurs qui vivaient sur les plateaux couverts de sauges du Grand Bassin, avec une densité de population qui pouvait s'abaisser à moins d'un habitant par cent kilomètres carrés. Les tribus californiennes avaient un pays plus riche en fruits et en gibier, et elles trouvaient un complément de ressources dans la pêche et la récolte des mollusques du littoral ; aussi atteignaient-elles d'assez fortes densités (0.30 habitants par kilomètre carré) sans le secours de l'agriculture. Kiowa et Comanche étaient devenus des chasseurs de bisons dans les Grandes Plaines. Hopi, Zuñi, Tano et Pima vivaient dans des villages construits en pierres ou en adobe, et s'adonnaient à une agriculture intensive. Les peuples Uto-Aztec du Nord-Ouest du Mexique pratiquaient également l'agriculture là où l'humidité était suffisante ; mais ceux qui nomadisaient sur les plateaux désertiques à l'Est de la Sierra Madre Occidentale étaient à un très bas niveau de misère et de barbarie. Enfin, les peuples Nahua de la zone méso-américaine avaient une des civilisations les plus élevées du Nouveau Monde, avec une densité de peuplement qui pouvait atteindre plusieurs dizaines d'habitants par kilomètre carré. Si la Grande Famille Uto-Aztec-Tano est actuellement la plus importante d'Amérique du Nord par le nombre des individus qui s'y rattachent, elle le doit à ces peuples mexicains.

Whorf [**79**] a proposé de grouper les langues Uto-Aztec-Tano, avec les langues Maya-Zoque et les langues Penutia, en une grande famille pour laquelle on a suggéré le nom de Macro-Penutia. Il n'a pas publié ses arguments en faveur de ce nouveau groupement, accepté par Mason [**43**] et par Trager [**71**].

A) FAMILLE *UTO-AZTEC* (YUTO-AZTEC)
[**79, 58, 27, 30, 60, 42, 43, 80**]

Cette famille avait des représentants depuis les États d'Oregon et de Montana jusqu'en Amérique Centrale. Son étude est assez avancée pour qu'on ait pu commencer la reconstitution du Uto-Aztec commun. Pour plus de clarté dans l'exposition, nous maintiendrons la subdivision de cette famille en groupes, d'après Kroeber et Mason, bien que Whorf, en 1935, ait montré que cette classification était peu solide, étant basée sur des contrastes que des études plus poussées tendent à minimiser.

a) Groupe *Shoshone (šošon)* des Plateaux. [**58, 30**]

Les Indiens de ce groupe étaient des nomades, errant par petites bandes sur leurs plateaux arides. Ceux de l'Ouest étaient collecteurs, ceux de l'Est chassaient le bison et leur genre de vie se rapprochait de celui des Indiens des Grandes Plaines.

Le groupe Shoshone des Plateaux est formé d'un grand nombre de dialectes que l'on peut répartir en trois langues différentes :

1º Bannock (1) — Snake (1′) — Paviotso ou Paiute du Nord (1″) — Mono (1‴). [**28, 38, 1, 75, 46**]

(Environ 8.500 personnes en 1845).

Une première langue est formée par les dialectes mutuellement intelligibles des Bannock *(bannok)*, du bassin de la haute Snake River ; des Snake, de l'Est de l'Oregon ; des Paviotso ou Paiute du Nord, des plateaux à l'Est de la Sierra Nevada ; enfin des Mono, de la région du Mont Whitney, en Californie.

2º Shoshone (2) — Comanche (2′) — Gosiute (2″) — Panamint (2‴). [**65, 50**]

(Environ 14.500 personnes au début du xixe siècle).

Une deuxième langue était parlée par les Shoshone, les Comanche *(komančè)*, les Gosiute et les Panamint. Parmi les premiers, on peut distinguer les Shoshone *(šošon)* de la Wind River, dans le Wyoming ; les Shoshone du Grand Lac Salé et de la Green River ; enfin les Shoshone Occidentaux qui occupaient tout le centre de l'État actuel de Nevada. Les Comanche vivaient, il y a quelques siècles, au voisinage des Shoshone de la Wind River, mais la pression d'autres tribus nomades les repoussa vers le Sud jusque dans les plaines du Texas occidental. Les Gosiute étaient établis au Sud-Ouest du Grand Lac Salé et les Panamint en Californie, entre le lac Owens et la Death Valley.

3º Ute (3) — Paiute du Sud (3′) — Chemehuevi (3″) — Kawaiisu (3‴). [**58, 59**]

(Environ 7.000 personnes au début du xixe siècle).

Une troisième langue est formée par l'ensemble des dialectes Ute, Paiute du Sud, Chemehuevi et Kawaiisu. Le territoire Ute *(yute)* s'étendait approximativement depuis la latitude du Grand Lac Salé et des monts Uinta, au Nord, jusqu'à celle du Rio San Juan, au Sud, et depuis le faîte des montagnes du Colorado, à l'Est, jusqu'au delà des monts Wasatch, à l'Ouest. Les Paiute du Sud vivaient plus au Sud-Ouest, dans la partie méridionale du Nevada et dans la partie de l'Arizona située au Nord du Grand Canon du Colorado.

Les Chemehuevi *(čemewevi)* erraient dans le Sud-Est de la Californie, entre le fleuve Colorado, les monts Providence et les monts San Bernardino. Les Kawaiisu occupaient un territoire restreint dans les monts Tehachapi, à l'extrémité méridionale de la Grande Vallée de Californie.

b) Groupe *Shoshone de la Kern River.* [**27, 29**]

4º Tübatulabal. [**27, 73, 74**]
(Environ 1.000 personnes en 1770).
Le *Tübatulabal*, seule langue de ce groupe, était parlé dans la haute vallée de la rivière Kern, à l'extrémité méridionale de la Sierra Nevada de Californie. Cette langue se différencie nettement de toutes ses voisines.

c) Groupe *Shoshone de la Californie méridionale.* [**27, 29**]

Les six langues de ce groupe étaient parlées sur un territoire assez restreint, au Sud de la Californie, dans la région de Los Angeles. La plupart des tribus de cette zone achèvent de disparaître. Elles vivaient jadis de cueillette, de chasse et, sur la côte, des ressources fournies par la mer.

5º Serrano.
(Environ 3.500 personnes en 1770).
La langue Serrano, en voie d'extinction, était parlée dans le désert Mojave et sur le versant Nord des monts San Bernardino et San Gabriel. Il comprenait quatre dialectes parlés par les tribus *Vanyume, au Nord-Est ; Serrano proprement dit, au Sud-Est ; *Kitanemuk*, au Nord-Ouest ; et *Alliklik, au Sud-Ouest.

6º *Gabrieleño.
(Environ 5.000 personnes en 1770).
La langue *Gabrieleño, ou *Gabrielino, réunissait les trois dialectes *Fernandeño, *Gabrieleño proprement dit, et *Nicoleño. Le *Fernandeño était parlé autour de l'ancienne mission de San Fernando. Le *Gabrieleño proprement dit (ainsi nommé d'après l'ancienne mission de San Gabriel) occupait les environs de la ville actuelle de Los Angeles ainsi que les îles de Santa Catalina et de San Clemente. Le *Nicoleño, qui était parlé dans la petite île de San Nicolas et dont on ne connaît que quelques mots, semble pouvoir être rapproché du *Gabrieleño.

7º *Juaneño.
(Environ 1.000 personnes en 1770).
Le *Juaneño *(kwaneño* ou *hwaneño)* était parlé autour de l'ancienne mission de San Juan Capistrano, au Sud-Est de Los Angeles.

8º Luiseño.
(Environ 4.000 personnes en 1770).
Le Luiseño *(lwiseño)*, ainsi nommé d'après l'ancienne mission de San Luis, occupait une portion de la côte californienne au Nord de San Diego et les collines voisines jusqu'aux monts San Jacinto.

9º Cupeño.
(Environ 500 personnes en 1770).
Le Cupeño *(kupeño)*, presque totalement éteint, était parlé dans deux villages, sur un territoire minuscule, aux sources du petit fleuve San Luis Rey.

10° Cahuilla.

(Environ 2.500 personnes en 1770).

Le Cahuilla *(kawiya* ou *kawia)* était parlé entre les monts San Bernardino et San Jacinto, où il survit dans quelques villages.

d) Groupe *Hopi*

11° Hopi. [**81**]

(Environ 2.800 personnes en 1680).

La langue Hopi était parlée, au milieu du XVIe siècle, dans sept villages formant la province de Tusayan, située entre la rivière San Juan et le petit Colorado, dans ce qui est devenu la partie Nord-Est de l'État d'Arizona. Les huit principaux villages Hopi actuels : Walpi, Sichumovi, Shipaulovi, Mishongnovi, Shumopovi, Oraibi, Hotavila et Bakavi sont situés dans la même région que ceux du XVIe siècle. Les variations dialectales du Hopi sont faibles. Les Indiens Hopi (naguère improprement appelés « Moki ») sont des agriculteurs ; ils vivent dans des maisons de pierres et représentent la fraction occidentale de la civilisation dite des « Pueblo ».

e) Groupe *Pima*. [**43, 12, 13, 31, 68, 57, 56, 39, 40**]

12° Pima et Papago (12) — Tepehuan du Nord (12′) — Tepehuan du Sud, *Teul, *Colotlan (12″) — *Vigitega (12‴).

(Peut-être 100.000 ou 150.000 personnes au XVIe siècle).

Ce groupe ne comprend, semble-t-il, qu'une seule langue qu'on peut appeler Pima-Tepehuan, dont l'individualité est très marquée au sein de la famille Uto-Aztec et dont le territoire s'allongeait sur près de 1.500 kilomètres, avec une interruption en son milieu. Cette langue était parlée par les Pima, les Tepehuan *(tepewan)*, les Tepecano, les *Teul, les Indiens de *Colotlan, et les *Vigitega *(vikitega)*.

Les Pima Alto occupaient la moyenne valllée du Rio Gila et les vallées de la rivière San Pedro et du fleuve Altar. Les Papago étaient les Pima Alto vivant le plus à l'Ouest, en zone semi-désertique. Les Pima Bajo étaient établis plus au Sud, dans les vallées de la Sonora méridionale jusque dans les montagnes de la région de Yecora. Les dialectes Tepehuan étaient jadis parlés dans la Sierra Madre occidentale et surtout sur son versant oriental, depuis les sources du Rio Fuerte, au Nord-Ouest, jusqu'au Rio Grande de Santiago, au Sud-Est ; ils ne subsistent plus qu'aux deux extrémités de cette zone. Le dialecte Tepehuan du Nord est fortement différencié, au point qu'on pourrait le considérer comme une langue spéciale (communication personnelle de M. J. A. Mason). Au XVIIe siècle, il y avait un groupe Tepehuan dans le Nord de Nuevo León [**14**], mais ce groupe était venu de la région de Sombrerete et de Fresnillo, sans doute à la suite de la révolte de 1616. Le Tepecano et la langue de *Colotlan étaient des dialectes Tepehuan du Sud et il en était probablement de même du *Teul et du *Vigitega. Tous ces peuples étaient agriculteurs et les Pima du Rio Gila avaient élaboré une civilisation assez élevée.

f) Groupe *Opata-Cahita-Tarahumar*. [**60, 15, 42, 43, 26**]

Nous attribuons à ce groupe une quinzaine de langues différentes. Cela est peut-être exagéré car la plupart de ces langues ont disparu et plusieurs d'entre elles ne sont guère connues que par quelques mots plus ou moins mal notés, voire même par de vagues appréciations des missionnaires sur les possibilités d'intercompréhension entre les différentes tribus. Tous ces peuples, à l'exception peut-être des *Suma et de certains *Jumano, étaient sédentaires et pratiquaient l'agriculture, soit dans les vallées de la Sierra Madre Orientale, soit sur les bords des cours d'eau qui en descendent, ou le long du Rio Grande.

13º *Opata (13) — *Eudeve (13'). [**34, 67**]
(Environ 60.000 personnes au xviiᵉ siècle).
La langue *Opata était parlée dans les hauts bassins des fleuves Sonora et Yaqui. La langue *Eudeve (ou *Heve ou *Dohema) était un dialecte *Opata parlé dans le Sud de ce domaine.

14º Ocoroni. [**60**]
(Peut-être quelques milliers de personnes au xviᵉ siècle).
La langue Ocoroni était parlée sur un territoire minuscule où elle survivrait de nos jours au village de Ocoroni, à l'Ouest de la ville actuelle de Sinaloa. Dans un document du xviiᵉ siècle, un missionnaire nous déclare que cette langue était très analogue à celle des *Opata de la vallée de Batuc.

15º *Suma (15) — *Jumano (15'). [**60**]
(Pas de statistiques, peut-être 5.000 personnes au xviiᵉ siècle ?).
Sauer estime qu'une même langue Uto-Aztec était parlée par les *Jumano *(kumano)*, au confluent du Rio Grande et de la rivière Conchos, et par les *Suma dont le centre était situé plus au Nord-Ouest, dans la région de El Paso. Il est probable que cette langue, comme le *Concho, était apparentée à celle des *Opata et des Tarahumar. *Suma et *Jumano étaient semi-nomades et allaient chasser le bison jusque dans les plaines du Rio Pecos. Les anciens documents les nomment parfois *Cibolo *(sibolo)*.

16º *Concho [**60**]
(Pas de statistiques, peut-être 8.000 personnes au xviiᵉ siècle ?)
La langue *Concho *(končo)* était parlée, semble-t-il, par un ensemble de petites tribus, notamment sur le Rio Conchos et, plus au Nord-Ouest, jusqu'à la zone de Casas Grandes, à la limite des *Opata. Les noms de *Chinarra et de *Chizo étaient donnés à des bandes vivant respectivement dans le Nord et dans l'Est de ce territoire et parlant peut-être des dialectes particuliers. A partir du xviiiᵉ siècle, le territoire des * Concho, comme celui des *Jumano et des *Suma fut occupé par les Apache.

17º *Jova. [**60**]
(Environ 5.000 personnes au xviᵉ siècle).
Le *Jova *(kova)* était parlé autour de Sahuaripa, dans la basse vallée de la rivière Papigochic, au Sud du territoire *Opata. C'est à tort qu'on a voulu présenter le *Jova comme un dialecte *Opata. En fait, on ne sait à peu près rien sur cette langue, et même son appartenance au groupe Opata-Cahita-Tarahumar ne peut guère être prouvée.

18º Tarahumar (18) — Varohio (18') — *Chinipa, *Guasapar, *Temori (18''). [**60, 69, 16, 52**]
(Peut-être 50.000 ou 60.000 personnes au xviᵉ siècle).
Les Tarahumar *(taraumar)* occupaient les montagnes de la Sierra Madre Occidentale, dans le Sud-Ouest de l'État actuel de Chihuahua, notamment les hautes vallées des rivières Papigochic, Otero, Urique et Conchos. D'après Passin, les Tarahumar seraient sans doute plus de 40.000 à notre époque,

bien qu'on en ait recensé moins de 30.000 officiellement. Au Nord-Est ils
ont perdu du terrain devant les métis mexicains mais, au Sud-Est, ils en
ont gagné aux dépens de différentes petites tribus des montagnes comme les
Varohio *(varoio)* *Chinipa *(činipa)*, *Guasapar *(gwasapar)* et *Temori,
qui parlaient naguère, ou parlent encore, des dialectes de la même langue.
D'après une enquête récente, le Varohio ne différerait pas plus du Tarahumar que les dialectes Nord et Sud de cette dernière langue ne diffèrent
entre eux. Le *Hio était un dialecte Varohio. Certains renseignements font
toutefois soupçonner, selon Sauer, que les *Chinipa étaient peut-être plus
étroitement apparentés aux *Opata et aux *Ocoroni qu'aux Tarahumar.

19º Cahita (19) — *Comanito, *Mocorito et *Tahue (19′). [**60**, **41**, **32**, **72**]
(Environ 210.000 personnes au début du XVIᵉ siècle, selon Sauer).

La langue Cahita *(kaita)* proprement dite était parlée, au XVIᵉ siècle,
sur le cours inférieur du fleuve Yaqui, par les Yaqui *(yaki)*, sur le cours
inférieur du fleuve Mayo par les Mayo, sur le cours moyen du Rio Fuerte
par les *Zuaque *(suake)*, les *Tehueco *(teweko)* et les * Cinaloa *(sinaloa)*,
enfin sur le cours moyen du Rio Petlatlan ou Sinaloa. Plus au Sud-Est
vivaient les *Comanito *(komanito)*, les *Mocorito *(mokorito)* et les *Tahue
(tawe), dont les langues semblent pouvoir être classées comme dialectes
Cahita, sur la foi des documents anciens assurant qu'il y avait intercompréhension entre ces peuples et les Cahita. Les *Comanito vivaient aux
sources des Rios Ocoroni et Sinaloa, les *Mocorito autour de la petite ville
du même nom, les *Tahue enfin dans la plaine arrosée par les petits fleuves
Culiacan, San Lorenzo et Piaxtla.

20º *Tepahue — *Macoyahui — *Conicari — *Baciroa. [**60**]
(Environ 7.000 personnes au début du XVIᵉ siècle, selon Sauer).

Les langues *Tepahue *(tepawe)* , *Macoyahui *(macoyawi)*, *Conicari
(konikari) et *Baciroa *(basiroa)*, parlées jadis au milieu du bassin du fleuve
Mayo, semblent avoir été étroitement apparentées entre elles et n'étaient
peut-être que des dialectes Cahita.

21º *Tubar — *Zoe. [**60**]
(Environ 6.000 personnes au début du XVIᵉ siècle, selon Sauer).

Les langues *Tubar et *Zoe *(soe)* étaient parlées dans les montagnes, près
du cours moyen du Rio Fuerte. Les Indiens *Tubar et *Zoe utilisaient le
Cahita comme langue de civilisation.

22º *Huite. [**60**]
(Environ 2.000 personnes au début du XVIᵉ siècle, selon Sauer).

Le *Huite *(wite)* ou *Yecarome, était une langue parlée sur le Rio Fuerte,
au voisinage des précédentes. Elle est tout à fait inconnue, mais un ancien
document dit qu'elle différait fortement de ses voisines.

23º *Nio. [**60**]
(Peut-être 1.000 ou 2.000 personnes au début du XVIᵉ siècle).

Le *Nio, complètement inconnu, avait un territoire très restreint sur le
Rio Sinaloa, en amont du village de Guasave.

24º *Guasave. [**60**]
(Environ 10.000 personnes au début du XVIᵉ siècle, selon Sauer).

On peut appeler *Guasave *(gwasave)* un ensemble de tribus, d'un niveau
culturel assez bas, qui occupaient, au XVIᵉ siècle, la côte du golfe de Californie
entre l'embouchure du Rio Mayo et celle du Rio San Lorenzo. On a quelques

raisons de penser que ces tribus : *Comopori *(komopori)*, *Vacoregue *(vakoregwe)*, *Ahome *(aome)*, *Guasave *(gwasave)*, *Achire *(ačire)*, parlaient des dialectes apparentés entre eux et appartenant au groupe Cahita.

25° *Acaxee. [**60**].

(Environ 30.000 personnes au début du xvi° siècle, selon Sauer).

La langue *Acaxee *(akašee)* était parlée, au xvi° siècle, dans les gorges par lesquelles le Rio Culiacan et ses affluents s'échappent des montagnes, ainsi que dans les régions de Soyatitot, Topia et Tamazula. Les *Tebaca *(tebaka)*, *Sobaibo, *Topiame *(topyame)*, n'étaient que des tribus Acaxee. La langue *Acaxee a disparu mais il n'y a guère de doute qu'elle appartenait au groupe Cahita.

26° *Xixime. [**60**]

(Environ 30.000 personnes au début du xvi° siècle, selon Sauer).

La langue *Xixime *(šišime)*, qui était parlée sur les cours supérieurs des fleuves San Lorenzo, Piaxtla, Presidio et Baluarte, est pratiquement inconnue et il n'est pas sûr qu'elle appartenait au groupe Cahita. Les *Hine, les *Hume et les *Aibine étaient des groupes *Xixime.

g) Groupe *Aztécoïde*. [**60, 30, 44, 42, 43, 26, 3, 14, 15**]

Ce groupe, défini par Mason et Whorf, comprend essentiellement le Huichol et le Cora des montagnes de Nayarit, ainsi que le Nahua, la plus grande langue de civilisation du Mexique. On y rattache quelques langues éteintes, qui semblent avoir été apparentées au Nahua ou au Huichol mais sur lesquelles on n'a qu'un minimum de renseignements. Certaines de ces langues disparues étaient parlées par des nomades barbares, chasseurs et collecteurs ; cependant que le Nahua, lui, était une des plus grandes langues de civilisation du Nouveau Monde. Entre ces deux extrêmes, les peuples Cora, Huichol, *Cazcan, *Sayultec, *Teco-Tecoxquin représentaient un niveau culturel intermédiaire.

27° Cora (27) — *Totorame (27'). [**53, 54, 55, 49, 17, 60, 44**]

(Pas de calcul d'ensemble. D'après Sauer, les *Totorame auraient été 100.000, au début du xvi° siècle, au Nord du Rio Santiago. Les autres groupes comptaient peut-être 50.000 ou 60.000 personnes ?).

Le territoire de la langue Cora, parfois appelée « Chora ou Quarinuquia » dans les textes anciens, est maintenant réduit à la Sierra de Nayarit, entre les rivières San Pedro et Jesus Maria. Mais les documents du xvi° et du xvii° siècles montrent que les dialectes Cora étaient parlés au Nord-Est de cette zone par les *Huaynamota *(waynamoṭa)*, au Sud-Ouest par les *Zayahueco *(sayaweko)* et au Sud par les *Coano *(koano)* de la vallée du Rio Grande de Santiago. Les mêmes documents assurent que, seules, des différences dialectales séparaient le Cora du *Totorame (ou *Pinome ou *Pinonuquia), parlé par un peuple très civilisé qui occupait la côte Pacifique depuis Mazatlan, en Sinaloa, jusqu'à Autlan, en Jalisco.

28° Huichol (28) — *Tecual (28') — *Guachichil (28''). [**35, 11, 14, 60, 44**]

(Pas de calcul. Peut-être 30.000 personnes au début du xvi° siècle ?).

Le Huichol *(wičol,* Hueyzolme, Guisol, Guisar, Usilique, *Višálika, Višárika)* est actuellement parlé, par 4.000 personnes environ, à l'Est du Cora, dans les montagnes situées entre le Rio Jesús Maria et le Rio Bolaños. Mais au xvi⁰ siècle, un dialecte Huichol, le *Tecual *(tekwal)* était parlé par un peuple plus civilisé, vivant plus à l'Ouest en deux îlots linguistiques, l'un sur le Rio San Pedro avec le village de Ixcatan, l'autre au Sud du Rio Grande de Santiago avec les villages de Tepic, Jalisco et Tequepespan. Enfin divers documents anciens affirment l'identité du Huichol-*Tecual et de la langue *Guachichil *(gwačičil)* parlée par des nomades barbares qui erraient sur les plateaux arides, depuis le lac de Chapala jusqu'aux environs de la ville actuelle de Monterrey. Les Huichol modernes confirment parfois cette identification et continuent à faire des incursions rituelles dans les anciens territoires Guachichil. Cependant le problème du *Guachichil n'est pas pleinement résolu. Jiménez Moreno a un moment hésité à rapprocher cette langue disparue du Coahuiltec, ce qui l'aurait placée dans la Grande Famille Hoka. Les *Mascorro *(maskorro)* de la région de San Luis Potosi n'étaient qu'un groupe *Guachichil.

29⁰ *Guamar. [**14**]

(Pas de calcul. Peut-être 5.000 personnes au début du xvi⁰ siècle ?).

Les *Guamar *(gwamar)* ou *Equamar) *(ekwamar)* nomadisaient jadis dans la région où se sont fondées plus tard les villes de Guanajuato, de San Miguel Allende, San Luis de la Paz, Ocampo et Santa Maria del Rio. Le seul mot qu'on connait de leur langue semble avoir un correspondant en Huichol, ce qui rend probable une parenté avec le *Guachichil. Les *Guaxabane *(gwašabane)* et *Copuce *(kopuse)* étaient confédérés avec les *Guamar et parlaient peut-être des dialectes de la même langue.

30⁰ *Negrito et peut-être *Naolan (30) — *Bocalo (30′) [**14, 77**]

(Pas de calcul. Peut-être 3.000 personnes au début du xvi⁰ siècle ?).

Les *Negrito de la région de Guadalcazar, Charcas, Matehuala, et les *Bocalo de la région d'Aranberri et de Zaragoza déclaraient jadis avoir des affinités avec les *Guachichil, cependant qu'ils repoussaient toute idée d'une parenté avec les Pame. Quelques mots d'une langue indigène pratiquement éteinte ont été recueillis récemment à Noalan, aux environs de Tula, dans le Sud-Ouest de l'État de Tamaulipas. Cette langue, à laquelle on peut donner le nom de *Noalan, était peut-être un dernier reste du *Negrito. R. Weitlaner tend à la classer dans la famille Uto-Aztec, mais plutôt dans le groupe Opata-Cahita-Tarahumar que dans le groupe Aztecoïde. En fait, la position du *Naolan reste très douteuse.

31⁰ *Lagunero. [**14**]

(Aucun calcul. Peut-être 5.000 ou 10.000 personnes au xvi⁰ siècle ?).

Le *Lagunero, ou *Irritila, était jadis parlé par des tribus assez misérables dans la région des lagunes où se perdent les Rios Nazas et Aguanaval et où s'élèvent les villes actuelles de Torreón, Parras et Saltillo. Quelques documents anciens semblent dire que cette langue aurait eu une grande ressemblance avec le Nahuatl.

32⁰ *Zacatec. [**14**]

(Aucun calcul. Peut-être 10.000 ou 15.000 personnes au début du xvi⁰ siècle ?).

Le *Zacatec *(sakatek)* était jadis parlé par des tribus nomades, depuis le cours moyen du Rio Nazas jusqu'aux environs de la ville actuelle de Zacatecas, c'est-à-dire dans le Sud-Est du Durango et dans le Sud-Ouest du Zacatecas. Cette langue passe, elle aussi, pour avoir été assez proche parente du Nahuatl.

33° *Cazcan (33) — *Coca (33′) — *Tecuexe (33″). [**8, 9, 10, 3**]
(Aucun calcul. Peut-être 200.000 ou 250.000 personnes au début du
XVIᵉ siècle ?).

La langue *Cazcan *(kaskan)* était parlée dans la région de Guadalajara,
Tequila, Ixtlan et Ahuacatlan, au Sud du Rio Grande de Santiago et au
Nord de ce fleuve, dans la région de Teul, Juchipila, Nochistlan, ainsi qu'à
l'Ouest d'Aguascalientes.

Le *Cazcan semble avoir été assez peu différent du Nahuatl. La même
ressemblance était signalée à propos du *Tecuexe *(tekweše)* et du *Coca
(koka) parlés jadis dans la même zone, l'un sur les bords du Rio Verde,
l'autre sur les rives du lac de Chapala. Les Indiens qui survivent dans ces
régions parlent actuellement Nahua et on a pu se demander si le *Cazcan
n'était pas un simple dialecte Nahua, ou si l'usage de cette dernière langue
n'avait pas été propagé en pays Cazcan à l'époque coloniale.

34° *Sayultec. [**3, 44**]
(Aucun calcul. Peut-être 20.000 ou 30.000 personnes au début du
XVIᵉ siècle ?).

Le *Sayultec *(sayultek)*, probablement apparenté au Nahua, était parlé
d'une part sur la côte du Pacifique, au Nord-Ouest de Colima, d'autre part
au Sud-Ouest du lac de Chapala, ces deux territoires étant séparés par un
bloc de population Otomi.

35° *Teco — *Tecoxquin. [**3, 44, 42, 26**]
(Aucun calcul. Peut-être 10.000 personnes au début du XVIᵉ siècle ?).

Une langue *Teco *(teko)* ou *Tecoxquin *(tekoškin)*, probablement peu
différente du Nahua, est signalée par divers documents anciens en plusieurs
lieux de l'Ouest du Mexique, notamment au voisinage de la baie de Banderas
(à la limite du Nayarit et du Jalisco), à l'Est du Coacolman (au Michoacan),
et à l'Est du lac de Chapala (à la limite du Jalisco et du Michoacan).

36° Nahuatl (36) — Nahual (36′) — Nahuat (36″). [**82, 47, 66, 64,
30, 15, 76, 78, 63, 36, 33, 37, 62**].

(La langue Nahua est encore parlée aujourd'hui par près de 700.000
personnes. On n'a pas calculé le nombre de ceux qui pouvaient la parler au
début du XVIᵉ siècle. Comme les estimations de l'ancienne population du
Mexique varient presque du simple au triple, il est seulement permis de
penser qu'au moment de la conquête espagnole le nombre de gens parlant
Nahua était compris entre 1.500.000 et 5 millions).

On peut appeler Nahua *(nawa)* un ensemble de dialectes qui sont souvent
désignés sous le nom assez impropre d'Aztèque (Aztek)[1] et qu'en Espagnol
local on appelle généralement Mexicano *(Mekikano)*. Au XVIᵉ siècle, ces
dialectes occupaient une zone centrale compacte, allant de la ville de Mexico
jusqu'à Tuxla (Veracruz) et de Pachuca (Hildago) jusqu'aux environs de
Iguala (Guerrero) avec, en plus, de nombreux îlots linguistiques isolés, les
uns vers l'Ouest jusqu'au Jalisco, d'autres vers le Nord jusqu'à la région de

---

1. Aztèque vient de *Astekatl* « habitant d'Aztlan » [Aztlan, dont le nom
signifie « pays des grues (ou des hérons) » était le lieu mythique d'origine
des Aztèques] ; la diffusion du mot Aztèque semble dater de l'époque
coloniale et être due aux Européens.

Tampico, d'autres enfin vers le Sud-Est, en Amérique Centrale jusqu'au Panama. Beaucoup de ces régions sont maintenant hispanisées, surtout dans la vallée de Mexico, sur les plateaux de Cholula, Pachuca et Tlaxcala, dans les terres chaudes du Sud de Veracruz et en Amérique Centrale. Cependant le Nahua, encore parlé par 700.000 personnes au moins, est resté la plus importante langue indigène de la moitié septentrionale du Nouveau Monde.

Sur un territoire discontinu, dont les extrémités sont distantes de plus de 2.000 kilomètres, le Nahua présentait de nombreuses variantes dialectales qui n'ont pas encore fait l'objet d'une étude d'ensemble. D'ailleurs beaucoup de ces dialectes ont déjà disparu et resteront inconnus ou mal connus. D'autres subsistent, plus ou moins altérés, mais n'ont pas encore été décrits ou l'ont été d'une façon insuffisante. Ces divers dialectes se différencient par leur phonétique, leur vocabulaire, leurs formes de courtoisie, etc. Les tentatives de classement faites jusqu'à ce jour tiennent surtout compte des variations consonantiques, et essentiellement des consonnes dérivées (selon Whorf) du *t* du Uto-Aztec commun. On est ainsi amené à distinguer trois grands groupes de dialectes auxquels on peut donner les noms de Nahuatl *(nawatl)*, Nahual *(nawal)* et Nahuat *(nawat)*.

Le groupe assez homogène des dialectes Nahuatl est caractérisé par la substitution du phonème *tl* au *t* du Uto-Aztec commun lorsque ce *t* précédait un *a*. Ces dialectes occupent une position centrale. Ils se parlent (ou se parlaient naguère) dans la Vallée de Mexico [**82**] ; plus au Sud dans le Morelos (Tepoztlan, Cuauhtla) et dans le Nord-Est du Guerrero [**82, 36**] ; plus à l'Est sur le plateau de Cholula et de Tlaxcala ainsi que dans une partie de l'État de Veracruz ; enfin, plus au Nord, en bordure de la plaine de Tampico. En dehors de cette zone, la présence de dialectes de ce type est due, en général, à des déplacements de populations effectués à l'époque coloniale, ou peu d'années avant la conquête. Le premier cas est, par exemple, celui de diverses colonies Tlaxcaltèques (maintenant hispanisées) établies par Alvarado à Antigua Guatemala, ou installées par le vice-roi Luis de Velasco II au Nord de San Luis Potosi. Le second cas serait notamment celui du petit groupe Nahuatl d'Acapetlahuayo (Guerrero), celui des Aztec établis jadis dans l'Est du Soconusco, peut-être enfin celui des *Desaguadero *(desagwadero)* du Costa Rica, et des *Sigua *(sigwa)* du Panama, qui semblent avoir eu pour origine deux groupes de commerçants Aztec.

On appelle « Aztec classique » le dialecte Nahuatl qui était parlé à Mexico, ancienne capitale de l'empire Aztec. Ce dialecte est maintenant éteint mais il a laissé une littérature abondante, écrite aux xvie et xviie siècles avec l'alphabet introduit par les Espagnols [**47, 7, 61, 45, 66, 64**].

Moins homogène que le précédent, le groupe des dialectes Nahual voit, en général, le *tl* de l'Aztec classique remplacé par un *l* sourd ou sonore, au moins à la finale. Ces dialectes Nahual, qui dérivent d'anciens parlers à *tl* occupent une position occidentale. Ils se rencontrent plus ou moins sporadiquement en Jalisco occidental, en Colima, en Michoacan, en Guerrero, et jusque dans certains villages du Sud de l'État de Mexico [**3, 15, 30, 76**]. Leur répartition dessine un grand demi-cercle, bordé en partie par l'Océan Pacifique mais elle ne forme pas une bande continue comme celle qui apparait sur les cartes d'Orozco y Berra et de Thomas et Swanton. De plus, les dialectes de l'Est du Guerrero se distinguent des autres par diverses particularités spéciales et correspondent, semble-t-il, au parler des anciens Couixca.

Le groupe, fort peu homogène, des dialectes Nahuat est caractérisé par la conservation du *t* Uto-Aztec primitif [**33, 37, 48, 62, 25**]. Ce groupe, qui occupe une position orientale, est maintenant très réduit par l'hispanisation. Jadis il comprenait notamment : *a)* Des dialectes dits « Olmec » *(olmek)* parlés dans la partie Sud-Est de la Sierra de Puebla, dans certaines zones méridionales de l'État de Veracruz et en divers points du Tabasco ; *b)* Les dialectes Nahuat parlés dans l'Ouest du Sonusco, conjointement avec l'ancienne langue Zoque de cette région ; *c)* Les dialectes dits « Pipil » qui occupaient l'Ouest du Salvador (où quelques-uns survivent), et divers îlots linguistiques disparus dans le Sud-Est du Guatemala et le Nord du Honduras ; *d)* Le dialecte *Nahuatlato *(nawatlato)* sur la rive méridionale de la baie de Fonseca ; *e)* Le dialecte *Nicarao *(nikarao)* parlé entre l'Océan Pacifique et le lac de Nicaragua ainsi que dans les îles d'Ometepe et de Zapatera ; *f)* Le dialecte d'Ixtlahuacan, isolé en Jalisco, dans l'Ouest du Mexique, au milieu des dialectes Nahual. — Bien que cités ci-dessus avec les dialectes Nahuatl, le dialecte dit « *Desaguadero », parlé à l'embouchure du fleuve San Juan (Costa Rica), et le dialecte *Sigua, parlé sur les bords de la Bahia del Almirante (Panama) étaient peut-être Nahuat.

D'après les travaux historiques récents (encore en partie hypothétiques), les peuples Nahua, originaires du Nord et du Nord-Ouest et primitivement plus ou moins barbares, auraient commencé à pénétrer dans la zone mexicaine de haute civilisation entre le VIe et le IXe siècle de notre ère. Les premiers apparus auraient été, peut-être, les Couixca. Ensuite seraient venus les Toltec qui se civilisèrent rapidement et fondèrent un empire célèbre dont le centre était la ville de Tula (Hidalgo). Les dissensions intestines, puis la chute de Tula, amenèrent la dispersion de nombreux groupes Toltec qui réussirent à imposer leur hégémonie en diverses régions du Yucatan et de l'Amérique Centrale. C'est peut-être à ces groupes que serait due la diffusion des dialectes Nahuat vers le Sud-Est (ainsi qu'au Yucatan, où ces dialectes s'éteignirent avant l'arrivée des Espagnols).

A partir du XIIe siècle, le Mexique Central vit arriver du Nord une nouvelle vague de peuples barbares, dits « Chichimec » ; ils parlaient généralement des dialectes Nahuatl et en répandirent bientôt l'usage. L'une de ces tribus, celle des Culhua-Mexica, ou Aztec, ou Tenochca, s'installa à Mexico-Tenochtitlan et fonda l'empire Aztec dont la croissance se fit au XVe siècle. Cet empire, à son apogée, s'étendit sur un territoire considérable compris, à peu près, entre Tampico, l'embouchure du Rio Balsas et l'isthme de Tehuantepec. Là vivaient plusieurs millions d'habitants parlant une trentaine de langues différentes.

Au moment de la conquête espagnole, le Nahuatl était la langue de civilisation ou de commerce dans presque tout l'empire Aztec. Plus à l'Ouest, le même rôle était joué, semble-t-il, par le Nahual dont le centre le plus important devait être la riche région de Colima.Enfin le Nahuat paraît avoir été une langue commerciale importante au Tabasc et surtout sur la côte du Pacifique, depuis Tehuantepec jusqu'à la baie de Nicoya.

L'administration espagnole, et surtout les missionnaires, contribuèrent encore à répandre l'usage du Nahua au début de l'époque coloniale. Ce n'est guère qu'à partir du XVIIIe siècle que cette langue commença à reculer sérieusement devant l'Espagnol.

L'écriture employée à l'époque précolombienne par les peuples Nahua était pictographique, mais elle utilisait déjà certains éléments syllabiques pour la transcription des noms de lieux et de personnes. Les missionnaires répandirent parmi les indigènes l'usage de l'alphabet latin, en donnant aux différentes lettres la valeur que leur accordait la prononciation espagnole du début du xvie siècle. Les indigènes actuels n'écrivent plus leur langue qu'exceptionnellement, mais le Nahuatl classique est encore cultivé dans des cercles intellectuels restreints.

Ajoutons qu'au Mexique le vocabulaire espagnol s'est enrichi d'un grand nombre d'Aztéquismes, c'est-à-dire de mots empruntés au Nahuatl.

37° Pochutec. [**2**]

(Au xvie siècle, cette langue devait être parlée par quelques centaines de personnes au moins).

Le Pochutec *(počutek)* ou Nahuat de Pochutla, probablement éteint, ou en voie d'extinction, était encore parlé au début du xxe siècle par quelques habitants du village de Pochutla, au Sud de l'État d'Oaxaca, sur la côte du Pacifique. C'est un dialecte Nahuat si divergent qu'il y a lieu de le considérer comme une langue particulière.

B) FAMILLE *TANO*. [**83, 19, 18, 70**]

Cette famille groupait six langues dans la vallée du Rio Grande ou au voisinage de celle-ci, dans les limites de l'État actuel de New Mexico. Les langues qui subsistent sont parlées par 5.000 personnes environ.

La parenté de la famille Tano avec les langues Shoshone avait déjà été entrevue par Gatschet, au xixe siècle. Tous les peuples Tano se rattachent à la civilisation dite des « Pueblos ». Ils sont sédentaires, vivent dans des maisons d'adobe ou de pierre et s'adonnent avant tout à l'agriculture.

Les six langues Tano étaient les suivantes :

38° Tiwa du Nord. [**70, 51, 23**]

(Environ 1.500 personnes en 1680).

Le Tiwa du Nord est parlé dans les villages de Taos et de Picuris, à quelque distance à l'Est du Rio Grande.

39° Tiwa du Sud.

(Environ 3.000 personnes en 1680).

Le Tiwa du Sud est parlé dans les villages de Sandia et de Isleta, sur le Rio Grande, aux environs de la ville de Albuquerque.

40° *Piro. [**18**].

(Environ 9.000 personnes en 1680).

Le *Piro était parlé au xvie siècle dans une vingtaine de villages, dont quatorze sur le Rio Grande, en aval de Isleta, et les autres à quelque distance à l'Est de ce fleuve. Les villages Piro, ayant eu beaucoup à souffrir des Espagnols et plus encore des Apaches, furent abandonnés à la fin du xviie siècle. Les habitants survivants se réfugièrent aux environs de El Paso, où leurs descendants ont abandonné l'usage de la langue Piro.

41° Tewa. [**20, 24**]

(Environ 2.500 personnes en 1680).

Le Tewa est parlé au Nord de la ville actuelle de Santa Fé, dans les villages de San Juan, Santa Clara, San Ildefonso, Tesuque et Nambe. Après la grande révolte de la fin du xviie siècle, un certain nombre de Tewa abandonnèrent la vallée du Rio Grande, qui était le centre de la domination espagnole, et se réfugièrent, plus à l'Ouest, parmi les Hopi où leurs descendants occupent encore le village de Hano.

42º *Tano.

(Environ 4.000 personnes en 1680).

Le *Tano proprement dit était parlé, au xviᵉ siècle, dans trois villages de la vallée de Galisteo et dans sept autres situés à peu de distance, dans les Snowy Mountains, aux environs de Santa Fé. Ces villages furent abandonnés à la suite de la grande révolte des Pueblos, les habitants s'étant enfuis ou ayant été décimés par les épidémies. La langue *Tano proprement dite, éteinte, est mal connue ; il semble qu'elle représentait une branche méridionale du Tewa.

43º Towa.

(Environ 4.500 personnes en 1680).

Le Towa n'est plus parlé maintenant que dans le village de Jemez, sur la rivière du même nom, à l'Ouest du Rio Grande. Ce village, au xviᵉ siècle, était entouré de plusieurs autres. Un village Towa, nommé *Pecos ou *Cicuye, s'élevait jadis à l'Est du Rio Grande, sur le cours supérieur du Rio Pecos. Presque dépeuplé, il fut abandonné, en 1838, et ses derniers habitants se réfugièrent à Jemez.

C) FAMILLE *KIOWA*

44º Kiowa. [**19, 21, 22**]

(Environ 2.000 personnes en 1780).

Cette famille ne comprend qu'une seule langue, le Kiowa, qui, au milieu du xixᵉ siècle, était parlé sur le cours supérieur de la rivière Canadienne et de l'Arkansas. Antérieurement les Kiowa semblent avoir vécu plus au Nord, dans la région des Black Hills et de la North Platte. Ces Indiens étaient des nomades chasseurs de bisons. Ils sont maintenant installés dans l'Oklahoma.

D) FAMILLE *ZUÑI*

Cette famille, dont l'inclusion dans la grande famille Uto-Aztec-Tano n'a pas encore été ratifiée par la publication de preuves détaillées, ne comprend qu'une seule langue : le Zuñi *(suñi)*.

45º Zuñi. [**6, 4, 5**].

(Environ 2.500 personnes en 1680).

La langue Zuñi était parlée, au xviᵉ siècle, dans les sept villages dont l'ensemble formait la province de Cibola, sur la rivière Zuñi, affluent du Petit Colorado. Depuis le début du xviiiᵉ siècle, ces sept villages sont réduits à un seul, appelé Zuñi, dont dépendent quelques hameaux plus ou moins temporaires. Les Indiens Zuñi, agriculteurs sédentaires, vivant dans un village formé d'un seul bloc de maisons, sont des représentants typiques de la civilisation des « Pueblos ».

BIBLIOGRAPHIE
DE LA GRANDE FAMILLE UTO-AZTEC-TANO

(ABRÉVIATIONS, voir p. 967)

INDEX BIBLIOGRAPHIQUE

1 ANGULO (J. de) et FREELAND (L. S.), *Notes on the Northern Paiute of California*. JSA, Paris, n. s., t. 21, 1929, p. 313-335.

2 BOAS (F.), *El dialecto mexicano de Pochutla, Oaxaca*. IJAL, New York, t. 1, nᵒ 1, 1917, p. 9-44.

3 BRAND (D. D.), *A historical sketch of geography and anthropology in the Tarascan region*. Part I, New Mexico Anthropologist, Albuquerque, t. 6-7, nᵒ 2, 1943, p. 37-108.

4 BUNZEL (R. L.), *Zuñi ritual poetry*. BAE, 47th Annual Report 1929-30, Washington, 1932, p. 611-835.

5 BUNZEL (R. L.), *Zuñi texts*. PAES, New York, t. 15, 1933, viii-285 p.

6 BUNZEL (R. L.), *Zuñi*. In : *Handbook of American Indians Languages*. Part IV. New York, 1935, p. 389-515.

7 CAROCHI (H.) S. J., *Arte de la lengua Mexicana con la declaración de los adverbios della*. Mexico, 1645. (Réédité à Mexico, en 1892-93, dans les Anales del Museo Nacional).

8 DAVILA GARIBI (J. I.), *Cazcanes y Tochos. Algunas observaciones acerca de estas tribus y sus idiomas*. Revista Mexicana de Estudios Antropológicos, Mexico, t. 4, nᵒ 3, 1940, p. 203-224.

9 DAVILA GARIBI (J. I.), *Algunas afinidades entre las lenguas Coca y Cahita*. El México Antiguo, Mexico, t. 6, nᵒˢ 1-3, 1942, p. 47-60.

10 DAVILA GARIBI (J. I.), *Los idiomas nativos de Jalisco y el problema de filiación de los ya desaparecidos*. Mexico, 1947.

11 DIGUET (L.), *Idiome Huichol. Contribution à l'étude des langues mexicaines*. JSA, Paris, n. s., t. 8, 1911, p. 23-54.

12 DOLORES (J.), *Papago verb stems*. UCPAAE, Berkeley, t. 10, nᵒ 5, 1913, p. 241-263.

13 DOLORES (J.), *Papago nominal stems*. UCPAAE, Berkeley, t. 20, 1923, p. 19-31.

14 *El Norte de México y el Sur de Estados Unidos*. Mexico, 1943.

15 *El Occidente de México*. Mexico, 1948.

16 FERRERO (J.), *Pequeña gramática y diccionario de la lengua Tarahumara*. Mexico, 1920.

17 GÓMEZ (A. M.), *Estudios gramáticales de la lengua Cora*. Investigaciones Lingüísticas, Mexico, t. 3, 1942, p. 79-142.

18 HARRINGTON (J. P.), *Notes on the Piro language*. AA, Lancaster, Pa., n. s., t. 11, 1909, p. 563-594.

19 HARRINGTON (J. P.), *On phonetic and lexical resemblances between Kiowan and Tanoan*. AA, Lancaster, Pa., n. s., t. 12, 1910, p. 119-123.

20 HARRINGTON (J. P.), *A brief description of the Tewa language*. AA, Lancaster, Pa., n. s., t. 12, 1910, p. 497-504.

21 HARRINGTON (J. P.), *Vocabulary of the Kiowa language*. BAE, Bull. 84, Washington, 1928.

22 HARRINGTON (J. P.), *Three Kiowa texts*. IJAL, Baltimore, t. 12, 1946, p. 237-242.

23 HARRINGTON (J. P.) et ROBERTS (H. H.), *Picuris children's stories with texts and songs*. BAE, 43d Annual Report 1925-26, Washington, 1928, p. 289-447.

24 HOIJER (H.) et DOZIER (E. P.), *The phonemes of Tewa, Santa Clara dialect*. IJAL, Baltimore, t. 15, 1949, p. 139-144.

25 JIMÉNEZ (T. F.), *Idioma Pipil o Nahuatl de Cuzcatlan y Tunalan*. San Salvador, 1937.

26 JOHNSON (F.), *The linguistic map of Mexico and Central America*. In : *The Maya and their neighbors*, New York-Londres, 1940, p. 88-114.

27 KROEBER (A. L.), *The Shoshonean dialects of California*. UCPAAE, Berkeley, t. 14, n° 3, p. 65-166.

28 KROEBER (A. L.), *The Bannock and Shoshoni languages*. AA, Lancaster, Pa., n. s., t. 11, 1909, p. 266-277.

29 KROEBER (A. L.), *Handbook of the Indians of California*. BAE, Bull. 78, Washington, 1925.

30 KROEBER (A. L.), *Uto-Aztecan languages of Mexico*. Ibero-Americana, Berkeley, t. 8, 1934.

31 KURATH (W.), *A brief introduction to Papago, a native language of Arizona*. University of Arizona Bulletin, Tucson, t. 16, n° 2, 1945 (Social Sciences Bulletin, n° 13).

32 KURATH (W.) et SPICER (E. H.), *A brief introduction to Yaqui, a native language of Sonora*. University of Arizona Bulletin, t. 18, n° 1, 1947. (Social Sciences Bulletin, n° 15).

33 LEHMANN (W.), *Zentral Amerika. Teil I : Die Sprachen Zentral Amerikas*. Berlin, 1920, 2 vol.

34 LOMBARDO (N.), *Arte de la lengua Tequima, vulgarmente llamada Opata*. Mexico, 1702.

35 Mc INTOSH (J. B.), *Huichol phonemes*. IJAL, Baltimore, t. 11, 1945, p. 31-35.

36 Mc QUOWN (N.), *La fonémica de un dialecto Nahuatl de Guerrero*. El México Antiguo. México, t. 5, n°s 7-10, 1941, p. 221-232.

37 Mc QUOWN (N.), *La fonémica de un dialecto Olmeca-Mexicano de la Sierra Norte de Puebla*. El México Antiguo, Mexico, t. 6, n°s 4-6, 1943, p. 140-204.

38 MARSDEN (W. L.), *The Northern Paiute language of Oregon*. UCPAAE, Berkeley, t. 20, 1923, p. 173-191.

39 MASON (J. A.), *Tepecano, a Piman language of Western Mexico*. Annals of the New York Academy of Sciences, t. 25, 1917, p. 309-406.

40 MASON (J. A.), *Tepecano prayers*. IJAL, New York, t. 1, n° 2, 1918, p. 91-153.

41 MASON (J. A.), *A preliminary sketch of the Yaqui language*. UCPAAE, Berkeley, t. 20, 1923, p. 243-259.

42 MASON (J. A.), *The classification of the Sonoran languages* (With an appendix by B. L. WHORF). In : *Essays in Anthropology in Honor of Alfred Louis Kroeber*. Berkeley, 1936, p. 183-198.

43 MASON (J. A.), *The native languages of Middle America*. In : *The Maya and their neighbors*, New York-Londres, 1940, p. 52-87.

44 MENDIZABAL (M. O. de) et JIMÉNEZ MORENO (W.), *Distribución* *prehispánica de las lenguas indigenas de México.* México, Museo Nacional, S. D. [1937] (Carte avec tableau de classification linguistique).

45 Molina (A. de), *Vocabulario en lengua Castellana y Mexicana.* — *Vocabulario en lengua Mexicana y Castellana.* México, 1571. (Rééditions en fac-similé : Leipzig, 1880 ; Madrid, 1944).

46 Natches (G.), *Northern Paiute verbs.* UCPAAE, Berkeley, t. 20, 1923, p. 243-259.

47 Olmos (A. de), *Grammaire de la langue Nahuatl ou Mexicaine, composée en 1547 par le franciscain André de Olmos, et publiée avec notes... par Rémi Siméon.* Mission Scientifique au Mexique et dans l'Amérique Centrale. Linguistique. Paris, 1875 (Texte de la grammaire en espagnol).

48 Onorio (J. M.), *El dialecto Mexicano del canton de los Tuxtlas (E. de Veracruz).* El México Antiguo, México, t. 2, nos 5-8, 1924, p. 159-191.

49 Ortega (J. de), *Vocabulario en lengua Castellana y Cora.* México, 1732, 43 p. (Réédition à Tepic, 1888).

50 Osborn (H.) et Smalley (W. A.), *Formulae for Comanche stem and word formation.* IJAL, Baltimore, t. 15, 1949, p. 121-127.

51 Parsons (E. C.), *Taos tales* (With an appendix by G. L. Trager). Memoirs of the American Folk Lore Society, New York, t. 34, 1940 (Textes à l'appendice, p. 173-181).

52 Passin (H.), *A note on the present indigenous population of Chihuahua.* AA, Menasha, Wis., n. s., t. 46, 1944, p. 145-147.

53 Preuss (K. T.), *Die Nayarit Expedition. Erster Band: Die Religion der Cora Indianer.* Leipzig et Berlin, 1912, cviii-196 p. (Textes).

54 Preuss (K. T.), *Grammatik der Cora Sprache.* IJAL, New York, t. 7, 1932, p. 1-84.

55 Preuss (K. T.), *Wörterbuch Deutsch Cora.* IJAL, New York, t. 8, no 2, 1934, p. 81-102.

56 Rinaldini (B.), *Arte de la lengua Tepeguana, con vocabulario, confessionario y cathecismo.* México, 1743.

57 Russell (F.), *The Pima Indians.* BAE, 26th Annual Report 1904-05, Washington, 1908.

58 Sapir (E.), *Southern Paiute and Nahuatl, a study in Uto-Aztekan.* JSA, Paris, n. s., t. 10, 1913, p. 379-425 et t. 11, 1914-1919, p. 443-488. Suite et fin in : AA, Lancaster, Pa., n. s., t. 17, 1915, p. 98-120 et 306-328.

58 bis Sapir (E.), *Central and North American languages.* In : Encyclopædia Britannica, 14th edition, Londres, 1929, t. 5, p. 138-141.

59 Sapir (E.), *Southern Paiute, a Shoshonean language.* — *Texts of the Kaibab Paiutes and Uintah Utes.* — *Southern Paiute dictionary.* Procceddings of the American Academy of Arts and Sciences, Cambridge et Boston, t. 65, 1930-1931, p. 1-296, 297-537 et 537-730.

60 Sauer (C.), *The distribution of aboriginal tribes and languages in northwestern Mexico.* Ibero Americana, Berkeley, t. 6, 1934.

61 Schoembs (J.), *Aztekische Schriftsprache.* Heildelberg, 1949.

62 Schultze-Jena (L.), *Indiana, II. Mythen in der Muttersprache der Pipil von Izalco in El Salvador.* Iéna, 1935.

63 Schultze-Jena (L.), *Indiana, III. Bei den Azteken, Mixteken und Tlapaneken der Sierra Madre del Sur von Mexiko.* Jena, 1938.

64 Seler (E.), *Fray Bernardino de Sahagun. Einige Kapitel aus seinem Geschichtwerk worgetreu aus dem Aztekischen übertragen von —.* Stuttgart,

1926-1927. (Textes Nahuatl du XVIe siècle, avec traduction allemande en regard).

65 SHIMKIN (D. B.), *Shoshone. I: Linguistic sketch and text, II: Morpheme list.* IJAL, Baltimore, t. 15, 1949, p. 175-188 et 203-212.

66 SIMÉON (R.), *Dictionnaire de la langue Nahuatl ou Mexicaine.* Mission Scientifique au Mexique et dans l'Amérique Centrale, Linguistique, Paris, 1885.

67 SMITH (T. B.), *A grammatical sketch of the Heve language, translated from an unpublished manuscript.* Shea's Library of American Linguistics, New York, t. 3, 1861.

68 SMITH (T. B.), Editor. *Grammar of the Pima or Névome, a language of Sonora, from a manuscript of the XVIII century.* Shea's Library of American Linguistics, New York, t. 5, 1862.

69 TELLECHEA (M.), *Compendio gramatical para la intelligencia del idioma Tarahumar.* México, 1826.

70 TRAGER (G. L.), *An outline of Taos grammar.* In : *Linguistic structures of native America.* VFPA, New York, t. 6, 1946, p. 184-221.

71 TRAGER (G. L.), *Review of « Map of North American Indian Languages », compiled and drawn by C. F. Voegelin and E. W. Voegelin.* IJAL, Baltimore, t. 11, 1945, p. 186-189.

72 [VELASCO (J. B. de)], *Arte de la lengua Cahita, conforme a las reglas de muchos peritos en ella. Compuesto por un Padre de la Compañia de Jesús.* México, 1737. (Réimpression à Mexico en 1890).

73 VOEGELIN (C. F.), *Tübatulabal grammar.* UCPAAE, Berkeley, t. 34, no 2, 1935, p. I-VII et 55-189.

74 VOEGELIN (C. F.), *Tübatulabal texts.* UCPAAE, Berkeley, t. 34, no 3, 1935, p. I-IV et 191-246.

75 WATERMAN (T. T.), *The phonetic elements of the Northern Paiute Language.* UCPAAE, Berkeley, t. 10, no 2, 1911, p. 14-44.

76 WEITLANER (R.), *Chilacachapa y Tetelcingo.* El México Antiguo, México, t. 5, nos 7-10, 1941, p. 255-300.

77 WEITLANER (R.), *Un idioma desconocido del Norte de México.* Actes du XXVIIIe Congrès International des Américanistes, Paris, 1947 ; Paris, 1948, p. 205-227.

78 WEITLANER (R.) et WEITLANER DE JOHNSON (I.), *Acatlan y Hueycantenango,* El México Antiguo, México, t. 6, nos 4-6, 1943, p. 140-204.

79 WHORF (B. L.), *The comparative linguistics of Uto-Aztecan.* AA, Menasha, Wis., n. s., t. 37, 1935, p. 600-608.

80 WHORF (B. L.), *The origin of Aztec TL.* AA, Menasha, Wis., n. s., t. 39, 1937, p. 265-274.

81 WHORF (B. L.), *The Hopi language, Toreva dialect.* Dans : *Linguistic structures of native America.* VFPA, New York, t. 6, 1946, p. 158-183.

82 WHORF (B. L.), *The Milpa Alta dialect of Aztec.* Dans : *Linguistic structures of native America,* VFPA, New York, t. 6, 1946, p. 367-497.

83 WHORF (B. L.) et TRAGER (G. L.), *The relationship of Uto-Aztecan and Tanoan.* AA, Menasha, Wis., n. s., t. 39, 1937, p. 609-624.

P. RIVET, G. STRESSER-PÉAN
et Č. LOUKOTKA.

LANGUES DU MEXIQUE
ET DE L'AMÉRIQUE CENTRALE

INTRODUCTION
[18, 26, 30, 40, 43, 44, 47, 48, 62, 80, 81, 84, 92]

L'étude des langues du Mexique et de l'Amérique Centrale est en voie de progrès rapide depuis que des linguistes exercés se sont mis à enquêter parmi les indigènes actuels. De plus, une active exploration des archives de l'époque coloniale permet d'acquérir peu à peu une idée plus exacte de l'ancienne géographie linguistique, et laisse espérer la découverte de renseignements sur certaines langues éteintes. Le tableau général que nous présentons maintenant a donc bien des chances de n'avoir qu'une valeur très provisoire.

Nous nous sommes particulièrement inspirés de la carte de Jiménez Moreno et Mendizábal (1937), et de la révision plus récente publiée par John Alden Mason et Frederick Johnson dans l'ouvrage collectif *The Maya and their neighbors* (1940, avec une carte). Pour le Nord-Est du Mexique, nous avons aussi utilisé la carte de Jiménez Moreno et Arturo Monzón, publiée dans *El Norte de México y el Sur de Estados Unidos*.

Les familles linguistiques énumérées dans le présent chapitre sont exclusivement celles qui sont spéciales à l'Amérique Centrale et au Mexique. Les autres sont étudiées dans le chapitre précédent *(Yuto-Aztek, Hoka)*, ou avec les langues de l'Amérique du Sud *(Čibča, Karib)*.

Sur bien des points, le classement des langues mexicaines et centre-américaines est encore sujet à controverse, soit que le matériel linguistique utilisé reste insuffisant, soit

que la démonstration de certaines parentés n'ait pas pu
être faite avec toute la rigueur désirable. Nous n'avons
pas cru devoir grouper les langues *Maya-Soke* avec les
langues *Penutia* et *Yuto-Astek* d'Amérique du Nord, pour
former une grande famille *Penutia*, comme le suggérait
Whorf. Lorsque nous avons accueilli des parentés encore
insuffisamment prouvées, nous avons exprimé à ce sujet
les réserves qui s'imposaient. Quant aux langues pratiquement inconnues et inclassifiables, elles ont été présentées
dans un paragraphe spécial, et nous n'avons pas cru devoir
créer pour elles des familles linguistiques hypothétiques.

Dans notre carte, nous avons essayé de représenter la
répartition des langues indigènes telle qu'elle devait être
au moment de l'arrivée des Espagnols, c'est-à-dire au
début du xvie siècle. Cette carte est nécessairement très
schématique, d'autant plus qu'il ne pouvait être question
de représenter graphiquement les superpositions ou
mélanges de populations qui caractérisaient certaines
régions. De plus, quelques réserves doivent être faites au
point de vue chronologique : pour beaucoup de régions, il
n'existe de renseignements linguistiques précis qu'à partir
de la fin du xvie siècle ; pour certaines autres, comme le
Nuevo León, notre documentation ne date que du
xviie siècle ; enfin pour le Tamaulipas, les premières
données importantes sont seulement du xviiie siècle.

L'état linguistique actuel, généralement fort différent
de celui du xvie siècle, aurait mérité une carte spéciale :
nous nous sommes contentés de l'évoquer brièvement dans
notre texte. Rappelons que l'Espagnol, langue officielle,
règne sans partage dans la plus grande partie du Mexique
septentrional, et que, de plus, il est maintenant seul
employé — ou à peu près — par la population de presque
toutes les villes importantes. Les langues indigènes ne
survivent que dans certaines zones, surtout au Guatemala
et dans le Sud-Est du Mexique. N'étant plus guère en
usage que dans les classes populaires rurales, elles ont subi
une déchéance comparable à celle qui caractérise les
langages qu'on dénomme habituellement « patois ».

CLASSIFICATION[1]

I. FAMILLE *KWITLATEK* [**32, 41, 90**]

Les *Kwitlatek* (Cuitlateco, Teco, Popoloca de Michoacan) habitaient autrefois un territoire assez étendu, au Sud du cours moyen du Río de las Balsas, de Tlapehuala à Acatlan del Río, et sur la côte du Pacifique, autour de la ville de Mexcaltepec. De nos jours, c'est seulement à San Miguel de Totolapan, dans l'État de Guerrero, que l'on a pu trouver quelques vieillards connaissant encore un peu la langue *Kwitlatek*. Certains linguistes rapprochent cette langue de la famille *Hoka*.

II. FAMILLE *LENKA* [**30, 40**]

Les *Lenka* (Lenca), maintenant presque entièrement hispanisés, occupaient naguère un territoire assez étendu dans le Honduras central et occidental. Ils atteignaient même le Pacifique, entre le fleuve Lempa et la baie de Fonseca, dans le Salvador actuel. Leur langue reste encore isolée, bien que certains la rapprochent de la famille *Hoka*, tandis que d'autres la considèrent comme formant transition entre les familles *Maya* et *Čibča*. Le *Lenka* n'est plus guère parlé que par quelques vieillards. Il comprenait de nombreux dialectes, parmi lesquels on cite le *Gwašikero* (Guaxiquero), le *Intibukat* (Intibucat), le *Opatoro*, le *Similaton* et le *Čilanga* (Chilanga), nommés d'après les villages où on les parlait.

III. FAMILLE *MAYA-SOKE* [**24, 42, 67**]

La parenté des langues *Maya-Kiče* avec les langues *Mixe-Soke* et *Totonak* a été confirmée par Norman Mc Quown, après des études récentes sur le terrain. On est ainsi amené à proposer l'existence d'une grande famille *Maya-Soke* (Maya-Zoque), composée des trois groupes susdits, auxquels on peut envisager, non sans réserves, de joindre le *Sinka*. Ce serait la plus importante des familles spéciales au Mexique et à l'Amérique Centrale. Tous les peuples ainsi groupés linguistiquement se trouvaient inclus, au xvie siècle, dans l'aire méso-américaine de haute civilisation. Certains linguistes rattachent la famille *Maya-Soke*, et plus particulièrement le groupe *Mixe-Soke*, à la famille *Penutia* de l'Amérique du Nord. Schuller a proposé, de façon assez peu convaincante, de grouper les langues *Maya-Kice* avec les langues *Karib* et *Arawak* d'Amérique du Sud.

1. La rédaction des Langues du Monde a tenu à présenter les noms des langues et dialectes avec une notation phonétique approximative (en italiques) qui n'engage pas la responsabilité des auteurs du chapitre. Quand il y a lieu, les orthographes traditionnelles de ces noms et éventuellement les autres appellations de la même langue sont indiquées à la suite entre parenthèses.

Pour repérer les langues et dialectes sur la carte, voir p. 1093 et suivantes.

1. Groupe *Maya-Kiče* [**1, 29, 36**]

Toutes les langues *Maya-Kiče* (Maya-Quiché) sont nettement apparentées entre elles. De plus, à l'exception du *Wastek*, elles sont groupées géographiquement sur un territoire continu. Les linguistes américains ont déjà abordé la reconstitution du proto-*Maya*, mais la tâche est complexe et les matériaux sont encore insuffisants. Depuis le xvie siècle, le *Maya* et, à un moindre degré, le *Kiče* et le *Kakčikel* ont donné lieu à une importante littérature. Par contre, d'autres langues du groupe sont encore très mal connues, et certaines ont disparu. De plus, il faudrait un véritable atlas linguistique pour étudier le Sud-Ouest de la zone *Maya-Kiče*, où le *Mam* et les langues voisines se subdivisent en de nombreux dialectes locaux, avec des transitions complexes qui rendent le classement difficile.

Les deux dernières classifications des langues *Maya-Kiče*, celles de Kroeber et celle de Halpern, diffèrent encore profondément. Pour nous tenir sur un terrain ferme, nous avons cherché à définir des sous-groupes restreints réunissant des langues nettement affines. Nous obtenons ainsi six sous-groupes *(Wastek, Maya, Čol, Tseltal, Mam, Kiče)* dont nous signalerons les rapports probables. Notons ici que Kroeber et Halpern sont d'accord pour former trois divisions, la première avec le sous-groupe *Wastek* isolé, la seconde avec les sous-groupes *Čol* et *Tseltal*, la troisième enfin avec les sous-groupes *Mam* et *Kiče*. Mais Kroeber place le *Maya* et le *Xakaltek* dans la seconde division, tandis que Halpern les met dans la troisième. Ces controverses ne tarderont sans doute pas à être tranchées par N. Mc Quown, qui a entrepris une étude générale de la famille *Maya-Soke*.

a) Le sous-groupe *Wastek* comprend : [**1, 63, 78**].

Le *Wastek* (Huasteco, Huaxteco, *Tének*), jadis parlé dans les plaines et collines de la région de Tampico, depuis le Rio Tuxpam jusqu'à la Sierra Tamaulipas et depuis la côte du Golfe du Mexique jusque dans les premières vallées de la Sierra Madre Orientale. Les *Wastek* sont actuellement réduits à moins de 50.000 individus, groupés en deux zones assez restreintes, l'une dans le Sud-Est de l'État de San Luis Potosi (régions de Tancanhuitz et de Ciudad Valles), l'autre dans le Nord de l'État de Veracruz (régions de Tantoyuca, Chontla, Amatlan et Tancoco). A chacune de ces deux zones correspond un dialecte différent.

Le *Čikomuseltek* (Chicomucelteco), qui semble avoir été jadis appelé Coxoh, était encore parlé, au début du xxe siècle, dans le village de Chicomucelo, au Sud du Chiapas, près de la frontière du Guatemala, soit à plus de 800 kilomètres de la région de Tampico. Malgré cette distance, ce qu'on connaît du vocabulaire *čikomuseltek* présente une extraordinaire ressemblance avec le dialecte *Wastek* de l'état de Véracruz.

La situation géographique des *Wastek* pose un des problèmes les plus notables de la proto-histoire mexicaine. On a quelques raisons de penser qu'avant le début de notre ère, des peuples *Maya-Kiče* ont pu occuper toute la côte du Golfe du Mexique, entre Tuxpan et la région du Tabasco où débouchent les grands fleuves du Chiapas : diverses invasions auraient ensuite amené le refoulement ou la disparition de ces peuples, laissant les *Wastek* isolés. Toutefois, certains auteurs, comme Kroeber, préfèrent une autre hypothèse, selon laquelle les *Wastek* se seraient séparés du reste des *Maya-Kiče* et se seraient écartés vers le Nord-Ouest.

b) Le sous-groupe *Maya* comprend une seule langue : [**1, 16, 56, 66, 79, 82**].

Le *Maya* proprement dit (Yucateco, *Mayaťan*), encore parlé par plus de 300.000 personnes, presque toutes groupées dans l'État de Yucatan et dans la partie septentrionale de l'État de Campeche, au Nord-Ouest de la péninsule de Yucatan. Ces *Maya* du Nord se désignent eux-mêmes sous le nom de *Masewal* et parlent une langue assez uniforme. Cette langue se retrouve, à quelques nuances près, dans les régions plus méridionales de la péninsule, où elle fut implantée, semble-t-il, par plusieurs groupes d'immigrés récents, venus du Nord. Les premiers furent les *Itsa* (Itza), originaires de Chichen-Itza et installés au Peten depuis le xvᵉ siècle. Puis arrivèrent, individuellement ou par petits groupes, des *Maya-Masewal*, se réfugiant dans les forêts presque désertes du Sud pour échapper à la colonisation espagnole : leurs descendants se retrouvent aujourd'hui jusqu'à Tenosique (au Tabasco), et paraissent avoir formé, au xixᵉ siècle, le gros des rebelles de Chan Santa Cruz et d'Icaiche (au Quintana Roo).

Les véritables groupes Maya méridionaux semblent avoir parlé des dialectes présentant des différences un peu plus sensibles avec le *Maya* « classique » du Nord. Les documents du xviᵉ siècle citent les *Mopan* et les *Kehače. Le dialecte *Mopan* est encore parlé par quelques centaines d'individus, sur la limite du Peten et du Honduras Britannique. Il se rapproche beaucoup du *Čol*, et des documents plus complets le feraient peut-être classer comme un dialecte *Čol*. On ne sait presque rien des Indiens *Kehače (Cehache) ou *Masatek (Mazateco)[1] sinon qu'ils étaient *Maya* et qu'ils ont disparu de la région qu'ils occupaient jadis au Nord du Peten. Il est possible qu'ils aient été refoulés vers le Sud par la pression des *Maya* échappés du Yucatan espagnol, et que leurs descendants actuels soient les *Lakandon* (Lacandon) du Chiapas, qui se nomment eux-mêmes *Winik* et sont parfois improprement désignés sous le nom de *Karib* (Carib). On sait que ces Indiens Lakandon ont usurpé le territoire et le nom d'un ancien groupe *Čol*, déporté par les Espagnols. Les *Lakandon* actuels parlent un dialecte *Maya ;* encore insoumis et païens, ils sont réduits à moins de 200 individus installés à l'Ouest du cours moyen de l'Usumacinta.

Il convient de rappeler que ce sont les *Maya* proprement dits qui semblent avoir atteint le niveau le plus élevé de la civilisation indigène du Nouveau-Monde, notamment dans le domaine de la pensée et de l'art. L'écriture maya, dont les principes semblent avoir été communs à plusieurs peuples *Maya-Kiče*, n'a été déchiffrée que partiellement. Elle était idéographique mais paraît avoir eu recours aussi à des éléments employés phonétiquement.

Kroeber tient le Maya pour proche du *Čol* et des langues du Chiapas, tandis que Halpern le rapproche plutôt du *Kiče*.

c) Le sous-groupe *Čol* [**1, 5, 7, 25, 50, 66, 83**].

comprend plusieurs langues qui sont apparentées à celles du sous-groupe *Tseltal* et présentent, d'autre part, des affinités assez étroites avec le *Mopan* et avec le *Maya* proprement dit. On estime que les peuples de ce sous-groupe s'étendaient jadis depuis le Tabasco jusqu'au Honduras. Au cours de l'époque coloniale, la disparition de plusieurs tribus a brisé cette ancienne conti-

---

1. Il ne faut pas confondre ces Indiens avec leurs homonymes, les *Masatek* d'Oaxaca et de Guerrero (famille *Otomang*).

nuité géographique et sans doute supprimé certaines formes linguistiques de transition. Ce furent peut-être les ancêtres des peuples *Čol* et *Čorti* qui fondèrent la civilisation de l'« Ancien Empire » Maya.

Le *Tokegwa* (Toquegua, Loquehua) était parlé dans les collines qui s'élèvent non loin des rives du Golfe de Honduras, entre les cours inférieurs des fleuves Motagua et Ulua. Cette langue n'a pas été décrite, mais un auteur du xviii⁰ siècle (F. Ximénez) assure que les *Tokegwa* appartenaient à la même nation que les *Čol* et les *Čorti*.

Le *Čorti* (Chorti) est encore parlé par plus de 30.000 personnes, de part et d'autre de la frontière qui sépare le Guatemala et le Honduras, dans la région de Copan, Yocatan, La Unión et Quetzaltepec. Au xvi⁰ siècle, il s'étendait vers l'Est jusqu'à la ville actuelle de Gracias, vers le Sud jusqu'à Chalatenango (au Salvador), et vers le Nord probablement jusqu'au voisinage du lac d'Izabal et à la haute vallée du Chamelecon.

Le *Čol* (Chol, Cholti) était parlé, dans une zone de forêts tropicales, par plusieurs tribus ou groupes locaux qui résistèrent longtemps à la colonisation espagnole, et furent finalement l'objet de mesures de rigueur. Les *Akala* (Acala) installés entre le Chixoy et le Rio de la Passion, et les *Mance* (Manche, Manche-Chol) qui vivaient au Nord du lac d'Izabal, furent déportés dans la région *Kiče* du Guatemala, où ils se métissèrent et perdirent leur langue. Leur ancien territoire fut occupé par des *Kekči* venus du Sud. Les *Čol-Lakandon* (Chol-Lacandon) étaient établis sur le cours moyen de l'Usumacinta et, plus à l'Ouest, dans la région des rivières Jatate, Lacanja et Lacantun : ils furent transférés au Chiapas, et les quelques 25.000 *Čol* actuels, qui vivent presque tous à l'Ouest de Palenque, semblent être leurs descendants. L'ancien territoire des *Čol-Lakandon* fut envahi au xvii⁰ et au xviii⁰ siècles par des Indiens venus du Nord, qui parlaient un dialecte du *Maya* proprement dit, et auxquels fut transféré, à tort, le nom de *Lakandon*. Parmi les *Čol* actuels du Chiapas, il existe au moins trois dialectes, qui diffèrent sensiblement du *Mance* que nous a conservé un vocabulaire du xviii⁰ siècle. Le *Palenkano* (Palencano), dialecte *Čol* de Palenque, forme une sorte de transition avec le *Čontal*, et Halpern le considère même plutôt comme un dialecte *Čontal*.

Le *Čontal* (Chontal) dit de Tabasco[1] est parlé par près de 20.000 personnes, à l'embouchure des fleuves Grijalva et Usumacinta. Jadis il s'étendait au Sud-Est jusqu'à Tenosique et au Nord-Est jusqu'aux régions de Acalan et de Champoton. Il en subsiste deux dialectes, l'un appelé *Yokotan* (Yocotan, *Yokot'an*) et parlé près de la ville de Macuspana, l'autre appelé *Čontal* proprement dit et parlé dans le Chontalpan, c'est-à-dire dans le delta du Río Grijalva. Un texte ancien nous a conservé un troisième dialecte, appelé *Wibal'an*, et parlé au xvi⁰ siècle dans la région Acalan, à l'Est et au Nord-Est de la lagune de Terminos. Le nom de Putun, parfois écrit Puctun, semble avoir été employé par les anciens Maya pour désigner le *Čontal* et les groupes *Čol* de l'Ouest.

d) Le sous-groupe *Tseltal* [**1, 37, 38, 63, 68, 73, 86**] présente des affinités avec le sous-groupe *Čol*, d'une part et avec le sous-groupe *Mam* de l'autre. Le nom de *Kelen* (Quelen, Quelem), qui est parfois

---

1. Pour le distinguer notamment du *Čontal* de Oaxaca, ou *Tekistlatek* (famille *Hoka*), et du *Čontal* de Guerrero (non classé).

donné aux *Tsotsil*, semble avoir été, au XVIe siècle un nom collectif servant
à désigner tous les peuples du sous-groupe *Tseltal*. Les langues de ce sous-groupe sont les suivantes :

Le *Tseltal* (Tzeltal, Tzendal, Zendal, Cendal, Celtal) est parlé par près de
50.000 personnes dans le centre de l'État de Chiapas, autour de la ville
d'Ocosingo, et plus au Sud, jusqu'à la frontière du Guatemala. Le *Bačaxon*
(Bachajon, *Bačahom*), parlé au Nord d'Ocosingo, est un dialecte *Tseltal*.

Le *Tsotsil* ou *Čamula* (Tzotzil, Chamula, Zotzil, Tzotzlem, Tzinacanteca,
Quelen) est parlé par plus de 60.000 personnes, également dans l'État de
Chiapas, mais plus à l'Ouest que le *Tseltal*, notamment autour des villes
de Simojovel et de San Cristobal.

Le *Čañabal* (Chañabal, Chañeabal, Tojolabal, Jocolabal, Jojolabal,
Comiteco), parlé au Chiapas par une dizaine de milliers de personnes vivant
autour de Comitan ou plus au Sud-Ouest.

Le *Čuxe* (Chuje, Chuj, Chuhe) a pour principal centre la ville de San
Mateo Ixtatan, au Nord de Huehuetenango, dans l'Ouest du Guatemala.
Parlé par 15.000 personnes environ, il est très proche du *Čañabal*, mais
montre, par ailleurs, des affinités étroites avec certains dialectes *Kanxobal*.

e) Le sous-groupe *Mam* [**1, 7, 37, 38, 75**]
réunit des langues encore insuffisamment connues. Il semble qu'on puisse
lui attribuer :

Le *Kanxobal* (Canjobal, *Kan-hobal*) qui a été longtemps confondu avec
le *Čuxe*. Il est parlé au Sud et à l'Est de cette dernière langue, depuis San José
Montenegro sur la frontière mexicaine, jusqu'à San Juan Ixcoy et Santa
Cruz Barillas au Guatemala. Le *Kanxobal* se divise en plusieurs dialectes,
parmi lesquels on peut citer le *Solomek* (Solomeca, Chuj de Soloma), parlé à
San Pedro Soloma, et surtout le *Xakaltek* (Jacalteca), parlé à Jacaltenango
et dans les villages environnants. Le nombre des Indiens de langue *Kanxobal*
atteint peut-être 35 ou 40.000.

Le *Subinha*, connu seulement par un document ancien, et qui était
probablement parlé dans quelque village de la région *Kanxobal*.

Le *Motosintlek* (Motozintleca) qui serait parlé par 3 ou 4.000 individus,
groupés sur une aire restreinte autour de la ville de Motozintla, dans le Sud
du Chiapas, près de la frontière du Guatemala.

Le *Mam* (Mam, Mame, *Zaklohpakap*), parlé de part et d'autre de la frontière mexico-guatemalienne méridionale, sauf sur la côte. Les *Mam* actuels
sont peut-être près de 300.000, mais la plupart d'entre eux se sont hispanisés
et ont cessé d'employer leur langue indigène, surtout au Chiapas. Le *Mam*
serait encore parlé par plus de 100.000 individus, notamment dans la région
de Todos Santos Cuchumatanes, Huehuetenango, San Marcos, Tajamulco,
etc. Cette langue comprend de nombreux dialectes, encore peu étudiés,
parmi lesquels les derniers recensements mexicains citent le *Koyotin*
(Coyotin), le *Takyal* (Taquial), le *Takaneko* (Tacaneco), le *Tutuapa*, le *Tupankal* (Tupancal), le *Takana* (Tacana) et le *Tlatiman*.

Le *Agwakatek* I (Aguacateco I)[1], parlé au Guatemala par environ
8.000 personnes. L'aire de cette langue est très restreinte, et se limite aux
environs de la ville d'Aguacatan, à l'Est de Huehuetenango.

---

1. Ainsi nommé par Stoll pour le distinguer du *Agwakatek* II (Groupe
Mixe-Soke), naguère parlé sur le territoire de la même ville.

Le *Ixil* ou *Išil* (Ixil, Ihil, Izil), parlé par plus de 20.000 individus dans la région de Nebaj, Cotzal et Chajul, au Nord-Est du territoire *Mam*, entre le pays des *Čuxe* et celui des *Uspantek*. Il présente des affinités avec le *Kiče*, et Kroeber le classe avec cette dernière langue. Cependant le *Ixil* paraît plutôt devoir être rattaché au sous-groupe *Mam*. Halpern le rapproche du *Xakaltek*.

f) Le sous-groupe *Kiče* comprend : [**1, 4, 63, 69, 70, 76**]

Le *Kiče* (Quiche, Utlateca), langue autrefois puissante. Le *Kiče* est encore parlé sur un vaste territoire du Guatemala actuel, à l'Ouest du lac Atitlan et au Nord du Rio Motagua, depuis Retalhuleu et Mazatenango jusqu'à Sacapula et Rabinal. Il y a également un petit groupe *Kiče* dans le Sud du Chiapas, non loin de la ville de Tapachula. Les *Kiče* sont actuellement le peuple le plus nombreux de la famille *Maya-Soke*, et comptent plus de 400.000 individus.

Le *Kakčikel* (Cakchiquel), est encore parlé par près de 350.000 personnes, sur les rives orientales et septentrionales du lac Atitlan, et dans la région située plus à l'Est, notamment autour des centres de Solola, Chimaltenango et Antigua. Il existe plusieurs dialectes *Kakčikel* qui sont faiblement différenciés.

Le *Tsutuhil* (Tzutuhil, Zutugil, Sutuhil, Atiteca), parlé par une dizaine de milliers de personnes, dans une petite région située sur les rives méridionales du lac Atitlan. Il comporte quelques variantes dialectales. A l'époque précolombienne, les *Tsutuhil* eurent à soutenir des guerres contre les *Kiče* et les *Kakčikel*, ce qui contribua probablement à réduire leur territoire.

Le *Uspantek* (Uspanteco) parlé par 3.000 personnes environ, sur une aire restreinte, dont le centre est San Miguel Uspantan, au Nord du pays *Kiče*.

Le *Kiče*, le *Kakčikel*, le *Tsutuhil* et le *Uspantek* sont groupés au Guatemala dans une zone de population très dense, et sont si étroitement apparentés qu'on peut les considérer comme de simples dialectes d'une même langue. Au xvie siècle, on les désignait en bloc sous le nom de *Ači* (Achi). On admet communément que ces langues étendaient jadis leur territoire jusqu'au rivage du Pacifique ; mais en fait, on est mal renseigné sur l'ancien état linguistique de cette région côtière du Guatemala, où la densité de population a toujours été faible, où le *Nawa* (famille *Yuto-Astek*) jouait un grand rôle au xvie siècle, et où l'Espagnol est à peu près seul en usage de nos jours.

Le *Kekči* (Kekchi, Quekchi, Kakchi), qui était parlé au xvie siècle dans une région assez peu étendue où s'élevaient les villes de Cahabon et de Coban, en Verapaz. Depuis cette époque, les *Kekči*, profitant de la déportation des *Čol* orientaux, et assimilant les derniers restes de ce peuple, se sont répandus vers le Nord et vers l'Est sur un territoire considérable. Ils sont actuellement près de 250.000 et occupent la plus grande partie du département d'Alta Verapaz. Ils pénètrent même dans le Peten, dans le département d'Izabal et dans le Sud du Honduras Britannique.

Le *Pokomam* (Pocomam, Pokam) était parlé au xvie siècle depuis la région d'Amatitlan, de Guatemala et de Mixco, jusqu'au point où se joignent les frontières actuelles du Guatemala, du Salvador et du Honduras. Plus au Sud-Est, il survivait en zone *Nawa (Yuto-Astek)* dans les villes isolées de Ahuachapan, Chalchuapan, San Salvador et Iztepeque, ce qui laisse à penser qu'avant l'invasion des *Pipil* il avait peut-être été la langue du Salvador occidental, jusqu'au Rio Lempa. Actuellement, le *Pokomam* a entièrement disparu du Salvador, mais il est encore parlé au Guatemala par environ 25.000 individus, répartis en quelques îlots linguistiques notamment aux environs d'Antigua et de Jalapa.

Le *Pokomči* (Pokomchi, Poconchi) est parlé par plus de 30.000 personnes, au Sud de Coban, dans la région des sources du Rio Cahabon. Le *Pokomči* ne diffère presque pas du Pokomam. Ces deux langues sont parfois désignées collectivement sous le nom de *Pokom*. Au xvie siècle, elles étaient séparées territorialement par un groupe de *Pipil*, venus du Mexique, qui se sont hispanisés à l'époque coloniale.

Le *Kekči*, le *Pokomam* et le *Pokomči* présentent entre eux des affinités particulières qui permettent de les grouper en une section *Kekči-Pokom*.

2. Groupe *Mixe-Soke*
[**20, 22, 23, 24, 33, 49, 59, 63, 67, 87, 93, 94**]

Entrevue par W. Lehmann, la thèse d'une parenté entre les langues *Mixe Soke* et les langues *Maya-Kiče* a été soutenue par Radin et confirmée récemment par Norman Mc Quown. Dans le groupe *Mixe-Soke*, on place les langues suivantes :

Le *Mixe* (Mixe, Mije, Mize, *Ayuk*, Ayook), parlé à égale distance des deux océans, dans les montagnes du Cempoaltepetl (État d'Oaxaca) et plus à l'Est jusqu'à la dépression de l'isthme de Tehuantepec. Les *Mixe*[1] sont actuellement plus de 30.000.

Le *Popoluka* (Popoluca, Popoloca) dit de Veracruz[2], qui est parlé actuellement dans une vingtaine de villages, au Nord de l'isthme de Tehuantepec et sur le versant méridional des montagnes de Tuxtla. Il se divise en quatre dialectes fort différenciés, que Foster considère même comme quatre langues séparées. Le Sierra-*Popoluka* et le *Popoluka* de Texistepec semblent plutôt apparentés au *Soke*, tandis que le *Popoluka* d'Oluta et le *Popoluka* de Sayula se rapprocheraient plutôt du *Mixe*. Les *Popoluka* de Veracruz ne sont plus guère qu'une dizaine de mille, mais il est possible qu'anciennement leurs ancêtres aient occupé une grande partie de la région dite « Olmèque ».

Le *Soke* (Zoque, Zoq, Soque), parlé par plus de 20.000 personnes au Sud-Est et à l'Est du pays des *Mixe*, depuis Chimalapa dans l'État d'Oaxaca jusqu'à Tuxtla-Gutierrez au Chiapas et jusqu'aux environs de Villahermosa au Tabasco. Le *Tapixulapan* (Tapijulapan) est un dialecte *Soke* parlé dans les villages de Tapijulapa et de Puzcatan, dans l'État de Tabasco. Au xvie siècle, le *Soke* s'étendait vers le Sud-Est jusqu'à Ixhuatan et Tlapantepec, près des lagunes du Golfe de Tehuantepec.

Le *Tapačultek* (Tapachulteco), récemment éteint à Tapachula, était sans doute le dernier reste du *Sokonuska* (Soconusca), l'ancienne langue du Soconusco, qui au xvie siècle, était parlée concurremment avec le *Nawa* (famille *Yuto-Astek*) dans toute la région côtière du Chiapas, depuis Tliltepec près de Tonala, jusqu'à Ayutla sur l'actuelle frontière du Guatemala.

1. *Mixe* signifie « gens des nuages ».

2. Pour le distinguer du *Popoloka* de Puebla (famille *Otomang*), ainsi que d'autres langues appelées également *Popoloka* ou *Popoluka* ou *Pupuluka* et appartenant à des familles diverses.

Le *Agwakatek* II[1] (Aguacateco II) de Stoll, îlot isolé au milieu des langues du groupe *Maya-Kiče*, était encore parlé au XIXᵉ siècle par certains habitants des villages de Aguacatan et de Chalchitan, près de Huehuetenango, au Guatemala.

3. Groupe *Sinka* [**21, 40**]

L'inclusion de ce groupe dans la famille *Maya-Soke* a été proposée sur la base d'une parenté assez douteuse avec les langues *Mixe-Soke*. Le groupe *Sinka* comprendrait :

Le *Sinka* (Sinca, Xinca, Popoloca de Guatemala), parlé au XVIᵉ siècle dans le Sud-Est du Guatemala, depuis le Río Michatoya jusqu'au voisinage de l'actuelle frontière du Salvador, sans qu'on puisse affirmer s'il était en usage dans la zone côtière correspondante. Cette langue survit en quelques points, et serait encore parlée par plusieurs milliers d'individus. On en connaît 3 dialectes, le *Sinakantan* (Sinacantan), le *Yupiltepec* (Yupiltepeque), et le *Xutiapa* (Jutiapa), nommés d'après les villages où on les parle.

Le *Popoloka* (Popoloca, Popoluca)[2] dit de Conguaco, naguère parlé dans quelques villages du Sud-Est du Guatemala, tout près de la frontière actuelle du Salvador. Cette langue est à peu près inconnue, mais on suppose qu'elle était apparentée au *Sinka*.

4. Groupe *Totonak* [**3, 9, 11, 27**]

Une enquête menée récemment parmi les Indiens, a permis au Dr Mc Quown d'annoncer que le *Totonak* lui semblait apparenté aux langues *Mixe-Soke* et plus lointainement aux langues *Maya-Kiče*. Cette conclusion confirme les impressions formulées naguère par Walter Lehmann ; mais les arguments du Dr Mc Quown n'ont pas encore été publiés. Le groupe *Totonak* comprend :

Le *Totonak* (Totonaco), parlé actuellement par près de 100.000 personnes dans les montagnes du Nord de l'État de Puebla et dans la région côtière du centre de l'État de Veracruz. Depuis le XVIᵉ siècle, cette langue a perdu du terrain au Nord dans la région de Tuxpan, et au Sud-Ouest dans la région de Teziutlan et de Xicochimalco. Les enquêtes modernes confirment l'existence de plusieurs dialectes *Totonak* encore peu connus, et entre lesquels l'intercompréhension serait assez difficile. Un ancien auteur en cite quatre : d'une part, dans les terres-chaudes côtières, le *Tatikilhati* (Tatiquilhati) des collines de Papantla, et le *Tatimolo* des régions de Naolingo et de Misantla ; d'autre part, dans les montagnes de l'intérieur, le *Čakawašlli* (Chacahuaxtli) autour de Jalpan et de Pantepec, et le *Ipapana* des environs de Huauchinango et de Zacapoaxtla.

Le *Tepewa* (Tepehua, *Akalman*), parlé dans quelques villages de la région où se rejoignent les frontières des États actuels de Puebla, Veracruz et Hidalgo, notamment à Huehuetlan, San Pedro et Mecapalapa. Les Indiens *Tepewa*, qui sont environ 4.000, ne comprennent point la langue des *Totonak*, bien que cette langue soit étroitement apparentée à la leur. Le *Tepewa*,

---

1. Ainsi nommé par O. Stoll pour le distinguer du *Agwakatek* I, langue *Maya-Kiče* parlée par la majorité des habitants d'Aguacatan.

2. Popoloca signifie « gens qui bredouillent » (sobriquet donné par les Nahua).

plus conservateur que le *Totonak*, a gardé des consonnes glottalisées, comme en ont les langues *Maya-Kiče*. C'est à tort, semble-t-il, que le nom de *Tepewa* a été attribué parfois à certains dialectes *Otomi* (Famille *Otomang*).

IV. FAMILLE *MISKITO-MATAGALPA* [**14, 30, 40**]

A la suite des travaux de W. Lehmann, on réunit en une seule famille linguistique les langues des groupes *Sumu*, *Miskito* et *Matagalpa*. Elles semblent présenter quelques affinités avec les langues *Čibča*, ce qui permet d'envisager soit une lointaine communauté d'origine, soit des contacts prolongés entre les deux familles. Les Indiens *Sumu* étaient divisés en petites tribus forestières assez instables, sur lesquelles le xvie siècle ne nous a guère laissé de données précises. Les *Miskito* n'ont pris de l'importance qu'à partir de la fin du xviie siècle. Les localisations géographiques que nous allons indiquer au sujet de cette famille correspondent donc à un état de choses récent et souvent encore mouvant. Bien que basée sur l'agriculture, la civilisation de tous ces peuples était assez peu avancée.

1. Groupe *Miskito*

Le *Miskito* (Miskito, Mosquito, Moustique) est parlé par des Indiens qui n'apparaissent dans l'histoire qu'au xviie siècle, et n'ont réalisé leur expansion actuelle qu'au xviiie). Ils semblent issus du mélange d'esclaves noirs avec des Indiens *Tāwira* qui vivaient aux environs du cap Gracias a Dios et qui étaient apparentés aux *Sumu* de la tribu *Bawihka*. Les *Miskito* sont maintenant plus de 15.000, répandus, sur la côte du Honduras et du Nicaragua, depuis le Rio Patuca jusqu'à la Laguna Las Perlas. Conzemius a distingué cinq dialectes Miskito. Les dialectes du Sud, *Kabo-Bila*, *Baldam-Bila* et *Tāwira-Bila*, sont très semblables entre eux ; par contre, le *Mam-Bila*, parlé sur le Rio Patuca, et le *Wanki-Bila*, parlé sur le Río Coco, sont un peu plus différenciés.

2. Groupe *Sumu*

Les langues *Sumu* (Sumo, Simu, Smu ; parfois appelées Chontal ou Chondal de Nicaragua par les anciens auteurs espagnols) occupaient jadis presque tout l'intérieur du Nicaragua, sauf la région de Matagalpa. Elles atteignaient la côte atlantique, au moins au Sud-Est, et, vers le Nord-Ouest, elles parvenaient peut-être jusqu'au cours moyen du Río Patuca, dans le Honduras. Les *Sumu* étaient divisés en petites tribus parlant des langues ou dialectes assez peu différenciés pour être mutuellement intelligibles. Quatre tribus survivent, avec un total de 4.000 individus, au plus.

Le *Ulua* (Ulua, Ulva, Vulua, etc.) est encore parlé au Sud-Est par un millier de personnes. Au xvie siècle, c'était le plus important des dialectes *Sumu*, car il semble avoir été parlé par plusieurs tribus du Sud du Rio Grande et s'être étendu vers l'Ouest jusqu'aux rives de la baie de Fonseca. Un dialecte apparenté, le *Kukra* (Cucra, Cucara) s'est récemment éteint aux îles Corn et aux environs de Bluefields.

Au Nord, les dialectes *Panamaka* (Panamaca, Ponamaca) et *Twahka* (Taguaca, Twaxka, Twa'ka), parlés chacun par un millier d'individus, ne diffèrent presque pas l'un de l'autre.

Au Nord-Est, les dialectes *Bawihka* (Bawahka), encore parlé par 150 personnes, et *Prinsu se rapprochent beaucoup de la langue des Miskito de la côte voisine.

Parmi les tribus éteintes du groupe Sumu, on cite encore les *Yosko (Yosco, Yusco) du Río Tuma, qui auraient parlé un dialecte très particulier, les *Boa (Poa, Pua) du Rio Grande, les *Silam et les *Ku du Río Waspuk.

3. Grouge Matagalpa

Le Matagalpa (Chontal de Nicaragua, Popoluca de Matagalpa) était parlé au XVIe siècle dans presque tout le Nord-Ouest du Nicaragua, et même un peu au delà de la frontière actuelle du Honduras. De nos jours encore, il serait employé, dit-on, par quelques familles indigènes, près des villes de Matagalpa et de Esteli.

Le Kakaopera (Cacaopera) était un dialecte Matagalpa employé par un petit groupe d'Indiens dans le Nord-Est de l'actuelle République du Salvador. D'après certaines données, il survivrait dans quelques hameaux des environs de la ville de Cacaopera.

V. FAMILLE OTOMANG [34, 40, 46, 91]

Cette famille, récemment constituée, semble assez solide, bien que certains de ses membres, comme le Sapotek et le Činantek soient fortement aberrants sous le rapport du vocabulaire.

Au XVIe siècle, les peuples Otomang (Otomangue) se trouvaient à des niveaux de civilisation très divers. Les plus arriérés étaient ceux du Nord, et en particulier les Pame nomades, vivant de chasse et de cueillette. Les plus évolués étaient ceux du Sud-Est, comme les Sapotek qui construisaient de beaux monuments et employaient une écriture pictographique complexe. Interprétant ces faits, W. Jiménez Moren en déduit l'hypothèse que ces différents peuples ont dû venir du Nord et pénétrer par vagues successives dans la zone méso-américaine de haute civilisation, laissant seulement en arrière quelques tribus attardées dans la zone de nomadisme barbare.

Sur les cartes linguistiques, le territoire de la famille Otomang apparaît morcelé. Mais certaines données historiques tendent à prouver que ce morcellement est relativement récent. D'après les théories de W. Jiménez Moreno, ce serait seulement à partir du IXe ou du Xe siècle que le peuple Nawa (famille Yuto-Astek) aurait commencé à s'installer au Mexique central, assimilant progressivement des populations Otomang et séparant finalement le groupe Otomi-Pame des groupes Popoloka, Mistek, Činantek et Sapotek. Quant aux peuples Man ou Čorotega disséminés depuis le Salvador jusqu'au Costa-Rica, ils sont certainement venus du Mexique, et sans doute à une époque pas très réculée. R. Weitlaner distingue six groupes Otomang, dont quatre de langues à tons et deux de langues sans tons. Mais des données récemment recueillies permettent de se demander s'il n'existait pas des tons dans toutes les langues de la famille.

1. Groupe Otomi-Pame [17, 72, 74, 89]

Ce groupe occupe un territoire assez étendu dans le centre du Mexique. Les langues qui le composent étaient considérées naguère comme n'ayant pas de tons, mais ce jugement sera sans doute révisé car les recherches de Sinclair et Pike ont fait reconnaître des tons dans un dialecte otomi. Le groupe Otomi-Pame comprend :

Le *Pame* (Chichimeco, Meco), langue parlée au début du xvie siècle par de nombreuses petites tribus barbares qui erraient dans une zone montagneuse, limitée approximativement par les emplacements des villes actuelles de Ciudad del Maiz, Tamasopo, Tilaco, Metztitlan, Tecozautla, San Luis de la Paz, Rio Verde et Guadalcázar. Les *Pame* résistèrent avec acharnement à la colonisation espagnole jusqu'au milieu du xviiie siècle. Ils sont maintenant réduits à environ 5.000 individus, dispersés en sept îlots linguistiques, dont les dialectes se répartissent nettement en deux groupes distincts. Les *Pame* du Sud, qui se désignent eux-mêmes sous les noms de *Nyax-u* ou de *Eyaw*, vivent dans la région de Jacala, à la limite entre les États de Hidalgo et de Querétaro. Les *Pame* du Nord vivent dans l'État de San Luis Potosi, notamment auprès des villes de Ciudad del Maiz, Alaquines, La Palma et Santa Maria Acapulco ; ils se nomment eux-mêmes *Šiyui*.

Le *Xonas* ou *Čičimek-Xonas* (Jonaz, Chichimeco, *Uz'êni*), étroitement apparenté au *Pame*. Il était parlé au xvie siècle par des tribus que les Espagnols ne distinguaient pratiquement pas des *Pame*, et qui vivaient dans la partie Sud-Ouest de l'aire que nous avons attribuée à ceux-ci, notamment dans les régions de Zimapan, Vizarron, Querétaro, Toliman et San Luis de la Paz. C'est près de cette dernière ville que le *Xonas* est encore parlé de nos jours par environ 500 personnes, au hameau de Misión de Chichimecas, dans l'État de Guanajuato. Un document du xviie siècle semble démontrer qu'un dialecte un peu différent était en usage plus au Sud-Est, dans la région de Vizarron et de Zimapan.

L'*Otomi* (Otomi, Otomite, *Nyû*), langue d'un important peuple sédentaire du Mexique central. A l'époque de la conquête espagnole, les *Otomi* jouissaient parmi les autres Indiens d'une réputation de rusticité, mais ils avaient, depuis des siècles, dépassé le stade de la barbarie. En bien des endroits, les civilisations Toltèque et Aztèque semblent avoir été développées par des aristocraties *Nawa* (famille *Yuto-Aslek*), dominant et assimilant un fond de population rurale *Otomi*. Au début du xvie siècle, la langue *Otomi* était employée dans les montagnes qui s'élèvent entre Mexico et Toluca (Sierra de las Cruces), et plus au Nord, sur le plateau, depuis Tecozautla et Atlacomulco à l'Ouest, jusqu'à la région accidentée de Pahuatlan, Papaloticpac et Zontecomatlan à l'Est. Vers le Sud-Est, l'*Otomi*, en recul devant le *Nawatl* se rencontrait, à l'état plus ou moins sporadique, dans les régions de Huejotzingo, Puebla, Tlaxca a et Tepeaca. Vers le Nord et le Nord-Est, il subsistait en divers lieux de la Sierra Madre Orientale, notamment à Xilitla. Enfin certains documents permettent de penser qu'un important îlot de langue *Otomi* existait dans l'Ouest du Mexique, au Nord de Colima, peut-être isolé anciennement par l'irruption des *Tarask* (Tarasco).

Le domaine de la langue *Otomi* s'est considérablement modifié depuis le xvie siècle. A l'époque coloniale, les *Otomi*, profitant de l'extermination plus ou moins complète des nomades *Pame*, *Xonas* (Jonaz) et *Gwamar* (Guamar), s'étendirent énormément vers le Nord-Ouest, jusqu'aux environs de Guanajuato, Santa Maria del Río et Río Verde. Dans les montagnes de Zimapan, Vizarron et Toliman, l'*Otomi* s'est établi solidement aux xviie et xviiie siècles, et son expansion se continue encore vers le Nord-Est, en direction de la Huasteca. Mais, sur les plateaux situés plus à l'Ouest, les « colonisateurs » *Otomi* n'ont pas pu maintenir leur langue en face de l'Espagnol : aujourd'hui l'*Otomi* ne subsiste plus, là, qu'en quelques îlots, à Tierra Blanca (État de Guanajuato), aux environs de San Juan Dehedo, autour de Querétaro, et surtout dans la vallée du Río Laja, depuis Celaya jusqu'à Dolores-Hildago. D'autre part, l'*Otomi* a reculé devant le *Nawatl*, puis devant l'Espagnol, en certaines zones de son ancien domaine, notamment dans la « Vallée de Mexico » et dans les régions de Pachuca, de Metztitlan et de Xilitla. A l'Est il ne forme plus que deux îlots isolés, l'un très réduit avec les villages de Santa Ana Hueytlalpan et de San Pedro Tlachichilco, l'autre plus important avec les bourgs de Pahuatlan, Texcatepec, Tutotepec, etc. Dans la contrée de Puebla-Tlaxcala, il ne subsiste plus que dans le seul village de Ixtenco (État de Tlaxcala). Il a disparu de la région de Colima.

L'*Otomi* est parlé, de nos jours, par plus de 300.000 personnes. Parmi ses très nombreux dialectes, J. Soustelle distingue sept types caractéristiques. Le premier, dont la zone d'origine paraît être celle de San Juan Dehedo, s'est répandu jadis vers le Nord et se retrouve autour de Cadereyta, Toliman, Querétaro et Tierra Blanca, ainsi que dans la vallée du Laja. Le deuxième, parlé sur tous les plateaux centraux de l'État de Hidalgo, a gagné vers le Nord la région de Zimapan. Le troisième est parlé autour de Jilotepec et dans le Nord-Ouest de l'État de Mexico, avec une enclave au Michoacan. Le quatrième est parlé dans une partie du plateau d'Ixtlahuaca, État de Mexico, avec une enclave autour d'Amanalco, à l'Ouest de Toluca. Le cinquième est parlé dans la partie Sud de la Sierra de las Cruces, État de Mexico. Le sixième type, parlé dans l'Ouest de la « Vallée de Mexico », autour de Huixquilucan et d'Ocoyoacac, se retrouve, par ailleurs, à une grande distance vers le Nord-Est, dans les îlots *Otomi* isolés du plateau de Tulancingo et des montagnes de Pahuatlan et de Texcatepec. Enfin le septième type est limité au seul village de Ixtenco, près de Tlaxcala.

D'anciens auteurs ont parlé de dialectes *Otomi-Tepewa* (Tepehua) et *Otomi-Serrano*, mais cette nomenclature doit être rejetée.

Le *Masawa* (Mazahua, Mazahuaque, Mazahui, *T'o*)[1] est si proche parent de l'*Otomi* qu'on peut l'envisager comme un dialecte de cette dernière langue. Le *Masawa* a conservé sensiblement son territoire du xviᵉ siècle, sauf un certain recul à l'Est. Il est encore parlé par plus de 75.000 personnes dans l'Ouest de l'État de Mexico, jusqu'à Tlalpujahua, Zitacuaro et Valle de Bravo sur la frontière du Michoacan, avec Ixtlahuaca pour principal centre.

Le *Matlaltsinka* (Matlaltzinca, Matalzinga)[2], dont le principal centre était la ville de Toluca, occupait jadis un territoire assez étendu correspondant à tout le Sud-Ouest de l'actuel État de Mexico, jusqu'à Zacualpan, à la limite de l'État de Guerrero, avec une petite enclave à Huetamo, dans le Sud du Michoacan. De plus, au xvᵉ siècle, un groupe *Matlaltsinka* s'était établi en plein Michoacan, dans la région de Charo. Actuellement le *Matlaltsinka* n'est plus parlé que par 300 personnes environ, à San Francisco Oztotilpan, près de Temascaltepec (État de Mexico). Le *Pirinda* (Pirinda, Matlaltzinca de Michoacan, Charense, Characo) a disparu de la région de Charo, mais on sait qu'il correspondait étroitement au dialecte de la vallée

---

1. Le nom des Mazahua signifie « ceux (qui parlent) comme des bêtes » (littéralement : « comme des cerfs »), sobriquet donné par les Nahua.

2. Le nom des Matlaltzinca signifie « gens du petit filet » (un de leurs instruments de pêche).

de Toluca, lequel était encore parlé récemment à Mexicaltzingo, et différait du dialecte d'Oztotilpan. Le *Okwiltek* (Ocuilteco, Atzinca, *Yŏkak'o*), autre dialecte *Matlaltsinka*, était parlé jadis dans la ville d'Ocuila, à la limite des États actuels de Mexico et de Morelos ; il survit encore dans le voisinage parmi les 300 habitants des villages de San Juan Acingo et de Toto. De tous les membres du groupe *Otomi-Pame*, les *Matlaltsinka-Okwiltek* étaient ceux qui avaient atteint la civilisation la plus brillante.

Le *Matlame* était, semble-t-il, une langue parente du *Matlaltsinka*. Il était parlé au xvıᵉ siècle sur un territoire peu étendu, dans la vallée du Río Balsas, non loin de la ville actuelle de Iguala.

2. Groupe *Mistek-Trike* [**17, 51, 53, 54, 55, 72**]

La parenté de ce groupe avec les langues *Otomi-Pame* a été récemment démontrée par L. Ecker. Le groupe *Mistek-Trike* ne comprend que des langues à tons qui sont les suivantes :

Le *Mistek* (Mixteco), parlé actuellement par près de 200.000 personnes qui sont groupées dans l'Ouest de l'État d'Oaxaca et débordent sur les États voisins de Puebla et de Guerrero. La langue *Mistek* a de nombreux dialectes qui ne sont pas bien connus. Les *Mistek*[1] semblent avoir exercé une grande influence sur la formation de la civilisation aztèque. A l'époque pré-colombienne, ils paraissent avoir reculé au Nord-Ouest devant les peuples *Nawa* (famille *Yuto-Astek*), tout en gagnant du terrain vers l'Est au détriment des *Sapotek* et, vers le Nord-Est, au détriment des *Čočo*. Le territoire *Mistek* contient des enclaves de diverses langues. Inversement, il y a des îlots *Mistek* isolés parmi les populations voisines, et il semble qu'au xvıᵉ siècle il y ait eu des *Mistek* dans la région dite « Olmèque » du Sud-Est de l'État actuel de Veracruz.

Le *Amusgo* (Amusgo, Amisgo, Amuchco), parlé actuellement par une dizaine de milliers d'individus au voisinage de la ville d'Ometepec, dans la Sierra Madre del Sur, à la limite entre les États de Guerrero et d'Oaxaca. On suppose que le territoire *Amusgo* s'étendait jadis jusqu'à la côte du Pacifique.

Le *Kwikatek* (Cuicateco) parlé, au xvıᵉ siècle, dans une région assez peu étendue, située au Nord du pays *Mistek* , et dont le principal centre était la ville de Cuicatlan. Sa localisation n'a guère changé, et il est encore parlé par une dizaine de milliers d'individus.

Le *Trike* (Trique, Triqui), parlé par environ 4.000 personnes dans quelques villages de montagne, aux environs de Tlaxiaco (État d'Oaxaca). Ces villages, dont plusieurs sont groupés sous le nom de Chicahuastla, constituent une petite enclave linguistique en pays *Mistek*. Le *Trike* est assez différent des autres langues du groupe *Mistek* et parait former une sorte de transition avec le groupe *Popoloka-Masatek*.

3. Groupe *Popoloka-Masatek* [**31, 40, 57**]

Ce groupe est nettement apparenté au groupe *Mistek-Trike* et au groupe *Čorotega*. Il ne comprend que des langues à tons, qui sont les suivantes :

Le *Popoloka* (Popoloca, Popoluca, Pinome) dit de Puebla, actuellement

---

1. Leur nom signifie « gens qui habitent le pays des nuages ».

parlé par plus de 20.000 personnes dans la région de Tehuacan et d'Acatlan dans le Sud de l'État de Puebla. Cette langue s'étendait jadis davantage vers le Nord, et a peut-être été parlée par certains peuples dits « Olmèques ». A l'époque coloniale, il y avait encore des *Popoloka* aux environs de Tlaxcala.

Le *Čočo* (Chocho, Chuchon, Popoloca de Oaxaca) est parlé actuellement par environ 2.500 personnes aux environs de Coixtlahuaca. De nos jours, comme au xvie siècle, les *Čočo* forment une enclave linguistique en pays *Mistek*. Leur langue est très proche parente du *Popoloka* de Puebla.

Le *Masatek* (Mazateco) parlé actuellement par environ 60.000 personnes, dans un territoire assez restreint du Nord de l'État d'Oaxaca, autour des villes de Huautla et de Teotitlan. Pour converser à distance, les *Masatek* emploient un langage sifflé, à quatre registres de tons, qui suffit pour évoquer les mots de leur langue avec un minimum de confusion. Le sifflement est bilabial (no **15 bis**). Il semble qu'à l'époque précolombienne les *Masatek* aient joué un rôle dans le peuplement de la région dite « Olmèque » du Sud de l'État de Veracruz. Par ailleurs, des documents du xvie siècle nous parlent d'un groupe d'Indiens appelés *Masatek* qui vivaient à l'Ouest de la ville de Taxco, dans le Nord de l'État actuel de Guerrero, et qui parlaient peut-être la même langue que les *Masatek* de l'Oaxaca.

Le *Iškatek* ou *Iskatek* (Ixcateco), parlé par quelques centaines d'individus, à Santa Maria Ixcatlan, entre le pays des *Masatek* et celui des *Čočo*.

Certains documents de l'époque coloniale mentionnent un petit groupe indigène appelé **Gwatinikamam* (Guatinicamame, Guatequimame), qui vivait au voisinage des *Činantek*, dans le Nord de l'État actuel d'Oaxaca. Ces Indiens semblent avoir complètement disparu. On a supposé que leur langue avait pu appartenir au groupe *Popoloka-Masatek*.

4. Groupe *Činantek* [**88**]

Ce groupe ne comprend qu'une seule langue, le *Činantek* (Chinanteco) parlé par environ 25.000 personnes, au Sud de Tuxtepec, dans les montagnes qui séparent les États actuels de Veracruz et d'Oaxaca. Le *Činantek* est une langue à tons. Il s'écarte notablement de toutes les autres langues *Otomang*, mais R. Weitlaner lui trouve des affinités particulières avec le *Sapotek*. Il semble qu'on puisse distinguer quatre dialectes *Činantek*, l'un au centre (autour de Valle Nacional), appelé *Hu-me*, un autre au Sud-Est (région de Petlapa), appelé *Wah-mi*, un autre au Nord-Ouest (autour de Usila), un autre enfin au Sud-Ouest (région de Yolox).

5. Groupe *Sapotek*. [**2, 8, 52, 60, 61, 77**]

Les langues de ce groupe ont des tons. Leurs vocabulaires diffèrent beaucoup de ceux des autres langues *Otomang* d'Oaxaca, si bien que J. de Angulo et Freeland ont pu émettre une hypothèse d'après laquelle les frappantes similitudes de structure entre toutes ces langues seraient dues à des emprunts et à l'influence de contacts prolongés. Cependant R. Weitlaner a trouvé un certain nombre de correspondances phonétiques et lexicales et conclut à une parenté phylétique. Le groupe *Sapotek*[1] comprend les langues suivantes :

---

1. *Sapotek* signifie « gens du pays des sapotes ».

Le *Sapotek* (Zapoteco, Didxasa, *Š-tiž-uṅ*), parlé au xvi⁰ siècle dans le
centre-Sud de l'État actuel d'Oaxaca, avec un prolongement vers l'Est
dans la région de Juchitlan-Tehuantepec, et peut-être un autre prolongement
au Nord-Est, en direction de Puerto-Mexico (Goatzacoalcos), par la vallée
du Río Santa Maria. Il semble que la ville de Quauhzapotlan, maintenant
disparue, constituait jadis un îlot *Sapotek* isolé, sur la côte pacifique, au
Sud-Est de l'État actuel de Guerrero, entre Azoyú et Ayutla. Les *Sapotek*
ont eu jadis une civilisation brillante, l'une des plus anciennes du Mexique.
A l'époque précolombienne, ils paraissent avoir reculé à l'Ouest devant les
Mistek. Depuis le xvi⁰ siècle, ils ont montré une grande vitalité et se sont
bien adaptés aux conditions de vie créées par la domination des Européens,
aussi ont-ils gagné du terrain vers le Nord et vers l'Est, au dépens des
Činantek, des *Mixe*, des *Soke* et même des *Nawa*. Les *Sapotek* sont maintenant plus de 200.000 dans l'État d'Oaxaca et ont poussé des avant-gardes
dans les États de Veracruz, de Chiapas et d'Oaxaca.

On peut répartir les dialectes *Sapotek* en quatre groupes :

1⁰ Groupe des montagnes du Sud, dans la région de Miahuatlan ;

2⁰ Groupe des vallées ou du centre, avec les villes de Etla, Mitla, Teotitlan
del Valle, Ejutla, Zaachila et un prolongement vers l'Est, jusqu'à
Tehuantepec ; 3⁰ Groupe de la Sierra de Juárez, dans les montagnes du
Nord-Ouest, avec la ville de Ixtlan de Juárez ; 4⁰ Groupe de la Sierra de
Villa Alta, dans les montagnes du Nord-Est, avec la ville de Yalalag. Entre
ces différents groupes, les possibilités d'intercompréhension sont très limitées.
Les dialectes de la région de Ixtlan de Juárez ressemblent à ceux des montagnes du Sud. Ceux des vallées de Etla et de Tehuantepec sont très forte-
ment hispanisés.

Le *Čatino* (Chatino, *Če-'nya*) étroitement apparenté au *Sapotek*, et parlé
actuellement par plus de 10.000 personnes autour de la ville de Juquila,
dans le Sud de l'État d'Oaxaca. Il semble que le domaine de cette langue
s'étendait jadis jusqu'au littoral du Pacifique.

Certains documents de l'époque coloniale mentionnent l'existence, dans
le Sud de l'État d'Oaxaca, d'une langue appelée *Soltek (Solteco), qui aurait
été parlée dans le district de Zimatlan, et d'une autre appelée *Papabuko
(Papabuco), qui aurait été parlée dans le village d'Elotepec. Ces langues sont
probablement éteintes et on ne sait rien de précis sur elles. Leur localisation
géographique au voisinage du *Čatino* laisse à penser qu'elles pouvaient
appartenir au groupe *Sapotek*.

6. Groupe *Čorotega* ou *Mang* [**6, 8, 30, 40**]

Les langues de ce groupe sont maintenant éteintes. On considère habituellement qu'elles n'avaient pas de tons, mais l'existence de ceux-ci a
pu échapper aux anciens observateurs. En fait, ces langues présentaient des
affinités très nettes avec celles du groupe *Popoloka-Masatek* et, à un moindre
degré, avec celles du groupe *Mistek-Trike*. Le groupe *Čorotega* ne comprenait
que deux langues et celles-ci étaient étroitement apparentées entre elles,
malgré les grandes distances qui les séparaient géographiquement.
C'étaient :

Le *Čiapanek (Chiapaneco), jadis parlé sur un territoire assez étendu,
au centre du Chiapas. A la fin du xix⁰ siècle, le *Čiapanek* survivait encore

dans les villes de Chiapa, Suchiapa et Acala. Actuellement, il peut être considéré comme éteint.

Le *Čorotega* ou *Mang* (Chorotega, Mangue), parlé au xvie siècle par plusieurs petits groupes disséminés sur la côte Pacifique de l'Amérique Centrale. La fraction dite *Čoluteka* (Choluteca) était installée au fond de la baie de Fonseca. La fraction dite *Mang* (Mangue) — au sens restreint de ce mot — vivait entre la côte du Pacifique, le lac de Managua et la rive Nord du lac de Nicaragua ; elle se subdivisait en deux sous-fractions dites *Nagrandan* et *Diria*. La fraction dite *Orotiña* occupait les deux rives du golfe de Nicoya et s'étendait vers le Nord, le long du Pacifique, jusqu'au bord méridional du lac de Nicaragua. On suppose que ces fractions correspondaient à des dialectes différents. Au xvie siècle, les *Čorotega* gardaient le souvenir que leurs ancêtres étaient venus du Mexique, et une partie de leur civilisation restait encore nettement mexicaine. Des bandes de *Čorotega* paraissent avoir poussé jusqu'au Panama.

VI. FAMILLE *PAYA* [13, 30, 40]

Les *Paya* (Paya, Pahaya, Poya, *Peš*, *Peška*), des forêts tropicales du Nord-Est du Honduras, occupaient, au xvie siècle, la plus grande partie de la région située entre le Río Aguan et le Río Wanks ou Segovia. Mais, par la suite, ils ont dû reculer à l'Est devant les *Miskito*. Puis, au Nord, ils ont du céder la zone côtière aux *Karib* noirs, introduits dans l'île de Roatan à la fin du xviiie siècle et débarqués ensuite sur le continent. Actuellement les *Paya* sont réduits à quelques centaines d'individus répartis entre les villages de Dulce Nombre de Jesús, el Carbón, Santa Maria Tayaco, El Payal et Pusquira. Leur civilisation était basée sur l'agriculture, mais assez peu avancée.

VII. FAMILLE *TARASK* [24 bis, 39]

Le *Tarask* (Tarasco, Michoacano, *Purepeča*, *P'orepeča*) était parlé au xvie siècle dans presque tout le territoire de l'État actuel de Michoacan. sauf dans la région côtière du Sud-Ouest. Mais il semble que les *Tarask* n'occupaient anciennement que le centre de ce domaine, et qu'ils agrandirent l'aire d'usage de leur langue, au xve siècle, par une politique de conquêtes. Ils avaient alors une civilisation assez brillante. De nos jours, une cinquantaine de milliers d'individus parlent encore le *Tarask* sur un territoire restreint qui s'étend autour de Uruapan, de Paracho et du lac de Patzcuaro. Divers auteurs ont suggéré que le *Tarask* semblait présenter quelques affinités avec les langues de la famille *Otomang*.

VIII. FAMILLE *XIKAK* [12, 28, 30, 40]

Au xvie siècle, le mot *Xikak* semble avoir été employé dans un sens vague pour désigner les Indiens rebelles, païens et relativement peu civilisés des forêts tropicales du Honduras. Actuellement, on appelle *Xikak* (Jicaque) les quelques Indiens qui se rencontrent, plus ou moins disséminés, dans la région de Yoro, et dont le groupe le plus important est réfugié dans la Montaña de la Flor. Ces Indiens se nomment eux-mêmes *Torrupan*. Des indigènes parlant à peu près la même langue se rencontraient encore naguère dans la vallée du Río Ulua, près de El Palmar. Les *Xikak-Torrupan* actuels semblent être les restes d'un peuple qui occupait jadis la côte Atlantique du

Honduras, depuis le Río Ulua, jusqu'au Río Aguan (côte occupée actuellement par des métis et par des *Karib* noirs).

IX. FAMILLE *WAVE* [**42, 58, 59**]

Cette famille ne comprend que la seule langue *Wave* (Huave, Juave,
Huabi, Guavi), parlée par 4 à 5.000 individus dans quatre villages de
pêcheurs situés sur les bords des lagunes voisines de Tehuantepec, dans
l'État d'Oaxaca. P. Radin a signalé de notables correspondances entre le
Wave et les langues *Mixe-Soke*, mais les études récentes et encore inédites
de N. Mc Quown ont conclu au rejet de toute idée de relations génétiques
de ce côté. D'après certaines traditions, les *Wave* seraient venus du Sud,
peut-être par mer. Au XVIᵉ siècle, ils étaient encore en contact territorial
immédiat avec les *Soke*, qui avaient une civilisation plus avancée, et qui ont
sans doute pu exercer sur eux une certaine influence culturelle et linguistique.

X. LANGUES ÉTEINTES DU NORD ET DE L'OUEST DU MEXIQUE [**10, 18, 19, 48, 65**]

Dans le Nord et dans l'Ouest du Mexique, régions où domine maintenant
l'usage de l'Espagnol, les documents coloniaux les plus anciens signalent
l'existence d'un grand nombre de langues indigènes qui ont disparu par la
suite, sans qu'il en ait été fait aucune description et parfois sans qu'il nous
soit parvenu la moindre présomption permettant de les classer.

La question des langues éteintes du Tamaulipas, du Nuevo-León, du
Coahuila et de la Basse-Californie a déjà été abordée au chapitre de l'Amérique
du Nord, à propos de la famille *Hoka*.

Dans ce qui est devenu plus tard le Sud-Ouest de l'État de Tamaulipas
vivait au XVIIIᵉ siècle la tribu guerrière des *Xanambre* (Janambre) et la
tribu moins importante des *Pison*, qui parlaient peut-être la même langue.
Le *Xanambre-Pison* nous est totalement inconnu. Mason et Johnson ont
proposé de le placer dans la famille *Hoka*, avec les autres langues ou dialectes
disparus du Tamaulipas. Nous croyons préférable de le maintenir non
classé, d'autant plus que la découverte de la langue de *Naolan* laisse à
penser que des tribus *Yuto-Astek* ont pu pénétrer en Tamaulipas. Par contre,
nous envisageons assez volontiers de ne pas séparer les *Olive* des autres
tribus *Tamaulipek*.

La position linguistique du *Lagunero*, du *Sakatek*, du *Gwačičil*, du
Bokalo, du *Negrito*, du *Gwamar*, du *Kaskan*, du *Tekweše*, du *Teko*,
du *Koka*, du *Sayultek*, etc., a été discutée au chapitre de l'Amérique du
Nord, à propos de la famille *Yuto-Astek*.

Le *Kuyutek* (Cuyuteco) était parlé au XVIᵉ siècle dans une région située
entre le golfe de Banderas et le lac de Chapala, au voisinage de la ville
actuelle de Talpa (Jalisco occidental).

Le *Šilotlantsinko* (Xilotlantzinco) ou *Tamasultek* (Tamazulteco) était
parlé au XVIᵉ siècle dans la région de Jilotla et de Tamazula, c'est-à-dire
dans le Sud du Jalisco, à l'Est du volcan de Colima. Certaines données
laissent à penser que cette langue a pu être semblable au *Koka*, c'est-à-dire
appartenir probablement à la famille *Yuto-Astek*.

Mendizábal et Jiménez Moreno signalent encore les langues suivantes
comme ayant été parlées au XVIᵉ siècle dans ce qui est devenu plus tard le

territoire de l'État de Jalisco : le *Sapoteka* (Zapoteca) dit de Jalisco à Zapotlan sur les bords du lac de Sayula, le *Tiam* et le *Kočin* (Cochin) dans la région de Tuxpan à l'Est de Colima, et enfin dans la partie occidentale du pays, à l'Ouest des Rios Ayutla et Marabasco, le *Kakoma* (Cacoma), le *Tlaltempaneka*, le *Pampučin* (Pampuchin), le *Šokoteka* (Xocoteca), le *Tomateka*, le *Kučarete* (Cucharete), le *Čamelteka* (Chamelteca), le *Masateka* (Mazateca) dit de Jalisco, le *Tene*, le *Soyateka* (Zoyateca), et le *Sapotlaneka* (Zapotlaneca). Toutes ces langues sont éteintes. Elles ont été remplacées par le *Nawa* d'abord, puis, le plus souvent, par l'Espagnol.

Le *Kwawkomeka* (Cuauhcomeca) était parlé au XVIe siècle dans la région de Coalcoman et de Ayutla, c'est-à-dire dans les montagnes de l'extrémité Sud-Ouest du Michoacan, au voisinage de Colima. Certaines données anciennes laissent à penser que cette langue a pu être apparentée au *Tarask*. Il est douteux que les *Kwawkomeka* se soient étendus jusqu'à la côte du Pacifique, où il semble qu'un dialecte *Nawa* était parlé dès les premiers temps de l'époque coloniale.

A l'Est du cours inférieur du Río Balsas étaient parlées les langues : *Čumbia*, *Tolimeka* (Tolimeca) et *Panteka* (Panteca).

Le *Tepusteko* (Tepuzteco) ou *Tlakotepewa* (Tlacotepehua) était parlé au XVIe siècle depuis la région d'Acalpulco et de Tlacotepec jusqu'à une certaine distance de l'Ouest d'Otatlan, dans le territoire actuel de l'État de Guerrero. Brand estime que le *Tepusteko* n'était probablement qu'un dialecte du *Kwitlatek* et que son domaine séparait les *Kwitlatek* de la côte de ceux qui vivaient dans la vallée du Río Balsas. Quoi qu'il en soit, nous ne connaissons du *Tepusteko* que le seul mot « andut ». Certains ont trouvé à ce mot une allure *Otomang*, cependant que d'autres le rapprochent du nom *Tarask* du tabac.

Le *Itsuko* (Itzuko) ou *Iskuka* (Izcuca) était parlé, au XVIe siècle, dans la région de Teloloapan, près de la moyenne vallée du Río Balsas.

Le *Čontal* (Chontal) dit de Guerrero était parlé, au XVIe siècle, en deux îlots, l'un à l'Ouest, l'autre à l'Est du *Itsuko*. F. Johnson a placé cette langue avec le *Tekistlatek* (ou *Čontal* de Oaxaca) dans la famille *Hoka*, mais le fait que ces deux langues aient porté le nom de *Čontal* ne prouve pas qu'elles aient été semblables ni mêmes apparentées. Nous ne connaissons du *Čontal* de Guerrero que le seul mot « pindešu », auquel W. Jiménez Moreno trouve une allure *Otomang*.

Le *Yopi* (Yoppi, Yope), considéré longtemps comme étant la même langue que le *Tlappanek* (famille *Hoka*), semble bien avoir été différent et avoir eu son domaine plus à l'Ouest, entre les Rios Nexpa (ou Ayutla), Papagayo (ou Xiquipila) et Omitlan, c'est-à-dire dans les « municipios » actuels de San Marcos et de Tecoanapa (État de Guerrero).

Mendizábal et Jiménez Moreno signalent encore les langues suivantes comme ayant été parlées, au XVIe siècle, dans ce qui est devenu plus tard l'État de Guerrero : le *Apaneka* au Sud du Michoacan, près de Zirandaro ; le *Tešome* (Texome) et le *Tušteka* (Tuxteca) dans la vallée du Río Balsas, près de San Juan Tetelcingo ; enfin le *Kuyumateka* (Cuyumateca), le *Tepetišteka* (Tepetixteca), le *Teskateka* (Tezcateca) et le *Tlatsiwisteka* (Tlatzihuizteca) dans la région côtière d'Acapulco.

A l'extrémité méridionale de la péninsule de Basse-Californie, les langues *Waikuri* (Waicuru, Guaicuri, Guaicuru, Guaicura) et *Periku* (Pericu) se sont éteintes au début du xixᵉ siècle. De la première, on ne connaît que quelques mots ; de la seconde, on ne sait pratiquement rien. Brinton a proposé de les rattacher au groupe *Yuma* (famille *Hoka*), mais ce n'est guère plus qu'une hypothèse, surtout en ce qui concerne le *Periku. Cette dernière langue était parlée par un petit groupe indigène, qui occupait une sorte de position-refuge aux environs du cap San Lucas, et qui se distinguait par des caractères anthropologiques et culturels remarquablement archaïques.

P. RIVET, G. STRESSER-PÉAN
et Č. LOUKOTKA.

BIBLIOGRAPHIE

La dernière mise au point bibliographique sur les langues du Mexique et d'Amérique Centrale est celle qui a paru dans *The Maya and their Neighbors* (nᵒ 80), ouvrage tiré malheureusement à très petit nombre, et que la guerre a empêché de parvenir dans la plupart des pays européens.

La liste ci-dessous comprend essentiellement des études récentes et n'a évidemment rien d'exhaustif ; mais elle peut servir d'introduction, et elle permet de trouver des références ou des bibliographies dans les ouvrages de Thomas et Swanton, de Walter Lehmann, de Tozzer, de Soustelle, etc.

A Paris, le *Journal de la Société des Américanistes* publie des articles de linguistique américaine et consacre à cette science, depuis 1914, une bibliographie annuelle. Les périodiques et les ouvrages les plus notables sont examinés depuis 1937 dans le *Boletín Bibliográfico de Antropología Americana*, édité à Mexico. Aux États-Unis, le *International Journal of American Linguistics* a publié sur les langues du Mexique et d'Amérique Centrale une série d'articles importants qui n'ont pas pu être tous cités ici. Consulter également : *El México Antiguo, Revista Mexicana de Estudios Antropológicos, Investigationes lingüísticas, American Anthropologist, Language, Tlalocan, Anales del Museo Nacional... de México, Anales de la Sociedad de Geografía e Historia de Guatemala*, ainsi que les brochures miméographiées du Summer Institute of Linguistics.

Les circonstances nées de la guerre nous ont malheureusement empêchés de consulter certains des ouvrages ou articles cités ci-dessous.

1 ANDRADE (Manuel J.), *Materials on the Huastec languages. Materials on the Mam, Jacaltec, Aguacatec, Chuj, Bachahom, Palencano and Lacandon languages. Materials on the Quiché, Cakchiquel and Tzutuhil languages. Materials on the Kekchi and Pokomam languages.* Microfilm collection of manuscripts on middle american cultural anthropology. Manuscripts nᵒˢ 9-12. The University of Chicago Library. S. D. (*circa* 1946).

2 ANGULO (Jaime de) et FREELAND (L. S.), *The Zapotekan linguistic group.* International Journal of American linguistics, Baltimore, t. VIII, nᵒ 1, 1933, p. 1-38 et nᵒ 2, 1934, p. 81-102.

3 ASCHMAN (Herman P.), *Totonaco phonemes.* International Journal of american linguistics. Baltimore, t. XII, nᵒ 1, 1946, p. 34-43.

4 BARRERA VÁSQUEZ (Alfredo), *Vocabulario del idioma cakchiquel.* Anales del Museo nacional de arqueología, historia y etnografía. México, 5ª época, t. III, 1945, p. 239-254.

5 BECERRA (Marcos E.), *Vocabulario de la lengua Chol.* Anales del Museo nacional de arqueología, historia y etnografía. México, 5ª época, t. II, 1935 (1937), p. 249-278.

6 BECERRA (Marcos E.), *Los Chiapanecas (Vocabulario chiapaneca-castellano y castellano-chiapaneca)*. Investigationes lingüísticas, Mexico, t. IV, 1937, p. 214-253.

7 BLOM (F.) et LA FARGE (O.), *Tribes and temples*. New Orleans. Tulane University of Louisiana, 1927, 2 vol.

8 BOAS (Franz), *Notes on the Chatino language of Mexico*. American Anthorpologist, Lancaster, t. XV, 1913, p. 78-87.

9 BOWER (Bethel), *Stem and affixes in Tepehua numerals*. International Journal of american linguistics, Baltimore, t. XIV, nº 1, 1948, p. 20-21.

10 BRAND (Donald), *A historical sketch of anthopology and geography in the Tarascan region*. Part I. New Mexico Anthropologist, t. VI-VII, 1943, nº 2, p. 37-108.

11 CHRISTIANSEN (L. G.), *Totonaco*. Investigaciones lingüísticas, Mexico, t. IV, 1937, p. 151-153.

12 CONZEMIUS (Edward), *The Jicaques of Honduras*. International Journal of american linguistics, New York, t. II, nᵒˢ 3-4, 1923, p. 163-170.

13 CONZEMIUS (Edward), *Los Indios Payas de Honduras*. Journal de la Société des Américanistes. Paris, t. XIX, 1927, p. 245-302, et t. XX, 1928, p. 253-360.

14 CONZEMIUS (Edward), *Notes on the Miskito and Sumu languages of eastern Nicaragua and Honduras*. International Journal of american linguistics. New York, t. V, nº 1, 1929, p. 57-115.

15 CÓRDOVA (Juan de), *Vocabulario castellano-zapoteco*. México, Instituto nacional de antropología e historia, 1942.

15 bis COWAN (George M.), *Mazateco whistle speech*. Language. Baltimore, t. XXIV, nº 3, 1948, p. 280-286.

16 *Diccionario de Motul, Maya-Espagnol, atribuido a Fray Antonio de Ciudad Real, y Arte de lengua Maya por Fray Juan Coronel*. Edición hecha por Juan Martínez Hernández. Mérida, Yuc., 1929.

17 ECKER((Lawrence), *Relationship of Mixtec to the Otomian languages*. El México antiguo. México, t. IV, nᵒˢ 7-8, 1939, p. 209-240.

18 *El Norte de México y el Sur de Estados Unidos*. México. Sociedad mexicana de antropología, 1944.

19 *El occidente de México*. México. Sociedad mexicana de antropología, 1948.

20 ELSON (Ben.), *Sierra Popoluca syllabe structure*. International Journal of american linguistics. Baltimore, t. XIII, nº 1, 1947, p. 13-17.

21 FERNANDEZ (Jesús), *Diccionario del Sinca*. Anales de la Sociedad de geografía e historia de Guatemala. Guatemala, t. XV, 1938-1939, p. 84-95 et p. 359-366.

22 FOSTER (George M.), *The geographical, linguistic and cultural position of the Popoluca of Veracruz*. American Anthropologist, Menasha, t. XLV, 1943, nº 4, p. 531-546.

23 FOSTER (Mary L.) et FOSTER (George M.), *Sierra Popoluca speech*. Washington, Institute of Social Anthropology, Publication nº 8, Smithsonian Institution, Washington, 1948.

24 FREELAND (L. S.), *The relationship of Mixe to the Penutian family*. International Journal of american linguistics. Baltimore, t. VI, nº 1, 1930, p. 28-33.

24 bis GILBERTI (Maturino), *Diccionario de la lengua tarasca ó de Michoacán* (1559), éd. par A. Peñafiel, Mexico, 1901.

25 GIRARD (Rafael), *Los Chortis ante el problema Maya*. México, Libreria Robredo, 1949, 5 vol.

26 GOUBAUD CARRERA (Antonio), *Distribución de las lenguas indígenas actuales de Guatemala*. Boletín del Instituto indigenista naciobal, Guatemala, t. I, nᵒˢ 2-3, 1946, p. 63-76, carte.

27 GROPP (Arthur E.), *A bibliography of Totonac linguistic materials*. The Hispanic american historical review. Baltimore, t. XVIII, 1938, nᵒ 1, p. 114-126.

28 HAGEN (Victor W. von), *The Jicaque (Torrupan) Indians of Honduras*. Indian Notes and Monographs, nᵒ 53. New York, Museum of the American Indian, 1943.

29 HALPERN (A. M.), *A theory of Maya tš sounds*. Notes on Middle American archaeology and ethnology, Carnegie Institution of Washington, nᵒ 13, p. 51-62, 20 déc. 1942.

30 *Handbook of South American Indians*. Bureau of American Ethnology, Bulletin 143, Washington, Smithsonian Institution, 1946-1950, 6 vol.

31 HANSEN (Florencia), *Report on the Mazatec dialect. Morphology and grammar*. Investigaciones lingüísticas. México, t. IV, 1947, p. 114-147.

32 HENDRICHS (P.), *Un estudio preliminar sobre la lengua Cuitlateca de San Miguel Totolapan, Guerrero*. El México antiguo, México, t. IV, nᵒˢ 9-12, 1939, p. 329-362.

33 HOCKETT (Charles F.), *Componential analysis of Sierra Popoluca*. International Journal of american linguistics. Baltimore, t. XIII, nᵒ 4, 1947, p. 258-267.

34 JIMÉNEZ MORENO (Wigberto), *El enigma de los Olmecas*. Cuadernos americanos. México, nᵒ 5, septembre-octobre 1942, p. 113-145.

35 JOHNSON (Frederik), *The linguistic map of Mexico and Central America*. In : *The Maya and their neighbors*. New York-London, 1940, p. 88-114, 1 carte.

36 KROEBER (A. L.), *Cultural and natural areas of native North America*. University of California publications in American archaeology and ethnology, t. XXXVIII, Berkeley, 1939.

37 LA FARGE (Oliver), *Santa Eulalia, a Cuchumatan indian village, Guatemala*. University of Chicago press, 1947.

38 LA FARGE (Oliver) et BYERS (Douglas), The *Year-Bearer's people*. Middle American research series, nᵒ 3, New Orleans, Tulane University of Louisiana, 1931.

39 LATHROP Jr. (Maxwell D.), *Report on a partial study of the Tarascan dialect*. Investigaciones lingüísticas, México, t. IV, 1937, p. 111-129.

40 LEHMANN (Walter), *Zentral Amerika. Erster Teil: Die Sprachen Zentral Amerikas*. Berlin, 1920, 2 vol.

41 Mc. QUOWN (Norman A.), *La fonémica del Cuitlateco*. El México Antiguo, México, t. V, nᵒˢ 7-10, 1941, p. 239-254.

42 Mc. QUOWN (Norman A.), *Una posible síntesis lingüística macro-mayance*. In : *Mayas y Olmecas*. México, Sociedad mexicana de anthopología, 1942, p. 37-38.

43 *Mapas lingüísticos de la Republica Mexicana*. México, Departamento de Asuntos indígenas, 1944.

44 Mason (J. Alden), *The native languages of Middle America*. In : *The Maya and their neighbors*. New York-London, 1940, p. 52-87.

45 *Mayas y Olmecas*. México, Sociedad mexicana de antropología, 1942.

46 Mechling (William H.), *The indian linguistic stocks of Oaxaca, Mexico*. American Anthropologist, Lancaster, t. XIV, 1912, p. 643-682.

47 Mendizábal (Miguel O. de), *Distribución geográfica de las lenguas indígenas de México, conforme al censo de 1930*. México, Departamento de Asuntos indígenas, 1937 (carte).

48 Mendizábal (Miguel O. de) et Jiménez Moreno (Wigberto), *Distribución prehispánica de las lenguas indígenas de México*. México. Instituto panamericano de geografía e historia, S. D. (1937) (carte).

49 Miller (W. S.), *La lengua Mixe o Ayuc*. Investigaciones lingüísticas. México, t. IV, 1937, p. 130-133.

50 Moran (Fray Pedro), *Arte y diccionario en lengua cholti*. Baltimore, Publications of the Maya Society, n° 9, 1935.

51 Needham (Doris) et Davis (Marjorie), *Cuicateco phonology*. International Journal of american linguistics. Baltimore, t. XII, n° 3, 1946, p. 139-146.

52 Pike (Eunice V.). *Problems in Zapotec tone analysis*. International Journal of american linguistics. Baltimore, t. XIV, n° 3, 1948, p. 161-170.

53 Pike (Kenneth L.), *Analysis of a Mixteco text*. International Journal of american linguistics. Baltimore, t. X, n° 4, 1944, p. 113-138.

54 Pike (Kenneth L.), *Tone puns in Mixteco*. International Journal of american linguistics. Baltimore, t. XI, n° 3, 1945, p. 129-139.

55 Pike (Kenneth L.), *Another Mixteco pun*. International Journal of american linguistics. Baltimore, t. XII, n° 1, 1946, p. 22-24.

56 Pike (Kenneth L.), *Phonemic pitch in Maya*. International Journal of american linguistics. Baltimore, t. XII, n° 2, 1946, p. 82-88.

57 Pike (Kenneth L.) et Pike (Eunice V.), *Immediate constituents of Mazateco syllabes*. International Journal of american linguistics. Baltimore, t. XIII, n° 2, 1947, p. 78-91.

58 Radin (Paul), *The relationship of Huave and Mixe*. Journal de la Société des Américanistes de Paris, t. XI, 1914-1919, p. 489-499.

59 Radin (Paul), *The relationship of Maya to Zoque-Huave*. Journal de la Société des Américanistes de Paris, t. XVI, 1924, p. 317-324.

60 Radin (Paul), *The distribution and phonetics of the Zapotec dialects : a preliminary sketch*. Journal de la Société des Américanistes de Paris, t. XVIII, 1925, p. 27-76.

61 Radin (Paul), *A preliminary sketch of the Zapotec language*. Language. Baltimore, t. VI, 1930, p. 64-85.

62 Radin (Paul), *The classification of the languages of Mexico*. Tlalocan, t. 1, n° 3, 1944, p. 259-265.

63 Roys (Ralph L.), *Antonio de Ciudad Real, ethnographer*. American anthropologist. Menasha, t. XXXIV, 1932, p. 118-126.

64 Sapper (Karl), *La lengua Tapachulteca*. El México antiguo. México, t. II, n°ˢ 11-12, 1927, p. 259-268.

65 Sauer (Carl), *Colima of New Spain in the sixteenth century*. Ibero Americana n° 29, University of California Press, Berkeley et Los Angeles, 1948.

66 Scholes (France V.) et Roys (Ralph L.), *The Maya Chontal Indians* *of Acalan Tixchel.* Washington, Carnegie Institution, Publication n° 560, 1948.

67 SCHULLER (Rudolf), *Zur sprachlichen Verwandschaft der Maya-Qu'itše mit den Carib-Aruác.* Anthropos. St. Gabriel Mödling, t. XIV-XV, 1919-1920, p. 465-491.

68 SCHULLER (Rudolf), *La lengua Ts'ots'il.* International Journal of American linguistics. New York, t. III, n°s 2-4, 1925, p. 193-218.

69 SCHULLER (Rudolf), *Breve Contribución a la bibliografía del idioma K'ak'čiq'el.* International Journal of American linguistics. New York. t. VI, n° 1, 1930, p. 37-40.

70 SCHULTZE-JENA (Leonhard), *Indiana,* t. I : *Leben, Glaube und Sprache der Quiché von Guatemala.* Jena, 1933.

71 SCHULTZE-JENA (Leonhard), *Indiana,* t. III : *Bei den Azteken, Mixteken und Tlapaneken der Sierra Madre del Sur von Mexico.* Jena, 1938.

72 SINCLAIR (Donald E.) et PIKE (Kenneth L.), *The tonemes of Mesquital Otomi.* International Journal of American linguistics. Baltimore, t. XIV, n° 2, 1948, p. 91-98.

73 SLOCUM (Mariana C.), *Tzeltal (Mayan) noun and verb morphology.* International Journal of American linguistics, Baltimore, t. XIV, n° 2, 1948, p. 77-86.

74 SOUSTELLE (Jacques), *La famille Otomi-Pame du Mexique central.* Travaux et mémoires de l'Institut d'Ethnologie, n° 26. Paris, 1937.

75 STOLL (Otto), *Die Sprache der Ixil Indianer.* Leipzig, 1887.

76 STOLL (Otto), *Die Maya-Sprachen der Pokom-Gruppe.* Wien und Leipzig, 1888-1896, 2 vol.

77 SWADESH (Morris), *The phonemic structure of Proto-Zapotec.* International Journal of American linguistics. Baltimore, t. XIII, n° 4, 1947, p. 220-230.

78 TERMER (Franz), *Über die Maya-Sprache von Chicomucelo.* Proceedings of the twenty third international Congress of americanists. New York, 1930, p. 926-936.

79 TOZZER (Alfred M.), *A Maya grammar, with bibliography and appraisement of the works noted.* Papers of the Peabody Museum, t. IX, Cambridge, Harvard University, 1921.

80 *The Maya and their neighbors.* New York-London, 1940.

81 THOMAS (Cyrus) et SWANTON (John R.), *Indian languages of Mexico and Central America.* Bureau of American Ethnology, Bulletin 44, Washington, 1911.

82 THOMPSON (J. Eric), *Ethnology of the Maya of southern and central British Honduras.* Field Museum of natural history, Publication 274, Chicago 1930.

83 THOMPSON (J. Eric), *Sixteenth and seventeenth century reports on the Chol Mayas.* American Anthropologist, Menasha, t. XL, 1938, p. 584-604.

84 VIVÓ (Jorge A.), *Razas y lenguas indígenas de México; su distribución geográfica.* Publicaciones del Instituto panamericano de geografía e historia, n° 52. México, 1941.

85 VIVÓ (Jorge A.), *Geografía lingüística y política prehispánica de Chiapas y secuencia histórica de sus pobladores.* Revista geográfica del Instituto panamericano de geografía e historia. México, t. II, 1942, p. 121-157.

86 WEATHERS (Nadine), *Tsotsil phonemes with special reference to* *allophones of b.* International Journal of American linguistics, vol. XIII, n° 2, 1947, p. 108-111.

87 WEHRLI (Hans) et TERMER (Franz), *Das Vokabular der Sprache von Aguacatan Nr II (Guatemala) von Prof. Dr. Otto Stoll.* Mitteilungen der geographisch-ethnographischen Gesellschaft Zürich. Erganzungsheft Nr I, Zürich, 1928.

88 WEITLANER (Roberto J.), *Los Chinantecos.* Revista mexicana de estudios antropológicos, México, t. III, 1909. p. 195-216.

89 WEITLANER (Roberto J.), *Beitrag zur Sprache der Ocuilteca von San Juan Acingo.* El México Antiguo, México, t. IV, n°s 9-12, 1939, p. 297-328.

90 WEITLANER (Roberto J.), *Notes on the Cuitlatec language.* El México Antiguo, México, t. IV, n°s 9-12, 1939, p. 363-373.

91 WEITLANER (Roberto J.), *Los pueblos no-Nahuas de la historia tolteca y el grupo lingüístico macro-otomangue.* Revista mexicana de estudios antropológicos. México, t. V, n°s 2-3, 1941, p. 249-269.

92 WEITLANER (Roberto J.), *Paul Radin's classification of the languages of Mexico.* Tlalocan, Azcapotzalco, t. II, n° 1, 1945, p. 65-70.

93 WONDERLY (Williams L.), *Notes on Zoque grammar.* Glendale (Calif.), Summer Institute of Linguistics, 1943 (mimeographed).

94 WONDERLY (Williams L.), *Some Zoquean phonemes and morphonemic correspondences.* International Journal of American linguistics. Baltimore, t. XV, n° 1, 1949, p. 1-11.

LISTE DES LANGUES
AVEC NUMÉROS CORRESPONDANT A CEUX DE LA CARTE

(Carte XVIII, établie par G. Stresser-Péan)

I.   FAMILLE *KWITLATEK*.

    Kwitlatek.

II. FAMILLE *LENKA*.

    Lenka.

III. FAMILLE *MAYA-SOKE*.

    Groupe *Maya-Kiče.*

    1. *Wastek*, dialecte de S. L. P. (Huasteco Potosino).
    2. *Wastek*, dialecte de Veracruz (Huasteco Veracruzano).
    3. *Čikomuseltek* (Chicomucelteco).
    4. *Maya* proprement dit, de Yucatan.
    5. *Maya* proprement dit, des Itzas.
    6. *Maya*, des *Kehače* (Cehache).
    7. *Mopan-Maya.*
    8. *Tokegwa* (Toquegua).
    9. *Čorti* (Chorti).
    10. *Čol-Manče* (Chol-Manche).
    11. *Čol-Akala* (Chol-Acala).
    12. *Čol-Lakandon* (Chol-Lacandon).
    13. *Čol-Palenkano (?)* (Chol-Palencano).
    14. *Čontal* proprement dit (Chontal).
    15. *Čontal-Yokotan* (Chontal-Yocotan).
    16. *Čontal-Wibatan* (Chontal-Wibatan).
    17. *Tseltal* (Tzeltal).
    18. *Tseltal-Bačaxon* (Tzeltal-Bachajon).
    19. *Tsotsil* (Tzotzil).
    20. *Čañabal* (Chañeabal).
    21. *Čuxe* (Chuje).
    22. *Kanxobal* (Kanjobal).
    23. *Motosintlek* (Motocintleco).
    24. *Mam.*
    25. *Agwakatek I* (Aguacateco I).
    26. *Ixil* (Ixil).
    27. *Kiče* (Quiche).
    28. *Kakčikel* (Cakchiquel).
    29. *Tsutuhil* (Tzutuhil).
    30. *Uspantek* (Uspanteco).
    31. *Kekči* (Kekchi).
    32. *Pokomam* (Pokomam).
    33. *Pokomči* (Pokomchi).

Groupe *Mixe-Soke.*

1 *Mixe* (Mixe).
2 Sierra-*Popoluka* (Popoluca).
3 *Popoluka* de Texistepec.
4. *Popoluka* d'Oluta.
5. *Popoluka* de Sayula.
6. *Soke* (Zoque).
7. *Soke-Tapixulapan* (Zoque-Tapijulapan).
8. *Sokonuska-Tapačultek* (Soconusca-Tapachulteco).
9. *Agwakatek II* (Aguacateco II.).

Groupe *Sinka.*

1. *Sinka* (Sinca ou Xinca).
2. *Popoloka* de Conguaco (?) (Popoloca).

Groupe *Totonak.*

1. *Tepewa* (Tepehua).
2. *Totonak* de la région de Papantla (Totonaco).
3. *Totonak* de la région de Misantla.
4. *Totonak* de la région de Jalpan-Pantepec.
5. *Totonak* de la région de Zacapoaxtla.

IV. FAMILLE *MISKITO-MATAGALPA.*

1. *Miskito-Tāwira* (avant leur expansion).
2. *Sumu-Ulua.*
3. *Sumu-Kukra.*
4. *Sumu-Panamaka.*
5. *Sumu-Twahka.*
6. *Sumu-Bawihka.*
7. *Sumu-Prinsu.*
8. *Sumu-Yosko.*
9. *Sumu-Boa.*
10. *Sumu-Silam.*
11. *Sumu-Ku.*
12. *Matagalpa.*
13. *Kakaopera* (Cacaopera).

V. FAMILLE *OTOMANG.*

Groupe *Otomi-Pame.*

1. *Pame.*
2. *Xonas-Čičimek* (Jonaz-Chichimeco).
3. *Otomi.*
4. *Masawa* (Masahua).
5. *Matlaltsinka-Okwiltek* (Matlaltzinca-Ocuilteco).
6. *Matlame* (?)

Groupe *Mistek-Trike.*

1. *Mistek* (Mixteco).
2. *Amusgo.*
3. *Kwikatek* (Cuicateco).
4. *Trike* (Trique).

Groupe *Popoloka-Masatek.*

1. *Popoloka* de Puebla (Popoloca).
2. *Čočo* (Chocho).
3. *Masatek* (Mazateco).
4. *Masatek* de Guerrero (?)
5. *Iškatek* (Ixcateco).
6. *Gwatinikamam (?)* (Guatinikamam).

Groupe *Činantek.*

Činantek (Chinanteco).

Groupe *Sapotek.*

1. *Sapotek* des montagnes du Sud (Zapoteco).
2. *Sapotek* des vallées.
3. *Sapotek* de la Sierra de Juarez.
4. *Sapotek* de la Sierra de Villa Alta.
5. *Čatino* (Chatino).

Groupe *Čorotega.*

1. *Čiapanek* (Chiapaneco).
2. *Čorotega-Čoluteka* (Chorotega-Choluteca).
3. *Čorotega-Mang* (Chorotega-Mang).
4. *Čorotega-Orotiña* (Chorotega-Orotiña).

VI. FAMILLE *PAYA.*

   Paya.

VII. FAMILLE *TARASK.*

   Tarask (Tarasco).

VIII. FAMILLE *XIKAK.*

   Xikak (Xicaque).

IX. FAMILLE *WAVE.*

   Wave (Huave).

X. PRINCIPALES LANGUES ÉTEINTES ET NON CLASSIFIABLES

1. *Xanambre-Pison* (Janambre-Pison).
2. *Kuyutek* (Cuyuteco).
3. *Silotlantsinka-Tamasultek* (Xilotlantzinca-Tamazulteca).
4. *Kwawkomeka* (Cuauhcomeca).
5. *Čumbia* (Chumbia).
6. *Tolimeka* (Tolimeca).
7. *Panteka* (Panteca).
8. *Čontal* de Guerrero (Chontal).
9. *Itsuko* (Itzuco).
10. *Tlakotepewa-Tepusteka* (Tlacotepehua-Tepuzteca).
11. *Yopi.*

   etc.

XI. FAMILLE *HOKA* (pour partie).

    1. *Tlapanek* (Tlappaneco).
    2. *Subtiaba* (ou *Maribio*).
    3. *Maribičikoa* (Maribichicoa).
    4. *Tekistlatek* ((Tequistlateco).
    5. *Tamaulipek (?)* (Tamaulipeco).
    6. *Olive (?)*

XII. FAMILLE *YUTO-ASTEK* (pour partie).

    Groupe *Kahita-Tarahumar* (pour partie).

    Šišime (Xixime).
      etc.

    Groupe *Pima-Tepewan* (pour partie).

    1. *Tepewan* du Nord (Tepehuan del Norte).
    2. *Tepewan* du Sud (Tepehuan del Sur).
    3. *Tepekan* (Tepecano).
    4. *Teul.*
    5. *Kolotlan* (Colotlan).
    6. *Vixitega* (Vigitega).

    Groupe *Kora-Astek.*

    1. *Kora* (Cora).
    2. *Wainamota* (Huaynamota).
    3. *Sayaweko* (Zayahueco).
    4. *Koano* (Coano).
    5. *Totorame.*
    6. *Wičol* (Huichol).
    7. *Tekwal* (Tecual).
    8. *Gwačičil (?)* (Guachichil).
    9. *Gwamar (?)* (Guamar).
    10. *Negrito (?)*
    11. *Bokal (?)* (Bocal).
    12. *Sakatek (?)* (Zacateco).
    13. *Kaskan (?)* (Cazcan).
    14. *Tekweše (?)* (Tecuexe).
    15. *Koka (?)* (Coca).
    16. *Teko-Tekoškin (?)* (Teco-Tecowquin).
    17. *Sayultek* (Sayulteco).
    18. *Nawa* de Pochutla (Nahua).
    19. *Nawatl* ou *Astek* (Nahuatl ou Azteca).
    20. *Nawal* (divers dialectes) (Nahual).
    21. *Nawat* (divers dialectes) (Nahuat).
    22. *Pipil (Nawat).*
    23. *Nikarao (Nawat)* (Nicarao).
    24. *Nawatlato (Nawat)* (Nahuatlato).
    25. *Bagaş (Nawat)* (Bagaz).
    26. *Desagwadero (Nawat)* (Desaguadero).
    27. *Sigwa (Nawatl?)* (Sigua).

XIII. FAMILLE *ČIBČA* (pour partie).

Groupe *Talamank-Barbakoa* (pour partie).

1. *Korobisi* (Corobisi).
2. *Gwatuso* (Guatuso).
3. *Gwetar* (Guetar).
4. *Kepo* (Quepo).
5. *Boruka* (Boruca).
6. *Koto* (Coto).
7. *Terraba*
8. *Bribri*.
9. *Kabekar* (Cabecar).
10. *Čiripo* (Chiripo).
11. *Orosi*.
12. *Suerre*.
24. *Kuna* (Cuna)
    etc.

Groupe *Dorask-Gwaymi* (pour partie).

13. *Melčora* (Melchora).
14. *Rama*.
15. *Voto*.
16. *Dorask* (Dorasque).
17. *Čangina* (Changina).
18. *Muoi*.
19. *Move*.
20. *Murire*.
21. *Gwaymi* (Guaymi).
22. *Penonomeño*
23. *Muite*.
    etc.

LANGUES DE L'AMÉRIQUE DU SUD ET DES ANTILLES

INTRODUCTION

Nous réunissons dans un seul chapitre les langues de l'Amérique méridionale et des Antilles, parce que les populations indiennes des Antilles se rattachent à deux familles linguistiques sud-américaines : la famille *Arawak* et la famille *Karib*. Ce rattachement n'augmente donc pas d'une unité le nombre des familles linguistiques énumérées ci-après, qui s'élève à 108.

En 1924, ce nombre avait été arrêté à 75. Cette augmentation surprendra à première vue. En effet, depuis 24 ans, de nombreuses études ont permis de fusionner des familles linguistiques, considérées jusque-là comme indépendantes, et l'on pouvait s'attendre à une diminution du nombre de ces familles. Mais, en même temps que se poursuivait ce travail de simplification, un travail de prospection intense, qui se réalisait parallèlement, faisait découvrir beaucoup de langues inconnues.

L'étude de ces nouveaux documents n'a pas encore permis de les classer définitivement. Elle permettra certainement de simplifier l'inventaire que nous sommes obligés de proposer aujourd'hui. Les études linguistiques sud-américaines sont peu avancées. Le travail de classement est à peine ébauché, et si certains groupements sont déjà solidement constitués, il reste une foule de langues dont les affinités exactes sont à déterminer, et que seule notre ignorance nous conduit à considérer pour l'instant comme indépendantes[1].

1. Ces langues isolées ont reçu néanmoins un numéro avec l'indication provisoire « famille N. » (Note de la rédaction).

Dans l'exposé qui suit, nous avons pris comme point de départ la classification que l'un de nous a publiée en 1942 [**73**]. Pour éviter des répétitions constantes, nous n'avons pas mentionné ce travail fondamental parmi les références qui se rapportent à chaque famille, mais le lecteur devra toujours s'y reporter, car c'est là qu'il trouvera les renseignements bibliographiques essentiels, que nous ne pouvions songer à reproduire ici. Les références, que nous donnerons pour chaque famille, se rapportent en effet exclusivement aux travaux parus depuis l'étude en question, quelquefois à des travaux qui nous avaient alors échappé.

CLASSIFICATION [1]

I. FAMILLE *AKONIPA* (U)

Les *Akonipa* ou *Tabankale* vivaient dans le bassin du río Chinchipe dans le village d'Aconipa.

II. FAMILLE *ALAKALUF* (Alikuluf de Chamberlain)

Lehmann-Nitsche, à qui l'on doit la révision la plus récente de cette famille, y range les tribus suivantes, énumérées en allant du Nord au Sud :
Les *Čono* (1), qui habitaient l'archipel chilien du même nom ;
Les *Kaukahue* (2), qui habitaient les îles de ce nom, sans doute l'archipel actuel de Wellington ;
Les *Lečeyel* (3) et les *Yekinahue* ou *Yekinahuere* (4), qui vivaient au Nord du détroit de Magellan ;
Les *Enoo* ou *Pešerä* (5) des îles du détroit de Magellan, auxquels se rattachent les *Adwipliin* (6) de l'île Londonderry ;
Les *Alikulip* (7) *(Alukulup, Alakaluf)*, qui s'appellent eux-mêmes *Hekaïne*, qui vivent entre la partie occidentale du canal Beagle et le détroit de Magellan.

1. Les noms des langues et dialectes sont présentés avec une notation phonétique approximative en italiques ; quand il y a lieu, les orthographes traditionnelles de ces noms (en romaines) et éventuellement les autres appellations de la même langue sont portées à la suite entre parenthèses.
D'autre part, on trouvera entre parenthèses après les noms des diverses langues ou familles (outre les renvois à la bibliographie, notés entre crochets), les chiffres ou lettres qui correspondent aux indications portées sur la carte (carte XIX, [A, B, C et D]) : chiffres pour les familles importantes dont l'aire est hachurée (voir la légende de la carte [XIX, D]), lettres (majuscules, romaines, italiques ou grecques) pour les familles peu représentées et les langues isolées, dont l'aire est figurée en blanc sur la carte.
La carte des Antilles est jointe à celle de l'Amérique du Nord (XVII, B).

III. FAMILLE *AMNIAPÉ* [75 a]

Cette famille comprend :

Les *Amniapé(e)*, qui habitent les sources du río Mequens, affluent de droite du Guaporé ;

Les *Gwarategaža(f)*, des sources du río Verde, affluent de droite du Guaporé ;

Les *Tupari(d)*, des sources du río Branco, affluent de droite du Guaporé ;

Les *Aruá*, du río Branco.

IV. FAMILLE *AMUEŠA* (Lorenzo de Chamberlain) (m)

Les *Amueša* (*Amoiše*, Amueixa) vivent sur le río Colorado, affluent du Chanchamayo, sur le Paucartambo et surtout dans le bassin du Palcazu, affluent du Pachitea. Suivant Tello et Loukotka, l'*Amueša* serait une langue arawak.

V. FAMILLE *ANDOKE* (Y)

Les *Andoke, Paṭiače* ou *Čo'oxe* vivent sur le Yapurá, entre le río Yurí ou Tauauru, en aval, et le Tinotecurú, en amont.

VI. FAMILLE *ARAUKAN* (Aukanian de Brinton ; -Che de Lehmann-Nitsche) [**18, 28, 37, 139, 143**]

Les *Araukan (Auka)* occupaient et occupent encore en partie la région chilienne comprise entre le Pacifique et la Cordillère des Andes, depuis Copiapó au Nord jusqu'à Chiloé au Sud, entre les 27e et 43e degrés de latitude environ, les pentes orientales de la cordillère depuis la province de San Juan et la lagune de Guanacache au Nord jusqu'au Limay et à la lagune de Nahuelhuapi au Sud, le gouvernement de Neuquén, une partie de celui de Río Negro et de la pampa argentine (où ils ont été désignés sous le nom de *Moluče* par Falkner et de *Puelče* par Camaño), jusqu'aux environs de Buenos-Aires à l'Est.

Les Araukan sont divisés en plusieurs groupes, qui parlent ou parlaient des dialectes peu différenciés d'une même langue, le *Mapuče*. Ce sont les *⁺Pikuntu* ou *⁺Pikunče* (gens du Nord) (1), entre Coquimbo et le 35e parallèle, jusqu'à Mendoza à l'Est ; les *Pehuenče* (gens des forêts de pins) (2), depuis le 35e degré de latitude jusqu'à Valdivia et sur les pentes orientales de la Cordillère à la source du Neuquén ; les *Kunko* ou *Huil'iče* (gens du Sud), depuis le río de Valdivia au Nord jusqu'à l'archipel de Chiloé et le lac de Nahuelhuapi au Sud, auxquels appartiennent les Manzanero ou *Moluče* (gens de l'Ouest), établis sur les deux rives du Limay et dans les environs des lacs Lacar et Nahuelhuapi ; les *Veliče* (3), de Valdivia au lac de Nahuelhuapi, les *⁺Čilote* (4) de l'archipel de Chiloé ; les *Taluhet* ou *Taluče* (5), à l'Est des *Pikunče* et du río Salado jusqu'aux lagunes de Guanacache au Nord, et, par petits groupes, sur les rives des ríos 2º, 3º et 4º dans la province de Córdoba ; les *Diuihet* ou *Diuiče* (6), à l'Est des *Pehuenče*, entre les ríos Colorado, Atuel et Salado ; les *Leuvuče*, sur les deux rives du río Negro en aval de Neuquén ; les *Rankel* entre le río 5° et le río Colorado, aux sources du Chalileo.

VII. FAMILLE *ARAWAK* (Maipure de Gilii ; Nu-Arask, de von den Steinen ; Arowak de Ehrenreich) [**10, 12, 25 a, 31, 35, 39, 41,** 76-78, **43, 45, 53, 54, 59 a, 74, 75 a, 86 a, 88, 97, 99,** 65, **101, 102, 105, 115, 117, 120,** 10-14, **121 a, 130, 131, 133**].

La famille *Arawak* est une des plus importantes, sinon la plus importante, des familles linguistiques de l'Amérique du Sud. C'est du moins celle qui a le domaine le plus vaste. Elle compte en effet des représentants depuis l'extrémité méridionale de la Floride au Nord jusqu'au Paraguay septentrional au Sud, depuis l'Océan Pacifique (côte péruvienne) à l'Ouest jusqu'à l'embouchure de l'Amazone à l'Est.

Dans l'énumération des multiples tribus qui la composent, nous suivrons l'ordre géographique ; nous exposerons ensuite comment une partie d'entre elles se groupent d'après leurs affinités linguistiques.

Au moment de la découverte, l'Arawak était parlé dans toutes les Antilles, grandes et petites ; mais dans les petites Antilles, il s'était produit un phénomène étrange. Ces îles ayant été envahies, peu de temps avant l'arrivée des Espagnols, par les Karib de Guyane (voir famille *Karib*), la population arawak avait été, dans certains cas, comme à la Trinité, refoulée dans les montagnes de l'intérieur ; mais, presque partout, les hommes ayant été massacrés par les envahisseurs et les femmes étant devenues les épouses de ceux-ci, il s'était créé une symbiose linguistique très curieuse : une langue d'origine arawak, réservée aux femmes et aux enfants en bas-âge, coexista avec une langue nettement karib parlée par les hommes seuls. Cette situation paradoxale ne fut pas transitoire ; elle s'est perpétuée jusqu'à nos jours chez les Karib de la Dominique et on peut en retrouver des traces même chez les Karib du Honduras.

Les *ˣArawak des Antilles sont désignés par les anciens auteurs sous différents noms. Dans toutes les petites Antilles, de la Trinité à Porto Rico, on les appelait *ˣAlluag* (Allouague), *ˣIneri, *ˣInyeri, *ˣIgneri, *ˣEyeri (1), *ˣKabre ; à Porto-Rico, *ˣBorinken ; à Aruba, Bonaire et Curaçao, *ˣKaketio ; à Haïti, *ˣTaino ou *ˣNitaino ; dans les Bahamas, *ˣLukayan et à la Jamaïque, *ˣYamaye. De Cuba, les Arawak gagnèrent le Sud-Ouest de la Floride où ils avaient un village en territoire kalusa.

Sur la terre ferme, les Arawak occupaient autrefois très probablement la plus grande partie du bas pays vénézuélien et toute la côte Atlantique entre l'embouchure de l'Orénoque et l'Amazone ; ils en furent chassés en partie, peu de temps avant la conquête, par les Karib ; toutefois, il reste encore plusieurs tribus arawak dans cette région. En Guyane franco-brésilienne, ce sont les *Marawan* (7) *(Palikur, Okawan, Rukuan),* établis sur le Couripi, sur ses deux affluents, l'Ouassa et le Rocaoua, et sur le bas Oyapok ; les *Arawak* proprement dits (6) (Aruak, Aroaqui, Arawaak, Aroaco, Arawack), qui s'appellent eux-mêmes *Lukkunu* et vivent en Guyane britannique entre les rivières Corentyn et Poomeroon et sur l'Aruka, affluent occidental de la Barima ; les *Atorai* (9) (Ataroi, Aturrai, Atorad, Atorradi, Atorayo, Aturati), qui occupaient, il y a cinquante ans encore, les plaines entre le Rupununi et le Cuduwini (Cuyuwimi), affluents de l'Esse-quibo, les monts Carawaina et les sources du Tacutú, affluent du río Branco,

mais qui ont été absorbés par les *Wapišána ;* les *Mapidian* (12) (Maopityan,
Moonpidenne, Pidian), sous-tribu des Ataraí, qui vivaient encore en 1884 sur
le versant brésilien des monts Acarahy, à la source de l'Apiniwau ou Curucuri,
région qu'ils ont abandonnée pour gagner le Sud de la Guyane anglaise à
travers le pays taruma.; les *Wapišána* (10) (Wapisiana, Wapityan, Wabijana,
Mapisiana, Mauixiana, Uabixana, Uapixana, Uapichana, Vapeschana),
qui, du bassin du Tacutú et de ses affluents septentrionaux, le Mahú et le
Surumú, ont envahi, à l'Ouest, les affluents septentrionaux du bas Uraricuera,
notamment le Majuri, au Sud, les vastes savanes des deux rives du río
Branco, à l'Est, la région montagneuse qui fait le partage des eaux de
l'Essequibo et du río Branco, le bassin du Rupununi et toutes les plaines
guyanaises au Sud de cette rivière, après avoir absorbé successivement les
Paravilhana (tribu Karib) et les Ataraí.

Sur la côte du Venezuela, vivait au moment de la découverte l'importante tribu des *Kaketío* (2), apparentée à la tribu du même nom qui peuplait
les îles Aruba, Bonaire et Curaçao, et qui, comme celle-ci, doit être classée
parmi les Arawak. Elle occupait le littoral depuis les rives du lac de Maracaibo, vers 10° 30′ à l'Ouest, jusqu'au delà de l'embouchure du Yaracuy à
l'Est, et s'infiltrait par le bassin de ce dernier fleuve, dans la direction du
Sud-Ouest, sur les pentes orientales de la Cordillère Andine, dans les États
de Cojedes, Portuguesa et Zamora, jusqu'à l'Ele, au Sud, où les *Ačagua* lui
donnaient le nom de *Támud.* On rattache aux *Kaketío,* les *Axagua* (3) des
sources du Tocuyo, et avec doute les *Kinó* de Lagunillas et les *Tororó*
de San Cristobal.

A l'Ouest des *Kaketio,* vivent encore les *Goaxiro* (4) ou *Uáira,* avec la
sous-tribu des *Kosina,* dans la péninsule de Goajira, et leurs proches parents
les *Para (how)kã* ou *Parawgwan,* que les civilisés appellent Parauxano (5),
Parawkan ou Paraokan, sur les bords de la partie méridionale du golfe de
Maracaibo et de la partie septentrionale du lac de même nom notamment
sur la lagune de Sinamaica, ainsi que dans l'île Zapara, qui représentent les
anciens *Toa* et *Zapara,* habitants des îles ainsi dénommées, et les *Onoto*
entre Maracaibo et le río Palmar.

La région où les Arawak forment actuellement le bloc le plus compact
englobe le bassin de l'Orénoque et des affluents septentrionaux de l'Amazone,
ríos Negro, Yapurá et Putumayo.

Dans le bassin de l'Orénoque, on rencontre les tribus suivantes : les
Guinaú (11) ou *Temomeyeme* (identiques sans aucun doute aux anciens
Guaniare), aux sources mêmes du Caura ; les *Maipure* (14), signalés par
les anciens auteurs sur l'Orénoque, vers 5° de latitude ; les *Piapóko* (15)
ou *Dzâzę,* sur le bas Guaviare, et les *Mitua* (16), sur la même rivière en aval
de son confluent avec l'Ariari, qui sont, selon toute vraisemblance, les
descendants des *Kabre* ou *Kaberre,* qui l'occupaient autrefois depuis son
embouchure jusqu'à l'Ariari ; les *Yavitero* (22) (Paraene, Parene, Pareni)
des sources de l'Atabapo ; les *Mawakwá* (23), sur le Mavaka, affluent de
gauche du haut Orénoque ; les *Ačagua* (17), sur l'Ele, le Casanare, le Gua-
chiría, l'Amuturi, le Casimena, le Cusiana, l'Upia, le haut Meta, le Muco,
et entre le Meta et l'Ariari, auxquels on peut, semble-t-il, rattacher les
Tékua (18) (Tegua, Tergua) du bassin du Lengupa, affluent de l'Upia ; les
Amarizama (19) (Amarizano, Amarizana, Amarizane, Amarisane), sur les
rives de la lagune et du río Vua et du río Aguas blancas, affluents du Guaviare,
avec deux sous-tribus les *Čapan* et les *Masivaribeni ;* les *Čukuna* (21)

(Čukunę), sur le Manacacia et le Vichada, les *Guayupe* (20) (Guaipe), qui
occupaient les rives de l'Ariari, l'espace compris entre lui et le Guayabero
et le cours du Guaviare, et leurs proches parents, les *Sae et les *Eperigua,
*Operigua ou *Epergiro.

Les tribus des affluents septentrionaux de l'Amazone sont : les *Baniwa* (24)
(Baniva, Baníba), du Guainía et de l'Atabapo ; les *Adzáneni* (25) ou *Adyána*
(Tatú-tapuyo) du haut Guainía, de ses affluents méridionaux et des sources
du Curary, affluent de l'Içana ; les *Baré* (26), maîtres du río Negro presque
tout entier dans la première moitié du siècle dernier, actuellement cantonnés
sur son cours supérieur, le bas Cassiquiare et ses affluents, particulièrement
le Pasimoni ; les *Masáka*, sur le Cassiquiare et son affluent de gauche, le
Siápa ; les *Anauyá* (8), sur le río Castanho, affluent de gauche du Siápa ;
les *Pauišana* (13), sur la rive droite du río Branco entre les affluents Catri-
mani et Mocajahy ; les *Yabaána* (36), sur le haut Pasimoni et sur le Marauyá,
affluent de gauche du moyen río Negro ; les *Mandauáka* (28), aux sources
du río Cauaburý, affluent de gauche du moyen río Negro et antérieurement
sur le Cassiquiare, le bas Siápa et le haut Pasimoni ; les *Uarekéna* (27)
(Uareka), sur le Kié et le Guainía, affluents de droite du rio Negro ; les
Kurripako, du haut Guainía, et les *Kárro*, sur le Puitana, affluent du Guainía ;
les *Kuati* ou *Kapité-mínanei*, les *Tapiira*, les *Payoarini* ou *Payualiene*, les
Ipéka (29) ou *Kumada-mínanei*, les *Siusí* (30) *(Ualíperi-dákeni, Ueriperida-
keni)*, les *Káua* ou *Máulieni*, les *Huhúteni* ou *Hohodene* (33), les *Katapolítani*
(31) ou *Kadaupuritani* et les *Karútana* (32) *(Karuzana)*, *Korekarú* ou
Yauareté-tapuya, les *Moriwene* ou *Sukuriyú-tapuya* et les *Mapanai* ou *Ira-
tapuya*, échelonnés d'amont en aval dans le bassin de l'Içana et de ses
affluents, quelquefois désignés sous le nom général de *Izaneni ;* les *Iyäine* (34)
et les *Tariána* (35), sur le cours moyen du Caiarý-Uaupés ; les *Kariay* (38), sur
le rio Negro, près du rio Blanco ; les *Manáo* (41) ou *Oremanau*, près de
l'embouchure et sur le cours inférieur du río Negro et leurs proches parents
les *Širianá* (40) sur le río Demeni ; les *Bahúana* (39), sur le río Aracú ;
les *Kauyarí* (42) ou *Kabuyare*, sur le haut Apaporís ; les *Matapí-tapuyo*
et les *Yukúna* (47), sur le Mirití-paraná, affluent de gauche du Yapurá,
immédiatement an amont de l'Apaporís ; les *Guarú* ou *Garú* (49), aux
sources du río Netá ; les *Resígaro* (48) *(Risigaro, Resigero, Ressígaro,
Rosíggaro, Resegaro)* sur la rive droite du Yapurá entre celui-ci et le haut
Cahuinari ; les *Uiriná* (37), sur le río Marari, affluent du Marauyá ; les
Uainumá (43) ou *Uainambi-tapuyo*, sur le Yapurá dans les forêts entre
l'Upí et le Cauinarý, et leurs proches parents les *Mariate (Muriate) ;* les
Yumána (44), entre l'Içá et le Yapurá, notamment sur les ríos Joami et
Puré ; les *Kauišána* (45) ou *Kayuišána*, sur le bas Yapurá et le Tonantins
vers 2º 30′ de latitude ; et les *Passé* (46), actuellement sur le bas Içá, vers
2º 30′, autrefois dans toute la vaste région comprise entre le río Negro et
le Putumayo.

Au Sud de l'Amazone, les tribus arawak s'égaillent davantage qu'au
Nord du grand fleuve. La tribu la plus orientale est celle des *Aruá* (84)
(Aroá) de l'île de Marajó. Aux sources du Xingú, se trouvent les *Waurá* (82),
sur la rive gauche du Batový, vers 12º, les *Kustenaú* (82), sur la rive droite
de la même rivière vers 12º 20′, les *Mehinakú* (83) et les *Yaulapíti* (83) sur
la rive gauche du Kulisehú, respectivement vers 12º 34′ et entre 12º 14′
et 12º 18′.

Dans le bassin du Madeira également, les Arawak sont surtout cantonnés

sur le cours supérieur du fleuve. Les tribus qui y ont été signalées sont les
Pama (74), sur la rive gauche en amont du Maparana ; les *Moxo* ou *Moro-
kosi* (75), sur les deux rives du Mamoré entre 14° et 15° de latitude ; les
Baure ou *Čikimili* (77), sur le río Baures entre 15° 40′ et 14° 30′ et leurs
proches parents *les Mučoxeone (76), de la mission de El Carmen, les
*Paikoneka (79), aux sources du Baures et du río Paragua ou Serre, affluent
de gauche du Guaporé ; les *Paunaka (78), au Sud-Est des précédents, aux
sources du Baures ; les *Saraveka (80), sur le río Verde, affluent de gauche
du Guaporé, entre 14° et 16° de latitude ; les *Paressí* (81) (*Ariti* ou *Maimbari*),
sur la rive droite du Guaporé, aux sources du Tapajoz et du Paraguay,
dans la Cordillère qui porte leur nom, avec les dialectes *Kašiniti*, *Waimarí*,
Kozārini ou *Kabiši*, *Iranče*, *Uaritere ;* les *Inapari* ou *Maško-Piro* (66), sur la
rive gauche du Madre de Dios entre le Tacuatimanu et l'Amigo ; les *Huačipairi (Huačipaire, Guatipaire, Guačipari)* (67), sur la rive droite du Cosñi-
pata et du Pilcopata, d'où ils s'étendent jusqu'au Marcapata ; les
Sirineiri (70) *(Sirinairi, Maško* (68), *Mohino, Moino, Moeno),* entre le
Pilcopata et le Colorado, et en amont du Pilcopata, sur la rive droite du
Mánu ; les *Tuyunairi* (69) *(Tuyuneiri, Tuyuneri, Tuyoneri, Pukapakuri,
Mašku, Maško, Arasairi*[1]*),* entre le Madre de Dios et ses deux affluents de
droite l'Inambari et le Colorado, et enfin les *Lapaču* (73) (Apolista), dans la
région montagneuse qui, à l'Est d'Apolobamba, sépare le bassin du Tuichi
de celui du Huanay.

La majeure partie de la population du Purús est arawak. Ce sont les
*Purupurú, qui, au xviie siècle, occupaient les rives du fleuve depuis l'em-
bouchure jusqu'à 50 lieues dans l'intérieur, représentés actuellement par
les *Pammari* (58) *(Pamarí, Paumari),* dans les îles et lagunes du moyen
Purús entre l'embouchure du Jacaré et Hyatanaham, et les *Yuberi* (59)
(Juberi, Jubiri), du bas Tapauá ; les *Pamana*, sur l'Ituxy et le Mucuim ; les
Yamamadí (60) (Jamamadi, *Kapaná, Kapinamari, Kólö),* dans les forêts
situées entre le Purús et le Juruá, dans un territoire limité par le Mamoria-
mirim, le Paûini, affluents du Purús, et la rive droite du Chiruan, affluent
du Juruá ; les *Ipuriná* (61) *(Kángütü, Kángite, Kangiti),* qui occupent le
Purús et la rive droite de ce fleuve depuis le Sepatynim jusqu'au fleuve
Hyacú, les rives de l'Aquiry jusqu'au parallèle 9° 45′, et de l'Ituxy, aux
sources duquel ils portent le nom de *Kašarari ;* les *Uainamari* (62), sur la
rive gauche du Purús en amont de l'Hyacú, dans l'intérieur des terres ;
les *Maniteneri* (63), sur le Purús entre 69° et 70° 45′ de longitude et aux
sources de l'Aquiry ; les *Kanamari* (64), sur l'Hyacú, aux sources de l'Ira-
riapé, affluent de gauche de l'Aquiry, et de l'Ituxy ; les *Čontakiro* (65), sur
l'Aracá ; les *Kušitíneri* (71) *(Kušičineri, Kuxixeneri),* sur le Curumahá,
et les *Katiāná*, aux sources de cette rivière.

Dans le bassin du Juruá, il y a seulement trois tribus arawak : les
Marawá (53), sur la rive gauche du bas fleuve jusqu'au Jutahý à l'Ouest ;
les *Arauá* (56), sur le bas Chiué et le bas Chiruan, affluents de la rive droite
et les *Kutina* (57) *(Kollina, Kolina, Kulino, Kurina),* autrefois établis sur
la même rive depuis le Mararý et le haut Tapauá à l'Est, jusqu'au Gregorio

---

(1) Les *Arasairi* parlent également un dialecte pano et emploient aussi
le takana.

à l'Ouest, et entre le Tarauacá et l'Envirá au Sud, actuellement disparus de la zone comprise entre le Chiruan et le Tarauacá.

A la source du Jutahý, vivent les *Kuniba* (55) *(Kunibo)*, et, sur sa rive gauche, les *Uaraykú* (54) *(Wareku, Araykú)*, qui s'étendent, par les sources du Jandiatuba, jusqu'à la rive droite du Javarý.

Sur l'Ucayali, on rencontre les deux importantes tribus des *Čontakiro* (65) *(Piro)* et des *Kampa*. Les *Čontakiro*, dont nous avons signalé plus haut une peuplade dans le bassin du Purús, vivent sur la ligne de partage des eaux entre ce fleuve et l'Ucayali (aux sources du Sepehua et du Cujar), sur le haut Ucayali et le cours inférieur de son affluent, l'Urubamba. Quant aux *Kampa* (72), leurs multiples tribus : *Anti, Kamatika, Kimbiri, Pangoa, Katongo, Kirinairi, Mačiganga, Pukapakuri, Tampa, Uguničiri, Ungomino*, occupent les bassins du Tambo, du Perené, de l'Éné, de l'Apurimac, de l'Urubamba et du Yavero.

Vers l'Ouest et vers le Sud, les Arawak ont largement débordé le bassin amazonien.

Le groupe méridional est constitué par les *Guaná*. Ces Indiens, qui s'appellent eux-mêmes *Čané*, habitaient, au moment de la découverte, le triangle compris entre le Salado et le Paraguay, où vivent actuellement des tribus des familles Maskoi et Samuku ; de cette importante tribu, qui a émigré vers le Nord-Nord-Est, il ne subsiste que de faibles restes, les *Kinikinao* (85), à l'Ouest du bourg d'Albuquerque, les *Tereno* (86) *(Terena)*, les *Guaná* (87) proprement dits (qui ont également une petite colonie dans la banlieue même de Cuyabá) et les *Layaná*, dans les environs de Miranda. A cette fraction arawak se rattachent, sans doute, les *Čané* (88) de l'Itiyuro et du Parapiti ou Izoceños, tribu guaranisée, dont Nordenskiöld a démontré l'origine arawak.

Le groupe occidental est représenté par les *Uru-Pukina*. Les *Uru* (89) *(Uro, Očozuma)*, actuellement réduits à de petits groupes disséminés au milieu des Aymará dans la haute Bolivie, le long du Desaguadero, dans l'île Panza du lac Poopó et dans le petit village de Chipaya au Nord de la lagune de Coipasa (sous-tribu des *Čipaya*), occupaient, à une époque ancienne, toute l'immense région des hauts plateaux andins qui s'étend du Nord du lac Titicaca à la frontière argentine, et le littoral péruvien depuis Arequipa au Nord jusqu'à Cobija au Sud, point où ils se confondaient peut-être avec les *⁺Čango* (90), qui peuplaient la côte chilienne jusqu'à Huasco. La langue *uru* n'est autre que le *⁺Pukina*, signalé par les anciens auteurs comme une des « lenguas generales » de l'ancien royaume du Pérou.

Nous croyons qu'on peut considérer comme un dialecte arawak très altéré le *Tikuna* (50) *(Tukuna)*, parlé par les Indiens de même nom, qui vivaient autrefois sur l'Amazone depuis un point situé en aval de S. Paulo de Olivença jusqu'au delà de Loreto, et qu'on rencontre actuellement sur le bas Jandiatuba, entre le bas Javarý et l'Amazone et entre l'Ambiyacu et l'Atacuary.

Nous rattachons enfin à la famille Arawak un groupe de langues classé longtemps sous le nom de famille linguistique *Takana*. Si ces langues ont une grammaire qui présente de grandes analogies morphologiques avec celles de la famille Pano, leur vocabulaire est en grande partie d'origine arawak.

Le territoire occupé par le groupe Takana englobe le cours supérieur des ríos Tahuamanú et Abuná et peut-être du río Aquiry, le cours du Madre de Dios entre 67° et 68° 35′ de longitude et celui de ses affluents, notamment du

Tambopata et du Heath, le cours du Beni entre 12° et 15° environ de latitude et celui de ses affluents, du Madidi et du Tuichi en particulier.

Les principales tribus takana sont les *Araona* (91) et les *Kavina* (93) *(Kaviña)*, clans exogamiques d'une même peuplade, sur le Madre de Dios entre 67° et 68° 35′ de longitude environ, sur le Manuripi et aux sources du Tahuamanú et de l'Abuná, auxquels il faut sans doute rattacher les *Kapečene* de l'Aqûiry (entre 9° 45′ et 10° 45′ de latitude) ; les *Mabenaro* des affluents méridionaux du haut Manuripi ; les *Tiatinagua* (99) (Baguaja, Baguajairi, Mohino, *Čunčo*, Echoja, Guarayo, Huanayo, Quinaqui), sur le Tambopata et le Heath ; les *Toromona* (92), entre 12° et 13° de latitude, dans le territoire compris entre le Beni, le Madidi et le Madre de Dios ; les *Guakanahua* (94) (appelés aussi Guarayo), sur le Madidi et l'Undumo, affluents de gauche du Beni, dont une peuplade, installée sur le Madidi, porte le nom de *Čāma* (95) ; les *Kavineño*, qui sont les Kavina christianisés de la mission de Cavinas, fondée d'abord sur le Madidi, actuellement sur la rive droite du Beni ; les *Takana* (96) proprement dits, sur le Tuichi et au Nord de ce fleuve, qui parlent deux dialectes : le dialecte d'Isiamas ou Ydiama et le dialecte de Tumupasa ou *Marakáni* ; les *Maropa* (97), primitivement sur le Beni, puis réunis dans la mission de Reyes, auxquels se rattachent les **Čiriba (*Čirigua)* des environs de Reyes, et de San Borja ; les **Sapibokona* (98) et les **Guarisa de* Reyes[1].

Tessmann a recueilli chez les Indiens *Mayoruna* ou *Moríke* (51), qui vivent sur le río Javarí, et qui sont des Pano, un vocabulaire qui présente des affinités marquées avec l'Arawak. Ou bien, il s'agit là d'une erreur du savant allemand ou d'un exemple de contamination par l'Arawak d'un groupe pano.

Il en est de même du vocabulaire recueilli par le même auteur chez les *Čamikuro* (52), considérés jusqu'à présent comme tribu pano.

Il n'existe pas de grammaire comparée des multiples dialectes de la famille Arawak ; toutefois, on peut ranger un certain nombre d'entre eux, d'après leurs affinités linguistiques, dans quelques groupes assez solidement établis.

Ces groupes sont :

a) Le groupe nord-amazonien, qui comprend à peu près tous les dialectes de l'Orénoque et des affluents septentrionaux de l'Amazone, le *Goaxiro* de la péninsule de Goajira, le *Yaulapíti*, le *Mehinakú*, le *Kustenaú* et le *Waurá* du Xingú, le *Paressi* et le *Saraveka* de Bolivie ;

b) Le groupe préandin, qui comprend l'*Ipuriná*, le *Piro-Čontakiro-Kuniba-Kušitíneri*, le *Kanamari*, le *Maniteneri*, l'*Inapari*, le *Huačipairi*, le *Tuyunairi*, le *Sirineiri*, le *Kampa*, l'*Apolista* et le *Palikur-Marawan;*

c) Le groupe bolivien, qui comprend le *Baure* et son co-dialecte le *Mučoxeone*, le *Moxo*, le *Paikoneka* et la *Paunaka;*

d) Le groupe *Arauá* qui comprend le *Pama*, le *Pamana*, le *Pammari*, le *Purupurú*, le *Yuberi*, l'*Arauá*, le *Yamamadí*, le *Kutina* et, comme rameau divergent, le *Guaná-Tereno-Layaná* du haut Paraguay ;

e) Le groupe guyanais, qui comprend l'*Atoraí*, le *Mapidian* et le *Wapišána;*

f) Le groupe *Uru-Pukina;*

g) Le groupe *Takana.*

(1) En outre, deux tribus pano, les *Arasa* et les *Atahuaka*, parlent, en plus de leur langue primitive, le Takana.

De son côté, l'un de nous a établi, sur des comparaisons purement lexicales, une classification des dialectes arawak en 23 groupes.

1. Langues des Antilles.

2. Langues des Guyanes (*Arawak* proprement dits et ses dialectes).

3. Langues du centre *(Atoraí, Wapišána, Mapidian, Mawakwa).*

4. Langues péninsulaires *(Goaxiro, Parauxano).*

5. Langues du groupe *Kaketío (Kaketío, Axagua, Ačagua, Amarizama, Piapóko).*

6. Langues du groupe de l'Orénoque *(Maipure, Yavitero, Baniwa).*

7. Langues du groupe Baré *(Guinaú, Bare, Uarekena, Adzáneni, Karútana, Katapolítani, Siusí, Ipéka, Tariána, Kauyarí, Mandauáka, etc.).*

8. Langues du groupe Manao *(Manáo, Širianá, Kariay, Uiriná, Yabaána).*

9. Langues du Caquetá *(Yukúna, Guarú, Resígaro).*

10. Langues du Yapurá *(Uainumá, Mariate).*

11. Langues différenciées influencées par le *Makú (Čimano, Kauišána, Passe).*

12. Langue du Juruá *(Marawá).*

13. Langue du Jandiatuba *(Araykú).*

14. Langues du groupe préandin *(Kampa, Mačiganga, Maško, Maniteneri, Kušitíneri, Kuniba, Ipuriná).*

15. Langue Apolista.

16. Langues du groupe bolivien *(Moxo, Baure, Paikoneka, Saraveka).*

17. Langues du groupe Paressí (*Paressí* et ses dialectes).

18. Langues du groupe méridional *(Guaná, Tereno, Kinikinao).*

19. Langues du groupe septentrional *(Aruá, Palikur).*

20. Langues différenciées de l'Amazone *(Tikuna, Mayoruna, Čamikuro).*

21. Langues différenciées du groupe *Arauá (Arauá, Yamamadí, Pammari, Kutina).*

22. Langues différenciées du groupe *Pukina (Pukina, Uru, Čipaya).*

23. Langues différenciées du groupe Takana, influencées par le Pano (*Takana, Kavina, Araona, Maropa, Sapibokona, Guarisa, Tiatinagua, etc.).*

Seule la position du langage des femmes des Karib des Antilles n'est pas indiquée dans cette classification.

Le centre de dispersion des Arawak paraît être la région vénézuélo-brésilienne, correspondant aux bassins de l'Orénoque et du río Negro. La date relative et l'ordre des diverses migrations parties de ce centre ne peuvent être fixées pour l'instant. On peut affirmer cependant que la migration *Uru-Pukina* doit être une des plus anciennes ; en effet, la langue parlée par ces tribus semble dériver de l'Arawak commun, avant toute différenciation dialectale. Au contraire, le groupe préandin présente des affinités manifestes avec le groupe nord-amazonien, dont il s'est détaché probablement à une date tardive. De tous les groupes arawak, ce sont les groupes Arauá et Takana qui sont le plus différenciés. Leur caractère aberrant peut s'expliquer par le fait que les envahisseurs arawak auraient imposé leur langue à des peuplades de parler différent.

L'histoire des migrations arawak est certainement très compliquée ; c'est ainsi qu'en Bolivie, par exemple, se trouvent actuellement juxtaposées des peuplades appartenant manifestement à trois groupes différents. Seule, une étude linguistique comparée sérieuse, qui reste en grande partie à faire, permettra de reconstituer cette histoire dans ses grandes lignes.

VIII. FAMILLE *ARIKEM* (y) [**75 a**]

Les *Arikem, Uitáte* ou *Ahôpovo* vivent sur les ríos Jamary et Ariquemes affluents de droite du río Madeira. Curt Nimuendajú pensait que le Arikem était un dialecte très différencié du Tupi-Guaraní.

IX. FAMILLE *ATAKAMA (r)*

Les *Atakama* vivaient dans la région d'Atacama du 19e au 24e degré de latitude. Pour des raisons archéologiques, Boman pense que leur domaine s'étendait en outre autrefois à la puna de Jujuy et à tout le territoire compris entre la puna argentine et le Pacifique. Les descendants des Atakama s'appelaient eux-mêmes *Likan-antai* et leur langue portait le nom de *Kunza*.

X. FAMILLE *ATAL'AN* ou *TAL'AN* [**74, 118, 160**]

Nous donnons ce nom à une famille linguistique où nous rangeons une série de tribus disparues de la côte équatorienne, qui, ethnographiquement, paraissent apparentées : les *Manta* (1), établis entre l'embouchure du Chone et l'île Salango ; les *Huankavilka* (2), qui vivaient dans la région de Guayaquil ; les *Puna*, qui occupaient l'île de ce nom, les *Tumbez* qui dominaient le littoral depuis le río Naranjal jusqu'au Sud du río Tumbez, les indiens des vallées chaudes de la côte péruvienne, entre 5° et 6° 30′ de latitude méridionale, qui parlaient le dialecte *Sek*, et qui comprenaient notamment les *Kolán* (3) sur le río de la Chira, au Nord de Payta, les *Katakáo* (4), sur le cours supérieur du río Piura, et les *Sečura* (5), sur le cours inférieur de ce fleuve.

XI. FAMILLE *AUAKÉ* (A)

Les *Auaké* ou *Arutani*, réduits à une très petite tribu, peut-être à une famille, vivent aux sources du Parauá, affluent de gauche du Caróni.

XII. FAMILLE *AUIŠIRI* (X)

Les *Auiširi, Avixira, Aviširi, Abikira*, qui s'appellent eux-mêmes *Tekiráka*, occupent à peu près toute la rive droite du Napo, depuis et y compris le bas Curaray.

XIII. FAMILLE *AYMARÁ* [**75 a, 121, 136 a**]

Actuellement, l'*Aymará* est parlé, au Pérou, dans deux provinces du département de Puno : Cercado de Puno et Chucuito, c'est-à-dire sur toute la rive sud-ouest du lac Titicaca (la ville de Puno marquant assez nettement la limite entre cette langue et le *Kičua*), dans les départements d'Arequipa et de Moquegua, par les groupes indiens qui n'ont pas encore adopté l'espagnol et enfin dans le département de Lima, où un dialecte aymará, le *Kauki, Kauke, Akaro* ou *Hakearu*, parlé autrefois dans le district de Pampas de la province de Yauyos, à Huantan, à Cachui et à Aquicha, est encore en usage dans les villages de Tupe, Huaquis et Laraos et, d'après

J. C. Tello, dans quelques villages des provinces de Huarochirí et de Canta.
En Bolivie, le domaine aymará comprend tout le département de La Paz
(provinces de Muñecas, Omasuyu, Cercado de La Paz, Pacajes, Sicasica,
Inquisivi, Larecaja, Chulumani et Apolobamba) et une partie du département d'Oruro, englobant, à l'Est, une partie de la province de Chayanta et,
au Sud, la région du lac Poopó.

Le domaine aymará actuel ne correspond plus qu'à une partie du domaine
ancien ; il s'est en effet considérablement rétréci, avant et depuis la découverte, surtout au bénéfice du *Kičua*. En 1795, la province, aujourd'hui
chilienne, d'Arica était encore habitée. par 12.870 Aymará ; en 1581,
l'élément dominant de la province de Lipes était aymará ; il en était de même
anciennement dans la province de Chichas, alors qu'actuellement on ne
parle plus que le *Kičua* dans ces deux provinces. Dans la direction du Nord,
l'extension ancienne des Aymará n'a pas été moins considérable ; dépassant
largement les rives septentrionales du Titicaca, deux de leurs tribus, les
Kana et les *Kanči*, qui parlaient certainement encore leur langue primitive au commencement du XVIIe siècle, remontaient le long de la vallée
de Vilcanota, plus au Nord que Cuzco, jusqu'à l'Urubamba. La langue
Čumbivilka, parlée encore en 1586 dans la province de ce nom sur les ríos
Santo Tomas et Velille, affluents de gauche de l'Apurimac, était, suivant
toute probabilité, un dialecte aymará. En 1795, la province des Aimaraes,
située sur le haut Pachachaca, affluent de gauche de l'Apurimac, était
encore habitée par 10.782 Aymará. La province d'Andahuaylas était peuplée
des mêmes Indiens. Plus à l'Ouest, l'Aymará était encore en usage, en
1586, conjointement avec le *Kičua*, dans le Sud du département d'Ayacucho, dans l'ancienne province de Vilcas Huaman sur le cours supérieur
du río Pampas (pays des anciens *Čanka*). Enfin, la toponymie permet, semble-
t-il, d'inclure dans le domaine aymará une partie de la province de Huanca-
velica, et même des provinces de Lima, Tarma et Huarochiri, région où,
d'ailleurs, ainsi que nous l'avons dit plus haut, persiste encore un dialecte
aymará, le *Kauki*.

Actuellement, on ne doit plus classer dans la famille aymará que les tribus
suivantes, qui seules ont conservé leur langue primitive : les *Kol'a*, terme
générique qui désignait l'ensemble des tribus vivant autour du lac Titicaca ;
les *Lupaka*, établis à l'Ouest du Titicaca jusqu'au Desaguadero au Sud,
dans la province actuelle de Chucuito ; les *Kol'agua*, au Nord-Ouest d'Arequipa, sur le río Colca et aux sources du río Vitor ; les *Pakase* ou *Pakaxe*,
qui occupaient toute la rive orientale du Titicaca et la région située au Sud
de ce lac jusqu'à Callapa ; les *Karanga* ou *Karanka*, au Sud des précédents,
entre le Desaguadero et le lac Coipasa ; les *Čarka*, au Nord-Est du lac Poopó,
où une province bolivienne porte leur nom (Charcas) ; les *Kil'agua* ou
Kil'aka, qui doivent être la tribu la plus méridionale, car il existe, sur la
rive sud du lac Poopó, une montagne qui porte leur nom (Quillacas), et enfin
les *Kauki*, dont nous avons fixé l'habitat plus haut.

Si l'on voulait compléter cette liste avec les noms des tribus ayant parlé
autrefois aymará, mais ayant adopté maintenant le *Kičua*, il faudrait y
ajouter les *Kana*, les *Kanči*, les *Čumbivilka*, les *Aymará* de la province
des Aimaraes, les *Čanka*, les *Lipes*, les *Čičas*, que nous avons classés
parmi les membres de la famille *kičua* (voir Famille *Kičua*).

XIV. FAMILLE *AYMORÉ*

Les tribus qui forment la famille *Aymore* habitent l'État d'Espiritu Santo et la partie orientale de l'État de Minas Geraes, notamment les bassins des ríos Doce, Mucury et Belmonte, jusqu'au río Pardo au Nord, et au río Preto, affluent du Parahyba, au Sud.

Les *Botokudo*[1], descendants des anciens *Aymore*, se divisent en plusieurs tribus : les *Botokudo* proprement dits (1) ou *Krekmun, Nahnamuk, Bakuen,* Jiporoka, *Krenak* ou *Uti-Krag,* sur les ríos Doce, Mucury et Preto ; les *Požičá* ou Pojitxá, sur le río Todos os Santos ; les *Aranan,* aux sources du río São Matheus ; les *Nakrehe* et *Nakpie,* sur le río Manhuassú ; les *Miñan-Yirùgn,* entre les ríos Doce et São Matheus ; les *Borun ou *Gueren (2), sur le río Paruhipe, dernièrement cantonnés à Olivença ; les **Mañan,* de l'embouchure du río Jequitinhonha ; les **Tukanugú,* au Sud de la même rivière dans les Campos de Cáatinga ; les *Imbore ou **Ambore,* aux sources du río Gongojy ; les **Tokoió,* sur la rivière Jequitinhonha, et enfin, avec doute, les *Maraká (3), qui vivaient anciennement au Nord du territoire des *Botokudo,* dans la Serra do Espinhaço.

XV. FAMILLE *BORORÓ* [**6, 127, 157**]

La famille *Bororó* comprend :

a) Les *Bororó* (1) ou Coroados, qui occupent, dans le centre du Matto-Grosso, le haut Paraguay et ses affluents, le Jauru et le Cabaçal, le cours du São Lourenço jusqu'à son confluent avec le Cuyabá, atteignant au Nord le río dos Mortes, habitent aussi les deux rives de l'Araguaya jusqu'à 15° de latitude environ, et ont eu une colonie sur le río das Velhas, affluent sud du Paranahyba ;

b) Les *Orari* ou *Orarimuqudoge* (2), qui vivent sur le río das Velhas, dans les missions salésiennes ;

c) Les *Umotina* (3) ou Barbados, qui vivent sur le río dos Bugres, affluent du Paraguay ;

d) Les *Otuke (4) ou **Louširu,* entre 17° et 18° de latitude et vers 59° de longitude ;

e) Les *Kovareka (5), par 17° de latitude et 60° de longitude ;

f) Les *Kuruminaka (6), par 16° de latitude et 60° de longitude ; et probablement aussi :

g) Les *Korabeka (7), vers le 18e degré de latitude et entre les 60e et 61e degrés de longitude ;

h) Les *Kuravę du río Tucabaca, affluent de l'Otuquis ;

i) Les **Kurukaneka,* voisins des *Kuruminaka ;*

j) Les **Tapii,* dont l'habitat se confond avec celui des *Otuke.*

XVI. FAMILLE *ČAPAKURA* [**75 a**]

Cette famille comprend :

a) Les *Čapakura* (1), *Tapakura* ou *Huači,* installés sur les rives du río Blanco ou Baures, à peu près par 15° de latitude et 62° de longitude ;

---

1. Appellation d'origine européenne : « gens qui ont de grands labrets » (Note de la rédaction).

b) Les *Kitemoka* (2), originaires des mêmes régions que les précédents,
dont une des tribus était les *Napeka* (3) ;

c) Les *Pawumwa*, *Huanyam* ou *Wañám* (8), installés dans le bassin du
río San Miguel, affluent de droite du Guaporé, et sur la rive droite de ce
dernier fleuve en aval et à l'intérieur des terres, répartis en diverses tribus
du bassin du Guaporé : les *Itoreauhip*, entre le río Azul et le río Guaporé,
les *Manasi* (4), de San Francisco Xavier et de Concepción, les *Abitama*,
aux sources du rio São Miguel, les *Kumaná* ou *Kautario*, entre le Guaporé
et le río Cautario, les *Kabiši* entre le río São Miguel et le río Preto, les *Mataua*,
à l'Ouest du río Cautario, les *Kužuna*, sur le río Cautario au Nord des
Kumaná, les *Tapoáya*, aux sources du Cautario, les *Urunamakan*, au Nord
des *Wañám*, les *Pakahanovo* (9), sur le rio Pacas Novas ; enfin un certain
nombre de tribus non localisées portent les noms de *Uómo* ou Miguelheno,
Šai, *Uairí*, *Uaian* et *Uaitianze ;*

d) Les *Iten* (6), ou *Moré* (7) *(Mure)*, entre les ríos Guaporé et Mamoré,
près de leur confluent ;

e) Les *Turá* ou *Tora* (10), des ríos Marmellos et Paricá, les *Arára* de
l'embouchure du rio Preto, affluent du Madeira, les *Urupá* (12), les *Urumí*
et les *Yarú* (11), des rios de même nom, affluents de gauche du haut Machado,
les *Yamará*, sur le rio Jamari.

A cette famille, il faut vraisemblablement rattacher aussi : les *Roko-
rona* (5), les *Rokotona*, les *Orokotona*, les *Rotoróño*, les *Okoróno*, les
Herisobokóno (13) ou *Herisibokóno*, répartis en deux groupes, l'un sur la
rive droite du Baures depuis son confluent avec le Guaporé au Nord jusqu'à
Concepción de Baures au Sud, l'autre sur la rive gauche du Mamoré, aux
sources de ses affluents, le Rapúlo ou Maniqui et le Tijamuchi, les *Tapa-
kuraka* ou *Čapakuraka*, anciennement dans la mission de Concepción
de Chiquitos.

XVII. FAMILLE *ČARRÚA* [**154**]

La famille *Čarrúa* occupait la région comprise entre le Paraná et la
côte, l'embouchure du río de la Plata et la lagune dos Patos. On y classe les
Čarrúa proprement dits (*x*), les *Guenoa* (π) ou *Minuán*, les *Yaro(y)*,
les *Bohane*, les *Caná-Beguá* (*s*), les *Čaná-Timbú* (*w*), les *Guaikiraró*,
les *Kalčine*, les *Kolastine* (*t*), les *Pairindí*, les *Korondá* (*u*), les *Mokoreta*,
ou *Mokolete*, les *Karkarana* (*v*).

XVIII. FAMILLE *ČEČEHET* (Famille *—Het de Lehmann-Nitsche)

Dans cette famille, Lehmann-Nitsche range les *Čečehet* (σ) tribu nomade
qui vaguait entre la ville de Buenos-Aires et la côte méridionale de l'actuelle
province de Buenos-Aires dans les sierras de Balcaree et de Ventana,
atteignant au Sud le río Colorado et même le bas río Negro, et une fraction
des *Diuiheł* (voir famille *Araukan*).

Il convient probablement d'y ajouter les *Tubičaminí* (ρ) sur le río du
même nom.

XIX. FAMILLE *ČIBČA*

[**22, 48, 59, 69, 70, 71, 71 d, 74, 75 a, 84, 94, 109, 109 b, 111, 114, 116, 118, 119, 120, 144, 150 a**]

La famille *Čibča* est une des plus importantes de l'Amérique du Sud. Au Nord, elle empiète largement sur l'Amérique centrale, atteignant la frontière du Costa Rica et du Nicaragua. A l'Ouest, elle a pour limite le Pacifique, sauf au niveau des pays *Čoko* et Esmeralda. Au Sud, dans la région tropicale comprise entre la Cordillère et le littoral, elle descend jusqu'à la latitude de Guayaquil. Ses représentants occupent presque tout le haut plateau colombien et une partie du haut plateau équatorien ; enfin, des tribus de même origine se rencontrent sur le versant oriental de la Cordillère sur les hauts affluents de l'Orénoque et de l'Amazone.

On distingue les dialectes *čibča* en quatre groupes d'après leurs affinités linguistiques :

　　a) Le groupe *Talamank-Barbakóa ;*
　　b) Le groupe *Dorask-Guaymi ;*
　　c) Le groupe *Čibča-Aruak ;*
　　d) Le groupe *Páez.*

a) Le groupe *Talamank-Barbakóa* comprend :

　　1. Le sous-groupe *Guatuso ;*
　　2. Le sous-groupe *Talamank* proprement dit ;
　　3. Le sous-groupe *Kuna ;*
　　4. Le sous-groupe *Barbakóa.*

1. Le sous-groupe *Guatuso* ne comprend que les *Guatuso*, descendants des anciens **Korobisi* ou *Kueresa*, installés sur le río Frio, affluent méridional du San Juan, avec quelques rares représentants sur les ríos Cucaracha, Guacalito, Sapote, et sur l'estero Boca Negra.

2. Le sous-groupe *Talamank* comprend :

α) Les *Güetare*, autrefois dans les bassins des ríos Grande et Reventazón, et leurs proches parents les **Kepo*, entre les ríos Pirris et Grande de Terraba ;

β) Les *Kabekar*, à l'Ouest du río Coén, sur le haut Tarire, et les tribus apparentées des *Estrella* et des *Čiripó*, sur les ríos du même nom, à l'Ouest de Port Limon, les *Tukurrike* et *Orosi* sur le haut Reventazón, les **Suerre*, sur la côte au Nord des *Čiripó ;*

γ) Les *Bribri* (Blancos, *Biseita*, Valientes), au Sud du Coén sur le Lare, affluent du Tariri ;

δ) Les *Terraba* (*Tešbi*, *Tišbi*, *Brurán*, *Depso*, Norteños) entre les ríos Tilorio et Tarire, avec la sous-tribu des *Tiribi* ou *Rayado* sur le haut Tilorio ;

ε) Les *Boruka (Brunka)*, descendants des anciens **Koto*, **Turukaka* et **Burukak*, dans le bassin du río Grande de Terraba.

3. Le sous-groupe *Kuna* comprend les *Kuna* (2) (*Kueva*, *Mandinga*, *Darien*, *Čukunake*, *Kunakuna*, *Bayano*, *Tule*, *Yule*, San Blas). A l'époque de la conquête, ces Indiens s'étendaient à l'Ouest jusqu'à une ligne réunissant l'embouchure du río Cocte sur la côte atlantique au point où le méridien 80° coupe la côte du Pacifique. Au Sud, la limite partait du Pacifique, au niveau de la Punta Pinas environ, directement vers l'Est, puis après avoir franchi l'Atrato gagnait Antioquia sur le Cauca et de là remontait par les sources du río Sinú vers la côte atlantique qu'elle atteignait sur la rive orientale du golfe d'Uraba.

Nous lui rattachons les tribus indiennes de la rive droite du bas Cauca et du río Nechí, dont le territoire est caractérisé par la toponymie *-ri*, *-li* (17), les Indiens des vallées de la *Guaca et de *Nori ou *Nore (31), de la Sierra de Abibe, les Indiens d'*Anserma, de *Caramanta et de *Cartama de la vallée du Cauca, et probablement les *Pozo (30), du bassin du río Pozo, et les *Arma (30), du bassin du río Poblanco, affluents de droite du Cauca.

4. Au sous-groupe *Barbakóa* appartiennent :

α) Les *Barbakóa*, à l'Ouest de la Cordillère dans les bassins des ríos Patía, Mira, Cayapas et Esmeraldas et sur le cours supérieur des ríos Daule, Vinces et Bodegas jusqu'au parallèle Sud 2° 30′, qui comprennent les peuples ayant parlé la langue *Mal'a* (Malla) (13) : les *Sindagua et *Telembi entre les rios Telembí et Patía, les *Guapi sur le río Guapi, les *Pius, *Serranos et *Bonbones autour de la lagune de Piusbí, les *Guelmambí sur le río Guel-mambí, les *Kwaiker* entre les ríos Guiza et Mayasquer, les *Nulpe sur le río Nulpi, les *Tumako dans la région de Tumaco, les *Pasto (21) des provinces de Nariño (Colombie) et du Carchi (Ecuador), les *Kayápa* (18) sur le Cayápas ; les Colorados (19) *(Sakča, Yumbo)* sur les ríos Esmeraldas, Daule et Vinces, auxquels nous rattachons les *Yumbo (20) qui vivaient à l'Est de Pimampiro.

β) Les *Kara (22) du haut plateau interandin depuis le Chota au Nord jusqu'au parallèle Sud 0° 31′ ;

γ) Les *Kixo* (24) (Indiens de la Canela) sur le haut Napo jusqu'à son confluent avec le Coca et sur les rives de cette dernière rivière, et peut-être, les *Latakunga¹ (23), qui vivaient au Sud des *Kara*.

δ) Les *Kofán* (25) ou *Kingwihaxi*, qui vivent à l'Est de la montagne Cayambe, aux sources et dans le bassin de l'Aguarico, entre ce fleuve et le río Azuela, sur les ríos Guamúes, Cofanes, Sardinas, Duino, Payamino et sur le haut Coca.

b) Le groupe *Dorask-Guaymi* [Guaymi (1)] comprend :

1° Les *Murire (Bukueta, Bonkota, Bogota, Sabanero)*, dans les grandes plaines au Sud de la Cordillère et les vallées profondes du département de Chiriquí jusqu'au río Chame à l'Est ; les *Muoi*, dans la vallée de Miranda, sur le río de ce nom ; les *Move* (Valientes, Norteños), dans la vallée de Miranda et le long de la côte entre la lagune de Chiriquí et le río Belén, auxquels se rattachent les *Muite du río Coclé del Norte ; les Penonomeños, dans le village de Penonomé ;

2° Les *Čangina (Čangena) et les *Dorask, dans le bassin du Changuinola, à l'Ouest de la Bahía del Almirante, et leurs proches parents, les *Čumulu, de Potrero de Varges, près de Caldera et les *Gualaka, qui sont des *Dorask-Čangina* transplantés dans le département de Chiriquí ;

3° Les *Čimila* (8), *Čimile* ou *Šimiža*, descendants peut-être des anciens *Tairona* (3), dans l'immense région qui s'étend entre la Sierra Nevada de Santa Marta, le río César, le Magdalena et la lagune de Zapatoza, et leurs proches parents, les *Pakabuey*, riverains de cette lagune, les Indiens de Sompallón, les *Malibú* ou *Malebú* (34) des rives du Magdalena et des lagunes qui le bordent depuis Tamalameque jusqu'à Malambo, qui atteignaient à

---

(1) Jijón y Caamaño rattache ces deux tribus au groupe *Páez*.

l'Ouest la région de Cartagena et enfin les *Mokana*, installés entre Cartagena et l'embouchure du Magdalena.

c) Le groupe *Čibča-Aruak* comprend :

1º Les **Čibča* proprement dits (12), **Muyska* ou **Moska* (avec la tribu des **Duit*, de Duitama), qui vivaient sur le haut plateau colombien entre 4º 15′ et 6º 50′ de latitude Nord, la Cordillère orientale à l'Est et le bassin du Magdalena à l'Ouest, sans atteindre toutefois les rives du grand fleuve ;

2º Les **Nutabe* (28) *(Natabe, Natave, Nutaba* ou *Nutave)* de la vallée de Guarcama, affluent de droite du Cauca et leurs proches parents et voisins les **Tahamí* (28) ou **Tagamí* , et les anciens **Katío* (29) dont les multiples tribus (Ibexico, Evégico ou Evéjico, Pequí, Morisco, Ituango, Teko, Penko Cararita, Cuisco, Araque, Pubio, Guacuseco, Tuin, Nitana, Pevere, Ceracuna, Buritica, Corome) s'échelonnaient sur les rives du Cauca depuis Anza au Sud jusqu'au Nord du río Ituango, et jusqu'au haut Sinú et la rive droite du haut río León ;

3º Les **Guamoko* (32), qui vivaient au Nord-Est de Zaragoza et leurs proches parents et voisins les **Yamesí* (32) du río Porce ;

4º Les *Rama*, qui vivent entre les ríos Bluefields et San Juan, et les *Melčora*, sur le río Melchora, derniers représentants des anciens **Voto (Boto)*, qui habitaient surtout les ríos San Carlos et Sarapiqui, affluents du San Juan ;

5º Les *Aruak*, qui se divisent en quatre grandes peuplades, les *Kŏggaba (Kágaba* (4), *Kaŋgia)*, sur les pentes septentrionales de la Sierra Nevada dans les villages de San Antonio, San Miguel, Santa Rosa et Pueblo viejo et sur les pentes méridionales dans le village de San José, les *Bintukua* (7) *(Busintana, Iku, Mačaka, Ixka)*, à San Sebastián, les *Guamáka* (5), Sanha, *Arsario, Nábela,,* à El Rosario, Potrerito et Marocaso, les *Atánkez* (6) *(Kampanake, Buntigwa* ou *Kalkuama)*, à Atánquez, tous villages situés sur le versant Sud de la Cordillère ;

6º Les *Tunebo* (11) ou *Tame*, dont les tribus *Guasiko, Čita, Morkote, Sínsiga, Tunebo* proprement dits et *Pedraza* (10) s'échelonnent sur les pentes est de la Cordillère orientale entre 5º 20′ et 7º et sur le versant Ouest de la Cordillère de Cocuy ;

7º Les *Kunaguasáya* ou *Dobokubí* (33), improprement appelés *Motilón*, qui vivent dans les hautes vallées des ríos Catatumbo, de Oro et Tarra, et correspondent vraisemblablement aux anciens *Mape ;*

8º Les **Betoi* (9) et les tribus apparentées des **Xirara, *Situfa, *Ayriko, *Ele, *Lukulia, *Xabúe, *Arauka, *Kilifay, *Anabali, *Lolaka* et **Atabaká*, à l'Est des *Tunebo*, sur le haut Casanare, le Cravo, l'Ele, le haut Arauca et le haut Apure ;

9º Les *Andakí* (16), autrefois installés dans le pays compris entre le Magdalena et le Suaza, notamment dans la vallée de San Agustín, actuellement cantonnés sur le versant oriental de la cordillère, aux sources des deux ríos Fragua.

d) Le groupe *Páez* comprend :

1º Les *Páez* (14), entre le haut Cauca et le haut Magdalena et les *Panikitá* dans le village de ce nom.

2º Les *Guambiano (Guambia, Mógweš)*, sur les ríos Piendamo et Manchay entre la Cordillère Centrale et le village de Silvia (Guambía) ; les *Ambaló* entre

la hacienda de ce nom et Malvasá ; les *Totoró* sur le río Cofre entre Malvasá
et Miraflores ; les *Polindara,* sur le río Palacé entre Malvasá et Las Guacas ;
les Indiens de Las Piedras, sans doute sur le río de Las Piedras, affluent de
droite du haut Cauca ; les **Purase,* dans le nœud montagneux où se trouve
le volcan Puracé ; les *Kokonuko (15), sur le río Grande entre San Isídro
et Paletará autour du village du même nom, au Sud du volcan Puracé ;
les **Guanaka,* dans les hautes montagnes où prend sa source le río Ullucus,
affluent du Paez, donc sur le versant oriental de la Cordillère Centrale ;
les **Tunía,* autrefois dans le village du même nom, aux sources du río
Tunía, affluent du río Ovejas ; les **Puben,* ou **Popayán,* anciens habitants
des environs de la ville de ce nom ; les *Čiskío,* à l'Ouest du village moderne
de El Tambo, sur les contreforts de la Cordillère Occidentale ; les *Palacé,
mentionnés uniquement par Cieza de León, probablement au Nord des
Puben ; les *Colaza, mentionnés par Cieza de Leon, sans doute habitants
de Calusé ; les **Guamza,* à l'Est de la province de Popayán, selon Cieza de
León ; les **Kil'a,* dans la région d'Almaguer.

Nous classons enfin dans la famille *čibča,* mais sans pouvoir préciser à
quel sous-groupe on peut les rattacher, les *Čolón,* qui vivent sur la rive gauche
du Huallaga, sur les affluents Monzón, Uchiza, Tocache et Pachiza, avec
deux tribus les *Čolón* (27), proprement dits ou *Seepţá* entre Tingo-María et
El Valle, les *Hibito* (26) ou *Xibito* en aval de El Valle.

XX. FAMILLE *ČIKITO* |**75 a**]

Les *Čikito, Yúnkarirš* ou *Tarapekosi* (x) occupent, dans le Sud-Est de la
Bolivie, un vaste territoire entre 16° et 18° de latitude et 58° et 62° de longitude, depuis la lagune de Xarayes à l'Est jusqu'au río San Miguel à l'Ouest,
avec une tribu isolée à l'Ouest de Santa-Cruz, les *Čurápa.*

Ils comprennent un nombre considérable de tribus, qui furent réunies
dans les missions de San Xavier, Concepción, San Miguel, San Ignacio,
Santa Ana, San Rafael, San José, San Juan, Santiago et Santo Corazón.

Les principaux dialectes sont le **Manasika,* parlé à proximité des marais
Xarayes, aux sources du Paraguay, le *Kusikia* en usage à Concepción, le
Tao dans les environs de San Rafael, le *Piñoka* près du río San Miguel, le
Penoki ou *Penokikia* à l'Est du río Tunáz, le *Čurápa* (v), sur la rive gauche
du río Píray, au Nord-Ouest de Santa Cruz de la Sierra, et les Sansimoniano (*l*)
sur le río Danubio, petit affluent de gauche du Guaporé, dans la sierra de
San Simón.

XXI. FAMILLE *ČIRINO*

Les *Čirino (1) occupaient les rives du Chirinos, affluent de gauche du
Chinchipe, et la région comprise entre cette rivière, le Marañón et la Cordillère
de Condor.

Ils sont étroitement apparentés aux *Kandoši, Kanduaši* ou *Murato* (3),
qui vivent entre le río Morona et le río Pastazza, dont un dialecte, le *Šapra* (4),
est parlé sur les ríos Pusaga et Huitoyacu, affluents de droite du Pastazza.
Les *Romaina,* que les anciens missionnaires avaient réunis dans une mission
du Pastazza, et les *Pinče (Učpa, Pava* ou *Araza),* dont les descendants
vivent aux sources du Huangana, affluent du Tigre, du Nucuray et du
Chambira, étaient sans doute les ancêtres des *Kandoši.*

Il est possible que la langue *Sakata (2), parlée à Socotá sur un affluent du Llaucana, et la langue *Rabona, parlée à Santiago de las Montañas, soient apparentées à la famille *Čirino.*

XXII. FAMILLE *ČON* [**49, 153, 155**]

Cette famille comprend un groupe Patagon[1] et un groupe Fuégien :

a) Le groupe Patagon comprend :

1° Les *Tehuelče (Ţoneka)*, qui habitent la Patagonie du 42° parallèle au détroit de Magellan, et qui comprennent les *Peeneken* (3) *(Paígnk(e)nk(e)n, Pä'änkün'k, Pää'nko-čõnk)* et les *Ahonikanda (Aóniken* (4), *Aônükün'k, Aôniko-čõnk)* ;

2° Les *Téueš* (1) *(Tehues, Tehuešenk, Teeusson, Tä'uüšn)*, de la Cordillère Centrale ;

3° Les *Poya* (2), des rives du lac Nahuelhuapi.

b) Le groupe Fuégien est constitué par les *Ona* (5) *(O'ona, Aona, Aôna)*, qui occupent toute la Terre de Feu, à l'exception des rives de la baie Useless et du détroit Admiralty, fréquentées par les *Alakaluf*, et du territoire compris entre le canal de Beagle et la chaîne qui lui est parallèle, où vivent les Yaghan ; ils sont divisés eux-mêmes en *Šílk'nam (Šillkanen, Skilkenam*ⁿ*)* au Nord de l'île, et en *Mánekenkn* ou *Hauš* (6) *(Hauss, Haus, Huš, Höš')*, à l'Est et au Sud-Est de l'île.

La famille linguistique *Čon* est nettement apparentée à l'Australien et par conséquent au groupe linguistique océanien.

XXIII. FAMILLE *COROADO*

La famille *Coroado* comprend :

a) Les *Coroado* proprement dits (1), des environs de la ville actuelle d'Ubá, sur le río Chipoto, et au Nord dans la Serra da Onça ;

b) Les *Puri* (2) ou *Telikóń*, qui parlaient vraisemblablement un dialecte des précédents et qui vivaient sur le río Espiritu Santo, au Nord des Coroado ;

c) Les *Koropó* (3), qui parlaient un dialecte différencié, sur le río Pomba.

A cette famille, il faut rattacher les *Arari*, de la Serra Mantiqueira et du río Preto ; les *Pitá*, sur le río Bonito, les *Šumeto* (5), entre les ríos Preto et Paraiba ; les *Kašine* (5), de la Serra Mantiqueira, et enfin, avec doute, les *Waitaká* (4) ou *Goyataká*, entre le bas Parahyba et le Macahé, jusqu'au río São Matheus et au Cabo São Tomé.

XXIV. FAMILLE *DIAGIT*

(Katamareño de *BRINTON*, *Kalčakí* de Chamberlain) [**25**]

Les *Diagit* (1) ou *Kalčakí*, dont la langue, le *Kakan* ou *Kaka*, encore vivante au xvii° siècle, est inconnue, mais dont la belle civilisation a été étudiée avec le plus grand soin, occupaient l'Argentine, depuis le Nevado d'Acay et la vallée de Lerma au Nord, probablement jusqu'à la province

1. Le nom des Patagons, mot espagnol, signifie « gens aux grands pieds » et s'explique par les grands mocassins fourrés d'herbes sèches que ces Indiens employaient pour marcher dans la neige (Note de la rédaction).

de Mendoza au Sud. Il faut sans doute rattacher au *Diagit* les *Lule*, de la Sierra d'Aconquija, les *Kapayan* (2) ou *Kupayan*, de Catamarca et les *Sanavirona* (3), des Salinas grandes de Córdoba.

XXV. FAMILLE *ESMERALDA* (O) [**64**, II, 415-539]

Les *Esmeralda occupaient autrefois tout le territoire compris entre le cours de l'Esmeraldas, le pays barbakóa et le Pacifique, et s'étendaient au Sud jusqu'au cap Pasado et peut-être plus bas encore le long de la côte.

XXVI. FAMILLE *FULNIO* (λ) [**71 b**]

Les tribus de cette famille occupaient, à l'époque coloniale, la rive droite du río Moxoto, affluent du río São Francisco, jusqu'à la Serra dos Garanhuns, dans l'État actuel de Pernambuco. Les derniers représentants des *Fulnio* ou *Fornio* ou *Iate*, nommés par les Brésiliens Carnijó, vivent dans la petite ville d'Aguas Bellas. A cette famille, il faut vraisemblablement rattacher les *Karapoto*, anciens habitants de la Serra do Cuminaty.

XXVII. FAMILLE *GAMELLA*

La famille *Gamella* (α) ou *Akobu* occupait les embouchures et les bassins des ríos Itapucurú, Turiaçu et Pindaré. Curt Nimuendajú a découvert quelques derniers représentants de ces Indiens, surnommés *Barbados à Vianna (État de Maranhão). Le même savant rattache à la famille *Gamella* les *Arañí (β)*, qui vivaient entre les ríos Parnahyba et Itapicurú, les *Puti*, de l'embouchure du río Potí au Parnahyba, les *Anapurú*, sur la rive droite de ce grand fleuve, et enfin les *Uruati* et les *Kururi*, de l'embouchure du río Monim au Parnahyba.

XXVIII. FAMILLE *GORGOTOKI* (w) [**75 a**]

Les *Gorgotoki* ou *Korokotoki* vivaient dans la province bolivienne de Santa Cruz, où les missionnaires jésuites les ont trouvés sur le río Guapay ou Río Grande.

XXIX. FAMILLE *GUAHIBO* [**96**, **117**]

Les *Guahibo* (Goahivo, Goagivo, Guagivo, Uajibo, Guajiva, Guayba, Guayva) nomadisent dans un immense territoire qui s'étend depuis l'Arauca au Nord jusqu'à l'Orénoque à l'Est, le Guaviare au Sud. A l'Ouest, ils s'infiltrent parmi les populations sédentaires *arawak* sur les plus hauts affluents des grands fleuves qui drainent la région que nous venons de délimiter.

Leurs principales tribus sont :

a) Les *Guahibo* proprement dits (1), sur le Vichada et le Muco ;

b) Les *Kuivá* (3), *Kuibá*, *Mella* ou *Ptamo*, sur le bas Meta ;

c) Les *Čirikoa* (4), sur le Lipa et l'Ele ;

d) Les *Katarro*, sur le Yucabo ;

e) Les *Kuiloto*, sur le río Cravo Norte ;

f) Les *Amorúa* (2), sur le río Bita ;

g) Les *Čuruya* (5) *(Čoroye, Čurruye, Čuroye ou Bisanigua)* sur le haut Guaviare, l'Ariari et son affluent le Güejar ;

k) Les *Guayavero* (6) (Guayaveruno, Guayaverun), sur le río du même nom ;

i) Probablement les *Yamu*, de la rive gauche du bas Ariari.

Les Guaigua des anciens auteurs sont évidemment identiques aux *Guahibo*.

La langue guahibo a un vocabulaire littéralement farci de mots arawak. Seule, une étude grammaticale comparée pourrait montrer s'il s'agit là d'une parenté, ou simplement d'une contamination profonde de la langue guahibo par l'Arawak.

XXX. FAMILLE *GUAMO (D)*

Les *Guamo* vivaient sur les rives du río Masparro et du río Santo Domingo, affluents de gauche de l'Apure, où ils avaient contribué à former les missions de Santa Rosa et de San José, établies respectivement sur chacun de ces ríos.

XXXI. FAMILLE *GUARAUNO* (a) [2]

Les *Guarauno* (Uarao, Uarauno, Warrau) habitent le delta de l'Orénoque et le territoire adjacent à ce delta, ainsi qu'une partie du Nord-Ouest de la Guyane britannique.

XXXII. FAMILLE *GUATÓ* (z)

Les *Guató* habitent, sur le haut Paraguay, la région des lacs Uberabá et Gaiba, ainsi que les bords de la lagune et de la rivière Caracara.

XXXIII. FAMILLE *GUAYKURÚ* [**5, 19, 74, 109 c, 150**]

La famille *Guaykurú* comprend un grand nombre de tribus répandues sur les rives du Paraguay, du Paraná et de leurs affluents, et dans le Chaco.

a) Les *Mbayá-Guaykurú* (3) habitaient primitivement le Chaco boréal, atteignant au Sud Villa Hayes ; au milieu du xviie siècle, ils passèrent sur la rive gauche du Paraguay, où ils se transformèrent rapidement en une tribu de cavaliers redoutables, qui étendit son pouvoir sur tout le Paraguay septentrional, jusqu'au río Ypané au Sud (à peu près entre les parallèles 19° 28′ et 23° 36′, d'après Martius), poussant leurs incursions jusqu'à Asunción, au Sud, et Cuyabá, au Nord. Leurs descendants actuels, les *Kadiueo* ou *Kaduveo* (2), occupent un territoire limité à l'Ouest par le río Paraguay, au Sud par le río Branco, à l'Est et au Nord-Est par le río Miranda.

b) Les *Guači* (1) vivaient, dans la seconde moitié du xixe siècle, sur le río Miranda, au Nord des *Kadiuéo*, au milieu des *Guaná*, tribu arawak ; ils parlaient un dialecte très corrompu du *Guaykurú*, ou un dialecte étranger fortement mélangé d'éléments *guaykurú*.

c) Les *Payaguá* (appelés par certains auteurs Lengua) occupaient, au moment de l'invasion espagnole, un immense territoire le long du río Paraguay, dont ils étaient les pirates redoutables, poussant leurs incursions vers le Nord jusqu'à Cuyabá. Ils étaient alors divisés en une horde septentrionale, les *Sarigué*, par 21° 5′ de latitude, dans la région occupée actuellement par les *Kadiueo*, et une horde méridionale, les *Magač* (dont les Espagnols firent Agaz, Agaces), par 25° 17′ de latitude, connus, à la fin du xviiie siècle, sous le nom de *Siakuá* ou *Takunbú*. En 1740, les *Takunbú*, en 1790, les *Sarigué* furent réunis à Asunción, où 40 à 50 de leurs descendants dégénérés vivent encore dans le quartier du port, ou quartier de Choro.

d) Les *Toba* (4), qui s'appelaient eux-mêmes *Toko'it*, *Tokowit*, et que les Espagnols désignaient sous le nom de Frentones ou Frontones, habitaient, à la fin du xviiie siècle, le Chaco central entre les ríos Pilcomayo et Bermejo, étendant leurs terribles incursions aussi bien dans le Chaco du Nord que dans le Chaco du Sud. Jusqu'à la fin du xviiie siècle, ils occupaient aussi le bassin du río San Francisco, aux sources du Bermejo, où ils furent remplacés à cette époque par des *Matako*. Actuellement. ils vivent en nombre considérable sur les deux rives du Pilcomayo, d'où ils pénètrent profondément dans le Chaco boréal, où ils sont mélangés à des *Matako* (*Guisnay*, *Čorotí*, *Noktén*, etc...) et à des *Guarani* (*Tapui*, *Tapiete*). Malgré son immense extension, la langue Toba est une.

Très proches parents des Toba sont les *Pilagá* (5), *Yapitalagá* ou *Aí*, qui habitent la rive gauche du bas Pilcomayo, dans le Chaco boréal, les *Karraim du Chaco central, vers le 4e degré de latitude Sud, et les *Aguilot, primitivement installés sur les rives du Bermejo, d'où ils émigrèrent, dans la seconde moitié du xviiie siècle, vers le Nord et se fondirent avec les précédents.

e) Les *Mokoví* (6) *(Mbokobí, Moskoví)*, dont le nom primitif semble être *Mokouitt*, *Mokovit*, ou *Amokebit*, habitaient, à la fin du xviiie siècle, les deux rives du Bermejo, d'où ils pénétraient profondément dans le Chaco. Une partie d'entre eux émigrèrent vers le Nord et se mêlèrent aux *Toba ;* des restes insignifiants de la tribu vivent encore çà et là dans les parties reculées de la province de Santa Fe. Le *Mokovi* est un dialecte du *Toba*, altéré par des influences étrangères.

f) Les *Abipon (7) (Callagá, Callage, Quiloaza) vivaient, vers le milieu du xviie siècle, sur la rive Nord du Bermejo, d'où ils émigrèrent vers le Sud, au début du xviiie siècle. Ils errèrent dès lors à travers l'immense Chaco austral depuis le Bermejo jusque dans les provinces de Santa Fe et de Paraná et jusqu'aux environs de Córdoba ; certains d'entre eux vinrent même s'installer dans la province de Corrientes en 1770. En 1858, il y avait encore une petite troupe *abipon* installée à un jour de marche de Santa Fe sur le chemin de Córdoba, et il se peut que quelques misérables restes de cette puissante tribu subsistent dans les plaines encore mal connues qui s'étendent entre Santa Fe et Santiago del Estero.

A la famille *Guaykurú*, nous rattachons, avec doute, les *Kerandi (8), qui vivaient le long de la rive droite du Paraná et du río de la Plata, notamment sur l'emplacement actuel de la ville de Santa Fe, atteignant à l'Est la sierra de Córdoba, et poussant leurs invasions au Sud-Est jusqu'à Buenos Aires et au río Salado (environ par 36° de latitude).

XXXIV. FAMILLE *HUARI (j)* [**75 a**]

Les *Huari*, *Masaka* ou Corumbiara habitent dans la Cordillère des Paressis, aux sources du río Corumbiara et du río Guarajú, affluents de droite du Guaporé.

Outre les *Huari* proprement dits, on classe dans cette famille les *Kánoe*, des sources du Mequens, les *Guažežu, des sources du Guarajú, les *Aboba, du confluent des ríos Verde et Guarajú, les *Pušakase, entre les ríos Verde et Guarajú, les *Maba, entre ces derniers et le río Guarajú.

XXXV. FAMILLE *HUARPE [23, 24, 66, 80, 137, 138]

La famille *Huarpe comprend :

Les *Huarpe ou *Al'entiak (3), qui habitaient les environs des grands lacs de Huanacache, dans la province de Mendoza ;

Les *Mil'kayak (2), qui habitaient la province de San Luis ;

Les *Čikiyana (1), qui vivaient entre Mendoza et le río Barrancas ;

Les *Komečingon (5), qui vivaient dans la Cordillère de Córdova et parlaient deux dialectes : le *Henia et le *Kamiare;

Et avec doute, les *Mičilinge (4), de la vallée de Conlara.

XXXVI. FAMILLE *HUMAGUAKA

Les *Humaguaka (q) ou *Omaguaka vivaient dans la province de Jujuy, dans les vallées de Tilcará et de Humahuaca. Ils étaient apparentés, semble-t-il, aux *Okloya(p), aux *Osa et aux *Paypaya de l'Orient de Humahuaca.

XXXVII. FAMILLE ITONAMA (u) [75 a]

Les Itonama ou Mačoto habitent les rives du río Itonama, depuis le lac Itonama presque jusqu'au confluent avec le río Machupo, entre les 13e et 14e degrés de latitude.

XXXVIII. FAMILLE KAHUAPANA [74]

La famille Kahuapana occupe un important territoire au Sud du Marañón, entre le Huallaga en aval et le Potro en amont. On connait cinq dialectes de cette famille : le Xebero(j) ou Šiwila, le Kahuapana(k) ou Čunčo, le Čayavita ou Tsáawí, le Yamorai et le Mikirá ou Šuensampi. Il est possible que les *Sučiči de Tarapoto, les *Tabaloso sur le Mayo, les *Zapaso sur le Saposoa, les *Lama ou Lamista sur le Moyobamba, les *Časutino ou Kaskoasoa de Chasuta sur le río Huallaga et les *Otanavi des villages de San José de Sisa et Otanahui, qui parlent actuellement kičua, ou espagnol, aient antérieurement parlé un dialecte kahuapana.

XXXIX. FAMILLE KAINGÁN [14, 32, 50, 51, 52, 58, 68, 77, 78, 140]

La famille Kaingán occupe un vaste territoire du Brésil méridional, dans les États Rio Grande do Sul, Santa Catarina, Paraná et São Paulo. On trouve également de ses représentants en Argentine, dans le Gouvernement de Misiones, et au Paraguay, sur quelques petits affluents de droite du grand fleuve du même nom. Cette famille comprend les Kaingán proprement dits (1), ou Kaingýgn, Taven, Kame, Kadyurukre, surnommés Coroados par les Brésiliens, dont la langue se divise en quatre dialectes : le dialecte central, parlé entre le río Ivahý et le río Tiquié, le dialecte méridional, parlé seulement dans l'État de Rio Grande do Sul, le dialecte septentrional, actuellement éteint, autrefois en usage sur le río Tieté, et le dialecte oriental, également éteint, ou *Ñakfáteitei ou Guayana de Paranapanema, sur le fleuve du même nom ; les *Wayana* (2), *Guayana*, *Gualačí* ou *Guanhanan*, qui vivaient entre les ríos Uruguay et Paraná ; les *Ingain* (3) ou *Tain* du territoire argentin de Misiones ; les *Amho* ou *Ivitorokái* (4), trouvés sur un petit affluent du Paraguay, le riacho Ivitorocái, et enfin les *Aweikoma* (5) (nommés aussi Botocudo, comme les tribus de la famille Aymoré), *Bugre*, *Šokren*, ou *Šokleng*, dans les forêts vierges de l'État de Santa Catarina, entre les ríos Piquirý et Iguasú, non loin des villes actuelles de Itajahý, Palmas et Blumenau.

XL. FAMILLE *KALIÁNA* (z)

Les *Kaliána* ou *Sape* vivent sur le haut Paraná, affluent de gauche du Caróni.

XLI. FAMILLE *KAMAKÁN* [79]

Les tribus *Kamakán* (1) *(Ezešio, Mongoyo* ou *Monšoko)* vivent ou vivaient dans les bassins des fleuves Pardo et Contas, dans l'État de Bahia. Curt Nimuendajú a trouvé, dans une petite réserve, entre le río da Cachoeira et le río Pardo les derniers représentants de cette famille. Les autres tribus sont : les *Kutašo* (2), *Kotoxo*, ou *Katathoy* dans les montagnes entre les ríos de Contas et Pardo ; les *Menien*, *Menian* ou *Menieng* sur le bas río Belmonte ou Jequitinhonha, et enfin les *Masakará* (3), dont Martius rencontra les derniers représentants à Joaseiro, sur le río São Francisco, au Nord du territoire occupé anciennement par les Kamakán.

XLII. FAMILLE *KAMSÁ* (Mokóa de Brinton) [92]

La langue *Kamsá* (L) ou *Koče* n'est plus parlée actuellement que dans un petit village indien de la Colombie orientale, Sebondoy, par les derniers représentants de la tribu des *Mokoa.*

Ces *Mokoa* sont identiques aux anciennes tribus des *Patoko* et des *Kil'asinga* (M) qui habitaient la Cordillère orientale des Andes depuis, et y compris, la lagune de La Cocha au Sud, jusqu'au páramo de las Papas au Nord, et occupaient le haut Putumayo et le haut Caquetá à l'Est.

XLIII. FAMILLE *KAÑARI* (Q) [64, II, 3-38]

Les *Kañari* occupaient toute la partie de la vallée interandine de l'actuelle République de l'Ecuador, correspondant aux provinces de Cañar et de l'Azuay, et atteignaient presque à l'Ouest le littoral du Pacifique, entre les villes de Machalá et de Guayaquil.

XLIV. FAMILLE *KANIČANA* (t) [75 a]

Les *Kaničana* ou *Kanesi* habitaient les rives du Mamoré, près des sources du río Machupo, et le cours de ce dernier entre les 13e et 14e degrés de latitude.

XLV. FAMILLE *KAPIŠANA* (g) [75 a]

Les *Kapišana* vivent aux sources du río Guarajú, affluent de droite du Guaporé, où Curt Nimuendajú a découvert quelques individus de cette tribu. Leur langue ne nous est connue que par un court vocabulaire, encore inédit, recueilli par ce savant, qui a bien voulu le communiquer à l'un de nous ; un vocabulaire, collecté par Claude Lévi-Strauss, parmi les Indiens qui habitent sur l'igarape São Pedro, affluent de droite du río Pimenta bueno, paraît devoir être rattaché au *Kapišana*.

XLVI. FAMILLE *KARAJÁ* (ψ) [**98**]

Les *Karajá (Karayá)* vivent sur l'Araguaya entre les 15ᵉ et 6ᵉ degrés de latitude ; ils sont divisés en trois hordes : les *Šambioá*, au niveau des rapides de l'Araguaya ; les *Žawaže, Žavahe,* ou *Šavaye,* dans les deux tiers Nord de l'île Bananal ; les *Karajá* ou *Karayá,* sur la rive gauche, au Sud et à l'Ouest de l'île Bananal, d'où ils atteignent le Xingú entre les parallèles 5º et 8º 30′ environ.

XLVII. FAMILLE *KARIB* [**4, 9, 30 a, 34, 42, 43, 44, 57 a, 75 a, 80 a, 81, 85, 91, 107, 108, 109 a, 112, 113, 114, 120, 126,** 32-33, **132, 141, 148, 149, 149 a, 151,** 36-37, **152, 159**].

Le centre de dispersion de la famille *Karib* paraît avoir été la région comprise entre le haut Xingú et le Tapajoz, entre 10º et 12º de latitude. De là, leurs diverses tribus se sont répandues en éventail vers le Nord, le Nord-Ouest et le Nord-Est, sur la moitié septentrionale du continent et une partie des Antilles.

Les représentants les plus méridionaux de la famille sont les *Bakaïri* (1) ou Bakaery, qui habitent d'une part aux sources du Xingú sur les ríos Kulisehú (entre 12º 56′ et 13º 18′) et Tamitatoata ou Batový sur les ríos San Manuel (vers 11º), Paranatinga et Arinos (le long duquel ils descendent jusqu'au 12ᵉ degré environ) ; les *Nahukwá* (2) (Nahuquá, Anáukwá), sur la rive droite du Kulisehú (au niveau du parallèle 12º 50′) et sur son affluent, le Kuluëne, vers 12º 20′, avec 4 dialectes, le *Kalapalú,* le *Kuikutl, Kuikuro* ou *Guikurú,* sur le Kuluëne, le *Yamarikuná* et l'*Etagl* sur le río Kulisehu ; les *Aruma* (3) ou *Yuruma,* sur le Suyámissú, affluent de droite du haut Xingú.

Les *Arára* (4) (Ajujuré) vivent sur les deux rives du Xingú entre 3º 35′ et 3º 45′, atteignant à l'Est presque le Tocantins, au Nord le Curuá, et à l'Ouest le Tapajoz, aux sources du Mauhé entre le Tapajoz et le Madeira, enfin entre ce dernier fleuve et le Purús, au Sud du lac Autaz ; ils sont apparentés aux *Yuma* (5), qui ont été signalés dans les forêts du Jacaré et sur l'Ituxi, affluents de droite du Purús. Les *Apiaká* (7) *(Apingui)* habitent actuellement sur la rive gauche du bas Tocantins, à Prais grande dos Arroios et non loin de la cataracte de Guariba. Probablement identiques à la tribu du même nom qui vague au Sud des monts Trocara, entre le Tocantins et le Xingú, vers 6º-7º de latitude, ils se souviennent d'avoir quitté le bassin du Xingú au milieu du XIXᵉ siècle.

Trois autres tribus Karib vivent encore au Sud de l'Amazone : ce sont les *Palmella* (8), sur la rive droite du Guaporé entre ses affluents les ríos Mequens et Blanco ou S. Simão, les *Parirí* (6), sur le haut Pacajá, affluent méridional de l'Amazone (État du Pará) et les **Pimenteira* (9), autrefois entre les sources du Piauhy et du Gorguea, ultérieurement à Querebrobó sur le río San Francisco.

Au Nord de l'Amazone, les tribus Karib forment un bloc compact qui occupe presque toute la rive gauche de ce fleuve jusqu'au río Negro en amont, une grande partie du bassin de l'Orénoque, l'Est du Venezuela et les Guyanes.

Sur la rive gauche de l'Amazone, entre son embouchure et le río Negro, on rencontre les *Apalai* (10) *(Aparai)* sur le Jary, le Parú et le Curuá, sans doute identiques aux *Arakwayú (Araquajú) signalés sur le Paru par les anciens auteurs[1] ; les *Pianokotó* (11) (Pianoghotto), aux sources du Trombetas et du Jamundá ; les *Pauxi*, sur la rive droite du Cuminá ou Erepecurú, affluent du Trombetas ; les *Wayewe* (12) *(Wayawai* ou *Woagwai)*, sur le río Mapuere, affluent du Trombetas, d'où ils s'étendent jusqu'aux monts Curicuri, sans doute identiques aux *Woyawai* (Voyavay)[2] des sources de l'Essequibo ; les *Bonari (13), sur le Uatumá ; les *Mutuan* (16), sur le río Jamundá ; les *Kašuena* (17) ou *Kasiana*, sur le rio Cachorro ; les *Uaboi (18), sur le río Trombetas ; les *Katawian* ou *Parukatu*, sur le Trombetas ; les *Šikiana* (46) ou *Čikena*, sur le río Apiniuau ; les *Urukuena* (47), aux sources du New river ; les *Okomayana* ou *Kumayena* (44), aux sources du Curuñi ; les *Oyarikule* (54), *Irakuleh* ou *Tliometesem*, entre les ríos Litani et Tapanahoni ; les *Wama* (55), aux sources du río Alemari ; les *Rangú* (48) ou *Tirió*, dans la sierra de Tumucumaque, sur le río Cuminá.

Dans le bassin du río Negro, on rencontre les tribus suivantes : les *Yauaperi* (14) *(Uaimiri, Uaimeri)*, proches parents linguistiquement des *Bonari*, sur le río du même nom, affluent de gauche du río Negro ; les *Krišaná* (15) *(Kirisaman)*, aux sources du Yauaperý ; les *Makuši* (19) *(Makusi)*, sur le haut río Branco, depuis l'Uaricuera et ses affluents septentrionaux jusqu'au Rupununi, origine occidentale de l'Essequibo ; les *Taulipáng* (20), *Taurepán, Ipurukotó* ou *Pemón*, près du Roroima, d'où ils s'étendent au Sud et au Sud-Ouest sur le haut Cuquenam et le haut Majarý et jusqu'à l'extrémité orientale de l'île Maracá ; les *Patamona* (49), sur les ríos Putaro et Ireng ; les *Marakána*, sur le río Uraricapará ; les *Kenoloko* (50), sur le río Branco et le río Cotingo ; les *Seregóng*, sur le haut Cutinho, auxquels sont étroitement apparentés les *Ingarikó* (21), établis au Nord du Roroima ; les *Purukotó (Ipurukotó, Porokotó, Purigoto)*, les *Wayumará* (22) (Waiyamara, Uayamara, Vayamara) et les *Sapará*, qui n'existent plus en tant que tribus isolées, autrefois sur l'Uaricuera, branche occidentale du río Branco, d'où les *Purukotó* pénétraient sur le haut Paraguá ; les **Paravil'ana* (Paravilhana, Parivilhana, *Parauana, Paraguano, Šilikuna*), autrefois sur le Caratirimany, affluent de droite du río Branco, postérieurement sur l'Uaricuera, puis sur le Mahú et aux sources du Tacutú, près des monts de la Lune, où le dernier représentant de la tribu est mort en 1914.

Dans le bassin de l'Orénoque, vivent les *Makiritáre* (Majongkong, Maiongcong, Majuyonco, Uayungomo), sur le haut Caurá-Merevari, aux sources de l'Auarý, sur le haut Ventuarí et les affluents de droite du haut Orénoque, le Cunucunúma, le Uapó (Iguapó), le Pádámo, divisés en *Yekuaná* (25), (Mayonggóng proprement dits), aux sources du Caurá, *Ihuruána* (26), aux sources de Ventuarí, *Dekuána* (23), sur les affluents de gauche du moyen et du bas Ventuarí, et *Kunuaná* (24), sur le Cunucunúma ; les *Yabarána* (27), actuellement réduits à 25 ou 30 individus sur la rive

---

(1) L'*Arakwayú* renferme de nombreux mots tupi, ce qui l'a fait classer souvent dans la famille Tupi-Guaraní.

(2) Le *Woyawai* est un mélange de Karib et d'Arawak.

droite du cours moyen du Ventuarí, dont ils furent autrefois la tribu principale, qui parlent une langue très différente du *Makiritáre*, avec deux
dialectes, le *Kurašikiána*, en usage aux sources du Biehíta, affluent du Suapúre, et le *Wökiáre*, aux sources du río Páro, affluent du Manapiári ; les
Mapoyo (28), entre les ríos Paruaza et Suapúre, affluents de droite de l'Orénoque, qui sont les anciens *Kuakua* ou *Nepoyo ;* les *Arinagoto* (29), sur le
Parágua entre 5° et 6° et sur le haut Caróni ; les *Taparito* et les *Panáre* (30),
entre le Caurá et le haut Cuchivero, les premiers sur le río Nicare, les seconds
sur le río Mato, tous deux affluents de gauche du Caurá ; les *Kariniako*, sur
l'Orénoque, non loin de l'embouchure du Caurá ; les *Tamanak* (31), au
Sud de l'Orénoque entre le Cuchivero et le Caróni ; les *Arekuna* (32) (Jare-
kuna), au Nord des *Makuší*, aux sources du Caróni et de son affluent, le
Parágua (où vit la tribu des *Kamarakotó* (51)), sur le Mazaruni, affluent de
gauche du bas Essequibo, surtout dans les environs du Roroima, sur les
affluents du haut Cutuní, notamment sur le río Supamu, affluent du
Yuruán.

La côte même du Venezuela était occupée, au moment de la découverte,
par des tribus Karib. Les *Kumanagoto* y vivaient depuis l'extrémité de la
péninsule de Paria jusqu'au cap Codera et pénétraient à l'intérieur jusqu'aux
plateaux de Barcelona ; ils comprenaient les *Tamanako* (sans doute identiques aux *Tamanak* de l'Orénoque), aux sources du río du même nom,
affluent de gauche de l'Unare et du Manapire, affluent septentrional de
l'Orénoque ; les *Čaima* (36) ou *Uarapiče*, dans les forêts du Guácharo et
sur les ríos Guarapiche et Amana ; les *Čakopata* (37), entre le río Man-
zanares et la côte et entre les ríos Guere et Aragua ; les *Piritú* (38), au Sud
du petit port qui a conservé leur nom ; les *Paleňke* (33), sur la rive gauche
de l'Unare au Nord du río Tamanaco ; les *Pariagoto* (34), dans la presqu'île
de Paria ; les *Kuneguara* (39), entre Caripe et Maturín ; les *Guaikerí* (35)
(Uaiquerí, Uiquire), dans la presqu'île d'Araya et l'île Marguerite ; les
Karaka (40), des environs de Caracas. Les derniers survivants de cette
importante tribu, appelés *Karib* (41), vivent actuellement dans la partie
méridionale de l'État Anzoátegui et dans une partie de l'État Monagas dans
un territoire qui a pour limite à l'Ouest les ríos Unare et Suata, au Sud l'Orénoque, à l'Est le delta de ce fleuve occupé par les Guarauno ; les plus septentrionaux, qui vivent au Sud de Barcelona, sont très métissés. A ces tribus,
nous rattachons avec doute les *Siparikoł* ou *Čipa* (57), qui vivaient, au
Nord du Yaracuy, sur le río Aroa.

La Guyane est en grande partie peuplée de Karib.

Les *Oyana* (42) *(Ayana, Uayana)*, appelés au Brésil Urucuiana, en Guyane
française *Rukuyen*, et par les tribus nègres de Surinam, *Alukuyana*, vivent
au Brésil sur le cours supérieur du Jary et du Parú et leurs affluents,
en Guyane française sur le haut Lawa et ses affluents, en Guyane hollandaise
sur le Paloumeu et le Tapanahoni. Sur le Paloumeu, ils sont mélangés à la
tribu des *Upurui*, qui parle la même langue. Aux sources du Mana et du
Sinnamarie, vivent les *Taira* (78) (Guyane française). Les *Yaho* (59) (Yao)
habitent sur l'Ivaricopo (Guyane portugaise) et sur la rivière de Kaw. Les
Trio (43) ou *Diau*, installés au XVIIIe siècle tout le long du Tapanahoni, sont
actuellement sur le haut Paloumeu, aux sources du Corentyn et sur le cours
supérieur des affluents de l'Amazone qui prennent naissance dans la même
région. Les *Saluma* (45) vivent entre le río Trombetas et le río Marapy.

Les *Uaika* (52) (Waika) habitent sur le Cuyuní et ses affluents (région du Yuruari) au Venezuela, sur le Barama en Guyane anglaise. Les *Akawaí* (53) (Akawoío, Akauayo) occupent les rivières Pomeroon, Moruca, Cuyuní et Acarabisi en Guyane anglaise. Les *Kaliña* (56), enfin, appelés par la population créole des Guyanes *Galibi, Karibi, Karaïb* ou Caraïbes, étaient établis, à l'époque de la découverte, sur le cours moyen et inférieur des fleuves de la Guyane, depuis l'Oyapok jusqu'à l'Orénoque, vaste région, où ils ont survécu en quelques points, notamment à l'Ouest du bas Maroni et à l'Est du bas Corentyn, en Guyane hollandaise. Au moment de l'arrivée des Espagnols, ils occupaient aussi toutes les petites Antilles depuis Trinidad et Tobago jusqu'à Porto-Rico, dont ils commençaient à envahir la partie orientale, et faisaient parfois des expéditions sur la côte est de Saint Domingue[1]. En 1660, l'Angleterre et la France reléguèrent les 6.000 Caraïbes survivants à la Dominique et à Saint-Vincent. En 1795-1796, ceux de cette dernière île, fortement mélangés de sang nègre (Black Caribs, Karif, Caraïbes noirs), furent déportés dans l'île de Ruatan et à Trujillo, sur la côte Nord du Honduras, où ils prospérèrent. Actuellement, ils occupent la côte Nord du Honduras, le port de Livingstone à l'embouchure du río Dulce au Guatémala, et quelques points de l'extrémité Sud du littoral du Honduras britannique. Quant aux Caraïbes de la Dominique, il en reste 500 environ dans une réserve de la côte Est.

Une grande partie du territoire colombien actuel a été et est encore en partie occupée par des populations d'origine Karib :

Ce sont tout d'abord les Indiens appelés improprement *Motilón* (60), dont le nom véritable est *Yúko* ou *Yupa*. Le nom de *Yúko* signifie « gente brava », le nom de *Yupa* ou plutôt *Yúkpa* « gente mansa ». Chaque tribu se qualifie par conséquent de *Yúkpa* et qualifie ses voisins du nom de *Yúko*. Les *Yúko* vivent sur les pentes occidentales (depuis Manaure, à l'Est de La Paz, jusqu'au río Maraca) et orientales (depuis le río Macoa jusqu'au río Aguas blancas) de la Cordillère de Perija. Ils sont identiques aux *Tupe* ou *Koyaima* des chroniqueurs.

On classe parmi les *Yúko* du versant occidental : la tribu du Manaure, la tribu de Iróka aux sources du río Casacará, les tribus *Tukúžmo, Súsa*, voisines des précédentes, la tribu du río Maraca ; parmi les *Yúko* du versant oriental et en allant du Nord au Sud : les Macoa, les *Apón*, les *Manastara*, les Chaparro, les *Uasámo*, les *Mišórka*, les *Tukúko*, les *Pšikakáo* et les *Parirí*, ces derniers s'échelonnent dans le bassin du río Yasa.

On rattache aux *Motilón* les *Kiri-Kiri (58) de la rive Sud du lac Maracaibo. Il est probable que les *Karate des environs d'Ocaña appartiennent aussi à ce groupe.

Les *Yariguí (61) ou *Yaregüí occupaient toute la région comprise entre le Sogamoso et l'Opón, jusqu'au Magdalena.

Les *Karare*, dont il ne reste plus que de rares individus plus ou moins civilisés, vivaient dans le territoire compris entre le bas río Negro et le río Carare ; les *Kolima (62) ou *Tapa, sur la rive orientale du Magdalena depuis l'embouchure du río Negro et tout le cours inférieur de ce río ; les *Muzo (64), sur le haut río Minero ; les *Pantagora (63), *Pantagoro ou *Palenke, sur

---

(1) Une de leurs tribus, les Cofachites, aurait même pénétré en Floride chez les *Apalači*.

la rive gauche du Magdalena, depuis le río Guarinó au Sud, jusqu'au río de San Bartolomé au Nord et peut-être jusqu'aux bassins du Porce et du Nechí ; les *Pančé (65), au Sud des *Pantagora* et des *Kolima*, sur la rive droite du Magdalena, en contact direct avec les *Pixao*, d'une part, au Sud, avec les *Čibča*, d'autre part, à l'Est.

Les *Pixao* (66) ou *Pinao* occupaient, avec de multiples tribus, toute la vallée du Magdalena depuis 4º 15′ de latitude Nord jusqu'à 2º 30′ environ, point où ils étaient en contact avec les *Páez* (tribu *čibča*). Considérés comme éteints, leurs survivants ont été retrouvés récemment dans le bassin du Saldaña et de bons éléments ont été recueillis sur leur langue.

Les *Čoko* (68) occupent le bassin du río Atrato et la côte du Pacifique entre 8º et 4º de latitude Nord, leurs principales tribus portent les noms suivants empruntés pour la plupart aux villages qu'elles habitent : Chamí (70), Andagueda ou Angágueda, Murindo, Cañasgordas, Ríoverde, Necoda, Caramanta, Tadocito, Pato, Curusamba, Tucurá (71), Saija, Micay, Sambu, Noanama ou *Čokama*, Baudocitarae, Tado, Papare ; ils ont eu également quelques enclaves en pays *Kuna* sur le río Sapa et le río Puero, dans l'État actuel de Panamá et de nombreux représentants dans la vallée du Cauca : les *Kimbaya (67), sur la rive droite, entre le río Otún au Nord et le río de la Paila au Sud, les *Karrapa, sur la même rive, face à Irra ; les *Pikara, sur les pentes occidentales de la Cordillère centrale, aux sources du río Pozo ; les *Paukura, *Pakura ou *Pankura, dans le bassin du río Pacora ; les *Katío* modernes (69) installés dans les districts de Dabeiba, Frontino, Murindó, Pavarandocito et Chigorodó, où ils se sont substitués en partie aux anciens *Katío, qui étaient des *Čibča*.

Le grand groupe des *Umáua* (73) se trouve entre le haut Yapurá et le haut Caiarý, surtout sur le cours supérieur de l'Apaporís. Il comprend les *Hianákoto*, sur le Macáya, affluent de l'Apaporís, les *Ţaháţaha* ou *Saha*, sur le Cunyarý et son affluent le Mesai, les *Riama* (74), entre les ríos Yaré, Apaporís et Uaupes ; les *Karixona (Katihóna)*, sur la rive gauche du haut Yapurá et les *Guake* (72) *(Huake)*, sur le río de los Engaños ou Yarí, une partie du Caguán et de l'Orteguasa.

Dans la région de Jaen, c'est-à-dire sur les rives de l'Amazone, au point où ce fleuve s'infléchit brusquement vers l'Est à la sortie de la Cordillère, et sur le cours inférieur des affluents qu'il reçoit à ce niveau, le Chamaya, l'Utcubamba, le Chinchipe et le Tabaconas, vivait autrefois la tribu Karib des *Patagon (75).

Enfin, nous rattachons à la famille Karib une série de langues très différenciées, habituellement rangées dans une famille spéciale, la famille *Peba ;* ce sont le *Peba proprement dit, le *Yagua* (76), *Nixamvo* ou *Mišara* et le *Yameo* (77), parlés sur la rive gauche de l'Amazone entre 75º et 69º 30′ de longitude, sur le bas Tigre, le Nanay, le bas Napo et son affluent le Mazan, l'Apayacu, l'Ambiyacu et le Chichita.

Malgré les intéressants essais de L. Adam [**1**] et de de Goeje [**42**], la grammaire comparée des langues Karib est à écrire. Tout ce que l'on peut faire actuellement, c'est de les répartir en un certain nombre de groupes de dialectes affines :

1er groupe : *Akawaí, Arekuna, Kamarakoió, Makuší, Sapará, Taulipáṅg, Seregóṅg, Ingarikó, Paravil'ana, Ipurukotó, Krišaná ;*

2e groupe : *Trio, Hianákoto, Umáua, Guake, Karixona, Pianokotó, Wayumará, Makiritáre (Yekuaná, Ihuruána, Dekuána, Kunuaná) ;*

3ᵉ groupe : *Kumanagoto, Palenke, Guaikeri, Tamanak, Čaima, Oyana, Upurui ;*

4ᵉ groupe : *Bakaïrí, Arára, Aruma, Yuma, Apiaká, Parirí ;*

5ᵉ groupe : *Bonari, Yauaperí ;*

6ᵉ groupe : *Peba, Yagua, Yameo ;*

7ᵉ groupe : *Čokó, Kimbaya.*

Quant au *Kaliña* (avec ses dérivés le Caraïbe des îles et du Honduras), il paraît tenir à la fois des dialectes des groupes 2 et 3.

XLVIII. FAMILLE *KARIRI* [122]

La famille *Kariri* occupait primitivement un vaste territoire au Nord du río São Francisco, entre ce fleuve et les Serras dos Kayiris et dos Kayriris novos.

Sous l'influence des missionnaires, ces Indiens ont été concentrés à l'Ouest de Bahia, dans les missions de Pedra branca, Cana brava et Notuba.

La famille comprend : les *Kariri* proprement dits, avec deux dialectes le *Kipea* (2) ou *Kaitiri* du río São Francisco (missions Cana brava et Notuba) et le *Ḍubukua* (1) ou *Kiriri* de la Serra dos Cayriris novos. Dans le territoire des missions, deux autres dialectes étaient en usage, le *Sapuyá* (6) ou *Sabuya*, dans la serra Chapada et le *Kamurú* (6), à Pedra branca, sur le río Pardo. Curt Nimuendajú pensait également qu'il fallait rattacher aux *Kariri* les *Ikó* (5), entre le río Salgado et le río Piranhas, sur le río do Peixe, les *Kariú* (3), sur le río Cariú et le río Bastiões, les *Išú*, aux sources du río Salgado, les *Korema* (4), sur le río Piancó, les *Žuká*, au Sud des sources du río Jaguaribe et sur le rio Arneiros, les *Ariú* ou *Peba*, sur le río Piranhas, et le río Sabugí, les *Iñamum*, dans quelques îles du río São Francisco.

XLIX. FAMILLE *KATAWIŠI* (f) [74]

.Les *Katawiši*, qui s'appellent eux-mêmes *Hewadie*, vivent entre le Purús et le Madeira, entre 7° 30' et 6° de latitude, entre le Purús et le Juruá, au niveau du 5ᵉ parallèle, et enfin sur le Juruá même et sur sa rive gauche, au Sud du Riosinho.

L. FAMILLE *KATUKINA*

La famille *Katukina* occupe, d'une façon plus ou moins continue, un territoire immense situé au Sud de l'Amazone entre 72° 30' et 62° 30' de longitude, 4° et 9° de latitude, coupé diagonalement par le Juruá.

Elle comprend :

Les *Tukundiapa* (4) ou *Tukano dyapá*, sur le río das Piedras et le río Itecoahy, affluent du Javarý ;

Les *Parawa*, sur la rive gauche du bas Gregorio, à Santo Amaro ;

Les *Bendiapa* (3) ou *Beñ dyapá*, sur la rive gauche du Juruá, en face de Bomjardim ;

Les *Tawari* (5) ou *Kadekili dyapá*, entre San Felipe sur le Juruá et les sources du Jutahý, où ils prennent le nom de *Kayarára (Kairara)* ou *Wadyo paraniñ dyapá ;*

Les *Kanamari* (2), qui vivent d'une part sur la rive gauche du Juruá, entre 67° 45' et 70° de longitude, d'où ils atteignent les sources du Jutahý et du Biá, d'autre part sur la rive droite, depuis le Tarauacá jusqu'aux sources du Pauiny, et, au Sud de ce fleuve, jusqu'au Purús ;

Les *Buruę*, sur le Jutahý et son affluent de droite, le Biá ;

Les *Katukina* (1), répartis en deux groupes : un premier groupe appelé *Pidá dyapá*, établi sur le moyen Jutahý, et en particulier sur ses deux affluents le Mutum et le Biá, dont une fraction installée sur l'Iguarapé preto, affluent de droite du Jandiatuba, porte le nom de *Kutiá dyapá ;* un second groupe, qui s'étend de la rive droite du Tarauacá à la rive gauche du Purús au Sud du Tapauá et dont une fraction vivait aux sources du Teffé.

LI. FAMILLE *KAYUVAVA* (s) [**75 a**]

Les *Kayuvava* habitent sur la rive occidentale du Mamoré, à une quinzaine de lieues au-dessus de son confluent avec le Guaporé, et sur les petits affluents des plaines de l'Ouest entre 12° et 13° de latitude Sud.

LII. FAMILLE *KIČUA* [**75 a, 121**]

Le *Kičua* ou *Runa-simi* est la seule langue de l'Amérique du Sud, qui ait joué, à l'époque précolombienne, le rôle d'une « langue de civilisation ». Propagée par les conquérants incasiques, elle se répandit peu à peu dans presque tout le vaste empire, dont elle devint la langue officielle et où elle joua le rôle de langue de relation.

Cet empire, lors de l'arrivée des Espagnols, s'étendait depuis le río Angasmayo au Nord (à la limite des Républiques actuelles de Colombie et d'Ecuador) jusqu'au río Maule (Chili) au Sud, englobant les territoires qui correspondent maintenant à la partie andine et littorale de la République de l'Ecuador (à l'exception de la province côtière d'Esmeraldas), à la région andine et littorale du Pérou, au Chili jusqu'au río Maule, à la haute Bolivie et à la région andine de la République Argentine. Toutefois, la domination incasique ne dura pas assez longtemps ou ne fut pas assez forte pour imposer le *Kičua* à toutes les populations subjuguées. C'est ainsi que, lors de la conquête espagnole, des langues différentes du *Kičua* étaient encore bien vivantes dans un grand nombre de provinces : le *Pasto*, le *Kil'asinga*, le *Puruhá*, le *Kañari*, le *Palta* en Ecuador, le *Sek*, *Atal'an* ou *Tal'an* en Ecuador et au Pérou, le *Mučik*, le *Kul'i*, au Pérou, l'*Atakama*, le *Čango-Uru-Pukina*, l'*Aymará*, au Pérou et en Bolivie, l'*Araukan* au Chili, le *Kakan* en pays diagit.

Sous la domination espagnole, l'expansion du *Kičua* s'est accentuée d'une façon remarquable, grâce aux missionnaires, qui, l'ayant adopté comme langue d'évangélisation, en imposèrent l'usage à leurs néophytes. Leur patient effort réalisa l'œuvre inachevée des conquérants incasiques ; c'est ainsi que le *Kičua* supplanta définitivement le *Puruhá*, le *Kañari*, le *Palta* en Ecuador, le *Kakan* en pays diagit et restreignit encore davantage le domaine du *Kul'i*, de l'*Aymará* et de l'*Uru-Pukina*, cependant que, de son côté, l'Espagnol se substituait aux langues indigènes, surtout dans la région côtière. Bien plus, les missionnaires implantèrent le *Kičua* dans des régions qui avaient échappé à la conquête des Inka ; c'est ainsi que, avec l'Évangile, la langue du Cuzco pénétra dans la province de Santiago del Estero, dans les bassins du haut Tuichi, affluent du Beni, du haut Amazone (dialecte *Mayna*), du bas Huallaga (dialecte *Časulino*), du haut Pastazza (dialecte *Kanelo*), de l'Ucayali, du haut Napo (dialecte *Kixo*), du haut Caquetá et du haut

Putumayo (dialecte *Ingano*), et dans le Sud de l'État colombien de Tolima (dialecte *Almaguero*).

Il est indispensable de tenir compte de ces faits historiques, qui ont complètement transformé l'aspect linguistique de toute cette région de l'Amérique du Sud, au cours des quatre derniers siècles, et notablement élargi le domaine du *Kičua*.

Les tribus parlant cette langue peuvent être divisées en cinq groupes géographiques : le groupe *Inka*, le groupe *Činčasuyu*, le groupe *Kiteño*, le groupe bolivien, le groupe argentin.

a) Le groupe *Inka* comprenait les *Kana* et les *Kanči*, installés dans la haute vallée de Vilcanota, les premiers entre le col de Vilcanota au Sud et Cacha au Nord, les seconds entre Cacha et Urubamba ; les *Inka* proprement dits, installés entre l'Apurimac et le Paucartambo dans un territoire que divise longitudinalement la vallée de Vilcanota, vallée qu'ils occupaient depuis Ollantaïtambo au Nord jusqu'à Quiquijana au Sud ; les *Čumbivilka*, installés sur les ríos Santo Tomas et Velille, affluents de gauche du haut Apurimac ; les *Aymará*, sur le haut Pachachaca, affluent de gauche du haut Apurimac ; les *Kičua*, primitivement établis entre l'Apurimac et le río Pampas, dans les vallées d'Abancay et d'Andahuaylas, puis refoulés vers le Sud par les *Čanka* dans la région montagneuse où prennent leurs sources l'Apurimac, le Pachachaca et leurs affluents ; les *Čanka*, tout d'abord installés aux environs d'Ayacucho et de Huanta avec comme limite orientale le río Pampas, qui, après avoir refoulé les *Kičua*, s'étendirent jusqu'à l'Apurimac ; les *Huanka*, qui occupaient la vallée de Jauja et les rives du lac de Junín (Pumpu ou Chinchaycocha) jusqu'au sommet du cerro de Pasco au Nord ; les *Rukana*, qui vivaient au Sud-Ouest des *Čanka* dans la cordillère occidentale et sur ses deux versants vers le parallèle 15°.

Un certain nombre de ces tribus parlaient primitivement l'*Aymará* et n'ont adopté le *Kičua* qu'à une époque relativement récente : ce sont les *Kana*, les *Kanči*, les *Čumbivilka*, les *Aymará*, les *Čanka* et peut-être les *Kičua* eux-mêmes (voir famille Aymará).

b) Le groupe *Činčasuyu* occupait la double Cordillère des Andes avec la vallée du Marañón qu'elle borde à l'Est et à l'Ouest, depuis le cerro de Pasco au Sud, jusqu'au río Macara (frontière péruano-écuadorienne) au Nord. Il comprenait les *Huánuku*, la peuplade la plus méridionale du groupe, dans la région de la ville de Huánuco ; les *Končuku*, dans la région de Huaraz, aussi bien dans les vallées du versant du Marañón que dans celles du versant du Pacifique ; les *Huamačuku*, plus en aval dans la vallée du Marañón, où le village de Huamachuco conserve leur nom ; les *Kasamarka*, un peu en aval des précédents, dans une région qui doit sans doute correspondre aux centres actuels de Cajamarquilla et de Cajamarca ; les *Čačapuya* ou *Čača*, dans la contrée montagneuse de la rive droite du Marañón, où se trouve maintenant la ville de Chachapoyas ; les *Huakračukru*, de chaque côté du défilé du Marañón ; les *Huankapampa*, dans les montagnes près de Jaen ; les *Ayahuaka*, sur le haut Quiros, affluent du río de la Chira, dans la région où se trouve la ville de Ayavaca. A ce groupe, se rattachent les *Lamaño* ou Lamista, installés autrefois aux environs de Lamas, sur le río Mayo, affluent de gauche du Huallaga, dans l'ancien diocèse de Truxillo.

c) Le groupe *Kiteño*, constitué, à l'époque de la découverte, uniquement par les Kara de la région de Quito, qui, dès cette époque, quoique depuis peu d'années, avaient renoncé à leur idiome originel pour adopter le *Kičua*, comprend actuellement toutes les peuplades de la région andine écuadorienne.

d) Le groupe bolivien comprend les peuplades de parler *kičua* des départements de Cochabamba (provinces de Sacaya, d'Ayopaya, de Tacapari, d'Arque, de Clisa, de Mizque), de Chuquisaca (provinces de Yamparais, de Tomina, de Sinti) et de Potosí (provinces de Potosí, de Chayanta, de Porco, de Chichas et de Lipes). Les *Čičas* et les *Lipes* parlaient primitivement aymará (voir Famille *Aymará*).

e) Le groupe argentin comprend toute la région andine de la République Argentine (territorio de los Andes, provinces de Jujuy (Omaguaka), de Salta, de Tucumán, de Catamarca, de La Rioja et de San Juan et même, en dehors de la cordillère, la province de Santiago del Estero. La substitution du *Kičua* au *Diagit* ou *Kakan* était déjà en partie réalisée au moment de la découverte ; elle est devenue complète à la fin du xviie siècle, époque où le *Kakan* paraît avoir disparu. La substitution du *Kičua* à l'*Al'entiak*, au *Sanaviron*, au *Vilela-Čulupi*, est postérieure à la conquête.

Les principaux dialectes du *Kičua* sont : le Kiteño, parlé en Ecuador ; le Lamaño ou Lamista ; le *Činčasuyu* ou *Činčaya*, avec les sous-dialectes de Huari (département d'Ancash), de Huánuco, peu différent du précédent, et de Cajamarca, qui n'est plus en usage que dans la Pampa de los Baños del Inca, près de Cajamarca ; le dialecte de la province de Huancayo (département de Junín) ; le dialecte d'Ayacucho ; le Kuskeño parlé dans la région du Cuzco ; le dialecte bolivien (départements de Cochabamba et Chuquisaca); le dialecte argentin ou Tukumano, appelé par les indigènes *Kuzko*.

On possède également des documents sur les parlers *kičua* en usage dans des régions qui n'appartenaient pas à l'empire incasique, par conséquent implantés grâce à l'action des Blancs : dialecte Ingano, dialecte Almaguero, dialecte du Napo, dialecte *Mayna*, dialecte de l'Ucayali, dialecte du Tuichi, dialecte de Santiago del Estero.

LIII. FAMILLE *KOPAL'ÉN*

Les **Kopal'én* ou **Kopal'ín* vivaient dans le bassin du Chinchipe à Llanque, Las Lomas et Copallén.

LIV. FAMILLE *KUKURÁ (n)*

Les **Kukurá*, connus sous le nom de Chavantes, vivaient sur le río Verde, affluent de droite du Paraná, État de Matto Grosso.

LV. FAMILLE *KUL'I* (1) [**74, 118, 160**]

Les *Kul'i* ou *Kul'e* habitaient au Pérou les provinces de Huamachuco et de Huaylas. Leur langue est encore en usage dans trois villages de la région de Cabana-Bolognesi. Il semble qu'elle soit identique au *linga* ou *ilinga* parlé, d'après les anciens auteurs, à Santiago de Chuco, Otuzco, Santiago de Usquil, Santiago de Lucma, Santa Cruz de Carabamba, San Juan de Pallasca, dans la région où est encore vivant le *Kul'i*, et également à Mancha et Huarigancha, sur la rive droite du haut Marañón.

LVI. FAMILLE *LEKO* (n) [**75 a**]

Les *Leko* ou *Ateniano* occupaient, sur la rive gauche du Beni, le bassin du Guanay ou Kaka et de ses affluents, le Tipuani, le Mapiri, le Turiapo, le Yuyo, etc... ; leur langue s'appelle le *Lapalapa*.

LVII. FAMILLE **LULE*

Les **Lule* (souvent désignés sous le nom de Lule de Machoni), divisés en **Lule* proprement dits (1), **Isistiné*, **Tokistiné*, **Oristiné*, **Tonokoté* (2) (auxquels se rattachent les **Matará* (4)), Jurí (3), vivaient dans les plaines actuelles de Salta, Tucumán et Santiago del Estero.

LVIII. FAMILLE *MÁKU*

Les *Máku* habitent sur le río Auarý, affluent de gauche du haut Uraricuéra (une des branches du río Branco).

Il ne faut confondre ces Indiens ni avec les *Makú* du río Negro et du Yapurá, qui sont des *Puináve*, ni avec les *Máku* du Ventuarí, qui sont des *Sáliba*, ni avec les *Mako* de la lagune de Cuyabeno, qui sont des *Kófan*, c'est-à-dire des *Čibča*.

LIX. FAMILLE *MAKURÁP (h)* [**75 a**]

La famille *Makuráp* occupe un petit territoire sur les ríos Colorado et Terevinto, affluents de droite du Guaporé, où H. Snethlage a trouvé deux tribus : les *Makuráp* proprement dits et les *Wayoró*.

LX. FAMILLE *MAŠAKALI*

La famille *Mašakali* occupait, au moment de la découverte, un territoire dans les montagnes, aux confins des États de Minas Geraes et de Bahia d'une part, dans le district de Minas Novas, État de Minas Geraes, d'autre part.

Elle comprend : les **Mašakali* proprement dits (1), qui vivaient aux sources du río Mucurý, sur les ríos Belmonte et Jacurucú, les **Kapošo*, sur le río Araçuahí, les **Kumanašo*, sur le río do Porto Seguro et à Minas Novas, les **Pañáme*, sur le río Sussuhý pequeno, les **Makoni* (2), sur le río Cara-vellas et à Alto dos Bois, les **Parašin*, sur le río Sussuhý grande et les *Monošo*, dont Curt Nimuendajú a trouvé, dans la région du río Itanhaen, État de Minas Geraes, les derniers représentants.

A cette famille, nous rattachons aussi les **Malali* (3), de la Serra Redonda et du río Sussuhy pequeno, dont les derniers survivants vivaient encore en 1862 dans le village de San António, dans les environs de Passanha.

LXI. FAMILLE *MASKOI*

(Machicui ou Muscovi de Ehrenreich ; Enimaga de Chamberlain) [**36, 136**]

La famille *Maskoi* occupe une large bande de territoire à l'Ouest du Paraguay, depuis le confluent de ce fleuve avec le Pilcomayo au Sud, jusqu'au 20e degré de latitude au Nord. Bordant la rive droite du Paraguay jusqu'au parallèle 22°, elle s'écarte ensuite de ce fleuve dans la direction du Nord-Ouest.

Cette famille comprend : les *Maskoi* (1), près du confluent du Paraguay et du Pilcomayo, depuis ce fleuve jusqu'à la petite rivière Montelindo dans les environs de Villa Hayes ; les *Lengua* (2) ou *Gekoinlahaðk*, qui s'appellent eux-mêmes *Enslét*, entre le Montelindo et le parallèle 22° 45' ; les *Angaite* (4), sur la rive droite du Paraguay, en face de l'ancienne mission de San Salvador ; les *Sanapaná* (5) ou *Lanapsua*, sur la rive droite du río Salado ; les *Sapukí* ou *Konamesma* et les *Guaná*[1] (6) qui s'appellent eux-mêmes *Kaskihá*, au Nord-Ouest des précédents, jusqu'au parallèle 20°, et enfin les *Kaiotugui* (3), sur le río Gonzales.

LXII. FAMILLE *MAŠUBI (k)* [75 a]

Les *Mašubi* ou *Meken* vivent à l'Est du Guaporé, sur le cours moyen ou supérieur du río Mequens. Leur langue ne nous est connue que par un court vocabulaire, encore inédit, recueilli par le colonel Fawcett, qu'a bien voulu communiquer à l'un de nous E. Nordenskiöld.

LXIII. FAMILLE *MATAKO-MAKÁ* [15, 57, 60, 82]

Cette famille forme un groupe compact dans le moyen Chaco, à l'Ouest des *Toba* (famille *Guaykurú*).

Elle comprend :

Les *Mataguayo*, proprement dits, installés aux sources du Bermejo, au pied de la Cordillère orientale des Andes ;

Les *Matako* (1), à l'Est des précédents, sur la rive droite du Bermejo ;

Les *Vexoz* (2) ou *Huešuo*, qui s'appellent eux-mêmes *Aiyo*, installés sur la rive gauche du Bermejo, entre ce fleuve et le Piquirenda ;

Les *Abučeta*, les *Pesatupe*, les *Imaka*, à l'Est des précédents, entre le Bermejo et l'Itiyuro au Nord ;

Les *Noktén* (4), au pied de la Cordillère de Pirapo, entre le Pilcomayo, le Piquirenda et l'Itiyuro ;

Les *Guisnay* (5), qui sont la continuation orientale des *Noktén* ;

Les *Čorotí* (7) (Tsoloti, Soloti, Solote, *Čorote*), qui s'appellent eux-mêmes *Yófuaha* ou *Moianek*, installés, en face des *Noktén* et des *Guisnay*, sur la rive gauche du Pilcomayo, entre 21° 30' et 22° 30' de latitude, depuis le fort Guachalla, en aval, jusqu'à San Francisco ou Villa Montes, en amont ;

Les *Ašluslay* (8), *Suhín* ou *Súxen*[2], qui vivent sur le Pilcomayo et sur sa rive septentrionale, depuis le pays des *Noktén* et des *Čorotí* jusqu'au pays occupé par la famille *Maskoi ;*

Les *Malbalá* (6), qui forment une petite enclave en territoire *Vilela-Čulupí*, sur la rive droite du Bermejo ;

Les **Teuta*, aux sources du río Bermejo ;

Les **Tayni* (3), au Sud des Teuta ;

Les **Oxota*, entre les ríos Bermejo et Centa ;

1. Il faut soigneusement distinguer ces Indiens de leurs homonymes de la famille *Arawak*.

2. Les *Súxen* ont été longtemps classés dans la famille *Maskoi*. Leur identité avec les *Suhin* ne nous paraît pas douteuse. Par contre, c'est par erreur que Hunt identifie les *Suhin* et les *Čulupí*.

Les *Enimaga, apparentés plus particulièrement aux Ašluslay, qui
s'appelaient eux-mêmes Kočabot ou Kočaboth. Les seuls survivants des
*Enimaga sont les Towothli, Tóóthli ou Toósle, aux sources du Montelindo,
et les Maká (9) aux sources des ríos Verde, Confuso et Montelindo, affluents
de droite du Paraguay.

LXIV. FAMILLE MATANAWÍ (b) [75 a]

Curt Nimuendajú a trouvé les derniers individus de cette tribu sur le
río Macacos, affluent de droite du Marmellos. Il considère leur langue comme
isolée.

LXV. FAMILLE *MAYNA (i)

Les *Mayna vivaient entre les ríos Chambira et Pastazza, notamment
sur le río Nucuray. Leur langue primitive nous est inconnue[1]. C'est avec
doute, et uniquement pour des raisons géographiques, que nous classons
dans cette famille les Omurana (h) (Numurana ou Humurana), qui vivent
sur l'Urituyacu, affluent de gauche du Marañón, entre le Pastazza et le
Chambira.

Tessmann identifie les Omurana avec les Roamaynas des anciens auteurs
qui peuvent être aussi, comme nous l'avons indiqué, les ancêtres des Kandoši.

LXVI. FAMILLE MOBIMA (r) [75 a]

Les Mobima (Movima ou Moyma) habitaient les plaines de l'Ouest du
Mamoré, sur les rives du río Yacumá et de son affluent, le Rapulo.

LXVII. FAMILLE MOSETEN [75 a, 158]

La famille Moseten occupe la région montagneuse à l'Est du Beni, entre
15° et 16° de latitude et 65° 30' et 67° 30' de longitude.

On y classe les Moseten proprement dits (p) (Maniki, Magdalenos, Rače,
Mučan ou Tukupi), aux sources du Maniqui et du Securé, affluents du
Mamoré, et du Quiquiré, affluent du Beni, et les Čimáne (q), Čumano,
Čomane ou Nawazi-Moñtzi, au Nord des précédents, sur le haut Rapulo.

LXVIII. FAMILLE MUČIK (R) [74, 118, 160]

Sous le nom de famille Mučik, nous classons :

a) Le *Mučik proprement dit, parlé dans les vallées chaudes du littoral
péruvien, depuis la vallée de Chicama au Sud, jusqu'à la vallée de Mórrope
au Nord, et sur les pentes occidentales de la Cordillère occidentale jusqu'à
Frias et Huancabamba ;

b) Le *Kingnam (Quingnam), parlé dans tout le pays čimú ou čimor,
c'est-à-dire dans toutes les vallées comprises entre la vallée de Chicama au
Nord, et la vallée de Paramonga au Sud, soit presque jusqu'à Lima.

---

1. Le manuscrit du Père Eusébio Arias, intitulé « Arte de la lengua
Mayna », qui est conservé à la Bibliothèque du British Museum, est en réalité
une grammaire et un vocabulaire du dialecte Kičua qui s'est substitué,
par l'action des missionnaires, à la langue primitive.

Des colonies *mučik* avaient été installées par les Inka sur le Marañón, à Balsas, et dans la vallée de Condebamba, affluent de gauche de ce fleuve.

Toutes les tribus littorales sont confondues par les anciens auteurs sous le nom commun de *Yunka* ou *Yunga*, que l'on a donné souvent à leur langue elle-même. Ce nom, emprunté au *Kičua*, désigne les vallées chaudes aussi bien de l'Ouest que de l'Est du royaume inka. Il s'applique également aux habitants des vallées littorales au Sud de Paramonga : Pachacama, Lima, Chancay, La Barranca, Lunahuaná, Cañete, Mala, Chilca, Chincha, Nazca, Ica et Pisco, mais rien ne prouve que ces Indiens aient parlé un dialecte de la famille linguistique *mučik*.

Actuellement le *Mučik* n'est plus représenté que par la langue des Indiens de Etén, qui est à la veille d'être entièrement absorbée par l'Espagnol.

LXIX. FAMILLE *MUNIČE*

Les *Muniče* ou *Muniči* vivent dans un village qui porte leur nom sur le bas Paranapura. Leur pays d'origine serait dans les montagnes, au Sud de ce fleuve, jusqu'aux environs de Lamas.

LXX. FAMILLE *MÚRA* [**75 a**]

Les *Múra* habitaient le cours inférieur du Purús, la rive gauche de l'Amazone, entre le bas río Negro et le Yapurá, et divers points de la rive droite du même fleuve, notamment entre le Teffé et le Madeira, au niveau du lac Mamia et à l'embouchure du Jutahý. Actuellement, on ne trouve plus de représentants de cette tribu que sur le río Autaz *(Buruaray)*, sur le Manicoré *(Múra-Bohurá)*, sur le Maicy, affluent du Marmellos *(Múra-Pirahá)*.

LXXI. FAMILLE *NAMBIKWÁRA* [**38 a, 71 d, 75 a, 134**]

Le nom de cette famille correspond vraisemblablement à un sobriquet d'origine tupi (*nhambi-kwara*, oreille grande), bien que les Indigènes auxquels il a été faussement attribué ne portent pas de disques auriculaires. La coutume est attestée pour leurs voisins orientaux immédiats, dits Beiços de pau, qui vivent sur le río de Sangue et dont la langue est inconnue. Par ailleurs, il semble que la famille linguistique *nambikwára* présente certaines affinités morphologiques avec la famille *čibča*.

Les *Nambikwára* vivent sur le haut Juruena, affluent du Tapajoz, sur le haut río Roosevelt, affluent du Madeira, et sur le haut Guaporé. On connaît trois dialectes principaux, dont les deux premiers ont seuls une syntaxe et un vocabulaire communs, tandis qu'ils se distinguent par la forme du suffixe verbal et la désinence des substantifs ; chacun se subdivise en sous-groupes. L'affiliation du troisième dialecte est douteuse. La distribution d'ensemble s'établit comme suit :

a) Dialecte oriental :

Sous-groupe a 1. Du río Papagaio au río Juina ; correspond au groupe Kôkôzu (1) ou Kôkôsu de Roquette Pinto.

Sous-groupe a 2. Sources des ríos Doze de Otubro et Camararê, à l'Ouest du précédent ; correspond aux *Anunzê* (3) de Roquette Pinto.

Ces deux sous-groupes offrent entre eux de légères différences phonétiques.

b) Dialecte occidental :

Sous-groupe b 1. De la rive droite du Guaporé au Sud, jusqu'au cours inférieur des ríos Tenente Marqués et Iqué au Nord, et du bassin du río Doze de Otubro à l'Est, jusqu'à la rive droite du río Roosevelt à l'Ouest. Correspond aux *Uaintasu* (5), Uaindzê, *Kabiši*, Tagnani (2), Tauités, Tarutés, Taschuités, de Rondon et Roquette Pinto.

Sous-groupe b 2. Depuis le bassin supérieur et moyen du río Roosevelt jusqu'au confluent des ríos Barão de Melgaço et Commemoração de Floriano. Correspond aux *Tamaindé* (6) de Max Schmidt.

Ces deux sous-groupes ne se distinguent que par la forme du suffixe verbal.

c) Dialecte septentrional :

L'aire exacte de ce dialecte, qui n'a pas encore pu être déterminée, semble se situer immédiatement au Nord et au Nord-Est de celle du dialecte a 2. On a relevé les noms des groupes suivants : *Sabanê, Toantesû, Tamaindê.* Bien que ces Indigènes se réclament de la même communauté que les autres *Nambikwára,* on peut douter que leur dialecte appartienne à la même famille linguistique.

Divers noms de groupes *Nambikwára* cités par différents auteurs : Taiopa, Teiobê, Xaodikokas, Xaodê, Xaodys, Nénê (7), Minis, Pavatê, etc. semblent correspondre à ses sobriquets temporaires ou à des bandes relevant de tel ou tel des dialectes ci-dessus énumérés, auxquels il faut ajouter le dialecte des *Nawaite* (4), qui vivent entre le Juruená et le río Roosevelt.

LXXII. FAMILLE *NATÚ* (ξ)

Les *Natú* vivent aujourd'hui dans le village Collegio, non loin de l'embouchure du fleuve São Francisco, dans l'État d'Alagoas. Suivant les matériaux non publiés de Estevão, la langue des *Natú* est considérée comme isolée.

LXXIII. FAMILLE *OPAIE (m)*

Les *Opaie* ou *Opaie-Šavánte* vivent entre les ríos Ivinhema, Verde, Pardo et Nhanduhy dans l'État de Matto-Grosso. Les *Guaćí* de Vaccaria parlent un dialecte de la langue Opaie.

LXXIV. FAMILLE *ˑOTÍ (o)*

Les *ˑOtí,* surnommés aussi *ˑŠavante* comme les *Kukurá* et comme une grande tribu *Že,* et nommés *Eošavanté* par von Ihering, vivaient, il y a quelques années, sur le cours inférieur des ríos Tieté et Paranapanema, dans les Campos Novos et sur le río Pardo, dans l'État de São Paulo.

LXXV. FAMILLE *OTOMAK* [**124**]

Les *Otomak* (F) vivent dans le Sud-Ouest du Venezuela, entre l'Orénoque, le Meta, le haut Arauca et le Sinaruco. L'*Otomak* n'avait, d'après les missionnaires, qu'un seul dialecte, le *Taparita* (E).

LXXVII. FAMILLE *PANKARURÚ* (ν) [**104**]

Les *Pankarurú* vivaient, à l'époque coloniale, sur le fleuve São Francisco entre l'embouchure du río Moxoto et celle du río Pajehú. Aujourd'hui, on trouve quelques individus cantonnés dans les villages Pancaratú et Brejo dos Padres, sur le río São Francisco.

LXXVII. FAMILLE *PANO* [53 a, 67, 75 a, 95, 138 a]

La famille *Pano* est divisée géographiquement en trois groupes.

Le premier groupe, le plus important, occupe la rive sud de l'Amazone, depuis le Jutahý à l'Est, jusqu'au Huallaga à l'Ouest, le bassin entier de son affluent de droite, le Javarý, les deux rives de l'Ucayali, depuis son embouchure jusqu'au parallèle 10° et la rive droite de son affluent, l'Urubamba, tout le bassin du haut Juruá et les sources mêmes du Purús ; le deuxième groupe occupe tout le bassin de l'Inambari et de ses affluents, le Marcapata, le Yaguarmayo et le Chaspa ; le troisième groupe est installé sur les rives du Mamoré, du Beni et du Madre de Dios, entre 9° 15' et 12° 30' de latitude, 64° 45' et 67° 30' de longitude.

Au premier groupe appartiennent les *Pano* ou *Panobo* (6), à Contanama, sur l'Ucayali ; les *Kulino* (1) *(Kurina)*, établis sur la rive méridionale de l'Amazone entre le Jutahý et le Javarý ; les *Mayoruna* (2) (Maxuruna, Pelados), qui occupent le haut Jandiatuba, la plus grande partie du bassin du Javarý, atteignant au Nord l'Amazone, à l'Ouest le bas Ucayali, auxquels on rattache les *Marubo* (3) *(Maruba, Moruba, Marova)*, qui vivent sur le río de même nom et le río Cochiquina, et les *Čirabo* (4), dont l'habitat est limité par le Tahuaya, le Javarý chico, le Charapa et l'Amazone ; les *Čamikuro, sur le río de même nom, affluent de droite de l'Amazone, en amont de l'Ucayali, qui atteignent le Huallaga à l'Est ; les *Kapanahua* (7), qu'on trouve d'une part aux sources du Javarý, du Tapiche et du Blanco, sur le Huanachá et l'Alacrán (où ils portaient le nom de *Buskipani*), d'autre part dans le massif montagneux où prennent leurs sources le Tejo, le Gregorio, le Liberdade, le Tarauacá et le Breo ; les *Katukina* (8), répartis en deux groupes, l'un sur le Jaquiraná, aux sources du Javarý, l'autre sur la rive gauche du Gregorio et dans le bassin du Reconquista (haut Juruá), qui est en réalité un mélange de *Wani-nawa*, de *Kama-nawa*, de *Nai-nawa*, et sur le río Katukina (Haut Tarauca), qui est composé de *Yuwa-nagua ;* les *Remo* (9), dans les montagnes entre le Juruá et l'Ucayali, entre 8° 30' et 7° de latitude, auxquels appartiennent les *Sakuya* des sources du Tamaya ; les *Sensi* (10) *(Sensivo)*, sur le Huanachá et le Chanuya ; les *Šetibo* (11) *(Setebo, Šitebo, Xitipo)* ou *Pano*, sur le cours inférieur de l'Ucayali jusqu'au parallèle 7° au Sud ; les *Maparina*, aux sources du Cuxiabatay ; les *Sipibo* (12) *(Čipeo, Šipeo, Čepeo, Čipibo, Sepibo, Šipebo, Xipibo)*, sur l'Ucayali entre 7° et 8° 30' de latitude et sur son affluent de gauche, le Pisqui (où ils portent le nom de *Sinabu* (13)), auxquels se rattachent sans doute les *Kal'iseka (Kaliseka)* de la rive gauche du Pachitea et les *Mananagua* du bassin du Callaria ; les *Kašibo* (14) *(Kačibo, Kahibo, Kakataïbo)*, qui vivent sur le Pachitea, le Pisqui et l'Aguaita, affluents de gauche de l'Ucayali, dont les sous-tribus sont les *Manamabobo*, sur le Pachitea, les *Buninahua*, les *Karapačo*, sur le río de même nom, affluent du Pachitea, et les *Pučunahua ;* les *Kunibo* (15), sur l'Ucayali, entre 8° 30' et 10° de latitude ; les *Pițobu* (16) et les *Saboibo* (16), sur le Tahuania, affluent de droite de l'Ucayali ; les *Nokamán* (5), aux sources de l'Inuyá, affluent de droite de l'Urubamba ; les *Komobo*, entre les ríos Unini et Inua ; les *Ruanagua*, sur le río Corjuamia (sans doute le Curahuanía), affluent de gauche de l'Ucayali ;

les *Amahuaka* (17) *(Masko, Impetineri)*, qui occupent les montagnes entre
le bassin de l'Ucayali et de son affluent, l'Urubamba, et les bassins du
Purús et du Juruá, entre 9° 15′ et 11° 30′ de latitude, ainsi que les rivières
qui en descendent à l'Est et à l'Ouest, et dont certaines tribus ont pénétré
dans le haut Juruá et dans le haut Purús ; les *Yaminawa* (18), sur le haut
Envirá et aux sources du Tarauacá jusqu'au haut Juruá à l'Ouest ; les
Kašinahua (22), sur la rive gauche de l'Envirá, le Tarauacá, le haut Gregorio
et le haut Liberdade ; les *Arara* (19), *Ararapina* et *Ararawa* (sans doute
identiques aux *Saninawa*), sur le haut Liberdade et l'Humayta ; les
Nukuini (20), sur le haut Mõa ; les *Kontanawa*, sur le haut Tarauacá et
l'Humayta ; les *Kuyanawa* (21), entre le Mõa et le Paraná dos Mouras ;
les *Poyanáwa*, sur le río Mõa ; les *Yumanáwa*, sur le río Muruzinho ; les
Paranáwa, sur le río Murú ; les *Nišináwa* et les *Nehanáwa*, sur le río
Jordão ; les *Nastanáwa* sur le río Alto Jordão ; les *Marinawa*, sur le
Furnaya (haut Envirá) ; les *Tušinawa*, sur l'Humayta et le Furnaya ; les
Pakanawa, aux sources de l'Envirá ; les *Šipinawa* (23), entre le haut
Liberdade et le haut Valparaiso et sur l'Amoaca et le Grajahu, affluents de
droite du haut Juruá ; les *Yauavo* (Jawabu), sur l'Acuria, affluent de droite
du haut Juruá ; les *Yura*, sur le Piqueyacu et le Torolluc, aux sources du
Juruá ; les *Kanamari* (24) ou *Kanawari*, sur le haut Purús et son affluent
de gauche, le Curumahá.

Dans le deuxième groupe, on classe les *Arasaire, Arasairi* ou *Arasa*[1] (25),
sur les bords du Marcapata, affluent de gauche de l'Inambari ; les *Yamiaka*
(26) ou *Haauñeiri*, sur le Yaguarmayo, affluent de droite du même fleuve ; les
Aṭahuaka[1] (27) ou *Časpa*, sur le Carama, affluent de gauche du Tambopata,
et le Chaspa, affluent de droite de l'Inambari ; les *Araua* (28), petite tribu
isolée sur le Chive, affluent de gauche du Madre de Dios.

Rentrent dans le troisième groupe : les *Pakaguara* (29), installés sur les
deux rives du Beni, du bas Madre de Dios, du Mamoré, du Madeira et de
l'Abuná, qui sont divisés en plusieurs tribus : les *Kapuibo* (33) dans le bassin
du río Biata, les *Čakobo* (30), entre le Mamoré et le lac Rogoaguado, les
Sinabo (31), aux environs des premiers rapides du Mamoré, et les *Karipuna* (32), établis aux environs des chutes du Madeira, qui comprennent
eux-mêmes les *Yakariá* ou *Yakare-Tapuüya*, sur l'Abuná, et les *Šenábu*,
en amont de la cascade de Pao grande (probablement identiques aux *Sinabo*
cités plus haut).

Rappelons que les *Takana*, que nous classons dans la famille Arawak,
parlent une langue dont la grammaire offre de grandes ressemblances avec
la grammaire Pano (voir famille Arawak).

LXXXIII. FAMILLE *PATAŠO* (θ)

La famille *Pataŝo* comprend les *Pataŝo* proprement dits, sur le río Santa
Cruz, les *Makinuka*, près du Salto Grande, sur le río Jeguitinhonha, les
Kanarin, entre les ríos Caravellas et Mucury, et enfin les *Hahaháy*, qui
parlent le dialecte du Sud, et dont Curt Nimuendajú a trouvé les derniers
représentants parmi les *Monoŝo*, sur le río Cachoeira.

1. Ces deux peuplades sont bilingues et emploient aussi le Takana.
Par ailleurs, le Père Aza identifie les *Arasaire* aux *Tuyuneiri*, qui sont des
Arawak [**12**].

LXXIX. FAMILLE *PUELČE* (*-Künnü* de Lehmann-Nitsche) (φ) [**56**]

Les *Puelče*, appelés par Falkner *Tehuelkünnü*, *Tehuelhet* et *Tehuelče*, par Camaño *Tuelče* (branche australe), par d'Orbigny *Puelče*, par Hale *Puelče*, *Pampa*, *Tehuiliče*, par Cox *Tehuelče* du Nord ou *Pampa*, par Musters *Pampa*, par Moreno *Gennaken*, *Pampa* véritables ou *Tehuelče* du Nord, et dans les anciens documents *Tuelče*, *Toelče*, dénommés encore *Gününa-küne*, habitaient dans l'Argentine centrale et méridionale depuis les derniers contreforts des Andes au Sud du Limay jusqu'à l'Atlantique, entre le río Negro et le 42e parallèle, atteignant même au Nord le río Colorado et au Sud le haut Chubut ; ils vivent maintenant surtout entre les ríos Colorado et Negro. Leur langue comporte deux dialectes : le dialecte oriental parlé près de Carmen de Patagones, le dialecte occidental en usage dans les Campos de Maquinchao au Sud du río Limay.

LXXX. FAMILLE *PUINÁVE* [**86 a**]

La famille *Puináve* comprend :
a) Les *Puináve* (J) (Puinabe, Puinavis, Uaipunabis, Guaipunavos, Uaipís, Guaipuño, Épined) qui habitent le bassin de l'Inírida ;
b) Les *Makú* (e) qui nomadisent entre le río Negro et le Yapurá, entre 69° 30′ et 61° 45′ de longitude.

LXXXI. FAMILLE *PURUBORÁ* *(a)* [**75 a**]

Les *Puruborá* vivent sur le río Manuel Correa, petit affluent de droite du Guaporé.

LXXXII. FAMILLE **PURUHÁ* (P) [**100**]

Les **Puruhá* habitaient la province actuelle du Chimborazo (Ecuador).

LXXXIII. FAMILLE *SÁLIBA* [**125,** 15-20]

La famille Sáliba comprend :
a) Les *Sáliba* (I) *(Sáliva, Sálliba, Sáliua)*, qui occupaient originellement le territoire compris entre le Vichada, le Guaviare et l'Orénoque, et comme habitat secondaire, le río Muco, le haut Meta et le haut Vichada ;
b) Les *Piaróa* (H), dont le centre principal se trouve sur le río Sipapo et la rive droite de l'Orénoque, dans les environs des rapides Átures et Maipúres ;
c) Les *Máku*, installés dans les savanes de la rive droite du moyen et du bas Ventuarí, et aussi sur le cours supérieur des affluents de droite de l'Orénoque, depuis l'embouchure du Ventuarí jusqu'à quelques jours de marche en aval de l'embouchure du Cunucunúma.

LXXXIV. FAMILLE *SAMUKU* [**13, 75 a**]

La famille *Samuku* occupe un vaste territoire du Chaco septentrional encore très mal connu, qui s'étend depuis le Paraguay à l'Est jusqu'au río Parapití à l'Ouest, depuis le río Otuquis au Nord jusqu'au parallèle 21° au Sud.
Elle peut se diviser en deux groupes.
Le groupe septentrional comprend :

Les *Guarañoka* (2), *Guaramoka, Kuraso* ou *Laaní*, à l'Est des Salines de San José et de Santiago ;

Les *Poturero* (3), sur le río Otuquis et son affluent le río San Rafael, auxquels il faut sans doute rattacher les *Ninakigila de la rive droite du bas Otuquis ;

Les *Musuraki* ou *Horihi*, du río Aguas calientes ;

Les *Kautarie, Kareluta*, ou *Kie*, du río Quies ;

Les *Samuku* (1) *(Zamuko)*, qui vivaient entre 20° et 21° de latitude et vers le 61° degré de longitude, avec une sous-tribu, les *Zatieno (Satieno)* ;

Les *Moro* ou *Morotoko* (4), qui s'appellent eux-mêmes *Takrat*, au Sud de San José et de San Juan vers le parallèle 19°, divisés en *Koroíno, Karera, Tomoeno* ou *Tameono, Kukurave* ou *Kukutade, Panono, Ororebate ;*

Les *Ugaraño* (5) *(Ugarono)*, grande tribu à l'Ouest des *Samuku* et au Sud des *Ṭírakuǎ*, et enfin les *Ṭírakuǎ* ou *Sirakua*, (6), que Nordenskiöld a rencontrés, entre les 19° et 20° degrés de latitude, à l'Est et à l'Ouest du Parapití, divisés en deux groupes, séparés l'un de l'autre par une tribu arawak guaranisée, les *Čane*.

Le groupe méridional comprend :

Les *Čamakoko* (7), la tribu la plus orientale (dont les *Kaipotorade ou *Kaiporade, les *Tunačo et les *Imono, mentionnés par les anciens auteurs, ne sont sans doute que des fractions), qui vivent sur la rive droite du Paraguay, depuis un point situé à peu près à égale distance entre Albuquerque et Coïmbra, jusqu'à un peu en aval de Ft. Olympo. Un dialecte *čamakoko*, parlé à Puerto Mihanovich sur le Paraguay, porte le nom de *Hório ;*

Les *Tumanahá* (9) *(Timinaha, Tumaná)* ou Čamakokos bravos, qui s'appellent eux-mêmes *Tumrahá* et vivent sur le río Salado ;

Les *Ebidoso* (8) ou *Iširá*, qui vivent dans l'ancien Puerto Diana, sur le río Paraguay.

LXXXV. FAMILLE *ŠIRIANÁ*

Cette famille comprend :

a) Les *Širianá* (b) *(Širišána, Kirišaná* ou *Guaharibo)*, qui vivent répartis en petits groupes à l'intérieur des terres, sur les affluents des deux rives de l'Uraricuéra, sur le versant méridional de la Cordillère de Parima ;

b) Les *Karime* (d) ou *Šauari*, sur le río Caterimany, dans la même région ;

c) Les *Waíka* (c), qui vivent sur le haut Ocámo et le Mocajahy, affluents de droite du haut Orénoque ;

d) Les *Pusárakáu*, tribu sauvage et inconnue, qui vivent dans la Cordillère de Parima.

LXXXVI. FAMILLE *ŠOKÓ*

Les *Šokó* (T) vivaient en 1802 aux sources de la rivière Piancó, affluent du río das Piranhas, dans l'État de Parahyba. Les derniers survivants habitent avec les *Natú* le village Collegio. Leur langue, encore inédite, est considérée comme isolée.

LXXXVII. FAMILLE *SSABELA*

Les *Ssabela* (V) ou *Tuey* (W) avec deux sous-tribus, les *Tihuakuna* et les *Širipuno*, vivent sur les affluents de droite du haut Napo, le Tihuacuno et le Chiripuno.

Les Blancs les appellent *Auka*, mot *kičua* qui signifie « ennemi ».

LXXXVIII. FAMILLE *SSIMAKU* (g)

Les *Ssimaku (Čimaku, Urarina, Oruaríña, Singakučuska, Arukuye, Itukale, Čambira* ou *Huambisa)* vivent sur le río Chambira, affluent de gauche du Marañón, entre le Pastaza et le Tigre.

LXXXIX. FAMILLE *ŠUKURÚ* [74]

La famille *Šukurú* occupait la région comprise entre la Serra dos Cayriris Velhos et le río São Francisco, dans les États de Pernambuco et Alagoas, notamment dans la Serra de São José et sur le río Meio.

Elle se compose des *Šukurú* proprement dits ou *Ičikile* (×), dont les derniers survivants ont été trouvés par Curt Nimuendajú dans la ville de Cimbres, les *Paratió* ou *Prarto* (ι), du río Capibaribe et les *Garañun* (μ), dans la Serra dos Garanhuns.

XC. FAMILLE *TARAIRIRÚ*

La tribu *Tarairirú* (ζ) vivait, à l'époque des guerres entre Hollandais et Portuguais, entre les ríos Assú et Apody. A cette tribu, on rattache, avec doute, les *Panatí* (η), habitants de la Serra Pannaty et des environs de Villaflor, les *Payakú* (ε), de la Serra do Coité, de la Serra de São-Bento et de la Serra Calabouço, entre les ríos Apody et Jaguaribe, et enfin les *Kanindé* (δ), des sources du río Chorro.

XCI. FAMILLE *TARUMA* [75]

Les *Taruma* (c) (avec une branche éteinte les *Parauien*) vivent sur le versant guyanais des monts Acarahy. Autrefois, ils devaient habiter sur l'Amazone, car ce sont eux qui aidèrent à construire Fortalezza da Barra, l'actuelle Manaos. Jusqu'ici, ils étaient rattachés à la famille linguistique *Arawak*, mais l'un de nous a montré que leur langue était indépendante.

XCII. FAMILLE *TIMOTE* (*Muku* de Salas)

La famille *Timote* (C) comprend le groupe *Timote* et le groupe *Kuika*.

a) Les multiples tribus du groupe *Timote* occupaient l'actuel État de Mérida, c'est-à-dire le bassin du Chama, les deux cordillères qui le limitent au Nord et au Sud, et les cours supérieurs des rivières qui y prennent naissance et se rendent au lac de Maracaïbo d'une part, à l'Apure d'autre part. A l'Ouest, le groupe englobait les sources de certains affluents de droite du Tachira. Les dialectes attestés sont le *Timote*, le *Mirripú* ou *Maripú*, le *Mukučí* ou *Mokočí*, le *Migurí*, l'*Eskaguey* et le *Tiguiñó*.

b) Le groupe *Kuika* occupait la plus grande partie de l'État actuel de Trujillo et comprenait les *Kuika* proprement dits, les *Tostó*, les *Eskuke* et les *Xaxó*.

XCIII. FAMILLE *TINIGUA* (K) [**26, 117**]

Cette famille comprend deux petites tribus : les *Tinigua*, qui vivent entre le haut Guayabero et le Yarí et sur l'Ariarí et les *Pamigua* ou *Bamigua*, qui n'ont été signalés jusqu'ici qu'à Concepción de Arama. Récemment, les missionnaires capucins ont réuni quarante Tinigua dans le petit village de Los Llanos del Yarí ou Tzáchena-Yona, sur les rives de l'Herorú, affluent de droite du Guayabero.

Les deux langues présentent des ressemblances lexicales avec le *Guahibo*, mais sans qu'on puisse, semble-t-il, en conclure à une parenté.

XCIV. FAMILLE *TRUMAI* (ω)

Les *Trumaí* (Tramalhys), habitent sur la rive gauche du bas Kulisehú, affluent du haut Xingú, par 12° 5' environ de latitude.

XCV. FAMILLE *TUKÁNO* (Betoya de Brinton)
[**7, 38, 40, 86** a, **89, 110**]

La famille *Tukáno* peut être divisée en trois groupes géographiques : groupe oriental, groupe occidental, groupe septentrional.

a) Le groupe oriental occupe le bassin des ríos Uaupés et Curicuriarý, affluents de droite du río Negro, et de l'Apaporís, affluent de gauche du Yapurá. Les dialectes attestés sont le *Tukáno* (1) (Daxsea, Dase ou Dagsexe), parlé sur le Curicuriarý, sur l'Uaupés et ses deux branches, le Tiquié et le Caiarý Uaupés ; le *Uaíana*, le *Uásöna* ou *Pira-tapuya*, le *Kobéua* (3) ou *Hahanana*, le *Koreá*, l'*Hölöua*, l'*Uanána* (2), sur le haut Caiarý Uaupés et ses affluents ; le *Karapaná* et le *Desána* ou *Uina, Wina*, entre le Caiarý Uaupés et le Papurý ; le *Čiránga* ou *Siriána*, sur le río Pacu-Igarapé ; le *Uaikana (Pira-tapuyo, Waikino)*, sur le bas Papurý ; le *Tuyúka* (5) ou *Doxkáfuara*, le *Bará* (4), le *Ŏmŏá*, le *Buhágana* (6), le *Sára* et le *Tsŏlá* ou *Teiuana*, aux sources du Tiquié ; le *Urubú-tapuyo*, aux sources du Caiarý ; le *Paṭoka* ou *Iuruti-tapuyo* sur l'Abio, affluent de l'Apaporís ; l'*Erulia*, le *Palánoa*, le *Tsŏloa*, sur le Piráparaná, haut affluent de l'Apaporís ; le *Dätuana*, l'*Ópaina* ou *Tanimbúka*[1] (9), le *Makúna*[1], le *Yahúna* (7) et le *Yupúa*, d'amont en aval sur l'Apaporís et ses affluents ; le *Kueretú* (8) ou *Koretu*, sur le Miriti-paraná, affluent du Yapurá, et sur le Yapurá même ; les *Menimehe*, entre le Miritiparaná et le Yapurá ; les *Durina* ou *Sokó*, du río Carapato ; les *Uantya* ou *Puia-tapuya*, du río Macú-igarapé.

b) Le groupe occidental occupe le bassin entier du Napo presque depuis son confluent avec l'Amazone jusqu'à l'embouchure de l'Aguarico, le cours entier de ce dernier, le bassin du Putumayo depuis sa source jusqu'à son confluent avec le río Yaguas, le haut Caquetá jusqu'à 74° de longitude environ et son affluent de gauche, le Caguán. La toponymie montre que c'est par cette dernière rivière et le haut Uaupés que s'établissait autrefois la continuité avec le groupe oriental, continuité qui semble avoir été rompue par une migration Karib.

Un très grand nombre de tribus, dont il serait superflu de donner ici la

1. Encore inédit.

liste, rentre dans ce groupe. Nous nous contenterons de citer les suivantes :
les *Tama* (10), qui vivent sur les rives des ríos Yarí et Caguán, affluents de
gauche du Yapurá et, peut-être les *Čoki* ou *Čoke*, au Sud du Guayavero ;
les *Amaguaxe*, sur le haut Caquetá et sur le San Miguel, affluent du Putumayo ; les *Koreguaxe* (12), aux sources du Caquetá et du Putumayo ; les
Seona (13), *Zeona* ou *Kokakañú*, entre le haut Putumayo et le Caquetá ;
les *Makaguaxe*, sur les ríos Caucaya, Mecaya et Senseya, affluents du
Caquetá ; les *Ikaguate (Ikahuate)*, Encabellados (14), *Pioxe* (15), *Anguteri
(Ankotere, Ankutere, Angutero)*, échelonnés sur le río Aguarico, le cours
moyen et inférieur du Napo et entre ce fleuve et le Putumayo ; les *Kóto* (16),
à l'embouchure du Napo ; les *Eno*, à l'embouchure du San Miguel.

c) Le groupe septentrional comprend exclusivement les *Tama* (10) et
Ayriko (11), qui vivent aux sources du Manacacia, affluent du Meta.

XCVI. FAMILLE *TUPI-GUARANÍ* [3, 8, 11, 16, 17, 21, 29, 46, 47, 53 b, 62, 63, 71 a, 71 c, 71 e, 74, 75 a, 76, 81, 83, 86 a, 87, 106, 123, 128, 129, 142, 145, 146, 147].

Le centre de dispersion des *Tupi-Guaraní* paraît avoir été la région
comprise entre le Paraná et le Paraguay. Au moment de la découverte, le
Guaraní était la langue dominante dans cette région, c'est-à-dire dans la
plus grande partie de l'actuelle République du Paraguay, et les territoires
avoisinants, qui correspondent aux provinces argentines de Corrientes,
Entre-Ríos, Santa-Fe et au gouvernement de Misiones. Parmi les nombreuses
tribus guaraní du Paraguay, dont les noms ont été mentionnés, nous citerons
les *Kariyó* (1) (Karió), sur la rive gauche du Paraguay et jusqu'à 100-
150 kilomètres à l'intérieur entre le Tibucuary au Sud et le Jejuy au Nord ;
les *Paranae* (4), entre les ríos Tibicuary et Paraná ; les *Apapokúva* (2),
sur la rive droite du bas Iguatemí à l'extrême Sud de l'État du Matto-
Grosso ; les Tañyguá, au Sud des *Apapokúva* ; les *Guayakí* (3) ; les
Kainguá (5). La plupart de ces tribus se sont fondues plus ou moins dans
la masse de la population du Paraguay moderne, mais, actuellement encore,
le Guaraní (10) est la langue dominante dans toute cette république.
Pourtant, certains groupements indiens ont encore conservé une indépendance presque complète ; tels sont les *Guayakí* et les *Kainguá*. Les premiers,
restés à l'état primitif, habitent entre 26º et 27º de latitude, entre le Paraná
et les sources du Tibicuary, affluent de gauche du Paraguay, sur les pentes
Sud et Sud-Est de la sierra de Villa Rica. Les *Kainguá (Kaiowa, Kayowa,
Kaiguá, Painguá)* sont divisés en deux groupes géographiques : le groupe
septentrional occupe le Nord du Paraguay et le Sud du Matto-Grosso,
atteignant le río Pardo au Nord et l'Acaray au Sud ; le groupe méridional
est installé dans le Sud-Est du Paraguay, aux environs de Jesús et de
La Trinidad, et dans le territoire argentin adjacent, dans les forêts de San
Ignacio et de Corpus (27º de latitude). Les principales tribus *Kainguá*
sont les *Apuitere (Apiteré)* entre San Joaquin et le río Amambahy, les
Mbühá (6), *Bwihá, Xeguaká, Tenonde, Kaiuá* ou Kahygua, sur le río Monday
et les *Čiripá* au Nord de l'Acaray jusqu'au Salto de Guayra. Du groupe
septentrional, s'est détachée, au milieu du siècle dernier, une colonie qui
s'est installée sur le bas Tibagý, affluent du Paranapanéma, aux environs
de São Pedro de Alcantara dans l'État brésilien du Paraná. Les *Kainguá*

des environs de Catanduvas sur l'Iguassú, appelés *Batikóla* ou *Baaberá*,
et ceux des environs du Salto grande du Paranapanéma et des environs de
San Ignacio sur le cours inférieur de la même rivière (Yvytyigua) ont sans
doute la même origine.

De même, d'autres tribus guaraní du Paraguay *(Apapokúva*, Tañyguá
et *Oguauíva)*, obéissant à un mouvement migratoire d'ordre religieux vers
l'Est, ont remonté, au début du xixᵉ siècle, les affluents de droite du Paraná,
ríos Ivahý, Paranapanéma et Tieté, envahi le Brésil méridional et sont venus
s'installer entre le haut Aquapehy et les affluents de gauche du Tieté, sur les
ríos das Cinzas et Itararé, affluents méridionaux du Paranapanéma, et sur
la côte entre Santos et Iguapé. Les *Are* (7), *Šetá* ou Yvaparé-Botocudo, qui
vivent sur l'Ivahý en aval de Villa Rica, et les Notobotocudo (8) *(Pĩhta-*
dyovái) des sources de l'Iguassú et de l'Uruguay, qui sont également de
parler guaraní, se rattachent peut-être à cette migration, mais ils peuvent
appartenir aussi bien aux migrations antérieures dont je vais parler
maintenant.

En effet, avant l'époque historique, des exodes guaraní ont certainement
eu lieu ; ces migrations, après avoir atteint l'Atlantique, ont suivi le littoral
brésilien du Sud au Nord jusqu'à l'embouchure de l'Amazone, et remonté
le cours de ce grand fleuve, presque jusqu'à sa source, et de quelques-uns de
ses affluents, particulièrement de ses affluents méridionaux.

Les peuplades tupi-guaraní du littoral ont à peu près entièrement disparu ;
il n'en reste actuellement, en dehors des quelques représentants signalés
plus haut dans les États de São Paulo et Santa Catharina, que quelques
débris parmi la population côtière du Rio Grande do Suî, d'Espirito Santo,
de Bahia et de Pernambuoc. Mais, par les témoignages des anciens auteurs,
nous savons qu'au moment de la découverte, elles occupaient tout le littoral
depuis 30° de latitude jusqu'au bas Amazone. Leurs principales tribus étaient
les **Tape* (9), qui s'étendaient depuis les environs de Montevideo jusqu'au
río Uruguay au Nord, et surtout les **Tupinamba*, qui vivaient depuis
l'île Santa Catarina au Sud jusqu'à l'embouchure de l'Amazone et sur le
cours inférieur de ce fleuve jusqu'au río Negro (l'île de Tupinambarâna
garde le souvenir de leur nom), et qui étaient divisés en de nombreuses
fractions, les **Kariyó*, entre l'île Santa Catarina et le río Cacanea, les
*Tamoyó (11), entre Angra dos Reis et le cap S. Thomé, les **Tupinikin* (12)
(Tupinaki), entre le río de S. Matheus et Camamú (14), les **Tupinamba*
proprement dits (13), entre Camamú et l'embouchure du río San Francisco,
les *Potyuára* (16) (Pitouara, Potigare, Pitigare, Pitogoare), dans les provinces
de Parahyba do Norte et de Ceará jusqu'à la région de Cumá dans l'État
de Maranhão, les **Kaite (Kaëte, Kahetê)*, dans les provinces de Parahyba
do Norte, Rio Grande do Norte et Ceará, les **Taramembe* (17) *(Teremembí,*
Tremembé), entre les ríos Turyassú et Coité (province du Pará), les **Ñenga-*
hiba (25), dans l'île de Marajó, etc.

A proximité de la rive méridionale du bas Amazone, il existe encore un
certain nombre de tribus tupi-guaraní, qui représentent les restes de cette
ancienne migration. Ce sont les *Manaže* (24), sur le río Ararandéua, affluent
du Capím, les *Miraño*, entre l'Acará et le Capím, aux sources du Bujarú,
affluent de gauche de ce dernier ; les *Tembẽ* (20), sur le río Acará pequeno et le
Capím, et les *Guažažará* (21), aux sources de l'Itapucurú et du Mearím, qui
parlent des dialectes du *Tenetehara* (19) ; les *Guažá, Wazaizara* ou *Guaxara*,

entre le río Capím et le haut Gurupá ; les *Takumandikai* ou *Caras Pretas, sur le bas Xingú ; les *Turiwára* (23), sur le río Acará grande ; les *Urubú* (22) ou Gaviãos, sur les ríos Gurupy, Guama et Turyassú ; les *Ararandeūara, Manaž̌o, Amanaye* ou *Amanaž̌o*, sur le Mojú ; les *Anambē̌* (28), sur la rive gauche du bas Tocantins, au-dessous du dernier rapide du Rebojo do Guariba, près de Praia grande et, apparentés à ceux-ci, les *Pakaž̌a* (26) (Pakaja), les *Ž̌akunfa* (Jakunda, Amiranha) et les *Anta (Tapirauba, Tapirauha)*, à cinq jours de route à l'Ouest de la cataracte Itaboca par 4º de latitude, sur le cours supérieur des rivières qui débouchent dans l'Amazone vers Portel.

Plus à l'Ouest encore, l'Amazone était et est encore en partie occupé par d'autres tribus tupi-guaraní, venues, selon toute vraisemblance, de son cours inférieur. Les *Yurimagua* (32) *(Zurimagua)* vivaient autrefois sur l'Amazone depuis le Purús au moins à l'Est, jusqu'au Jutahý à l'Ouest. Fuyant les Portugais, ils émigrèrent peu à peu vers l'Ouest, en amont du confluent du Putumayo d'abord, puis ultérieurement sur le Huallaga, où un village, situé au confluent de ce fleuve et du Paranapura, porte encore leur nom. Comme eux, les *Omagua* (33) *(Kampeva)* viennent de l'Est. Primitivement installés dans les grandes îles du Marañón entre les embouchures du Yuruá et du Napo, ils vinrent se fixer entre le Napo et l'Ucayali, où un village conserve leur nom. Les *Kokama* (34) *(Ukayale)* et les *Kokamil'a* (35) *(Gual'aga)* firent, sans aucun doute, partie de la même migration. Les premiers vivent sur le bas Ucayali et aux environs de Nauta sur la rive gauche de l'Amazone, les seconds sur le bas Huallaga.

A ces tribus occidentales, mais venus certainement à une époque antérieure, se rattachent les *Miránya* (36) *(Boro)*, qui habitent entre le Yapurá et l'Igára-paraná, principalement sur les rives du río Cauinarý, et parlent un dialecte tupi très différencié, alors que l'Omagua et le Kokama sont du Tupi presque pur.

Les Miránya ne sont pas les seuls représentants de la famille tupi-guaraní installés au Nord de l'Amazone. Beaucoup plus à l'Est en effet, on rencontre les *Paikipiranga* (37), aux sources du Maracá, affluent de gauche du bas Amazone ; les *Oyampí* (40) (*Oyambí, Aiapí*, Uajapí, Oaiapí), avec les soustribus des *Tamakom* (39) et des *Kussari* (38), qui habitent aux sources de l'Araguary, du Yari et de ses affluents de gauche, dans les Monts Tumuc-Humac, et sur l'Oyapok depuis sa source, jusqu'au parallèle 3º 30′ environ ; les *Emeril'on* (41), *Emereñon* ou *Teko*, qui vivent dans la région où prennent naissance l'Approuaguc, le Camopi, affluent de l'Oyapok et l'Inini, affluent du Maróni.

Les riverains de l'Amazone ont aussi envahi d'aval en amont un certain nombre des tributaires méridionaux de ce fleuve.

Dans le bassin du Tocantins, on trouve les *Kubeñépre* (42), dans les forêts vierges du haut Itacayuna, affluent de gauche en aval du confluent de l'Araguaya, les *Tapirape* (43), entre les ríos Tapirapé et Najá (entre 10º et 11º de latitude), les *Arawine*, sur le río 7 de septembre et les *Parakanã* (27) ; par contre, les Canoeiros (44) *(Avá* ou *Tiäbezä)*, qui vivent dans le Sud de l'île Bananal et entre le Tocantins et l'Araguaya, entre 12º et 14º 30′ de latitude, paraissent être des émigrés venus du Sud au début du XVIIIe siècle (voir p. 1146).

Dans le bassin du Xingú, les tribus Tupi-Guaraní signalées jusqu'ici

sont les *Tekunapéua* (30), *Takuñape* ou *Peua*, par 3º 30′ de latitude ;
les *Yuruná* (45), entre 4º 30′ et 8º 30′, et leurs proches parents, les *Šipaya* (46)
(Ašipaye), sur le bas Iriri et son affluent de gauche, le Curuá ; les *Arupai*
ou *Urupaya*, au Sud des *Yuruná ;* les *Maniţauá* (48), sur la rive gauche vers
11º ; les *Kamayurá* (49) et les *Auetŏ* (49), sur la rive gauche du Kulisehú,
respectivement par 12º 7′ et 12º 23′.

Dans le bassin du río Madeira proprement dit, vivent les *Parentintin* (55),
Kawahíb ou *Kawahíwa*, installés entre le Gy-paraná et le Marmellos, avec
deux petits groupes isolés sur le Riozinho *(Kawahib-Tupí* et *Kawahib-
Wiraféd)* et le Machadinho, affluents de droite et de gauche du haut Machado.
Cette tribu parle un dialecte tupi-guaraní très pur. Citons encore les *Pauate*,
au Nord des *Tuparí* (tribu *Amniapé*), les *Ipoteuate* et les *Tekuatepe*, sur le río
Gy-Paraná, les *Paranauát*, aux sources du río Zinho, les *Kep-kiri-uat*,
Kepkeriwát ou *Kepi-keri-uáte* (58), sur le río Pimenta-Bueno, les *Mondé,* sur la
rive droite de cette rivière, les *Sanamaikā* (59), entre les ríos Pimenta Bueno
et Verde, les *Kabišiana* (66), entre les ríos Corumbiara et Méquens. Dans le
même bassin, les *Rama-Rama* (57) ou Ytangá du río Machadinho, affluent
du Machado, et leurs proches parents, les *Ntŏgapid* (56) du haut Madeirinha,
affluent de gauche du río Roosevelt, parlent au contraire, d'après les courts
vocabulaires recueillis par Horta Barbosa et par C. Nimuendajú, un dialecte
guaraní très altéré, influencé, semble-t-il, par les langues de la famille
Katukina. Les *Urumi* du río Tarumá, affluent de droite du río Machado,
appartiennent aussi à ce petit groupe.

Dans l'énumération des tribus tupi-guaraní des affluents méridionaux
de l'Amazone, nous avons omis de citer jusqu'ici celles du bassin du Tapajoz.
Il semble en effet que ces tribus appartiennent, au moins en partie, à un
courant migratoire différent de celui que je viens de suivre. Ce second courant,
parti directement du Paraguay vers le Nord, aurait envahi le Tapajoz
d'amont en aval. Le fait semble prouvé au moins en ce qui concerne les
Apiaká (52), installés sur l'Arinos et le Juruena et au-dessous du confluent
de ces deux rivières, et la tribu apparentée des *Tapañuma* (51), qui vit sur
les deux rives de l'Arinos depuis le 12ᵉ parallèle jusqu'à son confluent avec
le Juruena ; mais de nouvelles études sont nécessaires pour y rattacher les
Munduruku (53) *(Pari)*, qui habitent le bas et le moyen Tapajoz depuis le
confluent du río S. Manuel, les *Makirí*, du río São Manoel, les *Kayabí* (50)
ou *Parua*, sur le río Paranatinga et son affluent le río Verde, et les *Mauhē* (54),
installés entre le bas Tapajoz et le bas Madeira, sur le río qui porte leur nom,
et dans l'île de Tupinambarâna. La même remarque s'applique à une tribu
du Xingú, nettement apparentée aux *Munduruku*, les *Kuruaya* (47)
(Kuruahe, Kuruaye, Kurinaye, Kurueye), qui occupent le territoire compris
entre l'Iriri et le Curuá, où ils sont parvenus sans doute en suivant le
Jamauchim, affluent de droite du Tapajoz. Suivant une tradition très vraisemblable, les Canoeiros du Tocantins seraient aussi venus du Sud ; ils
seraient les descendants d'Indiens Kariyó, amenés de São Paulo par les
découvreurs de l'État de Goyaz.

Un troisième courant de migration tupi-guaraní s'est dirigé vers l'Ouest.
Les *Čiriguano* (60) *(Aba, Kamba, Tembeta)*, qui vivent sur les contreforts
des Andes boliviennes (serranía de Aguaragüe) et dans les premières plaines
de la partie occidentale du Grand Chaco entre 22º et 19º de latitude, depuis
les environs de Santa Cruz de la Sierra au Nord jusqu'au haut Bermejo au

Sud, sont venus du Paraguay, à travers le Chaco central et méridional, à une date qu'on peut fixer au début du xvi⁰ siècle. Ils trouvèrent dans leur nouvel habitat des tribus d'autre origine, qui adoptèrent leur langue, tels les *Čane* (62) ou *Tapuí*, dont on trouve les restes, d'une part sur le río Itiyuro, près de Campo y Duran, aux sources du Pilcomayo, d'autre part à Caipipendi et sur le río Parapití (où on les appelle Izoceño), chez qui survit, comme langue secrète, un parler arawak. Tels sont également les *Tapiete* (61) *(Tirumbae)* ; ces Indiens qui vivent entre le haut Pilcomayo et le haut Parapití, à l'Est des *Čiriguano* et au Nord des *Čorotí*, entre 21⁰ 30′ et 20⁰, ont adopté la langue et certaines coutumes des *Čiriguano*, mais ont une civilisation qui, dans son ensemble, rappelle plutôt celle des Matako, des *Čorotí* et des Toba, surtout si on l'observe chez les représentants de la tribu restés à l'état sauvage, les Yanaigua *(Yanáygua)* du río Parapití.

Les *Guarayo* (64), les *Sirióno* (63) et les *Pauserna* (65) de Bolivie sont venus très probablement aussi du Paraguay, à travers le Chaco boréal. Les *Guarayo (Guarayú, Italin)* vivent aux sources du río Blanco et sur le río San Miguel ou Itonama entre 15⁰ et 16⁰ de latitude, les *Pauserna* ou *Moperekoa*, sur la rive droite du Guaporé, en amont de son affluent, le Curumbiara, et sur la rive gauche, entre le Paragua et le río Verde. Quant aux *Sirióno (Tirinie, Ñeoze* ou *Kurugua)*, on les rencontre entre le Guaporé et le bas río Blanco et sur la rive droite de celui-ci vers 14⁰ de latitude et à sa source, entre le haut Machupo et l'Itonama, aux sources de ce dernier fleuve, entre le haut Ivari et le Río Grande, sur le Yapacuní entre le Quimoré et le Piray et entre ce dernier et le haut Itonama[1].

La répartition générale des Tupi-Guaraní et l'étude de leur histoire montrent qu'ils ont employé surtout dans leurs migrations la voie maritime et fluviale. C'est pourquoi Hervás les surnommait fort justement les « Phéniciens de l'Amérique ».

Une esquisse de grammaire comparée de la famille Tupi-Guaraní a été faite par L. Adam [**3**]. Cet auteur distingue dans le Tupi ancien ou *Abañeênga* deux dialectes, le dialecte du Sud ou Guaraní proprement dit, le dialecte du Nord ou Tupi proprement dit. Le dialecte du Sud a donné naissance au Guaraní moderne ou *Abañeeme*, tel qu'il est parlé encore au Paraguay et dans les régions avoisinantes, le dialecte du Nord au Tupi moderne ou *Ñeêngatu*, appelé par les Portugais « lingoa geral ». Cette dernière dénomination résulte de ce que le Tupi a eu la même fortune que le *Kičua*. Adopté par les missionnaires comme langue d'évangélisation, par les colons comme langue de relation avec les Indigènes, le Tupi s'est peu à peu répandu dans tout le bassin de l'Amazone et même dans tout le Brésil, en sorte que presque toutes les tribus indiennes en contact plus ou moins direct avec les Blancs l'ont adopté et sont devenues bilingues, lorsqu'elles n'ont pas oublié complètement leur langue primitive. C'est ainsi que Bach a recueilli, près d'une indienne appartenant à la tribu *katukina*, établie entre les rivières Embyra et Embyrasu, affluents du Tarauacá, un vocabulaire nettement guaraní, qu'il a publié sous le nom de *Katukinarú* [**27**], ce mot n'étant que la forme féminine du nom de la tribu. De même, le vocabulaire formé par l'abbé E. Ignace chez les Borun [**63**] pourrait nous faire croire que ces Indiens sont des Tupi, alors qu'en réalité ils se rattachent aux Botocudo, par conséquent à la famille Aymoré.

---

1. Voir aussi la *Note finale*, p. 1151.

XCVII. FAMILLE *TUŠÁ* (S)

Les *Tuŝá* habitent le village de Rodellas sur la rive droite du fleuve São Francisco. Suivant les documents non encore publiés, leur langue est considérée comme isolée.

XCVIII. FAMILLE *VILELA* (*Lulé* de Chamberlain) [135]

La famille *Vilela* occupait, dans le Chaco argentin, une grande région sur la rivière Bermejo. Elle comprenait les *Vilela* (1) ou *Uakambabelte* de San Bernardo et de Fortín Gorrití, les *Pasain* (4) *(Pazaine)* de Macapillo, les *Okole* (3) de Laguna Colma et de Lacangayé, les *Omoampa (Umuampa)* de Ortega et de Miraflores, les *Sinipi (Sinipe, Sivinipe)*, entre le Lacangayé et la lagune de Colma, et enfin les *Čunupí* (2) *(Čulupí, Čunipí)*, à l'embouchure du río San Francisco à Bermejo, plus tard cantonnés à la Encrucijada, à Valtolema, à Ortega et à Esquina grande. Toutes ces tribus, ainsi que d'autres dont les noms nous ont été transmis : Vakaa, Atalalá, Ipa, Yekoanita, Yook, Teket, Guamaika, sont aujourd'hui éteintes ou parlent le *Kičua*.

XCIX. FAMILLE *WITÓTO* [30, 55, 93, 101 a]

La famille *Witóto* comprend :

a) Les *Witóto* proprement dits (1), qui vivent entre le haut Yapurá et l'Içá, et surtout sur les ríos Carapaná et Igaráparaná, affluents de gauche de l'Içá, dont les dialectes les plus connus sont le *Witóto-Káime*, le *Búe*, le *Mekka*, le *Meneka*, le *Eraye*, le *Meresiëne*, le *Xúri*, le *Seueni*, le *Fitita;*

b) Les *Miraña-Karapaná-Tapuyo* ou *Andokero*, qui habitent près de la chute Ararakuára du Yapurá ;

c) Les *Hairuya* (2), sur le río Tamboryaco ;

d) Les *Nonuyə, Nonuya* ou *Añonolá* (4), aux sources du Cahuinari ;

e) Les *Okaina* (3) ou *Dukaiya*, sur le río Igaraparaná ;

f) Les Orejones (5), petite tribu installée sur le río Ambiyacu, affluent de gauche de l'Amazone ;

g) Les *Koëruna* (6), dont quelques survivants habitaient près du Miritíparaná, affluent de gauche du Yapurá, à l'époque de Martius, d'après Koch-Grünberg.

C. FAMILLE *XÍBARO*

La famille *Xíbaro (Xívaro, Šiwora, Šuãra)* comprend : les *Xíbaro* proprement dits et les *Palta*.

a) Les *Xíbaro* proprement dits (4) occupent tout le territoire compris entre la Cordillère orientale des Andes à l'Ouest, le río Pastaza au Nord et à l'Est, et le Marañón au Sud, sauf dans la partie comprise entre ses affluents méridionaux, les ríos Nieva et Potro, où une importante tribu, les *Aguaruna* ou *Awahun* (5), occupe sa rive droite.

Ces Indiens se divisent en un très grand nombre de tribus qu'il est inutile d'énumérer ici ; les dialectes suivants sont plus ou moins connus : *Makas, Gualakiza, Aguaruna, Zamora, Ačual* (3), *Pintuk, Miazal, Ayuli* et *Morona;*

b) Les *Palta* (1) habitaient, dans la vallée interandine écuadorienne, une région qui correspond sensiblement à la province actuelle de Loja. Certaines de leurs tribus [*Bolona* (2)] occupaient également les vallées du haut Zamora et du haut Chinchipe.

CI. FAMILLE *XIRAXARA* (B) [**33**]

La famille *Xiraxara* occupait autrefois au Venezuela, d'une part toute la partie montagneuse de l'État Falcón, la partie septentrionale de l'État Lara et l'Est de l'État Zulia, d'autre part la cordillère côtière à l'Est du Yaracuy, dans les États actuels de Yaracuy, Carabobo et Lara, principalement dans la région de Nirgua.

On y classe les *Xiraxara* proprement dits, qui habitaient le Nord et l'Ouest du premier centre délimité plus haut et le second centre en entier, et dont les derniers descendants vivent, ou vivaient encore, il y a quelques années, à Siquisique ; les *Ayamán*, riverains du Tocuto sur son cours moyen, dont les rares survivants se rencontrent dans les environs des municipes de San Miguel, Aguada grande et Moroturo (État Lara) ; les *Gayón*, cantonnés actuellement dans le municipe de Bobare au Nord-Ouest de Barquisimeto.

Oramas, qui a montré la parenté des langues parlées par ces trois tribus, pense qu'il faut les rattacher à la famille Arawak, mais les preuves qu'il a données à l'appui de cette hypothèse ne sont pas concluantes.

CII. FAMILLE *YABUTÍ (i)* [**75 a**]

Cette famille comprend deux tribus : les *Yabutí* proprement dits et les *Arikapú*, qui vivent dans un petit territoire aux sources du río Branco, affluent de droite du Guaporé.

CIII. FAMILLE *YAHGAN* (χ) [**49, 65, 156**]

Les *Yahgan* ou *Yámana* occupent ou occupaient la côte méridionale de la Terre de Feu, d'une extrémité à l'autre et tout l'archipel méridional. On connaît cinq dialectes : le dialecte de l'île Wollaston, le dialecte oriental des îles Navarin, Gabler, Nueva et Lennox, le dialecte central parlé sur la côte de la Terre de Feu, entre Puenta Davide et Ushuaia, le dialecte occidental parlé sur la même côte, entre Puenta Davide et Brecknock, et le dialecte méridional parlé à Bahia Cook et à Milne Edwards.

CIV. FAMILLE *YARURO* (G) [**103**]

Les *Yaruro (Pume, Yuapín)* vivent dans le bassin du Capanaparo, affluent de gauche de l'Orénoque.

CV. FAMILLE *YURAKÁRE* (o) [**75 a**]

Les *Yurakáre (Yuruxure, Yurukare, Kuči, Enete)* vivent en Bolivie, entre les parallèles 16° et 17°, aux sources de Sécure, du Chapáre et du Chimoré, affluents de gauche du Mamoré.

CVI. FAMILLE *YURI* (Z)

Les *Yuri, Yuria* ou *Tukano-tapuya* vivaient sur le bas Yapurá, depuis le

delta jusqu'aux premières chutes, entre ce fleuve et le Putumayo, principalement sur le río Puré supérieur, vers le parallèle Sud 2º 30'.
Depuis 1852, aucune nouvelle de cette tribu n'a été donnée.

CVII. FAMILLE *ZÁPARO* [**90**]

Les *Záparo*, dont on sait les noms de trente-neuf tribus, vivent entre le Napo, le Bobonaza et le Pastaza. On connaît cinq dialectes de leur langue : le *Záparo* proprement dit (1), le *Konambo*, le *Gae*, l'*Andoa* (3) et l'*Ikito* (2). Ils présentent des ressemblances lexicographiques assez nettes avec le Mirànya, qui est un dialecte tupi-guaraní très différencié, mais sans qu'on puisse conclure à une parenté originelle.

CVIII. FAMILLE *ŽE* [**61, 86**]

Le centre de dispersion de la famille *Že* paraît avoir été la vaste région entre les fleuves São Francisco à l'Est, Tocantins à l'Ouest, Mearim au Nord et Paranahyba au Sud, c'est-à-dire presque toute la moitié orientale du plateau brésilien. De là, quelques tribus se sont répandues principalement vers l'Ouest en pénétrant dans les bassins du Tocantins, de l'Araguaya et même du Xingú et jusqu'au Tapajoz.

Cette famille, très artificiellement constituée au début, a été complètement révisée par l'un de nous. D'après ces études, on doit supprimer un grand nombre de tribus, anciennement classées dans cette famille et constituer avec elles les familles nouvelles : Gamella, *Kaingán*, Coroado, *Aymoré*, *Mašakali*, *Patašo*, *Kamakan* et *Fulnio*.

Les tribus qui restent dans la famille *Že* doivent être réparties en quatre groupes :

a) Les *Že* septentrionaux, qui vivent dans les forêts vierges du Nord du plateau central brésilien, comprennent : les *Tāže* (4) ou *Timbirá* sur la rive droite du río Mearim, les *Kukoekamekran* (2), sur le bas río Grajahú, les *Kreapimkataže* (3) ou *Krepúmkateye*, sur le Grajahú moyen, les *Kanákataže* (17), au Sud des précédents, les *Krenže* (8), aux sources du río Gurupý, les *Mehín* (1), sur la rive gauche de la même rivière, les *Šákamekran* (5) ou *Sakamekran*, sur les ríos Flores et Codo, affluents de droite du Mearim, les *Remkokamekran* (6) *(Remako-Kamekrere* ou *Merrime)*, entre les ríos Corda et Alpercatas dans la même région, les *Apáñekrã* ou *Aponežikran* (7), aux sources du río Corda et les *Kenkataže* (13) ou *Kanella*, aux sources du río Alpercatas. Certaines tribus du groupe septentrional se sont infiltrées vers le Sud. Ce sont les *Kapiekran* (15), sur le río Balsas, les *Krahó* (14) ou *Krão*, entre le même río et le río Macapá, les *Krikataže* ou *Krikati* (11), entre le fleuve Tocantins et le río Grajahú, les *Piokobže* (12) *(Pukobže* ou *Bukobu)* aux sources du río Grajahú, les *Augutže* (9) ou Gaviões entre le Tocantins et le río Surubijú, les *Apinaže* (10), établis sur le Tocantins et l'Araguaya, en amont et près de leur confluent, les *Norokuaže* (19) ou *Ñurukwaye* dans la même région, au Sud des *Apinaže*, les *Purekamekran* (18), au Sud des précédents, les *Makamekran* (16) ou *Pepuši* sur le río Manoel Alvez pequeno, les *Ponkataže* ou *Kanákataže* sur le río Farinha, les *Kenpokataže* entre les ríos Manoel Alvez grande et Manoel Alvez pequeno, et enfin avec doute les *Aruá* (36), entre les ríos Itahim et Jaguaribe.

b) Les *Že* méridionaux comprennent toutes les tribus qui vivent ou

vivaient entre Chapada das Mangabeiras et le fleuve Paranahyba, avec
pénétration de quelques groupes dans les bassins du Xingú et du Tapajoz.
On y classe les *Karaho* de la Serra do Estrondo, les *Kayapó* (20) (Kaiapo ou
Ibirayára) dans l'État de Goyaz, avec les sous-tribus des *Meibenokre* (21)
(*Mekubengokre* ou *Kayapó* du río Pau d'Arco ou *Irãamráire*) sur les ríos
Pau d'Arco et Arraias, *Gorotire* (22) ou *Kayapó* du río Xingú entre les
ríos Pau d'Arco et Xingú et *J̌ore* (23) dans la région peu explorée qui
s'étend au Nord des *Tapirapé*, tribu de la famille *Tupi-Guarani*. Les tribus
qui ont pénétré dans les bassins du Xingú et du Tapajoz sont : les *Duludi* (38),
sur le río Jaraucu, non loin de Porto do Moz, les *Kruatire*, sur le fleuve
Xingú, les *Ušikrin*, sur le río Vermelho, les *Kradahó* (24) ou *Gradaú*,
entre les ríos Araguaya et Xingú, et enfin les *Kayapó* du Sud (25), dont on
ne connaît pas le nom propre, dans le bassin de Paranahyba, principalement
sur les ríos Turvo, Corumbá, Meia Ponte, Tijuco, Pardo, Sucurijú, Aparé
et Taquari, non loin de la ville actuelle de Santa Ana de Paranahyba.

c) Les *Že* occidentaux sont les *Suyá* (26), trouvés en 1884 par von den
Steinen, sur le río Xingú par 10° 15′ de latitude, et en 1887 plus au Sud, sur
la rive droite du río Culuene.

d) Les *Že* orientaux occupent ou occupaient une vaste région entre les
fleuves Tocantins et São Francisco et atteignaient au Sud les sources des
ríos Paranahyba et São Francisco. Ils comprennent : les *Goyá* (27), aux
sources du río Vermelho, les *Šavante* (28) *(Akuen, Akwẽ* ou *Kayamó)*,
autrefois entre le Tocantins et le Parnahyba, aujourd'hui sur le río Manso,
les *Šerente* (29), qui vivaient entre le Tocantins et le río Urussuhy, mais qui
sont cantonnés aujourd'hui dans un petit village du Tocantins moyen, les
Šikriabá ou *Šakriabá* (30), sur les ríos da Palma et Grande, non loin de la
ville actuelle d'Uberabá, les *Arikobe* (31) ou *Krão* (qu'il ne faut pas confondre
avec les *Krão* du groupe septentrional), sur le río Preto, les *Akroá* (32), aux
sources des rivières Parnahyba et Paranahyba, les *Gogez* (33) ou *Guegue*,
entre le fleuve Tocantins et le río Gurgueia et les *Žeikó* (34), sur les ríos
Canindé, Piauí et Gurgueia. Ces derniers parlaient un dialecte très différencié. A ce groupe, on peut rattacher avec doute les *Pontá* (37), des environs
de la ville actuelle de Quebrobó et les *Timbirá* (35) de Canella fina, entre
les ríos Parnahyba et Itahim.

NOTE FINALE

Nous n'avons pas fait mention de quelques tribus signalées sur notre
carte comme faisant partie de la famille *tupi-guarani :* les *Tupiná* (14), les
Amoipia (15), les *Toboyára* (18), les *Timileni* (29), voisins des *Arará*, les
Asurini (31), à l'ouest du río Xingú. Les langues parlées par ces groupes
indiens étant inconnues, nous préférons les mentionner ici, sans anticiper
sur leur classification.

Nous y ajouterons les tribus suivantes du bassin du Madeira : les *Baku-
röñčiči*, sur le río Branco, les *Čurima*, de l'ancienne mission San José de
los Mahaneros, en Bolivie, les *Karitiana*, sur le río Jaçy-parana, les *Kiapüre*,
sur le río Mequens, les *Krutria*, sur le cours moyen du río Branco, les
Lambi, entre les ríos Branco et São Miguel, les *Papamiän*, sur un affluent
du río Branco, les *Quaiá*, sur le río Apudia, les *Salamai*, sur la même rivière,

les *Takunbiaku, entre les ríos Guapay et Chiquitos, les Tamakosi, de la Barranca, les Yauei, en face du confluent des ríos Madeira et Atininga, les Zurina, au confluent des ríos Parana Mamory et Madeirinha [75 a].

Citons encore pour être complet : les Ampaneá, aux sources du Tapirapé, les *Itaña, à Monte-Mor, Ceará, les Kuiapo-Pihibi, des plaines du Tomo, Venezuela, Matto-Grosso, les Piapai, sur le río Jamaxim, les *Romari, près de Propiha Alagoas, les Taiguana, dans la Sierra Araracuára, les Tapoya, aux sources du Jamary, Matto-Grosso, les Uariua, sur le río Mariété [73].

Le Guanare (γ) est la langue d'une tribu tout à fait inconnue, entre les ríos Itapucurú et Parnahyba (Brésil du Nord).

Il faudrait ajouter une 109e famille linguistique à la liste déjà si longue des familles sud-américaines pour une nouvelle langue du Brésil, parlée près de Mirandela, entre les ríos Vasa Barris et Itapucurú, et qui, pour l'instant, ne paraît pas apparentée à un des groupes connus [82 a].

Les Ciboney des Antilles, mentionnés sur la carte (XVII, B), ne sont connus que par des documents archéologiques ; ils ne représentent pas une entité linguistique et, pour cette raison, ils ont été exclus de notre classification.

P. Rivet et Č. Loukotka.

BIBLIOGRAPHIE

1 Adam (Lucien), Matériaux pour servir à l'établissement d'une grammaire comparée des dialectes de la famille Caribe. Bibliothèque linguistique américaine, t. XVII. Paris, 1893.

2 Adam (Lucien), Esquisse grammaticale et vocabulaire de la langue Guarauno. Congrès international des Américanistes. Actas de la undecima reunión. México, 1895, p. 479-489.

3 Adam (Lucien), Matériaux pour servir à l'établissement d'une grammaire comparée des dialectes de la famille Tupí. Bibliothèque linguistique américaine, t. XVIII. Paris, 1896.

4 Ahlbrink (W.), Vijf maanden in het oerwoud. Rotterdam, 1929.

5 Aires de Cazal (P. Manuel), Corografía Brasilica. Rio de Janeiro, 1833.

6 Albisetti (Cesar), Estudos e notas complementares sôbre os Boróros orientais. Publicações da Sociedade brasileira de anthropologia e etnologia. Rio de Janeiro, t. I, 1948, p. 5-24.

7 Anonyme, Dictionnaire tocano-español. Steyl, s. d.

8 Anonyme, Vocabulario Sirionó. Casarabe, Casarabe-Beni, t. I, 1943, p. 19.

9 Armellada (Cesáreo de), Gramática y diccionario castellano de la lengua Pemón (Arekuna, Taurepán, Kamarakoto). Caracas, 1943-1944.

10 Arvelo (M. M.), Algo sobre etnografía del territorio Amazonas. Ciudad Bolívar, 1908.

11 Ayrosa (Plinio), Apontamentos para a bibliografía da língua tupiguarani. Universidade de São Paulo. Faculdade de filosofia, ciencias e letras. São Paulo, Boletim no 4, 1943.

12 AZA (José Pío), *Vocabulario Español-Arasairi*. Lima, 1937.

13 BALDUS (Herbert), *Notas complementares sôbre os Indios Chamacocos*. Revista do Museu Paulista. São Paulo, t. XVII, 1931, p. 529-551.

14 BALDUS (Herbert), *Vocabulário zoológico Kaingang*. Arquivo do Museu paranaense. Curitibá, t. VI, 1946-1947, p. 149-160.

15 BELAIEFF (Juan), *El Maccá*. Revista de la Sociedad científica del Paraguay. Asunción, t. IV, nº 6, janvier 1940, p. 1-110.

16 BERTONI (Guillermo Tell). *Diccionario Guayaki-Castellano*. Revista de la Sociedad científica del Paraguay. Asunción, t. IV, nº 5, 1939.

17 BIANCHETTI (Juan de), *Gramática Guarani (Avá nee)*. Buenos Aires, 1944.

18 BRAND (Donald D.), *The peoples and languages of Chile*. New Mexico anthrologist. Santa Fé, t. V, 1941, p. 72-93.

19 BRAUN (Armando) et CÁCERES FREYRE (Julián), *Los apuntes del señorio del cacique Casimiro y capitan de guardias navales Dn Doroteo Mendoza*. Anuario de historia argentina. Buenos Aires, t. I, 1940, p. 1-31.

20 BRINTON (Daniel G.), *The american race*. New York, 1891.

21 CADOGAN (León), *Los Indios Jeguaká Tenondé (Mbyá) del Guairá, Paraguay*. América indígena. México, t. VIII, 1948, p. 131-139.

22 CALDAS R. (A. J.), *Palabras del idioma kuaiquer*. Revista de historia. Pasto, vol. II, nºs 7-8, janvier-mars 1946, p. 136-137.

23 CANALS FRAU (Salvador), *La lengua de los Huarpes de San Juan*. Anales del Instituto etnológico americano. Mendoza, t. II, 1941, p. 43-167.

24 CANALS FRAU (Salvador), *La lengua de los Huarpes de Mendoza*. Anales del Instituto etnológico americano. Mendoza, t. III, 1942, p. 157-184.

25 CANALS FRAU (Salvador), *Los indios Capayanos*. Anales del Instituto etnológico americano. Mendoza, t. V, 1944, p. 129-157.

25 a CARDONA PUIG (Félix), *Vocabulario del dialecto kárro del rio Guainía*. Acta Venezolana. Caracas, t. I, nº 2, oct.-déc. 1945, p. 221-230.

26 CASTELLVÍ (Marcelino de), *La lengua Tinigua*. Journal de la Société des Américanistes. Paris, n. s., t. XXXII, 1940, p. 93-101.

27 CHURCH (George E.), *Notes on the visit of Dr. Bach to the Catuquinarú Indians of Amazonas*. Journal of the Royal geographical Society. Londres, t. XII, 1898, p. 63-67.

28 COLLIÓ RUAIQUILLAF (Martín), *A trilingual text*. New Mexico anthropologist. Santa Fé, t. V, 1941, p. 36-52.

29 CORNELSEN (Eugenio), *Lingua Guaraní. Genuina lingua brasileira*. Rio de Janeiro, 1937.

30 CORTS (Estanislao de las), *Vocabulario Huitoto*. Revista de historia. Pasto, vol. II, nºs 11-12, juillet-septembre 1946, p. 327-343.

30 a CRUXENT (J. M.), *Un grupo de indios en los llanos del Estado Anzoátegui, Venezuela*. América indígena. México, vol. XI, nº 2, avril 1951, p. 115-128.

31 CULIN (Stewart), *The Indians of Cuba*. Bulletin of the Free Museum of sciences and arts, University of Pensylvania. Philadelphie, t. III, 1902, p. 185-226.

32 DULLEY (Charles), *Vocabulario dos Coroados*. Archivo-Revista do Centro de sciencas e artes. Campinas, nºs 1 et 7, 1902-1904.

33 FEBRES CORDERO (Tulio), *Los Ayamán-Gayón-Jirajara*. Boletín de la Sociedad venezolana de ciencias naturales. Caracas, t. VII, 1942, p. 173-194, 245-259.

34 FEBRES CODERO (Tulio), *Un vocabulario Caribe del Oriente venezolano.* Revista nacional de cultura. Caracas, nº 57, 1946, p. 3-18.

35 FERNANDES (Enrico), *Vocabulário Paricurú.* Revista do Instituto historico e geographico do Pará. Belém, t. VII, 1932, p. 211-216.

36 FERRARIO (Benigno), *Contribución al conocimiento del idioma Lengua.* Actas del 27º Congreso internacional de Americanistas. México, t. II, 1942, p. 377-382.

37 FLURY (Lázaro), *Guiliches (Tradiciones, leyendas, apuntes gramaticales y vocabulario de la zona pampa-araucana).* Córdoba, 1944.

38 FRIEDE (Juan), *Reseña etnográfica de los Macaguajes de San Joaquín sobre el Putumayo.* Boletín de arqueologia. Bogotá, t. I, 1945, p. 553-565.

38 a GARVIN (Paul L.), *Esquisse du système phonologique du Nambikwara-Tarunde.* Journal de la Société des Américanistes. Paris, n. s., t. XXXVII, 1948, p. 133-189.

39 GATSCHET (Albert S.), *The Aruba language and the Papiamento dialect.* Proceeedings of the american philosophical Society. Philadelphie, t. XXI, 1884, p. 299-305.

40 GIACONE (Antonio), *Pequeña gramaticá e diccionario da língua tucana.* Manáus, 1940.

41 GÖHRING (Herman), *Informe al supremo gobierno del Peru sobre la expedición a los valles de Paucartambo en 1873.* Lima, 1877.

42 GOEJE (C. H. de), *Études linguistiques caraïbes.* Verhandelingen der koninklijke Akademië van Wetenschappen. Amsterdam, n. r., deel X et LI, 1910 et 1946.

43 GOEJE (C. H. de), *Nouvel examen des langues des Antilles avec notices sur les langues Arawak-Maipures et Caraïbes et vocabulaires Shebayo et Guayana.* Journal de la Société des Américanistes. Paris, n. s., t. XXXI, 1939, p. 1-120.

44 GOEJE (C. H. de), *De Oayana-Indianen.* Bijdragen tot de taal-, land-en volkenkunde van Nederlandsch-Indië. La Haye, t. C, 1941, p. 71-125.

45 GOEJE (C. H. de), *La langue Manao.* Actes du XXVIIIe Congrès international des Américanistes. Paris, 1948, p. 157-172.

46 GONDIM (Joaquim), *Etnografia indigena.* Ceará, 1938.

47 GUASCH (Antonio), *El idioma Guarani. Gramatica, vocabulario, lecturas.* Asunción, 1944.

48 GUERRERO (Alberto Eraso), *Lengua Guambiano.* Revista de historia. Pasto, nos 3-4, 1944, p. 63-68.

49 GUSINDE (Martin), *Die Feuerland Indianer.* Band I : *Die Selknam.* Band II : *Die Yamana.* St. Gabriel-Mödling, 1931 et 1937.

50 HANKE (Wanda), *Vocabulario del dialecto caigangae [sic] de la serra de Chagú, Paraná.* Arquivos do Museu paranaense. Curitibá, t. VI, 1946-1947, p. 99-106.

51 HANKE (Wanda), *Apuntes sobre el idioma Cainguangue de los Botocudos de Santa Catarina, Brasil.* Arquivos do Museu paranaense. Curitibá, t. VI, 1946-1947, p. 61-97.

52 HANKE (Wanda), *Los Indios Botocudos de Santa Catarina, Brasil.* Arquivos do Museu paranaense. Curitibá, t. VI, 1946-1947, p. 45-59.

53 HANKE (Wanda), *Cadivéns y Terenos*. Arquivos do Museu paranaense. Curitibá, t. II, 1942, p. 79-86.

53 a HANKE (Wanda), *Algumas vozes do idioma karipuna*. Arquivos. Coletânea de documentos para a história da Amazônia. Manaos, 3e année, vol. X, sept. 1949.

53 b HANKE (Wanda), *Breves notas sôbre os indios Mondé e o seu idioma*. Dusenia. Vol. I, fasc. 4, 1950, p. 215-228.

54 HARDEN (Margaret), *Syllabe structure of Terena*. International Journal of american linguistics. Baltimore, t. XII, 1946, p. 60-63.

55 HARRINGTON (J. P.), *Sobre fonética Witoto*. Anales del Instituto de etnografía americana. Mendoza, t. V, 1944, p. 127-128.

56 HARRINGTON (J. P.), *Contribución al estudio de Gününa küne*. Revista del Museo de La Plata. Buenos Aires, n. s., t. II, 1941-1946, p. 237-276.

57 HARRINGTON (J. P.), *Mataco of the Gran Chaco*. International Journal of american linguistics. Baltimore, t. XIV, 1948, p. 25-28.

57 a HAWKINS (W. Neil), *Patterns of vowel loss in Macushi (Carib)*. International Journal of american linguistics. Baltimore, t. XVI, 1950, p. 87-90.

58 HENRY (Jules), *The Kaingan language*. International Journal of american linguistics. Baltimore, t. XIV, 1948, p. 194-204.

59 HOLMER (Nils M.), *Critical and comparative grammar of the Cuna language*. Etnografiska Studier. Göteborg, t. XIV, 1947.

59 a HOLMER (Nils M.), *Goajiro (Arawak)*. International Journal of american linguistics. Baltimore, t. XV, 1949, p. 45-56, 110-120, 145-157, 232-235.

60 HUNT (R. J.) et TOMPKINS (B. A.), *Mataco grammar*. Universidad nacional de Tucumán. Tucumán, Publication n° 271, 1940.

61 HURLEY (Henrique Jorge), *Eu e meu professor de Apinagé*. Revista do Instituto historico e geographico do Pará. Belém, t. VII, 1932, p. 241-244.

62 HURLEY (Henrique Jorge), *Dialecto Urubú, amerábas da raça Tupy do Gurupy*. Revista do Instituto historico e geographico do Pará. Belém, t. VII, 1932, p. 245-249.

63 IGNACE (Étienne), *Les Borun*. Anthropos. St. Gabriel-Mödling, t. IV, 1910, p. 942-944.

64 JIJÓN Y CAAMAÑO (Jacinto), *El Ecuador interandino y occidental*. Quito, 1941-1947, 4 tomes.

65 KNUDSEN-LARRAÍN (Augusto), *Un diccionario de la lengua yagan*. Revista del Museo histórico de Chile. Santiago de Chile, t. I, 1940, p. 521-533.

66 LATCHAM (Ricardo E.), *Los Indios Chiquiyanes*. Atenea, revista publicada por la Universidad de Concepción. Concepción, t. IV, 1927, p. 311.

67 LAURIAULT (James), *Alternate-mora timing in Shipibo*. International Journal of american linguistics. Baltimore, t. XIV, 1948, p. 22-24.

68 LEÃO (Ermelino A. de), *Subsidios para o estudo dos Cainguangues do Paraná*. Curitibá, 1910.

69 LEHMANN (Henri), *Un confesionario en lengua Paez de Pitayo*. Revista del Instituto etnológico nacional. Bogotá, t. II, 1945, p. 1-13.

70 LEHMANN (Henri), *Les Indiens Sindagua (Colombie)*. Journal de la Société des Américanistes. Paris, n. s., t. XXXVIII, 1949, p. 67-89.

71 LEHMANN (Henri), *The Moguex-Coconuco.* Handbook of South American Indians. Washington, vol. 2, 1946, p. 969-974.

71 a LEMOS BARBOSA (P. A.), *A auto de São Lourenço; uma peça teatral de Anchieta em Tupi, Castelhano e Português.* Verbum. Rio de Janeiro, t. VII, fasc. 2, juin 1950, p. 201-249.

71 b LEMOS BARBOSA (P. A.), *Conversando com um indio fulniô. Notas etnográficas e linguisticas.* Verbum, Rio de Janeiro, t. VII, fasc. 3, sept. 1950, p. 411-420.

71 c LEMOS BARBOSA (P. A.), *Traduções de poesias tupis.* Revista do Arquivo. São Paulo, nº CXXVIII, 1949, p. 27-44.

71 d LÉVI-STRAUSS (Claude), *Sur certaines similarités des langues chibcha et nambikwara.* Actes du XXVIIIᵉ Congrès international des Américanistes, Paris, 1947. Paris, 1948, p. 185-192.

71 e LÉVI-STRAUSS (Claude), *Documents Rama-Rama.* Journal de la Société des Américanistes. Paris, n. s., t. XXXIX, 1950, p. 73-84.

72 LOUKOTKA (Čestmír), *Linguas indigenas do Brasil.* Revista do Arquivo municipal. São Paulo, t. LIV, 1939, p. 147-174.

73 LOUKOTKA (Čestmír), *Klassifikation der südamerikanischen Sprachen.* Zeitschrift für Ethnologie. Berlin, t. LXXIV, 1942, p. 1-69.

74 LOUKOTKA (Čestmír), *Sur quelques langues inconnues de l'Amérique du Sud.* Lingua posnaniensis. Poznán, t. I, 1949, p. 53-82.

75 LOUKOTKA (Čestmír), *La langue taruma.* Journal de la Société des Américanistes. Paris, n. s., t. XXXVIII, 1949, p. 53-65.

75 a LOUKOTKA (Čestmír), *La parenté des langues du bassin de la Madeira.* Lingua posnaniensis. Poznán, t. II, 1950, p. 123-144.

76 LUNARDI (Federico), *I Sirióno.* Archivio per l'antropologia e la etnologia. Florence, t. LXVII, 1938, p. 178-223.

77 MANSUR GUÉRIOS (Rosário Farani), *Estudos sôbre a língua Caingangue.* Arquivos do Museu paranaense. Curitibá, t. II, 1942, p. 97-117.

78 MANSUR GUÉRIOS (Rosário Farani), *O Xocrén é idioma Caingangue.* Arquivos do Museu paranaense. Curitibá, t. IV, 1944-1945, p. 321-331.

79 MANSUR GUÉRIOS (Rosário Farani), *Estudos sôbre a lingua Camacã.* Arquivos do Museu paranaense. Curitibá, t. IV, 1944-1945, p. 291-320.

80 MÁRQUEZ MIRANDA (Fernando), *Los textos Millcayae del P. Luis de Valdivia con un vocabulario español-allentiac-millcayac.* Revista del Museo de La Plata. Buenos Aires, n. s., t. II, 1943, p. 61-223.

80 a MAYER (Alcuin), *Lendas macuxis.* Journal de la Société des Américanistes. Paris, n. s., t. XL, 1951, p. 67-87.

81 MENSE (Hugo), *Língua Mundurucú. Vocabulários especiais. Vocabulários Apalaí, Uiabói e Maue.* Arquivos do Museu paranaense. Curitibá, t. VI, 1946-1947, p. 107-148.

82 MÉTRAUX (Alfred), *The linguistic affinities of the Enimaga (Cochabot) group.* American anthropologist. Menasha, new series, t. XLIV, 1942, p. 720-721.

82 a MÉTRAUX (Alfred), *Une nouvelle langue tapuya de la région de Bahia (Brésil).* Journal de la Société des Américanistes. Paris, n. s., t. XL, 1951, p. 51-58.

83 MOURA (Pedro de), *Dialecto dos indios Oyampis do alto rio Oyapoc.* Revista do Instituto historico-geographico do Pará. Belem, t. VII, 1932, p. 220-222.

84 NARVAEZ (A. Salomón), *Lengua Paisa.* Revista de historia. Pasto, nᵒˢ 3-4, 1944, p. 69-71.

85 NEWMAN (Stanley), *Yagua phonetic pattern*, in : Paul FEJOS : *Ethnography of the Yagua.* Viking fund Publications in anthropology. New York, nᵒ 1, 1943, p. 118-119.

86 NIMUENDAJÚ (Curt), *The Apinayé.* The catholic University of America. Anthropological Series. Washington, nᵒ 8, 1939.

86 a NIMUENDAJÚ (Curt), *Reconhecimento dos rios Içána, Ayari e Uaupés.* Journal de la Société des Américanistes. Paris, n. s., t. XXXIX, 1950, p. 125-182.

87 NINO (Bernardino de), *Conversación entre Chiriguanos.* Boletín de la Sociedad geográfica de La Paz. La Paz, t. XVIII, 1927, p. 51-60.

88 OPPENHEIM (Victor), *Two little known languages of eastern Peru.* Actes du XXVIIIᵉ Congrès international des Américanistes, Paris, 1947. Paris, 1948, p. 201-204.

89 ORTIZ (Sergio Elías), *Vocabulario de la lengua que vsan los Indios destas misiones.* Revista de historia. Pasto, nᵒ 2, 1942, p. 137-199.

90 ORTIZ (Sergio Elías), *Lingüística colombiana. Familia Zaparo o Gae.* Universidad católica bolivariana. Medellín, t. VI, 1940, p. 97-108.

91 ORTIZ (Sergio Elías), *Lingüística colombiana. Familia Choco.* Universidad católica bolivariana. Medellín , t. VI, 1940, p. 46-77.

92 ORTIZ (Sergio Elías), *Lingüística colombiana. Familia Mocoa o Koche.* Universidad católica bolivariana. Medellín, t. VII, 1941, p. 25-55.

93 ORTIZ (Sergio Elías), *Lingüística colombiana. Famille Witoto.* Universidad católica bolivariana. Medellín, t. VIII, 1942.

94 ORTIZ (Sergio Elías), *Notas sobre los indios Kofanes.* Revista de historia. Pasto, vol. III, nᵒˢ 15-18, janvier-juin 1947, p. 72-91.

95 OSBORN (Henry), *Amahuaca phonems.* International Journal of american linguistics. Baltimore, t. XIV, 1948, p. 188-190.

96 OSSA V. (Peregrino), *Idioma de los Guahibos.* Revista de historia. Pasto, vol. II, nᵒˢ 9-11, avril-juin 1946, p. 211-214.

97 PÁEZ (Justiniano J.), *Vocabulario Motilón.* Revista de historia. Pasto, vol. II, nᵒˢ 7-8, janvier-mars 1946, p. 133-135.

98 PALHA (Luiz), *Ensáio de gramática e vocabulário da língua carajá, falada pelos indios do rio Araguaia.* Rio de Janeiro, 1942.

99 PAZ (Román), *De Riberalta al Inambari, informe del jefe de la expedición al alto Madre de Dios.* La Paz, 1895.

100 PAZ Y MIÑO (General Luis T.), *La lengua Puruguai.* Boletín de la Academia nacional de historia. Quito, t. XXII, 1942, p. 42-73.

101 PENARD (Th. E.), *Remarks on an old vocabulary from Trinidad.* De West-Indische Gids. La Haye, t. IX, 1927.

101 a PEREIRA (Nunes), *Histórias e vocabulário dos Indios Uitoto.* Belém, Instituto de antropologia e etnologia do Pará. Publicação, n. 3, 1951.

102 PEREYRA (Fidel), *Vocabulario de los indios Machiguengas.* Revista del Museo nacional. Lima, t. XIII, 1944, p. 93-100.

103 PETRULLO (Vicenzo), *The Yaruros of the Capanaparo river, Venezuela.* Bureau of american ethnology. Bulletin 123. Washington, 1939, p. 161-290.

104 PINTO (Estevão), *Alguns aspectos da cultura artística dos Pancarurús de Tacaratú, Pernambuco.* Revista do serviço do patrimonio historico e artístico nacional. Rio de Janeiro, t. II, nᵒ 2, 1938, p. 57-92.

105 QUANDT (Christlob), *Adiabu tuhu kelétirra, anditu 1815 wijna ullukku nam qua umiin ukunnamüntu*. Pacis annis MDCCCXIV et MDCCCXV foederatis armis restitutae Monumentum orbis terrarum de fortuna reduce gaudia gentium linguis interpretans Principibus Piis Felicibus Augustis populique victoribus literatoribus liberatis dicatum. Vratislavae, 1815.

106 RECAIDE (Juan Francisco), *El Guaraní de los Guarayos de Bolivia*. Revista del Ateneo paraguayo. Asunción, t. I, n⁰ 1, 1940.

107 REICHEL-DOLMATOFF (Gerardo), *Los Indios Motilones*. Revista del Instituto etnológico nacional. Bogotá, t. II, 1945, p. 15-115.

108 REICHEL-DOLMATOFF (Gerardo), *Lingüística del grupo Choco*. Revista del Instituto etnológico nacional. Bogotá, t. II, 1945, p. 625-627.

109 REICHEL-DOLMATOFF (Gerardo), *La lengua Chimila*. Journal de la Société des Américanistes. Paris, n. s., t. XXXVI, 1947, p. 15-50.

109 a REICHEL-DOLMATOFF (Gerardo) et CLARK (Alexander L.), *Parentesco, parentela y agresión entre los Iróka*. Journal de la Société des Américanistes. Paris, n. s., t. XXXIX, 1950, p. 97-109.

109 b REICHEL-DOLMATOFF (Gerardo), *Los Kogi*. Revista del Instituto etnológico nacional. Bogotá, t. IV, 1949-1950.

109 c RIBEIRO (Darcy), *Kadiuéu. Religião e mitologia*. Rio de Janeiro, Serviço de proteção aos Indios, Publicação n⁰ 106, 1950.

110 RIVAS (Antonio), *Apuntaciones sobre la lengua Siona*. Revista de historia. Pasto, t. I, 1944, p. 71-76.

111 RIVET (Paul), *Le groupe Kokonuko*. Journal de la Société des Américanistes. Paris, n. s., t. XXXIII, 1941, p. 1-61.

112 RIVET (Paul), *La influencia Karib en Colombia*. Revista del Instituto etnológico nacional. Bogotá, t. I, 1943, p. 55-93, 283-295.

113 RIVET (Paul), *La lengua Choko*. Revista del Instituto etnológico nacional. Bogotá, t. I, 1943, p. 131-196.

114 RIVET (Paul), *Nouvelle contribution à l'étude de l'ethnographie précolombienne de Colombie*. Journal de la Société des Américanistes. Paris, n. s., t. XXXV, 1946, p. 25-39.

115 RIVET (Paul), *La langue Guarú*. Journal de la Société des Américanistes. Paris, n. s., t. XXXVI, 1947, p. 137-138.

116 RIVET (Paul), *Les Indiens Malibú*. Journal de la Société des Américanistes. Paris, n. s., t. XXXVI, 1947, p. 139-144.

117 RIVET (Paul), *La famille linguistique guahibo*. Journal de la Société des Américanistes. Paris, n. s., t. XXXVII, 1948, p. 191-240.

118 RIVET (Paul), *Les langues de l'ancien diocèse de Trujillo*. Journal de la Société des Américanistes. Paris, n. s., t. XXXVIII, 1949, p. 1-51.

119 RIVET (Paul), *Affinités du Kofán*. Anthropos. Posieux-Froideville (Fribourg), t. XLVII, 1952, p. 203-234.

120 RIVET (Paul) et ARMELLADA (Cesáreo de), *Les Indiens Motilones*. Journal de la Société des Américanistes. Paris, n. s., t. XXXIX, 1950, p. 15-57.

121 RIVET (Paul) et CRÉQUI-MONTFORT (G. de), *Bibliographie des langues aymará et kičua*. Travaux et Mémoires de l'Institut d'Ethnologie de l'Université de Paris. Paris, tome LI, vol. 1, 1951, vol. 2, 1952.

121 a RIVET (Paul) et WAVRIN (Robert de), *Un nouveau dialecte arawak : le Resigaro*. Journal de la Société des Américanistes. Paris, n. s., t. XL, 1951, p. 203-239.

122 RODRIGUES (Arion Dall'igna), *O artigo definido e os numerais na língua Kiriri. Vocabulários Português-Kiriri e Kiriri-Português.* Arquivos do Museu paranaense. Curitibá, t. IV, 1944-1945, p. 333-354.

123 RODRIGUES (Arion Dall'igna), *Fonética histórica tupi-guarani : Diferenças fonéticas entre o tupi e o guarani.* Arquivos do Museu paranaense. Curitibá, t. IV, 1944-1945, p. 333-354

124 ROSENBLAT (Angel), *Los Otomacos y Taparitas de los llanos de Venezuela.* Tierra firme. Madrid et Valence, t. I, 1936-1937, p. 131-153, 259-304, 440-506.

125 RUEDA (Dr Jean Nepomuceno), *Guía de conversacion con algunas tribus salvajes de Casanare.* Bogotá, 1899.

126 SALAMANCA (Alfred Landinez), *Apuntaciones sobre la etnología y sociología de los Motilones.* Bogotá, 1942.

127 SCHMIDT (Max), *Los Barbados ó Umotinas en Matto Grosso, Brasil.* Revista de la Sociedad científica del Paraguay. Asunción, t. V, n° 4, 12 octobre 1941, p. 1-51.

128 SCHMIDT (Max), *Los Chiriguanos e Izozos.* Revista de la Sociedad científica del Paraguay. Asunción, t. IV, 1938, p. 1-115.

129 SCHMIDT (Max), *Los Kayabís en Matto Grosso, Brasil.* Revista de la Sociedad científica del Paraguay. Asunción, t. V, n° 6, nov. 1942, p. 1-34.

130 SCHMIDT (Max), *Los Iranches.* Revista de la Sociedad científica del Paraguay. Asunción, t. V, n° 6, novembre 1942, p. 1-34.

131 SCHMIDT (Max), *Los Paressís.* Revista de la Sociedad científica del Paraguay. Asunción, t. VI, n° 1, 15 août 1943, p. 1-296.

132 SCHMIDT (Max), *Los Bakairí.* Revista do Museu Paulista. São Paulo, n. s., t. I, 1947, p. 11-58.

133 SCHMIDT (Max), *Los Waurá.* Revista do Museu Paulista. São Paulo, n. s., t. I, 1947, p. 61-64.

134 SCHMIDT (Max), *Los Tamainde-Nambikuara.* Revista do Museu Paulista. São Paulo, n. s., t. I, 1947, p. 65-74.

135 SCHMIDT (Max), *Vocabulario de la lengua churupí.* Revista de la Sociedad científica del Paraguay. Asunción, t. V, n° 1, 15 août 1940, p. 73-97.

136 SCHUSTER (Adolf N.), *Paraguay.* Stuttgart, 1929.

136 a SEBEOK (Thomas A.), *Materials for an aymara dictionary.* Journal de la Société des Américanistes. Paris, n. s., t. XL, 1951, p. 89-151.

137 SERRANO (Antonio), *Los Comechingones.* Serie Aborígenes argentinos. Córdoba, vol. 1, 1945.

138 SERRANO (Antonio), *El idioma de los Comechingones y Sanavironas.* Boletín de la Academia de letras. Buenos Aires, t. XIII, 1944, p. 375-387.

138 a SHELL (Olive A.), *Cashibo I: Phonemes.* International Journal of american linguistics. Baltimore, t. XVI, 1950, p. 198-202.

139 SIGIFREDO (P.), *Fünf Araukaner-Mythen.* Anthropos. Posieux-Froideville (Fribourg), t. XXXV-XL, 1942-1945, p. 332-335.

140 SILVA (Simoens da), *A tribu Caingang (Indios Bugres-Botocudos).* Rio de Janeiro, 1930.

141 SIMPSON (George Gaylord), *Los Indios Kamarakotos.* Revista de Fomento. Caracas, t. III, n°ˢ 22-25, 1940.

142 SNETHLAGE (Emilia), *Vocabulário comparativo dos Chipaya e Curuahé.* Boletim do Museu Goeldi. Belém, t. VII, 1913, p. 93-99.

143 Speck (Frank G.), *Two araucanian texts.* Proceedings of the XXIth Congress of Americanists. La Haye, 1924, p. 371-373.

144 Stone (Doris), *Two songs and a legend in Boruca.* International Journal of american linguistics. Baltimore, t. XIII, 1947, p. 249-250.

145 Studart (Dr. Jorge), *Ligeiras noções de língua geral.* Revista trimensal do Instituto do Ceará. Fortaleza, t. XL, 1926, p. 26-38.

146 Tastevin (Constant), *Gramática da língua Tupy.* Revista do Museu Paulista. São Paulo, t. XIII, 1923, p. 535-597, 1279-1280.

147 Tastevin (Constant), *Vocabulário Tupy-Portugues.* Revista do Museu Paulista. São Paulo, t. XIII, 1923, p. 599-686, 1280-1285.

148 Taylor (Douglas B. W.), *The island Caribs of Dominica, B. W. I.* American Anthropologist. Menasha, t. XXXVII, 1935, p. 265-272.

149 Taylor (Douglas B. W.), *The Caribs of Dominica.* Bureau of american ethnology, Bulletin 119. Washington, 1938, p. 109-159.

149 a Taylor (Douglas B. W.), *Inflexional system of island carib.* International Journal of american linguistics. Baltimore, t. XVII, 1951, p. 23-31.

150 Tebboth (Tomas), *Diccionario Toba.* Revista del Instituto de antropologia. Tucumán, t. III, 1943, p. 34-221.

150 a Vargás (Fr. Martín), *Notas sobre los indios cuaiqueres del sur de Colombia.* Trabajos del Instituto Bernardino de Sahagún de Antropología y Etnografía. Madrid, t. VI, 1948, p. 117-125.

151 Vásquez de Espinosa (Antonio), *Compendio y descripción de las Indias occidentales.* Smithsonian miscellaneous Collections. Washington, vol. 108, 1948.

152 Velasquez (Roberto L.), *Vocabulario de los Indios Chamies.* Boletín de la Sociedad de Ciencias naturales del Instituto de La Salle. Bogotá, t. IV, 1916, p. 147-150.

153 Vignati (Milciades Alejo), *Los Indios Poyas. Contribución al conocimiento etnográfico de los antiquos habitantes de Patagonia.* Notas del Museo de La Plata. Buenos Aires, t. IV, 1939, p. 211-244.

154 Vignati (Milciades Alejo), *El catecismo güenoa del abate Hervás.* Notas del Museo de La Plata. Buenos Aires, t. V, 1941, p. 40-43.

155 Vignati (Milciades Alejo), *Materiales para la linguística patagona. El vocabulario de Elizade.* Boletin de la Academia argentina de letras. Buenos Aires, t. VIII, 1941, p. 160-202.

156 Vignati (Milciades Alejo), *Glosario Yamana de fines del siglo XVIII,* Boletín de la Academia argentina de letras. Buenos Aires, t. VIII, 1941. p. 637-663.

157 Villeroy (A. Ximeno de), *Apontamentos sôbre a linguagem do Indio Coroado-Bororo.* Revista da Sociedade de geografia. Rio de Janeiro, fasc. 2, 1891.

158 Wegner (Richard N.), *Indianer Rassen und vergangenen Kulturen.* Stuttgart, 1934.

159 White Uribe (H. E.), *El dialecto indígena de Urabá.* Universidad católica bolivariana. Medellín, t. XI, 1944, p. 144-147.

160 Zevallos Quiñones (Jorge), *Primitivas lenguas de la Costa.* Revista del Museo nacional. Lima, t. XVII, 1948, p. 114-119.

APPENDICE AUX CHAPITRES
SUR LES LANGUES AMÉRICAINES[1]

ESQUISSES DE DESCRIPTIONS
DE LANGUES AMÉRICAINES

En 1911, le linguiste Boas, rappelant la vieille classification selon laquelle les langues américaines étaient caractérisées par le polysynthétisme et l'incorporation, ajoutait[2] : « Voici, par exemple, un mot eskimo qui indique bien ce que l'on entend par polysynthétisme : *takusariartorumagaluarnerpâ?* pensez-vous que réellement il ait l'intention d'aller s'occuper de cela ? (*takusar[pâ]-*, il s'occupe de cela ; *-iartor[poq]*, il va à ; *-uma[voq]*, il a l'intention de ; *-[g]aluar[poq]*, il fait ainsi -mais ; *-ner[poq]*, pensez-vous il ; *-â*, interrogatif, 3ᵉ personne). On voit de suite qu'il n'y a aucun rapport entre les éléments ajoutés au thème fondamental et les éléments grammaticaux des langues indo-européennes. Un exemple analogue nous est fourni par le tsimchian *t-yuk-ligi-lo-d'ɛp-dāʟet*, il commença à le déposer quelque part à l'intérieur (*t*, il ; *yuk*, commencer ; *ligi*, quelque part ; *lo*, dans ; *d'ɛp*, en bas ; *dāʟ*, déposer ; *-t*, cela) ».

« Par incorporation, on entend que les langues améri-

---

1. Le présent appendice ne doit rien aux auteurs des chapitres qui précèdent et ne les engage en aucune façon.

2. Dans la préface au *Handbook of american indian languages* (1ʳᵉ partie, Washington, 1911), pp. 74 et suiv. (la citation traduite qui suit est reproduite d'après la 1ʳᵉ édition des *Langues du Monde*, pp. 597-599).

caines ont tendance à incorporer le régime de la phrase, substantif ou pronom, dans l'expression verbale. En voici des exemples : nahuatl : *ni-petla-lšiwa*, je fais des nattes (*petla-tl*, natte) ; pawni : *tʌ-t-î'tka'wit*, je pioche de la boue (*tʌ-*, indicatif ; *t-*, je ; *î'tkãrᵘ*, boue ; *-pĭt*, piocher [la rencontre de *r* et *p* donne *'w*]) ; oneida : *g-nagla'-sl-i-zak-s*, je cherche un village (*g-*, je ; *-nagla'*, vivre ; *-sl-*, substantif abstrait ; *-i-*, forme verbale ; *-zak*, chercher ; *-s* indique la continuité) ».

« Lorsqu'on étudie plus à fond la structure de beaucoup de langues américaines, on s'aperçoit qu'il est faux de dire en général de toutes ces langues qu'elles sont polysynthétiques et incorporantes. Il y a en Amérique un nombre considérable de langues où les pronoms ne sont pas incorporés, mais simplement juxtaposés au verbe, et également beaucoup de langues où l'incorporation de nombreux éléments dans un seul mot ne se produit presque pas. Le tchinouk, par exemple, ignore la polysynthèse. Très rares sont les cas, s'il y en a, où un seul mot tchinouk exprime un réseau compliqué d'idées... L'étude de la syntaxe du tchinouk montre que les thèmes verbaux ne sont modifiés que par les pronoms et quelques adverbes, et que les substantifs n'ont presque aucune tendance à incorporer de nouvelles idées, telles que celles exprimées par nos adjectifs. D'un autre côté, l'athabasque, le haida et le tlingit peuvent être cités comme types de langues qui, bien que polysynthétiques, n'incorporent pas réellement le régime, mais traitent le pronom sujet et le pronom régime comme des éléments indépendants ».

« Parmi les langues de l'Amérique du Nord, l'iroquois seul tend tellement à incorporer le substantif régime dans le verbe et en même temps à modifier la forme indépendante du verbe qu'il peut être considéré comme une des langues typiques qui incorporent le régime. Ce caractère se retrouve aussi à un degré moindre dans le tsimchian, le koutenai et le chochon ; il est fortement marqué dans les langues kaddo. L'eskimo, l'algonquin, le kwakioutl se limitent à une incorporation plus ou moins stricte du pronom régime. En chochon, l'incorporation du pronom et du substantif régimes est si peu prononcée qu'il est à peu près indifférent de ranger ces formes parmi les formes incorporées ou parmi celles qui ne le sont pas. Si nous considérons d'autres régions de l'Amérique, les mêmes phénomènes apparaissent clairement, et il n'est pas possible de dire que ces deux caractères soient typiques et se trouvent dans toutes les langues américaines ».

Boas mentionne encore des traits qui se rencontrent fréquemment dans les systèmes phonétiques et morphologiques des langues américaines, mais insiste sur le fait qu'il s'agit là de caractères fréquents, non de caractères communs.

L'opinion des linguistes qui étudient les langues américaines semble n'avoir guère varié par la suite. C'est en effet le même point de vue qu'exprimait beaucoup plus récemment Harry Hoijer[1] : « Le terme « langues indiennes d'Amérique » se rapporte seulement aux langues indigènes parlées à l'intérieur des limites des continents nord- et sudaméricain et dans les Antilles. Il n'apparaît nullement que ces langues soient historiquement apparentées. En réalité, c'est le contraire qui apparaît comme vrai : on trouve dans les Amériques une région de plus grande diversité linguistique qu'aucune autre dans le monde. De plus, cette diversité se constate aussi dans la structure grammaticale et dans la phonologie comme dans l'origine historique. Il n'y a pas de traits structuraux ou phonétiques propres à tout ou majeure partie des langues américaines, qui les mettent à part par comparaison avec d'autres groupes. En bref, donc, le terme « langues indiennes d'Amérique » est seulement une désignation géographique, il n'a ni signification historique, ni signification classificatoire non historique ».

C'est à l'imitation du plan du livre auquel ce texte est emprunté, et en partie sur la base des données qui y sont

---

1. Dans l'introduction (p. 9) qu'il a écrite pour *Linguistic structures of native America* (New-York, 1946), livre collectif qui, dédié à la mémoire de Franz Boas, avait été projeté par Edward Sapir, d'après une note liminaire de Léonard Bloomfield.

rassemblées, que sont présentées ci-dessous quelques brèves descriptions de langues américaines.

Sans préjuger du résultat des recherches futures, on peut faire observer que divers traits phonétiques et morphologiques se trouvent être communs à des langues classées comme étant de familles différentes ; inversement, des langues classées dans une même famille présentent des structures divergentes.

La question des liens généalogiques reste donc ouverte ainsi que celle, qui a été posée plus récemment, des extensions de faits de structure phonologique et morphologique par « affinité » ou « contagion ».

LÉNAPPÉ ou *DELAWARE*[1]
(Famille algonquin)

PHONOLOGIE

Les mots, assez longs, ont un accent tonique sur l'une des trois dernières syllabes.

On rencontre des groupes de consonnes à l'initiale et à l'intérieur du mot ; il y a des voyelles en hiatus.

Le consonantisme est assez pauvre :

	Occlusives	Spirantes	Nasales	Liquide	Semi-voyelles
labiales...........	*p*		*m*		*w*
dentales..........	*t*	*s*	*n*	*l*	
prépalatales.......	*č*	*š*			*y*
palatales..........	*k*	*ḳ*			
labio-vélaire.......	*k*ʷ				
laryngale..........		*ḥ*			

Sauf *ḳ*, *š*, toutes ces consonnes peuvent être longues ; *n* devient *ṅ* devant *k* et les occlusives deviennent sonores

---

1. D'après C. F. VOEGELIN, dans *Linguistic structures of native America*, pp. 130-157.

lorsqu'elles sont précédées de la nasale de même point d'articulation.

Le vocalisme comprend 6 voyelles : *a, e, i, o, u* et une voyelle neutre médiane *ə*. Ces voyelles peuvent être longues, sauf devant un groupe de consonnes débutant par *ḥ*.

MORPHOLOGIE

L'ordre des mots est libre. Il y a peu de différences entre noms et verbes.

La conjugaison du verbe de la proposition principale se fait par préfixes et suffixes.

Ex. : *nūlḥála* « je le garde » (*n-* 1re pers., *ūlḥa* garder, *-l* suff. du transitif, *-a* 3e pers. objet) ; *kūlḥalāwənának* « nous les gardons » (*k-* 2e pers., *ūlḥa* garder, *-l* transitif, *-āw* 3e pers., *-nān* plur. de 1re pers. inclusif = toi et moi à cause du préf. *k-*, *-ak* plur. des êtres animés indiquant que la 3e pers. est au pluriel.)*l*; *nūlḥáləkʷ* « il me garde » (*n-* 1re pers., *ūlḥa* garder, *-l* transitif, *-kʷ* suff. de la 3e pers. en tant qu'agent ou sujet de l'action, d'où il découle que la 1re pers. indiquée par le préfixe ne peut être que l'objet) ; *kūlḥalkūnának* « ils nous gardent » (*-kūnān* est la combinaison des suffixes *-əkʷ* et *-ənān) ; kūlḥáli* « tu me gardes » (*-i* 1re pers. objet) ; *kūlḥáləl* « je te garde » (*-əl* 1re pers. sujet) ; *kūlḥalíḥ¹mo* « vous me gardez » (*-i* 1re pers. objet, *-ḥəmo* plur. 2e pers.) ; *kūlḥalíḥ¹na* « tu nous gardes » (*-i* 1re pers. objet, *-ḥəna* plur. 1re pers.) ; *kūlḥaləlúḥᵘna* « nous te gardons » (*-lu* 1re pers. sujet, *-ḥəna* plur. 1re pers.).

La conjugaison personnelle des verbes des propositions subordonnées se fait uniquement par suffixes : *endawə-láḥᵃlak* « quand je le gardais » (*enda-* quand, *wəlaḥᵃl* garder, *-ak* je le) ; *endawəláḥᵃlaṅkʷ* « quand nous les gardions » (*-aṅkʷ* nous [inclusif] les, mais dans ce suff. comme dans les précédents le nombre de la 3e pers. n'est pas explicité) ; *endawəlaḥᵃlīt* « quand il me gardait » (*-i* 1re pers. objet, *-t* 3e pers. sing. sujet).

On passe de la voix transitive à objet animé à la voix

transitive à objet inanimé ou à la voix intransitive par changement de suffixe ; entre la racine et le suffixe de voix s'insèrent les suffixes instrumentaux qui indiquent avec quoi l'action est faite.

Ex. : *ēlipīlsían* « pendant que tu es nettoyé » (*ēli-* pendant que, *pīl* nettoyer, *-si* suff. de la voix intransitive, *-an* 2ᵉ pers. sing.) ;

mbīlǝna « je le nettoie avec la main » (*m-* pour *n-* 1ʳᵉ pers., *pīl* nettoyer, *-ǝn* suff. instrumental « avec la main », *-a* 3ᵉ pers. objet animé) ;

mbīlǝnǝmǝn « je nettoie cela avec la main » (*-ǝmǝn* suff. de la voix transitive à objet inanimé) ;

mbīlḥikamǝn « je nettoie cela avec le pied » (*-ḥik*, suff. instr. « avec le pied », *-ǝmǝn* suff. de voix trans. à objet inanimé) ;

mbīlākḥómǝn « je nettoie cela avec un instrument » (*-ākhw* « avec un instrument »).

Parfois le complément se suffixe après la racine verbale : *ṅgǝšīlǝnče* « je me lave les mains » (*n-* 1ʳᵉ pers., *kǝši* laver, *-lǝnče* main-doigt) ; *ṅgǝšīlǝnčéna* « je me lave les mains avec les mains » (*-na* avec la main).

La flexion personnelle du nom est presque identique à la flexion personnelle de la voix transitive à objet inanimé : *ktān* « ta fille » (*k-* 2ᵉ pers., *tān* fille) ; *kǝmiḥ'lûsǝm* « ton mari », *kǝmíččin* « tu le mangeas » ; *mwiḥ'lûsǝma* « son mari », *mwíččin* « il le mangea » (*w-* préf. de 3ᵉ pers. s'infixe après la consonne initiale) ; *tóna* « sa fille » (le préf. *w-* se fond dans la voyelle, changeant *a* en *o*) ; *nǝmakkǝnákwǝlǝnč* « mon auriculaire » (*n-* 1ʳᵉ pers.), *mokkǝnākwǝlónča* « son auriculaire » (*w-* 3ᵉ pers. change *a* en *o*) ; *kwītǝlónča* « son pouce » (*w-* 3ᵉ pers. infixé après la consonne initiale), *kítǝlǝnč* « ton pouce » (*k-* 2ᵉ pers. se confond avec le *k-* initial du mot).

On remarque qu'à la différence du verbe, le nom prend à la 3ᵉ pers. le suffixe *-a*. En réalité, ce suffixe n'appartient pas à la flexion possessive ; lorsqu'il y a plusieurs noms animés dans la proposition, le moins important aux yeux du locuteur prend ce suffixe, marque de l'accessoire.

Or la 3ᵉ personne représente un nom déjà exprimé et comme le possédé est moins important que le possesseur, le possédé de la 3ᵉ pers. est toujours accessoire.

Dans la flexion des verbes, la personne accessoire, indifférente au nombre, se comporte comme une 4ᵉ personne distincte de la 3ᵉ.

Ex. transitif : *ūlḥalawóo* « ils les gardent » (*w*- préf. de la 3ᵉ pers. est fondu dans la rac. *ūlḥal* garder, *-āw* suff. indiquant que la pers. indiquée par le préf. est sujet du verbe, *-óo* contraction de *-wāw* plur. de la pers. indiquée par le préf., avec *-a* suff. de la 4ᵉ pers. ou pers. accessoire ; ce sont donc les personnes importantes qui gardent les personnes accessoires) ; *ūlḥalkəwóo* « ils les gardent » (*-kəw* pour *-kwə*, suff. indiquant que la personne préfixée est l'objet du verbe ; ce sont donc les personnes accessoires qui gardent les personnes importantes).

Ex. intransitif : *kə́ntkēw* « il danse » (*-w* suff. indiquant la 3ᵉ pers.), *kəntké̄luwa* « il danse » (*-luwa* suff. de la pers. accessoire).

Les suffixes du pluriel : *-ak* pour les animés, *-a* pour les inanimés, sont également communs au nom et au verbe.

Ex. : *kūkwīsənának* « nos petits-enfants » (*-k-*, 2ᵉ pers., *ukwis* petit-fils, *-nān* plur. de la 1ʳᵉ pers., *-ak* plur.) ;

kūlḥalāwənának « nous les gardons » *-k-* 2ᵉ pers., *ulḥa* garder, *-la* voix transit. animée, *-nān* plur. 1ʳᵉ pers., *-ak* plur. animé s'appliquant à la 3ᵉ pers.) ;

nūkkanóma « mes os » (*n-* 1ʳᵉ pers., *ukkanəm* forme possédée de *kkan* os, *-a* plur.) ;

nūlḥatúna « je les garde » (*n-* 1ʳᵉ pers., *ulḥa* garder, *-tūn* voix transit. inanimée, *-a* plur. inanimé s'appliquant à la 3ᵉ pers.).

Les suffixes propres au nom sont ceux qui indiquent le vocatif et le locatif : *nūkwis* « mon petit-fils », *nūkwitti* « ô mon petit-fils » ; *nūk* « mon père », *nŭ́kā* « ô mon père » ; *ksísənəl kánanunk* « je te pince à la joue » (*k-* 2ᵉ pers., *sīsən* pincer, *-l* 1ʳᵉ pers. sujet, *k-* 2ᵉ pers., *-anan* joue, *-unk* suff. de locatif.

A. HAUDRICOURT.

ESKIMO
(Sud-Groenlandais)[1]

Le parler eskimo décrit ici est le sud-groenlandais de la deuxième moitié du XIXᵉ siècle tel qu'on peut le saisir à travers les études de Kleinschmidt[2].

PHONOLOGIE

Le système des sons est pauvre : 3 voyelles, une série unique d'occlusives, pas d'affriquées. Les mots sont souvent très longs, à cause de l'extension considérable de la suffixation.

Voyelles :

$$i \qquad u$$
$$a$$

Les trois voyelles se présentent en toutes positions dans le mot, soit isolément, soit en groupes ; les groupes de 2 (identiques ou non) ou 3 voyelles sont fréquents ; on en trouve de 4 ou 5 voyelles : *auiaibuq* « il ôte du sang ».

Consonnes :

	Occlusives	Spirantes	Nasales	Liquide	Semi-voyelle
labiales.........	*p*	*b̵*	*m*		
interdentales....	*t*		*n*	*l*	
alvéolaires......		*s* *ṡ*			
médio-palatales.	*k*	*g*	*ñ*		*y*
vélaires........	*q*	*ġ*	*ṅ*		

A l'initiale, on ne trouve que les occlusives, *s*, *m* et *n* ; à la finale, seules se présentent les occlusives, remplacées parfois par les nasales correspondantes (c'est en particulier l'unique fonction de *ṅ*). Les groupes de consonnes (de 2 seulement) n'existent qu'à l'intérieur du mot et la

---

1. D'après M. SWADESH, *South Greenlandic (Eskimo)*, dans *Linguistic structures of native America*, pp. 30-54. Je tiens à remercier M. Swadesh, qui a bien voulu lire cette esquisse et m'a présenté de très utiles observations.

2. S. KLEINSCHMIDT, *Grammatik der Groenlaendischen Sprache*, Berlin, 1851 ; *Den Grønlandske Ordbog*, Copenhague, 1871.

coupure syllabique en sépare régulièrement les deux
éléments. Les spirantes autres que les sifflantes sont
normalement des sonores douces *(b, g* et *ġ)*, mais des sourdes
fortes comme seconds éléments de groupes. Il y a deux
variétés de sifflantes ; *ṡ* note une sifflante qui semble
être articulée avec la pointe de la langue.

MORPHOLOGIE

1º *Les procédés morphologiques :*

La suffixation joue un rôle considérable en eskimo.
Outre que les morphèmes grammaticaux (références
pronominales, indices de nombre, de cas, de mode) sont
suffixés, le mot eskimo se présente souvent comme un con-
glomérat d'éléments accessoires suffixés à un élément
lexical de base et pourvus de significations très variées.
Il en résulte un synthétisme très accusé, et la possibilité
d'inclure un ensemble complexe d'idées dans un mot
unique, long, qui représente une phrase complète.

Ex. : *qasuiiġsaġbigṡaġsiññiḷluinaġnaġ-puq :* « on n'a
absolument pas réussi à trouver un lieu de repos » : *-puq*
étant la désinence (3e pers. sing., référence pronominale
se rapportant au sujet dans un verbe intransitif), les
éléments qui précèdent sont :

qasu- « être fatigué », verbe intransitif ; *-iiq* « ne pas
être » (suffixe, comme tous les éléments qui suivent) ;
-saq, suff. à valeur causative ; *-bbik* « endroit pour... » ;
-ṡaq, suff. marquant la répétition ; *-si* « trouver » ; *-ññiḷ*, suff.
négatif ; *-luinaq* « entièrement » ; *-naq*, suff. indiquant qu'un
procès est accompli par quelqu'un.

Les suffixes de ce type, qui se distinguent des morphèmes
suffixés constitutifs des paradigmes, peuvent être classés
en catégories variées :

A) D'une part, ils peuvent s'ajouter soit à des thèmes
nominaux, soit à des thèmes verbaux, soit même à des
formes casuelles et à des particules ;

B) D'autre part, sur le plan sémantique, on peut
distinguer :

a) les suffixes qui précisent seulement le mot de base :

ex. : *uyaġagṡuaq* « grande pierre », de *uyaġak* « pierre » +
ġṡuaq « grand » ;

b) les suffixes qui déplacent de façon essentielle la
signification du mot de base :

ex. : *akiliniġmiut* « habitants du Labrador », de *akiliniq*
« ce qui est de l'autre côté = Labrador » +-*miut* « habitants
de » ;

les suffixes de cette catégorie déterminent la classe du
mot qu'ils servent à constituer : ils en font des verbes ou
des noms :

ex. : -*qaq* « avoir quelque chose », sert à constituer sur
le nom *iglu* « maison » le verbe *iglu-qaq* « avoir une
maison » ; -*tuq*/-*suq* forme des noms d'agent sur des verbes
intransitifs : *autlaġtuq* « quelqu'un qui est parti » ;

certains suffixes constituant des verbes nouveaux à partir
de thèmes verbaux peuvent modifier la voix du verbe de
base ; enfin, les suffixes de ce type servent, dans le verbe,
à exprimer le temps, l'aspect, la modalité ;

C) De plus, l'adaptation des suffixes aux thèmes de
base entraîne des modifications phonétiques variables
suivant les suffixes, même quand les éléments en contact
(finale du thème et initiale du suffixe) sont identiques ;
on a déterminé de ce point de vue trois grandes catégories
de suffixes.

2º *Les classes de mots :*

Il y a des mots à flexion et des particules qui ne comportent pas de flexion. Les mots à flexion offrent deux
grandes classes bien distinctes : le nom et le verbe ; toutefois, sur le plan syntaxique, les noms à sens verbal (noms
de possesseur, d'agent, etc.) se comportent, d'une manière
générale, comme des verbes.

Les noms présentent plusieurs types. Certains ne sont
employés qu'avec les suffixes pronominaux : noms de
localisation (voir ex. p. 13, lignes 4-5), noms exprimant
les parties d'un tout, noms de parenté, noms désignant
l'agent d'un procès transitif :

ex. : *añut-* « père » : *añutiga* « mon père » ;

        asaśi- « celui qui aime » : *asaśiga* « celui qui m'aime ».

Les suffixes pronominaux constituent, sur une catégorie particulière de thèmes nominaux, des sortes de pronoms du type : *uba-ña* « moi », *uba-gut* « nous » ; *kisi-ma* « moi seul », etc. ; *tamaq-* « tous ensemble » avec suffixe pronominal spécifiant la personne, etc.

Aux noms se rattachent des démonstratifs-directionnels et des interrogatifs.

Les verbes comportent plusieurs types quant à la voix. Certains sont par nature intransitifs : *pisuk-* « aller », *ibigsi-* « avoir du pain » ; d'autres transitifs : *tuqut-* « tuer », *mattaq-* « déshabiller » ; d'autres indifféremment transitifs ou intransitifs : *sana-* « travailler, travailler à ». Il y a d'ailleurs possibilité, dans certains cas, d'un emploi transitif même pour des verbes par nature intransitifs, pour indiquer un objet lié en quelque manière à l'action, par ex. *pisuk-* « aller », pour indiquer le terme du mouvement.

La nature transitive ou intransitive d'un verbe se reconnaît à la valeur des références pronominales incluses dans les désinences : une référence unique intéresse le sujet d'un verbe intransitif, l'objet d'un verbe transitif ; un verbe transitif ou employé transitivement peut avoir deux références, intéressant l'une le sujet, l'autre l'objet.

3º *Les catégories grammaticales :*

Les paradigmes, obtenus par suffixation de morphèmes, constituent des séries dont le sens se prête bien à l'analyse, mais la fusion des formes est assez considérable pour qu'il ne soit pas toujours possible d'isoler les morphèmes affectés spécifiquement à l'expression des diverses catégories.

A) Les références pronominales :

Les noms ne peuvent comporter qu'une référence pronominale, soit du type « possessif » : *iglu-ga* « ma maison », soit du type « appositif » : *kisi-ma* « moi seul » ; le premier type inclut des cas variés : *suyu-ga* « mon espace devant = l'espace devant moi», *añiqi-ga* «mon plus grand = ce, celui qui est plus grand que moi », *kalitla-ga* « ma chose traînée = ce que j'ai traîné ».

Le verbe peut comporter une ou deux références pronominales : voir ci-dessus, 2°.

On distingue trois personnes, auxquelles s'ajoute une personne réfléchie, qui s'emploie, en règle générale :

a) à l'intérieur d'une proposition, avec un mot rapporté au sujet du verbe.

ex. : *aġqa taiƀaa* « il mentionna son nom (le nom d'un autre) » : 3ᵉ pers., mais : *aġqi taiƀaa* « il mentionna son nom (le sien) » : réfléchi ;

b) dans une subordonnée, pour le sujet s'il est le même que celui de la principale et pour l'objet possédé par le sujet de la principale.

B) Le nombre :

Le nom comporte un singulier, un duel et un pluriel, mais les démonstratifs et les interrogatifs n'ont pas de duel ; en revanche, les trois termes de l'opposition se retrouvent dans les références pronominales :

ex. : *iglu* « maison », *iglut* « maisons », *igluk* « deux maisons » ;

iglua « sa maison », *iglui* « ses maisons », *igluk* « ses deux maisons »; *igluat* « leur maison », *igluak* « leur maison (à eux deux) » ;

tuquppaa « il le tue », *tuquppaat* « ils le tuent », *tuquppaak* « eux deux le tuent ».

Le duel n'est employé que si la dualité est essentielle et si elle n'est pas indiquée autrement dans le texte : ainsi on emploie le pluriel et non le duel pour *isai* « ses yeux » (dualité évidente) ou pour « hommes » dans *inuit maġluk* « deux hommes » (dualité indiquée par le duel *maġluk* « deux »).

Il arrive que le pluriel ait un sens distinct du singulier : *umiaq* sing. « bateau », *umiat* plur. « bateau avec des gens dedans ».

C) Les cas :

On distingue dans la flexion du nom deux cas dits syntaxiques : l'absolu et le relatif, et six cas dits adverbiaux : locatif, ablatif, allatif, perlatif, instrumental, simulatif.

Le relatif s'emploie pour les noms en relation avec un terme nominal ou verbal portant une référence pronominale double :

ex. : *tiġianiap iglua* « le renard (rel.) sa maison = la maison du renard » ;

tiġianiap takuƀaa « le renard (rel.) il l'a vu = le renard l'a vu » ;

tiġianiap iglu takuƀaa « le renard (rel.), la maison, il l'a vu(e) = le renard a vu la maison ».

L'absolu s'emploie dans tous les autres cas : phrase sans verbe, nom en relation avec un verbe à référence pronominale unique, ou avec la référence à l'objet dans un verbe à double référence pronominale :

ex. : *tiġianiaq* « un renard (abs.) ! » ; *tiġianiaq iglumut pisugpuq* « le renard (abs.), à la maison, il est allé = le renard est allé à la maison » ; *tiġianiaq tukuƀaa* « le renard (abs.), il l'a vu = il a vu le renard ».

Le locatif s'emploie pour les localisations spatiales et temporelles ; l'ablatif, pour le point de départ dans l'espace et dans le temps, pour la cause et pour la base de comparaison : *nanu tugtumit añiƀuq* « l'ours à partir du renne (abl.) est grand = l'ours est plus grand que le renne » ; l'allatif exprime le point d'aboutissement d'un mouvement (espace et temps) ou d'une action, et diverses autres valeurs suivant les verbes : *naliñinaġnut atuġpuq* « pour toutes sortes de choses (all.) il est employé » ; le perlatif exprime le lieu par où l'on passe, la période dans laquelle se situe un fait, l'intermédiaire d'une façon générale, et l'agent d'un verbe transitif à référence pronominale unique : *aġsaisigut tiguƀaa* « par la main (perl.) il l'a pris », *iligkut siġnigiśauƀuña* « par l'action de quelqu'un (perl.) on m'a protégé = j'ai été protégé par vous » ; l'instrumental, outre sa fonction propre, sert aussi de comitatif et admet encore divers emplois ; il s'emploie notamment pour des noms en relation avec un verbe intransitif contenant l'idée d'un objet : *maġluñnik igalaaqaġpuq* « avec deux (instr.), il a des fenêtres = il a deux fenêtres », *uyaġqamik ligusibuq* « avec une pierre, il a pris quelque chose = il a pris une pierre » ; cet emploi permet d'exprimer l'objet indéfini par opposition à la construction transitive normale qui exprime l'objet défini : *uyaġaq ligubaa* « il a pris la pierre » ; enfin, le simulatif exprime la comparaison : *igluglut* « comme votre maison » et peut se combiner avec le locatif : *nunamisut* « comme dans le pays ».

Les pronoms du type *kisi-ma* (voir ci-dessus, 2°) et le pluriel des démonstratifs distinguent un nominatif (cas-sujet) et un accusatif (cas-objet) au lieu de l'absolu et du relatif.

D) Les modes :

Le verbe a des modes indépendants et des modes subordonnés ; il y a trois modes indépendants : un indicatif, un interrogatif et un optatif (souhait ou ordre), — et quatre modes subordonnés : un « conjonctif », exprimant comme des réalités du présent ou du passé diverses circonstances (temps, cause, etc.) : *lunigabku nipañiġpuq* « quand je le lui ai donné, il s'est tu », *qaiġqugañma uġnigpabkil* « parce que vous m'avez appelé, je viens à vous » ; un « subjonctif » exprimant le temps et la condition dans l'avenir ou sous forme hypothétique : *lakugubku nalusañ̃ñilaġa* « quand je le verrai, je le reconnaîtrai », *qaiġqagpatigut ugnikumaaġpaġput* « si, quand il nous appellera, nous allons à lui » ; enfin deux modes participiaux exprimant des circonstances diverses (cause, moyen, fait concomitant ou antérieur), tantôt ayant pour sujet le sujet du verbe principal (mode « participe-sujet »), tantôt ayant pour sujet ou pour objet l'objet du verbe principal (mode « participe-objet ») :

ex. : participe sujet : *nakkaiblugu asiġuġpaa* « le laissant tomber, il le cassa » ; participe objet : le plus souvent avec un verbe principal de déclaration, d'activité mentale, de perception : *aġnaa tuquṡuq uqautigaat* « sa mère mourant, ils parlent d'elle = ils disent que sa mère est morte », *qayaq iṡigaaġa ugnikkaatit* « j'ai vu un kayak, lui venant à vous = j'ai vu qu'un kayak venait à vous ».

SYNTAXE

Les relations entre les mots dans la phrase, marquées par les formes fléchies, peuvent être de deux ordres :

a) relation de dépendance : un verbe ou nom de sens verbal a pour dépendance par ex. un nom à un cas adverbial ou un verbe à un mode subordonné (voir ex. ci-dessus, *Morph.*, 3°, *C* et *D*).

b) relation d'apposition entre des termes qui constituent un groupe spécifié syntaxiquement comme tel par un accord en nombre et en cas :

ex. : *uqautsit makkua tusagkatit* « mots, ceux-ci, vous en avez entendu = ces mots que vous avez entendus » ;

uqautsit makkua tusagkabit « mots (rel.), ceux-ci (rel.), vous en avez entendu (rel.) = ces mots que vous avez entendus (rel.) » ;

uqautsinnik makkuniñña tusagkañnik « par des mots, par ceux-ci, par votre en avez entendu = par ces mots que vous avez entendus ».

Les phrases présentent trois types essentiels :

a) le type « copulatif » : le sujet est un nom au cas absolu et le prédicat un nom à l'absolu ou un élément adverbial : *nunaġput qaqqaligṡuaq* « notre pays (est) une des nombreuses montagnes », *maġġañ una* « argile, ceci = est-ce de l'argile ? ».

b) le type à particule telle que *imaqa* dans : *imaqa ilua* « imaginez-en l'intérieur ! » ;

c) le type verbal ordinaire, avec un verbe à un mode indépendant et des éléments apposés ou dépendants plus ou moins complexes ; l'ordre normal est alors : nom-sujet, nom-objet, éléments adverbiaux, verbe.

NOMS DE NOMBRE

La numération est fondée sur le dénombrement des doigts des mains et des pieds. Les numéraux constituent

une classe spéciale de noms, avec un singulier pour « un »,
un duel pour « deux » et des pluriels pour la suite. Il y a
des formes simples pour les nombres suivants :

1. *atausiq,* 2. *maġluk,* 3. *piñasut,* 4. *sisamat,* 5. *tatlimat,*
10. *qulit;* pour les autres, jusqu'à 20, on utilise des formes
diverses indiquant qu'on prend l'autre main, le premier
pied, le second pied. Le nombre 20 se dit *inuk naablugu*
« en finissant une personne » ou *aġbaġsaniq tatlimat* « sur
l'autre pied, cinq ».

J. PERROT.

YOUMA[1]
(Famille Hoka)

PHONOLOGIE

Les mots sont plus ou moins longs, ont un accent tonique
sur la racine sauf pour les modes impératif et interrogatif
du verbe, accentués sur la finale.

Il existe des groupes de deux à trois consonnes à l'intérieur ou à la fin des mots ; il n'y a pas de voyelles en hiatus
ni de diphtongues.

Le système des consonnes est le suivant :

	Occlusives	Spirantes	Nasales	LIQUIDES		Semi-voyelles
				Sourdes	Sonores	
labiales............	*p*	*v*	*m*			
dentales..........	*t ļ*	*s d*	*n*	L	*l*	
dentales mouillées..	*t'*			L'	*l'*	
cacuminales........	*ṭ*	*ṣ*	*ṇ*			
prépalatales........	*k'*		*ñ*			*y*
palatales..........	*k*	*ǩ*				
labio-palatales......	*k*ʷ	*ǩ*ʷ				
vélaire............	*q*					
labio-vélaire.......	*q*ʷ					*w*
laryngales (glottales)	*ɔ*	*ḥ*				

1. D'après A. M. HALPERN, dans *Linguistic structures of native America,*
pp. 249-288.

Le système des voyelles accentuées comprend :
brèves : *i*　　*u*　　longues : *ī*　　*ū*
　　e　*o*　　　　　　　*ē*　*ō*
　　　a　　　　　　　　　*ā*

En position post-tonique on trouve une voyelle svara-bhactique *ə* et il manque *ē, ō*.

MORPHOLOGIE

La langue distingue nettement entre verbe et nom.

La racine verbale, qui porte l'accent sur sa dernière syllabe, peut former à elle seule le thème verbal ou bien être munie de préfixes causatifs ou de suffixes de voix s'accompagnant d'alternances des voyelles inaccentuées de la racine. Le thème ainsi constitué est obligatoirement muni d'un préfixe indiquant la personne (sauf la 3e) et d'un ou plusieurs suffixes indiquant l'aspect, le temps et le mode.

Ex. : *əvămtək əadúťa* « je suis arrivé » (*ɔa-*, 1re pers., *vắm* « arriver », *-t* suff. du mode affirmatif, *-k* temps non futur ; *ɔa-* 1re pers., *dú* faire ainsi, *-ťa* suff. de l'aspect accompli ; littéralement : j'arrive j'ai fait ça) ;

ñādūva « c'est peut-être ainsi » (*ñā-* préf. du conditionnel, pas de préfixe personnel donc 3e pers., *dú* faire ainsi, *-va* suff. de mode « peut-être ») ;

əawétənlika « je le ferai encore » (*ɔa-* 1re pers., *wé* le faire, *-l* suff. affirmatif, *-nli* encore, *-ka* suff. du futur) ;

kaɔaɔélám « qu'ai-je dit ? » (*ka* quoi, *ɔa* -1re pers., *ɔé* dire, *-l* suff. affirmatif, *-ám* suff. interrogatif).

Le pluriel du sujet n'est pas indiqué par le préfixe pronominal, mais le verbe connaît trois sortes de pluriel, produits par infixation et alternances vocaliques. Un pluriel signale que l'action est répétée par le même sujet : *ḥañōrək* « il écrit », *ḥaɫñūrək* « il écrit souvent, c'est un écrivain » (infixation de *-ɫ-*, alternance *ō/ū*) ; *ñikămək* « il le conquiert », *ñikaɫámək* « il les conquiert ». Un autre pluriel indique que l'action est répétée par des sujets différents : *ñūwíɫk* « il possède », *ñaɫūwíɫək* « ils possèdent » ; *ñīka-*

ḷūwámpək « ils conquièrent » (infixation de *ḷū*). Enfin, un troisième pluriel indique que plusieurs sujets font la même action : *ñūwíḷḷək* « ils possèdent ensemble » (suffixe -*ḷ*) ; *ḥaṣék* « il nomme », *ḥaṣítk* « il les nomme » (1er plur.), *ḥūṣítək* « ils nomment » (3e plur.) ; *vakamék* « il est sur le bord », *nakamék* « ils sont ensemble sur le bord » (3e plur.), *ḥākamék* « ils sont chacun sur le bord » (2e plur.).

Quelques racines nominales peuvent se préfixer au verbe pour indiquer le complément : *ɔaḷñǎmatapúyk* « si tu en tues » (*ɔaḷ* « chose », *ñā-* si, *ma-* 2e pers., *t-* préf. causatif avec un instrument, *apúy* mourir, -*k* temps non futur) ; *matūpóyk* « il prétend être mort » (*mat* racine du mot corps, *ū-* préf. causatif sans modification de l'objet, *póy* flexion de *apúy*, -*k* temps non futur).

Ces quelques exemples montrent combien la conjugaison est irrégulière ; il y a un grand nombre de paradigmes.

Les noms à l'état absolu (sans préfixes ni suffixes) ont en majorité deux syllabes ; dans les composés, l'ordre est déterminant-déterminé.

Ex. : *ḥīdǒ* « dent », *ḥīdó* « œil », *ḥīk̭ǔ* « nez », *ḥīɔé* « cheveux », *ḥīmǎt* « corps », *ḥīmé* « pied », *ḥīṣǎl'* « main », *ɔaḷí* « poisson », *ɔāvé* « serpent », *ɔāvé* « souris », *ɔamó* « mouton », *ɔamát* « terre », *ɔavá* « maison » ; *ɔavūtó* « milieu de la maison » ; *ɔavumák* « dos de la maison », *ɔavūl'pó* « pilier », *ɔavūḷul'* « trou de cheminée », *ɔavūspó* « maison abandonnée ».

La possession personnelle est indiquée par des préfixes qui sont les mêmes que ceux qui indiquent le sujet du verbe (*ɔ-* mon, *m-* ton, *ḥ-* ou zéro- son, *kʷ-* de quelqu'un) pour les noms de parenté et de certaines parties du corps. Pour les autres noms, on intercale -*ñ*- entre le préfixe et le nom : *ḥīkʷwé* « ses cornes », *ñīkʷét* « son sang », *ɔañɔamát* « ma terre », *ɔañūsapó* « ma maison ».

Le nom peut avoir trois sortes de suffixes : démonstratif (-*va* proche, -*sa* loin, -*ñ* non situé), localisateur -*i*, casuel (-*ḷ* ergatif, -*a* vocatif, -*k* locatif, -*l'* allatif, -*m* instrumental).

Le nom ne connaît qu'une sorte de pluriel, celle qui correspond au 2e pluriel du verbe ; il s'indique par

l'infixation de -ļ- entre la racine et les suffixes : ɔĩdõ « ma
dent » ou « mes dents », ɔĩdõļa « vos dents » (-ļ- indique la
répétition du possesseur et du possédé, -a suffixe du
vocatif).

Exemples de phrases

ƙatalwé kanǎvək « il parle du coyote » :
ƙatalwé coyote, nom à l'état absolu ; *kanav* parler de,
-*k* temps non futur ;

ƙatalwéļ, kanǎvək « le coyote parle » :
-*ļ*, suffixe ergatif indiquant le sujet du verbe ;

ñavǎñ ḥayǔk ḥaɔétk kanǎvtaɔa « il vit sa maison et en
parla ainsi » : *ñ-* sa, *ɔavá* maison, *-ñ* cette ; *ḥayǔ* voir,
-*k* temps non futur ; *ḥa-* 3ᵉ pers., *ɔé* dire, *-t* affirmatif, *-k*
temps non futur ; *kanǎv* parler de, *-t* affirmatif, *-aɔa* finale
du verbe de fin de phrase ;

vĩdĩm ḥayǔk « il le voit venir » :
vĩ- préf. auprès, *dĩ* venir, *-m* gérondif ; *ḥa-* il, *yǔ* voir
qq chose, *-k* temps non futur ;

vĩyǎk ḥayǔm ƙāsaɔíl' ḥatók ḥaļpákəm ḥayǔk « comme il
longeait le rivage, il vit émerger quelque chose du milieu
de la mer » :
vĩ- auprès, *yǎ* longer, *-k* temps non futur ; *ḥa-* il, *yǎ* voir
-m gérondif ; *ƙāsaɔíl'* la mer ; *ḥa-* son, *tó* milieu, *-k* suff.
de locatif ; *ha-* il, *ļpá* émerger, *-k-* vers soi, *-m* gérondif ;
ḥayǔk voir ci-dessus.

A. Haudricourt.

TCHIPÉWAYAN[1]
(Famille Athabasque ou Na-Déné)

Phonologie

Les mots sont de longueur variable ; la langue est riche
en voyelles ; il n'y a de groupes de consonnes qu'à l'intérieur
du mot et avec une spirante pour premier élément.

---

1. D'après Li Fang-Kuei, dans *Linguistic structures of native America*,
pp. 398-423.

Le consonantisme est riche et comprend. trois séries
d'occlusives série des (douces, aspirées et glottalisées) et
deux séries de spirantes (sourdes et sonores) :

| | Occlusives | Affriquées | | | Spirantes | | Nasales | Liquides | |
								Sourde	Sonores
labiales..........	p						m		
interdentales.....		$^t\!ţ$	$^t\!ţ^\varsigma$	$^t\!ţ'$	$ţ$	d			
dentales.........	t	t^ς t'	$ţ$	$ţ^\varsigma$	$ţ'$	s z		n	L	l r
dentales latérales.		t^l	$t^{l\varsigma}$	$t^{l'}$					
prépalatales......		$č$	$č^\varsigma$	$č'$	$š$	y			
palatales.........	k k^ς k'				$\bar{k}$	g			
labiovélaires.....		k^w	$k^{w'}$	$k^{w\varsigma}$	$\bar{k}^w$	g^w			
glottale/laryngale.	$\mathfrak{o}$				h				

Le vocalisme n'est pas aussi riche :
voyelles orales : i e $ä$ a o u
voyelles nasales : $ĩ$ $\tilde{ä}$ $ã$ $ũ$
Chaque voyelle est affectée ou bien d'un ton haut (que
nous marquons par un accent) ou bien par un ton bas :
ya « ciel » est un mot distinct de *yá* « pou ». Les syllabes à
deux mores (diphtongues ou voyelles redoublées) connaissent des intonations montantes : *säľᶜáa* « ô mon père »
et descendantes : *säʲᶜaá* « mon chapeau ».

MORPHOLOGIE

La langue distingue nettement verbe et nom. Le verbe,
situé à la fin de la phrase, a une structure compliquée ;
il se décompose de la façon suivante : préfixes complémentaires (pronoms compléments indirects, compléments
circonstanciels, racines nominales), préfixe personnel
d'objet direct (identiques aux préfixes possessifs du nom),
préfixe d'aspect (cinq aspects : statique, momentané,
continu, habituel et progressif), préfixe de temps, préfixe
personnel sujet, préfixe de voix, racine s'infléchissant
selon l'aspect et le temps, enfin suffixe de mode.

Ex. : *pägáyăniLťĩ* « je le lui ai donné » s'analyse en :

pä- (préf. de la 3ᵉ pers.)+*ƙá* (pour) = *pägá* (pour lui),
yä- (préf. de la pers. accessoire ou seconde 3ᵉ pers.),
n- (préf. de l'aspect momentané), *i-* (préf. de la 1ʳᵉ pers.
sujet au temps passé des verbes actifs), ʟ- (préf. de la voix
active ou transitive), *ľ'ĩ* (forme du temps passé de l'aspect
momentané de la racine signifiant « tenir un être vivant »).

Ex. : ʟägǎnūʟ̣tirsǎnã « tu ne devras pas le tuer » : ʟägá
(mort), *n-* (aspect momentané), *ū-* (préf. indiquant à la
fois le temps futur et la 2ᵉ pers. sujet), ʟ (voix transitive),
tir (forme du futur et du momentané de la racine « agir »
[à un ou à deux] »), *-sǎnã* (suff. de prohibitif).

Ex. : ʟägániltǎ « je les tuai » : ʟägá (mort), *n-* (asp.
moment.), *i-* (1ʳᵉ pers. sujet au passé), ʟ- (voix trans.),
tä (forme passée et momentanée de la racine « agir [à
plusieurs] »).

Ce dernier exemple montre comment le pluriel peut
s'exprimer lexicalement en changeant la racine ; il y a
ainsi à côté d'une racine *ta/tá/taiẖ* (« s'asseoir seul ») une
racine à sens duel *kä/kǎ/keiẖ* (« s'asseoir à deux ») et une
autre à sens pluriel *ᵗt'i* (« s'asseoir à plusieurs »).

Le verbe « tuer » que nous venons de voir n'est que la
voix transitive du verbe « mourir » : ʟägániiđer « je
mourus » : *ii-* (1ʳᵉ pers. du passé), *đer* (forme du passé de
la racine « agir [à un ou à deux] » ; ʟägánästir « je meurs » :
nä- (asp. momentané), *s-* (1ʳᵉ pers. sing.), *tir* (présent du
verbe « agir (à un ou à deux) ».

Le verbe « mourir » est analysable en un complément
ʟägá « mort » et une racine *tir/đer* proprement verbale,
amis il existe des verbes dont le complément n'est plus
employé ailleurs, tel « manger » : *šá...ľ'ĩ : šásľ'ĩ* « je mange »,
šänäľ'ĩ « tu manges », *šäľ'ĩ* « il mange », *šägäsľ'ĩ* « j'ai
mangé » (*gä-*, préf. du passé), *šägʷasľ'ĩ* « je mangerai »
(*gʷa-*, préf. du futur).

Ex. de verbes intransitifs :
tälkai « il est blanc » : *tä-* (préf. de l'aspect qualitatif),
l- (voix moyenne), *-kai* (forme du présent de la racine
« être blanc ») ; *tíkai* « il devient blanc » : *-í-* (préf. de
l'aspect inchoatif) ; *tíkái* « il est devenu blanc » : *-kái*

(forme du passé de la racine « être blanc ») ; *lúkai* « il deviendra blanc » : *ú-* (préf. de l'aspect inchoatif et du temps futur) ; *látkai* « il y a une tache blanche » : *'t-* (préf. de l'aspect duratif localisateur) ;

til'ĩ « je suis couché » : *t-* (préf. de l'asp. duratif localisateur), *i-* (1ʳᵉ pers.), *t'ĩ* (présent d'asp. statique de la racine « tenir un être vivant ») ; *-näst'eiẖ* « je me suis couché » : *nä-* (préf. de l'asp. momentané), *s* (1ʳᵉ pers. sing.), *t'eiẖ* (prés. d'asp. momentané de la même rac.) ; *tíít'äz* « nous sommes couchés » : *íí-* (1ʳᵉ pers. plur.), *t'äz* (prés. d'asp. statique de la racine « tenir plusieurs êtres vivants ») ; *-níít'äs* « nous nous sommes couchés » : *n-* (préf. d'asp. momentané), *t'äs* (prés. d'asp. momentané de la racine « tenir plusieurs êtres vivants »).

Le verbe a une structure compliquée non seulement par les nombreux préfixes, mais aussi par les flexions de la racine, qui sont très irrégulières.

La flexion du nom est beaucoup plus simple. Les préfixes possessifs sont les mêmes que les préfixes personnels de l'objet des verbes transitifs : *säl'á* « mon père » : *sä-* (préf. de 1ʳᵉ pers. sing.), *t'á* (« père », nom de parenté n'existant pas sans préfixe personnel) ; *pät'á* « ses plumes » : *pä-* (préf. 3ᵉ pers.), *t'á* (forme possédée du mot *t'a* « plume ») ; *-tänenatú* « larmes » : *täne* (« homme »), *na* (« œil »), *tú* (forme possédée de *tu* « eau ») ; *nänagá* « ton œil » : *nä-* (préf. 2ᵉ pers.), *nagá* (forme possédée de *na* « œil »).

Parmi les noms se trouvent des localisations qui se combinent avec les préfixes possessifs ou les autres noms : *säl'én* « vers moi » : *sä-* (mon), *l'én* (endroit vers lequel on se dirige) ; — *sasl'én* « vers l'ours » : *sas* (« ours ») ; — *kíʟl'én* « soir » : *kíʟ* (« obscurité ») ; — *sänatä* « devant moi » : *natä* (« le devant ») ; — *pänatäl'én* « meilleur que lui » : *pä-* (son).

Enfin le nom connaît un vocatif : *säl'áa* « ô mon père » (*säl'á* « mon père ») ; *säč'ilĩ̃* « ô mon cadet » (*säč'ilä* « mon cadet »).

Les pronoms sont invariables : *si* « moi », *nen* « toi », *nuẖni* « nous ou vous », *tiri* « lui, celui-ci », *čã* « ici ».

EXEMPLE DE PHRASE

sä⁺ṭ'uä sa k'ún ṭäLṭ'ĩ « mon petit-fils m'a fait du feu » :
sä- « mon », *⁺ṭ'uä* « petit-fils », *s-* « moi », *a* « pour »,
kún « feu », *tä-* préf. asp. duratif localisateur, L- préf. de
voix active, *ṭ'ĩ* passé de la racine « faire une chose ».

NOMS DE NOMBRE

Les noms de nombre diffèrent selon qu'il s'agit de
personnes ou de choses :

	1	2	3	4	5
personnes :	*ɔĩLãgĩ*	*nátäne*	*t'ane*	*tine*	*sasūláne ;*
choses :	*ɔĩLagä*	*nák'ä*	*t'agä*	*tĩgĩ*	*sasūlágä.*

Les nombres suivants sont composés : 6 *ɔãLk'át'agä*
(double trois), 7 *ɔĩLásítĩgĩ* (un de quatre), 8 *ɔãlk'átĩgĩ*
(double quatre), 9 *ɔĩLágäyagaút'ã* (un doigt courbé),
10 *ɔĩLáunánã*, 11 *ɔĩLágäɔäč'a⁺ṭäL* (un laissé dessus), 20
náunánã, 21 *náunánã naṭäl'én ɔĩLágä* (vingt plus un),
30 *t'aunánã*.

A. HAUDRICOURT.

YOKOUTS[1]
(Famille Pénoutia)

PHONOLOGIE

Les mots sont de longueur variable. Il n'y a de groupes
de consonnes qu'à l'intérieur du mot ; il n'y a jamais de
groupes de voyelles ni de diphtongues.

Le système des consonnes est riche :

	Occlusives			Affriquées			Spirantes	Nasales		Liquides		Semi-voyelles	
labiales	p	p'	p'					m	m'			w	w'
dentales	t	t'	t'	ḷ	ḷ'	ḷ'	s	n	n'	l	l'		
cacuminales	ṭ	ṭ'	ṭ'				ṣ						
prépalatales				č	č'	č'						y	y'
palatales	k	k'	k'				ƙ						
glottale-laryngale		ɔ					ḥ						

1. D'après Stanley S. NEWMAN, dans *Linguistic structures of native
America*, pp. 222-248.

Les voyelles comprennent des brèves et des longues :

$$i \qquad u \qquad\qquad \bar{\imath} \qquad \bar{u}$$
$$e \quad o \qquad\qquad \bar{e} \quad \bar{o}$$
$$a \qquad\qquad\qquad \bar{a}$$

La voyelle de la syllabe finale du mot est toujours brève.

MORPHOLOGIE

Cette langue distingue nettement verbe, nom, pronom et particules invariables (adverbes, conjonctions et exclamations).

Le verbe se fléchit selon le temps et l'aspect au moyen de suffixes soumis à l'harmonie vocalique et dont l'emploi s'accompagne d'une alternance vocalique de la racine. Lorsque la racine n'a que deux consonnes, le redoublement indique l'aspect itératif : *teyḫin* « (il) conduisit », *tiyāᵔan* « (il) conduit », *tēyen* « (il) conduira », *teytiyen* « (il) conduira souvent » ; *'oṭ'ḫun* « (il) vola », *ᵔuṭ'āᵔan* « (il) vole », *ᵔōṭ'on* « (il) volera », *ᵔoṭ'ᵔuṭ'ḫun* « (il) volera souvent ». Les racines à trois consonnes emploient un suffixe pour cet aspect : *piwen'an* « (elle) coud », *pēwinḫin* « (elle) cousit », *piwantāḫin* « (elle) cousit souvent ». Autres aspects : *pewnal* « (elle) put coudre », *pew'nan* « (elle) reste à coudre », *piwiᵔne* « (elle) fait coudre », *ᵔuṭ'ḫaṭ'in* « (il) désire voler ».

Il y a des gérondifs indiquant les verbes de propositions subordonnées : *pewnēni* « pour qu'elle couse », *ᵔōṭ'ēni* « pour qu'il vole ».

Il y a des noms dérivés de la racine verbale : *teytay* « conduite fréquente », *tiyētiyiṭ'* « conducteur fréquent », *ᵔuṭ'* « vol », *piwin* « couture ».

Le nom a une déclinaison à sept cas : nominatif sans désinence, accusatif à désinence variable selon les paradigmes, génitif en -*in*, datif en -*w*, ablatif en -*nit*, instrumental en -*ni*.

Le pronom a également une déclinaison à sept cas dont les désinences coïncident avec celles du nom pour les trois derniers cas, mais qui possède un duel et un pluriel : *naᵔ* « je », *nim* « mon », *nan* « me », *nānaw* « à moi », *naᵔak'*

« nous deux (lui et moi) » ; *maɔ* « tu », *maɔak'* « vous deux »,
mak' « nous deux (toi et moi) », *nimokun* « notre » ; *ɔamaɔ*
« il » ; *k'eɔ* « celui-ci », *t'a* « celui-là ».

EXEMPLES DE PHRASES

ɔilik't'aw ɔanut̮'wun ḥuloṣḥun k'ay'iw « au chant du
chaman le coyote s'est assis » :

ɔilik't'aw datif du nom d'action du verbe « chanter »,
ɔanut̮'wun génitif de *ɔant̮'uw* « chamane », *ḥuloṣ* « s'asseoir »,
ḥun suffixe du passé, *k'ay'iw* « coyote » ;

mam lanḥin k'ay'iw « le coyote t'entendit » :

mam accusatif de *maɔ* « toi », *lan* « entendre », *ḥin*
suffixe de passé ;

ḥina pinet min k'ay'wa lanḥin « peut-être qu'il t'a
entendu demander le coyotte » :

ḥina « peut-être », *pinet* nom d'action du verbe
« demander », *min* génitif de *maɔ* « toi », *k'ay'wa* accusatif
de *k'ay'iw* « coyote », *lanḥin* passé du verbe « entendre » ;

yow cilk'en ɔaman ponyow t'oy'now « et ils chanteront
deux nuits » :

yow « et alors », *cilk'en* futur du verbe « chanter », *ɔaman*
« ils », *ponyow* datif de *ponoy* « deux », *t'oy'now* datif de
« nuit » (l'accord en ce cas indique que les deux noms sont
en apposition) ;

t̮'aw p'anāḥin k'ay'wāni « il arriva là avec le coyote » :
|'aw* « là », datif de « cela », *p'anāḥin* passé du verbe
« arriver », *k'ay'wāni* instrumental de *k'ay'iw* « coyote » ;

ɔakam k̮at'a nimokun ɔō̮t'on « il volera probablement
notre nourriture » : *ɔakam* « probablement », *kat'a* accusatif
de *kat'* « repas », *nimokun* génitif de *naɔan* « nous », *ɔō̮t'on*
futur du verbe « voler » ;

k̮at'aw nim ilik'ḥin « il chantait pendant que je mangeais »
(litt. : à mon repas) » :

k̮at'aw datif de *kat'* « repas » : *nim* génitif de *naɔ* « moi »,
ilik'ḥin passé du verbe « chanter ».

A. HAUDRICOURT.

OTOMI

(Dialecte de San José del Sitio, Méx.)[1]

L'otomi décrit ici est le langage parlé à San José del Sitio Il présente une structure grammaticale dont les caractéristiques essentielles sont communes à l'ensemble de l'otomi, tandis que le phonétisme accuse des divergences considérables entre les dialectes.

L'influence de l'espagnol, sensible dans le vocabulaire, a aussi déterminé ou favorisé certains développements récents dans le système grammatical (jeu d'articles préfixés, extension des mots-outils) sans l'altérer profondément.

PHONOLOGIE

Les mots sont généralement de type dissyllabique CVCV. Les syllabes sont toujours ouvertes. L'accent est faiblement marqué. L'existence de tons reste douteuse.

Consonnes : Le système consonantique est riche :

	Occlusives		Affriquées		Spirantes		Nasales	Liquides	Semi-voyelles
	sourdes	son.	sd.	son.	sd.	son.			
Labiales et labio-dentales	p p' p'	b	pᶠ		f	b	m m'		w ẅ
Dentales	t t' t'	d	ṭ	ḍ		d	n	l	
					s	z			
Prépalatales . .			č	ǰ	š				y
Palatales.	k k' k'	g			x			r	
					ẖ				
Glottales-laryngales.	ɔ					ɛ̣			
Souffle					h				

1. La description se fonde sur les données fournies par J. SOUSTELLE, *La famille otomi-pame du Mexique central*, Paris, 1937 (essentiellement : 2ᵉ partie, chap. II et III). Je remercie vivement M. J. Soustelle d'avoir bien voulu lire cette esquisse, qui a bénéficié ainsi d'utiles observations, et compléter ma documentation.

Les oppositions qui apparaissent dans ce tableau semblent n'avoir pas toutes une valeur phonologique : il y a des flottements entre *p* et *m*, — *d* et *ḍ*, — *ḷ*, *š* et *č*, — *ḷ*, *z* et *ḍ ;* l'opposition entre *ḷ* et *ḍ* est neutralisée à l'intérieur du mot.

Des nasales se développent dans certaines conditions : *t* et *d*, *ḷ* et *ḍ* initiaux devenant intérieurs sont ou peuvent être prénasalisés : *döni* « fleur », *kar-ndöni* « la fleur » ; cette prénasalisation affecte à l'initiale *k* et *g*, *p* et *b* : *gũ* ou *ngũ* « maison ». D'autre part, il semble qu'il existe des nasales sourdes.

Voyelles : Il y a un riche système de voyelles, orales et nasales :

$$u \quad ü \quad i$$
$$o \quad ö \quad e$$
$$ǫ \quad ǭ \quad ę \qquad\qquad ũ \quad ã \quad ę̃ \quad ǭ̃$$
$$a$$

Les timbres *ǭ̃*, *o* et *i* prédominent ; *ö*, parfois très proche de *ü*, est très fréquent. Il y a souvent des flottements de timbre, notamment entre *ö* et *i*. Les différences de quantité interviennent très faiblement.

Il y a des diphtongues à second élément *ẅ*, non *w*. Les principales diphtongues sont en *y*.

MORPHOLOGIE

1º Il n'y a pas de distinction fondamentale entre nom et verbe :

a) Un même élément lexical s'emploie en fonction nominale (nom ou adjectif) ou en fonction verbale sans modification de sa forme : *(n)gũ* signifie « maison » et « habiter », *ḷę* « froid », « faire froid » (impersonnel) et « avoir froid ». Ainsi, *nyö*, qui exprime l'idée de lourdeur, peut s'employer comme adjectif (« lourd »), mais aussi recevoir par exemple un préfixe *mi-* de passé et *mi-nyö* signifie « elle était enceinte » ; on a de même, avec *ḍoya* « chef » : *ka-m-la kar-ḍoya* « mon père le chef » ou (phrase

nominale) « mon père est le chef » (*kar-* = préfixe-article),
et : *ka-m-ta mi-nḍoya* « mon père était le chef » (préf. *mi-*
de passé) ;

b) C'est donc par le choix des affixes grammaticaux que
se traduit la fonction nominale ou verbale d'un terme :
il y a des affixes particuliers qui servent à l'expression des
procès : indices de mode, d'aspect, de temps (voir 3º, C)
et les noms reçoivent un préfixe-article qui les spécifie
dans leur fonction nominale (*kar-* dans l'ex. ci-dessus ;
ki- dans l'ex. ci-dessous, *c*). Mais il y a des jeux d'affixes
communs aux noms, aux pronoms et aux verbes pour
l'expression du nombre (et aussi, partiellement, de la
personne : voir ci-dessous, 3º, C, a) :

ex. : suffixes *-hö* de pluriel inclusif :

nǫmgū « ma maison », *nömgū-hǫ* « notre
maison » ;

nugo « moi », *nugo-hö* « nous » ;

dik'a « je fais », *dik'a-hö* « nous faisons ».

c) Il suffit d'ajouter à une forme « verbale » (pourvue
d'un préfixe spécifiquement affecté à la détermination
d'un procès) un affixe « nominal » pour donner à cette
forme une fonction « nominale » :

ex. : *but'ogi ki-mi-ngū-hö* « passèrent les ils habitaient »,
c'est-à-dire « ceux qui habitaient » (la forme verbale *mi-
ngū-hö* « ils habitaient » est substantivée par *ki-*, préfixe-
article pluriel).

2º Les procédés morphologiques sont essentiellement :

a) L'affixation, qui fournit aux mots les indices de
nombre, de personne, de modalité du procès, etc. Les
préfixes sont les affixes les plus nombreux et les plus
importants ;

b) L'ordre des mots, qui détermine dans une large
mesure les relations unissant les divers termes de l'énoncé.
Les mots-outils tendent à se développer dans la langue,
qu'ils enrichissent d'articulations qui n'existaient pas, et
où ils précisent des relations que l'ordre des mots suffisait
à traduire (voir ci-dessous, 3º, D) ;

3º Les catégories grammaticales :

L'otomi n'établit aucune classification ; les préfixes qui se présentent dans de nombreuses formations nominales servent à modifier la notion exprimée par l'élément lexical de base auquel ils s'adaptent et sont des instruments de formation des mots :

ex. : préfixe d'agent *mo-* : *tęha* « tuile », *mo-tęha* « tuilier » ;

préfixe *t-* marquant des rapports divers avec un procès :

ɔękę « carder », *t'ękę* « instrument à carder » ; *ɔg̃xg̃* « dormir », *t'g̃xg̃* « sommeil » ;

préfixe privatif *go-* : *dǫ* « œil », *go-dǫ* « aveugle ».

A) *Nombre* : L'expression du nombre comporte :

a) Pour les noms non possessivés, une opposition entre singulier et pluriel qui s'exprime uniquement par le jeu des préfixes-articles : il y a deux articles, rappelant les articles défini et indéfini de l'espagnol, pour chaque nombre :

ex. : *kar-ngũ* « la maison », *kö-ngũ* « les maisons » (préf. *kö-* ou *ki-* déjà mentionné) ;

nar-ndani « un bœuf », *yö-tönk'ö* « des haricots ».

b) Pour les noms possessivés, les pronoms et les verbes, une opposition entre singulier, duel (en régression), pluriel inclusif et pluriel exclusif, que marquent des suffixes :

ex. : *nir-ngũ* « ta maison », *nir-ngũ-wi* « votre maison à vous deux » ;

ng̃m-gũ-hö « notre maison (à vous et à moi) », *nöm-gũ-hę* « notre maison (dont vous n'êtes pas) ».

B) *Personne* (indices personnels ou possessifs) :

a) L'expression ordinaire de la possession dans les noms se fait au moyen de préfixes, diversement suivant les personnes :

— à la 1ʳᵉ, article+indice *-m-* : *ka-m-gũ* ou *ng̃-m-gũ* « ma maison » *(ka-*, autre forme de *kar-* ; *ng̃-*, autre forme de *nar-)* ;

— à la 2ᵉ, préfixe *nir-* : *nir-ngũ* « ta maison » ;

— à la 3e, article seul, sans expression particulière de la possession : *kar-ngū* « la maison » ou « sa maison » ;

b) Il existe en outre des suffixes possessifs qui dans les noms s'ajoutent aux préfixes mentionnés pour insister sur le possesseur : *nir-ngū-gę* « ta maison à toi », — et dans les verbes servent de pronoms sujets avec ou sans valeur de renforcement (voir ci-dessous, C, *a*).

C) *Catégories verbales :*

a) Un procès peut être exprimé seulement par le mot accompagné d'un indice personnel, qui est le plus souvent le suffixe personnel pour la 1re et la 2e personnes, un préfixe possessif *ę-* ou *ra-* pour la 3e. Ces formes non différenciées comme formes verbales énoncent purement et simplement le procès et constituent une sorte de degré zéro quant au mode (valeur d'indicatif) et au temps (valeurs du présent français) ; elles servent notamment à l'expression des vérités générales ;

ex. : *ma-go*, de *ma* « aller », a les diverses valeurs de « je m'en vais » en français.

b) Toutes les nuances affectant l'expression d'un procès sont exprimées par des préfixes qui sont polyvalents : un préfixe unique réunit les déterminations modales, aspectuelles, temporelles et personnelles ; seul le nombre est exprimé séparément, par un suffixe (voir ci-dessus, A).

c) Des séries de préfixes fournissent à l'indicatif un présent proprement dit, un passé duratif, un passé ponctuel, un futur (mais des futurs constitués avec l'auxiliaire *ma* « aller » se développent) ; il y a des formes à préfixe *š-* qui semblent surtout insister sur une situation : *šima* de *ma* « partir » signifie : il part (juste maintenant), — il vient de partir, — il est parti (fait acquis), — il n'est pas là ; mais ces formes tendent à prendre une valeur de passé pur et simple et on a recours à un auxiliaire pour noter leur ancienne valeur terminative. Un itératif est constitué par l'adjonction d'un préfixe unique *pę-* aux formes sans *š-*. Il existe un subjonctif marquant le doute ou le souhait ; un mode nominal, l'infinitif, sert de mode de subordination ; l'impératif est exprimé soit par le radical nu, soit par un préfixe, soit avec l'auxiliaire *ma* « aller ».

d) Chaque série définie quant au mode, à l'aspect, au temps, possède trois formes affectées aux trois personnes du singulier. Les formes correspondantes du duel et du pluriel sont obtenues par la suffixation des indices de nombre (voir ci-dessus, A).

e) Les formes verbales peuvent inclure une référence pronominale à l'objet, qui est suffixée ; si le pronom-sujet d'insistance est aussi exprimé, il suit le pronom-objet : *ɓi-xyo-gi-nǫ̃* « lui t'a frappé » (*ɓi-* préf. de passé ponctuel, 3e pers., *-gi* pronom-objet 2e pers., *-nǫ̃* pronom-sujet d'insistance 3e pers.).

f) La négation est préfixée au verbe ; il y a une forme distincte pour l'impératif : *xi-mi-nę* « il ne voulait pas » (*xi-* négation), *yo-gi-kʻa* « ne fais pas » (*yo-* négation et *gi-* préfixe d'impératif).

D) *Indices de relation :*

En l'absence d'un système de cas (seulement un préfixe *ga-* indiquant la matière et quelques particules locatives), c'est en général l'ordre des mots qui précise les relations entre les termes :

a) C'est l'ordre normal verbe-sujet-objet qui permet d'interpréter la fonction des termes dans une phrase du type : *ɓi-šipʻi ka-m-la kar-ḍoya* « a parlé mon père le chef » = « mon père a parlé au chef » ;

Un ordre fixe apparaît dans les cas suivants :

b) Relation d'appartenance : *kar-ngũ kar-ḍoya* « la maison le juge (= du juge) » ;

c) Matière : *nar-tʻabi tʻegi* « une charrue fer (= en fer) » (on dit aussi : *nar-tʻabi ga-tʻegi*) ;

d) Relations spatiales : *ɓi-ma yapʻi* « il est allé (à) Yapfi (= Ixtlahuaca) » ; mais on tend à employer des mots-outils, par ex. *a* « vers ».

SYNTAXE

Les articulations sont pauvres. La juxtaposition, le plus souvent, tient lieu à la fois de coordination, tant entre termes qu'entre propositions, et de subordination.

Ex. : *kar-ta kar-me* « le père la mère » = « le père et la mère » ;

bi-bwöni kar-bãĺi bi-ma yapᶠi « partit le jeune homme alla Yapfi » = « le jeune homme partit et alla à Yapfi ;

bi-šipᶠi pa-k'ǫ̃nti « il avisa il a vu » = « il avisa qu'il avait vu ».

La subordination peut se marquer de diverses manières : emploi, dans le verbe dépendant, du « présent vague » défini ci-dessus (*Morph.*, 3°, C, *a*) :

ex. : *bi-nyǫ̃ti kar-nita ǫ-zoni* « entra la vieille femme elle pleure » = « la vieille femme entra en pleurant » (*ǫ-zoni*, 3ᵉ pers. « présent vague ») ;

ou bien emploi de l'infinitif comme mode dépendant, précédé ou non d'un mot-outil qui précise le rapport et accompagné éventuellement d'un sujet :

ex. : *mi-nǫ   domi   pa di-tõngi   nar-mǫ*
« il voulait de l'argent pour acheter une tortilla »

EXEMPLES DE PHRASES

1) *kar-kola kar-k'inyö mar-kãti-bi   kar-nǫ   kar-ĺi-wǫni*
la queue   le serpent   ils lui voyaient   la bouche   le petit bébé

= « ils voyaient la queue du serpent dans la bouche du petit bébé ».

(dans *mar-kãti-bi*, -*bi* est le pronom-objet indirect 3ᵉ pers. ; dans *kar-ĺi-wǫni*, *ĺi*- est un préfixe diminutif).

2) *gwǫ-t'o   xabwö   bǫnt'o   xi-nteɔǫxǫ*
« tout   là   il se jette à terre   il n'a pas de vêtements »

xabwö   ǫ-xoti   kar-ĺǫ
là   il supporte   le froid

« partout où il se jette à terre et n'a pas de vêtements, à cet endroit il supporte le froid »
(dans : *xi-nteɔɛxɛ*, *xi-* est le préfixe négatif.)

NOMS DE NOMBRE

1. *na*............	6. *dato*		11. *dɛtamna*		
2. *yoxo*.........	7. *yoxto*		12. *dɛtamayoxo*		
3. *nyũ*..........	8. *nyãxto*		20. *noxtɛ*		
4. *goxo*.........	9. *gˣöto*		30. *noxtɛmadɛta*		
5. *kʸüta*	10. *dɛta*		100. *ntɛbɛ*		
			1000. *m'o*		

Le pointillé souligne des relations morphologiques qui font apparaître un système quinaire.

J. PERROT.

KITCHOUA *(ou ROUNASIMI)*[1]

PHONOLOGIE

Le consonantisme est abondant ; les occlusives et affriquées, toutes sourdes, ont cinq points d'articulation, et pour chacune une série ordinaire, une série aspirée et une série glottalisée. Les spirantes, correspondant dans l'ensemble aux mêmes points d'articulation, sont sourdes également.

labiales	*p*	*pʿ*	*p'*	*f*	*m*		*w*
dentales	*t*	*tʿ*	*t'*	*s*	*n*	*r, l*	
prépalatales	*č*	*čʿ*	*č'*	*š*	*ñ*	*ļ*	*y*
palatales	*k*	*kʿ*	*k'*	*x*			
vélaires	*q*	*qʿ*	*q'*	*ḥ*			

(et laryngales)

(La sonore *b* se trouve exceptionnellement dans quelques mots).

1. D'après Elizabeth DIJOUR, *Preliminary study of Runasimi (Q'ešwa) of the Cuzqueño and bolivian groups*, dans Revista del Instituto di Etnologia, t. II, Tucuman (Argentine), 1932. Observations faites principalement sur des sujets de Cuzco (Pérou) ; les textes sont dus à un informateur bolivien.

Les voyelles sont en nombre restreint : *a, e, i, o, u.*

Les syllabes ouvertes dominent ; il y a aussi des syllabes fermées, en finale ou à l'intérieur, amenant des rencontres de deux consonnes.

Les mots sont souvent longs.

Grammaire

Il n'y a pas de forme fixe de radical soit pour le verbe, soit pour le nom. Ceux-ci sont normalement de racines différentes pour un même ordre d'idées ; mais il y a aussi des noms dérivés de racines par ailleurs verbales.

Ex. : *riska* « aller », *nan* « chemin » ; *mixu* « manger », *mixu-na* « nourriture ».

Les racines de deux syllabes sont fréquentes. Les verbes ont souvent une racine allongée expressive, ainsi *waxaxaxa* « rire aux éclats » ; *pututulu* « puer très fort ».

De nombreux suffixes servent à caractériser les modalités et les fonctions. La racine verbale peut être allongée au moyen de suffixes variés (on en a reconnu 19, qui peuvent éventuellement se combiner) indiquant des modalités du procès et de la participation du sujet à l'action ; ainsi de *l'aqa* « séparer », *l'aqaku-* « se séparer (soi-même) », *l'aqanaku-* « se séparer les uns des autres », *l'aqayu-* « séparer une part de quelque chose, donner une part de ce qui vous appartient ».

La conjugaison est obtenue d'une manière assez compliquée : les suffixes personnels sujets qui désignent les trois personnes du singulier et les quatre du pluriel (« nous » étant soit inclusif, soit exclusif), sans distinction de genre, sont en partie différents suivant qu'ils sont ou non en combinaison avec un suffixe exprimant le temps, le mode ou l'aspect ; différentes combinaisons sont polyvalentes.

Ainsi, pour le verbe *ka* « être, avoir » (qui peut être employé comme auxiliaire) : *kani* « je suis, j'ai » ; *kanki* « tu es, tu as » ; *kanay* « je dois, devais, devrai être (avoir) » ; *kanaiki* « tu dois, devais, devras être (avoir) » ; *kasax* « je serai » ; *kanki* « tu seras ».

Il y a aussi des formes de pronoms personnels indépendants et d'autres qui sont suffixés comme compléments d'objet au verbe. Des formes différentes servent de possessif en se suffixant aux noms.

Des formes nominales du verbe sont l'infinitif en -y (servant aussi d'impératif pour la 2ᵉ personne du singulier), et des participes avec -spa pour le présent, -sqa pour le passé ; avec l'auxiliaire ka- ils forment une expression du passif : muna-sqa-ka-n « il est aimé ».

Après les suffixes de conjugaison se placent éventuellement des suffixes indiquant des relations, qui servent d'autre part aussi avec les noms.On compte 25 de ces éléments, par exemple -ri « et », -lax « certes »,-ña « déjà », -pax « dans l'intention de, pour », -ta, indiquant la direction et le complément d'objet quand il s'agit du nom ou du verbe en fonction de nom (proposition complétive), -ču, négation. Certains de ces éléments peuvent s'additionner.

Le nom peut avoir un suffixe de pluriel -kuna, un suffixe possessif, un suffixe indiquant son rôle ; il se place dans la phrase avant le verbe.

EXEMPLE DE PHRASE

noqa mana-rase rima-yki-ču monte-man riska-yku-man-la
noqa moi (pronom indépendant) ;
mana-rase pas encore ;
rima-yki-ču verbe « dire », toi (objet), ne
monte-man montagne boisée (emprunt espagnol), vers ;
riska-yku-man-la verbe « aller », nous (exclusif), vers, signe du complément d'objet ;
« je ne t'ai pas encore dit que nous sommes allés à la montagne ».

NOMS DE NOMBRE

1.	ux, ḥux	7.	qančis
2.	iskay	8.	pusax
3.	kimsa	9.	ḥisq'ox, ḥisqu
4.	tawa	10.	čunka
5.	pisqa	100.	pačax
6.	soxta	1000.	waranqa

Les dizaines sont formées par multiplication de 10 : *iskay-čunka* « vingt ». Les unités intermédiaires sont formées par accolement (avec éventuellement certaines modifications) et un suffixe *-niyox*, *-niyux* « ensemble » : *iskayčunkaḥuxniyux* « 21 ».

MARCEL COHEN.

YAMANA[1]

PHONOLOGIE

Les mots, longs, sont composés surtout de syllabes ouvertes.

Le consonantisme n'est pas très riche :

	Occlusives		Spirantes	Nasales	Liquides	Semi-voyelles
	sourdes	sonores				
labiales.....	p	b		m		w
dentales.....	t	d	s	n	r, l	
prépalatales.	č	ǰ	š			y
vélaires.....	k	g				
laryngale ...			ḥ			

Toutes ces consonnes, sauf *n* et *r*, peuvent commencer le mot, toutes peuvent terminer la syllabe, mais les occlusives deviennent spirantes dans cette position : *p* devient *p̌*, *b ƀ*, *k ǩ*, *č š*. Les seuls groupes de consonnes connus à l'initiale sont produits par le préfixe verbal *č-* et le préfixe pronominal *s-*.

Le vocalisme est pauvre : *a, i, u, ə* et *ā, ī, ū ;* les *e* et *o* sont rares et semblent étrangers au système : ils doivent être la réalisation de diphtongues, les voyelles pouvant se combiner avec *y* et *w*. La voyelle neutre *ə* ne se trouve jamais à la finale absolue,

---

1. D'après L. ADAM, Grammaire Jagane, *Revue de Linguistique*, t. XVII-XVIII, (1884-1885) et BRIDGES, *Yamana-English dictionary* 1933.

Morphologie

Les racines sont en majorité dissyllabiques. Le nom et le verbe sont nettement distincts : *kīpa* « une femme », *kīpaya* « c'est une femme ».

Seule la dernière voyelle des racines et des affixes est sujette à alternances.

Le verbe comprend des préfixes, une ou deux racines et des suffixes. Les préfixes indiquent d'abord la personne : *h-* 1re pers., *s-* 2e pers., *k-* 3e pers., avec une voyelle de liaison *a* ou *ə* pour le mode de la proposition principale, *i* pour les modes des propositions subordonnées ; ensuite le lieu et la manière de l'action ; enfin la voix : *u-* causatif, *č-* médiatif (par l'intermédiaire de quelque chose). Les suffixes verbaux indiquent les modes : *-ina* impératif, *-ra* interrogatif, *-yū* négatif, *-mē* réfléchi ; les aspects : *-dē* accompli, *-ana* inaccompli ; enfin les modes subordonnés : *-məš* quand, *-dāra* tandis que.

Ex. : *kəkūpāčtəšatudē* « le vent a soufflé d'en haut » (*kə-* il, *kūpā* de haut en bas, *č-* préf. de voix, *təšatu* souffler en tempête, *-dē* asp. accompli) ; *ḥītəlmūtūdāra* « tandis que je suis à boire » (*ḥī-* je, *t-* préf. de voix, *əl* boire, *mūtū* demeurer, *-dāra* tandis que).

Le verbe sans suffixes est un nom d'action susceptible de recevoir les suffixes du nom, mais il y a aussi des suffixes de noms verbaux.

Seuls les noms de parenté et de localisation prennent les préfixes pronominaux : *ḥīdābuan* « mon père » (*ḥī-* je, *dābuan* père) ; *skāpū* « au-dessus de toi » (*s-* toi, *kāpū* dessus), *ḥawaməči* « au nord de moi » (*ḥawa-* moi, *məči* nord).

Les noms peuvent prendre un grand nombre de suffixes de localisation et de direction tenant lieu de déclinaison ; on peut facultativement indiquer le nombre par un suffixe de duel ou des suffixes collectifs. Le pluriel des noms peut être indiqué par le verbe, ex. : *kəlikīmua ḥək* « il y mettra un œuf » (*kə-* il, *likīmua* mettre une chose dans, *ḥək* œuf) ; *kətayīgū ḥək* « il y mettra des œufs » (*tayīgū* remplir avec, *ḥək* œuf). Lorsque le suffixe de duel *(-pikīna)* est placé dans le verbe, il indique le duel de l'objet ou du sujet : *kətikīmupikināa ḥək* «il y mettra deux œufs» littéralement : «deux fois poser œuf», *kətayīgūpikināa ḥək* «eux deux y mettront des œufs» littéralement : «deux fois remplissage œuf».

Autre exemple de racine verbale : *māgū* «engendrer» ou «adopter un enfant», *ləša* «engendrer plus de deux enfants», et, avec la voix causative *(tū-)*, *tūləša* «épouser», c'est-à-dire «faire avoir plusieurs enfants».

EXEMPLE DE PHRASE

kənǰi moaloalan atūyūa kəmūtude, kənǰi moaloalan wānašin kətamašəkmūtude «étant demeuré sans manger plusieurs jours, il était affamé» :

kənǰi lui, *moal* jour, *oala* plusieurs, *-n* suff. locatif ; *atū* manger, *-yūa* suff. du négatif ; *kə-*, il, *mūtu* demeurer, *-de* suff. de l'accompli ; *wāna* passer, *-šin* étant, *kə-* il, *t-* préf. de voix, *amasək* être affamé, *mūtu* demeurer, *-de* accompli.

NOMS DE NOMBRE

1. *ūkoali;* 2. *kəmbai;* 3. *mətan* signifie «un peu».

A. HAUDRICOURT.

ADDITIONS
ET RECTIFICATIONS

Ces additions et rectifications concernent les bibliographies, sauf mention spéciale *Addition au texte*, avec indication de la page.

Elles sont arrêtées dans l'ensemble à la date du 29 février 1952.

LANGUES INDO-EUROPÉENNES

HITTITE

Kara-Tepe : BOSSERT, *Jahrbuch für kleinasiatische Forschung*, I, 1950.

INDO-ARYEN

Un bon aperçu des langues anciennes et modernes est donné par L. RENOU et P. MEILE, *L'Inde classique*, I, Paris, 1949, p. 67-192.

IRANIEN

Écriture « hephtalite » : Essai de déchiffrement par O. HANSEN, dans *La Nouvelle Clio*, III, 1951, p. 41-69.

HELLÉNIQUE

Grec ancien : P. CHANTRAINE, *Syntaxe homérique*, à paraître en 1952.
Néo-grec : J. T. PRING, *A Grammar of Modern Greek on a phonetic basis*, London, 1950.

ALBANAIS

S. E. MANN, *An Historical Albanian-English Dictionary*, London, 1948.

VENÈTE

Le venète doit se rattacher non à l'illyrien, mais plutôt à l'italique. C'est ce qui ressort de :
M. S. BEELER, *The Venetic language* (cité p. 73).
H. KRAHE, *Das Venetische, seine Stellung im Kreise der verwandten Sprachen (Sitz. Berichte Heidelb. Akad.)*, 1950.

LANGUES ROMANES

Français : R. A. HALL Jr., *French* (Lingu. Society of America), Baltimore, 1948.
Italien : R. A. HALL Jr., *Descriptive Italian Grammar*, Ithaca, 1948.

CELTIQUE

Gaulois : J. WHATMOUGH, *The Dialects of Ancient Gaul* (édition en microfilm, en cours de publication). Ann Arbor, 1950.

GERMANIQUE

Écriture runique : F. MOSSÉ, *L'origine de l'écriture runique (Conférences de l'Institut de Linguistique*, X, 1951, p. 43-58).
Gotique : F. MOSSÉ, *Bibliographia Gotica (Mediaeval Studies*, XII), Toronto, 1950.
Anglo-américain : H. KURATH, *A word geography of the Eastern United States*, Ann Arbor, 1949.
Langues créoles : L. D. TURNER, *Africanisms in the Gullah Dialect*, Chicago, 1949.

BALTIQUE

Lituanien : NIEDERMANN-SENN-SALYS, *Wörterbuch der litauischen Schrift-sprache* (en cours de publication), Heidelberg.

SLAVE

ENTWISTLE-MORISON, *Russian and the Slavonic languages*, London, 1949.

LANGUES CHAMITO-SÉMITIQUES

Additions au texte :

Sudarabique ancien (pp. 140-141). Des inscriptions sudarabiques en nombre ont été reconnues récemment sur la rive ouest du golfe Persique.

Guanche des îles Canaries (p. 164). E. ZYHLARZ (voir référence ci-dessous) professe que les documents permettent de reconnaître des traces de langues antérieures à l'introduction du berbère aux îles Canaries.

Additions à la bibliographie :

GÉNÉRALITÉS

Marcel COHEN, *Langues chamito-sémitiques et linguistique historique*, dans *Scientia*, nov. 1951.

Langues et écritures sémitiques, par J. NOUGAYROL, H. CAZELLES, J.-G. FÉVRIER, G. RYCKMANS, dans *Supplément au dictionnaire de la Bible* de Vigouroux, dirigé par L. Pirot et A. Robert, fasc. 25. Paris, 1952, col. 257-334.

BERBÈRE

André BASSET, *La langue berbère* (Handbook of African languages, part I), Oxford, 1952. — Exposé court ; bibliographie complète ; carte.

GUANCHE

Ernst ZYHLARZ, *Das Kanarische Berberisch in seinem sprachgeschichtlichen Milieu*, dans *ZDMG*, 1950, pp. 403-460.

COUCHITIQUE

Enrico CERULLI, Studi etiopici IV, *La lingua caffina*, Rome, 1951 (P. 526, nouveau tableau des composantes du *Sidama occidental*).

LANGUES ASIANIQUES ET MÉDITERRANÉENNES

SUMÉRIEN

R. JESTIN, *Abrégé de grammaire sumérienne*, Paris, 1951.

CARIEN

F. STEINHERR, dans *Jahrbuch für kleinasiatische Forschung*, I, 1951, p. 328-336.

ÉCRITURE CRÉTOISE

Nouvel essai de déchiffrement par E. SITTIG dans *La Nouvelle Clio*, III, 1951, p. 1-40.

LANGUES CAUCASIENNES

Revues et collections

On trouvera de nombreux articles dans des périodiques publiés en U. R. S. S. : *Jazyk i myšlenije*, Moscou ; *Izvestija Akademiji Nauk SSSR, otdelenije literatury i jazyka*, Moscou-Leningrad[1]. — On a signalé une publication plus récente, *Ivero-kavkaz. jazykovedenije*, dont le vol. II a paru en 1948.

Généralités

V. Polák, *K problému lexikálnich shod mezi jazyky kavkazskými a jazyky slovanskými*, dans *Listy Filologické*, t. 70, Prague, 1946, pp. 23-31.

R. Bleichsteiner, *Die Völker des Kaukasus*, dans *Asien-Berichte*, V, Heft 22, 1944, p. 3-15.

H. P. Houghton, *Languages of the Caucasus*, dans *Classical Weekly*, t. 36, Lancaster (Pa.), 1943, pp. 219-223.

Th. Kluge, *Die Zahlenbegriffe der Dravida, der Hamiten, der Semiten und der Kaukasier*, Berlin, 1941.

Langues du nord-est

R. Šaumjan, *Grammatičeskij očerk agul'skogo jazyka: Caucasica* 2, Akademija nauk SSSR, Moscou-Léningrad, 1941 (Précis de la langue aghoul).

L. I. Žirkov, *Tabasaranskij jazyk*, Moscou-Léningrad, 1948.

Langues du nord-ouest

G. Dumézil, *Notes sur le verbe du tcherkesse occidental*, dans *Revue des Études Islamiques*, 1940, pp. 79-85. — *Quelques termes religieux des langues caucasiennes du Nord-Ouest*, dans *Revue de l'Histoire des Religions*, Paris, 1941, pp. 63-70.

J. Denčanašvili, *Matériaux concernant la question des arménismes des évangiles adyghé*, Tbilisi, 1946 (En géorgien).

T. Tobulov et A. Kamov, *Grammaire de la langue abaza* (en abaza) [2e partie : *Syntaxe*, Čerkessk, 1940].

G. P. Serdjučenko, *Ob izučeniji abazinskich govorov: Trudy Pervoj dialektologičeskoj konferenciji*, Rostov n. D., 1939, pp. 114-116 (Étude des dialectes abaza).

J. C. Catford, *The kabardian language*, dans *Le Maître phonétique*, III, 78, 1942, pp. 15-18.

N. Jakovlev, *Grammatika literaturnogo kabardino-čerkesskogo jazyka*, Moscou-Léningrad, 1941 (Grammaire du tcherkesse-qabardey littéraire).

N. Jakovlev et D. Aščamaf, *Grammatika adygejskogo literaturnogo jazyka*, Moscou-Léningrad, 1941 (Grammaire de l'adyghé littéraire).

G. F. Turčaninov, *Grammatika kabardinskogo jazyka*, I, Moscou-Léningrad, 1940 (Grammaire du qabardey).

Langues du sud

B. T. Rudenko, *Grammatika gruzinskogo jazyka*, Moscou, 1940 (Grammaire du géorgien).

---

1. Un article de A. Čikobava sur le géorgien, contenu dans le t. VII de cette publication, a été traduit en allemand dans *Sowjetwissenschaft*, 1948 (3), pp. 61-77.

A. Čikobava, *Kategorija grammatičeskich klassov i genezis padežnych okončanij v gruzinskom jazyke*, dans *Soobščenija akad. nauk Gruz. S. S. R.*, 1946, nᵒˢ 1-2, pp. 65-72. (La catégorie des classes grammaticales et les origines des désinences de cas en géorgien).

S. Finger, *Märchen aus Lasistan*, dans *Mitteilungen der anthropologischen Gesellschaft in Wien*, t. 69, Vienne, 1939, pp. 174-224 (matériaux linguistiques pp. 220-222).

I. S. Gvardžaladze, *Anglo-gruzinskij slovar'*, Tbilisi, 1939 (Dictionnaire anglais-géorgien).

P. A. Sanakojev, *Dictionnaire géorgien-ossète*, Stalinir, 1940.

R. Meckelein. *Georgisch-deutsches Wörterbuch* (Lehrbücher des Seminars für orient. Sprachen zu Berlin, XXXII, 1928). — *Germanul-Karthuli stiqwari. Deutsch-georgisches Wörterbuch* (Sprachenkundliche Lehr- und Wörterbücher, XXXVII, Leipzig, 1943).

Rectification :

Les deux études de H. Vogt sur le géorgien contenues dans le vol. XIV (1947) du périodique *Norsk Tidsskrift...* concernent le géorgien ancien (suffixes verbaux et système des cas).

LANGUE BASQUE

La conférence de R. Lafon, *Les origines de la langue basque*, publiée dans *Conférences de l'Institut de Linguistique de l'Université de Paris*, X, années 1950-1951 (Paris, 1951), p. 59-80, est suivie, p. 80-81, d'une courte liste de travaux postérieurs à 1945 et dont certains n'ont pas été signalés plus haut.

Le *Léxico* de Tovar a paru en 1951, à Madrid (*Estudios dedicados a Menéndez Pidal*, t. II, p. 273-323). On peut y ajouter :

R. Lafon, *Remarques sur l'aspiration en basque*, dans *Mélanges offerts à Henri Gavel* (Toulouse, 1948), p. 55-61.

Dans le *Boletin de la Real Sociedad Vascongada de Amigos del País*, deux articles de R. Lafon : *Remarques sur la racine en basque* (VI, 1950, p. 303-308) ; *Quelques traits essentiels de la langue basque* (VII, 1951, p. 13-24).

R. Lafon, *Les variations de la frontière linguistique basco-espagnole depuis le Moyen-Age, d'après un ouvrage récent*, dans *Bulletin Hispanique*, t. LI (1949), p. 163-169.

Antonio Tovar, *La lengua vasca* (San Sebastián, 1950) : court et bon ouvrage d'initiation ; compte rendu par R. Lafon dans *Bulletin Hispanique*, t. LII (1950), p. 123-126.

Antonio Tovar, *Sobre la fecha del alfabeto ibérico*, dans *Zephyrus*, organe du Séminaire d'archéologie de l'Université de Salamanque, t. II, p. 97-101 : article bref, mais important ; suivi d'un tableau des caractères tartessiens et ibères, avec leurs valeurs respectives et leurs analogues grecs, sémitiques ou cypriotes.

Les linguistes doivent connaître l'ouvrage capital de Julio Caro Baroja, *Los Vascos. Etnologia* (San Sebastián, 1949).

LANGUES DE L'EURASIE ET DE L'ASIE SEPTENTRIONALE

Langues ouraliennes

L'*Esquisse de la langue hongroise* de A. Sauvageot a paru : Paris, 1951.

Lexicologie :

BIRGE (K.), *Yeni Redhouse lûgati* (refonte du REDHOUSE anglais-turc), 1950.

Grammaires :

On ajoutera les grammaires de VON GABAIN (A. M.) pour l'*ouzbek*
(en allemand), 1945 (rééd. 1950) ; de BROCKELMANN (C.) pour le *turk
oriental* (en allemand), 1951 ; de BASKAKOV pour le *nogay* (en russe), 1940 ;
de DMITRIEV pour le *koumik* (en russe), 1940, et pour le *bachkir* (en russe),
1948 ; de DYRENKOVA pour l'*oyrot* (en russe), 1940 ; de JARRING (G.)
pour le *turk du Turkestan chinois* (en allemand), 1933 ; de BALAKAIEV pour
le *kazakh* (en russe), 1945 ; de MENGES pour le *karakalpak* (en anglais),
1947 ; de PETERS (L.) pour le *turquien* (en allemand), 1947 ; également :
KREIDER (H. H.), *First lessons in modern Turkish*, Istanbul, 1945 (avec
un bon vocabulaire).

Périodiques :

T'urkologičeskiy Sbornik, Acad. des Sciences de l'U.R.S.S., Leningrad-
Moscou, n° 1, 1951.

Rectification :

La grammaire bouriate de G. D. SANŽEEV a été, par suite d'une erreur
imputable à la rédaction, mentionnée p. 383 sous la rubrique *Mongol
classique ;* elle doit être placée p. 384 à la fin de la section *Dialectologie.*

Additions :

N. POPPE, *Khalkha-mongolische Grammatik*, Wiesbaden, 1951, est maintenant la meilleure grammaire et surtout la plus accessible que nous
possédions sur un dialecte mongol. Elle contient également des textes,
un petit vocabulaire et une riche bibliographie.

Des inscriptions sino-mongoles datant de l'époque pré-classique (moyen-
mongol) ont été éditées d'une façon exemplaire par F. W. CLEAVES.
Mentionnons : *The Sino-Mongolian Inscription of 1362 in Memory of
Prince Hindu*, dans *Harvard Journal of Asiatic Studies*, XII, 1949, pp. 1-
133 ; *The Sino-Mongolian Inscription of 1335 in Memory of Chang Ying-
jui, ibid.* XIII, 1950, pp. 1-131 ; *The Sino-Mongolian Inscription of 1338
in Memory of Jigüntei, ibid.* XIV, 1951, pp. 1-104.

Le beau travail de MARIAN LEWICKI, *La langue mongole des transcriptions
chinoises du XIVe siècle. Le Houa-yi yi-yu de 1389*, Wrocław, 1949, est
très important pour l'utilisation des textes mongols en transcription
chinoise.

Rectification :

P. 401, la mention de V. I. LEVIN, *Samoučitel' evenskogo yazįka*, Moskva-
Leningrad, 1935, doit précéder et non suivre l'indication : « Sur la langue
littéraire toungouze moderne ».

Additions :

Deux travaux de synthèse, sans doute fort importants, me sont demeurés
inaccessibles : O. P. SUNIK, *Očerki po sintaksisu tunguso-man'čžurskikh
yazįkov*, Moskva, 1947, et V. I. CINCIUS, *Sravnitel'naya fonetika tunguso-
man'čžurskikh yazįkov*, Leningrad, 1949.

Coréen

Š. Ogura, *The outline of the Korean dialects*, dans *Memoirs of the Research Department of the Tōyō Bunko*, n° 12, Tokyo, 1940.

Chlodovič, *Korejsko-russkij slovar*, Moscou, 1951 (aux indications bibliographiques de cet ouvrage on ajoutera : *Čŏ.sen.go ži.ten*, Čŏ.sen-sŏ.toku.hu, Séoul, [1934 ; Lew, *New Life Korean-English Dictionary*, Séoul, 1947 ; Č'ǫṅ Tä-čin et Kim Pyǫṅ-če, *Čo.sǫn ko.ǫ pan.gǫn sa.ǰǫn*, Séoul, 1948).

Usatov, Mazur, Mozdykov, etc., *Russko-Korejskij slovar*, Moscou, 1951 (comporte, pp. 949-1020, un *Abrégé de grammaire du coréen contemporain* de M. Mazur).

Čo.sǫn mal k'ǝn sa.ǰǫn, 3 vol. parus, Séoul, 1947, 1949, 1952.

Japonais

Rectifications :

Des deux ouvrages de Ch. Haguenauer signalés en première place p. 474, seul le second, *Origines de la civilisation japonaise*, est à l'impression. — Du même auteur, le *Cours de Langue japonaise moderne* annoncé p. 474 a paru en partie sous le titre *Morphologie du japonais moderne*, 1ʳᵉ partie, Paris, 1952. (Cet ouvrage forme le début de la seconde partie du *Cours*).

Additions :

Ch. Haguenauer, *Note à propos de japonais HA, lame, tranchant*, dans *Archiv orientálni*, XVIII, n° 1-2, pp. 239-281, Prague, 1950.

Sakuma Kanae, *The Structure of the Japanese Language*, dans *Bulletin of the Faculty of the Literature of Kyūshū University*, n° 1, 1951.

DRAVIDIEN

F. B. J. Kuiper, *Notes on Dravidian morphology*, dans *Acta orientalia*, XX (1946), pp. 238-252.

LANGUES DE L'ASIE DU SUD-EST

Langues tibéto-birmanes

J. Durr, *Morphologie du verbe tibétain*, Heidelberg, 1950. — *Deux traités grammaticaux tibétains*, Heidelberg, 1950.

R. I. Mc David Jr., *Burmese Phonemics*, dans *Studies in Linguistics*, III, 1, 1945, pp. 6-18.

M. R. Haas, *The use of numeral classifiers in Burmese*, dans *Semitic and Oriental Studies presented to William Popper*, Berkeley-Los Angeles, 1951, pp. 191-200.

R. Shafer Jr., *Phonétique historique des langues Lolo*, T'oung Pao, XLI, 1952.

Langues thai

M. R. Haas, *The use of numeral classifiers in Thai*, dans *Language*, XVIII, Baltimore, 1942, pp. 201-205.

Chinois

B. Karlgren, *Excursions in Chinese grammar*, dans *Mus. of Far-Eastern Antiquities*, Bull. n° 23, Stockholm, 1951, pp. 107-133.

Tch'ang-p'ei Lo, *Correction de j- en γj- dans le système du chinois ancien de M. Karlgren*, Han-hiue, Bull. du Centre d'études sinologiques de Pékin, III, 3-4, 1949, pp. 311-316.

M. Lewicki, *La langue mongole des transcriptions chinoises du XIVe siècle. Le Houa-yi yi-yu de 1389...*, dans *Travaux de la Société des sciences et des lettres de Wrocław*, seria A, n⁰ 29, Wrocław, 1949.

E. H. Shafer, *Nouns classifiers in classical Chinese*, dans *Language* XXIV, Baltimore, 1948, pp. 408-413.

W. Simon, *Der erl jiann and der jiann in Luenyu, VII*, 25, dans *Asia Major*, New Ser., II, 1, 1951, pp. 46-67.

R. A. D. Forrest, *The Ju-Shêng tone in Pekingese*, dans *Bull. Sch. Or. Afr. Studies*, XIII, 2, 1950, pp. 443-447.

Lien-shêng Yang, *The concept of « free » and « bound » in spoken Chinese*, dans *Harvard Journal of Asiatic Studies*, XII, 3-4, 1949, pp. 462-469.

Yuen Ren Chao, *The Cantian Idiolect. An analysis of the Chinese spoken by a twenty-eight months old child*, dans *Semitic and Oriental Studies presented to William Popper*, Berkeley-Los Angeles, 1951, pp. 27-44.

R. M. A. Barnett, *A transcription for Cantonese*, dans *Bull. Sch. Or. Afr. Studies*, XIII, 3, 1950, pp. 725-745.

J. de Francis, *The alphabetization of Chinese*, dans *J. Am. Or. Soc.*, vol. 63, n⁰ 4, 1943, pp. 225-240.

W. Franke, *Introductory note on the New Chinese latinized Script Sin Wenz (Hsin Wen-tzŭ)*, *Studia Serica*, VIII, Chengtu-Peking, 1949, pp. 120-125.

R. A. Hall Jr., *Chinese Pidgin-English grammar and texts*, dans *J. Am. Or. Soc.*, vol. 64, n⁰ 3, 1944, pp. 95-112.

LANGUES DE L'OCÉANIE

Langues malayo-polynésiennes

Indonésien

Addition au texte (p. 653) :

Le bahasa indonesia (« langue indonésienne »). — La République d'Indonésie a fondé un institut chargé de transformer le malais scolaire dit « de Riouw » en langue de civilisation (pour 70 millions d'hommes). La transcription est basée sur celle établie par les Hollandais, en caractères latins. — j = y, ng = ṅ, nj = ñ, dj = ǰ, tj = č, mais u note u (hol. oe). — L'Institut adopte des termes administratifs, juridiques, scientifiques et philosophiques, évitant autant que possible la simple transcription de mots européens. L'influence du javanais est forte. Cette langue est celle de l'enseignement secondaire et supérieur comme de la littérature actuelle. — Voir C. C. Berg (professeur d'histoire ancienne et actuelle de la langue indonésienne au « Koninklijk Instituut voor de Tropen » de Leide), *De problematiek van het Bahasa-Indonesia experiment*, Groningen-Djakarta, 1951 (traduction anglaise à paraître). Un périodique, *Pembina Bahasa Indonesia* (rédacteur en chef S. Takdir Alisjahbana) paraît à Djakarta depuis 1948.

Additions à la bibliographie :

D. V. Welsh, *Checklist of Philippine Linguistics in the Newberry library*, Chicago, 1950.

Voir aussi le récent article de M. Lenormand signalé ci-dessous dans les *Additions* à la bibliographie des *Langues mélanésiennes*.

Langues mélanésiennes

Rectification :

L'ouvrage de R. F. Fortune, *Arapesh*, mentionné par erreur dans la section *Nouvelle-Bretagne*, etc., doit être placé dans la section *Nouvelle-Guinée*.

Études d'ensemble

Rectification :

Pour le rapport de A. Capell signalé en dernière place, rectifier de la manière suivante : rapport n° 1, vol. II, bibliographie sans références nettes.

Addition :

A. G. Haudricourt, *Variations parallèles en mélanésien*, dans *BSL*, XLVII (1951), 1, pp. 140-153.

Austro-Mélanésie

A. G. Haudricourt, *Les langues du Nord de la Nouvelle-Calédonie et la grammaire comparée*, dans *Journal de la Soc. des Océanistes*, n° 4, Paris, 1948, pp. 159-162.

M. Lenormand, *Correspondances phonétiques du malais et du mélanésien de Lifou*, dans *BSL*, XLVII (1951), 1 pp. 154-161, (avec une bibliographie pour l'ensemble de l'austronésien, pp. 162-165).

Nouvelle-Guinée

G. Frederici, *Beiträge zur Völker- und Sprachenkunde von Deutsch Neuguinea*, Berlin, 1912.

J. Klaffe, F. Vormann, W. Schmidt, *Die Sprachen des Berlinhafen Bezirks in Deutsch-Neuguinea*, dans *Mitteil. d. Seminar f. Orient. Sprachen*, Berlin, 1905.

A. Capell, *Distribution of languages in the Central Highlands New-Guinea*, dans *Oceania*, vol. XIX, n° 2 (1948), pp. 545-574.

P. Drabbe, *Talen en Dialecten van Zuid-West Nieuw-Guinea*, Deel I, *Anthropos* XLV (1950), pp. 545-574.

Nouvelle-Bretagne

C. Laufer, *Die Taulil und ihre Sprache auf Neubritannien*, dans *Anthropos*, XLV (1950), pp. 627-640.

H. Volmer, *Grammatik des Bainingischen*, Berlin, 1928. — *Wörterbuch Baining-German*, Berlin, 1926 (Les deux dans *Mitteil. d. Seminar f. Orient. Sprachen*).

B. Bley, *Grundzüge der Grammatik der Neupommeranien Sprachen*, dans *Zeitschr. f. Afrik. und Ocean. Sprachen*, Jahr 3, Heft 2. — *Wörterbuch der Neupommeranien Sprachen*, Münster, 1900.

Nouvelles-Hébrides

D. Mac Donald, *The oceanic languages*, Londres, 1907 (Dictionnaire de Vaté).

Micronésie

A. Thalheimer, *Beitrag zur Kenntnis der Pronomina personalia und possessiva der Sprachen Mikronesien*, Stuttgart, 1908 (avec bibliographie).

P. Garvin, *Ponapean, a Micronesian language* (Grammaire, avec textes enregistrés ; manuscrit, University of Oklahoma, U. S. A., 1950).

Langues australiennes

U. H. Mc Connell, *Wik Munkan Phonetics*, dans *Oceania*, vol. 15, 1945.

W. E. Smythe, *Elementary grammar of the Gumbaiṅgar language* (*North coast*, N. S. W.), dans *Oceania*, vol. 19-20, 1948-1949.

Tasmanien

L'ouvrage du R. P. W. Schmidt annoncé p. 721 paraîtra en 1952 à Utrecht-Anvers.

Langues papoues

On trouvera des indications intéressant le papou dans la bibliographie des *Langues mélanésiennes* (et *Additions* correspondantes, voir ci-dessus), section *Nouvelle-Guinée*.

LANGUES DE L'AFRIQUE NOIRE

Des indications ont été fournies p. 752 sur les ouvrages dont la publication est attendue.

On n'y ajoutera que deux contributions importantes pour les problèmes de méthode :

1º Un essai de classification nouvelle par Joseph H. Greenberg, *Studies in African linguistic classification*, publié dans *Southwestern Journal of Anthropology* (Albuquerque, Mexico) en plusieurs articles dont le premier se trouve dans le tome V, 2 (été 1949) ; ces études ont été publiées trop tard pour être utilisées dans le chapitre du présent ouvrage sur les langues africaines ;

2º Guy Atkins, *The parts of speech in Nyanja*, nº spécial de *The Nyasaland Journal*, III, 1 (janvier 1950) ; on en trouvera un compte rendu par Marcel Cohen dans *BSL*, XLVII, 2 (1951).

Addition à la bibliographie du kounama (Soudan-Guinée, groupe nilo-tchadien) :

P. Giuseppe Fermo da Castelnuovo del Zappa, *Vocabolario della lingua cunama*, Rome, 1950.

Addition à la bibliographie du mô ou mossi (Soudan-Guinée, groupe voltaïque) :

Mgr Socquet, *Manuel-grammaire mossi*, IFAN, Dakar, 1952.

Addition à la bibliographie du peul (Soudan-Guinée, groupe sénégalo-guinéen) :

H. Labouret, *La langue des Peuls ou Foulbé*, IFAN, Dakar, 1952.

LANGUES DE L'AMÉRIQUE

Note liminaire

B. Ferrario, *Della possibile parentela fra le lingue « altaiche » ed alcune americane* [Runa-simi], dans *Actes du XIXᵉ Congrès des Orientalistes*, Rome 1938, pp. 210-223.

INDEX DES LANGUES

Les noms sont rangés par ordre alphabétique, les caractères non latins étant rejetés à la fin : ɔ, ǝ, ɛ, sauf les lettres grecques, placées immédiatement après les lettres latines correspondantes. Une lettre diacritée est traitée comme une lettre ordinaire. Une lettre placée au-dessus de la ligne est traitée comme si elle était sur la ligne.

Les noms sont portés à l'index sous toutes les formes qui en sont présentées dans l'ouvrage, chaque forme étant rangée à sa place alphabétique ; mais quand il n'y a aucune différence entre la graphie en romaine et la graphie en italique pour un même nom, une seule graphie est retenue.

Un même langage ayant plusieurs appellations ou notations se trouve cité à plusieurs places ; dans ce cas, il n'y a en principe ni renvois ni répétition de toutes les références intéressant la langue pour chaque forme citée de son nom ; on tiendra donc compte des variantes possibles pour un même nom (notation phonétique et orthographes diverses) ; pour le bantou, une même langue peut être citée à deux places, son nom se présentant avec ou sans préfixe.

Certains noms de langues qui n'apparaissent pas dans l'ouvrage sont indiqués ici ; l'index signale l'équivalent à chercher.

Outre les noms de langues et dialectes, l'index contient des noms servant indirectement à désigner où à situer des langages : noms de pays ou de régions, signalés par [p.], de villes ou de villages [v.], d'îles [î.], de mers [m.], de lacs [l.], de rivières [r.]. On n'a pas distingué les noms de populations des noms de langues, du fait que dans un très grand nombre de cas, les langages sont désignés par les noms des populations, des tribus qui les parlent. En principe, les noms traités comme noms de langues ont à l'initiale une minuscule, les noms de populations une majuscule ; en fait, il y a une certaine incohérence dans la répartition, du fait de l'usage divergent des différents auteurs, usage dont on a dû tenir compte.

Quand un nom fait l'objet de plusieurs références, on signale en gras, s'il y a lieu, les références essentielles qui renvoient au lieu de l'ouvrage où la langue est située dans le groupe auquel elle appartient et éventuellement au lieu où elle est décrite. Pour les chapitres qui contiennent une description générale d'un ensemble de langues, on indique entre parenthèses le lieu de cette description pour les langues qui y sont le plus fréquemment citées.

palestinien (araméen) 116, **122-123**
pali **21**, 552, 572, 573, 574, 610, 617
pāli = pali
Palikur 1102, 1107, 1108
pallaka 816
Palmella 1123
palmyrénien 124
Paloos 1044
Palta 1129, **1148-1149**
paluan 731
Palus 1044
Pama 1105, 1107
Pamana 1105, 1107
Pamari 1105
Pame 1056, 1078, **1079**
Pamigua 1141
pamiriens (parlers) 14
Pamlico 974
Pammari 1105, 1107, 1108
Pampa 1139
pampañan 650
pamphylien 40
Pampuchin 1086
Pampučin 1086
panaieti 677
pañam 652
Panamaca 1077
Panamaka 1077
Pañáme 1132
Panamint 1050
Panáre 1125
pañasinan 650
Panati 1141
Panče 1127
panda 806
Pande 898
Pangoa 1106
p'an-hasawa 286
Panikitá 1115
Pani-Maha 1004
Panis 1004
Panis-Loups 1004
Panis piqués 1004
Pankarurú 1136-1137
Pankura 1127
paññkumu 677
Pano 1105, 1106, 1107, 1108, **1137-1138**
Panobo 1137

panone 677
Panono 1140
Pantagora 1126
Pantagoro 1126
pāntara 816
Panteca 1086
Panteka 1086
Pantellaria [î.] 139
panuni 677
Papabuco 1083
Papabuko 1083
Papago 1052
papaire 822
Papamiän 1151
pape 804
papel 838
paphlagonien 188
papia 804
papiamento 52
papou 646, 647, 648, 675, 677, 695, **723-731**
papu 804
Pâques [î. de] 219, 220, 665
parāčǐ 34
Paraene 1103
Paraguano 1124
Para(how)kā 1103
Parakanā 1145
paʀam 804
Paranae 1143
Paranauát 1146
Paranáwa 1138
Paraokan 1103
Parašin 1132
Paratió 1141
Parauana 1124
Parauien 1141
Parauxano 1103, 1108
Paravil'ana 1124, 1127
Paravilhana 1103, **1124**
Parawa 1128
Parawgwan 1103
Parawkan 1103
parēñ 637
Parene 1103
Pareni 1103
Parentintin 1146
Paressí 1105, 1107, 1108
Pari 1146
Pariagoto 1125

Pariri (du haut Pacajá) 1123, 1128
Pariri (Yúko) 1126
Parivilhana 1124
pārsĭk 18
Parsioi 33
parthe **28**, 29
Parua 1146
Parukatu 1124
pašai 21
Pasain 1148
Pascagoula 1009
pascuan 665
Passamaquoddy 975
Passé 1104, 1108
Pasto **1114**, 1129
pašto 33
Pata 780
Patagon *(Čon)* 1117
Patagon (Karib) 1127
Patamona 1124
Patašo 1138, 1150
Patchoag 975
Pate [v.] 848
pati (Afrique) 804
pati (mélanésien) 676
Paṭiače 1101
Patiri 1002
Paṭoka 1142
Patoko 1122
patpatar 677
Patwin 1040
Pauate 1146
Pauhatan 974
Pauišana 1104
Paukura 1127
Paumari 1105
Paunaka 1105, 1107
Pauserna 1147
Pauxi 1124
Pava 1116
Pavatê 1136
Paviotso 1050
Pāwa]v.] 32
Pawnee 1003, **1004**, 1162
pawni = Pawnee
Pawumwa 1112
Paya 1084
Payaguá 1119
Payakú 1141
payem 797

INDEX DES ÉCRITURES

N.-B. La plupart des langues de l'Union Soviétique qui avaient reçu une écriture latine ont maintenant une écriture cyrillique.

INDEX DES TERMES LINGUISTIQUES

Pour l'ensemble de la terminologie linguistique, on consultera J. Marouzeau, *Lexique de la terminologie linguistique*, 3ᵉ éd., Paris 1951, (1ʳᵉ éd. 1933, 2ᵉ éd. 1944). On ne trouvera ci-dessous que certains termes spéciaux qui ne figurent pas dans ce lexique, ou dont il est fait un emploi spécial dans le présent ouvrage. Ceux de ces termes dont l'emploi est accompagné dans l'ouvrage des explications nécessaires ont été exclus de la liste ; toutefois, il a paru utile, dans certains cas, de rappeler ci-dessous le lieu de ces explications. Certains termes sont, dans cet index, expliqués seulement par une équivalence ; on trouvera la définition de l'équivalent dans le lexique de J. Marouzeau. L'emploi de l'italique pour certains termes employés dans les définitions indique que ces termes figurent à leur rang alphabétique dans le présent index.

Absolu (cas) : Cas caractérisé par l'absence de désinence (désinence zéro).

Absolutif : Désigne parfois un mode nominal du verbe analogue au gérondif.

Adversif : Cas du mot exprimant le but en direction duquel se fait un mouvement.

Affirmatif : Terme employé pour caractériser les formes verbales énonçant positivement un procès. (S'oppose à *négatif*).

Agent : Désigne d'une manière générale l'auteur d'un acte, fonction qui peut, dans certains cas, être spécifiée grammaticalement ; sur l'emploi particulier du mot pour le tibétain, voir page 539.

Agentif : Cas du mot désignant l'agent d'une action transitive exprimée par un verbe accompagné d'un objet ; s'emploie pour certaines formes à fonction verbale en tibétain, comme synonyme de *translatif*.

Agi : Désigne la forme particulière que prend dans certaines langues le mot désignant ce sur quoi s'exerce l'action, par opposition à *agent;* voir page 539.

Agissant = *agent* ; voir page 539.

Annective (force) : Se dit du pouvoir attractif d'un enclitique susceptible de lier un terme (ou un groupe logique) qui le suit en le rattachant régressivement à un autre terme (ou groupe logique) qui précède immédiatement l'enclitique en question.

Aoriste : Sens particulier pour les langues négro-africaines, défini page 744.

Applicatif : Forme verbale employée quand l'objet indirect marque à l'avantage ou au détriment de qui s'accomplit l'action (acheter pour quelqu'un).

Application : L'application d'un procès désigne d'une manière générale ce sur quoi porte le procès, l'objet du verbe pouvant en constituer un cas particulier.

Attributif : Se dit d'un enclitique qui précise que telle qualité ou la possession de tel objet ou tel état ou telle action sont à attribuer à l'objet ou à la personne que désigne le mot précédant immédiatement cet enclitique.

Cardinale (forme) : Emploi défini page 421.

Communication (langue de) : Voir *Relation* (langue de).

Concessif : Désigne dans certaines langues un mode du verbe dont la fonction est de marquer la concession.

Conclusive (fonction) : On dit qu'un mot variable est placé en fonction conclusive chaque fois qu'il intervient en conclusion du discours, c'est-à-dire à la fin d'une phrase complète.

Conjonctif : Pour désigner un mode du verbe, est d'une manière générale synonyme de *subjonctif;* mais les deux termes sont parfois employés avec des valeurs distinctes : voir notamment page 1174.

Connectif : Se dit d'un suffixe ou d'un enclitique dont le rôle est d'établir un rapport, un lien, entre deux termes ou groupes logiques.

Converbale (fonction) : Tout mot variable affecté d'un suffixe qui le place dans la dépendance d'un mot verbal est considéré comme utilisé en fonction converbale.

Coopérative (voix) : La voix coopérative ou contributive exprime l'accomplissement de l'action par plusieurs sujets contribuant à l'exercer. On trouve aussi pour cet ordre de notions les termes de comitatif, sociatif, adjutatif.

Dubitatif : Ensemble de formes verbales pourvu d'une valeur modale de doute qui se distingue, dans certaines langues, de valeurs voisines telles que celles du conditionnel ou du *suppositif;* voir pages 358, 360, 379.

Dubitatif-conjectural : Se dit d'un suffixe verbal qui indique que le sujet parlant s'exprime d'une façon imprécise, marquant le doute ou la conjecture.

Ejective = glottalisée. Voir transcriptions phonétiques.

Ergatif : Cas caractérisant dans certaines langues le sujet d'une action transitive (marquée éventuellement par un verbe du type spécifique dit *opératif* ou effectif).

Génitive, génitivale (relation) : Relation du même type que le rapport marqué entre deux termes, dans des langues à cas, par l'emploi du génitif pour l'un des deux termes ainsi construits.

Glide : Son de passage, accommodation euphonique.

Hortatif : Mode du verbe exprimant l'action qui fait l'objet d'une exhortation.

Imaginatif : Mode du verbe quand le procès est présenté comme imaginé.

Implication : Manière dont l'action est envisagée quant à sa délimitation dans le temps ; voir page 872.

Incorporation : Procédé caractéristique de certaines langues, en particulier de certaines langues indiennes d'Amérique, et dont on trouvera une définition et des exemples pages 1161-1162.

Injonctif : Est appliqué ici aux langues négro-africaines avec un sens particulier défini page 744.

Intranslatif : Voir page 540.

Jonctif : Se dit d'un suffixe à la fois *connectif* et *attributif*.

Négatif : Terme employé pour caractériser les formes verbales énonçant négativement un procès (S'oppose à *affirmatif*).

Opératif = effectif, pour caractériser un certain type de verbes, par opposition à affectif.

Palatal, palatalisé : Sont souvent employés comme équivalents de prépalatal, prépalatalisé ou mouillé.

Permansif = duratif.

Pluratif : Morphème ayant pour fonction de donner à un mot une valeur de pluriel.

Pronominalisation : Voir page 632.

Propositif : Se dit d'un suffixe qui indique que le sujet parlant ne s'exprime ni de façon catégorique, ni sur le mode impératif, mais se borne à proposer de, inviter à, suggérer que, etc.

Réflexif (voix réflexive) = réfléchi.

Relation (langue de) : Se dit d'une langue servant aux communications régionales entre gens de parlers différents (généralement non écrits). On dit aussi *langue véhiculaire* ou *langue de communication*.

Réversif : Cas du mot exprimant le point à partir duquel s'effectue un mouvement régressif ; s'applique parfois à une forme verbale exprimant un mouvement en sens contraire, un mouvement de retour.

Singulatif : Morphème ayant pour fonction de donner à un mot une valeur de singulier, généralement par opposition à un collectif.

Statif : S'applique à des formes nominales pour désigner dans certaines langues des adjectifs caractérisant une personne ou une chose comme placée dans tel ou tel état, pourvue de telle ou telle qualité (voir page 921), dans d'autres langues le cas indiquant l'état subi (voir page 204).

Subjonctif : S'entend d'une manière très générale pour désigner le mode marquant la dépendance, par opposition à l'indicatif, mode énonçant le fait pur et simple ; des termes particuliers sont employés lorsqu'il y a lieu de préciser la nature de la dépendance.

Suppositif : Ensemble de formes verbales pourvu d'une valeur modale de supposition qui se distingue dans certaines langues de valeurs voisines telles que celle du conditionnel ou du *dubitatif;* voir pages 358 et 360.

Suspensive (fonction) : Tout mot variable affecté d'une voyelle thématique ou d'un suffixe dont la fonction est d'indiquer qu'il y a une pause (suspension) dans un discours qui se poursuit, est dit en fonction suspensive.

Translatif : Voir page 540.

Véhiculaire : Voir *Relation* (langue de).

CORRECTIONS

Pages

335, l. 18, Rép. de Tannou-Touva : *lire* T. A. de (Tannou-) Touva.

335, l. 19, 45.000 : *lire* 60.000.

335, l. 12 du bas : *après* Hakas ?], *ajouter* (T. A.).

336, l. 8, boud. (Zaroubine) : *lire* boud. ; Zaroubine.

336, l. 15, ch. off. orth. : *lire* ch., off. orth.

336, l. 24 : (1892). En tout : *lire* (1892). — En tout.

338, l. 2, immigrés). : *lire* immigrés.

338, l. 23, 677.000 dont 932 *J̌emšid* en 1936, : *lire* 903.000 (932 *J̌emšid* en 1936) en 1941 ;

339, l. 4, en 1945 : *lire* devenu R. S. S. A. Kabarda en 1945.

339, l. 9, de la R. S. S. : *lire* des R. S. S.

339, l. 15, 15.500.000 : *lire* 18.054.000.

339, l. 19, 31 % entre 1927 et 1940 : *lire* 53 % entre 1927 et 1950.

343, l. 9, 734 : *lire* 732.

344, l. 4, Azerbeidjan). : *lire* Azerbeidjan.

345, l. 15 : *virgule avant* l'écriture.

345, dern. l., *ę(č)* : lire *ç(č)*.

346, l. 2. antérieures : *lire* antérieures).

359, l. 9 et 3 du bas, et p. 360, l. 20, personnelles : *lire* définitives.

365, texte du bas : astérisque à supprimer devant *üzerine* (2ᵉ ligne) et à ajouter devant *ecdadım* (3ᵉ ligne) et *tanzim* (5ᵉ ligne).

381, dern. l., *ügäs-iäyn* : lire *ügäs-ıyän*.

383, *Bibliographie,* section *Mongol classique,* l. 2 à 4 : *supprimer l'indication à laquelle il faut joindre*....... Moscou-Leningrad, 1941. *qui doit être placée p. 384 à la fin de la section Dialectologie.*

384, l. 4, Blechsteiner ; lire Bleichsteiner.

401, avant le 4ᵉ paragraphe : En fait de grammaires......, placer un sous-titre TOUNGOUZE.

401, l. 18-20 : *la mention* : Sur la langue littéraire toungouze moderne *doit être placée l. 20 devant* G. M. Vasilevič.

425, l. 6 du bas : grand tiret après -*á.*

451, l. 2 *Ȟoma. ži* : lire *Ȟoma.ži.*

454, l. 7 du bas, établt : *lire* établit.

461, l. 12, indice : *lire* indices.

467, l. 7, [ça] été : *lire* [ça] a été.

469, l. 9, *n.aṙ-* : lire -*n.aṙ-.*

469, l. 10, *k.eṙ-* : lire -*k.eṙ.*

470, l. 10, *k.u.ṙ.u* : lire *k.u-ṙ.u.*

472, l. 4 du texte : *kem.buṭu-š.i-ḷe* : lire *kem.buṭu-š.ı-ṭe.*

493, l. 7 : supprimer la parenthèse après *ǰ.*

496, l. 4 du bas : *lire* kouroukh.

525, l. 2 du bas, supprimer la virgule après *Note liminaire.*

526, l. 8 : ajouter *Pour le tibétain, voir p. 230, note 3.*

528, l. 11-12 du bas, numérotation : *lire* numération.

588, l. 14, *vietnamese* : lire *Vietnamese.*

591, l. 10 du bas, qu'ils ne fussent : *lire* qu'elles ne fussent.

594, l. 12 du bas, 206 : *lire* (206.

598, l. 13 du bas, trois : *lire* quatre.

627, l. 5, parenthèse : *lire* (kharia, djouang *ki*).

631, l. 16, *kajiaɔ* : lire *kaɟiaɔ.*

Pages

636, 637, 641, 642, 643 : les *f* sont à remplacer par *J*.

643, l. 4 du bas, Archœology : *lire* Archaeology.

644, l. 6 : lire *Santal Folk Tales*, Oslo, 1925-1927.

651, l. 2, *banjar* : lire *banjar*.

651, l. 3, tiret après *Sulawesi*.

653, l. 7, Crividjaya : *lire* Çrividjaya.

664, l. 3, cin : *lire* cinq; l. 7 du bas, Chatam : *lire* Chatham.

665, l. 16 du bas : virgule entre *Sikaiana* et *Moiki*.

672, dern. l., Parsi : *lire* Paris.

680, l. 3, pas : *lire* par.

687, texte, l. 2, *Na^mbori* : lire *na^mbori*.

687, texte, l. 3 : point entre *kone* et *na^mbori*.

689, l. 18, vol. I en anglais et en français : *lire* vol. II, bibliographie sans références nettes.

690, l. 5 : à porter p. 689, à la fin de la section Nouvelle-Guinée.

711, l. 10-11, Tamanie : *lire* Tasmanie.

713, l. 12 et 7 du bas, ε : lire ζ.

828, l. 2 du bas, $g^b e$: lire : $g^b \bar{e}$.

832, tableau, colonne Kra, 4ᵉ ligne, ę : lire ę̄.

832, l. 5 du bas, lavıkam : *lire* l'avıkam.

849, l. 8, Akare, BoGouro : *lire* AKare, BoGourou.

849, l. 16 du bas, KinyaMwesi : *lire* KinyaMwezi.

855, note, l. 3, lire *ḍiṅ* et *BaÑoko*.

873, l. 13 du bas, *iḱa* : lire *ika*.

880, l. 7 du bas, *isiX'osa* : lire *isix'osa*.

883, l. 9, *v* : lire *ṿ*.

885, l. 6, Oushi : *lire* Ouchi.

885, l. 7 du bas, KiNwenshi = Nweshi : *lire* KiNwenchi = Nwechi.

886, l. 11, Mankoya : *lire* MaNkoya.

896, l. 7, 33 6*b* : *lire* 336 *b*.

896, l. 18 du bas, Kou-Amba : *lire* KouAmba.

899, l. 10, Ba Mangangbeli- : *lire* BaManga ngbeli-.

902, l. 2, Ipanga : *lire* IPanga.

902, l. 11, BouShongo : *lire* BouChongo.

903, l. 9, Liyenga : *lire* LiYenga.

903, l. 21, Pseudo-Lokele : *lire* Pseudo-LoKele.

916, l. 7 du bas, *hūs* : lire *hŭs*.

927, l. 3 du bas, Qkung : *lire* Qkoung.

928, II, 25, Taune-Kwe : *lire* Tanne-Kwe.

928, III, 40 : *lire* Hei-xom.

929, l. 20, Houkwe : *lire* Hou-Kwe.

935, l. 12 du bas, Xkg'aou : *lire* Xkg'au.

974, l. 3, (7') : *lire* (7').

979, l. 9 du bas, 43° : *lire* 34°.

981, l. 6 : *lire* 40° Flathead (40) — Pend d'Oreilles (40') — Kalispel (40'') — Spokane (40''') [**28, 80, 79**].

999, l. 9, Léon : *lire* León.

1006, l. 3 du bas : *lire* 47° Seneca (47) — Cayuga (47') — Onondaga (47'') [**1, 45, 46, 74**].

1014, l. 18-17 du bas : *au lieu de* 61, 61', 61'', 61''', *lire* 63, 63', 63'', 63'''.

Pages

1016, l. 20-21 : *au lieu de* 65, 65′, 65″, 65‴, 65⁗, *lire* 67, 67′, 67″, 67‴, 67⁗.

1032, l. 3 du bas : après *EYAK*, ajouter (31).

1033, l. 7 : après *TLINGIT*, ajouter (32).

1033, l. 19 : après *HAIDA*, ajouter (33).

1117, l. 6, Ṭoneka : lire Ṭoneka.

1117, l. 5 du bas, *BRINTON* : *lire* Brinton.

1118, l. 3, *Sanavirona* : lire *Sanaviron*.

1132, l. 11 : après *Máku*, ajouter (e′).

1143, titre courant, GARANI : lire GARANÍ.

1170, l. 3 du bas, p. 13, lignes 4-5 : *lire* p. 1171, dern. l. et p. 1172, l. 1.

1180, l. 2, série des : *lire* sourdes.

1180, tableau, colonne des affriquées, dern. l. k^w, $k^{w^,}$, k^{w^c} : lire k^w, k^{w^c}, $k^{w^,}$.

1181, l. 10 du bas, amis : *lire* mais.

1184, l. 16, 'oʄ'ḥun : lire ɔoʄ'ḥun.

1185, l. 18 et 20, cilkᶜen : lire ɔilkᶜen.

1185, l. 25, 1ᵉʳ mot : lire ṭᶜaw.

1207, l. 6-7, Glückstadt près Hambourg : *lire* Utrecht-Anvers.

1247, col. 2, 1ᵉʳ mot : *lire* milyen.

1294, dernière ligne, 1128 : lire 1281.

XXXIV, l. 19, également : *lire* généralement.

XXXVII, l. 3 du bas : *après* 1944, *ajouter* 3ᵉ éd. 1950.

XL, l. 6, *structurael* : lire *structurale*.

TABLE DES MATIÈRES

TABLE DES TEXTES

(On a inclus dans cette table, outre les textes, les spécimens de phrases qui tiennent lieu de textes courts pour certaines langues. Les noms des personnes qui ont fourni des textes dans des cas particuliers sont indiqués en italiques entre parenthèses).

TABLE DES CARTES

(Sauf indications particulières entre parenthèses, les auteurs des cartes sont ceux des chapitres auxquels elles correspondent. Pour les planisphères, voir l'*Avertissement*).